D1532035

la Chanson française
et francophone

60-03-30

1968

la Chanson française et francophone

GUIDE TOTEM

SOUS LA DIRECTION DE

● PIERRE SAKA
● YANN PLOUGASTEL

OUVRAGE PUBLIÉ
AVEC LE SOUTIEN
DE LA SOCIÉTÉ
DES AUTEURS,
COMPOSITEURS
ET ÉDITEURS
DE MUSIQUE (SACEM)

LA COMMISSION SCOLAIRE MARIE-VICTORIN
ÉCOLE SECONDAIRE ANTOINE-BROSSARD
3055, boul. Rome Brossard, (QUÉBEC) J4Y 1S9
BIBLIOTHÈQUE (450) 443-0010
COTE R 782.42164
S158c
NUMÉRO D'ACQUISITION: 36536
0-593
4-2

LAROUSSE

Direction éditoriale
Jules Chancel

Maquette de principe
et maquette de couverture
Bernard Van Geet

Mise en page
Éric Chavanne/Blanc de zinc

Lecture-correction
Service de lecture-correction
Larousse-Bordas

Iconographie
Valérie Vidal

Fabrication
Nicolas Perrier

© **Larousse/HER 1999**

Toute reproduction ou représentation intégrale ou partielle, par quelque procédé que ce soit , de la nomenclature et/ou du texte contenus dans le présent ouvrage et qui sont la propriété de l'Éditeur, est strictement interdite.

Distributeur exclusif au Canada : « Messageries ADP, 1751 Richardson, Montréal (Québec) ».

ISBN : 2-03-511346-6

AVANT-PROPOS

Il faut savoir gré à Pierre Saka, Yann Plougastel et aux éditions Larousse d'avoir entrepris la création originale d'un Guide de la chanson française et francophone du XXe siècle.

La route qui mène de la page blanche de l'auteur et du compositeur à la perception de l'œuvre par le public est longue, aléatoire et semée d'embûches.

À chacun des stades de la création, de la production des supports sonores et visuels et de la diffusion par le spectacle vivant, la radio ou la télévision, interviennent, en effet, de multiples acteurs, que cet ouvrage a pour mission d'identifier. Créateurs, éditeurs, interprètes, mais aussi producteurs de spectacles ou de supports phonographiques, techniciens du son, directeurs artistiques, parmi les plus reconnus, figurent dans les 650 notices que comprend l'ouvrage.

En outre, les plus grands succès de ces chansons du siècle sont rassemblés, année par année, de 1900 à 1998.

Naturellement, toute énonciation de noms ou de titres expose au péché d'omission. Qu'il soit donc pardonné aux auteurs et à l'éditeur, le cas échéant, au bénéfice du mérite d'avoir tenté l'aventure, et de la poursuivre à l'avenir.

Ce guide précieux permettra au public d'appréhender le vaste monde de la chanson dans toutes ses composantes, parfois ignorées, et de mieux en comprendre l'importance et la valeur culturelles et humaines.

Jean-Loup TOURNIER
Président du Directoire de la SACEM

MODE D'EMPLOI

Pour le hit-parade du siècle, les dates indiquées sont celles du dépôt à la SACEM. Parfois, surtout pour les premières décennies du siècle, il y a un décalage relativement important entre cette date de dépôt et l'année du succès de la chanson. À l'époque, les délais entre la conception d'une chanson et sa commercialisation pouvaient être longs. Avec le temps et la multiplication des canaux de diffusion, la cadence de production et de réalisation des chansons s'est nettement accélérée.

Pour le dictionnaire, les titres des chansons sont imprimés en caractères romains et entre guillemets, ceux des albums, des opérettes et des films sont en italiques sans guillemets. Les noms et les termes suivis d'un astérisque (*) renvoient à une entrée du dictionnaire. Les titres indiqués en discographie, à la fin des entrées, sont une sélection de CD, disponibles en France en 1999.
Chaque entrée du dictionnaire débute par le nom de la personnalité suivi de son prénom et, le cas échéant, de son véritable patronyme entre parenthèses. Suivent le lieu et la date de naissance, et, le cas échéant, le lieu et la date de décès. Puis sont indiqués les fonctions de la personnalité (auteur, compositeur, interprète, etc.).

REMERCIEMENTS

Nous tenons à remercier les éditeurs suivants :
Éditions 14 Productions, Adèle, Alléluia, Allô Music, Alpha, ART Music, Avrep, Back To Paris, Barcaly, Paul Beuscher, Big Brother et Cie, Bleu Blanc Rouge, BMG Music France, L. Bousquet, Brull, Cara Nova, Choudens, Chiffre neuf, Cinequanon, Clouzeau, Colline, Déesse, Delabel, Digoudet Diodet, F. Dreyfus, Eco Music, EMI Publishing, Enoch, Écritoire, M. Eschig, Fortin, G. Krier, M. Handler, Heugel/Leduc, Jeune Music, J.R.G., Labrador, Laurelenn, P. Lederman, Léopard and Co, Lonely Boppa Music, Lorgère, Maeva, Mage Music, MCA/Caravelle, Melody Nelson, Métropolitaines, Micro, Moi Music, Mino Music, Musidisc, Onze Music, C. Pascal, Paula NC Music, P.E.C.F., Peterson, Phillipo, Piano Blanc, Playing Music, Polygram Music, Pouchenel, Première Music, Présence, Prosadis, P.S.A., Requiem Publishing, Ricordi, Rimbaud, Rock'n'Rose Music, Salabert, Saravah, S. B. K. Songs, Scarlet O'Lara, Semi/Méridian, Sido Music, Sony, Sources 96, Supersonic Music, Suzelle, C. Talar, Tanday Music, Temporel, Véranda Music, Virgin, Warner/Chappell et WEA.

Nous tenons également à remercier de leur aide :
Pierre Achard, Jacques Demarny, Martine Desmarais, Dany Lallemand et Patrice Schwartz.

LISTE DES COLLABORATEURS

Une partie des textes de cet ouvrage ont été repris du *Dictionnaire de la chanson mondiale,* paru chez Larousse en 1996. Ils ont été complétés et actualisés, quand cela était nécessaire.

Entre parenthèses : initiales de signature

Pierre Saka (P. S.)
codirecteur de l'ouvrage

Yann Plougastel (Y. P.)
codirecteur de l'ouvrage

Maurice Achard (M. A.)
rédacteur en chef adjoint au *Parisien,* écrivain

François Bensignor (F. B.)
journaliste, auteur de *Sons d'Afrique,* Marabout, 1988

Yves Bigot (Y. B.)
responsable des variétés à *France 2,* écrivain

Olivier Cachin (O. C.)
rédacteur en chef de *l'Affiche,* auteur de *l'Offensive rap,* Gallimard-Découvertes, 1996

Louis-Jean Calvet (L.-J. C.)
professeur de linguistique à l'université de Paris-I-Sorbonne, coauteur de *Cent ans de chanson française* (le Seuil, 1980) et auteur de *Georges Brassens,* Payot, 1993

Laetitia Cénac (L. C.)
journaliste à *Madame-Figaro*

Bouziane Daoudi (B. D.)
collaborateur de *Libération,* rédacteur en chef du magazine *World,* coauteur de *l'Aventure raï,* Le Seuil, 1996

Michel Doussot (M. D.)
journaliste

Alain Duault (A. D.)
journaliste à RTL et France Télévision

Henri Escudier (HE)
musicien, ancien guitariste des Garçons Bouchers et de Pigalle

Christian Eudeline (C. E.)
journaliste

Jérôme Garcin (J. G.)
directeur adjoint de la rédaction du *Nouvel Observateur,* écrivain, animateur du “Masque et la Plume” sur France Inter

Jean-Paul Germonville (J.-P. G.)
journaliste à *l'Est Républicain*

Ariane Gil (A. G.)
journaliste

Ève Griliquez (È. G.)
productrice à France Culture

Caroline de Guillebon (C. de G.)
organisatrice d'événements

Hélène Hazéra (H. H.)
journaliste à *Libération*

Serge Hureau (S. H.)
chanteur, directeur du Hall de la chanson à la Villette

Gilles de Kerdrel (G2K)
publicitaire

Vincent Le Leuch (V. L.L.)
journaliste à *Phosphore*

Véronique Mortaigne (V. M.)
journaliste au *Monde,* auteur de la Voix de *Cesaria Evora,* Actes sud, 1997 et de *Son latinos,* le Serpent à plumes, 1999

Frédéric Péguillan (F. P.)
journaliste à *Télérama*

Christian Plume (C. P.)
journaliste

Patricia Scott Dunwoodie (P. S-D)
professeur à l'Institut technologique européen des métiers de la musique du Mans

Benjamin Sire (B. S.)
musicien

Jacques Vassal (J. V.)
journaliste, auteur de nombreux ouvrages sur le folk et la chanson française

LE HIT-PARADE DU SIÈCLE

500 CHANSONS

En 1900, le caf'conc' jette ses derniers feux.

CONC' les années FROU-FROU

La chanson est un art d'expression populaire. Elle a mis du temps à devenir adulte. Elle est née on ne sait où ni quand ni comment. À ses tout débuts, la chanson était transmise oralement, de génération en génération. Elle était issue d'auteurs inconnus et qui le resteront. "Plaisir d'amour", poème de Florian, musique de Jean-Paul Martini, maître de musique du Prince de Condé, fait exception à la règle, car elle date de 1750. La chanson commence à prendre réellement forme et une place enfin économiquement remarquée dans la deuxième moitié du XVIIIe siècle. Il lui fallait un cadre pour son épanouissement. Elle le trouve avec le café concert, où artistes et chanteurs se produisent devant les consommateurs attablés. Napoléon les fera fermer, y voyant de possibles foyers d'agitation politique, mais ils reviendront vite et se multiplieront tout au long du second Empire. Sous la IIIe République naissante, Thérésa et Paulus seront les premières vraies tête d'affiche à l'Eldorado, célèbre établissement du boulevard de Strasbourg.

À l'approche du XXe siècle, la chanson monte d'un cran dans notre société. Montmartre en devient le haut lieu, avec des cabarets prestigieux, comme le Chat-Noir, le Lapin à Gill ou le Carillon. En 1893, c'est la création de l'Olympia, premier music-hall, qui présente l'attraction la plus folle, "le Pétomane", pour lequel il était précisé sur l'affiche : "Le seul qui ne paye pas de droits d'auteurs". Les plaisantins ajoutaient : "De droits d'odeurs !". Bientôt, on y présente des revues, où triompheront les premières grandes vedettes de la chanson moderne, comme Fragson, Mistinguett ou Yvonne Printemps.

1900

FROU-FROU

Paroles Monréal et Blondeau • Musique H. Chateau (Éd. SEMI) • Interprète Juliette Méaly

Dans une première version, cette chanson s'intitule "la Fête du souffleur". Un demi-succès. Délaissée dans un casier de son éditeur, elle est remarquée un jour par un Allemand de passage à Paris, qui l'emporte. Il en fait une version intitulée "Beim-Supper". qui fait un triomphe à Vienne ! Peu de temps après, Monréal et Blondeau cherchent un air pour une revue qu'ils montent au Théâtre des Variétés. Ils repensent à cette fameuse "Beim-Supper". Ils en font une nouvelle nouvelle version qui va symboliser la Belle Époque !

1901

AH ! LES P'TITS POIS

Paroles Mortreuil • Musique • Émile Spencer (Éd. Salabert) • Interprète Dranem

La présence scénique exceptionnelle de Dranem faisait de lui la seule tête d'affiche à l'Eldorado, qui était complet tous les soirs, alors qu'en face, à la Scala, il n'y avait pas moins de quatre ou cinq grosses vedettes au programme.

Ah ! les p'tits pois les p'tits pois
les p'tits pois
C'est un légume bien tendre
Ah ! les p'tits pois les p'tits pois
les p'tits pois
Ça n'se mange pas avec les doigts.

LES VIEILLES DE CHEZ NOUS

Paroles Jules Laforgue • Musique Charles Lévadé (Éd. Enoch) • Interprètes Alexis Boyer, Nucelly

Les vieilles de notre pays
Ne sont pas de vieilles moroses
Elles portent des bonnets roses
Des fichus couleur de maïs.

1902

VIENS POUPOULE

Paroles Alexandre Trébitsch et Paul Marinier (adaptation de "Komm Karoline") • Musique Adolphe Spahn (Éd. SEMI) • Interprète Mayol

Le sam'di soir après l'turbin
L'ouvrier parisien
Dit à sa femme : Comme dessert
J'te paie l'café concert

Viens Poupoule, viens Poupoule, viens
Quand j'entends des chansons
Ca m'rend tout polisson Ah !

LA PETITE ÉGLISE

Paroles Charles Fallot Musique Paul Delmet (Éd. Enoch) • Interprète Paul Delmet, Jean Lumière (en 1933) et Tino Rossi (en 1949)

Je sais une église au fond d'un hameau
Dont le fin clocher se mire dans l'eau
Dans l'eau pure d'une rivière.

1903

ÇA NE VAUT PAS L'AMOUR

Paroles Alexandre Trébitsch
Musique François Perpignan
(Éd. Méridian)
Interprète Esther Lekain

Tout ça n'vaut
pas l'amour
La vraie amour
La belle amour.

Dranem : il chantait avec malice des chansons volontairement bébêtes.

FROU-FROU

La femme porte quelquefois
La culotte dans son ménage
Le fait est constaté, je crois,
Dans les liens du mariage
Mais, quand elle va pédalant
En culotte comme un zouave
La chose me semble plus grave
Et je me dis en la voyant :

Refrain
Frou-frou, Frou-frou
Par son jupon la femme
Frou-frou, Frou-frou
De l'homme trouble l'âme
Frou-frou, Frou-frou
Certainement la femme
Séduit surtout
Par son gentil frou-frou !

La femme ayant l'air d'un garçon
Ne fut jamais très attrayante
C'est le frou-frou de son jupon
Qui la rend surtout excitante !
Lorsque l'homme entend ce frou-frou
C'est étonnant tout ce qu'il ose
Soudain il voit la vie en rose
Il s'électrise, il devient fou !
Au refrain

En culotte, me direz-vous
On est bien mieux à bicyclette
Mais moi je dis que sans frou-frou
Une femme n'est pas complète
Lorsqu'on la voit se retrousser
Son cotillon vous ensorcelle,
Son frou-frou, c'est comme un bruit d'aile
Qui passe et vient vous caresser !
Au refrain

PAROLES Monréal et Blondeau • MUSIQUE Chateau
© SEMI

1904

QUAND L'AMOUR MEURT

PAROLES de Georges Millandy • MUSIQUE Octave Crémieux (Éd. Digoudet-Diodet) • INTERPRÈTE Dickson

Lorsque tout est fini
Quand se meurt votre beau rêve
Pourquoi pleurer les jours enfuis
Regretter les songes partis...

1905

FASCINATION

PAROLES Maurice de Féraudy • MUSIQUE Fermo Marchetti (Éd. Phillipo) • INTERPRÈTE Paulette Darty

Je t'ai rencontré simplement
Et tu n'as rien fait pour chercher à me plaire
Je t'aime pourtant
D'un amour ardent
Dont rien, je le sens, ne pourra me défaire.

LES GOÉLANDS

PAROLES ET MUSIQUE Lucien Boyer (Éd. Fortin)
INTERPRÈTE Damia

C'est la chanson qui révélera en 1912 l'étonnant tempérament dramatique de Damia, alors que cette composition était passée totalement inaperçue à sa création.

Ne tuez pas le goéland
Qui plane sur le flot hurlant
Ou qui l'effleure
Car c'est l'âme d'un matelot
Qui plane au-dessus d'un tombeau
Et pleure... pleure !

LA MATTCHICHE

PAROLES Paul Briollet et Léo Lelièvre
MUSIQUE P. Badia • ARRANGEMENT Ch. Borel-Clerc (Éd. Salabert/Méridian) • INTERPRÈTE Mayol

C'est la danse nouvelle
Mademoiselle
Ainsi qu'une Espagnole
Lascive et folle...
Il faut cambrer la taille
D'un air canaille...

1906

LE CŒUR DE NINON

PAROLES Georges Millandy • MUSIQUE Becucci (Éd. Ricordi) • INTERPRÈTE Henri Dickson

Le pseudonyme à l'anglaise commence à se répandre. Pourtant, Dickson, originaire de Tlemcen en Algérie, n'a pas ce qu'on pourrait appeler un physique anglo-saxon.

Le p'tit cœur de Ninon
Est si petit
Est si gentil
Est si fragile
C'est un léger papillon...
Le p'tit cœur de Ninon.

Polin : sur scène, il préférait rester immobile

LA PETITE TONKINOISE

PAROLES Georges Villard et Henri Christiné • MUSIQUE Vincent Scotto (Éd. Salabert) • INTERPRÈTES Polin, Joséphine Baker

C'est la chanson qui décide de la carrière de Vincent Scotto.

Je l'appell'ma p'tit'bourgeoise
Ma Tonkiki, ma Tonkiki, ma Tonkinoise
Y'en a d'autr's qui m'font les doux yeux
Mais c'est elle que j'aim'le mieux.

LE P'TIT OBJET (AH ! MAD'MOISELLE ROSE)

PAROLES Antonin Bossy et Ambroise Girier • MUSIQUE Vincent Scotto et Henri Christiné (Éd. Rimbault) INTERPRÈTE Polin

Cette chanson suscitera la jalousie de Mayol, qui reprocha à Scotto de ne pas la lui avoir donnée.

Ah ! mad'moiselle Rose
J'ai un petit objet à vous offrir
Ah ! c'est quelque chose
Qui vous fera plaisir !

LE RÊVE PASSE

PAROLES A. Foucher et Ch. Helmer • MUSIQUE G. Krier (Éd. Beuscher) • INTERPRÈTES Bérard, Tino Rossi, A. Mestral

Les voyez-vous, les hussards, les dragons, la Garde
Glorieux fous d'Austerlitz que l'Aigle regarde,
Ceux de Kléber, de Marceau chantant la victoire,
Géants de fer s'en vont chevaucher la gloire.

LES MAINS DE FEMMES

PAROLES Émile Herbel • MUSIQUE Désiré Berniaux (Éd. Margueritat) • INTERPRÈTE Mayol

Je le proclame
Les mains de femmes
Sont des bijoux
Dont je suis fou

1907

AH ! SI VOUS VOULEZ D'L'AMOUR

PAROLES William Burtey • MUSIQUE Vincent Scotto (Éd. Digoudet Diodet) • INTERPRÈTE Adeline Lanthenay

Ah ! si vous voulez d'l'amour
Ne perdez pas un jour !
Buvez un'bonn'bouteille...

LA SOUPE ET L'BŒUF

PAROLES Valentin Tarault et Denola • MUSIQUE Charles Helmer (Éd. Fortin) • INTERPRÈTE Bach

Un des plus grands succès du comique troupier Bach, avec "la Madelon". Il formera ensuite avec Laverne un duo dont les sketchs enregistrés sur disques 78 tours furent les best-sellers des années trente.

La soupe et l'bœuf
Et les fayots, ça fait du bien par où qu'ça passe...

1909

CAROLINE, CAROLINE

PAROLES Louis Benech et Vincent Telly • MUSIQUE Vincent Scotto (Éd. Fortin) • INTERPRÈTE Malloire (reprise en 1950 par Bourvil)

Caroline, Caroline, mets tes p'tits souliers vernis
Ta robe blanche des dimanches
Et ton grand chapeau fleuri.

LA VALSE BRUNE

PAROLES Georges Villard • MUSIQUE Georges Krier (Éd. Beuscher) • INTERPRÈTE Georges Villard, Karl Ditan

Dans le tourbillon des valses à succès, celle-ci mérite une place particulière pour l'élégance de ses paroles et de sa musique. Ce rythme de danse a conquis le monde de la chanson et, après avoir été viennoise à sa naissance, la valse est devenue musette pour s'imposer définitivement en France.

C'est la valse brune
Des chevaliers de la lune
Que la lumière importune
Et qui recherchent un coin noir.

1910

REVIENS

PAROLES Auguste Bosc et Fragson • MUSIQUE Henri Christiné (Éd. Salabert) • INTERPRÈTES Harry Fragson, reprise par Jean Lumière et Réda Caire

Reviens, veux-tu ?
Ton absence a brisé ma vie
Aucune femme, vois-tu,
N'a jamais pris ta place en mon cœur, amie...

1911

RUE SAINT-VINCENT

PAROLES ET MUSIQUE Aristide Bruant (Éd. Salabert) • INTERPRÈTE Aristide Bruant

Elle avait sous sa toque d'martre,
Sur la butt'Montmartre,
Un p'tit air innocent
On l'app'lait Rose, elle était belle
Elle sentait bon la fleur nouvelle
Rue Saint-Vincent...

1912

À LA MARTINIQUE

PAROLES Henri Christiné • MUSIQUE H. Christiné et G. M. Cohan (Éd. Salabert) • INTERPRÈTE Harry Fragson

À la Mâtiniqu', Mâtiniqu' Mâtiniqu'
C'i ça qu'est chic, C'i ça qu'est chic
Pas d'veston, de col, de pantalon,
Simplement un tout pitit cal'çon...

L'HIRONDELLE DU FAUBOURG

PAROLES Ferdinand Benech • MUSIQUE Ernest Dumont (Éd. Beuscher) • INTERPRÈTE Eugénie Buffet

Les refrains de Benech et Dumont furent les plus populaires des années 1900. Ils étaient créés par des orchestres ambulants à Paris et en province. S'ils passaient cette épreuve, ils étaient alors inscrits au répertoire d'une grande vedette.

On m'appell'l'Hirondell'du Faubourg
Je ne suis qu'un'pauvr'fill'd'amour
Née un jour d'la saison printanière
D'un'petite ouvrière
Comm'les autr's j'aurais p't'êtr'bien tourné
Si mon père au lieu d'm'abandonner
Avait su protéger de son aile
L'Hirondelle.

Harry Fragson, le "chanteur de l'entente cordiale".

LE DÉNICHEUR

PAROLES Gibert et Niquet • MUSIQUE Léo Daniderff (Éd. Beuscher) • INTERPRÈTES Berthe Sylva, Fréhel

Un air qui a autant servi les chanteurs que les accordéonistes. C'est devenu un classique du musette grâce à de nombreux enregistrements instrumentaux.

On l'appelait le dénicheur
Il était rusé comm'un'fouine
C'était un gars qu'avait du cœur
Et qui dénichait des combines...

1913

AVEC BIDASSE

PAROLES Louis Bousquet • Musique Henri Mailfait (Éd. L. Bousquet) • INTERPRÈTE Polin, Fernandel

Avec l'ami Bidasse
On n'se quitte jamais
Attendu qu'on est
Tous deux natifs d'Arra... sseu
Chef-lieu du Pas-d'Calais...

SOUS LES PONTS DE PARIS

PAROLES Jean Rodor• MUSIQUE Vincent Scotto (Éd. J. Wolfsohn/Beuscher) • INTERPRÈTE Georgel

Sous les ponts de Paris
Lorsque descend la nuit
Tout's sort's de gueux se faufil'nt en cachette
Et sont heureux de trouver un'couchette...

Bach, exemple éminent du "tourlourou" (ou comique troupier).

1914

LA CAISSIÈRE DU GRAND CAFÉ

PAROLES Louis Bousquet • MUSIQUE Louis Izoird (Éd. L. Bousquet) • INTERPRÈTE Polin, Ouvrard, Fernandel

Cette "Caissière" est un classique du répertoire du comique troupier. Après Polin et les Ouvrard (père et fils), qui chantaient vêtus d'un costume militaire (tourlourou), Fernandel reprit le flambeau et s'avéra un inégalable "diseur" détaillant avec un rare talent ces couplets naïfs.

Elle est belle, elle est mignonne
C'est un'bien joli'personne
De dedans la rue on peut la voir
Qu'elle est assis'dans son comptoir...

QUAND MADELON

PAROLES Louis Bousquet • MUSIQUE Camille Robert (Éd. L. Bousquet) • Interprète Bach

Après avoir été chantée sans succès à l'Eldorado et à la Scala par Bach et Polin, la chanson, une fois la guerre commencée, est reprise au front par Bach. Les poilus l'adoptent et ce sera le triomphe.

1916

LE TRAIN FATAL

PAROLES Charles-Louis Pothier • MUSIQUE Charles Borel-Clerc (Éd. SEMI) • INTERPRÈTE Bérard

La chanson mélo dans toute sa splendeur. Bérard signe là sa plus étonnante création. Tout y est : le vibrato dramatique, dont la voix amplifie l'émotion au service de mots chocs ! Il nous en est resté heureusement un enregistrement sur 78 tours.

Roule, roule, train du malheur dans la plaine assombrie
Roule à toute vapeur d'un élan de folie...

1917

TU L'REVERRAS PANAME

PAROLES Roger Myra et Robert Dieudonné • MUSIQUE Albert Chantrier (Éd. Salabert)• INTERPRÈTE Jean Flor et Suzanne Valroger

Tu l'reverras Paname, Paname, Paname
La tour Eiffel, la place Blanche,
Notre-Dame
Les Boul'vards, les Belles Madames...

Pour le repos, le plaisir du militaire
Il est là-bas, à deux pas de la forêt
Une maison aux murs tout couverts de lierre
"Au Tourlourou" c'est le nom du cabaret.
La servante est jeune et gentille
Légère comme un papillon
Comme son vin son œil pétille.
Nous l'appelons la Madelon
Nous en rêvons la nuit
Nous y pensons le jour
Ce n'est que Madelon
Mais pour nous c'est l'amour.

Refrain
**Quand Madelon vient nous servir à boire
Sous la tonnelle on frôle son jupon
Et chacun lui raconte une histoire
Une histoire à sa façon.
La Madelon pour nous n'est pas sévère
Quand on lui prend la taille ou le menton
Elle rit, c'est tout l'mal qu'ell'sait faire
Madelon, Madelon, Madelon.**

2
Un caporal en képi de fantaisie
S'en fut trouver Madelon un beau matin
Et fou d'amour lui débite des folies
Et qu'il venait pour lui demander sa main.
La Madelon, pas bête en somme,
Lui répondit en souriant
Et pourquoi prendrais-je un seul homme
Quand j'aime tout un régiment ?
Mes amis vont venir,
Tu n'auras pas ma main,
J'en ai bien trop besoin
Pour leur servir mon vin.
Au refrain

Paroles L. Bousquet • Musique C. Robert ©Bousquet

Nota : pour l'anecdote, rappelons que la version publicitaire de cette chanson, patronnée à la fin des années trente par Monsavon, fut aussi célèbre que l'originale :
**Si vous voulez un savon de toilette
Qui soit très doux, qui sente vraiment bon
Un seul nom doit vous venir en tête
Monsavon, Monsavon, Monsavon
(Parlé) Au lait !**

LA CHANSON DE CRAONNE

Paroles Paul Vaillant-Couturier
Sur l'air de "Bonsoir M'amour", du compositeur Charles Sablon, père de Jean Sablon.
Cette chanson fut le cri de ralliement des troupes qui se sont mutinées à la suite des terribles combats du plateau de Craonne, au Chemin des Dames.
**Ceux qu'ont le pognon, ceux là reviendront
Car c'est pour eux qu'on crève
Mais c'est fini, car les troufions
Vont tous se mettre en grève.**

L'ASSOMOIR

Paroles Lucien Delormel et Georgel • Musique René de Buxeuil (Éd. Fortin)• Interprète Georgel
La plus célèbre chanson mélodramatique de l'époque.
**La dernièr' tournée, encore un p'tit verre
A la tienn' mon vieux t'es qu'un frère
Et le roi bistrot verse le vitriol
A ces pauvres fous assoiffés d'alcool**

1918

C'EST UNE GAMINE CHARMANTE (DE L'OPÉRETTE PHI-PHI)

Paroles A. Willemetz et F. Sollar • Musique H. Christiné (Éd. Salabert) • Interprète Urban
Maurice Chevalier dira un jour de Willemetz : "Parmi les auteurs que j'ai chantés, le plus complet, celui dont le style, la grâce, la légèreté savaient le plus affiner ma gouaille faubourienne, a été Albert Willemetz !".
**C'est une gamine charmante *(ter)*
Qui possède une âme innocente *(bis)*
En elle tout est poésie
Elle répond au doux prénom... d'Aspasie...**

DANS LES FOSSÉS DE VINCENNES

Paroles Cami • Musique F. Heintz (Éd. Fortin)
Interprète Georgel (Roger Pierre et Jean-Marc Thibault la chanteront à leurs débuts).
**Dans les fossés d'Vincennes
Quand fleurissait la verveine
Fuyant les faubourgs
Ils rêvaient d'amour.**

REVUE

NÈ

A

les années FOLLES

APRÈS LA GUERRE DE 1914-1918, LES FRANÇAIS ONT ENVIE D'OUBLIER ET DE S'AMUSER.

C'est le moment pour un jeune amuseur comme Georgius de faire de bons débuts au Concert Mayol avec ses chansons "les Archers du Roy" et "Sur un air de shimmy". La romance "les Millions d'Arlequin" passe à la radio, une T.S.F. qui balbutie encore. Jean Cocteau joue de la batterie au Bœuf sur le toit, le cabaret à la mode qu'il a fondé. Et la musique "nègre" fait battre le pouls des Champs-Élysées au rythme du régime de bananes qui tressaute autour de la taille de Joséphine Baker.

Revues et opérettes sont toujours à la mode. On joue *Ta bouche* au Théâtre Daunou, avec Victor Boucher, *En douce*, au Casino de Paris, *En pleine folie* aux Folies-Bergère, avec bien sûr à la clé de nombreux succès de chansons, car c'était à l'époque ce genre de spectacle qui les lançaient : "Tu verras Montmartre", "Éléonore", "Dis passe la main", "Machinalement", "C'est jeune et ça n'sait pas". C'est aussi la confirmation de Mistinguett, de Chevalier, de Dréan, de Tramel, et des affiches de Paul Colin.

L'implantation en France des disques Columbia, firme américaine, améliore la qualité du disque 78 tours, dont le bruit de fond disparaît. De grands changements s'opèrent aussi au cinéma, qui devient sonore : on va voir et entendre sur grand écran *le Chanteur de jazz*, avec Al Jolson qui chante "My Mammy". Pour la première fois, on applaudit à l'Empire Music Hall des vedettes américaines comme les duettistes Layton et Johnson, dont les disques sont distribués et entendus en France avant leur prestation en scène : "Dinah", "Blue Heaven", "Every Sunday Afternoon" et "Halleluyah".

Avec l'arrivée de Rip, la revue des chansonniers change de ton. Elle colle davantage à l'actualité sociale et politique. Ce maître incontesté du genre est magistralement aidé par une grande et belle interprète : Jeanne Aubert.

Une affiche et une artiste à jamais célèbres.

1920

MON HOMME

PAROLES Jacques Charles et Albert Willemetz
MUSIQUE Maurice Yvain (Éd. Salabert) • INTERPRÈTES Mistinguett, Andrée Turcy, reprise par Patachou, Colette Renard

C'est à Villerville, aux environs de Dieppe, par un bel été, qu'est né "Mon homme". Mistinguett passe ses vacances avec Maurice Chevalier, Jacques Charles, Albert Willemetz et Maurice Yvain. Un soir, ce dernier s'escrime au piano sur un couplet où il est question de légumes (cornichons, oignons, potiron), tandis que Jacques Charles lit une pièce de Francis Carco, Mon homme, *qu'il doit adapter pour les États-Unis. Machinalement, tout en écoutant l'air que joue Maurice Yvain, il y transpose des paroles que lui inspire sa lecture. C'est le déclic. Une idée surgit et une nouvelle chanson voit le jour, que la Miss commence par refuser. Il faudra toute l'insistance de Chevalier pour la faire changer d'avis.*

DU GRIS

PAROLES Ernest Dumont • MUSIQUE Ferdinand Benech (Éd. Beuscher) • INTERPRÈTES Berthe Sylva, Germaine Montero

C'est la chanson qui fait passer Fréhel de son premier rôle de gigolette à celui de grande chanteuse réaliste.

Du gris que l'on prend dans ses doigts
Et qu'on roule
C'est fort, c'est âcre comm' du bois,
Ça vous saoule.

CACHE TON PIANO

PAROLES Albert Willemetz • MUSIQUE Maurice Yvain (Éd. Breton) • INTERPRÈTE Dréan

En 1920, le gouvernement crée un impôt sur les pianos. Cela provoque un tollé dans la profession et donne prétexte à une revue à grand succès !

Si tu n'veux pas payer d'impôts...
Cach' ton piano... Cach' ton phono
Cach' ta trompette
Ton tambourin avec tes baguettes
Tes castagnettes et tes grelots.

1921

DANS LA VIE FAUT PAS S'EN FAIRE

PAROLES Albert Willemetz • MUSIQUE Henri Christiné (Éd. Salabert) • INTERPRÈTE Maurice Chevalier

Un des principaux airs, avec "Si j'avais su... évidemment", de l'opérette Dédé.

Dans la vie faut pas s'en faire
Moi je n'm'en fais pas
Ces petites misères
Seront passagères
Tout ça s'arrang'ra.

MES PARENTS SONT VENUS ME CHERCHER

PAROLES ET MUSIQUE Fred Pearly (Éd. Salabert)
INTERPRÈTE Fortugé

Fortugé fut le plus fin diseur de ce début de siècle, dans la lignée de Dranem.

Mes parents sont venus me chercher
Ils m'ont mis dans la chambre à coucher
Puis ils sont allés à la mairie
Dir' c'qu'ils avaient fait pour la patrie...

Maurice Chevalier à ses débuts

NUIT DE CHINE

Quand le soleil descend à l'horizon
À Saïgon...
Les élégantes s'apprêt'nt et s'en vont
De leurs maisons...
À petits pas, à petits cris,
Au milieu des jardins fleuris,
Où volent les oiseaux jolis
Du paradis...
Tendrement enlacés,
Se grisant de baisers,
Les amants, deux par deux,
Cherchent les coins ombreux.

Refrain
Nuits de Chine,
Nuits câlines,
Nuits d'amour !
Nuits d'ivresses,
De tendresses,
Où l'on croit rêver jusqu'au lever du jour !
Nuits de Chine,
Nuits câlines,
Nuits d'amour !

Sur la rivière entendez-vous ces chants
Doux et charmants ?
Bateaux de fleurs où les couples en dansant
Font des serments !
Pays de rêve où l'étranger,
Cherchant l'oubli de son passé,
Dans un sourire a retrouvé
La joie d'aimer...
Éperdu, le danseur
Croit au songe menteur,
Pour un soir de bonheur
On y laisse son cœur...
Au refrain

PAROLES E. Dumont• MUSIQUE Benech © Beuscher

1922

NUITS DE CHINE

PAROLES Ernest Dumont • MUSIQUE Benech (Éd. Beuscher) • INTERPRÈTE Fred Gouin

Cette chanson bénéficie de la vogue naissante du disque 78 tours, qui ne va cesser d'apporter une aide précieuse au lancement de nouvelles créations.
Les frères Pathé sauront profiter de ce courant porteur et imposeront aussi le phonographe à aiguille

LA JAVA

PAROLES Willemetz et J. Charles • MUSIQUE Maurice Yvain (Éd. Salabert) • INTERPRÈTE Mistinguett

Nouvelle chanson, nouveau pas de danse qui s'ajoute au règne du musette et de l'accordéon.

Qu'est-ce qui dégotte... Le fox-trot
Et mêm' le shimmy
Les pas english... La scottish
Et tout c'qui s'ensuit... C'est la java...

TITINE
(JE CHERCHE APRÈS TITINE)

PAROLES Henri Lemonnier et Marcel Bertal • MUSIQUE Léo Daniderff (Éd. Méridian)• INTERPRÈTE Gaby Montbreuse

Charlie Chaplin évolue sur la musique de cette chanson dans son film les Temps modernes, croyant qu'elle était tombée dans le domaine public. Erreur! La SACEM veillait. Le film ayant fait de fortes recettes, cette fameuse Titine rapporta gros à ses auteurs.

Je cherche après Titine, Titine, oh ! ma Titine
Je cherche après Titine et ne la trouve pas.
(bis)

1923

NOUS AVONS FAIT UN BEAU VOYAGE
(DE L'OPÉRETTE CIBOULETTE)

PAROLES Robert de Flers et Francis de Croisset
MUSIQUE Reynaldo Hahn (Éd. Salabert)

Cet exemple d'une opérette qui crée un succès dans la chanson n'est pas unique. La même année, c'est le cas de l'Amour masqué, Là-haut *et de* Ta bouche.

Nous avons fait un beau voyage
Nous arrêtant à tous les pas
Buvant du cidre à chaqu' village
Cueillant dans les clos des lilas.

LA BUTTE ROUGE

PAROLES Montéhus • MUSIQUE Georges Krier (Éd. Beuscher)
INTERPRÈTE Montéhus

Devenu patriote en 1914, Montéhus décrit la butte de Bapaume-en-Champagne, haut lieu des combats franco-allemands. Mais, après lui, la chanson sera interprétée dans un tout autre sens et deviendra un "tube" de gauche. Le rouge n'évoquera plus le sang des poilus mais celui des ouvriers. Montand la chantera dans les années cinquante.

La Butte rouge c'est son nom
Le baptême s'fit un matin
Où tous ceux qui montèrent roulaient dans le ravin...

LÀ-HAUT

PAROLES Albert Willemetz
MUSIQUE Maurice Yvain (Éd. Salabert)
INTERPRÈTE Maurice Chevalier

Chanson vedette de l'opérette du même nom, créée par Chevalier et Dranem.

Est-ce qu'on se lève tôt
Là haut
Y'a-t-il le gaz et l'eau
Là haut
Entend-on le métro, le tramway, les autos...

1924

LA PLUS BATH DES JAVAS

PAROLES Georgius • MUSIQUE Trémolo (Éd. SEMI) • INTERPRÈTE Georgius

Un des premiers gros succès de ce fantaisiste bondissant qu'est Georgius, que l'on entend maintenant à la radio.

Ah ah ah ah
Regardez ça si c'est chouette
Ah ah ah ah
C'est la plus bath des javas.

PARS

PAROLES ET MUSIQUE Jean Lenoir (Éd. SEMI) • INTERPRÈTE Yvonne George

Fréhel, jeune et encore très belle.

Pars, sans te retourner, pars
Sans te souvenir,
Ni mes baisers ni mes étreintes
En ton cœur n'ont laissé d'empreintes...

ELLE S'ÉTAIT FAIT COUPER LES CH'VEUX

Paroles Vincent Telly • Musique René Mercier (Éd. Breton) • Interprète Dréan, reprise en 1950 par Andrex

Ell' s'était fait couper les ch'veux
Comm' un' petit' fille
Gentille.
Ell' s'était fait couper les ch'veux
En s'disant : "Ça m'ira beaucoup mieux".

LE TROMPETTE EN BOIS

Paroles Jean Boyer • Musique Vincent Scotto (Éd. Salabert) • Interprète Georges Milton

Oh ! dis chérie, oh joue-moi z'en
D'la trompette
D'la trompette
Comme ce doit être amusant
Joue-moi z'en, oh dis, joue-moi z'en.

1925

VALENTINE

Paroles Willemetz • Musique Henri Christiné (Éd. Salabert) • Interprète Maurice Chevalier

Cette chanson tient en quatre phrases :

Les tout petits petons...
Le petit menton...
Les tout petits tétons...
Que je tâtais à tâtons !

OÙ EST-IL DONC ?

Paroles André Decaye et Lucien Carol • Musique Vincent Scotto (Éd. Fortin) • Interprètes Georgel, Fréhel

L'exemple d'une chanson qui fit deux carrières. Tout d'abord chantée par Georgel, elle est ensuite reprise par Fréhel, qui l'interprète merveilleusement dans le film de Julien Duvivier, Pépé le Moko, *en 1936, avec Jean Gabin.*

Où est-il mon Moulin d'la place Blanche,
Mon tabac et mon bistro du coin,
Tous les jours pour moi étaient dimanche,
Où sont-ils les amis, les copains ?

PETIT LOULOU DE POMÉRANIE

Paroles Fred Pearly et Max Eddy
Musique Gaston Gabaroche (Éd. Salabert)
Interprète Gaston Gabaroche

Petit Loulou de Popo oh
Petit Loulou de Mémé hé
Petit Loulou de Rara ah
Petit Loulou de Ninie hi...
Popo, Mémé, Rara, Ninie
Loulou de Poméranie.

1926

DERRIÈRE LES VOLETS

Paroles Albert Terrier • Musique Géo Valdy (Éd. Breton)
Interprète Guy Berry (enregistrement en 1933), reprise par Jean Lumière (en 1951)

Guy Berry débute brillamment avec cette chanson dans la carrière des chanteurs de charme. Son triomphe sera complet dix ans plus tard avec "la Révolte des joujoux" de Claude Pingault et Christian Vebel.

Derrière les volets de ma petite ville,
Des vieilles en bonnet vivent tout doucement...

LES ROSES BLANCHES

Paroles Charles Pothier • Musique Léon Raiter (Éd. Méridian) • Interprète Berthe Sylva

Au début des années quatre-vingt, un sondage mit "les Roses blanches" en tête des chansons les plus aimées des Français...

RIQUITA

Paroles Ernest Dumont • Musique Louis Benech (Éd. Beuscher) • Interprètes Benech et Dumont, Georgette Plana

Cette chanson, publiée en 1926, renaîtra quarante ans plus tard et connaîtra un deuxième succès, chantée par Georgette Plana.

Riquita, jolie fleur de Java,
Viens danser, viens donner des baisers
Riquita, joli rêve d'amour,
On voudrait te garder pour toujours.

MON HOMME

Sur cette terre ma seule joie
Mon seul bonheur
C'est mon homme.
J'ai donné tout c'que j'ai
Mon amour et tout mon cœur
À mon homme.
Et même la nuit
Quand je rêve c'est de lui
De mon homme.
Ce n'est pas qu'il est beau
Qu'il est riche ni costaud
Mais je l'aime c'est idiot!
Y m'fout des coups
Y m'prend mes sous
Je suis à bout mais malgré tout
Que voulez-vous...

Je l'ai tell'ment dans la peau
Qu'j'en d'viens marteau
Dès qu'il s'approche c'est fini
Je suis à lui
Quand sur moi ses yeux se posent
Ca m'rend tout' chose
Je l'ai tell'ment dans la peau
Qu'au moindre mot
Y m'f'rait faire n'importe quoi
J'tuerais ma foi
J'sens qu'il m'rendrait infâme
Mais je n'suis qu'un' femme...

Pour le quitter c'est fou
Ce que m'ont offert
D'autres hommes.
Entre nous, voyez-vous,
Ils ne valent pas très cher
Tous les hommes.
La femme à vrai dire
N'est faite que pour souffrir
Par les hommes.
Dans les bals j'ai couru
Afin d'oublier j'ai bu
Rien à faire j'ai pas pu
Quand y m'dit viens
J'suis comme un chien
Y'a pas moyen
C'est comme un lien
Qui me retient...

Je l'ai tell'ment dans la peau
Qu'j'en suis marteau
Que cell' qui n'a pas connu
Aussi ceci
Ose venir la première
Me j'ter la pierre.
En avoir un dans la peau
C'est l'pire des maux
Mais c'est connaître l'amour
Sous son vrai jour
Et j'dis qu'il faut qu'on pardonne
Quand un' femm' se donne
À l'homme qu'elle a dans la peau.

PAROLES A. Willemetz et J. Charles
MUSIQUE M. Yvain © Salabert

1927

POUR ACHETER L'ENTRECÔTE

PAROLES Robert Goupil
MUSIQUE Marius Zimmermann (Éd. SEMI)

*Chantée par de nombreux seconds rôles à partir de 1927, cette valse-rengaine devint ensuite une chanson pastiche de la chanson réaliste. Complément du mélodrame bouffon d'*Orion le Tueur, *joué par la compagnie Grenier-Hussenot, elle constitue le premier grand succès des Frères Jacques au cabaret de la Rose rouge (1946).*

C'est pour pouvoir acheter l'entrecôte
Qui nourrira les chères têtes blondes
Qu'ell' reçoit sans cess' de nouveaux hôtes
Et qu'ell' devient la femme à tout l'monde.
Et dans la nuit, pieusement
Si elle fait des heur's de supplément
C'est pour pouvoir acheter
L'entrecô... ô... ô... te!

1928

CONSTANTINOPLE

PAROLES Fernand Rouvray et Léo Lelièvre
MUSIQUE H. Carlton (Éd. L. Wright/Allo Music)
INTERPRÈTE H. Henry, Alibert

Le comique belge Henry, qui la chante sur scène, fait monter les spectateurs pour qu'ils épellent le refrain lettre après lettre et à toute vitesse. La difficulté de l'exercice provoque des pataquès qui amusent beaucoup le public.

Constantinople
C'est aussi facile à prononcer
Que votre alphabet
C.O.N.S.T.A.N.T.I.N.O.P.L.E.

LES ARTICHAUTS (DE L'OPÉRETTE LE COMTE OBLIGADO)

PAROLES André Barde
MUSIQUE Raoul Moretti (Éd. Salabert)
INTERPRÈTE Georges Milton

Georges Milton est désormais une grande vedette. Le Comte Obligado *est un immense succès avec, en plus des "Artichauts", un autre refrain célèbre, "la Fille du Bédouin".*

Est-ce que les artichauts
Froids sont meilleurs que chauds ?
Moi je n'sais pas renseignez-moi
Car s'ils sont meilleurs chauds
Moi qui les mange froids
J'les réchauff'rai la prochaine fois...

Mistinguett dans son costume de meneuse de revue.

RAMONA

PAROLES Saint-Granier-Willemetz • MUSIQUE M. Wayne (Éd. EMI Publishing Music) • INTERPRÈTE Saint-Granier

Ce grand succès américain adapté en français déclenche un scandale. Le compositeur français Landeroin prétend qu'il est plagié et il bat la campagne contre les musiques étrangères. Il est suivi par ses confrères et tout le métier de la chanson.

Ramona
J'ai fait un rêve merveilleux
Ramona
Nous étions partis tous les deux...

1929

CE N'EST QUE VOTRE MAIN, MADAME

PAROLES Léo Lelièvre et Fernand Rouvray
MUSIQUE R. Erwin (Éd. SEMI)
INTERPRÈTE Vorelli
(Jean Sablon l'enregistrera en 1948)

Ce n'est que votre main, madame,
Sur quoi j'ose poser,
Gage d'amour certain, madame,
Un timide baiser...

POUÈT ! POUÈT !

PAROLES André Barde • MUSIQUE Maurice Yvain (Éd. Salabert) • INTERPRÈTE Georges Milton

Encore un succès venu d'une opérette (Elle est à vous) *et encore un succès de Georges Milton. Un exemple de la mode franchouillarde de l'époque.*

Je lui fais Pouèt' Pouète !
Ell' me fait Pouèt' Pouète !
On se fait
Pouèt' Pouète !
Et puis ça y est !

GOSSE DE PARIS

PAROLES Léo Lelièvre et De Lima • MUSIQUE René Sylviano (Éd. Salabert) • INTERPRÈTE Mistinguett

Je suis née dans l'faubourg Saint-D'nis
Et j'suis restée un' vraie gosse de Paris

PAUL
COLIN

les années TANGO

Né à Toulouse, découvert à Buenos Aires, Carlos Gardel vient à Paris pour imposer le tango.

Au début des années trente, le disque et la radio sont définitivement installés dans le paysage musical. Les grands magasins Au Printemps et Les Galeries Lafayette offrent désormais à leur clientèle un magnifique rayon de disques. Aux murs, des affiches des vedettes du moment, Maurice Chevalier, André Baugé, Georges Milton, Fréhel, Mistinguett, et, au-dessous de leurs noms, les marques de disques, Pathé, Columbia, Cristal, Odéon, Gramophone ou Polydor.

Le début des années trente est riche aussi en créations de toutes sortes. Au Moulin-Rouge sort la version cinématographique de *l'Opéra d'quat'sous*.

En 1931, Carlos Gardel vient à Paris, auréolé par son triomphe en Argentine, où il a popularisé une nouvelle musique et une nouvelle danse, le tango. Les Français lui réservent un accueil enthousiaste. En un mois, il vend près de 100 000 disques 78 tours. Plusieurs de ses chansons resteront célèbres et sont encore jouées de nos jours : "Bandoneon arrabalero", "Adios muchachos", etc.

La radio influence la chanson de bien des façons. Elle va confirmer la formule que Max Viterbo a créée à la Fourmi, petit music-hall du boulevard de Clichy : les amateurs se présentent au public. S'ils sont bons, ils terminent leur chanson ; s'ils sont mauvais, les spectateurs lèvent le bras et un gong résonne. Des coulisses sort un immense crochet qui se saisit du concurrent malheureux. Radio Cité reprend le concept et en fait une émission extrêmement populaire, animée par Saint-Granier, "Le crochet radiophonique".

Le cabaret continue de jouer un rôle important : les Deux-Ânes, le Libertys, restaurant spectacle, tremplin de futures vedettes de la chanson, Chez O'Dett, où débutent Charles (Trenet) et Johnny (Hess), le Guerny's, de Louis Leplée, qui révèle la Môme Piaf, les Noctambules... la liste est longue. La danse n'est pas en reste, avec la valse, le tango et puis, à la fin de la décennie, le Lambeth Walk, suivi de la Chamberlaine, qui se danse avec un parapluie, par allusion au Premier ministre britannique, Neville Chamberlain, héros malheureux des accords de Munich.

1930

J'AI DEUX AMOURS

Paroles Géo Koger • Musique Vincent Scotto (Éd. Salabert) • Interprète Joséphine Baker.

J'ai deux amours
Mon pays et Paris.
Pour eux toujours
Mon cœur est ravi.

SI TOUS LES COCUS

Paroles Léo Lelièvre fils et Henri Varna • Musique Jean Boyer (Éd. Salabert) • Interprètes Marguerite Perney, Georges Milton

Si tous les cocus avaient des clochettes
Des clochettes au-d'ssus
Au dessus d'la tête
Ca f'rait tant d'chahut
Qu'on n's'entendrait plus !

C'EST POUR MON PAPA

Paroles Pujol et C. L. Pothier • Musique C. Oberfeld (Éd. Salabert) • Interprète Georges Milton

L'habit qui n'va pas
C'est pour mon papa
Les plus beaux vêtements
C'est pour ma maman
Le livreur c'est tout l'temps pour ma mère
Les factur's c'est tout l'temps pour mon père...

Élégance, dynamique et jazz, le secret du duo Pills et Tabet.

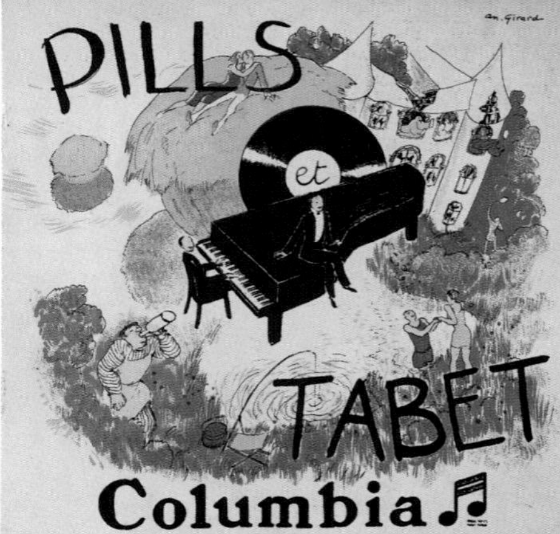

1931

PARLEZ-MOI D'AMOUR

Paroles et musique Jean Lenoir (Éd. SEMI) • Interprète Lucienne Boyer

Cette chanson est créée en 1926 mais ne sera enregistrée qu'en 1930. Le disque est en train de prendre une place de plus en plus importante dans la chanson. En 1931, à l'initiative d'Arthème et Jean Fayard, un grand prix du disque est lancé : il est décerné à Lucienne Boyer pour son enregistrement de "Parlez-moi d'amour". Le jury était composé de Maurice Ravel, Colette et Maurice Yvain.

Parlez moi d'amour
Redites-moi des choses tendres
Votre beau discours
Mon cœur n'est pas las de l'entendre

LE DOUX CABOULOT

Paroles Francis Carco • Musique Jacques Larmanjat (Éd. Breton) • Interprètes Marie Dubas, reprise par Yves Montand (dans les années cinquante)

Très court poème, belle musique et grande chanson. C'est le 2 octobre que Marie Dubas fait sa rentrée au music-hall de l'Empire, avenue de Wagram, et qu'elle réalise la prouesse d'imposer une chanson douce et poétique au cours d'un tour de chant uniquement composé de refrains comiques et trépidants.

Le doux caboulot
Fleurit sous les branches
Et tous les dimanches
Plein de populo.

LES GARS DE LA MARINE

Paroles Jean Boyer • Musique W. R. Heyman (Éd. Salabert) Interprètes Jean Murat, les Comedian Harmonists (*Chanson extraite du film musical* le Capitaine Craddock)

Voilà les gars de la marine
Quand on est dans les cols bleus
On n'a pas froid aux yeux
Partout du Chili jusqu'en Chine
On les r'çoit à bras ouverts
Ces vieux loups d'mer.

1932

À PETITS PAS

Paroles René Sarvil • Musique Vincent Scotto (Éd. Salabert) • Interprète Alibert

COUCHÉS DANS LE FOIN

Il ne faut pas que je vous cache
Que j'eus toujours la sainte horreur des vaches
Dans ma famille c'est un tort
Hélas le métier de toréador
N'a jamais été notre fort.
J'aimerais mieux qu'on m'injurie,
Qu'on me pende ou qu'on m'expatrie
Plutôt que de toucher un pis
Un pis de ma vie.
Je suis ainsi, tant pis
Et c'est dommage.
La fille de la fermière est charmante
et on a le même âge
Par bonheur pour les amoureux,
Il est au grand air d'autres jeux
Des jeux que j'aime davantage.

Refrain
Couchés dans le foin
Avec le soleil pour témoin
Un p'tit oiseau qui chante au loin
On s'fait des aveux
Des grands serments et des vœux
On a des brindill's plein les ch'veux
On s'embrasse et l'on se trémousse
Ah que la vie est douce, douce
Couchés dans le foin
Avec le soleil pour témoin.

Vous connaissez des femmes du monde
Qui jusqu'à quatre-vingts ans restent blondes
Qui sont folles de leur corps.
Pour leurs amours il leur faut des décors
Des tapis des coussins en or
De la lumière tamisée
Et des fenêtres irisées
Estompant sous leurs baisers
Des appas trop usés.
Eh bien tant pis.

PAROLES J. Nohain • MUSIQUE Mireille © Breton

Une des principales chansons de l'opérette marseillaise Au pays du soleil.
C'est le début d'un genre qui fera florès à Paris et où le Marseillais va devenir le roi, avec son assent, *ses blagues et ses histoires…*

C'est la valse marseillaise
Qu'on fait bien à l'aise
Un deux trois comm' ça
À petits pas
Son doux rythme vous chavire
Et l'âme en délire
L'amour va et vient
À petits pas.

JE N'SUIS PAS BIEN PORTANT

PAROLES Géo Koger et Gaston Ouvrard • MUSIQUE Vincent Scotto (Éd. Bousquet) • INTERPRÈTE Ouvrard

Un classique du répertoire comique troupier qui a traversé les générations si bien que "J'ai la rate qui s'dilate J'ai le foie qu'est pas droit" sont entrés dans la légende. En 1971, Thierry Le Luron en fera une parodie humoristique sur le Premier ministre de l'époque, Jacques Chaban-Delmas, "le Ministère Patraque", dont le disque sera tiré à 400 000 exemplaires.

COUCHÉS DANS LE FOIN

PAROLES Jean Nohain • MUSIQUE Mireille (Éd. Breton) INTERPRÈTES Pills et Tabet

Mireille est aux États-Unis quand elle apprend qu'un extrait de son opérette Fouch'tra, *en dépôt chez Raoul Breton, est en train de devenir un grand succès et faire d'elle un grand compositeur.*

JE T'AI DONNÉ MON CŒUR

PAROLES A. Mauprey et J. Marietti • MUSIQUE Franz Lehar (Éd. Max Eschig) • INTERPRÈTE Willy Thunis

La chanson est tirée de l'opérette le Pays du sourire, *jouée à la Gaîté-Lyrique, qui a envoûté le public parisien.*

Je t'ai donné mon cœur
Tu tiens en moi tout mon bonheur
Sans ton baiser il meurt…

1 9 3 3

C'EST VRAI

PAROLES Albert Willemetz • MUSIQUE Oberfeld (Éd. Salabert) • INTERPRÈTE Mistinguett

On dit
Quand je fais mes emplettes
Que j'paye pas c'que j'achète
C'est vrai
On dit
Partout et l'on répète
Que j'lâche pas mes pépettes
C'est vrai.
…
Mais si on mettait à la tête
Des Finances Mistinguett
On n'en serait pas là !

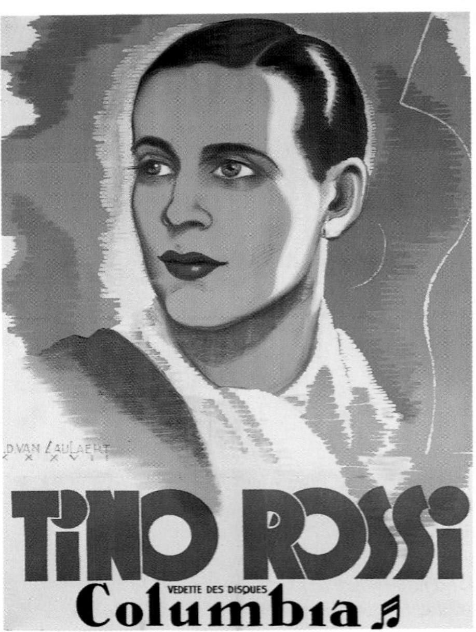

LE CHALAND QUI PASSE

Paroles André de Badet • Musique C. A. Bixio (Éd. SEMI) • Interprète Lys Gauty

Chanson d'origine italienne qui connaît son plein succès en France grâce au texte d'André de Badet et à l'interprétation de Lys Gauty.

Ne pensons à rien le courant
Fait toujours de nous des errants
...
Au fil de l'eau point de serment
Ce n'est que sur terre qu'on ment.

ICI L'ON PÊCHE

Paroles J. H.Tranchant • Musique Jean Tranchant (Éd. Warner/Chappell) • Interprète Jean Tranchant

Le premier grand succès de Jean Tranchant (aidé par son père pour le texte) qui s'impose là comme interprète.

Allez-y donc qui vous empêche
C'est à deux pas tout près d'ici
Ça porte un nom : "Ici l'on pêche"
Et vous y pêcherez aussi.

À PARIS DANS CHAQUE FAUBOURG

Paroles René Clair • Musique Maurice Jaubert (Éd. Max Eschig) • Interprète Lys Gauty

Chanson du film Quatorze Juillet. *René Clair est un grand cinéaste et quelques fois aussi un très bon auteur de chansons populaires.*

À Paris dans chaque faubourg
Le soleil de chaque journée
Fait en quelques destinées
Éclore un rêve d'amour.

LE TANGO DE MARILOU

Paroles Robert Marino • Musique Mario Marlotti (Éd. Warner/Chappell) • Interprète Tino Rossi

C'est le premier succès de Tino chanté en français et son deuxième disque. Le premier disque était sorti chez Parlophone et le deuxième chez Columbia, où il restera toute sa vie.

Marilou Marilou
Souviens-toi du premier rendez-vous
Dans nos cœurs à grands coups
S'éveillaient les désirs les plus fous...

CE PETIT CHEMIN

Paroles Jean Nohain • Musique Mireille (Éd. Breton) Interprètes Mireille et Jean Sablon

Chanson tête de liste des nombreux autres succès du tandem Mireille/Nohain, la même année : "les Trois Gendarmes", "Papa n'a pas voulu", "le Vieux Château", "C'est un jardinier qui boite", "Fermé jusqu'à lundi", "Tant pis pour la rime".

Ce petit chemin qui sent la noisette
Ce petit chemin n'a ni queue ni tête...

1934

Ô CORSE ÎLE D'AMOUR

Paroles Géo Koger • Musique Vincent Scotto (Éd. Fortin) • Interprète Tino Rossi

Consécration de Tino au Casino de Paris dans la revue Parade de France, *avec une autre chanson aussi remarquée "Vieni Vieni".*

Ô Corse île d'amour
Pays où j'ai vu le jour
J'aime tes frais rivages
Et ton maquis sauvage.

LES BEAUX DIMANCHES DE PRINTEMPS

Paroles J. Laurent • Musique G. Gabaroche (Éd. Beuscher) Interprète Réda Caire

Les beaux dimanches de printemps
Quand nous allions à Robinson
Danser sous les lampions tremblants
Ou s'allonger sur le gazon...

AVEC LES POMPIERS

PAROLES Charlys
MUSIQUE Henri Himmel (Éd. Benjamin/SEMI)
INTERPRÈTE Fred Adison et son orchestre

Nous avons bien rigolé
La fanfare a défilé
Avec les pompom, avec les pompom, avec les pompiers...

LE BISTROT DU PORT

PAROLES A. Saudemont et G. Groener • MUSIQUE Pierre Candel (Éd. Heugel) • INTERPRÈTE Lys Gauty

Après le réalisme de la rue, Lys Gauty chante celui des ports, des marins, de la mer.

Mais la servante est rousse
Son jupon se retrousse
Et son mollet est rond
Et ses yeux sont fripons.

L'ÉTRANGER

PAROLES R. Malleron • MUSIQUE Juel et Marguerite Monnot (Éd. SEMI) • INTERPRÈTES Annette Lajon, Édith Piaf

Chanson néo-réaliste qui marque les débuts de Marguerite Monnot et préfigure la grande carrière de Piaf.

Il avait un regard très doux
Il venait de je ne sais où.

UN AMOUR COMME LE NÔTRE

PAROLES A. Farel • MUSIQUE Borel-Clerc (Éd. Méridian)
INTERPRÈTE Lucienne Boyer

Un amour comme le nôtre
Il n'en existe pas deux
Ce n'est pas celui des autres
C'est quelque chose de mieux...

1 9 3 5

LE PLUS BEAU TANGO DU MONDE

PAROLES Henri Alibert, René Sarvil et Raymond Vincy
MUSIQUE Vincent Scotto (Éd. Salabert)
INTERPRÈTE Alibert

Cette chanson fait partie de l'opérette Un de la Canebière, *dont tous les autres airs sont des succès : "Un petit cabanon", "Cane... cane... canebière", "les Pescadous".*

Le plus beau de tous les tangos du monde
C'est celui que j'ai dansé dans vos bras.
J'ai connu d'autres tangos à la ronde
Mais mon cœur n'oubliera pas celui-là.

QUAND UN VICOMTE

PAROLES Jean Nohain • MUSIQUE Mireille (Éd. Breton)
INTERPRÈTE Maurice Chevalier

Quand Mireille compose une musique, Nohain, pour mieux la mémoriser, y place tout de suite les premiers mots qui lui viennent à l'esprit. Dans le jargon du métier, on appelle ça un "monstre". C'est ainsi qu'un jour, alors qu'il travaille aux côtés de Mireille dans un des bureaux de leur éditeur, il enchaîne sur une mélodie qu'elle vient de trouver : "Quand un vicomte rencontre un autre vicomte, etc." Sur ces entrefaites, Chevalier rend visite à Raoul Breton, qui fait les présentations. Saisissant l'occasion, Nohain et Mireille montrent leur départ à Maurice qui les engage à continuer. Huit jours après, la chanson est faite et elle s'intitule "Couci-Couça". Chevalier l'écoute et fait la moue : "Je préférais la première version", dit-il à Nohain. Et il eut raison !

Quand un vicomte
Rencontre un aut' vicomte
Qu'est-ce qu'ils s'racontent
Des histoires de vicomte...

Lucienne Boyer : ancien modèle de Fujita, elle a appris le métier chez Fysher .

MARINELLA

Paroles René Pujol, Émile Audiffred et Géo Koger
Musique Vincent Scotto (Éd. Salabert)
Interprète Tino Rossi

Marinella
Ah reste encore entre mes bras
Avec toi je veux jusqu'au jour
Danser cette rumba d'amour.

CHANSON TENDRE

Paroles Francis Carco • Musique Jacques Larmanjat (Éd. Breton) • Interprète Marie Dubas

Tout avait l'air à sa place
Même ton nom dans la glace
Juste à la place ou s'efface
Quoi qu'on fasse
Toute trace...

VENEZ DONC CHEZ MOI

Paroles Jean Féline • Musique Paul Misraki (Éd. Warner/Chappell) • Interprètes Lucienne Boyer, Jean Sablon

Venez donc chez moi
Je vous invite
C'est gentil chez moi
Dans mon logis...

1 9 3 6

VOUS QUI PASSEZ SANS ME VOIR

Paroles Charles Trenet • Musique Johnny Hess (Éd. Breton) • Interprète Jean Sablon

Vous qui passez sans me voir
Sans même me dire bonsoir
Donnez-moi un peu d'espoir
Ce soir j'ai tant de peine.

AU LYCÉE PAPILLON

Paroles Georgius • Musique Juel (Éd. Beuscher)
Interprète Georgius

On n'est pas des imbéciles
On a mêm' de l'instruction
Au lycée Pa-pa... au lycée Pa-pi
Au lycée Papillon.

QUAND ON SE PROMÈNE AU BORD DE L'EAU

Paroles Julien Duvivier • Musique Maurice Yvain (Éd. Warner/Chappell) • Interprète Jean Gabin

Julien Duvivier, parolier d'occasion, pour son film la Belle Équipe, *a signé là un refrain très populaire, tout comme l'avait fait précédemment René Clair pour son film* Quatorze Juillet. *Jean Gabin, lui, n'est pas un débutant. Il fut un "boy" remarqué aux côtés de Mistinguett dans une revue du Casino de Paris.*

Quand on s'promène au bord de l'eau
Comm' tout est beau
Quel renouveau
Paris au loin nous semble une prison
On a le cœur plein de chansons...

SI TU REVIENS

Paroles Saint-Giniez • Musique Tiarko Richepin (Éd. Beuscher) • Interprètes Réda Caire, Jeanne Aubert

Si tu reviens
Sauras-tu demander pardon
Me donneras-tu la raison
Pour laquelle tu t'en allas ?

TOUT VA TRÈS BIEN MADAME LA MARQUISE

Paroles et Musique Paul Misraki, Charles Pasquier et Henri Allum (Éd. Warner/Chappell)
Interprète Ray Ventura et son orchestre

Les grèves de 36 vont servir la popularité de cette chanson que les ouvriers chantent en occupant pour la première fois les usines, en faisant la grève sur le tas, 24 heures sur 24. Curieusement, les comiques Bach et Laverne jouaient un sketch sur une marquise depuis déjà pas mal de temps. Menace de procès pour plagiat. Paul Misraki dut partager les droits d'auteurs !

MON LÉGIONNAIRE

Paroles Raymond Asso • Musique Marguerite Monnot (Éd. SEMI) • Interprètes Marie Dubas, Germaine Sablon, Édith Piaf, Serge Gainsbourg

Il avait de grands yeux très clairs
Où parfois passaient des éclairs
...
J'sais pas son nom, j'n'sais rien d'lui
Il m'a aimé toute la nuit
Mon légionnaire...

TEL QU'IL EST

Paroles Maurice Vandair et Charlys • Musique Alexander (Éd. Warner/Chappell) • Interprète Fréhel

La face comique de Fréhel avec aussi "la Môme Catch Catch". Le sujet de cette chanson fut inspiré au parolier Maurice Vandair par une prostituée à qui l'on disait :

"Comment peux tu te laisser battre par ce type ?" Elle répondait : "Moi j'm'en fous... tel qu'il est, il me plaît !"

Tel qu'il est
Il me plaît
Il me fait
De l'effet
Et je l'aime.

1937

UN JEUNE HOMME CHANTAIT

PAROLES Raymond Asso • MUSIQUE Léo Poll (Éd. Les Auteurs)
INTERPRÈTES Germaine Sablon, Édith Piaf

Léo Poll est le père de Michel Polnareff. Il fut d'abord compositeur et termina sa carrière comme éditeur.

LA CHAPELLE AU CLAIR DE LUNE

PAROLES Léo Lelièvre • MUSIQUE B. Hill (Éd. Warner/Chapel)

Chanson américaine interprétée par Jean Sablon et par sa réplique féminine, Léo Marjane.

La chapelle au clair de lune
Où j'ai tant rêvé de vous
Attendant l'heure opportune
De nos rendez-vous.

REFRAIN DES CHEVAUX DE BOIS

PAROLES Maurice Vandair et Charlys • MUSIQUE Alexander (Éd. Warner/Chappell) • INTERPRÈTE Félix Paquet

Chanson type dite "à procédé", qui consiste à faire chanter facilement le public dans une salle. Chaque fin de phrase du refrain se terminant par "De bois !".

Ah viens, viens ma Nénette, faire un tour sur les chevaux...
De bois !
Ca fait tourner la tête, comme si l'on avait la gueule...
De bois !

LA RÉVOLTE DES JOUJOUX

PAROLES Christian Vebel • MUSIQUE Claude Pingault (Éd. Breton) • INTERPRÈTE Guy Berry, reprise par Lisette Jambel

Les joujoux font grève
Ils en ont assez
D'être tracassés et fracassés
Le ballon qu'on crève
La poupée qu'on bat
Sont lassés des jeux et des combats.

QU'EST-CE QU'ON ATTEND POUR ÊTRE HEUREUX ?

PAROLES André Hornez • MUSIQUE Paul Misraki (Éd. Warner/Chappell) • INTERPRÈTE Ray Ventura et son orchestre

Qu'est ce qu'on attend pour être heureux ?
Qu'est ce qu'on attend pour faire la fête ?
Y'a des violettes
Tant qu'on en veut
Y'a des raisins, des roug's, des blancs, des bleus...

1938

Y'A D'LA JOIE

PAROLES Charles Trenet • MUSIQUE Charles Trenet et Michel Emer (Éd. Breton) • INTERPRÈTES Maurice Chevalier, Charles Trenet

En début d'année, sur les instances de Raoul Breton, Mitty Goldin engage Charles Trenet en ouverture de programme de son music-hall, l'A.B.C. Il a droit à deux ou trois chansons. Il va en chanter... dix puis douze... C'est le délire dans la salle. On appelle la police. Lys Gauty, la vedette du spectacle, rentre chez elle. Trenet est renvoyé... mais réengagé 15 jours plus tard, cette fois en vedette.

ESCALE

PAROLES Jean Marèze • MUSIQUE Marguerite Monnot (Éd. Salabert) • INTERPRÈTES Suzy Solidor, Édith Piaf

Deux vers ont rendu cette chanson immortelle :

Le ciel est bleu, la mer est verte
Laisse un peu la fenêtre ouverte.

DANS MON CŒUR

PAROLES André Hornez • MUSIQUE Paul Misraki (Éd. Warner/Chappell) • INTERPRÈTES Danielle Darrieux, André Dassary

Dans mon cœur
Un tendre espoir fleurit
Une hirondelle a chanté sur mon toit
Dans mon cœur
Un rêve a fait son nid
Toutes les fleurs semblent s'ouvrir pour moi.

JE SUIS SWING

PAROLES André Hornez
MUSIQUE Johnny Hess (Éd. Warner/Chappell)
INTERPRÈTE Johnny Hess

Y'A D'LA JOIE

Y'a d'la joie, bonjour bonjour les hirondelles
Y'a d'la joie, dans le ciel par-dessus le toit
Y'a d'la joie et du soleil dans les ruelles
Y'a d'la joie partout y'a d'la joie.

Tout le jour, mon cœur bat, chavire et chancelle
C'est l'amour qui vient avec je ne sais quoi
C'est l'amour, bonjour, bonjour les demoiselles
Y'a d'la joie partout y'a d'la joie.

Le gris boulanger bat
La pâte à pleins bras
Il fait du bon pain, du pain si fin
Que j'ai faim
On voit le facteur qui s'envole là-bas
Comme un ange bleu
Portant ses lettres au Bon Dieu.

Miracle sans nom, à la station Javel
On voit le métro qui sort de son tunnel
(NdE. : Erreur, c'est à Passy)
Grisé de ciel bleu, de chansons et de fleurs
Il court vers le bois, il court à toute vapeur
(NdE : Le métro marche à l'électricité)
Y'a d'la joie, la tour Eiffel part en balade
Comme un' folle ell' saute la Seine à pieds joints
Puis elle dit : "Tant pis pour moi si j'suis malade
J'm'ennuyais tout' seul' dans mon coin !"

Y'a d'la joie, le percepteur met sa jaquette
Plie boutique et dit d'un ton très doux, très doux
"Bien l'bonjour, pour aujourd'hui finie la quête
Gardez tout ! Messieurs gardez tout !"

Mais soudain voilà, j'm'éveille dans mon lit
Donc, j'avais rêvé, oui car le ciel est gris
Il faut se lever, se laver, se vêtir
Et ne plus chanter si l'on n'a plus rien à dire.

Mais je crois pourtant que mon rêve a du bon
Car il m'a permis de faire une chanson
Chanson de printemps, chansonnette d'amour
Chanson de vingt ans, chanson de toujours
Au refrain du début pour finir

Paroles C. Trenet • Musique C. Trenet et M. Emer
©Breton

La fulgurance d'un titre, d'une idée, d'une mode, d'un style (venu des États-Unis) qui va bouleverser non seulement les variétés françaises mais influencer toute une génération vers de beaux horizons pleins d'espoir alors que l'on va traverser les jours les plus noirs de notre siècle !

Je suis swing
Je suis swing
Za zou za zou c'est gentil comme tout.

JE TIR' MA RÉVÉRENCE

Paroles et musique Pascal Bastia (Éd. Warner/Chappell)
Interprète Jean Sablon

Jean Sablon enregistre cette chanson dans un climat de politique internationale très tendue. La chanson devient symbolique au moment où le régime hitlérien chasse les Juifs allemands de leur pays. Son succès ne fera que s'accentuer durant l'Occupation.

Je tir' ma révérence
Et m'en vais au hasard,
(.......)
Dites-lui que je l'aime
Que je l'aime quand même
Et dites-lui trois fois
Bonjour, bonjour, bonjour pour moi !...

COMME DE BIEN ENTENDU !

Paroles Jean Boyer • Musique Georges Van Parys (Éd. Warner/Chappell) • Interprètes Michel Simon, Arletty

Elle était jeune et belle,
Comm' de bien entendu !
Il eut l'béguin pour elle
Comm' de bien entendu !
Elle était demoiselle,
Comm' de bien entendu !
Il se débrouilla pour qu'ell' ne le fut plus !
Comm' de bien entendu !

SOMBREROS ET MANTILLES

Paroles Chanty • Musique Jean Vaissade (Éd. SEMI)
Interprète Rina Ketty

L'accordéoniste Jean Vaissade rencontre Rina Ketty, l'épouse et lui fait… un succès. On l'entend alors à la

radio plus souvent que Charles Trenet. Elle lancera en France "J'attendrai", qu'elle imposera mieux que Jean Sablon et Tino Rossi

Je revois les grands sombreros
Et les mantilles.
J'entends les airs de fandangos
Et séguedilles
Que chantent les señoritas
Si brunes
Quand luit sur la plaza
La lune.

AH ! SI VOUS CONNAISSIEZ MA POULE

PAROLES Albert Willemetz, René Toche • MUSIQUE Borel-Clerc (Éd. SEMI) • INTERPRÈTE Maurice Chevalier

Il fallait à l'époque toute la gouaille, l'humour, la désinvolture de Maurice pour oser détailler de cette façon les charmes d'une femme dans une chanson. Avec cette façon de susurrer… "ma pou-ou-ou-leu", il n'avait pas son pareil !

Ah ! si vous connaissiez
ma pou-ou-ou-leu
Vous en perdriez tous
la bou-ou-ou-leu
Ses p'tits seins pervers
Qui passent au travers
De son pull-over
Vous mettent la tête à l'envers.

1939

ÇA S'EST PASSÉ UN DIMANCHE

PAROLES Jean Boyer • MUSIQUE Georges Van Parys (Éd. Salabert) • INTERPRÈTE Maurice Chevalier

SUR LES QUAIS DU VIEUX PARIS

PAROLES Louis Poterat • MUSIQUE Ralph Erwin (Éd. Méridian) • INTERPRÈTE Lucienne Delyle

Sur les quais du vieux Paris
Le long de la Seine
Le bonheur sourit.

ON IRA PENDRE NOTRE LINGE SUR LA LIGNE SIEGFRIED

PAROLES Paul Misraki • MUSIQUE J. Kennedy et M. Carr (Éd. EMI publishing) • INTERPRÈTE Ray Ventura et son orchestre

La guerre est déclarée, mais, sur le front, c'est le calme plat. Ray Ventura adapte la chanson anglaise "The Washing on the Siegfried Line" et tout l'orchestre reprend en chœur :

On ira pendre notre linge sur la ligne
Siegfried
Pour laver le linge c'est le moment.
On ira pendre notre linge sur la ligne
Siegfried
À nous le beau linge blanc.

Ray Ventura et ses collégiens : la France de 36, du swing et des congés payés.

Les miliciens du régime de Vichy avaient horreur des zazous et de leur musique "sauvage" : le swing.

les années SWING

Époque paradoxale. Vent de swing contre le pétainisme. Le pays est écrasé, mais "Mademoiselle Swing" chante de concert avec "Maréchal nous voilà". Georgius propose "Mon heure de swing", Fred Adison "le Swing à l'école", alors que pour suivre la nouvelle tendance du gouvernement de Vichy, Chevalier entonne : "la Chanson du maçon" et Marcelle Bordas "Ah ! que la France est belle". À Paris, l'occupant n'apprécie pas le jazz et encore moins la musique américaine, mais Django Reinhardt et son quintette du Hot Club de France, Alix Combelle et le Jazz de Paris, Michel Warlop et son septuor à cordes n'ont jamais été si populaires.

Les Allemands ne disent rien, n'interdisent pas. Ils subissent la vague "jitterbug" (ancêtre du be-bop) d'une jeunesse zazoue qui danse dans les bals clandestins, alors que les otages sont fusillés et les Juifs déportés.

Période favorable à de nombreuses révélations : Georges Guétary, Yves Montand, Lucienne Delyle, André Claveau, Raymond Legrand, Marie Bizet, Andrex, Édith Piaf, Annette Lajon, Irène de Trebert, André Dassary. Dans le même temps, Ray Ventura, Henri Salvador, Jean Sablon, Stéphane Grappelli, Georges Tabet, Jean Wiener, Bernard Hilda, Pierre Dac et l'éditeur Raoul Breton quittent la France.

Au 55 *bis* de la rue de Ponthieu, on voit éclore le "Club de la chanson", une classe biberon qui va très vite s'imposer avec Francis Blanche, Pierre Roche, Pierre Saka, Jean-Louis Marquet, Charles et Aïda Aznavour, Zappy Max, Pierre Cour, Édouard Ruault, qui va devenir Eddy Barclay, Henri Crolla, Gérard Calvi, etc.

Des deux côtés de la ligne de démarcation, on chante. Michel Emer, un des plus brillants compositeurs de sa génération, qui est israélite, est replié sur la Côte d'Azur, et il écrit pour Édith Piaf, qui l'a rejoint. Cela donne trois succès : "De l'autre côte d'la rue", "le Disque usé" et "l'Accordéoniste"

Sur Radio Londres, sur l'air de la "Cucaracha", Pierre Dac susurre "Radio Paris ment... Radio Paris ment... Radio Paris est all'mand !" et, en 1944, Germaine Sablon crée "le Chant des partisans", sur un texte de Kessel et Druon, musique d'Anna Marly.

1940

VERLAINE

Musique Charles Trenet • Interprète Charles Trenet

Accompagné par le Jazz de Paris, Trenet ose cette version chantée, très moderne pour l'époque, du poème de Verlaine Chanson d'automne. *Les deux premiers vers seront sur Radio Londres le signe du débarquement allié en juin 1944. Trenet fit exprès de mettre "bercent mon cœur", alors que Verlaine a écrit "blessent mon cœur" et, constate le fou chantant, personne ne s'en est aperçu !*

Les sanglots longs
Des violons
De l'automne
Bercent mon cœur.

ON PREND LE CAFÉ AU LAIT AU LIT

Paroles Pierre Dudan • Musique Frédo Gardoni (Éd. Salabert) • Interprète Pierre Dudan

On prend l'café au lait au lit
Avec des gâteaux et des croissants chauds
Prendre l'café au lait au lit
C'que ça peut êtr' bon, non de non !

ATTENDS-MOI MON AMOUR

Paroles Jacques Larue • Musique Alec Siniavine (Éd. EMI Publishing France) • Interprètes Léo Marjane, André Claveau

Attends-moi mon amour
Avec un peu de chance
Je serai bientôt de retour
Prenons patience...

1941

LE PREMIER RENDEZ-VOUS

Paroles Louis Poterat • Musique René Sylviano (Éd. Warner/Chappell) • Interprète Danielle Darrieux

Ah ! qu'il doit être doux
et troublant
L'instant du premier
rendez-vous
Où le cœur las de battre
solitaire
S'envole en frissonnant vers
le mystère.

SEUL CE SOIR

Paroles Jean Casanova et Rose-Noël
Musique Paul Durand (Éd. SEMI)
Interprètes Toni Bert, Léo Marjane

Je suis seul (e) ce soir
Avec mes rêves noirs
Je suis seul (e) ce soir
Sans ton amour.

INSENSIBLEMENT

Paroles et musique Paul Misraki (Éd. Warner/Chappell/SEMI)
Interprètes Ray Ventura, Jean Sablon

Composée pendant la guerre en zone libre, la chanson est jouée en zone occupée puis interdite par la Gestapo, son auteur étant juif.

La chanson reprend sa route avec succès après la Libération et va devenir un succès international.

Insensiblement
Vous vous êtes glissée dans ma vie
Insensiblement
Vous vous êtes logée dans mon cœur
....
Et nous avons vu naître en nous
Insensiblement, insensiblement l'amour.

DANS LES PLAINES DU FAR WEST

Paroles Maurice Vandair
Musique Charles Humel (Éd. Méridian)
Interprète Yves Montand

Dans les plaines du Far West, quand vient la nuit
Les cow-boys dans le bivouac sont réunis.
Près du feu, sous le ciel de l'Arizona
C'est la fête aux accords d'un harmonica.

ELLE ÉTAIT SWING

Paroles et musique Loulou Gasté (Éd. Gasté)
Interprète Jacques Pills

Sous l'Occupation, être swing, c'est un peu résister à l'ordre établi. Alors que Django Reinhardt joue "Minor Swing", Irène de Trébert chante "Mademoiselle Swing" et Guy Berry, "Êtes-vous swing ?".

Elle était swing, swing, swing
Oh terriblement swing, swing, swing
Je la trouvais divine
Je devins son amant...

BARNUM CIRCUS

Paroles Maurice Vandair et Charlys • Musique Rudi Revil (Éd. Beuscher) • Interprète Félix Paquet

Entrez, entrez et vous verrez
En liberté l'dompteur Marius
Accompagné du lion Brutus.
Entrez tous au Barnum Circus.

L'HÔTEL DES TROIS CANARDS

Paroles Ch. L. Pothier • Musique Georges Ghestem (Éd. Warner/Chappell) • Interprète Marie Bizet

Connaissez-vous l'hôtel des Trois Canards
Il est dans un p'tit pat'lin quelque part
Comme c'est le seul qu'on puisse y dénicher
Malgré soi il faut bien y coucher.

1 9 4 2

C'ÉTAIT UNE HISTOIRE D'AMOUR

Paroles Henri Contet • Musique Jean Jal (Éd. Beuscher) • Interprète Édith Piaf

Avec cette chanson, Henri Contet entre dans la vie d'Édith.

C'était une histoire d'amour
C'était comme un beau jour de fête
Plein de soleil et de guinguettes
Où le printemps m'faisait la cour...

L'ACCORDÉONISTE

Paroles et musique Michel Emer (Éd. SEMI)
Interprète Édith Piaf

Après avoir trouvé un nouveau parolier, Henri Contet, Édith rencontre un compositeur à sa mesure, Michel Emer.

Ça lui rentre dans la peau
Par le bas, par le haut
Elle a envie d'chanter c'est physique
Tout son être est tendu
Son souffle est suspendu
C'est une vraie tordue d'la musique...

BÉBERT

Paroles Raymond Vincy • Musique Henri Martinet (Éd. SEMI) • Interprète Andrex

Plus connu comme acteur de cinéma, Andrex passe avec succès dans une autre catégorie en mêlant astucieusement le musette et le swing.

On ne danse plus la java
Chez Bébert, le monte-en-l'air
On est swing du haut jusqu'en bas
Chez Bébert, dit les pieds plats.

1 9 4 3

QUE RESTE-T-IL DE NOS AMOURS ?

Paroles Charles Trenet • Musique Charles Trenet et Léo Chauliac (Éd. Salabert) • Interprète Charles Trenet

AH ! LE PETIT VIN BLANC

Paroles Jean Dréjac • Musique Jean Dréjac et Borel-Clerc (Éd. SEMI) • Interprète Lina Margy

On vendait à l'époque bien plus de "petits formats" (partition, paroles et musique) que de disques 78 tours. Sous cette forme, la chanson s'est vendue à un million cinq cent mille exemplaires. Record absolu !

Ah ! le petit vin blanc
Qu'on boit sous les tonnelles,
Quand les filles sont belles
Du côté de Nogent.

ROBIN DES BOIS

PAROLES François Llenas • MUSIQUE Francis Lopez (Éd. Quéro) • INTERPRÈTE Georges Guétary

On m'appelle Robin des bois
Je m'en vais par les champs et les bois
Et je chante ma joie par-dessus les toits…

DÉBIT DE L'EAU DÉBIT DE LAIT

PAROLES Charles Trenet et Francis Blanche • MUSIQUE Charles Trenet et Léo Chauliac (Éd. Salabert)
INTERPRÈTE Charles Trenet

La légende voudrait que ce soit dans un train les ramenant de Bruxelles à Paris que Charles Trenet et Francis Blanche aient eu l'idée de cette chanson qui marque brillamment les débuts de ce dernier comme parolier, car il n'était pas dans les habitudes de Trenet de cosigner les paroles de ses œuvres !

Ah qu'il est beau le débit de lait
Ah qu'il est laid le débit de l'eau
Débit de lait si beau
Débit de l'eau si laid
S'il est un débit beau
C'est bien le beau débit de lait…

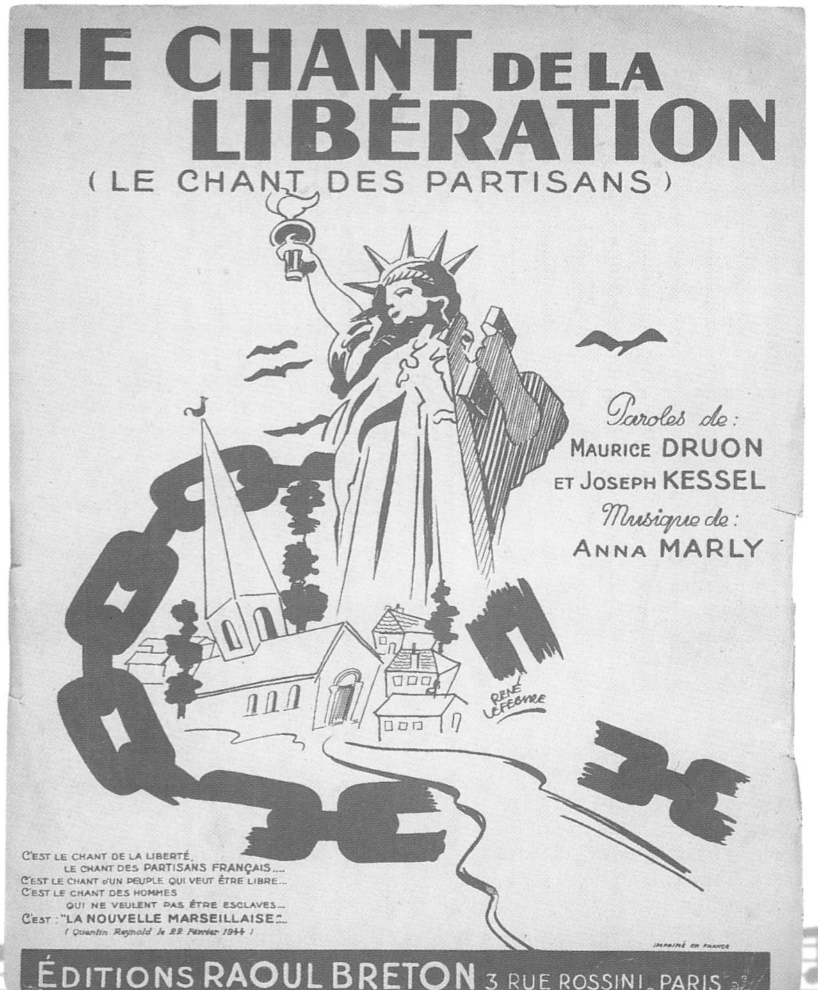

LA MER

La mer
Qu'on voit danser
Le long des golfes clairs
A des reflets d'argent
La mer
Des reflets changeants
Sous la pluie.
La mer
Au ciel d'été confond
Ses blancs moutons
Avec les anges si purs
La mer, bergère d'azur
Infinie.

Voyez
Près des étangs
Ces grands roseaux mouillés
Voyez
Ces oiseaux blancs
Et ces maisons rouillées.
La mer
Les a bercés
Le long des golfes clairs
Et d'une chanson d'amour
La mer
A bercé mon cœur
Pour la vie.

Paroles Ch. Trenet • Musique Ch. Trenet et A. Lasry
© Breton

DOUCE FRANCE

Paroles Charles Trenet • Musique Charles Trenet et Léo Chauliac (Éd. Salabert) • Interprètes Charles Trenet, Roland Gerbeau

La chanson est mal vue par la censure allemande, qui la soupçonne de patriotisme et de résistance feutrés !

Douce France
Cher pays de mon enfance
Bercée de tendre insouciance
Je t'ai gardée dans mon cœur.

1 9 4 4

SYMPHONIE

Paroles André Tabet • Musique Alstone (Éd. Salabert)
Interprète Jacques Pills

Symphonie, symphonie d'un jour
Qui chante toujours
Dans mon cœur lourd.

RAMUNTCHO

Paroles Jean Rodor • Musique Vincent Scotto (Éd. Warner/Chappell) • Interprète André Dassary

Février 1944. En vedette à l'A.B.C., Dassary a changé de répertoire, oubliant son "Maréchal nous voilà"...

Ramuntcho, c'est le roi de la montagne
Ramuntcho, quand il aperçoit sa compagne
Il crie : "Ma ga chu cha je t'aime... !"
L'écho répond... "Aime !"

PETIT PAPA NOËL

Paroles Raymond Vincy • Musique • Henri Martinet (Éd. Max Eschig) • Interprète Tino Rossi

De cette chanson tirée du film Destins, *Tino Rossi disait : "Toute ma vie je n'ai chanté que des chansons d'amour et mon plus grand succès est une chanson d'enfant..."*

Petit papa Noël
Quand tu descendras du ciel
Avec des jouets par milliers
N'oublie pas mon petit soulier...

FLEUR DE PARIS

Paroles Maurice Vandair • Musique Henri Bourtayre (Éd. Beuscher) • Interprètes Maurice Chevalier, Jacques Hélian et son orchestre.

Pendant quatre ans dans nos cœurs
Elle a gardé ses couleurs
Bleu, blanc, rouge
Avec l'espoir elle a fleuri
C'est une fleur de Paris.

LE CHANT DES PARTISANS

Paroles Maurice Druon et Joseph Kessel
MusiqueAnna Marly (Éd. Breton)
Interprètes Germaine Sablon, Yves Montand

Anna Marly avait composé cette musique pour faire un indicatif sur la radio de la France libre, à Londres. Présents dans la capitale anglaise, Maurice Druon et Joseph Kessel en écrivent le texte en quelques heures.

Ami, entends-tu
Le vol noir des corbeaux sur nos plaines
Ami, entends-tu
Ces cris sourds du pays qu'on enchaîne...

1945

LA VIE EN ROSE

Paroles Édith Piaf • Musique Louiguy (Éd. Beuscher)
Interprètes Marianne Michel, Édith Piaf, Bing Crosby, Dean Martin, Grace Jones

Édith Piaf est en tournée quand elle a l'idée de cette chanson, un départ de mélodie sans paroles bien précises. Elle en demande une version à Henri Contet qui suggère :

Mais ce qu'on ne savait pas
C'est que Monsieur Dumas
Était un hypocrite

La réalité fut tout autre :

Quand il me prend dans ses bras
Qu'il me parle tout bas
Je vois la vie en rose...

BAISSE UN PEU L'ABAT-JOUR

Paroles Marcel Delmas • Musique Henri Bourtayre (Éd. Beuscher) • Interprète Élyane Célis

Baisse un peu l'abat-jour
Viens près de moi t'asseoir
Baisse un peu l'abat-jour
Il fait si bon ce soir.

LA MER

Paroles Charles Trenet • Musique Charles Trenet et Albert Lasry (Éd. Breton) • Interprète Charles Trenet

Ce n'est qu'après de longues hésitations que Trenet met cette chanson à son répertoire. Jugée trop lente et trop courte, elle ne passait pas en scène.
Il fallut un concours de circonstances exceptionnelles, un concert en Hollande donné avec une chorale, pour que le Fou chantant en fasse un succès mondial.

Yves Montand : il a fui le STO et se retrouve à Paris en 1944.

LES TROIS CLOCHES

Paroles et musique Jean Villard (Éd. SEMI) • Interprète Édith Piaf et les Compagnons de la chanson

Village au fond de la vallée
Comme égaré presque ignoré
Voici dans la nuit étoilée
Qu'un nouveau-né nous est donné.
....
Une cloche sonne sonne
Sa voix d'écho en écho
Dit au monde qui s'étonne
"C'est pour Jean-François Nicot !"

LES CRAYONS

Paroles Bourvil
Musique Étienne Lorin (Éd. Fortin)
Interprète Bourvil

Avec "la Tactique du gendarme", qui va suivre, c'est un démarrage foudroyant pour Bourvil.

Elle vendait des cartes postales
Et aussi des crayons
Car sa destinée fatale
C'était d'vendre des crayons
C'est ça... qu'est triste...

LES FEUILLES MORTES

**Oh ! je voudrais tant que tu te souviennes
Des jours heureux où nous étions amis,
En ce temps là la vie était plus belle
Et le soleil plus brûlant qu'aujourd'hui.
Les feuilles mortes se ramassent à la pelle,
Les souvenirs et les regrets aussi.
Et le vent du Nord les emporte
Dans la nuit froide de l'oubli.
Tu vois, je n'ai pas oublié
La chanson que tu me chantais.**

**C'est une chanson qui nous ressemble
Toi qui m'aimais et je t'aimais
Et nous vivions tous deux ensemble
Toi qui m'aimais moi qui t'aimais.**

**Mais la vie sépare ceux qui s'aiment
Tout doucement sans faire de bruit
Et la mer efface sur le sable
Les pas des amants désunis.**

PAROLES J. Prévert • MUSIQUE J. Kosma © Enoch

ON CHANTE DANS MON QUARTIER

PAROLES Francis Blanche • MUSIQUE Rolf Marbot (Éd. SEMI)
Indicatif de l'émission radiophonique du même nom.
**Ploum Ploum Tra la la
Voilà c'qu'on chante
Ploum Ploum Tra la la
Voilà c'qu'on chante chez moi.**

1946

MADEMOISELLE HORTENSIA

PAROLES Jacques Plante • MUSIQUE Louiguy (Éd. EMI Publishing France) • INTERPRÈTE Yvette Giraud
**Au temps des crinolines
Vivait une orpheline
Toujours tendre et câline
Mademoiselle Hortensia...**

PIGALLE

PAROLES Géo Koger et Georges Ulmer • MUSIQUE Georges Ulmer et Guy Luypeerts (Éd. Céline EMI Publishing France) • INTERPRÈTE Georges Ulmer
**Ça vit, ça gueul'
Les gens diront c'qu'ils veul'nt
Mais au monde y'a qu'un seul
Pigalle.**

LA BELLE DE CADIX

PAROLES Raymond Vincy Maurice Vandair • MUSIQUE Francis Lopez (Éd. Salabert) • INTERPRÈTE Luis Mariano
La chanson est extraite de la première opérette de Francis Lopez, qui révèle également Luis Mariano.
**La Belle de Cadix a des yeux de velours
La Belle de Cadix vous invite à l'amour...**

VOULEZ-VOUS DANSER GRAND-MÈRE ?

PAROLES Jean Lenoir • MUSIQUE Raymond Baltel et Alex Padou (Éd. SEMI) • INTERPRÈTES Lina Margy, Lisette Jambel, Jean Lumière
**Voulez vous danser grand-mère
Voulez vous valser grand-père
Tout comme au bon vieux temps
Quand vous aviez vingt ans.**

1947

MA CABANE AU CANADA

PAROLES Mireille Brocey • MUSIQUE Loulou Gasté (Éd. Gasté) • INTERPRÈTES Line Renaud, Armand Mestral
**Ma cabane au Canada
Est blottie au fond des bois
On y voit des écureuils
Sur le seuil.**

LES FEUILLES MORTES

PAROLES Jacques Prévert • MUSIQUE Joseph Kosma (Éd. Enoch) • INTERPRÈTE Yves Montand
La chanson du film les Portes de la nuit *connaîtra un succès international, notamment aux États-Unis sous le titre d'"Autumn Leaves".*

CLOPIN-CLOPANT

PAROLES Pierre Dudan • MUSIQUE Bruno Coquatrix (Éd. Warner/Chappell)
INTERPRÈTES Pierre Dudan, Sacha Distel
**Je suis né avec des yeux d'ange
Et des fossett's aux creux des joues**

J'ai perdu mes joues et mes langes
Et j'ai cassé tous mes joujoux.
Et je m'en vais clopin-clopant
Dans le soleil et dans le vent...

C'EST SI BON

Paroles André Hornez • Musique Henri Betti (Éd. Beuscher) • Interprètes Yves Montand, les Sœurs Étienne, Louis Armstrong, Eartha Kitt

Un autre "standard" français chanté dans le monde entier.

C'est si bon
De guetter dans ses yeux
Un espoir merveilleux
Qui donne le frisson.

SI TU T'IMAGINES

Paroles Raymond Queneau • Musique Joseph Kosma (Éd. Enoch) • Interprète Juliette Gréco

Cette chanson popularise la mode existentialiste de Saint-Germain-des-Prés. Sortie semblait-il de la philosophie sartrienne, sa simplicité a surpris et le talent de Juliette a fait le reste.

Si tu t'imagines
Si tu t'imagines fillette fillette
Si ti t'imagines
Qu'ça va qu'ça va qu'ça
Va durer toujours
....
Ce que tu te gourres...

1948

À PARIS

Paroles et musique Francis Lemarque (Éd. Chant du monde/SEMI) • Interprète Yves Montand

Yves Montand commence par refuser la chanson et c'est finalement grâce au flair et au conseil d'Édith Piaf qu'il changea d'avis.

Les ennuis
Y'en a pas qu'à Paris
Y'en a dans l'monde entier
Oui mais dans l'monde entier
Y'a pas partout Paris
V'la l'ennui...

LA SEINE

Paroles Flavien Monod et Guy Lafarge
Musique Guy Lafarge (Éd. Warner/Chappell)
Interprètes Renée Lamy, Jacqueline François

Ell' roucoule, coule, coule
Dès qu'elle entre dans Paris !
Ell' s'enroule, roule, roule
Autour de ses quais fleuris !

MAD'MOISELLE DE PARIS

Paroles Henri Contet
Musique Paul Durand (Éd. Warner/Chappell)
Interprète Jacqueline François

Ell' chante un air de son faubourg
Ell' rêve à des serments d'amour
Ell' pleure et plus souvent qu'à son tour
Mad'moiselle de Paris.

LA QUEUE DU CHAT

Paroles et musique Robert Marcy (Éd. SEMI)
Interprètes les Frères Jacques

C'n'est qu'l'e p'tit bout d'la queue du chat
Qui vous électrise
C'n'est qu'l'e p'tit bout d'la queue du chat
Qui a c'bruit-là...

1949

ÎLE SAINT-LOUIS

Paroles Francis Claude • Musique Léo Ferré (Éd. SEMI)
Interprètes Léo Ferré, Michèle Arnaud, Catherine Sauvage, Renée Lebas.

C'est alors qu'il débute au Quod libet (futur Milord l'Arsouille), le cabaret de Francis Claude, que Léo Ferré écrit cette chanson, une première marche franchie vers une longue et belle carrière.

L'île Saint-Louis en ayant marre
D'être à côté de la Cité
Un jour a rompu ses amarres
Elle avait soif de liberté...

PARCE QUE ÇA ME DONNE DU COURAGE

Paroles Jean Nohain
Musique Mireille (Éd. Breton)
Interprètes Henri Salvador, Yves Montand

Mireille montre cette chanson à Salvador, qui accepte de la chanter avec l'espoir d'obtenir un grand prix du disque. Mais l'éditeur Raoul Breton et le producteur de disques n'y croient pas. Mireille ne se laisse pas abattre. Elle prend à ses frais la séance d'enregistrement et elle aura le grand prix du disque en 1949.

Quand l'facteur part en tournée
On l'entend tout' la matinée fredonner
Parc' que ça lui donne du courage
Ça lui remet le cœur à l'ouvrage...

HYMNE À L'AMOUR

Paroles Édith Piaf • Musique Marguerite Monnot (Éd. Breton) • Interprète Édith Piaf

Édith Piaf écrit cette chanson début 1949 à la suite de sa rencontre avec Marcel Cerdan, dont elle est tombée très amoureuse. Ce dernier disparaît tragiquement dans un accident d'avion en octobre de la même année. Le lendemain soir, Piaf, au cabaret le Versailles à New York, chante la chanson et s'évanouit en scène.

Le ciel bleu sur nous peut s'écrouler
Et la terre peut bien s'effondrer
....
Peu m'importe les grands problèmes
Mon amour puisque tu m'aimes...

De la Libération à 1950, la vie d'Edith Piaf est trépidante : succés, tournées aux États-Unis, amours, drame.

Dans les caves de Saint-Germain-des-Prés, les existentialistes de la Libération vont laisser la place aux chanteurs dits "rive gauche".

La télévision s'installe et la chanson s'installe à la télévision : le concours de l'Eurovision est créé en 1954 ; les émissions de variétés "la Joie de vivre" d'Henri Spade, avec Jacqueline Joubert, et "36 Chandelles" de Jean Nohain apparaissent au petit écran. On voit les chansons et on les entend mieux. Le microsillon est arrivé. C'est l'époque du 45 et du 33 tours.

Eddie Barclay et sa femme Nicole rapportent des États-Unis les premières matrices de ce nouveau procédé. Le succès est fulgurant. La station de radio Europe N°1 arrive au même moment et met peu à peu en place les pratiques américaines du Hit Parade et du tube de l'été. Côté chanson, à côté des grandes figures de Saint-Germain-des-Prés, des Gréco et des Boris Vian, c'est le temps des "auteurs-compositeurs-interprètes". Il révèle Jacques Brel, Georges Brassens, Guy Béart, tous des artisans de génie. Ils se distinguent des autres interprètes, car ils écrivent et composent leurs œuvres entièrement et s'accompagnent à la guitare, à l'inverse des auteurs-paroliers et compositeurs-mélodistes, façonniers au service d'un chanteur. Ceux-ci ne disparaissent pas pour autant : Jacques Larue, André Hornez, Henri Contet, Pierre Delanoë, Jean Dréjac, Maurice Vidalin, Henri Betti, Paul Durand, Guy Magenta, Jean-Pierre Bourtayre apparaissent dans le métier ou confirment une carrière déjà bien entamée.

Derrière ces ténors, sur la scène du théâtre des Trois-Baudets, véritable pépinière de futures vedettes, que Jacques Canetti a créé en 1948, on applaudit Mouloudji, Philippe Clay... sans oublier d'autres lieux, comme l'Écluse, où se produisent Léo Ferré, Jean Ferrat, René-Louis Lafforgue, Charles Aznavour et Gilbert Bécaud. Henri Salvador, en avance sur son époque, enregistre en collaboration avec Boris Vian les premiers rock'n'roll, mais il le fait sous une forme humoristique, qui ne rencontre pas le moindre succès, si ce n'est d'estime. Dans un genre tout à fait opposé, romantique et discrètement exotique, Gloria Lasso, Dario Moreno, Maria Candido et Dalida n'ont guère de mal à s'imposer.

1950

CERISIER ROSE ET POMMIER BLANC

PAROLES Jacques Larue • MUSIQUE Louiguy (Éd. Hortensia/Sido Music) • INTERPRÈTE André Claveau

Les cerisiers sont blancs et les pommiers roses. Ce fut quand même le plus grand succès du répertoire d'André Claveau avec "Domino", la même année.

Quand nous jouions à la marelle
Cerisier rose et pommier blanc
J'ai crû mourir d'amour pour elle
En l'embrassant.

LIS-MOI DANS LA MAIN, TZIGANE

PAROLES Jean Payrac et Henri Wernert • MUSIQUE Jacques Fuller (Éd. Présence) • INTERPRÈTE Marie-José

Lis-moi dans la main, tzigane
Dis-moi quel est mon destin
Richesse, honneurs
Amour, bonheur
Tous les rêves de mon cœur.

MA MAMAN

PAROLES Bob Astor • MUSIQUE Mick Micheyl (Éd. Métropolitaines) • INTERPRÈTE Mick Micheyl

Ma maman est une maman
Comme toutes les autres mamans
Mais voilà c'est la mienne...

MONSIEUR LE CONSUL À CURITIBA

PAROLES Fernand Vimont et Henry Lemarchand MUSIQUE Marc Heyral (Éd. Breton) • INTERPRÈTES Francis Linel, Jacques Hélian et son orchestre

Parmi les thuyas et les magnolias
Il a un' maison avec véranda
Il a des jardins pleins de résédas
Monsieur le Consul à Curitiba.

MES JEUNES ANNÉES

PAROLES Charles Trenet • MUSIQUE Charles Trenet et Marc Herrand (Éd. Breton) • INTERPRÈTES les Compagnons de la chanson, Charles Trenet.

Un soir, à Montréal, sur un coin de table de restaurant, Trenet écrit les premiers mots de cette chanson, qu'il donne aux Compagnons. Il venait d'entendre leur tour de chant et c'était, en quelque sorte, son cadeau pour les féliciter !

Mes jeunes années
Courent dans la montagne
Courent dans les sentiers
Pleins d'oiseaux et de fleurs.

UNE DEMOISELLE SUR UNE BALANÇOIRE

PAROLES Jean Nohain • MUSIQUE Mireille (Éd. Warner/Chappell) • INTERPRÈTE Yves Montand

Un' demoiselle sur un' balançoire
Se balançait à la fête un dimanche
Elle était belle et l'on pouvait voir
Ses jambes blanches
Sous son jupon noir...

ÉTOILE DES NEIGES

VERSION FRANÇAISE Jacques Plante • MUSIQUE Winkler (Éd. EMI Publishing) • INTERPRÈTE Jacques Hélian, Line Renaud

Bien que d'origine allemande ("Fliege mit mir in den Heimat"), après avoir transité par les États-Unis, cette chanson a toutes les apparences d'une chanson française.

Étoile des neiges
Sèche tes beaux yeux
Le ciel protège
Les amoureux...

AVRIL AU PORTUGAL

VERSION FRANÇAISE Jacques Larue • VERSION ORIGINALE R. Ferraro - R. Gallardo (Éd. Warner/Chappell) INTERPRÈTE Yvette Giraud

Amalia Rodriguès crée la chanson ("Coïmbra"), mais c'est sa version française qui la rend internationale puisqu'elle s'exporte aux États-Unis, chantée par Bing Crosby sous le titre "April in Portugal".

Avril au Portugal
À deux c'est idéal
Là-bas si l'on est fou
Le ciel l'est plus que vous...

PAPA, MAMAN, LA BONNE ET MOI

PAROLES Robert Lamoureux • MUSIQUE Henri Bourtayre (Éd. Comufra/Warner/Chappell) • INTERPRÈTE Robert Lamoureux

Papa, maman, la bonne et moi
Des gens comm' nous y'en a des tas
On achète à tempérament
Papa, moi, la bonne et maman.

UNE CHANSON DOUCE (LE LOUP, LA BICHE ET LE CHEVALIER)

Paroles Maurice Pon • Musique Henri Salvador (Éd. L'Auteur) • Interprète Henri Salvador

Une chanson douce
Que me chantait ma maman
En suçant mon pouce
J'écoutais en m'endormant.

TOUT ÇA PARCE QU'AU BOIS DE CHAVILLE

Paroles Pierre Destailles • Musique Claude Rolland (Éd. SEMI) • Interprètes Odette Laure, Jacques Pills

Tout ça parc' qu'au bois d'Chaville
Y'avait du muguet.

SOUS LE CIEL DE PARIS

Paroles Jean Dréjac • Musique Hubert Giraud (Éd. Choudens) • Interprètes Jean Bretonnière, Julette Gréco, Édith Piaf

Jean Dréjac, lauréat du grand prix de l'A.B.C. avec "la Chanson de Paris", est sollicité par Julien Duvivier pour son film Sous le ciel de Paris. *Grâce à la complicité d'Hubert Giraud, Dréjac réussit deux succès sur le même thème, ce qui est un tour de force assez rare.*

Sous le ciel de Paris
S'envole une chanson, hum, hum...
Elle est née d'aujourd'hui dans le cœur d'un garçon.

1951

UN GAMIN DE PARIS

Paroles Mick Micheyl • Musique Adrien Marès (Éd. Métropolitaines) • Interprète Yves Montand, Mick Micheyl

Un gamin d'Paris
M'a dit à l'oreille
Si je pars d'ici
Sachez que la veille
J'aurai réussi
À mettre Paris en boutei-ei-lle.

L'ÂME DES POÈTES

Paroles et musique Charles Trenet (Éd. Breton)
Interprètes Charles Trenet, Jacqueline François

Trenet, perplexe tout d'abord quant à la valeur de sa composition, la propose à Montand, qui l'accepte avec enthousiasme. Sa réaction a donc valeur de test pour le Fou chantant, qui, en définitive, gardera la chanson pour lui.

Longtemps, longtemps, longtemps
Après que les poètes ont disparu
Leurs chansons courent encore dans les rues...

MEXICO

Paroles Raymond Vincy • Musique Francis Lopez (Éd. Warner/Chappell) • Interprète Luis Mariano

Des quelque trente opérettes que Francis Lopez a composées en trente ans, le Chanteur de Mexico *est indiscutablement une des plus réussies, avec des chansons comme "Mexico", "Rossignol de mes amours", "Acapulco".*

Mexico, Mexico...
Sous ton soleil qui chante,
Le temps paraît trop court
Pour goûter au bonheur de chaque jour...

COMME UN P'TIT COQUELICOT

Paroles Raymond Asso • Musique Claude Valéry (Éd. SEMI) • Interprète Mouloudji

Grand prix du disque avec cette chanson, Mouloudji, alors jeune comédien, se lance dans une nouvelle carrière.

Le myosotis, et puis la rose,
Ce sont des fleurs qui dis'nt quequ' chose !
Mais pour aimer les coqu'licots
Et n'aimer qu'ça... faut être idiot !

MOI MES SOULIERS

Paroles et musique Félix Leclerc (Éd. Breton)

C'est Jacques Canetti, en voyage au Canada, quidécide Félix Leclerc à venir en France. Avec cette chanson (qui recevra le grand prix du disque en 1951), puis un deuxième titre, "le P'tit Bonheur", c'est le succès immédiat.

Moi, mes souliers ont beaucoup voyagé
Ils m'ont porté de l'école à la guerre
J'ai traversé sur mes souliers ferrés
Le monde et sa misère.

GRANDS BOULEVARDS

Paroles • Jacques Plante • Musique Norbert Glanzberg (Éd. MCA/Caravelle) • Interprète Yves Montand

J'aime flâner sur les grands boul'vards
Y'a tant de choses, tant de choses, tant de choses à voir
On n'a qu'à choisir par hasard
On s'fait des ampoules
À zigzaguer parmi la foule.

1952

PADAM PADAM

Paroles Henri Contet • Musique Norbert Glanzberg (Éd. Salabert) • Interprète Édith Piaf

La chanson était promise à Anny Gould, mais c'est Piaf qui la chante. En 1961, Eddy Mitchell la transforme en rock sous le titre "Madame… Madame".

Padam Padam Padam
Il arrive en courant derrière moi
Padam Padam Padam
Il me fait le coup du "souviens-toi…"

LE GORILLE

Paroles et musique Georges Brassens (Éd. Warner/Chappell) • Interprète Georges Brassens

La première chanson que Brassens interprète lui-même chez Patachou : elle choque les censeurs mais attire l'attention sur lui.

Le singe en sortant de sa cage
Dit : "C'est aujourd'hui que j'le perds."
Il parlait de son pucelage.
Vous aviez deviné, j'espèr !
Gare au goriii-lle.

MA P'TITE FOLIE

Paroles Jacques Plante • Musique Bob Merrill ("My truly truly fair") (Éd. MCA/Caravelle) • Interprète Line Renaud

C'est toi ma p'tite folie, toi ma p'tite folie
Mon p'tit grain de fantaisie
Toi qui boul'verse
Toi qui renverse
Tout ce qui était ma vie.

1953

AH ! LES FEMMES

Paroles Pierre Saka • Musique Jeff Davis (Éd. SEMI) Interprète Eddie Constantine

Dans la vie, je l'avoue, j'ai toujours un petit penchant
Pour les femmes
Qu'ell's soient brun's, qu'ell's soient
Blond's, à chaque fois moi j'ai le cœur
Qui s'enflamme.

QUAND UN SOLDAT

Paroles et musique Francis Lemarque (Éd Métropolitaines) Interprètes Yves Montand, Francis Lemarque

Quand un soldat s'en va-t-en guerre il a
Dans sa musette son bâton d'maréchal

Quand un soldat revient de guerre il a
Dans sa musette un peu de linge sale.

LES CROIX

Paroles Louis Amade • Musique Gilbert Bécaud (Éd. BMG Publishing France) • Interprète Gilbert Bécaud

Et moi, pauvre de moi
J'ai ma croix dans la tête
L'immense croix de plomb vaste comme l'amour...

PARIS CANAILLE

Paroles et musique Léo Ferré (Éd. SEMI) • Interprètes Léo Ferré, Catherine Sauvage

La chanson écrite, Léo la propose aux Frères Jacques, à Mouloudji et à Yves Montand. Sans succès. Alors il tente sa chance tout seul, puis Catherine Sauvage conforte son succès.

Paris marlou aux yeux de fille
Ton air filou, tes vieill's guenilles
Et tes gueulant's accordéon
Ca fait pas d'rentes mais c'est si bon...

BONBONS CARAMELS

Paroles François Llenas et Noël Roux
Musique Édouard Chekler (Éd. Beuscher)
Interprète Annie Cordy

Bonbons, caramels, esquimaux, chocolats...

LA FILLE DE LONDRES

Paroles Pierre Mac Orlan • Musique Marceau (Éd. Enoch)
Interprètes Germaine Montéro, Catherine Sauvage

Chanson réaliste avec en prime le souffle poétique de Mac Orlan, le Bruant des années cinquante.

Un rat est venu dans ma chambre
Il a rongé la souricière
Il a arrêté la pendule
Et renversé le pot à bière.

RENDEZ-VOUS AU PAM PAM

Paroles Roger Pierre et Jacques Mareuil
Musique Florence Véran (Éd. MCA/Caravelle)
Interprètes Jean-Marc Thibault et Roger Pierre

Le Pam Pam était un café des Champs-Élysées, déjà célèbre avant la chanson.

Un rendez-vous au Pam Pam
Devant un jus de banane
C'est ça qu'est bop
C'est ça qui fait interlope.

1954

METS DEUX THUNES DANS L'BASTRINGUE

Paroles et musique Jean Constantin (Éd. Méridian)
Interprètes Jean Constantin, Catherine Sauvage

Mets deux thunes dans l'bastringue
Et si t'es pas sourdingue
T'auras du carnaval
Pour tes dix balles...

LA GOUALANTE DU PAUVRE JEAN

Paroles René Rouzaud • Musique Marguerite Monnot (Éd. Beuscher) • Interprètes Édith Piaf, Yves Montand

Succès international surtout grâce à la version américaine qui confond "Pauvre Jean" avec "Pauvres Gens" ! Ce qui donne une goualante "Poor People" qui touche un plus large public.

Esgourdez rien qu'un instant
La goualant' du pauvre Jean,
Que les femmes n'aimaient pas
Et n'oubliez pas !
Dans la vie y'a qu'un' morale :
Qu'on soit riche ou sans un sou
Sans amour, on n'est rien du tout !

UN JOUR TU VERRAS

Paroles Marcel Mouloudji • Musique Georges Van Parys (Éd. SEMI) • Interprète Mouloudji

Un jour tu verras, on se rencontrera,
Quelque part, n'importe où, guidés par le hasard...

MON POTE LE GITAN

Paroles Jacques Verrières • Musique Marc Heyral (Éd. SEMI) • Interprète Yves Montand

Chanson à la gloire de Django Reinhardt, ce génial Gitan qui inventa le son de la guitare swing.

Mon pote le Gitan, c'est un gars curieux
Une gueule toute noire, des carreaux tout bleus
Il passe des heures avec sa guitare sans dire un mot...

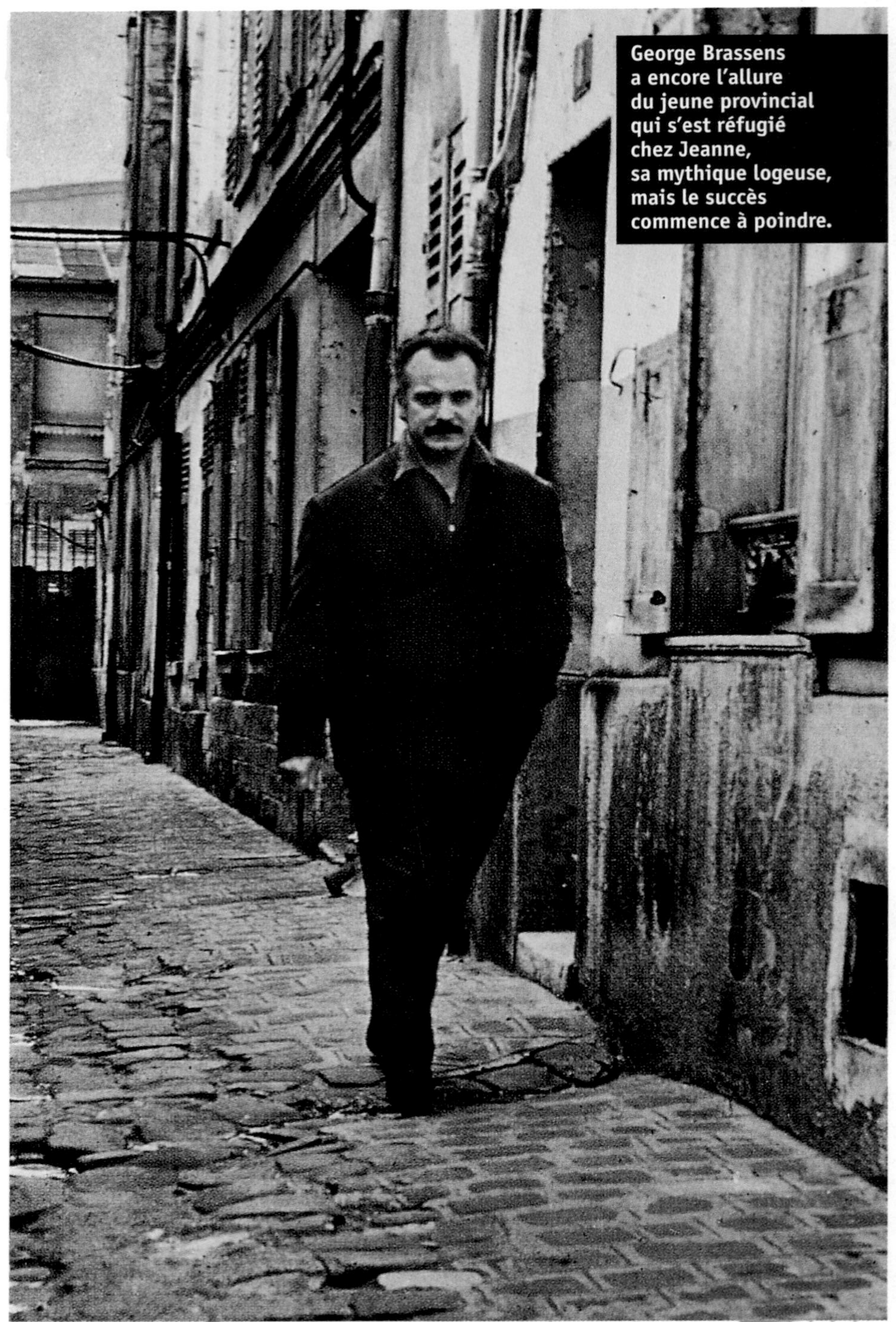

George Brassens a encore l'allure du jeune provincial qui s'est réfugié chez Jeanne, sa mythique logeuse, mais le succès commence à poindre.

CHANSON POUR L'AUVERGNAT

**Elle est à toi cette chanson
Toi l'Auvergnat qui sans façon
M'as donné quatre bouts de bois
Quand dans ma vie il faisait froid
Toi qui m'as donné du feu quand
Les croquantes et les croquants
Tous les gens bien intentionnés
M'avaient fermé la porte au nez.
Ce n'était rien qu'un feu de bois
Mais il m'avait chauffé le corps
Et dans mon âme il brûle encore
À la manièr' d'un feu de joie.
Toi l'Auvergnat quand tu mourras
Quand le croqu'mort t'emportera
Qu'il te conduise à travers ciel
Au Père éternel.**

**Elle est à toi cette chanson
Toi l'hôtesse qui sans façon
M'a donné quatre bouts de pain
Quand dans ma vie il faisait faim
Toi qui m'ouvris ta huche quand
Les croquantes et les croquants
Tous les gens bien intentionnés
S'amusaient à me voir jeûner.
Ce n'était rien qu'un bout de pain
Mais il m'avait chauffé le corps
Et dans mon âme il brûle encore
À la manièr' d'un grand festin.
Toi l'hôtesse quand tu mourras
Quand le croqu'mort t'emportera
Qu'il te conduise à travers ciel
Au Père éternel.**

**Elle est à toi cette chanson
Toi l'étranger qui sans façon
D'un air malheureux m'a souri
Lorsque les gendarmes m'ont pris
Toi qui n'a pas applaudi quand
Les croquantes et les croquants
Tous les gens bien intentionnés
Riaient de me voir emmener.
Ce n'était rien qu'un peu de miel
Mais il m'avait chauffé le corps
Et dans mon âme il brûle encore
À la manièr' d'un grand soleil.
Toi l'étranger quand tu mourras
Quand le croqu'mort t'emportera
Qu'il te conduise à travers ciel
Au Père éternel.**

PAROLES ET MUSIQUE G. Brassens © Warner/Chappell

LE COMPLEXE DE LA TRUITE

PAROLES Francis Blanche sur une musique de Schubert (Éd. SEMI) • INTERPRÈTES les Frères Jacques

**Le jeudi, jour de visite
Ell' venait chez ma mère
Et ell' nous chantait la Truite
La Truite de Schubert...**

CHANSON POUR L'AUVERGNAT

PAROLES ET MUSIQUE Georges Brassens (Éd. Warner Chappell) • INTERPRÈTE Georges Brassens

Inspiré par l'accueil que lui prodiguèrent Jeanne et son mari, Brassens imagine cette superbe transposition du bon Samaritain, qui le dédouanera du scandale provoqué par "le Gorille".

1955

LE DÉSERTEUR

PAROLES Boris Vian • MUSIQUE Boris Vian et Yves Bernard (Éd. French Music) • INTERPRÈTES Boris Vian, Mouloudji, Peter Paul and Mary, Joan Baez

Chanson engagée, créée par Mouloudji peu après la défaite de Diên Biên Phu. Le chanteur a pris la précaution de changer le "Monsieur le Président" du début de la chanson en un plus édulcoré "Messieurs qu'on nomme grands". La chanson sera quand même interdite d'antenne. Elle renaîtra dix ans plus tard grâce à la vogue de la "Protest Song" venue des États-Unis.

**C'est pas pour vous fâcher
Il faut que je vous dise
Ma décision est prise
Je m'en vais déserter.**

LE DANSEUR DE CHARLESTON

PAROLES ET MUSIQUE Jean-Pierre Moulin (Éd. Métropolitaines) • INTERPRÈTE Philippe Clay

Une chanson sur mesure pour ce sosie de "Valentin le désossé", qui lui permet d'opérer un départ foudroyant de comédien-chanteur.

**Regarde-moi bien
Qu'est-c' que t'en penses
Regarde-moi bien
Tu m' trouv's l'air rance
Mais fallait fallait m'voir
danser le charleston
Quand j'avais trente ans
à Cann's au Carlton...**

LES LAVANDIÈRES DU PORTUGAL

PAROLES Roger Lucchesi
MUSIQUE André Popp (Éd. Beuscher)
INTERPRÈTE Jacqueline François
(grand prix du disque 1956)

Tant qu'y'aura du linge à laver
On boira de la manzanilla
Tant qu'y'aura du linge à laver
Des hommes on pourra se passer.
Et tape... et tape...
et tape sur ton battoir.

COMPLAINTE DE LA BUTTE

PAROLES Jean Renoir • MUSIQUE Georges Van Parys (Éd. SEMI) • INTERPRÈTE Cora Vaucaire

Chanson du film de Jean Renoir French Cancan, *l'histoire du Moulin-Rouge, où Claveau joue le rôle de Paul Delmet, Piaf, celui d'Eugénie Buffet et Philippe Clay, celui de Valentin le Désossé.*

La lune trop blême
Pose un diadème
Sur tes cheveux roux
La lune trop rousse
De gloire éclabousse
Ton jupon plein d'trous.

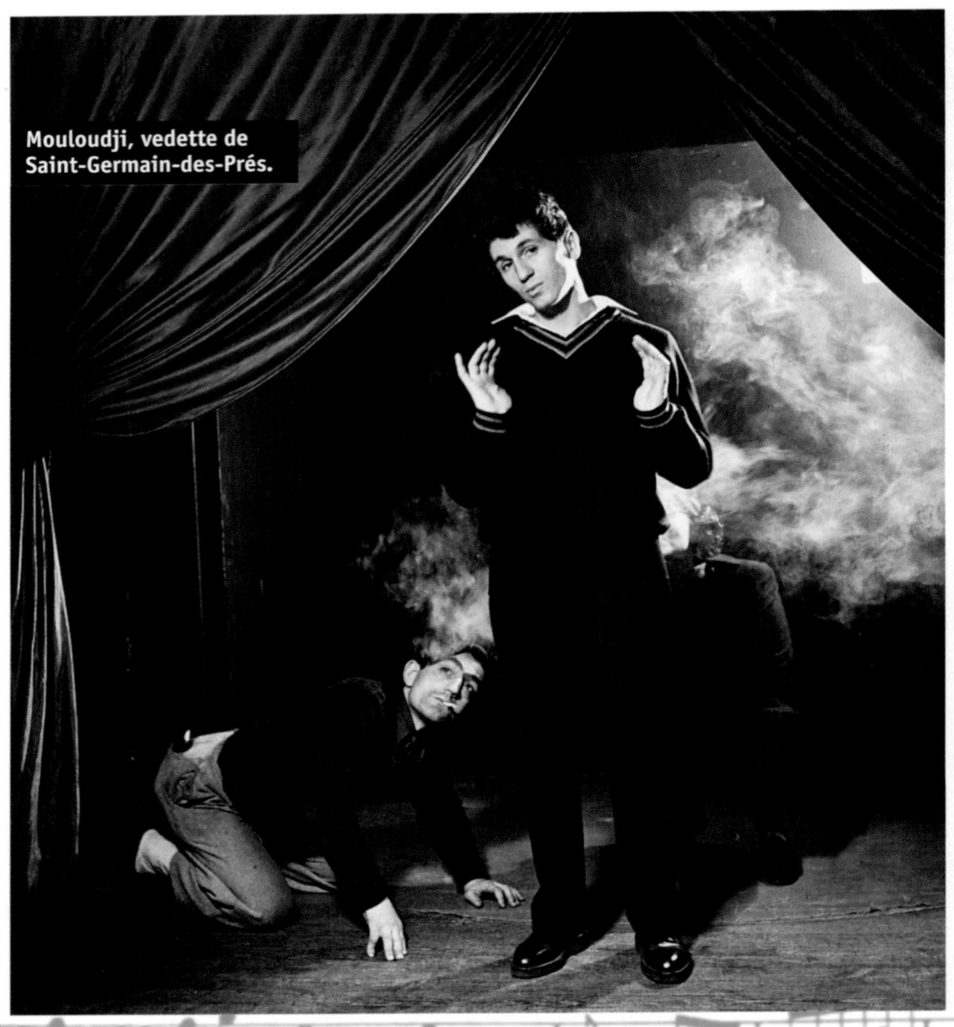

Mouloudji, vedette de Saint-Germain-des-Prés.

LE DÉSERTEUR

**Monsieur le Président,
Je vous fais une lettre
Que vous lirez peut être
Si vous avez le temps.
Je viens de recevoir
Mes papiers militaires
Pour partir à la guerre
Avant mercredi soir.
Monsieur le Président,
Je ne veux pas la faire
Je ne suis pas sur terre
Pour tuer de pauvres gens.
C'est pas pour vous fâcher
Il faut que je vous dise
Ma décision est prise
Je m'en vais déserter.**

**Depuis que je suis né
J'ai vu mourir mon père
J'ai vu partir mes frères
Et pleurer mes enfants
Ma mère a tant souffert
Qu'elle est dedans sa tombe
Et se moque des bombes
Et se moque des vers.
Quand j'étais prisonnier,
On m'a volé ma femme
On m'a volé mon âme
Et tout mon cher passé.
Demain de bon matin
Je fermerai ma porte
Au nez des années mortes
J'irai sur les chemins.**

**Je mendierai ma vie
Sur les routes de France
De Bretagne en Provence
Et je crierai aux gens :
"Refusez d'obéir
Refusez de la faire
N'allez pas à la guerre
Refusez de partir."
S'il faut donner son sang
Allez donner le vôtre
Vous êtes bon apôtre
Monsieur le Président.
Si vous me poursuivez
Prévenez vos gendarmes
Que je n'aurai pas d'armes
Et qu'ils pourront tirer.**

Paroles B. Vian • Musique Y. Bernard et B. Vian
© French Music

SUR MA VIE

Paroles et musique Charles Aznavour (Éd. Breton)
Interprète Charles Aznavour

Pour son premier passage à l'Olympia, Charles Aznavour mise beaucoup sur cette chanson. Un peu provocateur, il termine son tour de chant en retirant ses chaussures, une dans chaque main, les bras en croix, face au public. Des sifflets et des bravos saluent la performance. L'artiste n'est pas passé inaperçu !

**Sur ma vie
Je t'ai juré un jour
De t'aimer jusqu'au dernier jour
de mes jours...**

L'HOMME ET L'ENFANT

Version française René Rouzaud • Version originale ("The little Boy and the old Man") Wayne Shanklin (Éd. Warner/Chappell) • Interprètes Eddie Constantine et sa fille Tania.

Le jeune garçon préposé pour cette chanson a mué entre le moment de son engagement et la séance d'enregistrement. Que faire ? Constantine propose sa fille qui l'a aidé à répéter chez lui. Miracle ! Le résultat est excellent.

**Dis monsieur, dis monsieur, est-ce-que la terre est ronde ?
Si c'est vrai, l'oiseau bleu, où est-il dans le monde ?**

1 9 5 6

ALORS RACONTE

Paroles Jean Broussolle • Musique Gilbert Bécaud (Éd. Breton) • Interprètes Gilbert Bécaud et les Compagnons de la chanson...

Mariage réussi entre Gilbert et les Compagnons. Une expérience qui n'aura pas de suite, mais un titre qui restera désormais dans le langage courant.

**Alors... Raconte-nous
Ce qui est arrivé
Comment ça s'est passé
Pendant qu'on attendait là !**

MOI J'AIME LE MUSIC-HALL

Paroles et musique Charles Trenet (Éd. Breton)
Interprète Charles Trenet

**Moi j'aime le music-hall
Ses jongleurs, ses danseuses légères
Et l'public qui rigole
Quand il voit des p'tits chiens blancs
portant faux col.**

MÉDITERRANÉE

Paroles Raymond Vincy • Musique Francis Lopez (Éd. Warner/Chappell) • Interprète Tino Rossi

Méditerranée
Aux îles d'or ensoleillées
Aux rivages sans nuages
Au ciel enchanté...

LA MÔME AUX BOUTONS

Paroles Pierre Louki • Musique Jacques Lacome (Éd. Présence) • Interprète Lucette Raillat

C'est la môme aux boutons-tons
Aux boutons de culotte
Pauvre môme pâlotte
Qui vendait sans façon
Qui vendait du bouton-ton...

LA TANTINA DE BURGOS

Paroles Henri Genès • Musique Eudore Rancurel (Éd. Salvet/EMI Publishing France) • Interprète Henri Genès

Lo Padre, La Madre...
Une armée de cousinas
...
Avec leurs amigos
Et la Tantina de Burgos.

ÉTRANGER AU PARADIS

Paroles Francis Blanche • Thème musical "Danses polovtsiennes" de Borodine. (Éd. Warner/Chappell) Interprètes Gloria Lasso, Dario Moreno

Prends ma main
Car je suis étrangère ici
Perdue dans le pays bleu
Étrangère au paradis...

QUAND ON N'A QUE L'AMOUR

Paroles et musique Jacques Brel (Éd. MCA/Caravelle) Interprètes Jacques Brel, Dalida, Nicoletta

Quand on a que l'amour
À s'offrir en partage
Au jour du grand voyage
Qu'est notre grand amour...

JULIE LA ROUSSE

Paroles et musique René-Louis Lafforgue (Éd. Warner/Chappell) • Interprète René-Louis Lafforgue

Jamais une représentante du plus vieux métier du monde n'avait été si bien traitée poétiquement. Grand prix du disque 1959.

Fais nous danser Julie la Rousse
Toi dont les baisers font oublier.

L'HOMME À LA MOTO

Version française Jean Dréjac • Version originale ("Black Denim Trousers and Motocycle Boots") Leiber/Stoller (Éd. BMG Music France) Interprète Édith Piaf

C'est un des rares tubes que Piaf emprunte au répertoire américain. Elle le fait avec conviction et cette chanson reste un classique incontournable, surtout avec la vogue croissante de la moto.

Il portait des culottes, des bottes de moto
Un blouson de cuir noir avec un aigle sur le dos
Sa moto qui partait comme un boulet de canon
Semait la terreur dans toute la région...

1957

LA BAGUE À JULES

Paroles Jamblan • Musique Alec Siniavine (Éd. SEMI) Interprète Patachou

À midi juste à la pendule,
Ce bruit affreux n'a fait qu'un tour :
On a fauché la bague à Jules !

LES BOUTONS DORÉS

Paroles Maurice Vidalin • Musique Jacques Datin (Éd. Breton) • Interprètes Jean-Jacques Debout, Lucette Raillat

En casquette à galons dorés
En capote à boutons dorés
Tout au long des jeudis sans fin
Voyez passer les orphelins...

BAMBINO

Version française Jacques Larue • Version originale ("Guaglione") Nisa/C. Fanciulli (Éd. SEMI) Interprète Dalida

C'est le troisième 45 tours de Dalida et c'est le bon !

Je sais bien que tu l'adores
Bambino Bambino
Et qu'elle a de jolis yeux
Bambino Bambino

LA FOULE

Version française Michel Rivgauche • Version originale ("Que nadie se pa mi sufrir") A. Cabral (Éd. Métropolitaines)
Interprètes Édith Piaf, Paco

Édith exalte dans cette chanson le thème récurrent chez elle de l'amour impossible.

Emportés par la foule
qui nous traîne, nous entraîne
Écrasés l'un contre l'autre
Nous ne formons qu'un seul corps
Et le flot sans effort
Nous pousse enchaînés l'un à l'autre
Et nous laisse tous deux
Épanouis et heureux.

Mais tu es trop jeune encore
Bambino Bambino
Pour jouer les amoureux...
Et gratte... gratte... sur ta mandoline...

BAL CHEZ TEMPOREL

Paroles André Hardelet • Musique Guy Béart (Éd. Temporel)
Interprètes Patachou, Guy Béart

La même année, Guy Béart signe aussi "l'Eau vive" et "la Gambille", avec René Fallet.

Si tu reviens jamais danser
Chez Temporel un jour ou l'autre
Pense à ceux qui tous ont laissé
Leurs noms gravés auprès du nôtre.

IRMA LA DOUCE

Paroles Alexandre Breffort • Musique Marguerite Monnot (Éd. Micro) • Interprète Colette Renard

La chanson est tirée de la comédie musicale du même nom, créée au Théâtre Gramont. Elle raconte l'histoire d'une prostituée et d'un proxénète fleur bleue. Un rôle en or refusé pourtant par plusieurs vedettes et qui lance une inconnue, Colette Renard, qui en tirera plusieurs autres succès : "Ah, dis donc, dis donc", "Avec les anges", "Y'a que Paris pour ça".

Et puis y'a l'Caulaincourt
Où rôdent les fill's d'amour
Et parmi ces fill's-là
Y'a mon Irma.

ZON ZON ZON

Paroles Maurice Vidalin Musique Jacques Datin (Éd. Warner/Chappell) • Interprète Colette Renard

Zon Zon Zon Froisser mon corsage
Toutes ces choses
Qui n'serv'nt à rien
Zon Zon Zon Parc' que c'est l'usage
Vouloir toujours aller plus loin.

1 9 5 8

LA BALLADE IRLANDAISE

Paroles Eddy Marnay • Musique Emil Stern (Éd. Claude Pascal) • Interprète Bourvil

Avec cette chanson, Bourvil démontre l'art, pour un grand comique, d'émouvoir son public.

Un oranger sur le sol irlandais
On ne le verra jamais
Un jour de neige embaumé de lilas
Jamais on ne le verra.
...
Qu'est ce que ça peut faire ? *(bis)*
Toi mon enfant tu es là...

LES GITANS

PAROLES Pierre Cour • MUSIQUE Hubert Giraud (Éd. SEMI)
INTERPRÈTES Juan Catalano, Dalida

Premier prix du Coq d'or de la chanson, un concours organisé par Europe N° 1.

D'où viens-tu Gitan ?
Je viens de Bohême
D'où viens-tu Gitan ?
Je viens d'Italie
Et toi vieux Gitan d'où viens-tu ?
Je viens d'un pays qui n'existe plus.

SI T'AS ÉTÉ À TAHITI

PAROLES ROBERT Pierret • MUSIQUE Jean Guillaume (Éd. SEMI) • INTERPRÈTE Paola

Chanson finaliste du Coq d'or et très gros succès de l'année.

Si t'as été à Tahiti
T'as pas pu y'aller en cerceau
Si t'as été à Tahiti
T'as pu y'aller qu'en bateau...

SI TU VAS À RIO

PAROLES FRANÇAISES Jean Brousolle • VERSION ORIGINALE (*"Madudeira chorou"*) Cavalinho/Montero (Éd. SEMI) • INTERPRÈTES Dario Moreno, les Compagnons de la chanson

LE POINÇONNEUR DES LILAS

PAROLES ET MUSIQUE Serge Gainsbourg (Éd. Warner Chappell) • INTERPRÈTES Serge Gainsbourg, les Frères Jacques

Cette chanson révèle Gainsbourg au grand public. Boris Vian le soutient dans le Canard enchaîné *et Marcel Aymé lui rédigera un texte de présentation pour son premier disque.*

J'suis l'poinçonneur des Lilas
Le gars qu'on croise et qu'on n'regarde pas
...
Paraît qu'y a pas d'sot métier
Moi j'fais des trous dans les billets
J'fais des trous, des p'tits trous,
encor des p'tits trous...

BLUES DU DENTISTE

PAROLES Boris Vian • MUSIQUE Henri Salvador (Éd. SEMI/Patricia) • INTERPRÈTE Henri Salvador

Chanson qui se trouve sur un véritable super 45 tours avec "Moi, j'préfère la marche à pied" et "Trompette d'occasion". Œuvres d'un duo d'exception, Vian/Salvador, accompagné par un très grand arrangeur, Quincy Jones !

...
Il me dit il faut régler votre dette
J'venais d'être payé la veille
Le salaud me fauche toute mon oseille
Et me laisse cinquante ball's net
Oh manman ! et il ajoute en rigolant
J'suis pas dentiste je suis plombier
...Et moi je gueule ce soir
Le blues du dentiste dans le noir...

1959

MILORD

PAROLES Georges Moustaki • MUSIQUE Marguerite Monnot (Éd. Salabert) • INTERPRÈTE Édith Piaf

Piaf commande un jour une chanson à Moustaki en lui racontant une histoire pouvant servir de thème. Moustaki s'exécute et soumet le résultat de son travail à Édith, qui lui dit : "Ce n'est pas du tout ce que je t'ai demandé. Tu n'as rien compris." Puis, se ravisant, elle ajoute : "Ah ! si pourtant... dans tout ce que tu as écrit y'a quand même quelque chose d'intéressant. C'est le mot « Milord ». Fais-moi un truc là-dessus !"

Allez venez Milord
Vous asseoir à ma table
Il fait si froid dehors
Ici c'est confortable.

SALADE DE FRUITS

PAROLES Noël Roux • MUSIQUE Armand Canfora (Éd. Warner/Chappell) • INTERPRÈTES Bourvil, Annie Cordy

Salade de fruits, jolie, jolie, jolie
Tu plais à mon père, tu plais à ma mère
Salade de fruits, jolie, jolie, jolie
Un jour ou l'autre il faudra bien qu'on nous marie...

SCOUBIDOU

Paroles Maurice Tézé • Arrangement musical Sacha Distel, d'après un thème de L. Allan (Éd. Warner/Chappell) • Interprète Sacha Distel

Tous les enfants de l'époque tresseront de petits bâtonnets en fils de plastique coloré : les "scoubidous".

Des pommes, des poires
Et des scoubidous-bidous, ah !

LA SERVANTE DU CHÂTEAU

Paroles Ricet Barrier • Musique Bernard Lelou (Éd. Warner/Chappell) • Interprètes Ricet Barrier, Denise Benoit

Ce qu'on peut appeler le "pastiche rural".

C'est moi la servante du château
J'remplis les vases et j'vide les siaux
J'manie l'balai et pis l'torchon
J'fais la pâtée pour les cochons...

NOUVELLE VAGUE

Paroles Richard Anthony • Musique Armand Canfora (Éd. EMI Publishing France) • Interprète Richard Anthony

Les prémices du raz-de-marée de la vogue yéyé. On a cru, à tort, même s'il existe des ressemblances, que c'était une adaptation du groupe américain les Coasters.

Une petite MG, trois compères
Assis dans la bagnole sous un réverbère
Une jambe ou deux par-dessus la portière
La... nouvelle vague... nouvelle vague...

Richard Anthony : celui qu'on n'appelle pas encore le "Tino Rossi du rock'n'roll" annonce la vague yé-yé des années soixante.

Toutes les vedettes de l'époque yé-yé sont là, réunies devant l'objectif de Jean-Marie Périer.

les années yé-yé

"Tous les genres désormais marchent de concert." Le rock'n'roll et le yé-yé d'un côté, avec Johnny Hallyday, Eddy Mitchell, Dick Rivers, Sheila, Sylvie Vartan, Claude François, Jacques Dutronc, et les traditionnels modernes de l'autre, avec Charles Trenet, Tino Rossi, Georges Brassens, Jacques Brel, Léo Ferré.

La jeunesse prend une très large part à la vente sans cesse croissante des microsillons, des électrophones (Teppaz) et des transistors. La vie du collégien moderne est à cheval entre le lycée et "Salut les copains", l'émission-culte de Daniel Filippachi et Franck Ténot sur Europe N°1. Les jeunes sont de plus en plus divisés en tribus : rockers, fidèles au blouson de cuir, "minets" en pulls shetland, puis, après 1966, hippies en jeans à pattes d'éléphant, chemises à fleurs et sabots.

Si la chanson française traditionnelle continue avec ses talents confirmés et ses nouveaux venus (Adamo, Barbara, Ferrat, Delpech), les rockers et les yé-yés se contentent le plus souvent d'adapter des succès anglo-saxons. Derrière, l'intendance suit. Les studios d'enregistrement ont des magnétos à plusieurs pistes, ce qui permet de réaliser une face de disque avec une plus grande facilité grâce au play-back. Les arrangements musicaux font la loi, mettant en valeur les guitares électriques, qui donnent désormais le "ton" et le "son". Les hit-parades et classements en tous genres font la loi. La presse jeune fleurit et la télé n'est pas en reste : jeunes et moins jeunes regardent "Âge tendre et tête de bois" d'Albert Raisner, "le Palmarès des chansons" de Guy Lux, "Télé Dimanche" de Raymond Marcillac ou "Discorama" de Denise Glaser.

Pour les artistes, l'imprésario est désormais indispensable au chanteur : Johnny Stark pour Hallyday, Paul Lederman pour Claude François, Claude Carrère pour Sheila, Lucien Morisse pour Dalida. Il faut désormais "gérer une image" et occuper coûte que coûte la une de tous les médias. Le showbiz moderne est né.

1960

SOUVENIRS SOUVENIRS

VERSION FRANÇAISE Fernand Bonifay • VERSION ORIGINALE C. Cohen (Éd. Alpha) • INTERPRÈTE Johnny Hallyday

Souvenirs, souvenirs
Je vous retrouve en mon cœur
Et vous faites refleurir
Tous mes rêves de bonheur...

TOM PILLIBI

PAROLES Pierre Cour • MUSIQUE André Popp (Éd. Warner/Chappell) • INTERPRÈTE Jacqueline Boyer

Grand prix de l'Eurovision, qui lance la carrière de la fille de Lucienne Boyer.

Tom Pillibi a deux châteaux
Le premier en Écosse
Tom Pilibi a deux châteaux
L'autre au Monténégro...

MA MÔME

PAROLES Pierre Frachet • MUSIQUE Jean Ferrat (Éd. Alleluia) • INTERPRÈTE Jean Ferrat

Ma môme
Ell' joue pas les starlettes
Ell' met pas des lunettes
De soleil
Ell' pose pas pour les magazines
Ell' travaille en usine
À Créteil...

JE M'VOYAIS DÉJÀ

PAROLES ET MUSIQUE Charles Aznavour (Éd. Breton) INTERPRÈTE Charles Aznavour

À 18 ans j'ai quitté ma province
Bien décidé à empoigner la vie
Le cœur léger et le bagage mince
J'étais certain de conquérir Paris...

ARAGON ET CASTILLE

PAROLES Bobby Lapointe • MUSIQUE Étienne Lorin et Bobby Lapointe (Éd. Beuscher) • INTERPRÈTES Bobby Lapointe, Bourvil, Ginette Garcin

Autant d'anticonformisme déchaîne les passions, mais quel réconfort pour Bobby d'entendre sa chanson interprétée par Bourvil ! Et d'avoir pour fan inconditionnel le cinéaste François Truffaut, qui lui donnera un petit rôle dans Tirez sur le pianiste, *au côté d'Aznavour !*

Le 18 avril 1960, Johnny fait son premier passage à la télévision dans "l'École des Vedettes".

Au pays daga d'Aragon
Il y'avait tugud' une fille
Qui aimait les glac's au citron et vanille
Au pays degue de Castille
Il y'avait tinguind un garçon
Qui vendait des glac's vanille et citron.

LES ENFANTS DU PIRÉE

VERSION FRANÇAISE Jacques Larue • MUSIQUE ORIGINALE Manos Hadjidakis (Éd. SEMI-Patricia) • INTERPRÈTES Mélina Mercouri, Nana Mouskouri

Chanson du film de Jules Dassin, époux de Mélina, Jamais le dimanche.

Dans les ruelles, d'un coup sec
Un volet, deux volets, trois volets claquent au vent
Et faisant une ronde avec
Un enfant, deux enfants, trois enfants dansent gaiement.

1961

NON, JE NE REGRETTE RIEN

PAROLES Michel Vaucaire • MUSIQUE Charles Dumont (Éd. SEMI) • INTERPRÈTE Édith Piaf

Un des derniers succès de Piaf et le premier de Charles Dumont.

Non !
Rien de rien...
Non !
Je ne regrette rien
Ni le bien
Qu'on m'a fait
Ni le mal
Tout ça m'est bien égal !

BRIGITTE BARDOT

VERSION FRANÇAISE André Salvet • VERSION ORIGINALE Miguel Gustavo (Éd. MCA Caravelle)
INTERPRÈTE Dario Moreno

La gloire de BB inspire les Brésiliens. Ils composent à sa gloire cette chanson qui atterrit un jour sur le bureau de Lucien Morisse, directeur d'Europe N°1. Ce dernier n'hésite pas. Il en fait rapidement un très grand succès !

Brigitte Bardot... Bardot
Brigitte Besos... Besos
Pour toi à toutes les secondes
Les hommes ont le cœur qui bat...

LA LEÇON DE TWIST

PAROLES Danyel Gérard • MUSIQUE Giuseppe Mengozzi (Éd. Warner/Chappell) • INTERPRÈTES Dalida, Johnny Hallyday, Richard Anthony.

Tout le monde croit au départ que c'est un tube venu une fois de plus des États-Unis. Erreur ! C'est un pur produit français. Mengozzi est le pseudo de Jerry Mengo, musicien qui débuta chez Ray Ventura.

De tous côtés on n'entend plus que ça
Un air nouveau qui nous vient de là-bas

Twist and Twist Vous y viendrez tous
Twist and Twist Et vous verrez tous
Twist and Twist Le monde entier Twister !

PANAME

PAROLES ET MUSIQUE Léo Ferré (Éd. L'auteur) • INTERPRÈTES Léo Ferré, Catherine Sauvage, Juliette Gréco

Premier disque "Barclay" de Léo, qui marque une indiscutable amélioration de la qualité des arrangements et de l'enregistrement de ses compositions.

Paname
On t'a chanté sur tous les tons
Y'a plein d'parol's dans tes chansons
Qui parl'nt de qui, de quoi, d'quoi donc
Paname
Moi c'est tes yeux moi c'est ta peau
Que je veux baiser comme il faut
Comm' sav'nt baiser les gigolos.

JE BOIS DU LAIT

VERSION FRANÇAISE Pierre Saka • MUSIQUE Jerry Lee Lewis (Éd. Céline/EMI Music) • INTERPRÈTES les Pirates

Après les Chaussettes noires et les Chats sauvages, les Pirates sont le troisième groupe sponsorisé. Cette fois, par le syndicat des produits laitiers.

La joie est dans mon cœur
Et si je veux prétendre
Conserver la forme que j'ai
C'est que... Je bois du lait !

Avec son troisième disque et premier 33 tours, en 1961, Jean Ferrat s'ouvre la voie du succès.

NE ME QUITTE PAS

Ne me quitte pas
Il faut oublier
Tout peut s'oublier
Qui s'enfuit déjà
Oublier le temps
Des malentendus
Et le temps perdu
À savoir comment
Oublier ces heures
Qui tuaient parfois
À coups de pourquoi
Le cœur du bonheur
Ne me quitte pas
Ne me quitte pas
Ne me quitte
Ne me quitte pas

Moi je t'offrirai
Des perles de pluie
Venues de pays
Où il ne pleut pas
Je creuserai la terre
Jusqu'après ma mort
Pour couvrir ton corps
D'or et de lumière
Je ferai un domaine
Où l'amour sera roi
Où l'amour sera loi
Où tu seras reine
Ne me quitte pas
Ne me quitte pas
Ne me quitte pas
Ne me quitte pas

Ne me quitte pas
Je t'inventerai
Des mots insensés
Que tu comprendras
Je te parlerai
De ces amants-là
Qui ont vu deux fois
Leur cœur s'embraser
Je te raconterai
L'histoire de ce roi
Mort de n'avoir pas
Pu te rencontrer
Ne me quitte pas
Ne me quitte pas
Ne me quitte pas
Ne me quitte pas

On a vu souvent
Rejaillir le feu
D'un ancien volcan
Qu'on croyait trop vieux
Il est paraît-il
Des terres brûlées
Donnant plus de blé
Qu'un meilleur avril
Et quand vient le soir
Pour qu'un ciel flamboie
Le rouge et le noir
Ne s'épousent-ils pas
Ne me quitte pas
Ne me quitte pas
Ne me quitte pas
Ne me quitte pas

Ne me quitte pas
Je ne vais plus pleurer
Je ne vais plus parler
Je me cacherai là
À te regarder
Danser et sourire
Et à t'écouter
Chanter et puis rire
Laisse moi devenir
L'ombre de ton ombre
L'ombre de ta main
L'ombre de ton chien
Ne me quitte pas
Ne me quitte pas
Ne me quitte pas
Ne me quitte pas

Paroles et musique J. Brel © Warner/Chappell

MON TRUC EN PLUMES

Paroles Bernard Dimey • Musique Jean Constantin (Éd. Amour) • Interprète Zizi Jeanmaire

Mon truc en plumes
Plum's de zoiseaux
De z'animaux
Mon truc en plumes
C'est très malin
Rien dans les mains
Tout dans l'coup d'rein.

DANIELA

Paroles André Pascal • Musique Georges Garvarentz (Éd. Djanick Music) • Interprètes Eddy Mitchell et les Chaussettes noires.

Ô Da-nie-e-la
La vie n'est qu'un jeu pour toi
Ô Da-nie-e-la
Pourtant tu ne crois pas
Que tu peux Da-nie-e-la
Jouer avec l'amour...

NOUS LES AMOUREUX

PAROLES Maurice Vidalin • MUSIQUE Jacques Datin (Éd. Sidonie) • INTERPRÈTE Jean-Claude Pascal

Grand Prix de l'Eurovision, pour le Luxembourg.

Nous, les amoureux
On voudrait nous séparer
On voudrait nous empêcher
d'être heureux...

1 9 6 2

NE ME QUITTE PAS

PAROLES ET MUSIQUE Jacques Brel (Éd. Warner/Chappell)
INTERPRÈTES Jacques Brel, Nina Simone

Certainement la plus célèbre chanson de Brel. Celle qui a fait sa renommée mondiale. D'abord par Mort Shuman, qui l'a fait connaître aux États-Unis, et ensuite par la version anglaise "If you go away", magistralement interprétée par Nina Simone.

MÉMÈRE

PAROLES Bernard Dimey • MUSIQUE Daniel White (Éd. Warner/Chappell)
INTERPRÈTE Michel Simon

Mémère
Tu t'en souviens de notre belle époque
C'était la premièr' fois qu'on s'aimait pour de bon
À présent faut bien l'dire on a l'air de vieux ch'nocs
Mais c'qui fait passer tout
C'est qu'on a la façon.

DEUX ENFANTS AU SOLEIL

PAROLES Claude Delécluse • MUSIQUE Jean Ferrat (Éd. Alleluia) • INTERPRÈTES Isabelle Aubret et Jean Ferrat

La première chance d'Isabelle Aubret et de Ferrat, qui s'imposent définitivement à contre-courant de la mode yé-yé.

La mer sans arrêt
Roulait ses galets
Les cheveux défaits
Ils se regardaient
Dans l'odeur des pins
Du sable et du thym
Qui baignait la plage...

LA JAVANAISE

PAROLES ET MUSIQUE Serge Gainsbourg (Éd. Warner/Chappell) • INTERPRÈTES Juliette Gréco, Serge Gainsbourg

J'avoue... J'en ai bavé... Pas vous...
Mon amour
Avant d'avoir... Eu vent... De vous...
Mon amour
Ne vous déplaise...
En dansant la Javanaise...
Nous nous aimions...
Le temps d'une chanson.

J'ENTENDS SIFFLER LE TRAIN

VERSION FRANÇAISE Jacques Plante
VERSION ORIGINALE H. West (Éd. MCA/Caravelle)
INTERPRÈTE Richard Anthony

Créée par le groupe américain Journeymen sous le titre "500 Miles", la chanson est ramenée en France par Hugues Aufray, mais c'est Richard Anthony qui en profite. Ce sera le tube de l'année !

J'ai pensé qu'il valait mieux
Nous quitter sans un adieu

Boudu sauvé des eaux chante sa complainte des vieux amants.

SYRACUSE

J'aimerais tant voir Syracuse
L'île de Pâques et Kairouan
Et les grands oiseaux qui s'amusent
À glisser l'aile sous le vent.

Voir les jardins de Babylone
Et le palais du grand lama
Rêver des amants de Vérone
Au sommet du Fuji-Yama.

Voir le pays du matin calme
Aller pêcher au cormoran
Et m'enivrer du vin de palme
En écoutant chanter le vent.

Avant que ma jeunesse s'use
Et que mes printemps soient partis
J'aimerais tant voir Syracuse
Pour m'en souvenir à Paris.

Paroles B. Dimey • Musique H. Salvador
© Salvador

Je n'aurais pas eu le cœur de te revoir
Mais j'entends siffler le train *(bis)*
Que c'est triste un train qui siffle dans le soir...

SYRACUSE

Paroles Bernard Dimey • Musique Henri Salvador (Éd. Première Music) • Interprètes Henri Salvador, Jean Sablon, Yves Montand

L'élégante poésie de Dimey et la nonchalance charmeuse de Salvador. Un bijou !

TOUS LES GARÇONS ET LES FILLES

Paroles Françoise Hardy • Musique Françoise Hardy et Roger Samyn (Éd. Alpha) • Interprète Françoise Hardy

Après plusieurs déconvenues, Françoise signe un contrat chez Vogue. À la surprise générale, c'est la révélation qui dépassera les frontières (3 à 4 millions de disques vendus en France, Italie, Allemagne et Grande-Bretagne).

Tous les garçons et les fill's de mon âge
Se promèn'nt dans la rue deux par deux
...
Et les yeux dans les yeux
Et la main dans la main
Ils s'en vont amoureux
Sans peur du lendemain.

ET MAINTENANT

Paroles Pierre Delanoë • Musique Gilbert Bécaud (Éd. BMG Music Publishing)
Interprète Gilbert Bécaud, et, en anglais, "What's now my Love", Frank Sinatra, Barbra Streisand

Selon la petite histoire, Bécaud rencontre dans un avion une jeune femme qui pleure sur son fiancé qui vient de la quitter. "Et maintenant, que vais-je faire ?" se lamente-t-elle. "Moi, une chanson", pense Gilbert.

Et maintenant, que vais-je faire
De tout ce temps, que sera ma vie
De tous ces gens qui m'indiffèrent
Maintenant que tu es partie...

POUR UNE AMOURETTE

Paroles et musique Leny Escudero (Éd. Métropolitaines)
Interprète Leny Escudero

Pour une amourette
Qui passait par là
J'ai perdu la tête
Et puis me voilà...

BELLES, BELLES, BELLES

Version française Vline Buggy • Version originale "Girls, Girls, Girls" Phil Everly (Éd. MCA/Caravelle)
Interprète Claude François

Belles, belles, belles
Comme le jour
Belles, belles, belles
Comme l'amour...

DEMAIN TU TE MARIES

Paroles Patricia Carli • Musique Léo Missir (Éd. MCA/Caravelle) • Interprète Patricia Carli

Arrête... arrête... Ne me touche pas !
Je t'en prie aie pitié de moi
Je ne peux plus supporter
Avec une autre, te partager
D'ailleurs demain tu te maries...

UN CLAIR DE LUNE À MAUBEUGE

Paroles Pierre Perrin • Musique Pierre Perrin et Claude Blondy (Éd. MCA/Caravelle) • Interprètes Pierre Perrin, Bourvil, Fernand Raynaud

Perrin est chauffeur de taxi. Il compose des chansons à ses moments perdus et devient millionnaire avec ce tango humoristique.

Tout ça n'vaut pas un clair de lune
à Maubeuge
Tout ça n'vaut pas le doux soleil
de Tourcoing
Tout ça n'vaut pas une croisière
sur la Meuse
Tout ça n'vaut pas des vacances
au Kremlin -Bicêtre !

RETIENS LA NUIT

Paroles Charles Aznavour • Musique Georges Garvarentz (Éd. Djanick) • Interprète Johnny Hallyday

Dans le film les Parisiennes *de Michel Boisrond, Johnny chante à Catherine Deneuve (qui ne restera pas indifférente), une guitare contre le cœur :*

Retiens la nuit, pour nous deux
Jusqu'à la fin du monde...
...
Serre-moi fort, contre ton corps...

UN MEXICAIN

Paroles Jacques Plante • Musique Charles Aznavour (Éd. French Music) • Interprètes Marcel Amont, les Compagnons de la chanson

Un Mexicain basané
Est allongé sur le sol
Le sombrero sur le nez
En guise, en guise, en guise de parasol.

UNE PETITE FILLE

Paroles Claude Nougaro • Musique Jacques Datin (Éd. Chiffre Neuf et Sidonie) • Interprète Claude Nougaro

Une petite fille en pleurs dans une ville
en pluie
Et moi qui cours après,
Et moi qui cours après au milieu de la nuit
Mais qu'est-ce que je lui ai fait ?

1 9 6 3

ENFANTS DE TOUS PAYS

Paroles Jacques Demarny et P. R. Blanc
Musique Enrico Macias (Éd. EMI Publishing France)
Interprète Enrico Macias

Enfants de tous pays
Tendez vos mains meurtries
Semez l'amour et puis donnez la vie...

À LA GARE SAINT-LAZARE

Paroles Pierre Delanoë • Musique Jean Renard (Éd. SEMI) • Interprète Colette Deréal

À la gare Saint-Lazare
Sous l'horloge pendue
J'ai vu passer quatre quarts
Et tu n'es pas venu.

L'ÉCOLE EST FINIE

Paroles André Salvet et Jacques Hourdeaux • Musique Claude Carrère (Éd. Breton) • Interprète Sheila

Donne-moi ta main et prends la mienne
La cloche a sonné, ça signifie
La rue est à nous que la joie vienne
Mais oui, mais oui, l'école est finie...

L'IDOLE DES JEUNES

Version française Ralph Bernet • Musique J. Lewis (Éd. EMI Music) • Interprète Johnny Hallyday

À la fête de la Nation, le 21 juin, devant 200 000 "copains" déchaînés (la soirée dégénérera en émeute), Johnny chante la version française de "Teenage Idol" de Ricky Nelson :

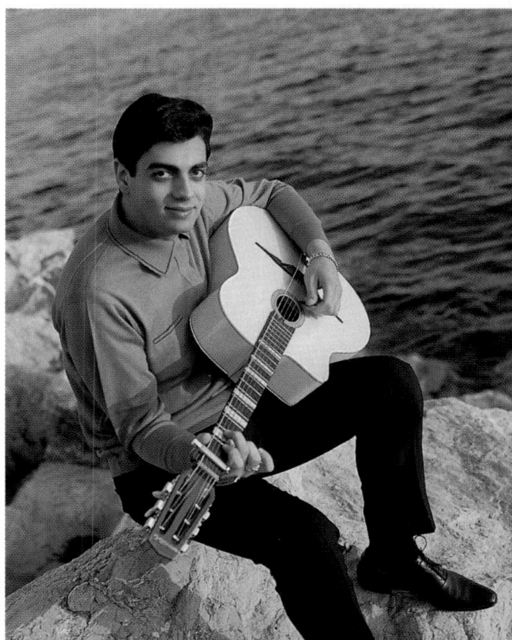

L'enfant de Constantine au bord de la Méditerranée, mais sur la rive nord cette fois.

Les gens m'appellent l'idole des jeunes
Il en est même qui m'envient
Mais ils ne savent pas dans la vie
Combien tout seul... je suis !

LA MADRAGUE

PAROLES Jean-Max Rivière • MUSIQUE Gérard Bourgeois (Éd. Warner/Chappell) • INTERPRÈTE Brigitte Bardot

Sur la plage abandonnée
Coquillages et crustacés
Qui l'eût cru, déplorent la perte de l'été
Qui depuis s'en est allé...

LA MAMMA

PAROLES Robert Gall • MUSIQUE Charles Aznavour (Éd. Djanick Music) • INTERPRÈTES Charles Aznavour, les Compagnons de la chanson

Ils sont venus, ils sont tous là
Quand ils ont entendu ce cri
Elle va mourir la Mamma...

1964

ZORRO EST ARRIVÉ

VERSION FRANÇAISE Bernard Michel
VERSION ORIGINALE Leiber et Stoller (Éd. BMG Music)
INTERPRÈTE Henri Salvador

C'est le quatrième morceau d'un super 45 tours, celui sur lequel l'on compte le moins. Hubert, l'animateur-vedette d'Europe N° 1, invente un jeu un soir sur l'antenne. Il passe justement ce quatrième titre et demande aux auditeurs de donner leur avis. S'ils aiment, on le repasse, sinon on en passe un autre. Zorro arrive et ne repart plus. Il passe 23 fois de suite !

Zorro est arrivé-é-é
Sans s'presser-er-er
Le grand Zorro
Le beau Zorro
Avec son ch'val et son grand lasso.

NANTES

PAROLES ET MUSIQUE Barbara (Éd. Métropolitaines)
INTERPRÈTE Barbara

Jamais encore un cœur et une voix n'avaient si bien pleuré la mort d'un père.

Je l'ai couché dessous les roses
Il pleut sur Nantes
Et je me souviens
Le ciel de Nantes
Rend mon cœur chagrin.

LE TORD-BOYAUX

PAROLES ET MUSIQUE Pierre Perret (Éd. Warner/Chappell)
INTERPRÈTE Pierre Perret

Pour une fois Barclay se trompe, il ne voit pas juste pour Pierrot, qui stagne chez lui. C'est la rupture. Perret entre chez Vogue avec "le Tord-boyaux". C'est enfin le grand départ.

Au Tord-boyaux
Le patron s'appelle Bruno
Il a de la graisse plein les tifs
De gros points noirs sur le pif.

SACRÉ CHARLEMAGNE

PAROLES Robert Gall • MUSIQUE Georges Liferman (Éd. Sidonie/Delabel) • INTERPRÈTE France Gall

Qui a eu cette idée folle
Un jour d'inventer l'école
C'est ce sacré, sacré Charlemagne
Sacré Charlemagne.

MA VIE

PAROLES ET MUSIQUE Alain Barrière (Éd. Bretagne)
INTERPRÈTE Alain Barrière

Le très grand tube de l'été 1964.

Ma-a-a vie
J'en ai vu des amants
Ma-a-a vie
L'amour ça fout l'camp
Je sais
On dit que ça revient
Ma vie
Mais c'est long le chemin.

QUE C'EST TRISTE VENISE

PAROLES Françoise Dorin • MUSIQUE Charles Aznavour (Éd. Djanick Music) • INTERPRÈTE Charles Aznavour

Que c'est triste Venise
Au temps des amours mortes
Que c'est triste Venise
Quand on ne s'aime plus.

NUIT ET BROUILLARD

PAROLES ET MUSIQUE Jean Ferrat (Éd. Alleluia)
INTERPRÈTES Isabelle Aubret, Jean Ferrat.

Alors qu'on en parlait encore peu,
Jean Ferrat évoque la période tragique des camps de la mort en enregistrant cette chanson qui tire à plus de 400 000 exemplaires.

Ils étaient vingt et cent
Ils étaient des milliers

Nus et maigres tremblants
Dans ces wagons plombés...

LES BONBONS

Paroles et musique Jacques Brel (Éd. Pouchenel)
Interprète Jacques Brel

Une deuxième version de la chanson sera proposée en 1967 et enregistrée en public.

Je vous ai apporté des bonbons
Parce que les fleurs c'est périssable
Puis les bonbons c'est tell'ment bon
Bien que les fleurs soient plus présentables.
2e version
Je viens rechercher mes bonbons
Vois-tu Germaine j'ai eu trop mal
Quand tu m'as fait cette réflexion
Au sujet de mes cheveux longs...

1965

LES P'TITS PAPIERS

Paroles et musique Serge Gainsbourg
(Éd. Sidonie/Delabel) • Interprète Régine

Laissez parler
Les p'tits papiers
Puiss'nt-ils un soir
Papier buvard
Vous consoler.

CHEZ LAURETTE

Paroles Michel Delpech • Musique Roland Vincent
(Éd. Warner/Chappell) • Interprète Michel Delpech

C'était bien chez Laurette
On y retournera
Pour ne pas l'oublier Laurette
Ce s'ra bien ce s'ra chouette...

CAPRI C'EST FINI

Paroles Hervé Vilard • Musique
Marcel Hurten (Éd. Warner/Chappell)
Interprète Hervé Vilard

La bombe anti-yéyé, un petit jeune qui fait dans le traditionnel, numéro 1 de l'été !

Capri c'est fini
Et dire que c'était
la ville de mon premier amour
Capri c'est fini
Je ne crois pas
que j'y retournerai un jour.

LA PASSIONNATA

Paroles et musique Guy Marchand (Éd. Caravelle/MCA)
Interprète Guy Marchand

Un "latin lover", passionné de tango, impose cette chanson hispanisante.

Avec toi il faudrait toujours vivre
La Passionnata... la Passionnata...
la Passionnata
Avec toi il faudrait toujours jouer
La co co la comédia la co... comédia.

POUPÉE DE CIRE POUPÉE DE SON

Paroles et musique Serge Gainsbourg
(Éd. Sidonie/Delabel) • Interprète France Gall

Grand prix de l'Eurovision, pour le Luxembourg, devançant de justesse Guy Mardel.

Je suis une poupée de cire
Une poupée de son
Mon cœur est gravé dans mes chansons
Poupée de cire poupée de son.

Gainsbourg au milieu des années soixante, entre pop et yé-yé, mais toujours dandy.

N'AVOUE JAMAIS

Paroles Françoise Dorin • Musique Guy Mardel (Éd. Warner/Chappell) • Interprète Guy Mardel

N'avoue jamais, jamais, jamais, jamais
N'avoue jamais que tu aimes
N'avoue jamais, jamais, jamais, jamais
N'avoue jamais... que tu l'aimes...

LE CIEL, LE SOLEIL ET LA MER

Paroles et musique François Deguelt (Éd. Beuscher) • Interprète François Deguelt

C'est grâce à l'ajout d'une voix féminine en dernière instance, en contrechant de sa voix, que Deguelt réussit le tube parfait. Les grandes réussites sont dues parfois à un détail !

C'est l'été, les vacances
Oh mon dieu quelle chance
Il y a le ciel, le soleil et la mer
Il y a le ciel, le soleil et la mer...

LES PARAPLUIES DE CHERBOURG

Film musical, paroles Jacques Demy
Musique Michel Legrand (Éd. Warner/Chappell)
Avec les voix de Danièle Licari et José Bartel, qui doublent Catherine Deneuve et Nino Castelnuovo... l'air principal du film de Demy sera repris par de nombreuses vedettes, dont Nana Mouskouri.

Non, je ne pourrai jamais vivre sans toi
Je ne pourrai pas, ne pars pas j'en mourrai
Un instant sans toi et je n'existe pas
Mais mon amour ne me quitte pas..

1966

UN HOMME ET UNE FEMME

Paroles Pierre Barouh Musique Francis Lai (Éd. Saravah)
Interprètes Pierre Barouh et Nicole Croisille

À la création de la chanson du film éponyme (palme d'or à Cannes), les deux interprètes n'ont jamais mis un "cha" à la place du "ba", ce qui n'empêchera pas la chanson de passer à la postérité sous le nom de code "chabadabada" !

Comme nos voix ba da ba da da ba da ba da
Chantent tout bas ba da ba da da ba da ba da
Nos cœurs y voient ba da ba da da ba da ba da
Comme une chance, comme un espoir...

LA POUPÉE QUI FAIT NON

Paroles Franck Gérald • Musique Michel Polnareff (Éd. SEMI) • Interprète Michel Polnareff

À ses débuts, Polnareff chante en anglais. C'est l'échec. Michel revient à la langue de Molière... C'est le succès !

C'est une poupée
Qui fait non non non non non non
Toute la journée
Ell' fait non non non non non non
Elle est tell'ment jolie
Que j'en rêve la nuit...

LES ÉLUCUBRATIONS D'ANTOINE

Paroles et musique Antoine (Éd. Warner/Chappell)
Interprète Antoine

Avec son image de beatnick contestataire, Antoine fustige la loi de 1920 (qui proscrit l'avortement et la contraception)... et Johnny Hallyday.

Tout devrait changer tout le temps
Le monde serait bien plus amusant
On verrait des avions dans les couloirs du métro
Et Johnny Hallyday en cage à Médrano...
Oh Yeah !

LES JOLIES COLONIES DE VACANCES

Paroles et musique Pierre Perret (Éd. Warner/Chappell)
Interprète Pierre Perret

Monsieur Condamine, directeur adjoint de l'ORTF, veut interdire la chanson (qui propose une vision "affreuse, sale et méchante" de la "colo"). Polémique. Guy Lux défend Perret. Finalement, la chanson est proscrite de l'antenne durant un certain temps. Ce qui n'a fait qu'ajouter à son succès !

Les jolies colonies de vacances
Merci maman merci papa
Tous les ans je voudrais qu'ça r'commence
You Kaï-di aï-di aï-da

LA BOHÊME

Paroles Jacques Plante • Musique Charles Aznavour (Éd. Djanick Music)
Interprète Georges Guétary, Charles Aznavour

La chanson est extraite de l'opérette Monsieur Carnaval, *sur un livret de Frédéric Dard.*

Je vous parle d'un temps
Que les moins de vingt ans

Ne peuvent pas connaître
Montmartre en ce temps-là
Accrochait ses lilas
Jusque sous nos fenêtres...

CHEVEUX LONGS ET IDÉES COURTES

PAROLES Gilles Thibaut • MUSIQUE Johnny Hallyday (Éd. Labrador) • INTERPRÈTE Johnny Hallyday

La réplique de Johnny à Antoine !

Si monsieur Kennedy
Aujourd'hui revenait
Ou si monsieur Gandhi
Soudain ressuscitait
Ils seraient étonnés
Quand on leur apprendrait
Que pour changer le monde
Il suffit de chanter... Ta ta ta ta ta ta
Et surtout avant tout... d'avoir les cheveux longs on on on on !

ET MOI ET MOI ET MOI

PAROLES Jacques Lanzmann • MUSIQUE Jacques Dutronc (Éd. Alpha) • INTERPRÈTE Jacques Dutronc

Le premier tube d'une longue liste de succès signés par le tandem Dutronc/Lanzmann.

Sept cents millions de Chinois
Et moi et moi et moi
Avec ma vie, mon petit chez moi
Mon mal de tête, mon goitre au foie
J'y pense et puis j'oublie
C'est la vie, c'est la vie.

INVENTAIRE 66

PAROLES Michel Delpech • MUSIQUE Roland Vincent (Éd. Musidisc) • INTERPRÈTE Michel Delpech

Le concept, c'est évoquer tous les faits de l'année en une seule chanson. Bonne pioche !

Des chemises à fleurs,
Un étrangleur,
Une bombe dans la mer,
Opération tonnerre
Juanita banana,
Un four à l'Opéra
Et toujours le même président...

MIRZA

PAROLES ET MUSIQUE Nino Ferrer (Éd. Beuscher) INTERPRÈTE Nino Ferrer

À la terrasse du café Sénéquier, à Saint-Tropez, Nino fait la manche avec des chansons loufoques. Passe par là le "talent scout", Richard Bennett. Une vedette va naître.

Z'avez pas vu Mirza
La la la la *(bis)*
Où est passé ce chien
Je le cherche partout
Où est donc passé ce chien
Il va me rendre fou.

LA PLAGE AUX ROMANTIQUES

PAROLES Jean Albertini • MUSIQUE Pascal Danel (Éd. BMG Music) • INTERPRÈTE Pascal Danel

L'exemple-type du slow ravageur.

Laissons la plage aux romantiques
Ce soir j'ai envie de t'aimer
Laissons la plage aux romantiques
Je veux t'aimer à mon idée.

INCH ALLAH

PAROLES ET MUSIQUE Salvatore Adamo (Éd. EMI Publishing France) • INTERPRÈTE Adamo

Salvatore compose cette chanson qui s'inspire du conflit israélo-arabe.

J'ai vu l'Orient dans son écrin
Avec la lune pour bannière

Avec "Inch Allah", Adamo montre qu'il n'est pas seulement le chanteur fleur-bleue de "Tombe la neige".

Et je comptais en un quatrain
Chanter au monde sa lumière.

1967

LES DALTONS

Paroles Jean-Michel Rivat et Frank Thomas • Musique Joe Dassin (Éd. Music 18) • Interprète Joe Dassin

Brassens est malade et s'ennuie dans sa chambre d'hôpital. À un ami qui lui rend visite, il demande : "Apporte-moi le disque de Dassin, les Daltons". Pour le jeune chanteur franco-américain, c'est la consécration.

À la place des crayons ils avaient des limes
En guise de cravate des cordes de lin
Ne vous étonnez pas si leur tout premier crime
Fut d'avoir fait mourir leur maman de chagrin
Ta ga da Ta ga da... voilà les Daltons.

DÉSHABILLEZ-MOI

Paroles Robert Nyel • Musique Gaby Verlor (Éd. Warner/Chappell) • Interprète Juliette Gréco

Déshabillez-moi (bis)
Oui, mais pas tout de suite
Pas trop vite
Sachez me convoiter
Me désirer
Me captiver.

LES GENS DU NORD

Paroles Jacques Demarny • Musique Enrico Macias et Jean Claudric (Éd. Warner/Chappell)
Interprète Enrico Macias

Les gens du Nord
Ont dans leurs yeux le bleu qui manque à leur décor.
Les gens du Nord
Ont dans leur cœur le soleil qu'ils n'ont pas dehors.

TOULOUSE

Paroles Claude Nougaro • Musique Claude Nougaro et Christian Chevallier (Éd. Chiffre Neuf)
Interprète Claude Nougaro

Aujourd'hui tes buldings grimpent haut
À Blagnac tes avions ronflent gros
Si l'un me ramène sur cette ville
Pourrai-je y revoir ma pincée de tuiles
Ô mon païs, ô Toulouse, ô Toulouse...

SARAH

Paroles et musique Georges Moustaki (Éd. Warner/Chappell)
Interprète Serge Reggiani.

La femme qui
Est dans mon lit
N'a plus vingt ans
Depuis longtemps.

L'IMPORTANT C'EST LA ROSE

Paroles Louis Amade • Musique Gilbert Bécaud (Éd. BMG Publishing France)
Interprète Gilbert Bécaud

Le chauffeur de monsieur le préfet Louis Amade fait un jour maladroitement dévier sa voiture sur un parterre de fleurs. Un agent de la circulation qui se trouvait là fait alors cette réflexion : "Allons voyons, l'important c'est les roses !" Une phrase qui n'était pas tombée dans l'oreille d'un sourd !

"M. 10 000 volts", qui déchaînait la jeunesse des années cinquante est devenu une des plus grandes "usines à tubes" des années soixante.

Cheveux bien peignés et voiture de sport : Clo-Clo incarne le rêve des "minets du yé-yé."

DEUX MINUTES TRENTE-CINQ DE BONHEUR

PAROLES Jean-Michel Rivat et Frank Thomas
MUSIQUE Jean Renard (Éd. Warner/Chappell)
INTERPRÈTES Sylvie Vartan et Carlos.

Carlos, fils de Françoise Dolto et homme à tout faire de Sylvie, fait un duo succès avec sa patronne. Un autre à sa place portera les valises !

J'écoute un disque de toi
Ça fait deux minutes trente-cinq de bonheur
Et ça me donne quand tu n'es pas là
Un petit peu de joie dans le cœur.

1968

MONIA

VERSION FRANÇAISE Pierre Saka • VERSION ORIGINALE D. Finado (Éd. Warner/Chappell) • INTERPRÈTE Peter Holm

Le disque démarre très mal, refusé par les radios. C'est finalement les discothèques qui lanceront ce slow, promu n°1 de l'année.

Mo-o-nia, dans tes yeux
J'ai trouvé-é-é
Le bonheur...

IL EST MORT LE SOLEIL

PAROLES Pierre Delanoë • MUSIQUE Hubert Giraud (Éd. SEMI) • INTERPRÈTE Nicoletta, Ray Charles.

Il est mort, il est mort le soleil
Quand tu m'as quittée
Il est mort l'été
L'amour et le soleil
C'est pareil...

COMME D'HABITUDE

PAROLES Gilles Thibaud et Claude François • MUSIQUE Jacques Revaux et Claude François (Éd. Warner/Chappell et Jeune Music) • INTERPRÈTE Claude François

Un des plus grands succès français, toutes générations confondues. En tête du hit-parade des droits d'auteurs Sacem, avec le Boléro *de Ravel. La version anglaise de Paul Anka sera interprétée, notamment, par Frank Sinatra, Elvis Presley, Nina Simone, Ray Charles, sans oublier les Sex Pistols, qui en proposeront une version punk. Le texte anglais est bon, sinon plus réussi que le texte original.*

Comm' d'habitude tout' la journée
Je vais jouer à fair' semblant
Comm' d'habitude je vais sourire
Comm' d'habitude je vais même rire

Comm' d'habitude enfin je vais vivre...
Comm' d'habitude...

La musique de cette chanson fait un peu trop penser à celle des immortelles "Feuilles mortes". Kosma fait un procès qu'il gagne.

DES RONDS DANS L'EAU

Paroles Pierre Barouh • Musique Raymond Lesénéchal (Éd. Saravah) • Interprètes Françoise Hardy Nicole Croisille, Patachou

Tu commenças ta vie
Tout au bord du ruisseau
Tu vécus de ces bruits
Qui courent dans les roseaux...

IL EST CINQ HEURES PARIS S'ÉVEILLE

Paroles Jacques Lanzmann et Anne Segalen
Musique Jacques Dutronc (Éd. Alpha)
Interprète Jacques Dutronc

Sans la flûte enchantée de Roger Bourdin, qui vint à passer d'un studio voisin dans celui de Dutronc, en panne d'inspiration, cette chanson serait sans doute restée dans les tiroirs.

Je suis l'dauphin d'la plac' Dauphine
Et la place Blanche a mauvaise mine
Les camions sont pleins de lait
Les balayeurs sont pleins d'balais
Il est cinq heures...
Paris s'éveille...

IVANOVITCH

Paroles Maurice Vallet • Musique Julien Clerc (Éd. Crécelles/ Sidonie) • Interprète Julien Clerc

Il était arrivé
Le fiacre l'emportait
Toujours la même ville
Toujours les mêmes gares
Des églises barbares
Saint-Pétersbourg ma ville
Ivanovitch est là...

TA CIGARETTE APRÈS L'AMOUR

Paroles Sophie Makhno • Musique Charles Dumont (Éd. Sony) • Interprète Charles Dumont

Ta cigarette après l'amour
Je la regarde à contre-jour
Mon amour...

LA MARITZA

Paroles Pierre Delanoë • Musique Jean Renard (Éd. Suzelle) • Interprète Sylvie Vartan

ANIMAL ON EST MAL

Paroles et musique Gérard Manset (Éd. Eco Music)
Interprète Gérard Manset

Animal
On est mal
On a le dos couvert d'écailles
On sent la paille
Dans la faille...

1969

ADIEU MONSIEUR LE PROFESSEUR

Paroles Hugues Aufray et Vline Buggy
Musique Jean-Pierre Bourtayre (Éd. Compagnie)
Interprète Hugues Aufray

Adieu monsieur le professeur
On ne vous oubliera jamais
Et tout au fond de notre cœur
Ces mots sont écrits à la craie...

LA BICYCLETTE

Paroles Pierre Barouh
Musique Francis Lai (Éd. Saravah)
Interprète Yves Montand

Dans les années quatre-vingt, une parodie "trash" de la chanson, "À mobylette", évoquera "la fille du dealer" à la place de "la fille du facteur".

Quand on partait de bon matin
Quand on partait sur les chemins
À bicyclette
On était quelques bons copains
Y'avait Fernand y'avait Firmin
Y'avait Francis et Sébastien
Et puis Paulette.

C'EST EXTRA

Paroles Léo Ferré • Musique Léo Ferré et Jean-Michel Defaye (Éd. SEMI) • Interprète Léo Ferré

Le groupe anglais The Moody Blues, avec qui il enregistre le titre, aura inspiré cette chanson à Léo. À cinquante-trois ans, Ferré demeure toujours aussi inspiré et bien des jeunes le découvrent à cette occasion.

Les Moody Blues qui s'en balancent
Cet ampli qui n'veut plus rien dire
Et dans la musique du silence
Un' fille qui tangue et vient mourir
C'est extra... C'est extra... C'est extra...
C'est extra.

LE MÉTÈQUE

PAROLES ET MUSIQUE Georges Moustaki
(Éd. Warner/Chappell) • INTERPRÈTE Georges Moustaki

Georges Moustaki méritait bien cette place de soliste. Il avait jusque-là tellement donné aux autres.

**Avec ma gueule de métèqu'
De Juif errant, de pâtre grec
Et mes cheveux aux quatre vents,
Avec mes yeux tout délavés
Qui me donnent l'air de rêver
Moi qui ne rêve plus souvent.**

TOUS LES BATEAUX TOUS LES OISEAUX

PAROLES Jean-Loup Dabadie • MUSIQUE Paul de Senneville (Éd. SEMI) • INTERPRÈTE Michel Polnareff

**Tu n'as jamais vu
Tous les bateaux, tous les oiseaux
Tous les soleils
L'île au trésor et les abeilles
Ne pleure pas petite fille...**

QUE JE T'AIME

PAROLES Gilles Thibaut • MUSIQUE Jean Renard
(Éd. Suzelle) • INTERPRÈTE Johnny Hallyday

Johnny impose enfin des œuvres originales et non plus des adaptations étrangères, pour le plus grand profit des auteurs et compositeurs français.

**Quand tes cheveux s'étalent
Comme un soleil d'été
Et que ton oreiller
Ressemble aux champs de blé
Quand l'ombre et la lumière
Dessinent sur ton corps
Des montagn's , des forêts
Que je t'aime, que je t'aime,
Que je t'aime...**

J'SUIS HEUREUX

PAROLES ET MUSIQUE Jacques Debronckart
(Éd. EMI Publ.) • INTERPRÈTE Jacques Debronckart

**Je n'perds pas mes ch'veux,
je n'perds pas mes réflexes
Je ne suis pas raciste,
je n'ai pas de complexes
Je suis bien dans mon âge,
je suis bien dans mon sexe
Aucune raison d'être angoissé, ni perplexe
J'suis heureux... J'suis heureux...
J'suis heureux.**

JE T'AIME MOI NON PLUS

PAROLES ET MUSIQUE Serge Gainsbourg (Éd. Melody Nelson Publishing) • INTERPRÈTES Jane Birkin et Serge Gainsbourg

Inspiré par la célèbre phrase de Dali "Picasso est communiste, moi non plus", Gainzbarre réalise un premier enregistrement de la chanson avec Bardot, qui ne le satisfait pas. Avec Birkin, c'est mieux. À un éditeur qui lui demande une version anglaise et allemande, il répond : "Mes soupirs et les halètements de Jane sont internationaux !" et la chanson connaîtra une consécration dans tous les pays d'Europe. Bourvil et Jacqueline Maillan en proposeront une parodie désopilante.

**Comme la vague irrésolue
Je vais et je viens
Entre tes reins
Et je me retiens...**

La gouaille du titi parisien et la classe du dandy rock : Jacques Dutronc.

Après Woodstock, le festival de l'île de Wight : le grand rêve des années soixante va fasciner la nouvelle génération de chanteurs français des années soixante-dix.

les années disco

Les événements de Mai 1968 vont avoir un impact fondamental sur la chanson des années soixante-dix. L'heure est à la révolte tous azimuts. Pendant que la variété traditionnelle (Johnny Hallyday, Sylvie Vartan, Joe Dassin, Michel Sardou, Serge Lama...) truste les ondes des radios et des trois chaînes de télévision contrôlées par l'État, une nouvelle génération d'artistes conquiert un public jeune et turbulent dont le rock anglo-saxon est la principale référence. Ils s'appellent Jacques Higelin, Maxime Le Forestier, Alain Souchon, Véronique Sanson, Michel Berger, Bernard Lavilliers ou Renaud. Grâce à eux, le mariage du rock et de la variété devient une réalité tangible, dont la créativité et l'originalité vont bouleverser le paysage musical francophone.

Que le premier album significatif de l'année 1970 soit *Amour Anarchie* de Léo Ferré ne peut être un hasard. Le poète a perçu le premier qu'un vent nouveau souffle sur les refrains. Parallèlement, Pierre Barouh crée avec les substantiels droits d'auteur de la musique du film de Claude Lelouch, *Un homme et une femme,* son propre label, Saravah. Autour de Jacques Higelin, Brigitte Fontaine, Arezki, David McNeil va s'inventer là, loin des contingences de l'audience à tout prix, une chanson inspirée et libre, qui demeure encore aujourd'hui une référence indépassable.

Les chansons, on les écoute dans les fêtes d'extrême gauche ou dans de grands rassemblements qui singent Wight et Woodstock. Les Bretons s'enflamment pour Glenmor, Alan Stivell ou Gilles Servat. Les Occitans se reconnaissent en Marti ou Joan-Pau Verdier. Les Alsaciens plébiscitent Roger Siffer... L'heure est au folk, à la redécouverte d'un patrimoine ancestral remis au goût du jour par Malicorne, Mélusine ou la Bamboche.

Et puis, il y a le Québec. Autour de Félix Leclerc, Robert Charlebois et Gilles Vigneault s'y fomente un style lyrique et chaleureux, en phase avec le besoin de changement qui agite l'Hexagone. Beau Dommage, Pauline Julien, Plume Latraverse, Paul Piché, Richard et Marie-Claire Seguin, Harmonium, Offenbach prolongeront cette embellie.

1970

L'AIGLE NOIR

Paroles et musique Barbara (Éd. Warner/Chappell)
Interprète Barbara

Sur une orchestration très en phase avec l'époque, l'autoportrait symbolique de l'artiste. Le plus grand succès public de Barbara.

Un beau jour, ou peut-être une nuit,
Près d'un lac, je m'étais endormie,
Quand soudain, semblant crever le ciel,
Et venant de nulle part,
Surgit un aigle noir...

WIGHT IS WIGHT

Paroles Michel Delpech • Musique Roland Vincent (Éd. SEMI) • Interprète Michel Delpech

Michel, qui a accompli le pèlerinage au festival de l'île britannique, en revient avec cette chanson qui exalte la grand-messe pop...

Wight is Wight
Dylan is Dylan
Wight is Wight
Viva Donovan.

ORDINAIRE

Paroles P. Nadeau • Musique Robert Charlebois (Éd. Gamma) • Interprète Robert Charlebois

Je suis un gars ben ordinaire
Dès fois j'ai plus le goût de rien faire
J'fum'rais du pot, j'boirais d'la bière
J'ferais d'la musique avec le gros Pierre
Mais faut que je pense à ma carrière
Je suis un chanteur populaire.

LES BALS POPULAIRES

Paroles Vline Buggy et Michel Sardou
Musique Jacques Revaux (Éd. Warner/Chappell)
Interprète Michel Sardou

Dans les bals populaires
L'ouvrier parisien
La casquette en arrière
Tourne, tourne, tourne bien...

TU VEUX OU TU VEUX PAS

Version française Pierre Cour • Version originale C. Impérial (Éd. Edclave Musical Clave/ Brésil)
Interprètes Zanini, Brigitte Bardot

Clarinettiste de jazz, avec sa gueule de Groucho Marx, Zanini devient, du jour au lendemain, la coqueluche de ces dames avec l'adaptation de la chanson brésilienne "Ne vem que mao tem". Bardot double la mise après lui, mais sans le même succès.

Tu veux ou tu veux pas
Tu veux c'est bien
Si tu veux pas tant pis
J'en f'rais pas une maladie.

AVEC LES FILLES JE NE SAIS PAS

Paroles Mya Simille et Michel Delancrey • Musique Billy Bridge (Éd. BMG Music) • Interprète Philippe Lavil

Premier tube de ce "nonchalant" venu de la Martinique.

Avec les filles je ne sais pas
Quand y faut ou quand y faut pas
Parler du temps ou bien parler d'amour
Aller chez moi ou faire la cour.

LAISSE-MOI T'AIMER

Paroles et musique Jean Renard (Éd. Suzelle)
Interprète Mike Brant

Il vient d'Israël avec sa "gueule d'amour" ; sa première chanson est un très grand succès.

Laisse-moi t'aimer
Toute une nuit
Laisse-moi toute une nuit
Faire avec toi
Le plus beau des voyages...

1971

LINDBERGH

Paroles et musique Robert Charlebois (Éd. Gamma International) • Interprètes Robert Charlebois et Louise Forestier

Alors, chu parti sur
Quebec Air, Transworld
Northern, Eastern, Western
Du Pan American
Mais chè pu
Où chu rendu.

POUR UN FLIRT

Paroles Michel Delpech • Musique Roland Vincent (Éd. Warner/Chappell) • Interprète Michel Delpech

Pour un flirt avec toi
Je ferai n'importe quoi
Pour un flirt avec toi
Je serai prêt à tout
Pour un simple rendez-vous.

AVEC LE TEMPS

Paroles et musique Léo Ferré (Éd. L'auteur)
Interprète Léo Ferré

Avec le temps...
Avec le temps va tout s'en va
On oublie le visage et l'on oublie la voix.

L'AVVENTURA

Paroles Frank Thomas et Jean-Michel Rivat
Musique Éric Charden (Éd. Ch. Talar)
Interprètes Stone et Charden

Un duo "moderne" sur une chanson au style nettement rétro. La France profonde adore.

L'avventura
C'est la vie que je mène avec toi
L'avventura
C'est dormir chaque nuit dans tes bras.

IL

Paroles et musique Guy Skornik (Éd. Allô Music - Orion 17)
Interprète Gérard Lenorman

Merveilleuse chanson (grand prix de la rose d'or à Antibes), point de départ important de la carrière de Gérard Lenorman.

Il habite dans le froid
Il n'a plus ni père ni mère
Il habite dans les bois
Il ne connaît que l'hiver.

MES UNIVERSITÉS

Paroles Henri Djian et Sébastien Balasko
Musique Daniel Faure (Éd. Métropolitaines)
Interprète Philippe Clay

Philippe Clay trouve son deuxième souffle dans la critique acerbe des événements de Mai 1968.

Mes universités
C'était pas Jussieu, c'était pas Censier,
c'était pas Nanterre
Mes universités
C'était le pavé, le pavé d'Paris,
le Paris d'la guerre...

MAMY BLUE

Paroles et musique Hubert Giraud (Éd. Cl. Pascal)
Interprètes Pop-Tops, Nicoletta, Joël Daydé

Oh Mamy... Oh Mamy Mamy Blue
Oh Mamy Blue
Je suis partie un soir d'été
Sans dire un mot, sans t'embrasser
Sans un regard sur le passé...

1 9 7 2

LE LAC MAJEUR

Paroles Étienne Roda-Gil • Musique Mort Shuman
(Éd. Warner/Chappell) • Interprète Mort Shuman

Julien Clerc et Robert Charlebois : deux valeurs sûres de la nouvelle chanson francophone.

COMME ILS DISENT

J'habite seul avec maman
Dans un très vieil appartement
Rue Sarasate.
J'ai pour me tenir compagnie
Une tortue deux canaris
Et une chatte.
Pour laisser maman reposer
Très souvent je fais le marché
Et la cuisine
Je lave, je range, j'essuie,
À l'occasion je pique aussi
À la machine.

Vers les trois heures du matin
On va manger entre copains
De tous les sexes
Dans un quelconque bar-tabac
Et là on s'en donne à cœur joie
Et sans complexe.
On déballe des vérités
Sur les gens qu'on a dans le nez
On les lapide.
Mais on fait ça avec humour
Enrobé dans des calembours
Mouillés d'acide.

On rencontre des attardés
Qui pour épater leurs tablées
Marchent et ondulent
Singeant ce qu'ils croient être nous
Et se couvrent, les pauvres fous,
De ridicule.
Ça gesticule et parle fort.
Ça joue les divas, les ténors
De la bêtise.
Moi les lazzi, les quolibets
Me laissent froid puisque c'est vrai.
Je suis un homme, oh ! comme ils disent.

À l'heure où nait un jour nouveau
Je rentre retrouver mon lot
De solitude.
J'ôte mes cils et mes cheveux
Comme un pauvre clown malheureux
De lassitude.
Je me couche mais ne dors pas
Je pense à mes amours sans joie
Si dérisoires.
À ce garçon beau comme un dieu
Qui sans rien faire a mis le feu
À ma mémoire.
Ma bouche n'osera jamais
Lui avouer mon doux secret
Mon tendre drame
Car l'objet de tous mes tourments
Passe le plus clair de son temps
Au lit des femmes.
Nul n'a le droit en vérité
De me blâmer de me juger
Et je précise
Que c'est bien la nature qui
Est responsable si

Je suis un homme, oh ! comme ils disent.

PAROLES ET MUSIQUE C. Aznavour
© Djanick Music

Nota : Comme on demandait à Charles Aznavour : "Pourquoi la rue Sarasate ?" Il répondit : "Parce que dans le dictionnaire de rimes dans la rubrique Rues, c'est la seule qui rime avec chatte !"

Après avoir débuté aux Etats-Unis en signant les premiers succès d'Elvis Presley, Mort Shuman vient à Paris et chante en français. Les tubes vont suivre.

Il neige sur le lac Majeur
Les oiseaux-lyres sont en pleurs
Et le pauvre vin italien
S'est habillé de paille pour rien.

JE M'ÉCLATE AU SÉNÉGAL

PAROLES J.-P. Brault • MUSIQUE Gérard Pisani (Éd. Warner/Chappell) • INTERPRÈTE Martin Circus

Prix du meilleur groupe pop de l'année.

Je m'éclate au Sénégal
Avec ma copine de cheval.

LE LUNDI AU SOLEIL

PAROLES Frank Thomas et Jean-Michel Rivat
MUSIQUE Patrick Juvet (Éd. BMG Music)
INTERPRÈTE Claude François

Le lundi au soleil
C'est une chose qu'on aura jamais
Chaque fois c'est pareil
C'est quand on est derrière les carreaux
Quand on travaille que le ciel est beau...

LA MAISON PRÈS DE LA FONTAINE

PAROLES ET MUSIQUE Nino Ferrer (Éd. Beuscher)
INTERPRÈTE Nino Ferrer

L'auteur des "Cornichons" et de "Mirza" atteint enfin son vrai but. Une chanson romantique. Il doublera l'exploit, en 1975, avec "le Sud".

La maison près de la fontaine
Couverte de vign' vierge et de toil's d'araignée
Sentait la confiture et le désordre et l'obscurité...

ON IRA TOUS AU PARADIS

Paroles Jean-Loup Dabadie • Musique Michel Polnareff (Éd. SEMI) • Interprète Michel Polnareff

On ira tous au paradis
Qu'on soit béni
Qu'on soit maudit
On ira...

FAIS COMME L'OISEAU

Version française Pierre Delanoë • Version originale ("Voce abuso") A. Carlos/Jocafi (Éd. BMG Music/Polygram Music) • Interprète Michel Fugain

Un succès ramené du Brésil.

Fais comme l'oiseau
Ça vit d'air pur et d'eau fraîche un oiseau
D'un peu de chasse et de pêche un oiseau
Mais jamais rien ne l'empêche l'oiseau
D'aller plus haut...

LA TENDRESSE

Paroles Daniel Guichard et Jacques Ferrière • Musique Patricia Carli (Éd. Paledi) • Interprète Daniel Guichard

La tendresse
C'est quelquefois ne plus s'aimer mais être deux
De se trouver à nouveau deux
C'est refaire pour quelques instants un monde en bleu...

SAN FRANCISCO

Paroles Jean-Paul Kernoa
Musique Maxime Le Forestier (Éd. Coïncidences)
Interprète Maxime Le Forestier

Maxime devient l'un des chefs de file des nouveaux auteurs de l'après-Mai 68.

Quand San Francisco s'embrume
Quand San Francisco s'allume
San Francisco
Où êtes-vous ?

1 9 7 3

COMME ILS DISENT

Paroles et musique Charles Aznavour (Éd. Djanick Music) • Interprète Charles Aznavour

Une chanson considérée comme très importante pour la reconnaissance du mouvement homosexuel.

AU PAYS DES MERVEILLES DE JULIET

Paroles et musique Yves Simon (Éd. Warner/Chappell)
Interprète Yves Simon

Un nouvel auteur-compositeur très cérébral, qui fait un hommage remarqué à la vedette du cinéma intellectuel, Juliet Berto.

Maman s'en va cueillir des pâqu'rettes
Au pays des merveilles de Juliet...

Avec son accent "parigot", Daniel Guichard se situe dans une tradition à mi-chemin entre Bruant et Ferrat.

PAROLES… PAROLES…

VERSION FRANÇAISE Michaële • VERSION ORIGINALE G. Ferrio (Éd. Ferrio Curci) • INTERPRÈTES Dalida et Alain Delon

Elle chante et il parle, et ensemble, ils font un succès.

Lui : **Tu es comme le vent qui fait chanter les violons**
Et emporte au loin le parfum des roses
Elle : **Caramels, bonbons, chocolats**
Lui : **Par moments je ne te comprends pas**
…
Lui : **Une parole encore**
Elle : **Paroles, paroles, paroles…**

LES PETITES FEMMES DE PIGALLE

PAROLES Serge Lama • MUSIQUE Jacques Datin (Éd. Warner/Chappell) • INTERPRÈTE Serge Lama

Je m'en vais voir les p'tit's femm's de Pigalle
Toutes les nuits j'effeuille les fleurs du mal
Je mets mes mains partout, je suis comme un bambin
J'm'aperçois qu'en amour je n'y connaissais rien…

LA MALADIE D'AMOUR

PAROLES Michel Sardou et Yves Dessca
MUSIQUE Jacques Revaux (Éd. Match France)
INTERPRÈTE Michel Sardou

Elle court, elle court
La maladie d'amour
Dans le cœur des enfants
De 7 à 77 ans…

QUI C'EST CELUI-LÀ ?

VERSION FRANÇAISE Pierre Vassiliu • VERSION ORIGINALE (*"Partido alto"*, Chico Buarque de Hollanda) (Éd. BMG Music) • INTERPRÈTE Pierre Vassiliu

Dix ans après le succès de sa chanson "Armand", Vassiliu revient au premier plan avec cette chanson brésilienne, dont il réussit pleinement l'adaptation.

Qu'est ce qu'y fait, qu'est-ce qu'il a
Qui c'est celui-là
Complèt'ment toqué ce mec-là
Complèt'ment gaga…

LES DIVORCÉS

PAROLES Michel Delpech et Jean-Michel Rivat
MUSIQUE Roland Vincent (Éd. Warner/Chappell)
INTERPRÈTE Michel Delpech

Le divorce devient de plus en plus fréquent en France. Il inspire une tendre et très jolie chanson.

On pourra dans un premier temps
Donner le gosse à tes parents
Le temps de faire le nécessaire
Ça me fait drôle de divorcer
Mais ça fait rien je vais m'y faire…

J'AI RENCONTRÉ L'HOMME DE MA VIE

PAROLES Luc Plamondon • MUSIQUE F. Cousineau (Éd. Coudon-Canada) • INTERPRÈTE Diane Dufresne

L'humour québécois fait mouche.

Aujourd'hui j'ai rencontré l'homme de ma vie
Aujourd'hui au grand soleil en plein midi
On attendait le même feu vert
Lui à pied et moi dans ma Corvair…

Michel Sardou et son père Fernand : ils perpétuent la vocation d'une dynastie de gens du spectacle.

Fragile et séduisant, Alain Souchon s'installe durablement sur le devant de la scène.

1 9 7 4

MAINTENANT JE SAIS

Paroles Jean-Loup Dabadie • Musique Philip Green (Éd. Bridget Music) • Interprète Jean Gabin

J'suis encore à ma f'nêtre, j'regarde et j'm'interroge
Maintenant je sais...
Je sais qu'on n'sait jamais.

MA PETITE FILLE DE RÊVE

Paroles et musiqueJean-Michel Caradec (Éd. L'auteur) Interprète Jean-Michel Caradec

T'as pas la bouche rouge
T'as pas les yeux charbon noir
T'as pas les ongles peints
T'es naturelle
Ma petite fille de rêve
Même si tu veux pas je t'enlève.

LE PREMIER PAS

Paroles et musique Claude-Michel Schönberg (Éd. Baboo) • Interprète Claude-Michel Schönberg

Le seul succès de Claude-Michel Schönberg comme chanteur. Il fera carrière comme compositeur et signera avec son ami Alain Boublil deux grands spectacles musicaux : la Révolution française *et, surtout,* les Misérables.

Le premier pas
J'aim'rais qu'ell' fasse le premier pas
Je sais, cela ne se fait pas
Pourtant j'aim'rai
Que ce soit elle qui vienne à moi...

OH LES FILLES

Version française Eddie Vartan • Version originale Sugaree et Martin Robbins (Éd. Warner/Chappell) Interprètes Au bonheur des dames

Créé en 1957, ce tube américain consacre un groupe de rigolos.

Il est sorti avec Marcel *(ter)*
Dans l'métro on s'est rencontrés
...
Il m'a dit "J'aime pas les pédés !"
Oh les filles Oh les filles
Ell's me rendent marteau...

J'AI DIX ANS

Paroles Alain Souchon • Musique Laurent Voulzy (Éd. Technisonor) • Interprète Alain Souchon

C'est son premier succès. Qui donne la postérité à la déjà célèbre phrase :

"Tare ta gueule à la récré"

LES MOTS BLEUS

Paroles Christophe • Musique Jean-Michel Jarre (Éd. Francis Dreyfus) • Interprète Christophe, Bashung

Je lui dirais les mots bleus
Les mots qu'on dit avec les yeux
Je lui dirais les mots bleus
Tous ceux qui rendent les gens heureux...

MON VIEUX

Paroles Michelle Senlis • Musique Jean Ferrat (Éd Alleluia) • Interprète Daniel Guichard

Sur fond d'accordéon, une réminiscence de la chanson réaliste.

Dans son vieux pardessus râpé
Il s'en allait l'hiver, l'été
Dans le petit matin frileux
Mon vieux.

1975

LA COMPLAINTE DU PHOQUE EN ALASKA

Paroles et musique Michel Rivart (Éd. Sidonie)
Interprète Beau Dommage

Cré-moé, cré-moe pas
Qu'équ'part en Alaska
Y'a un phoque qui s'ennuie en maudit
Sa blonde est partie
Gagner sa vie dans un cirque aux États-Unis.

LA BALLADE DES GENS HEUREUX

Paroles Pierre Delanoë et Gérard Lenorman
Musique Gérard Lenorman (Éd. SBK Songs)
Interprète Gérard Lenorman

Notre terre est une vieille étoile
Où toi aussi tu brilles un peu
Je viens te chanter la ballade
La ballade des gens heureux.

LES VACANCES AU BORD DE LA MER

Paroles Pierre Grosz • Musique Michel Jonasz (Éd. Warner/Chappell) • Interprète Michel Jonasz

Toute la nostalgie d'une enfance pauvre mais heureuse.

IL VOYAGE EN SOLITAIRE

Paroles et musique Gérard Manset (Éd. Pathé Véranda)
Interprète Gérard Manset

Une chanson bien en phase avec la vogue des hippies voyageurs vers l'Orient.

Il voyage en solitaire
Et nul ne l'oblige à se taire
Il chante la terre *(bis)*
Et c'est la vie sans mystère.

LAISSE BÉTON

Paroles et musique Renaud (Éd. Allô Music)
Interprète Renaud

Le verlan, la banlieue, qui ressemble encore un peu à celle de Doisneau, revue par la BD de Franck Margerin. Le hip-hop est encore loin.

T'as des bottes, mon pote, ell's me bottent
J'parie qu'c'est des santiagues
Viens faire un tour dans l'terrain vague
...
Moi j'y ai dit : "Laisse béton !"

LE ZIZI

Paroles et musique Pierre Perret (Éd. Adèle)
Interprète Pierre Perret

Tout tout tout
Vous saurez tout sur le zizi
Le vrai le faux
Le laid le beau
Le dur le mou
Qui a un grand cou...

BIDON

Paroles Alain Souchon • Musique Laurent Voulzy (Éd. Technisonor) • Interprète Alain Souchon

Le vrai départ de Souchon vers une très belle carrière. Déjà sa thématique du loser fragile.

J'suis mal dans ma peau
En coureur très beau
And just go
With my pince à vélo
...
J'suis bidon.

1976

ET MON PÈRE

Paroles et musique Nicolas Peyrac (Éd. Eco Music)
Interprète Nicolas Peyrac

Aragon n'était pas un minet
Sartre était déjà bien engagé
Au café de Flore il y avait déjà des folles...
Et mon père venait de débarquer...

GABRIELLE

Paroles P. Larue et Long Chris • Musique ("The King is dead") Tony Cole (Éd. Art Music)
Interprète Johnny Hallyday

Gabrielle
Tu brûles mon esprit
Ton amour étrangle ma vie
Et l'enfer devient comme un espoir
Car dans ta main je meurs chaque soir.

ROCK'N'DOLLARS

Paroles et musique William Sheller (Éd. Wha Wha Music)
Interprète William Sheller

Orchestrateur, arrangeur, entre autres de Barbara, Sheller va écouter le conseil de celle-ci. Au cours d'une séance en studio, la "grande dame brune" l'avait poussé à chanter.

LES VACANCES AU BORD DE LA MER

On allait au bord de la mer
Avec mon père, ma sœur, ma mère
On regardait les autres gens
Comme ils dépensaient leur argent.
Nous il fallait faire attention
Quand on avait payé
Le prix d'une location
Il ne nous restait pas grand-chose.
Alors on regardait les bateaux
On suçait des glaces à l'eau
Les palaces, les restaurants
On n'faisait que passer d'vant
Et on regardait les bateaux
Le matin on s'réveillait tôt
Sur la plage pendant des heures
On prenait de belles couleurs.

On allait au bord de la mer
Avec mon père, ma sœur, ma mère
Et quand les vagues étaient tranquilles
On passait la journée aux îles
Sauf quand on pouvait déjà plus.
Alors on regardait les bateaux
On suçait des glaces à l'eau
On avait l'cœur un peu gros
Mais c'était quand même beau.

PAROLES P. Grosz • MUSIQUE M. Jonasz
© Warner/Chappell

Je serai votre poster
Je serai votre king
C'est une question de dollars
Une affaire de feeling...

1977

ALLô MAMAN BOBO

PAROLES Alain Souchon • MUSIQUE Laurent Voulzy (Éd. BMG Music Publishing) • INTERPRÈTE Alain Souchon

Allô maman bobo
Maman comment tu m'as fait ?
J'suis pas beau.

J'T'AIME BIEN LILI

PAROLES ET MUSIQUE Philippe Chatel (Éd. Warner/Chappell) • INTERPRÈTE Philippe Chatel

Le premier succès de Chatel, deux ans avant le triomphe d'Émilie jolie, *l'album plusieurs fois disque d'or.*

J't'aime bien Lili
Pour tous les livres que tu lis
J't'aime bien Lili
J't'aime bien au lit aussi...

PRENDRE UN ENFANT PAR LA MAIN

PAROLES ET MUSIQUE Yves Duteil (Éd. Les éditions de l'Écritoire) • INTERPRÈTE Yves Duteil

Une des chansons les plus populaires d'après les sondages réalisés auprès des Français. Françoise Dolto, la célèbre pédopsychanalyste, avait d'ailleurs déclaré qu'elle adorait ce titre.

Prendre un enfant par la main
Pour l'emmener vers demain
Pour lui donner la
confiance en
son pas...

Un duo plutôt inattendu : Yves Duteil et Jeanne Moreau.

Avec "Pars", Jacques Higelin connaît son premier succès public.

LA DERNIÈRE SÉANCE

Paroles Claude Moine • Musique Pierre Papadiamondis (Éd. E. Mitchell) • Interprète Eddy Mitchell

Cette chanson donnera son titre à une émission de télé, consacrée au vieux cinéma américain, animée pendant de longues années par Eddy sur France 3.

Bye bye les héros que j'aimais
L'entrac'te est terminé
Bye bye rendez-vous à jamais
Mes chocolats glacés...

LILY

Paroles et musique Pierre Perret (Éd. Adèle)
Interprète Pierre Perret

"Pierrot la Tendresse" quitte la gaudriole pour aborder le sujet grave du racisme.

On la trouvait plutôt jolie Lily
Elle arrivait des Somalis
Dans un bateau plein d'émigrés...
Qui venaient tous de leur plein gré
Ramasser les poubelles à Paris...

ROCK COLLECTION

Paroles et musique Laurent Voulzy (Éd. Lorgère)
Interprète Laurent Voulzy

Pour ce pot-pourri des tubes de ses idoles (Beatles, Stones, Beach Boys), Laurent oublie de demander les autorisations nécessaires. Ses droits d'auteur vont souffrir de cette impardonnable erreur.

On a tous dans l'cœur
un' petite fille oubliée
Un' jupe plissée, queue d'cheval
à la sortie du lycée...

HYGIAPHONE

Paroles et musique J.-L. Aubert (Éd. Alpha)
Interprète Téléphone

Le premier grand succès du groupe de rock français des années soixante-dix/quatre-vingt.

Parler... dans l'Hygiaphone
T'as pas besoin d'personne
Demande à l'interphone
Si t'as envie d'quelqu'un
Décroche ton téléphone... téléphone...

1978

PARS

Paroles et musique Jacques Higelin (Éd. L'auteur)
Interprète Jacques Higelin

Pars ! Surtout ne te retourne pas
Pars ! Fais ce que tu dois faire sans moi
Quoi qu'il arrive je serai toujours avec toi...

ALEXANDRIE ALEXANDRA

Paroles Étienne Roda-Gil • Musique Claude François et Jean-Pierre Bourtayre (Éd. Jeune Music)
Interprète Claude François

L'étrange alliance du parolier cérébral Roda-Gil et de la vedette populaire n°1. La chanson restera culte, notamment dans les boîtes homos des années quatre-vingt/quatre-vingt-dix.

Alexandra, Alexandrie
Alexandrie, où l'amour danse avec la nuit.
J'ai plus d'appétit qu'un barracuda
Je boirai tout le Nil si tu n'me retiens pas.

LE BLUES DU BUSINESSMAN

Paroles Luc Plamondon • Musique Michel Berger (Éd. Polygram/UMP/Mondon) • Interprètes Claude Dubois, Étienne Chicot, Nicole Croisille

La chanson est extraite, comme "les Uns contre les autres" ou "Quand on descend en ville", de l'opéra-rock Starmania.

T'aurais voulu être un artiste
Pour tous les soirs changer de peau

Et pour pouvoir te trouver beau
Sur un grand écran en couleurs...

LE CHANTEUR

Paroles et musique Daniel Balavoine (Éd. Warner/Chappell) • Interprète Daniel Balavoine

Je m'présente, je m'appelle Henri
J'voudrais réussir dans la vie
Être aimé, être beau, gagner de l'argent
Puis surtout être intelligent...

LA PARISIENNE

Paroles Françoise Mallet-Joris et Michel Grisolia
Musique d'après Offenbach (Éd. Allo Music)
Interprète Marie-Paule Belle

La rencontre heureuse d'une romancière célèbre et d'une musicienne qui a débuté à l'Écluse avant d'obtenir le prix Charles-Cros en 1974.

Je ne suis pas parisienne
Ça me gêne, ça me gêne
Je ne suis pas dans le vent
C'est navrant, c'est navrant...

ÇA PLANE POUR MOI

Paroles L. Depryek • Musique Lacomblez (Éd. Warner/Chappell) • Interprète Plastic Bertrand

Ça plane pour moi
Allez hop la Nana, quel panard,
quell' vibration
De s'envoyer sur l'paillasson
Limée... ruinée... comblée...
You are the king of the divan
Qu'ell' me dit en passant !

MA PRÉFÉRENCE

Paroles Jean-Loup Dabadie • Musique Julien Clerc (Éd. Sidonie/Crécelles) • Interprète Julien Clerc

Je le sais, sa façon d'être à moi
Parfois vous déplaît...
Mais elle est
Ma chance à moi
Ma préférence à moi.

1979

JE L'AIME À MOURIR

Paroles et musique Francis Cabrel (Éd. Warner-Chappell)
Interprète Francis Cabrel

Le premier succès d'un émule agenais de Bob Dylan.

Moi je n'étais rien
Et voilà qu'aujourd'hui
Je suis le gardien
Du sommeil de ses nuits
Je l'aime à mourir...

MA GUEULE

Paroles Gilles Thibault • Musique Pierre Naçabal (Éd. Tanday Music) • Interprète Johnny Hallyday

Titre choc de la rentrée de Johnny, qui donne un concert grandiose à la porte de Pantin. Alain Resnais reprendra un extrait de cette chanson dans son film On connaît la chanson *(1997), savoureusement mimée par André Dussollier.*

Quoi ma gueule ?
Qu'est-ce qu'elle a ma gueule
Quelque chose qui n'va pas
Ell' ne te revient pas...

MANUREVA

Paroles et musique J.-N. Chaléat, Serge Gainsbourg et Alain Chamfort (Éd. Aco Music)
Interprète Alain Chamfort.

La chanson est inspirée par le navigateur Alain Colas, qui sombre au cours de la Transatlantique en solitaire avec son bateau, le Manureva.

Où es-tu Manu... Manu... Manureva ?
Porté disparu Manureva
Des jours et des jours dériva
Et qui jamais jamais n'arriva...
Là-bas Là-bas...

QUAND T'ES DANS LE DÉSERT

Paroles et musique Jean-Patrick Capdevielle (Éd. Allo Music/BMG Music Publishing)
Interprète Jean-Patrick Capdevielle

Quand t'es dans le désert
Depuis trop longtemps
Tu t'demandes à quoi ça sert
Toutes les règles un peu truquées
Du jeu qu'on veut te faire jouer
Les yeux bandés...

BANANA SPLIT

Paroles H. Diersk • Musique J. Alanski (Éd. West Indies Music) • Interprète Lio

Baisers givrés sur les montagnes blanches
On dirait que les choses se déclenchent
La Chantilly s'écroule en avalanche...

Entre strass et glamour, le Palace à Paris, va résumer toute une forme d'esprit typique des années quatre-vingt.

les années clip

Dans les années quatre-vingt, la chanson française connaît plusieurs révolutions. Après l'arrivée de la gauche au pouvoir, la libération des ondes et la création de plusieurs centaines de radios à travers l'Hexagone modifient en profondeur la diffusion de la musique et permettent l'arrivée d'une nouvelle génération de chanteurs. L'abandon des disques en vinyle et leur remplacement par le disque compact, d'une qualité technique supérieure, changent radicalement l'écoute d'une chanson. L'émergence des vidéo clips bouscule également cette écoute : désormais, non seulement on entend un morceau de musique mais on le regarde aussi... La musique explose et devient une industrie soumise aux lois du marketing... On ne cherche plus à changer le monde. On écoute et on consomme sans trop se poser de questions. D'où l'immense succès des antihéros comme Daniel Balavoine ou Jean-Jacques Goldman, qui, entre rock et variété, proposent des chansons politiquement correctes, où ils invitent chacun à se prendre en charge, tout en refusant la faim dans le monde et l'exclusion à notre porte. Sur la place de la Concorde, en juin 1985, ils sont des centaines de milliers à dire "Touche pas à mon pote", en exhibant la petite main de SOS Racisme au cours d'un Woodstock antiraciste. Ensuite, ils seront là avec Coluche pour les Restos du cœur, avec Renaud pour Chanteurs sans frontière (la famine en Éthiopie) ou avec Aznavour pour l'Arménie. Pendant ce temps-là, Alain Souchon chante "Ultramoderne solitude" et les Rita Mitsouko propulsent sur les ondes le plus sombre et le plus dansant des tubes de l'histoire ("Marcia Baila" en 1985). Trois jeunes filles en fleur font heureusement événement : Mylène Farmer, avec des clips de plus en plus osés, Vanessa Paradis, avec une image de lolita sensuelle, Patricia Kaas, avec une voix à frissons... Le rock s'offre un épisode alternatif et se la joue affranchi des lois du marché en créant ses propres maisons de disques. Ultime phénomène de la décennie, Patrick Bruel se casse la voix mais entraîne dans son sillage toutes les adolescentes du pays.

1980

GABY OH GABY

PAROLES Boris Bergman • MUSIQUE Alain Bashung (Éd. Allô Music) • INTERPRÈTE Alain Bashung

Le duo Bergman/Bashung fait merveille, et grâce à l'éditeur Max Amphoux, et permet le décollage d'un chanteur qui aura mis longtemps à trouver sa voie.

Oh Gaby-Gaby
Tu veux qu'j'te chante la mer
Le long, le long, le long des golfes
Pas très clairs.

ELLE EST D'AILLEURS

PAROLES Jean-Pierre Lang • MUSIQUE Pierre Bachelet (Éd. Avrep) • INTERPRÈTE Pierre Bachelet

Quand elle va chez le boucher
Quand elle arrive à ma hauteur
Pour moi c'est sûr elle est d'ailleurs...

IL JOUAIT DU PIANO DEBOUT

PAROLES ET MUSIQUE Michel Berger (Éd. Musicales Colline)
INTERPRÈTE France Gall

Un titre dédié à Elton John, en souvenir d'une tournée mémorable en 1978.

Il jouait du piano debout
C'est peut-être un détail pour vous
Mais pour moi ça veut dire beaucoup...

1981

POUR LE PLAISIR

PAROLES Vline Buggy et Claude Carmone
MUSIQUE Julien Lepers (Éd. EMI Music)
INTERPRÈTE Herbert Léonard

Sans en attendre rien, mais pour le plaisir
Regarder une fille dans la rue et se dire
Qu'elle est belle
Sans même aller plus loin, mais pour le plaisir...

IL EST LIBRE MAX

PAROLES ET MUSIQUE Hervé Christiani (Éd. Warner/Chappell) • INTERPRÈTE Hervé Christiani

...Il vit sa vie sans s'occuper des grimaces
Que font autour de lui les poissons
dans la nasse...
Il est libre Max *(bis)*

Après quinze ans de galère, le succès est enfin là pour Bashung avec "Gaby".

COMME UN AVION SANS AILES

Paroles et musique Charlélie Couture
(Éd. Polygram Music) • Interprète Charlélie Couture
Très inspirée par Bob Marley ("No Woman, No Cry"), enregistrée avec une voix étrange, cette première chanson est tout de suite un succès.

Comme un avion sans ailes
J'ai chanté toute la nuit
Et j'ai chanté pour celle
Qui m'a cru toute la nuit...

1982

CHACUN FAIT CE QUI LUI PLAÎT

Paroles Gérard Bourgoin • Musique Gérard Presgurvic
(Éd. Warner/Chappell) • Interprète Chagrin d'amour
Le premier rap français avant la lettre.

Cinq heures du mat'
J'ai des frissons
Pendant qu'Boulogne se désespère...

FEMMES... JE VOUS AIME

Paroles Jean-Loup Dabadie • Musique Julien Clerc
(Éd. Crécelles/Sidonie) • Interprète Julien Clerc

Femmes... Je vous aime *(bis)*
Je n'en connais pas de faciles
Je n'en connais que de fragiles
Et difficiles.

LES CORONS

Paroles Jean-Pierre Lang • Musique Pierre Bachelet
(Éd. AVREP) • Interprète Pierre Bachelet

Au nord, c'était les corons
La terre, c'était le charbon
Le ciel, c'était l'horizon
Les hommes, des mineurs de fond.

QUAND LA MUSIQUE EST BONNE

Paroles et musique Jean-Jacques Goldman
(Éd. JRG Music) • Interprète Jean-Jacques Goldman
Extrait de son deuxième album, un titre qui installe Jean-Jacques Goldman en haut de l'affiche pour très longtemps.

Trois notes de blues,
c'est un peu d'amour noir
Quand j'suis trop court,
quand j'suis trop tard
C'est un recours pour une autre histoire
Quand la musique est bonne...

ROCK AMADOUR

Paroles et musique Gérard Blanchard
(Éd. MCA Music France) • Interprète Gérard Blanchard
Du rock accordéon qui surprend et fait plutôt penser à la Corrèze qu'à Nashville...

Mon amour est parti avec le loup
dans les grott's de Rock Amadour
Je suis resté là comm' deux ronds d'flipp
env'loppé dans du papier hygiénique...

IL TAPE SUR DES BAMBOUS

Paroles Didier Barbelivien • Musique Michel Héron
(Éd. Youyou Music et Tabata Music)
Interprètes Philippe Lavil, Julio Iglesias

Il tape sur des bambous, il est numéro 1
Dans son île on est fou
comme on est musicien
Sur Radio Jamaïque il a des copains...

1983

PULL MARINE

Paroles et musique Serge Gainsbourg
(Éd. Melody Nelson) • Interprète Isabelle Adjani

J'ai touché le fond d'la piscine
Dans l'petit pull marine
Tout déchiré aux coudes
Qu'j'ai pas voulu recoudre...

MISE AU POINT

Paroles Jackie Quartz • Musique G. Alphonso
(Éd. Playing Music) • Interprète Jackie Quartz

Juste une mise au point
Pour un clin d'œil de survie
Pour tous les fous,
les malades de l'amour...

MARCIA BAILA

Paroles et musique Catherine Ringer et Fred Chichin
(Éd. Clouzeau Music) • Interprète Rita Mitsouko
Un super vidéoclip de Philippe Gautier a beaucoup contribué au succès du nouveau son latino-zazou de ce duo insolite. Hommage rendu à une danseuse amie, morte d'un cancer. Extraite de l'album sorti en 1984, la chanson connaîtra un énorme succès l'année suivante.

Marcia
C'est la mort qui t'a assassinée
Mais c'est la mort qui t'a consumée...

BESOIN DE RIEN ENVIE DE TOI

Paroles Marie Casanova et Jean-Pierre Savelli
Musique Chantal Richard (Éd. Septentrion)
Interprètes Peter et Sloane

Besoin de rien, envie de toi
Comme jamais envie de personne
Tu vois, le jour c'est à l'amour qu'il ressemble...

TOUTE PREMIÈRE FOIS

Paroles Jeanne Mas • Musique R. Musumarra et R. Zanelli (Éd. Warner/Chappell) • Interprète Jeanne Mas

Une nouvelle silhouette de la chanteuse moderne : coupe hérisson, yeux de braise et maquillage à la Cléopâtre !

Ah pourquoi ces mots
Si forts, si chauds
Qu'ils gémissent sur ta peau...
Te font l'effet d'un couteau
Toute première fois...

FEMME LIBÉRÉE

Paroles Joëlle Kopf • Musique Christian Dingler (Éd. PEM/Charles Talar) • Interprète Cookie Dingler

Elle est abonnée à Marie Claire
Dans le Nouvel Obs',
elle ne lit que Brétecher
...
Ne la laisse pas tomber, elle est si fragile...
Être un' femm' libérée, tu sais,
c'est pas si facile...

1984

UN AUTRE MONDE

Paroles et musique Jean-Louis Aubert et Téléphone (Éd. Polygram Music) • Interprète Téléphone

Le groupe devient le chef de file du rock français, devant Trust, Indochine et Starshooter.

Photographiés par Richard Avedon, les Chagrin d'amour préfigurent le rap français.

QUELQUE CHOSE DE TENNESSEE

(Parlé)
**"Ah ! vous autres, hommes faibles
et merveilleux
Qui mettez tant de grâce à vous
retirer du jeu
Il faut qu'une main posée sur
votre épaule
Vous pousse vers la vie...
Cette main tendre et légère."**

(Chanté)
**On a tous quelque chose de Tennessee
Cette volonté de prolonger la nuit
Ce désir fou de vivre une autre vie
Ce rêve en nous avec ses mots à lui**

**Quelque chose de Tennessee
Cette force qui nous pousse vers l'infini
Y'a peu d'amour avec tell'ment d'envie
Si peu d'amour avec tell'ment de bruit
Quelque chose en nous de Tennessee.**

**Ainsi vivait Tennessee
Le cœur en fièvre et le corps démoli
Avec cette formidable envie de vie
Ce rêve en nous c'était son cri à lui
Quelque chose de Tennessee.**

**Comme une étoile qui s'éteint dans la nuit
À l'heure où d'autres s'aiment à la folie
Sans un éclat de voix et sans un bruit
Sans un seul amour, sans un seul ami
Ainsi disparut Tennessee.**

**À certaines heures de la nuit
Quand le cœur de la ville s'est endormi
Il flotte un sentiment comme une envie
Ce rêve en nous, avec ses mots à lui
Quelque chose de Tennessee.**

PAROLES ET MUSIQUE M. Berger
© Polygram Music

**Je rêvais d'un autre monde
Où la terre serait ronde
Où la lune serait blonde
Et la vie serait féconde...**

AFRICA

PAROLES Jean-Michel Bériat • MUSIQUE Jean-Pierre Goussaud (Éd. BMG Music) • INTERPRÈTE Rose Laurens

**Je suis amoureuse d'une terr' sauvage
Un sorcier vaudou m'a peint le visage
Africa j'ai envie de danser comme toi
De m'offrir à ta loi.**

VIVE LE DOUANIER ROUSSEAU

PAROLES Jean Kluger MUSIQUE Daniel Vangarde (Éd. Bleu blanc rouge) • INTERPRÈTE la Compagnie créole

**Comm' dans les, comm' dans les,
comm' dans les tableaux
Du douanier Rousseau
Y'a des perroquets bleus
qui boivent du lait d'coco.**

1 9 8 5

ELLE A LES YEUX REVOLVER

PAROLES Marc Lavoine • MUSIQUE Fabrice Aboulker (Éd. AVREP) • INTERPRÈTE Marc Lavoine

**Elle a les yeux revolver
Elle a le regard qui tue
Elle a tiré la première
M'a touché c'est foutu.**

LA BOÎTE DE JAZZ

PAROLES ET MUSIQUE Michel Jonasz (Éd. SBK Songs)
INTERPRÈTE Michel Jonasz

Trois chansons sur le jazz sortent en même temps ("le Chanteur de jazz" par Sardou, "God Save the Swing" par Chedid). C'est celle de Michel qui marchera le mieux...

**Un peu parti, un peu naze
J'descends dans la boîte de jazz
Histoire d'oublier un peu le cours
de ma vie...**

QUELQUE CHOSE DE TENNESSEE

PAROLES ET MUSIQUE Michel Berger (Éd. Polygram Music)
INTERPRÈTE Johnny Hallyday

Avec cette chanson en hommage à Tennessee Williams, Johnny étend la qualité de ses créations.

MISTRAL GAGNANT

PAROLES ET MUSIQUE Renaud Séchan (Éd. Mino Music)
INTERPRÈTE Renaud

Le temps est assassin
Et emporte avec lui
Les rires des enfants
Et les Mistral gagnants...

LA LANGUE DE CHEZ NOUS

PAROLES ET MUSIQUE Yves Duteil (Éd. de l'Écritoire)
INTERPRÈTE Yves Duteil

... En écoutant chanter les gens de ce pays
On dirait que le vent s'est pris
dans une harpe
Et qu'il a composé toute une symphonie.

L'AZIZA

PAROLES ET MUSIQUE Daniel Balavoine
(Éd. Warner/Chappell) • INTERPRÈTE Daniel Balavoine

Le dernier succès de Balavoine avant son accident fatal dans le Paris-Dakar. Un manifeste pour la tolérance.

L'Aziza
Ses yeux remplis de pourquoi cherchent
une réponse en moi
Elle veut vraiment que rien ne soit sûr
dans tout ce qu'elle croit.

1986

BELLE-ÎLE-EN-MER

PAROLES Alain Souchon • MUSIQUE Laurent Vouzy
(Éd. Les auteurs) • INTERPRÈTE Laurent Voulzy

Meilleure chanson française aux Victoires de la musique 86.

Belle-Île-en-Mer Marie-Galante
Saint-Vincent loin Singapour Seymour
Vous c'est l'eau, c'est l'eau qui sépare
Et vous laisse à part.

TOMBÉ POUR LA FRANCE

PAROLES Étienne Daho • MUSIQUE Arnold Turboust
(Éd. Clouzeau/Lonely-Boppa Music)
INTERPRÈTE Étienne Daho

Après des débuts malheureux sur scène en 1980 à l'Olympia, Étienne va prendre une éclatante revanche.

Be-bop les pieds nus sous la lune
Sans toi, sans foi, sans fortune
Je passe mon temps à faire
n'importe quoi...
...
Si tu r'viens n'attends pas que je sois
tombé pour la France !

1987

JOË LE TAXI

PAROLES Étienne Roda-Gil
MUSIQUE Franck Langolff (Éd. PECF - Véranda Music)
INTERPRÈTE Vanessa Paradis

Joë le taxi
Y va partout
Y marche pas au soda
Son saxo jaune
Connaît toutes les rues par cœur.

ÉTIENNE

PAROLES Guesh Patti • MUSIQUE Vincent Bruley
(Éd. EMI Publishing) • INTERPRÈTE Guesh Patti

Étienne, Étienne
Oh ! tiens-le bien
Baisers salés salis
Tombés le long du lit...

MADEMOISELLE CHANTE LE BLUES

PAROLES Didier Barbelivien • MUSIQUE D. Medhi et D. Barbelivien (Éd. Back to Paris/Catalogue Moi Music)
INTERPRÈTE Patricia Kaas

Premier disque financé par Gérard Depardieu, sans succès. Patricia fait ensuite connaissance de Barbelivien.

Mademoiselle chante le blues
Soyez pas trop jalouses
Mademoiselle boit du rouge
Mademoiselle chante le blues...

C'EST LA OUATE

PAROLES Caroline Loeb • MUSIQUE Philippe Chany
(Éd. Polygram Music) • INTERPRÈTE Caroline Loeb

Un premier disque qui sort grâce à l'appui d'Étienne Daho. Traduite en plusieurs langues, cette chanson figure dans le film Cœurs croisés.

De toutes les matières
C'est la ouate qu'ell' préfère
Passive, elle est pensive
En négligé de soie...

NÉ QUELQUE PART

PAROLES Maxime Le Forestier • MUSIQUE Maxime Le Forestier et Jean-Pierre Sabar
(Éd. Coïncidences) • INTERPRÈTE Maxime Le Forestier

Depuis "San Francisco", Maxime a fait de la route et il a pris de bons chemins.

NÉ QUELQUE PART

On choisit pas ses parents,
on choisit pas sa famille
On choisit pas non plus
les trottoirs de Manille
De Paris ou d'Alger
Pour apprendre à marcher
Être né quelque part.

Être né quelque part
Pour celui qui est né
C'est toujours un hasard.

(Chœurs)
Nom 'inq wando yes qxag iqwa hasa
(Refrain)
Est-ce que les gens naissent
Égaux en droits
À l'endroit où ils naissent
Que les gens naissent égaux ou pas ?

2
Y'a des oiseaux de basse-cour et des oiseaux de passage
Ils savent où sont leurs nids quand ils rentrent de voyage
Ou qu'ils rentrent chez eux
Ils savent où sont leurs œufs
Être né quelque part
C'est partir quand on veut
Revenir quand on part.
(Chœurs)
(Refrain)

3
On choisit pas ses parents
on choisit pas sa famille
On choisit pas non plus
les trottoirs de Manille
De Paris ou d'Alger
Pour apprendre à marcher
Je suis né quelque part.

Je suis né quelque part
Laissez-moi ce repère
Ou je perds la mémoire.
(Chœurs)
(Refrain)

Paroles M. Le Forestier
Musique M. Le Forestier et J-P Sabar
© Coïncidences

1988

LES VALSES DE VIENNE

Paroles J.-M. Moreau • Musique François Feldman (Éd. Joy Music) • Interprète François Feldman

Maintenant que deviennent
Que deviennent les valses de Vienne ?
Dis-moi qu'est-ce que t'as fait
Pendant des années ?

PAS GAIE LA PAGAILLE

Paroles Maurane et Daria Martynoff • Musique Evert Verrhes (Éd. Léopard and Co. et Supersonic Music)
Interprète Maurane

Maurane doit beaucoup à Jean-Louis Foulquier, qui l'invitait souvent sur les ondes de France Inter alors qu'elle galérait dans le métier…

Aïe, aïe, aïe, aïe
Ô ce n'est pas gai la pagaille
Aïe, aïe, aïe, aïe
Faut jouer la vie vaille que vaille.

1989

OUI J'L'ADORE

Paroles Pauline Ester • Musique Frédéric Loizeau (Éd. Polygram Music/Éd. Comté) • Interprète Pauline Ester

Oui j'l'adore, c'est mon amour, mon trésor
Oui j'l'adore tous les jours un peu plus fort…

HÉLÈNE

Paroles Roch Voisine et S. Lessard • Musique Roch Voisine (Éd. G. Mary Graphisme/Nuit de Chine)
Interprète Roch Voisine

Un interprète canadien de plus qui devient l'idole des petites Françaises, surtout quand on leur susurre si gentiment :

Pourquoi tu pars, reste ici
J'ai tant besoin d'une amie…

CASSER LA VOIX

Paroles Patrick Bruel • Musique Gérard Presgurvic (Éd. ED 14 Production/Scarlet O'Lara ED)
Interprète Patrick Bruel

Si ce soir j'ai pas envie
D'fermer ma gueule
Si ce soir j'ai envie
D'me casser la voix, casser la voix.

Le rock s'essouffle : la chanson française se ressource avec le hip-hop des banlieues.

les années tchatche

Alors que les Souchon, Renaud, Cabrel, Lavilliers et Bashung continuent d'être les références de la chanson française, les années quatre-vingt-dix se caractérisent par un retour à un certain nombre de valeurs sûres. La voix, le texte, la musique, le son et l'image deviennent l'indépassable cocktail pour qu'une chanson entre dans l'inconscient collectif et participe pleinement à cet air du temps fredonné sur de multiples tempos. Car la véritable nouveauté est là, dans cette formidable explosion de rythmes venus d'ailleurs, qui se marient à des mots français, dans cette revitalisation de la tradition par la modernité, qu'il s'agisse de la vague techno, de l'engouement pour la musique latino, de la "tchatche" venue des banlieues ou même de ce raï qui se chante de plus en plus en français.

Pendant que le rap hexagonal (MC Solaar, IAM, NTM) triomphe et qu'émerge une génération de chanteurs minimalistes et pop (Dominique A, Miossec, Matthieu Boogaerts...), on assiste au retour d'une variété plus traditionnelle, dont les tenants sont Florent Pagny, Pascal Obispo, Zazie ou Thomas Fersen.

L'envolée du rap traduit l'arrivée d'une nouvelle poésie et d'une nouvelle attitude. Si MC Solaar revendique l'héritage de Ferré ou Gainsbourg, NTM mise sur la dénonciation agressive et l'engagement, alors qu'IAM, plus pragmatique, est le chantre du métissage marseillais. Dans la foulée, un rap plus commercial s'est offert une belle place au soleil : Doc Gynéco, Stomy Bugsy, Passi mais aussi Alliance Ethnik ou la Fonky Family ont trusté les cœurs des ados hexagonaux et réalisé des scores de ventes impressionnants. Il faut également parler de l'engouement pour les voix. Le phénomène planétaire Céline Dion en est bien sûr le plus bel exemple. Mais Patricia Kaas et Lara Fabian, à des degrés divers, relèvent de la même tendance. On veut du coffre. Du souffle. De l'élan. De l'ardeur. Lorsque Jean-Jacques Goldman, homme lige des années quatre-vingt-dix, compose l'album *D'eux* pour Céline Dion, il réalise l'alchimie magique (des textes français lyriques et romantiques sur une musique d'influence américaine) qui va devenir emblématique de la période...

1990

AU FUR ET À MESURE

PAROLES Liane Foly • MUSIQUE Viennet/Manoukian (Éd. Delabel) • INTERPRÈTE Liane Foly

La chanteuse de Lyon s'impose sur un tempo très jazz.

J'ai connu des fractures
Mais ma plus belle bavure
C'est de t'avoir laissé
Au fur et à mesure...

1991

DÉJEUNER EN PAIX

PAROLES Philippe Djian et Stéphane Eicher
MUSIQUE Stéphane Eicher (Éd. Barclay Phonogram Music) • INTERPRÈTE Stéphane Eicher

L'écrivain rock et le rocker suisse ont collaboré de nouveau ensemble, mais par fax interposés.

J'abandonne sur une chaise
Le journal du matin
Les nouvelles sont mauvaises
D'où qu'elles viennent...

OSEZ JOSÉPHINE

PAROLES Alain Bashung et J. Fauque
MUSIQUE Alain Bashung (Éd. Polygram Music)
INTERPRÈTE Alain Bashung

Osez, osez Joséphine
Osez, osez Joséphine
Plus rien ne s'oppose à la nuit, rien ne justifie...

UN HOMME HEUREUX

PAROLES ET MUSIQUE William Sheller (Éd. Marine Handier) • INTERPRÈTE William Sheller

Pourquoi les gens qui s'aiment
Sont-ils toujours un peu les mêmes
Ils ont quand ils s'en viennent
Le même regard d'un seul désir pour deux
Ce sont des gens heureux

À NOS ACTES MANQUÉS

PAROLES ET MUSIQUE Jean-Jacques Goldman (Éd. J.R.G. Music)
INTERPRÈTE Jean-Jacques Goldman

À tous mes loupés, mes ratés, mes vrais soleils
Tous les chemins qui me sont passés à côté
À tous mes bateaux manqués, mes mauvais sommeils,
À tous ceux que je n'ai pas été...

AUTEUIL-NEUILLY-PASSY

PAROLES ET MUSIQUE Didier Bourdon, Pascal Légitimus et Bernard Campan (Éd. Paul Ledermann)
INTERPRÈTES les Inconnus

Cette parodie de rap contestataire est la grande surprise. Un tube de la part d'un trio humoristique, c'est une chose assez rare dans la profession. La deuxième face du disque, "C'est ton destin", restera elle aussi au tableau d'honneur...

Auteuil, Neuilly, Passy
C'est pas du gâteau
Auteuil, Neuilly, Passy
Tel est notre ghetto

Indifférent aux modes, Jean-Jacques Goldman aligne tube sur tube, pour lui ou pour les autres.

FOULE SENTIMENTALE

Oh la la la vie en rose
Le rose qu'on nous propose d'avoir les quantités d'choses qui donnent envie d'autre chose
Aïe on nous fait croire
Que le bonheur c'est d'avoir
De l'avoir plein nos armoires
Dérisions de nous dérisoires

Car foule sentimentale
On a soif d'idéal
Attirée par les étoiles, les voiles
Que des choses pas commerciales
Foule sentimentale
il faut voir comme on nous parle
comme on nous parle

Il se dégage de ces cartons d'emballage
Des gens lavés hors d'usage
Et tristes et sans aucun avantage
On nous inflige
Des désirs qui nous affligent
On nous prend faut pas déconner
Dès qu'on est né
Pour des cons alors qu'on est...

Des foules sentimentales
Avec soif d'idéal
Attirées par les étoiles, les voiles
Que des choses pas commerciales
Foule sentimentale
Il faut voir comme on nous parle
Comme on nous parle

On nous Claudia Schiffer
On nous Paul-Loup Sulitzer
Ah le mal qu'on peut nous faire
Et qui ravagea la moukère
Du ciel dévale
Un désir qui nous emballe
Pour demain nos enfants pâles
Un mieux, un rêve, un cheval

Foule sentimentale
On a soif d'idéal
Attirée par les étoiles, les voiles...
....

PAROLES ET MUSIQUE A. Souchon © BMG

DÉSENCHANTÉE

PAROLES Mylène Farmer • MUSIQUE Laurent Boutonnat (Éd. Requiem Publishing) • INTERPRÈTE Mylène Farmer

Tout est chaos
À côté
Tous mes idéaux : des mots
Abîmés...
Je suis
D'une génération désenchantée.

1992

RIEN QUE DE L'EAU

PAROLES ET MUSIQUE Bernard Swell et Véronique Sanson (Éd. Musicales Piano Blanc) • INTERPRÈTE Véronique Sanson

Rien que de l'eau, de l'eau de pluie
De l'eau de là-haut
Et le soleil blanc sur ta peau
Et la musique tombée du ciel sur les toits rouillés de Rio...

1993

FOULE SENTIMENTALE

PAROLES ET MUSIQUE Alain Souchon (Éd. BMG Music Publishing) • INTERPRÈTE Alain Souchon

Pourfendeur pour une fois des idées reçues de la société, Alain Souchon, qui signe cette fois-ci paroles et musique, quitte sa cape de gentilhomme fragile...

JE T'AIMAIS, JE T'AIME, JE T'AIMERAI

PAROLES ET MUSIQUE Francis Cabrel (Éd. Chandelle Production) • INTERPRÈTE Francis Cabrel

Défaire nos repères secrets
Ou mes doigts pris sur tes poignets
Je t'aimais, je t'aime, je t'aimerai...

CAROLINE

PAROLES Claude M'Barali (MC Solaar) • MUSIQUE Christophe C. Viguier (Jimmy Jay) [Éd. BMG Music] INTERPRÈTE MC Solaar

Avec son ami et producteur Jimmy Jay pour la musique, MC Solaar confirme son talent de parolier.

Je suis l'as de trèfle qui pique ton cœur,
Caro-Line
Comme le trèfle à quatre feuilles,

je cherche votre bonheur
Je suis l'homme qui tombe à pic,
pour prendre ton cœur
Il faut se tenir à carreau, Caro ce message vient du cœur...

DUR DUR D'ÊTRE UN BÉBÉ

PAROLES ET MUSIQUE P. Clerget/A. Maratrat/F. Taieb (Éd. Gavroche) • INTERPRÈTE Jordy

Le plus jeune interprète de tous les temps. Courte carrière mais qui restera longtemps recordman du monde !

Dur, dur d'être un bébé
Je m'appelle Jordy
J'ai 4 ans et j'suis petit
Dur, dur d'être un bébé

1994

ASSEDIC

PAROLES ET MUSIQUE Éric Toulis (Éd. Della Java)
INTERPRÈTE les Escrocs

Un groupe gag qui chante, sur un rythme doucement brésilien, l'art et la manière de vivre du chômage. Un signe des temps.

J'en avais marre de travailler
Et de perdre mon temps
À faire des boulots mal payés
Avec des gens très emmerdants...

SÛR ET CERTAIN

PAROLES RDG, Yoyo M'Boueke • MUSIQUE RDG/Tyrone Downie (Éd. EMI Music/Delabel Music)
INTERPRÈTE Tonton David

Le champion du raggamuffin (rap reggae) à la française vend 400 000 copies de son disque, avant de récidiver avec "Chacun pour soi", chanson BO du film Un Indien dans la ville.

Je suis sûr, sûr qu'on nous prend pour des cons
Mais j'en suis certain, quelque chose ne tourne pas rond
Je suis sûr, sûr qu'on nous prend pour des cons
Mais j'en suis certain.

JUSTE QUELQU'UN DE BIEN

PAROLES ET MUSIQUE Kent (Éd. Warner/Chappell)
INTERPRÈTE Enzo Enzo

Juste quelqu'un de bien
Sans grand destin
Une amie à qui l'on tient
Juste quelqu'un de bien...

SUR LA ROUTE

PAROLES ET MUSIQUE Gérard De Palmas (Éd. Sony Music/Catalogue De Palmas) • INTERPRÈTE De Palmas

Entre toute autre chose
J'aurais dû m'arrêter faire une pause
Mais j'étais trop pressé
N'aurait-on pu attendre un été...

1995

DIEU M'A DONNÉ LA FOI

PAROLES ET MUSIQUE A. Nakache/M. Nakache - N. Hardt/P. Jerry (Éd. Paula NC Music)
INTERPRÈTE Ophélie Winter

Dieu m'a donné la foi
Qui brûle au fond de moi
J'ai dans le cœur
Cette force qui guide mes pas.

POUR QUE TU M'AIMES ENCORE

PAROLES ET MUSIQUE Jean-Jacques Goldman (Éd. JRG/CRB Music) • INTERPRÈTE Céline Dion

J'irai chercher ton âme dans les froids dans les flammes
Je te jetterai des sorts pour que tu m'aimes encore... que tu m'aimes encore.
Céline pourrait ajouter à l'adresse de Jean-Jacques... **Pour que tu m'écrives encore...**

PASSER MA ROUTE

PAROLES Maxime Le Forestier • MUSIQUE Jean-Pierre Sabar (Éd. Coïncidences) • INTERPRÈTE Maxime Le Forestier

Le Forestier reprend son inspiration des années soixante-dix sur l'errance hippie.

Je fais que passer ma route
Pas vu celle tracée
Passer entre les gouttes...

UN POINT C'EST TOI

PAROLES Zazie • MUSIQUE Vincent-Marie Bouvot et Zazie (Éd. BMG Music Publishing) • INTERPRÈTE Zazie

Mets-toi tout nu, si t'es un homme,
histoire de voir où nous en sommes,
Qu'on me donne un primate, sans cravate,
un Zorro, sans rien sur le dos...

1996

C'EST ÇA LA FRANCE

PAROLES Marc Lavoine • MUSIQUE Jean-Claude Arnault (Éd. Avrep) • INTERPRÈTE MARC LAVOINE

C'est ça la France
Du Chili dans les gamelles et du vin dans les bidons
C'est ça la France
Du Laguiole à l'Opinel partager les saucissons...

AÏCHA

PAROLES ET MUSIQUE Jean-Jacques Goldman (Éd. JRG)
INTERPRÈTE Khaled

Quarante ans après Bob Azzam, Khaled, le champion du raï, propose, avec la complicité de Goldman, un tube "arabe" au grand public français.

Aicha... Aicha... t'en va pas... réponds-moi
Elle a dit : "Garde tes trésors
Moi je vaux mieux que tout ça
Des barreaux sont des barreaux, même en or
Je veux les mêmes droits que toi..."

NIRVANA

PAROLES Doc Gynéco et Alexis Ouzani
MUSIQUE Doc Gynéco (Éd. Delabel/Youyou Music)
INTERPRÈTE Doc Gynéco

Le prince des "lascars" est taxé de donner dans la variété, mais lui rétorque qu'il préfère ça au rap, trop "gauche caviar" à son goût...

LES POÈMES DE MICHELLE

PAROLES ET MUSIQUE Teri Moïse (Éd. Source 96)
INTERPRÈTE Teri Moïse

Michelle veut croire
En l'innocence que sa vie ne permet pas
Si jeune trop mûre
Elle connaît déjà la faim des nuits dures.

1997

LUCIE

PAROLES L. Florence • MUSIQUE Pascal Obispo (Éd. Laurelenn) • INTERPRÈTE Pascal Obispo

C'est pas marqué dans les livres
Que le plus important à vivre
Est de vivre au jour le jour
Le temps c'est de l'amour.

NÉS SOUS LA MÊME ÉTOILE

PAROLES ET MUSIQUE Fragione/Mussard/Perez/Mazel (Éd. EMI Virgin/Côté Obscur) • INTERPRÈTE IAM

Le groupe de Marseille sort de son rap rigolard de "Je danse le MIA" pour dénoncer l'injustice sociale et le racisme.

La vie est belle le destin
s'en écarte
Personne ne joue avec
les mêmes cartes
Le berceau lève le voile,
multiples sont
les routes qu'il dévoile
Tant pis on n'est pas nés
sous la même étoile.

JE ZAPPE ET JE MATE

PAROLES Passi Balende • MUSIQUE Nasser Touati (Éd. Delabel/Polygram Music)
INTERPRÈTE Passi

Le copain de Doc Gynéco et de Stomy Bugsy éclate à son tour dans le firmament du "rap-variété", véritable eldorado des "lascars".

La Une, la Deux m'ont pris dans
leur jeu

La Trois, la Quatre je zappe et je mate
La Cinq, la Six en sont aussi complices...

J'T'EMMÈNE AU VENT

PAROLES Gaétan Roussel • MUSIQUE Louise Attaque (Éd. Delabel) • INTERPRÈTE Louise Attaque

Allez viens,
J't'emmène au vent
Je t'emmène au-dessus des gens.
Et je voudrais que tu te rappelles,
Notre amour est éternel
Et pas artificiel

SAVOIR AIMER

PAROLES Lionel Florence • MUSIQUE Pascal Obispo (Éd. Laurelenn) • INTERPRÈTE Florent Pagny

Savoir aimer
Sans rien attendre en retour
Ni égard, ni grand amour
Pas même l'espoir d'être aimé
Mais savoir donner...

L'HOMME PRESSÉ

PAROLES Bertrand Cantat • MUSIQUE Noir Désir (Éd. Polygram Music/ND Music) • INTERPRÈTE Noir Désir

Le groupe de rock bordelais, tout en énergie et en émotion, sera récompensé pour cette chanson aux 13es Victoires de la musique.

Rebelles et engagés, les musiciens de Noir Désir perpétuent un certain rock français.

Qui veut de moi
Et des miettes de mon cerveau
Qui veut entrer
Dans la toile de mon réseau
Vous savez que je suis un homme pressé...

PARTIR UN JOUR

PAROLES ET MUSIQUE P. Marcelin/L. Marimbert (Éd. Les disques à la maison/BMG Music) INTERPRÈTE 2 B 3

Pectoraux avantageux, chorégraphies mécaniques et paroles simplettes, c'est la recette miracle, et éphémère, des "boys bands".

Partir un jour
Sans retour
Effacer notre amour
Sans se retourner
Ne pas regretter...

1998

LA TRIBU DE DANA

PAROLES Martial Tricoche • MUSIQUE Hervé Lardic et Cédric Soubiron (Éd. BMG) • INTERPRÈTE Manau

À mi-chemin du rap et des harmonies d'Alan Stivell, ces Bretons de la région parisienne, portés par la vague celtique qui déferle depuis quelques mois sur la France, réalisent le "carton" de l'année.

Dans la vallée de Dana la lilala
Dans la vallée j'ai pu entendre des échos
Dans la vallée de Dana la lilala
Dans la vallée des chants de guerre près des tombeaux...

BELLE

PAROLES Luc Plamondon • MUSIQUE Richard Cocciante (Éd. Onze Music) INTERPRÈTE Bruno Pelletier

Extraite de la comédie musicale Notre-Dame de Paris, *cette chanson est avec "le Temps des cathédrales", la véritable "scie" de l'hiver 1998-1999.*

Belle c'est un mot qu'on dirait inventé pour elle
Quand elle danse et qu'elle met son corps à jour
Tel un oiseau qui étend ses ailes pour s'envoler
Alors je sens l'enfer s'ouvrir

Je sors de chez moi salut mon gars
tu sors de prison, dis-moi comment ça va
tu veux que je t'enregistre les nouveaux sons
le dernier ministère et la première consultation
tu veux être à la page avant de rejoindre l'entourage
de ceux qui boivent du douze ans d'âge
prisonnier du quartier, pris dans la foncedé
plus rien ne m'étonne, plus rien ne me fait bander
depuis que j'ai la tête collée sur une pochette
certains font semblant de ne pas me reconnaître
d'autres me guettent, s'entêtent, m'embêtent
alors je les pète
et tout est si facile quand on marche dans la ville
même les bleus pour moi sont en civil
j'veux changer d'air, changer d'atmosphère
je vais me foutre en l'air comme Patrick DEWAERE
me droguer aux aspirines façon Marilyn
faut que je me supprime

Comme BÉRÉGOVOY clip boum
aussi vite que SENNA
je veux atteindre le Nirvana
comme BÉRÉGOVOY clip boum
aussi vite que SENNA
je veux atteindre le Nirvana

C'est donc ça la vie, c'est pour ça qu'on bosse
voir son gosse traîner dans le quartier
dans une poche les feuilles OCB
dans une chaussette la boulette à effriter
une cage d'escalier et tout le monde est roulé
mais stone, le monde est stone
y'a plus de couche d'ozone
et les seins des meufs sont en silicone
tu rêves de pèze
1 2 3 tu m'amènes avec toi
4 5 6 cueillir du vice
7 8 9 dans ton cabriolet neuf
j'ai connu les bandes, les gangs, les meufs des gang bang
et les gros bang bang bang
dans la tête de mes amis
n'y pense pas si tu tiens à la vie
j'ai traqué ma famille contre ces amis
et je me moque de ton avis
je veux me doper à la MARADONA
car je suis triste comme
le clown ZAVATTA

Comme BÉRÉGOVOY clip boum
aussi vite que SENNA
je veux atteindre le Nirvana
comme BÉRÉGOVOY clic clic boum
aussi vite que SENNA
je veux atteindre le Nirvana

Le docteur ne joue plus au fraudeur
j'achète des tickets par simple peur
d'avoir à buter un contrôleur
je flirte avec le meurtre, je flirte avec mon suicide
vive le volontaire homicide
je ne crois plus en Dieu et deviens nerveux
Allah, Krishna, Bouddha ou Jéhovah
moi j'opte pour ma paire de Puma
elles guident mes pas à pas
j'ai fait le bon choix et j'y crois

J'n'ai pas touché mais caressé tous mes rêves
je demande une trêve, le doc est en grève
plus rien ne me fait kiffer, plus rien ne me fait marrer
de la fille du voisin je suis passé
à de jolis mannequins très convoités
ma petite amie elle est belle,
elle est bonne
elle s'appelle Brandy QUINONNE
si tu veux
je te la donne car plus rien ne m'étonne
j'en ai marre des meufs, j'en ai marre des keufs
c'est toujours la même mouille,
toujours les mêmes fouilles
(au refrain)

PAROLES Doc Gynéco
MUSIQUE Doc Gynéco et A. Ouzani
© Delabel/Youyou

DICTIONNAIRE DE LA CHANSON FRANÇAISE ET FRANCOPHONE

les précurseurs au XVIIIe et XIXe siècles

AMIATI Marie-Thérèse (Marie-Thérèse Victoire Adélaïde Abbiate, dite)

Turin, 1851 - Le Raincy, 1889
INTERPRÈTE

Elle débute sous le nom de Fiando au Petit Théâtre Saint-Pierre, dans le quartier Charonne, à Paris. Elle est ensuite engagée à l'Eldorado, où elle crée "le Clairon" de Déroulède. En 1870, c'est la guerre. Jeune et jolie, possédant une voix puissante et un tempérament de feu, elle s'impose alors dans le genre patriotique avec des chansons de circonstance comme "le Violon brisé", "le Fils de l'Allemand" ou "l'Alsace et la Lorraine", un répertoire écrit sur mesure par les auteurs revanchards Delormel et Villemer•. Par la suite, elle adopte un registre plus sentimental avec "l'Amour frileux", "le Baiser des adieux" et "la Valse maudite". Épouse du directeur de la Scala de Marseille, elle s'épuise à chanter pour rembourser les dettes de son mari. Elle meurt d'une péritonite puerpérale en mettant au monde son quatrième fils. **P.S.**

BÉRANGER Pierre Jean de

Paris, 1780 - *id.*, 1857
AUTEUR, COMPOSITEUR, CHANSONNIER

Abandonné très jeune par ses parents, il est élevé par une tante de Péronne, et ses débuts dans la vie sont difficiles. Mais il a du talent et une forte personnalité. Il fréquente tout d'abord le Rocher de Cancale, un restaurant où sont donnés les dîners du Caveau moderne, réunion des chansonniers de l'époque. Il envoie ses vers à Lucien Bonaparte, qui s'intéresse à lui. Finalement, il entre pour de bon au Caveau moderne et connaît son premier succès : "le Roi d'Yvetot", une parodie écrite sur un air célèbre, dont le ton satirique traduit le désir des bourgeois et des gens du peuple qui, à la fin de l'Empire, aspirent à la paix. Ces paroles sont sur toutes les lèvres, mais Napoléon laisse faire. Ne dit-on pas que le matin en se rasant il se surprenait à les chanter !

En 1815, il fait paraître un premier recueil de ses œuvres. Il écrit désormais ses musiques ou collabore avec des compositeurs. Ses chansons sont modernes, gaies, bon enfant ; leurs refrains tournent rond et donnent envie de danser. L'une d'entre elles sera reprise avec bonheur par Yvette Guilbert• ; ce sont "les Souvenirs de grand-mère" :

Combien je regrette
Mon bras si dodu
Ma taille bien faite
Et le temps perdu.

Il s'engage en politique et fait campagne contre les excès de la Restauration. Pour avoir chanté "le Vieux Drapeau", il passe en cour d'assises le 8 décembre 1821 et est condamné à trois mois de prison et 300 francs d'amende. Il purge sa peine à Sainte-Pélagie. Les visites, les témoignages et les colis affluent de partout. En 1823, il publie un troisième recueil de chansons. Un quatrième sort en 1825, pour être aussitôt saisi. Le titre principal, "Souvenirs du peuple", énonce :

Mère abrégez notre veille
Le peuple encore le révère
Parlez-nous de lui grand-mère
Parlez-nous de lui (ter).

Il s'agit bien sûr de Napoléon. Béranger est assigné en correctionnelle. Le jour du procès, le tribunal est envahi comme sept ans auparavant l'avait été la cour d'assises. Il est condamné à neuf mois de prison et 10000 F d'amende. Mais cela ne fait qu'ajouter à sa gloire. Emprisonné à la Force, il reçoit la visite de tout ce que Paris compte de notabilités

> "REBELLE ET PLUSIEURS FOIS EMPRISONNÉ, IL AURA QUAND MÊME DES FUNÉRAILLES NATIONALES, SUR ORDRE DE NAPOLÉON III." **Béranger**

politiques et littéraires. La révolution de 1830 le surprend à la campagne où il se soigne, fatigué d'une vie bien remplie. À cinquante-trois ans, il repart à la charge et publie son dernier recueil.

En 1848, il est élu, malgré lui, député de la Seine. Il faudra qu'il envoie deux fois de suite sa démission pour qu'elle soit acceptée. De même, il refuse sa candidature à l'Académie française, bien que sollicité par Sainte-Beuve et Chateaubriand.

Et dire que, depuis, jamais un auteur de chansons, pas même Charles Trenet•, n'a pu prendre place parmi les immortels ! Béranger meurt le 16 juillet 1857. Napoléon III lui accorde des obsèques nationales. Vingt mille hommes de troupe sont mobilisés pour la circonstance. Écartée du convoi (on craint des manifestations politiques), la foule grimpe sur les arbres et sur les toits. **P.S.**

BÉRAT Frédéric

Rouen, 1800 - Paris, 1855
AUTEUR, COMPOSITEUR, CHANSONNIER

Modeste employé du gaz de Paris, à ses débuts, Frédéric Bérat occupe ses loisirs en écrivant des chansons. Il commence par mettre en musique un poème d'Alfred de Musset, "les Souvenirs de Lisette". Une chanson que l'on appela plus communément "la Lisette de Béranger", car il l'avait écrite en hommage au célèbre poète. La comédienne Déjazet la fera triompher au théâtre des Variétés. Mais Frédéric Bérat a surtout laissé, en 1836, un petit chef-d'œuvre de tendresse nostalgique qui est passé à la postérité : "Ma Normandie".

CAF' CONC'

Les premiers cafés chantants, où des artistes se produisent devant des clients attablés, apparaissent à Paris au milieu du XVIIIe siècle : le café d'Apollon, boulevard du Temple ; le café des Muses, quai Voltaire ou le café des Aveugles, au Palais-Royal. Napoléon fera fermer ces établissements au motif qu'on s'y occupait trop de politique. Ils réapparaissent sous la monarchie de Juillet et se multiplient sous le second Empire. Vers 1850, une nouvelle génération fait entrer la chanson dans l'ère des variétés. Un dénommé Lorge est le pionnier de cette petite révolution. En 1858, il aménage l'Eldorado, boulevard de Strasbourg, et lance une formule qui va s'imposer. De nombreux numéros, assez courts et très variés, se suivent en encadrant une tête d'affiche. Ces têtes d'affiche ne sont pas encore des vedettes au sens moderne. Il s'agit souvent de transfuges de l'opéra-comique ou du théâtre, comme le tragédienne Cornélie, qui déclame *le Songe d'Athalie* en robe du soir. Une loi interdit aux artistes de caf'conc' le port de vêtements spéciaux et d'accessoires, privilège réservé aux artistes reconnus. Lorge fera supprimer cette disposition en 1867. Bientôt, une jeune chanteuse nommée Thérésa• viendra interpréter, en fin de souper, une bluette, "Fleur des Alpes". C'est un triomphe. La première vraie vedette de la chanson est née. Les caf'conc' connaissent leur grande période. Devant des publics majoritairement populaires, Paulus• et bien d'autres feront les grandes heures de l'Alcazar, du Petit Casino, du Concert

Vers 1880, les cafés concerts présentent les premières grandes vedettes de la chanson.

Pacra, de la Fauvette, du Moulin-rouge. Au début du XXe siècle la concurrence du music-hall, puis du cinéma, entraînera le déclin de ces établissements, qui auront cependant durablement marqué la chanson moderne. **P.S.**

CLÉMENT Jean Baptiste

Boulogne-sur-Seine, 1836 - Paris, 1903
AUTEUR

Après divers métiers, il est manœuvre au pont de Nogent quand il commence à rimailler ses premiers poèmes. Il a vingt ans. L'éditeur Vieillot publie ses premières chansons : "Si j'étais le Bon Dieu", "Quatre-Vingt-Neuf", "le Bonhomme misère". Suivront (souvent sur des musiques de Joseph Darcier) "Bonjour à la meunière", "En coupant les foins", "Pimperline et Pimperlin" et, surtout, "Dansons la capucine", que l'on croit souvent être une chanson du folklore. Son inspiration est alors à dominante traditionnelle et pastorale. En 1867, il commence une carrière de journaliste et de pamphlétaire, qui lui vaut de faire de la prison. Il en sort à la chute de l'Empire et prend une part active à la Commune. Il doit bientôt se cacher avant de partir en exil à Londres. Durant cette période, il écrit "la Semaine sanglante", hymne rageur sur les représailles versaillaises.

Rentré en France en 1880, il produit de nouvelles chansons engagées, comme "les Gueux", "la Bande à Riquiqui", "Liberté-Égalité". À partir de 1885, il se consacre presque complètement à la propagande socialiste révolutionnaire. En 1895, il fait paraître ses dernières chansons : "Ça sent la guerre", "la Grève" ou "le Premier Mai". La postérité retiendra avant tout "le Temps des cerises", écrite en 1866, mise en musique par Renard, célèbre ténor de l'époque, et dédiée en 1885 à une ambulancière de la Commune, ce qui donnera un tout autre sens à une chanson conçue d'abord sans portée politique. **P.S.**

"LE TEMPS DES CERISES FUT DÉDIÉ À UNE AMBULANCIÈRE DE LA COMMUNE."
J-B. Clément

DARCIER (Joseph Lemaire, dit)

Paris, 1819 - *id.*, 1883
COMPOSITEUR, INTERPRÈTE

Une grande figure de la chanson du siècle dernier. Très vite attiré par la musique, il travaille la composition avec Delsarte. Puis il se met au chant. Il interprète tout d'abord les œuvres de Pierre Dupont• et ensuite ses propres compositions. Il met en musique des textes de Gustave Nadaud•, de Jean-Baptiste Clément• ("Bonjour à la meunière"), d'Alexis Bouvier et de Georges Édouard Hachin (dont "la Tour Saint-Jacques" deviendra un classique). Darcier a également composé de nombreux opéras-comiques, dont il était l'interprète. Théophile Gautier le surnommera "le Frédéric Lemaître de la chanson".

DEBRAUX Paul-Émile

Ancerville, Meuse, 1796 - Paris, 1831
AUTEUR, CHANSONNIER

Admirateur de Béranger•, qui devient son guide, il compose des chansons dont une devient un très gros succès : "la Colonne", à la gloire de la colonne Vendôme, fondue avec le bronze des canons pris à l'ennemi :

Ah ! qu'on est fier d'être français
Quand on regarde la Colonne.

Debraux se distingue toutefois de son père spirituel en donnant à ses chansons une forme plus populaire. Il devient ainsi le grand maître des goguettes, sociétés chantantes qui tenaient leurs assises dans les cabarets. En 1822, il publie un recueil de chansons jugées subversives et il est condamné à un an de prison, qui lui inspirera "Voyage à Sainte-Pélagie", lieu d'incarcération célèbre à l'époque et qui hébergera aussi le grand Béranger•. Il laisse cependant des chansons où se reflète son naturel insouciant et gai, comme "la Grisette, le Chansonnier" et surtout "Fanfan la Tulipe", dont le personnage a été popularisé par Gérard Philipe dans le film de Christian Jaque en 1951. Les chansons de Debraux seront réunies dans un recueil et publiées en 1836, préfacées par Béranger.

DELMET Paul

Paris, 1862 – *id.*, 1904
CHANTEUR, COMPOSITEUR

D'abord apprenti et soprano à la maîtrise de Saint-Vincent-de-Paul, il fait bientôt entendre sa voix très pure, malgré une vie dissipée et une tendance à la boisson. Entré au Chat-Noir en 1886, il rencontre d'emblée un double succès, d'auteur et d'interprète, et se produit durant vingt ans dans les cabarets des deux rives, ainsi que dans les salons.

Les chansons de Delmet, tout en restant le symbole de la Belle Époque et d'une certaine forme de romantisme, sont encore chantées actuellement. Il fut le musicien de ces chansons restées célèbres, comme "les Petits Pavés" (1891), "Stances à Manon" (1893), "Vous êtes si jolie" (1896), "Fermons nos rideaux" (1899) et "la Petite Église" (1902). **P.S.**

DUPONT Pierre

Lyon, 1821 - *id.*, 1871
AUTEUR, COMPOSITEUR, INTERPRÈTE

En 1842, il obtient un prix à l'Académie française pour son recueil de poèmes "les Deux Anges". Son inspiration est résolument engagée : "le Chant du vote", "le Chant des étudiants", "les Journées de juin", "le Chant des ouvriers", que Baudelaire appelle "la Marseillaise du peuple" ! Mais il ne néglige pas pour autant la veine pastorale : "la Mère Jeanne", "les Fraises sauvages", et, surtout, "les Bœufs". Après avoir soutenu la République de 1848, il est condamné en 1851 à sept ans de déportation pour avoir écrit "le Chant des paysans", chanson résolument antibonapartiste. Gracié, il opère un retournement spectaculaire et met sa muse au service du second Empire en chantant la guerre de Crimée : "le Siège de Sébastopol", "la Nouvelle Alliance". Ses amis républicains l'ayant abandonné, il meurt dans l'isolement et la misère.

GARAT Pierre-Jean

Ustaritz, Pyrenées-Atlantiques,
1764 - Paris, 1823
COMPOSITEUR, INTERPRÈTE

Garat commence sa carrière en chantant à la cour des morceaux folkloriques. Sous le Directoire, il est engagé dans un café du Palais Royal, où le patron est un des premiers à offrir une attraction à ses clients. Garat se présente au public dans un habit vert bouteille, rayé, orné de larges boutons, avec de longues basques qui recouvrent à moitié la culotte plissée, le tout surmonté d'un chapeau à deux cornes. Il fait un triomphe. Les élégants et les élégantes l'imitent. Pierre-Jean Garat a un défaut, il ne prononce pas très bien les r. Quelqu'un dit alors : "Mais il est incoyable !" Le mot va rester. Pour la première fois, un chanteur influence la mode. On appellera ses admirateurs : les Incoyables, et leur façon de parler, le garatisme ! Les chansons de Garat voleront sur toutes les lèvres et la plus célèbre restera sans doute "Ah ! gardez-vous de me guérir", sur un poème de Florian. Sa mode passera vite et il vieillira mal, mais il gardera toujours le costume et les chansons qui ont fait sa gloire.

GOUBLIER Gustave (Gustave Conin, dit)

Paris, 1856- *id.*, 1926
COMPOSITEUR

Tout d'abord pianiste au théâtre Robert-Houdin, puis chef d'orchestre à l'Eldorado, à Parisiana et aux Folies Bergère, il a composé la musique de chansons très populaires : "le Credo du paysan" (1890), "l'Angélus de la mer" (1894), "Miserere d'amour", ainsi que plusieurs opérettes. Le passage de l'Industrie, à Paris (X[e]), quartier général de la chanson à la Belle Époque, s'appelle à présent rue Gustave-Goublier.

GOUDEAU Émile

Périgueux, 1849 - Paris, 1906
CHANSONNIER

D'abord enseignant, il fonde en 1878 le Club des Hydropathes avec Rodolphe Salis, au Quartier latin, cabaret rive gauche avant la lettre, où va se réunir la fine fleur de la chanson française montante et où se retrouvent Richepin, Jules Jouy, François Coppée, Mac-Nab, Maurice Rollinat• et Charles Cros. Émile Goudeau est l'instigateur de l'esprit montmartrois en créant ensuite, en 1881, avec Rodolphe Salis le Chat-Noir, le cabaret de la rue Victor-Massé. Ses poèmes ironiques, "Chansons de Paris et d'ailleurs", ont été mis en musique par Paul Delmet.

NADAUD Gustave

Roubaix, 1820 - Paris, 1893
AUTEUR, COMPOSITEUR, INTERPRÈTE

Descendant d'une vieille famille limousine établie à Roubaix dans le commerce des tissus, il commence à travailler dans la maison paternelle. Envoyé gérer la succursale de Paris, Nadaud fréquente quelques cénacles littéraires, et abandonne peu à peu les tissus pour la poésie et la chanson. À partir de 1849, il publiera régulièrement une production considérable, allant d'opéras de salon à des chansons, des romans et des notes de voyages. Nadaud est lancé par les salons (il chantait parfois au cours de la même soirée dans six salons différents) ; protégé de la princesse Mathilde, il fut souvent invité à Compiègne par Napoléon III. Décoré et couvert d'honneurs, il gardera cependant sa liberté d'esprit, ainsi qu'en témoignent des chansons comme "le Roi boiteux", satire de l'esprit courtisan, ou "les Deux Gendarmes", chanson qui fut interdite pour crime de lèse-maréchaussée. Il contribuera, par ailleurs, à la publication du recueil des chansons du communard Eugène Pottier•.

Dans ses chansons, dont il compose lui-même la musique, avec une ligne mélodique simple et élégante, Nadaud aborde aussi bien le libertinage léger ("les Reines de Mabille", "Palinodie", "Adèle"), le genre sentimental ("la Valse des adieux"), la satire politique ("l'Osmanomanie", "les Impôts", "le Carnaval à l'Assemblée nationale"). Il rénove aussi la chanson à boire avec "le Docteur Grégoire". **P.S.**

PAULUS (Jean-Paul Habans, dit)

Saint-Esprit, Pyrénées-Atlantiques, 1845 - Saint-Mandé, 1908
INTERPRÈTE

Paulus est incontestablement la première grande vedette de la chanson française. Il passe sa jeunesse à Bordeaux, où il exerce différents petits métiers. Il s'essaie dans de nombreuses sociétés d'amateurs sous le nom de "Paulin". En 1863, il rejoint la troupe de Lansade, comique régional réputé, qui lui trouve son pseudonyme. Deux ans plus tard, Paulus part pour Paris, où il ne parvient pas à s'imposer. Il obtient cependant un engagement à Toulouse, au Jardin oriental. Il a alors l'idée de reprendre une chanson que chantait Jules Perrin, "les Pompiers de Nanterre" (Burani - Louis), en s'entourant de figurants, déguisés en pompiers, qui reprennent le refrain en chœur et terminent leur prestation par un quadrille échevelé. C'est le triomphe et il gagne le surnom de "Gambilleur".

De retour à Paris en 1871, il est engagé à l'Eldorado pour plusieurs saisons. Il remet au goût du jour "la Tour Saint-Jacques" de Darcier. Chaque soir, il présente un tour de chant de 40 minutes. Il mime, danse, chante, gesticule, arpentant la scène de long en large, avec une voix qui porte aux quatre coins de la salle. Un soir, il prend à partie un spectateur qui lisait son journal pendant son tour de chant. Le scandale éclate. Paulus est à la une de tous les quotidiens. La France entière désormais connaît Paulus ! Il gagne 400 francs par soirée, roule en voiture avec chauffeur, habite un hôtel particulier à Neuilly. Il change d'habit pour chaque tour de chant. Un soir noir, le lendemain bleu azur, puis café au lait... Sa coupe de cheveux est copiée par tous les autres chanteurs.

"INCONTESTABLEMENT IL FUT AVEC THÉRÉSA, LA PREMIÈRE VEDETTE, AU SENS MODERNE, DE LA CHANSON FRANÇAISE."
Paulus

En 1886, à nouveau le triomphe ! Ayant entendu aux Folies Bergère un air de ballet très entraînant, il demande à ses paroliers, Delormel et Garnier, d'y adapter des paroles, quelque peu dictées par les événements politiques du jour. Cela donne "En revenant d'la R'vue", à la gloire du général Boulanger (alors que Paulus ne s'intéresse pas à la politique). En 1889, pendant l'Exposition universelle, on est obligé de fermer les portes de l'Alcazar, dès huit heures du soir, tant la foule est énorme pour le voir et l'entendre chanter "le Père la Victoire" (Delormel et Garnier - L. Ganne). Mais l'ère des folies commence. Il achète l'Eldorado de Nice, l'Alhambra de Marseille et le Ba-Ta-Clan de Paris. Il perd énormément d'argent. Il doit poursuivre sa carrière jusqu'en 1903 et bénéficier d'un gala de soutien où se produisent Mayol•, Fragson•, Dranem• et Yvette Guilbert•. Il meurt, en 1908, dans un petit rez-de-chaussée de Saint-Mandé.

POTTIER Eugène

Paris, 1816 - *id.*, 1887
AUTEUR

Fils d'un artisan emballeur, le futur auteur de "l'Internationale" apprend seul les règles de la prosodie et débute à quinze ans en publiant son premier recueil de chansons, *la Jeune Muse*, dédié à Béranger. Il participe aux barricades de 1848 et sera élu membre de la Commune en 1871, avant de partir en exil pour dix ans. Après son retour, il remporte en 1883 un concours de la Lice Chansonnière (société populaire d'amateurs de chansons et de littérature, à laquelle participèrent, notamment, Darcier et Nadaud•), mais cela ne l'empêche pas de mourir peu après dans la pauvreté. À sa mort, en 1887, ses amis font publier ses *Chants révolutionnaires*. Mais l'œuvre de Pottier fut surtout imprimée en feuilles volantes et en livraisons.

L'ensemble de ses chansons est un mélange de l'esprit épicurien des Caveaux, ces joyeuses assemblées de chansonniers ("le Rocher de Cancale", "Filourette"), de doctrines fouriéristes ("Matière et Bible", "la Mort d'un globe") et d'âpres chansons de révolte. Au total, des centaines de chansons parmi lesquelles la postérité retiendra surtout "l'Insurgé", "Elle n'est pas morte" et, bien sûr, "l'Internationale", mise en musique en 1888, un an après sa mort, par Degeyter•.

ROLLINAT Maurice

Châteauroux, 1848
Ivry-sur-Seine, 1903
AUTEUR, CHANSONNIER

Fils d'un député républicain ami de George Sand, affligé d'un tempérament plutôt morbide, il n'en collabore pas moins au deuxième *Parnasse* (recueil de vers publié entre 1866 et 1876) et fonde avec Goudeau le journal *l'Hydropathe.* Musicien et poète d'instinct, il compose lui-même les musiques de ses chansons, qu'il chante en s'accompagnant au piano d'une étrange voix de deux octaves, dure, âpre et profonde. Son faciès tourmenté impressionne ses auditeurs.

Ses chansons appartiennent à deux genres distincts : inspiration rustique avec "la Mort des fougères", "Chanson d'automne", et compositions macabres avec "la Morgue", "Ballade du cadavre", "Notre-Dame de la mort". Il met également en musique plusieurs poèmes de Baudelaire.

THÉRÉSA (Emma Valadon, dite)

La Bazoche-Gouet, Eure-et-Loir, 1837
Neufchâtel-en-Saosnois, Sarthe, 1913
INTERPRÈTE

Fille d'un violoniste de bal, elle est un temps danseuse puis caissière dans un café. En 1856, elle joue un rôle de bohémienne au théâtre de la Porte-Saint-Martin. L'année suivante, elle débute au café du Géant, passe sans succès à l'Alcazar, va chanter en province, revient à Paris, au café Maka. En 1864, elle est à l'Eldorado, où elle chante des romances. Le soir du réveillon, elle interprète l'une d'elles, "Fleur des Alpes", d'une façon si drôle que le directeur Lorge, qui était dans la salle, l'engage à 233 francs par représentation, somme considérable à l'époque, à la condition qu'elle change de genre et devienne chanteuse comique. Elle triomphe alors avec des œuvres comme "les Canards tyroliens", "C'est dans l'nez qu'ça m'chatouille", et surtout "la Femme à barbe" et "Rien n'est sacré pour un sapeur". Le directeur de l'Alcazar la débauche pour un pont d'or et toutes les salles veulent avoir "leur" Thérésa, c'est-à-dire une chanteuse drôle, fougueuse et "grande-gueule".

La princesse Pauline de Metternich vient l'entendre, puis l'invite en privé aux soirées de Compiègne. Thérésa est alors invitée à chanter dans le grand monde. Elle eut moins de succès au théâtre, où elle parut en 1867 dans des féeries à la Gaîté, au Châtelet, à la Renaissance. La fin du second Empire reste la période de gloire de Thérésa, qui, plus tard, interprétera un répertoire différent, plus fin et plus exigeant : "la Glu" (Jean Richepin), "le Bon Gîte" (Déroulède), "la Terre" (Jules Jouy). Elle se retire en 1893.

P.S.

A. Dominique

Provins, Seine-et-Marne, 1968
AUTEUR, COMPOSITEUR, INTERPRÈTE

Dominique A. est un des chefs de file de la tendance minimaliste de la nouvelle chanson française. Bricoleur de sons – son premier album, *la Fossette,* fut fabriqué dans sa cuisine avec un synthétiseur portable –, adepte des concerts en solitaire, Dominique A. mêle humour et noirceur du propos. En perpétuelle tension, ce proche de Sylvain Vanot• marie les influences de Jacques Brel• ou de Brigitte Fontaine• à celles de Joy Division, en cultivant l'art du dépouillement. 1995, année où il remplit le Théâtre de la Ville, à Paris, marque l'accélération de sa carrière, avec le morceau à succès "Twenty-Two Bar". Il revient en 1999 avec l'album *Remué,* aux textes toujours aussi mélancoliques *(Tu t'ennuyais bien, moi aussi/Rien de tel pour se réveiller/Qu'un abcès crevé).* **V.M.**

- ***La Fossette,*** Lithium/Virgin, 1992
- ***Si je connais Harry,*** Lithium/Virgin, 1993
- ***La Mémoire neuve,*** Lithium/Virgin, 1995

ABER Georges (Georges Poubennec, dit)

Brest, 1932
AUTEUR

L'un des auteurs les plus prolixes des années soixante : "Mes frères" (pour Dalida•), "Panne d'essence" (pour Frankie Jordan et Sylvie Vartan•), "Qu'il fait bon vivre" (pour les Compagnons de la chanson•). Il fut le parolier fétiche des yé-yé : "Fiche le camp, Jack" (pour Richard Anthony•, d'après Ray Charles), "Tu parles trop" et "Peppermint twist" (pour les Chaussettes noires, 1969), "Bang bang" et "Petite Fille de Français moyen" (pour Sheila•). Sans oublier Johnny Hallyday• : "À tout casser" (chanson du film de John Berry), "Da Doo Ronron" (d'après les Crystals) ou "Noir, c'est noir" (d'après Los Bravos, 1966). **C.P.**

ACCORDÉON

C'est en 1829 que le Viennois Cyril Demian dépose un brevet d'invention pour son "accordion", quelques semaines avant que l'Anglais Charles Wheatstone ne demande à Londres un brevet pour un "symphonion à soufflet", rebaptisé "concertina" en 1833. Cyril Demian venait d'inventer la version populaire du "soufflet à bretelle", l'accordéon diatonique, tandis que Charles Wheatstone, venait d'imaginer l'accordéon de concert. Ces découvertes n'eûrent servi à rien sans l'intervention des facteurs italiens de Castelfidardo, qui en simplifient les claviers et donnent, en vingt ans, à l'accordéon diatonique et à l'accordéon chromatique leurs formes modernes et leur célébrité. Dès lors, l'accordéon (surtout diatonique, facile à transporter) suit les flux migratoires de la fin du siècle, essentiellement grâce aux Allemands et aux Italiens. **Dans les années vingt,** l'usine Hohner, installée à Trossingen, dans le sud-ouest de l'Allemagne, produit plus d'un million d'accordéons par an et tente de l'imposer dans la sphère classique. Le nazisme, considérant l'accordéon comme "instrument du jazz nègre", viendra mettre un terme à cette expansion.

L'accordéon est arrivé au début du siècle à Paris, où Félix Perugi, père de l'accordéoniste Charles Perugi, avait ouvert un atelier de lutherie. Italiens et Auvergnats se retrouvent rue de Lappe pour animer le bal-musette (la musette est l'ancien nom de la cabrette auvergnate) et créent un style, le musette, à base de valse, de polka (d'où naîtra la java), avant de flirter, dans les années trente, avec le swing manouche. La France produit des accordéonistes de premier plan, comme Émile Vacher (le "père" du musette), Gus Viseur, Tony Murena, Jo Privat ou Adolphe Deprince. Au Balajo, Chez Bouscat ou à La Boule noire, à Paris, on danse la valse (à l'endroit, à l'envers) et la java, et Léon Raiter est un des premiers à tirer de son accordéon des chansons à succès : "Rue de la manutention" (1919), "les Roses blanches" (1925) ou "Rosalie est partie" (1930). Après la Libération, Émile Prudhomme avec son ensemble sera à l'affiche de bien des music-halls et composera plusieurs succès, dont "Pour sûr", pour Bourvil• (1946) ou "Ce n'est qu'un béguin", pour Marie-José• (1951). Un peu plus tard, André Verchuren• connaîtra un très grand succès avec "les Fiancés d'Auvergne" (1960). Pendant de longues années, Yvette Horner, compositeur de "la Marche des mineurs", accompagne le tour de France et gagne la faveur du public populaire, aux côtés d'Édouard Duleu et d'Aimable.

Progressivement délaissé en Europe, et particulièrement en France dans les années soixante et soixante-dix, où le musette et l'accordéon étaient devenus synonymes de bals bon marché, de kermesse et de rire gras, il est saisi dans les années quatre-vingt d'une nouvelle vigueur grâce à l'action de jeunes musiciens tel Richard Galliano, concepteur du *new-musette* (très influencé par le jazz et par Astor Piazzolla, rénovateur du bandonéon argentin), ou à celle, continue, de Marcel Azzola, qui accompagne Brel sur sa chanson "Vesoul".

Revenu à la mode chez les groupes de rock français (les Négresses vertes•, les Garçons Bouchers•), l'accordéon n'a jamais cessé de prospérer aux États-Unis (notamment avec le zydeco• et le cajun de La Nouvelle-Orléans), au Brésil (avec le forro nordestin), où l'on trouve de grands virtuoses tel Sivuca, au Japon ou dans les Caraïbes. **V.M.**

Planet Squeezbox, Accordion Music From Around The World, Ellypsis Arts/Night And Day, 1995
Émile Vacher, inventeur du musette, Silex/Auvidis, 1992

ADAMO Salvatore

Cosimo, Italie, 1943
Auteur, compositeur, interprète

En 1947, le petit Salvatore quitte le soleil sicilien pour la Belgique, où son père a trouvé un emploi de mineur. Sa vocation est précoce puisque, à dix-sept ans, il remporte déjà de nombreux concours de chant, dont celui de Radio Luxembourg. Ce n'est qu'en 1964-1965 qu'il devient une vedette en France, triomphant pendant trois semaines à l'Olympia. Il semble pourtant à contre-courant des modes

Avec sa voix cassée et ses ambiances un peu désuètes, Adamo s'impose en pleine vague yé-yé.

de l'époque, car, au milieu des yé-yé et autres rockeurs, il réussit à imposer un style fait de romances chantées parfois sur des airs de tango et de java. Il séduit toute la famille avec des textes comme "Vous permettez, monsieur?" "les Filles du bord de mer" (chanson qui sera reprise trente ans plus tard par Arno•, le Tom Waits belge), "Mes mains sur tes hanches" ou "Une mèche de cheveux" (1966). Dès 1964, des tournées sont organisées à l'étranger : l'Europe, bien sûr, mais aussi l'Amérique du Sud et, surtout, le Japon. Là-bas, "Tombe la neige" (1965) reste soixante-douze semaines en tête du hit-parade. Il connaît encore le succès dans les années soixante-dix : "J'avais oublié que les roses sont roses" (1971) et "C'est ma vie" (1975). On remarque cependant que l'inspiration de ses textes se fait parfois plus engagée : après "Inch'Allah" (1966) sur le conflit israélo-arabe, il écrit "Manuel", en 1976, contre le régime franquiste ou bien "Sans domicile" (dans l'album *la Vie comme elle passe,* en 1995), sur le problème des SDF. Tout au long des années quatre-vingt, malgré quelques problèmes de santé, Adamo n'arrête ni les tournées ni les sorties de disques. Porté par la vague de nostalgie, sa compilation sortie en 1989 devient très rapidement disque d'or en France. Depuis, on le voit régulièrement sur scène ou à la télévision. Avec sa drôle de voix et son look sage, Adamo, artiste complet – il écrit, compose et arrange ses chansons –, sait toucher son public. Ce que Jacques Brel• dit de lui le résume parfaitement : *"Tendre jardinier de l'Amour! Je sais de plus grandes ambitions, je n'en sais pas de plus belles."*

C de G.

> "TENDRE JARDINIER DE L'AMOUR ! JE SAIS DE PLUS GRANDES AMBITIONS, JE N'EN SAIS PAS DE PLUS BELLES."
>
> **Jacques Brel sur Adamo**

- ***Ses plus belles chansons*** (compilation), EMI, 1994
- ***La Vie comme elle passe,*** Flarenash, 1995
- ***À la mode,*** EMI, 1996

ADISON Fred (Albert Lapeyrère, dit)

Bordeaux, 1918 - Paris, 1996
COMPOSITEUR, CHEF D'ORCHESTRE

D'abord accompagnateur de films muets, il adopte bientôt la formule de l'orchestre de variétés, à la Jack Hylton, où les musiciens jouent, chantent, dansent et interprètent des chansons-sketchs. À partir de 1935, il choisit des refrains propres à mettre en valeur sa nouvelle formation. C'est tout d'abord une chanson d'Henri Himmel• : "Avec les pompiers". Un succès immédiat suivi de "Quand un gendarme rit", "En cueillant la noisette", "le Petit Train départemental", "Voulez-vous danser, madame?" sans oublier l'apothéose, une chanson écrite par Georgius•, "le Lycée Papillon !"

- ***Fred Adison et son orchestre*** (compilation de 20 succès), Forlane

AFFAIRE LOUIS TRIO (L')

Groupe formé en 1982 à Lyon par Hubert Mounier (chant) avec son frère Karl (guitare) et Bronco (claviers)

Héritière de la flambée rock qui secoua Lyon à la fin des années soixante-dix, l'Affaire Louis Trio partage avec Indochine• une origine commune, née d'une sorte d'amalgame entre le rock (tendance pop Beatles), la variété française (style zazou des années quarante) et la bande dessinée. Hubert Mounier (alias Kid Boris) avait d'ailleurs baigné dans le milieu de la B.D. – ce qui explique la qualité de ses clips vidéo – avant de réunir sa formation, qui réussit à s'imposer en France dès 1987 aux Victoires de la musique.

- ***Chic Planète (Dansons Dessus),*** Barclay, 1987
- ***Mobilis in mobile, Barclay/Polygram, 1992***
- ***La Vague,*** EMI, 1997

AKHENATON (Philippe Fragione, dit)

Marseille, 1969
AUTEUR, COMPOSITEUR

Tout commence en 1984 à New York, lorsque ce jeune Marseillais d'origine sicilienne découvre la planète hip-hop. De retour dans la cité phocéenne, il se lance dans le rap avec un seul but : écrire "des chansons en images d'une ville sauvée par ses métèques". Dès le premier album d'IAM• (groupe qu'il crée en 1989 avec Éric Mazel, alias Kheops), *De la planète Mars,* sorti en 1991, son humour, sa verve et sa faculté à raconter cinématographiquement le monde actuel attirent l'attention. En 1995, lorsque paraît *Métèque et mat,* son premier album solo, épopée autobiographique où il relate l'histoire des

Siciliens émigrés, confirmation est faite qu'Akhenaton est l'un des plus brillants auteurs de sa génération. Le titre "Bad Boys de Marseille" devient vite un cri de ralliement pour les quartiers nord. "À Paris, je suis perdu, en Sicile je suis chez moi/La Méditerranée chante dans mes paroles", scande ce garçon sensible, fan de *la Guerre des étoiles,* passionné par l'Égypte et converti à l'islam. Après avoir participé aux albums de Passi, du Ministère AMER et de son ami Kheops, il compose la bande originale du film *Taxi* (1998). Réalisateur de plusieurs clips d'IAM, il tourne un premier court-métrage, *Santino,* et, à l'été 1998, un véritable film, *l'Aimant,* qui met en scène le destin "tragique et drôle" de huit jeunes de Marseille. **Y.P.**

Métèque et mat,
Delabel, 1995, distr. Virgin

ALAIN Yvon (Yvon Vineis, dit)

Saint-Étienne, 1918 - Paris, 1961
COMPOSITEUR, CHEF D'ORCHESTRE

Après des débuts d'accompagnateur de chanteurs au "Collège Inn" à Montparnasse, il écrit plusieurs chansons à succès : "l'Air du patron" (pour Francis Blanche•), "Couci-couça" (André Claveau• et les Sœurs Étienne•), "Rumbati Rumbata" (Marie-Josée•) ou "le Dimanche matin" (Jacques Hélian, 1948). Son plus gros succès reste "Pluie d'étoiles", créée en France par Jacqueline François• et aux États-Unis par Sarah Vaughan (1951).

ALAMO Frank (Jean-François Grandin, dit)

Paris, 1943
INTERPRÈTE

Fils d'un fabricant de téléviseurs, il sort, en 1963, son premier 45 tours, "Da Dou Ron Ron", une reprise des Crystals. Il tire son nom du film Fort Alamo avec John Wayne et incarne bientôt la tendance "saine et sportive" du rock français des sixties, loin des méchants garçons à la Vince Taylor• ou Moustique. En 1964, "Biche ma biche" ("Sweets For My Sweet" des Searchers,

Avec son accent soigneusement forcé, Alibert initie Paris à la chanson provençale, sur des mélodies de Scotto.

écrite par Doc Pomus et Mort Shuman•) séduit les Français de 7 à 77 ans. Suivront "Maillot 36-37", "File, file, file", "Je veux prendre ta main" (des Beatles) et "le Chef de la bande" (des Shangri-La's). Après la fin du yé-yé, il tente un come-back sans suite en 1985, puis en 1996, aux côtés de Stone et Monty.

Ma Biche, Président/BRG, 1993

ALIBERT (Henri Allibert, dit)

Carpentras, 1889 - Marseille, 1951
INTERPRÈTE

Après des débuts parisiens, il trouve enfin, en 1932, sa vraie vocation : l'opérette marseillaise. Un genre dont va raffoler la France entière. Il sera beaucoup aidé par Vincent Scotto•, dont il épouse la fille. Il se lance avec *le Pays du soleil* et des refrains qui sont tout de suite adoptés par le public, comme "À petits pas" ou "J'ai rêvé d'une fleur". Le triomphe vient en 1935 avec *Un de la Canebière,* dont tous les airs sont de grands succès : "Un petit cabanon", "Vous avez l'éclat de la rose", "Les Pescadous", "Cane... cane... canebière" et, surtout, "le Plus Beau Tango du monde". Il finit sa carrière comme directeur du théâtre des Deux-Ânes, à Paris.

Étoile de la chanson, Music Memoria
20 succès, EMI Music

ALLAM Djamel

Bejaia, (anciennement Bougie), Algérie, 1947
AUTEUR, COMPOSITEUR, INTERPRÈTE

Il a mêlé la tradition kabyle au jazz, au rock, au reggae et à la chanson française. Installé en France en 1967, Djamel Allam a créé la musique kabyle façon "Rive gauche", dans les années soixante-dix. Il est devenu célèbre en 1974 avec le succès "Mara dioural". Il a signé la bande originale de quelques films et joué des petits rôles au cinéma. Dans les années quatre-vingt-dix, ses chants sont surtout consacrés à la situation difficile que vit l'Algérie.

Mawlud, Kardum, 1992
Le Chant des sources, Sun Records/Wotre Music, 1995

ALLIANCE ETHNIK

Groupe de rap formé au début des années quatre-vingt-dix

Alors que son premier album, Simple et Funky, vogue allégrement vers les 200 000 ventes, Alliance Ethnik reçoit en février 1996 une victoire de la musique. Une consécration pour ce quintette pluri-ethnique, dont l'aventure s'enclenche au début des années quatre-vingt-dix. Emmené par K-Mel, Alliance Ethnik revendique haut et fort l'esprit de la fête, se démarquant de la tendance corrosive prônée par d'autres rappeurs tels NTM•. Aux rimes acides et instantanées, reflets des banlieues, le groupe préfère des textes d'une veine éminemment souriante et optimiste.

Simple et Funky, Delabel/Virgin, 1995
Fat Comeback, Delabel, 1999

ALLWRIGHT Graeme

Wellington, Nouvelle-Zélande, 1926
AUTEUR, COMPOSITEUR, INTERPRÈTE

Après avoir été infirmier dans un hôpital psychiatrique puis comédien à Londres et à Saint-Étienne (il y interpréta Thomas Becket, prélat anglais du XIIe siècle assassiné par le roi Henri II pour son intransigeance morale et politique, personnage qui est, somme toute, fort proche de lui), il renoue, à quarante ans, avec ses amours de jeunesse, la chanson. Il débute en 1966, à Paris, à la Contrescarpe, aux côtés des Enfants terribles, et sort son premier titre, "le Trimardeur", en 1967. Il adapte en français des folk songs américaines comme "Jolie Bouteille" de Tom Paxton, "Qui a tué Davy Moore ?" de Bob Dylan, "Jusqu'à la ceinture" de Pete Seeger où perce, en symbiose avec l'époque, une forte dominante politique.

Beatnik errant qui part sur les routes des Indes puis vit à Madagascar, cet humaniste, écologiste avant l'heure, devient vite le chanteur des feux de camp et des veillées entre amis. Ses traductions des chansons de Leonard Cohen ("Suzanne") lui attirent une aura romantique. On le voit chanter au début des années soixante-dix avec Valérie Lagrange, en rupture de ban avec le cinéma. En 1979, il s'associe avec Maxime Le Forestier• sur la scène du Palais des Sports. En 1985, il interprète Brassens en anglais... Éternellement de passage, Graeme Allwright poursuit une route singulière, loin de toutes les modes, dont l'unique but paraît être l'amitié, le bonheur et le plaisir. **Y. P.**

Le Jour de clarté (1968), Phonogram
Olympia 1973, Phonogram
Les Retrouvailles (en 3 CD), Polygram, 1991

ALMA Simone (Simone Nollez-Rose, dite)

Raon-l'Étape, 1922
AUTEUR, INTERPRÈTE

Sa voix très jazz la fait débuter au Casino de Biarritz en 1941. Après la Libération, Édith Piaf• la prend dans son programme de l'Étoile.

Sa discographie, gravée par une dizaine d'éditeurs, comprend des duos avec Bourvil• et Nougaro•. Parmi ses succès, on relève "Saint Louis Blues", "Symphonie", "Loin des sambas" ou "Je n'ai pas un physique de théâtre".

"Si ton cœur chantait", in le Temps des refrains chantés, MC Production, JBCD 338/2

AMADE Louis

Ille-sur-Têt, Pyrénées-Orientales, 1915 - Paris, 1992
AUTEUR

À la fois haut fonctionnaire et poète, ce Catalan rencontre Gilbert Bécaud• le 3 septembre 1952 à 11 heures, à la préfecture de Versailles. Édith Piaf• a servi d'intermédiaire. *"J'avais écrit un texte que d'autres compositeurs n'avaient pas osé prendre. Ils m'avaient tous dit : c'est de la poésie, on n'en fera jamais une chanson"*, se souvient Amade. Bécaud le met en musique : "les Croix" sera un des succès de l'année 1953. Damia• le chantera à son tour sur ce qui fut le dernier disque de sa carrière.

Le "flic" de la chanson. Louis Amade, qui avait écrit un premier texte, "Feu de bois", pour Yves Montand• en 1948, devient vite préfet (il est responsable des relations publiques à la Préfecture de police de Paris) et un des auteurs fétiches de Bécaud avec Maurice Vidalin et Pierre Delanoë•. Leur fructueuse collaboration débouche sur de belles réussites : "la Ballade des baladins" (1953), "C'était un copain" (1954), "le Pays d'où je viens" (1957), "les Marchés de Provence" (1958), "le Rideau rouge" (1960), dont le fameux refrain *("Car toute la magie du rêve/Est contenue dans ce détail/Un rideau de velours corail/Qui tremble un peu et se lève")* donnera son nom à la maison d'édition du chanteur. Elle culmine, en 1967, avec "L'important, c'est la rose", qui appartient au panthéon de la chanson française : *"La naissance d'une chanson est souvent une chose très simple... Au départ, j'avais l'idée d'une fleur qui se promène dans le temps pour nous faire croire et espérer"*, confie Amade. Lorsque François Mitterrand sera élu à l'Élysée, l'imitateur Thierry Le Luron transformera cette chanson, qui a fait le tour du monde, en "L'emmerdant, c'est la rose". Entré par hasard en chanson, auteur de plusieurs romans et de recueils de poésie, ce préfet efficace et taciturne s'est avéré un auteur plein de lyrisme et de générosité. Il travaillera avec Gilbert Bécaud jusqu'à sa mort. **Y. P.**

AMINA (Amina Annabi Laurence, dite)

Carthage, Tunisie, 5 mars 1962
INTERPRÈTE

Amina a treize ans lorsqu'elle s'installe à Paris avec sa mère. Le premier single, "Sheherazade", en 1983, ne constitue qu'un brouillon d'une carrière qui prend vraiment forme avec la sortie, sept ans plus tard, de l'album Yalil. Amina y a travaillé de longs mois avec la complicité de son compagnon Martin Meissonnier, déjà réputé pour son travail avec Fela, King Sunny Ade ou Cheb Khaled•. Le disque, dont la dominante orientale est traitée de façon très moderne, sort dans vingt-deux pays. À Paris, elle se produit au Théâtre de la Ville en novembre 1990 puis sort, fin 1992, chez Phonogram toujours, un second album aux musiques plus que jamais métissées, *Wa di yé*. Elle revient en 1999 avec *Annabi*, un intéressant cocktail de trip-hop, de musique arabe, de blues et de chanson française.

- ***Yalil,*** Philips, 1989
- ***Wa di yé,*** Philips, 1992

Coiffé de son sombrero, Marcel Amont restera pour toujours l'interprète du "Mexicain".

AMONT Marcel (Jean-Pierre Miramont, dit)

Bordeaux, Gironde, 1929
INTERPRÈTE

Ancien élève au Conservatoire d'art dramatique de Bordeaux, Marcel Amont commence sa carrière de chanteur en faisant des imitations et des parodies. Après quelques apparitions dans des opérettes, il monte à Paris au début des années cinquante. Édith Piaf• apprécie sa gentille fantaisie et le prend en première partie de son spectacle à l'Olympia en 1956. Elle lui suggère un tour de chant plus personnel avec des morceaux originaux. Il écoute le conseil. Servi par des auteurs solides (Aznavour•, Delanoë, Ricet Barrier•, Jean Dréjac•, Nougaro•, André Popp•), Marcel Amont triomphe au début des années soixante avec des bluettes ("Bleu, blanc, blond", "Tout doux, tout doucement") et des chansonnettes amusantes ("Moi le clown", "Un Mexicain"). Son style très visuel lui permet même de s'exporter dans un pays comme le Japon. On l'oublie un peu à partir des années soixante-dix, mais il revient en 1995 avec un livre, *Une chanson, qu'y a-t-il à l'intérieur d'une chanson ?*

◎ ***Bravo à Marcel Amont (compil.),*** Sony, 1989

ANDREX (André Joubert, dit)

Marseille, 1907 - Neuilly, 1989
INTERPRÈTE

Neuvième fils d'un négociant en légumes, voisin du petit Fernand Contandin, futur Fernandel•, il vend des primeurs en amusant le public par ses imitations de Maurice Chevalier•. Lorsque celui-ci passe à l'Alcazar, on fait chanter au jeune Marseillais "Quand j'entends l'air des Dolly Sisters", ce qui amuse beaucoup "Momo". À tel point que ce dernier le fait engager au Concert Mayol.

André, devenu Andrex, a alors 23 ans. C'est tout de suite le succès, car il sait chanter, imiter, jouer, danser et faire rire.

Il entame bientôt une longue carrière au cinéma, dans des rôles de mauvais garçon. Il figure au générique de plus de soixante-dix films, dont certains chefs-d'œuvre comme *Angèle* ou *Hôtel du Nord*.

Parallèlement, il mène avec bonheur une carrière au music-hall et dans la chanson, où il perpétue la tradition du "caf'conc'" : "Bébert", "Ya des zazous dans mon quartier", "Antonio" (1942), "Ernest" (1947), "la Samba brésilienne" (1948) ou "Un p'tit coup de rouge" ont été des "tubes" indiscutables. **C.P.**

◎ ***Compilation,***
EMI 7890922

ANDRIEU Josy

Arles, 1942
INTERPRÈTE

Après des débuts à Marseille, elle arrive à Paris au début des années soixante. Elle passe dans les cabarets puis s'oriente vers l'opérette pour être aux côtés de Tino Rossi•, en 1963, dans *le Temps des guitares.* On la voit à la télévision et à nouveau sur les scènes de l'opérette dans *la Belle Marseillaise* et dans une reprise de *Un de la Canebière.*

ANGE

Groupe de rock formé en 1969 à Belfort autour de Christian Decamps (textes, chant et claviers) et Francis Decamps (compositions et claviers)

Ange réussit à s'imposer en 1971 au concours de groupes amateurs du Golf Drouot, ce qui lui permet d'enregistrer un premier disque, *Caricatures,* puis d'être engagé comme première partie du spectacle de Johnny Hallyday• en 1972. Rodé à la scène depuis sa formation grâce au charisme théâtral de Christian Decamps, il conquiert rapidement un important public avec un répertoire original puisé dans les contes et légendes populaires, n'hésitant pas à rendre une ambiance moyenâgeuse à des textes comme "Ces gens-là" de Jacques Brel•. Essoufflé au début des années quatre-vingt, le groupe, poussé par son fan-club, "l'armée des ombres", reprendra du service en 1988 et en 1989 en sillonnant la France sans faire pour autant un retour fracassant.

◎ ***Le Cimetière des arlequins*** (1973), Phonogram
◎ ***Au-delà du délire*** (1974), Phonogram

ANNEGARN Dick

La Haye, Pays-Bas, 1952
AUTEUR, COMPOSITEUR, INTERPRÈTE

Dick Annegarn, chanteur, guitariste, accordéoniste, harmoniciste, xylophoniste et pianiste partage ses vingt premières années entre les Pays-Bas et Bruxelles. Avec une guitare et des idées plein la tête, il débarque à Paris en octobre 1972, se produisant dans les lieux folk de la capitale. Il rencontre Mireille•, du Petit Conservatoire (qu'il rejoint un temps), et Jacques Bedos, qui produit son premier album, *Sacré Géranium,* en 1973. Le Hollandais de la chanson, poète d'avant-garde, est lancé, et son impact est immédiat, grâce à des morceaux tels que "Bébé éléphant", "Ubu" et surtout "Bruxelles". Suivent trois Olympia, un palais des Congrès et 150 concerts en province. Son jeu de guitare très sophistiqué et ses textes empreints de surréalisme touchent un large public. En 1976, il autoproduit *Anticyclone,* avec Albert Marcœur comme arrangeur, avant d'entreprendre en sa compagnie une grande tournée.

Le troubadour sur péniche. En 1978, au moment de la parution de son double album, enregistré en public à Créteil, *De ce spectacle ici sur terre,* il annonce au cours d'une conférence de presse qu'il quitte le monde du spectacle. Le public ne lui en tient pas rigueur et le considère davantage encore comme un être libre et critique. Dick Annegarn s'installe en banlieue parisienne, sur une péniche, au bord de Marne. Puis il revient sur le devant de la scène en juin 1981 : il chante trois jours à Bobino et sort *Citoyen.* Avec le violoncelliste Denis Vanhecke, il monte un spectacle de chansons, *Un Belge imaginaire,* et publie deux albums en 1990, *Ullegara* et *Chansons fleuves.* En février 1991, le troubadour batave se produit à l'auditorium du Châtelet, puis s'en va jouer au Québec et au Cambodge. Ses chansons appartiennent à un univers surréaliste tantôt morose, tantôt enjoué : *"Il se fait tard, pourvu qu'ils viennent/ Tout le caviar, je l'ai donné à la chienne/Et si ça continue, les bouteilles seront vides/Je crois que je vais partir en Floride/Une table vide que je préside c'est le bide"* ("le Grand Dîner"). Il fait un retour remarqué en 1998 avec l'album *Approche-toi* et une tournée avec son disciple Mathieu Boogaerts•, chef de file de l'école minimaliste française. Ce poète et talentueux mélodiste n'a jamais peur d'expérimenter des sons ou des styles, rejoignant ainsi le talent d'un Nino Ferrer•.
A.G.

- ***Best Of Bruxelles,*** Polydor, 1988
- ***Chansons fleuves,*** Nocturne/Média 7, 1990
- ***Inédick,*** Nocturne/Média 7, 1992

ANTHONY Richard (Richard Btesh, dit)

Le Caire, Égypte, 1938
Auteur, interprète

D'origine anglo-turque, ce fils d'industriel passe son enfance en Angleterre et en Argentine. Abandonnant ses études de droit, il devient représentant en réfrigérateurs et joue du saxophone, le soir, dans les clubs de jazz. En 1958, il sort un premier EP chez Pathé-Marconi, avec "Tu m'étais destinée", "Peggy Sue", qui obtient peu d'écho. C'est avec "Nouvelle Vague" qu'il se fait connaître en 1960. Ce roi de la reprise est surnommé "Le père tranquille du twist" ou bien "le Tino Rossi• du rock'n'roll". Les blousons noirs l'ont dans le collimateur : lors d'un concert au Palais des Sports en 1961, il est blessé par un jet de bouteille. N'empêche, il enchaîne 45 tours sur 45 tours, d'"Itsy Bitsy, petit Bikini" à "J'entends siffler le train" (le "500 Miles" des Journeymen). Puis, comme nombre de ses congénères, Richard Anthony s'oriente logiquement vers la variété à l'approche des années soixante-dix. En 1983, il passe quelques jours en prison pour fraude fiscale et il tente, depuis, de revenir à l'affiche en faisant fructifier son répertoire passé.

Le fait est que Richard Anthony est bien l'un des pionniers du rock en France. Mais c'est plus du côté de Pat Boone qu'il faut rechercher la référence américaine que du côté de Gene Vincent. Le dodu roucouleur a été l'un des plus grands vendeurs de disques du début des années soixante. Il publie, en 1994, son autobiographie *Il faut croire aux étoiles* (Michel Lafon).
M.D.

- ***À présent tu peux t'en aller*** (1962-1964), Dial/Média 7, 1989
- ***Tous ses succès,*** EMI France, 1989

ANTOINE (Antoine Muraccioli, dit)

Tamatave, Madagascar, 1944
Auteur, compositeur, interprète

Dès 1965, après avoir rencontré en faisant du stop le producteur Christian Fechner, Antoine sort un single, "la Guerre", qui le pose d'emblée comme un chanteur engagé. Le brillant élève de l'École centrale devra attendre encore un peu avant de connaître la gloire. L'année suivante, un titre provocateur, "les Élucubrations", extrait d'un premier album, le propulse avec fracas au premier plan. Le cheveu démesurément long, vêtu d'un jean rapiécé, d'une veste de treillis et, surtout, d'une chemise à fleurs, il propose au public encore très prude de la France d'alors provocation et dérision. Il réclame le droit à l'avortement ("la Loi de 1920"), égratigne l'accordéoniste Yvette Horner et, surtout, brocarde sans manières Johnny Hallyday•, lui promettant une cage à Médrano. Le succès est fulgurant et, malgré un registre vocal limité, Antoine devient le chanteur de l'été 1966. Au hasard des concerts qu'il donne à travers la France avec

Boots, harmonica en sautoir et chemise à fleurs : Antoine entre la pop londonienne, le folk dylanien et les hippies de San Francisco.

son groupe les Problèmes (qui deviendront plus tard les Charlots•), le public découvre les idées dans l'air du temps que véhicule cet apprenti Dylan.

Bifurcation. Le cheveu raccourci, revenu à des tenues plus conventionnelles, le centralien touche au registre psychédélique avec "Un éléphant me regarde", trousse de gentilles bluettes d'amour ("Je l'appelle Cannelle", "Juste quelques flocons qui tombent"), quand il ne s'égare pas dans des couplets très populaires comme "le Match de football" ou "Ra-ta-ta". Il remonte, en 1973, l'opérette *Dédé* créée par Maurice Chevalier•. L'année suivante, il prend la mer à bord de son voilier et sillonne, depuis, les océans. Antoine revient, régulièrement, présenter un livre ou un disque inspiré par ses voyages. **J.-P. G.**

◎ ***Juste quelques chansons*** (compil.), Vogue/BMG

ARAGON Louis

Neuilly-sur-Seine, 1897 - Paris, 1982
Poète

Créateur aux multiples visages, romancier, essayiste, critique d'art, polémiste et poète, l'auteur de "l'Affiche rouge" inspirera de nombreux chanteurs, de Georges Brassens• ("Il n'y a pas d'amour heureux") à Léo Ferré• (un disque de dix chansons, dont "l'Affiche rouge" et "Est-ce ainsi que les hommes vivent?"), en passant par André Claveau• ("les Yeux d'Elsa") ou Jean Ferrat• ("Que serais-je sans toi?", "Nous dormirons ensemble").

Dépassant le vieux débat sur les rapports entre chanson et poésie, Aragon, présentant le disque de Ferré consacré à ses poèmes, écrit : *"La mise en chanson d'un poème est à mes yeux une forme supérieure de la critique poétique."* Les poèmes d'Aragon se prêtent, il est vrai, particulièrement bien à leur passage en chanson; ils reposent sur une métrique rigoureuse, des rimes riches, un rythme bien marqué; ils renferment surtout des images simples, vigoureuses, dont les symboles, à la fois clairs et évocateurs, sont exprimés en formules frappantes pour l'auditeur : *"Nous étions faits pour être libres", "Que serais-je sans toi qui vins à ma rencontre?" "Que cette heure oubliée au cadran d'une montre".* **P.S-D**

AREL Jack (Jacques Azopardi, dit)

Alger, 1943
Compositeur

Arel est spécialisé dans les arrangements musicaux, bien qu'il ait signé quelques chansons connues comme "Sortilège d'Andalousie" pour Mick Micheyl•, "Mélancolie" pour Sheila• et le fameux "I'll never leave you" pour Tuesday Jackson, pseudonyme de Nicole Croisille•.

ARNAUD Michèle (Micheline Caré, dite)

Toulon, Var, 1919-1998
Interprète

Jeune fille de bonne famille égarée dans le monde de la chanson "rive gauche•", elle chante, à partir de 1952, d'une voix distinguée, au Milord l'Arsouille, un cabaret situé près du Palais Royal, des compositions de Ferré•, de Guy Béart• ou de Boris Vian•. Son pianiste s'appelle

Serge Gainsbourg• : elle sera la première à l'interpréter sur scène. "La rue s'allume", "Je voulais", "Julie", "Timoléon le jardinier" sont les titres les plus connus de cette artiste très intellectuelle, qui ne réussit jamais à toucher le grand public.

◎ ***Zon zon zon,*** EMI France, 1989

ARNO (Arno Hintjens, dit)

Ostende, 1949
AUTEUR, INTERPRÈTE

Celui qu'on surnomme souvent le "Tom Waits belge" cite en bonne place parmi ses références Brel• et surtout Piaf•. Ses premiers disques remontent à 1969. Trois ans plus tard, il enregistre son premier album. Il y a d'abord le groupe TC Matic, de superbes compositions comme "Elle adore le noir", mais l'audience ne dépassera jamais le cercle d'une chapelle, certes large mais insuffisante pour continuer sereinement. En 1986, c'est la rupture. Le guitariste Jean-Marie Aerts continue l'aventure, tandis qu'Arno sort, chez Virgin, un premier album homonyme. Arno est l'auteur de la plupart des dix morceaux dont l'extraordinaire "When The Rock" préfigurant la carrière à venir. La voix est plus déchirée que jamais, les compositions, torturées à l'extrême, jusqu'à donner à ce rhythm' n' blues des allures de musique de kermesse.

Déconstruction. Le compositeur continue son œuvre de destruction systématique. Plus encore dans les disques à venir quand il s'empare du "Bon Dieu" de Brel, des "Filles du bord de mer" d'Adamo• ou du "Pull-over blanc", le tube de Graziella de Michel. Bon an, mal an, Arno, qui chante indifféremment en anglais et en français, continue de donner une centaine de concerts dans différents pays européens.

J.-P. G.

◎ ***Tracks From The Story,*** Virgin, 1992
◎ ***Idiots savants,*** Delabel/Virgin, 1993
◎ ***À la française,*** Delabel/Virgin, 1995

Entre Tom Waits et Adamo, Arno est le chantre d'un certain rock belge.

ASSO Raymond

Nice, Alpes-Maritimes, 2 juin 1901 - 1968
AUTEUR

Après avoir exercé divers métiers, Raymond Asso se lance dans la chanson en 1933 en tant qu'auteur. Son premier succès, "Mon légionnaire" (1936), créé par Marie Dubas•, est suivi du "Fanion de la Légion", tous deux sur une musique de Marguerite Monnot•. Il fait alors la connaissance d'Édith Piaf• et contribue au lancement de sa carrière, jusqu'à la guerre. Toujours sur des musiques de M. Monnot, il écrit pour Piaf "le Petit Monsieur triste" (1938), "C'est l'histoire de Jésus" et "Je n'en connais pas la fin". "Un jeune homme chantait" s'apparente à la romance ; "Paris-Méditerranée", "Elle fréquentait la rue Pigalle" sont, elles, typiques de la chanson réaliste ; "le Grand Voyage du pauvre nègre" s'inspire du blues. Mobilisé pendant le conflit, il doit laisser sa place auprès d'Édith à d'autres paroliers, comme Henri Contet• ou René Rouzaud•. Rendu à la vie civile, Asso reprend le métier avec "la Java du bonheur du monde", pour Lucienne Delyle•, et, pour Hélène Sully, conçoit une des plus courageuses chansons écrites sous l'Occupation, "les Prisons de France". À la Libération, il connaîtra encore le succès en écrivant "Y'a tant d'amour" (chantée, notamment, par Renée Lebas•), et, sur une musique de Claude Valéry, "Comme un p'tit coquelicot", créée en 1953 par Mouloudji•. Il finit sa carrière en tant qu'administrateur de la SACEM. **H.H.**

AUBERSON Pascal

Suisse
AUTEUR, COMPOSITEUR INTERPRÈTE

Étrange parcours que celui de ce jeune chanteur-pianiste influencé par le jazz et aux allures de Julien Clerc• helvétique... Après des débuts à Lausanne, il débarque à Paris en 1975 et entre dans la grande famille de la Pizza du Marais, café-théâtre dirigé par Lucien Gibara, où une nouvelle génération de chanteurs (Le Forestier•, Renaud•) fait ses premières armes. Après plusieurs concerts remarqués au Théâtre de la Ville, au Printemps de Bourges et au Dejazet, il disparaît dans ses montagnes...

- ***Ange rebelle,*** Baillemont, 1989

AUBERT Jean-Louis

Nantua, Ain, 1954
AUTEUR, COMPOSITEUR, INTERPRÈTE

Désireux de ne pas perdre de temps, au terme de l'aventure Téléphone•, dont le décès est officialisé le 24 avril 1986, Jean-Louis Aubert, fils de sous-préfet, réalise sans attendre le single "Juste une illusion". Un album suit début 1987. Richard Kolinka est toujours à la batterie, Daniel Roux, à la basse, et Marine Rosier, aux claviers.

Avec des artistes invités comme Paul Personne•, Axel Bauer•, Princess Erika• ou Guesh Patti•. *Bleu Blanc Vert* sort en septembre 1989. Aubert est le producteur des dix-neuf chansons d'un album qui dévoile un aspect méconnu de sa personnalité. Avec des mélodies simplement acoustiques, d'autres plus funk ou radicalement rock, il persiste dans sa veine d'adolescent perpétuel, célébrant l'humanité, dénonçant ceux qui la mettent à mal et reprenant à son compte "Ils cassent le monde", un poème de Boris Vian• bien en phase avec ses préoccupations. H, pressé trois années et quelques concerts plus tard, en revient aux mêmes thèmes fétiches, et connaît un grand succès. En 1997, l'album *Stockholm* lorgne vers le trip-hop et entame un émouvant rapprochement avec Barbara (deux titres de la célèbre chanteuse : "Vivant poème" et "le Jour se lève encore"). **H. E.**

- ***Plâtre et ciment,*** Virgin, 1987
- ***Bleu Blanc Vert,*** Virgin, 1989
- ***H,*** Virgin, 1992
- ***Une page de tournée,*** Virgin, 1994
- ***Concert privé,*** Virgin, 1998

AU BONHEUR DES DAMES

Groupe de rock formé en janvier 1972 à Paris

Créé juste à temps pour participer au concours du Golf Drouot de 1972, Au bonheur des dames se distingue par son approche burlesque du rock'n'roll des années cinquante et 60. Sa recette : des textes satiriques appuyés par une mise en scène extravagante où la musique est souvent reléguée au second plan. Le groupe se retrouve en première partie de Dick Rivers• à l'Olympia et obtient un énorme succès en 1974 avec le titre "Oh, les filles". Le groupe se dissout puis se reforme plusieurs fois, notamment sous le nom d'Odeurs, avant de se retrouver brièvement en 1988. À leur manière, ils sont les précurseurs d'un mouvement musicalement plus élaboré, mais jouant toujours sur la dérision, né autour de groupes comme les Négresses vertes•.

- ***Au Bonheur des dames*** (1973), Phonogram & BMG
- ***Odeurs*** (1979), Polydor & WEA (vinyles)

AUBRET Isabelle (Thérèse Coquerelle, dite)

Lille, 1938
INTERPRÈTE

Née dans une famille modeste du Nord, Isabelle Aubret fut d'abord ouvrière, puis championne de France de gymnastique. Elle commença à chanter dans des galas populaires où sa blondeur éclatante et sa voix claire attirèrent l'attention du directeur de l'Olympia, Bruno Coquatrix•. Il la fit engager, en 1960, dans un cabaret de Pigalle et lui permit d'enregistrer son premier disque en 1961 ("Nous les amoureux", "le Gars de n'importe où"). Elle rencontre Jean Ferrat• et Gérard Meys•, patron de sa maison de disques. Subjugués par son charme, l'un lui écrit "Deux enfants au soleil", l'autre lui signe un contrat. Elle obtient le grand prix du festival d'Enghien avec "Rêve mon rêve" et participe, en 1962, au concours de l'Eurovision avec "Un premier amour". L'année suivante, un grave accident de voiture interrompt brutalement sa carrière, qu'elle ne reprendra vraiment qu'en 1968. **Le cran.** Impressionné par son courage et par son sourire, Jean Ferrat compose pour elle "C'est beau la vie" (1964), au refrain plein d'espoir. En dépit de ses souffrances, la chanteuse tient à l'enregistrer pour un disque qui émouvra la France entière. Elle entame une série de tournées en France et à l'étranger, où elle interprète, de sa voix douce et bien placée, avec un bon goût parfois trop esthétisant, Aragon, Brassens•, Brel• ("Fannette"), Béart• et Ferrat. En 1980, elle est sacrée par les Japonais "Meilleure chanteuse du monde". Victime d'une malheureuse chute, en 1982, au Gala de l'Union des artistes où elle effectue un numéro de trapèze volant, elle disparaît à nouveau pendant deux ans... Courageuse et opiniâtre, elle ne renonce pas et rajeunit son style en interprétant des chansons de Pierre Grosz•, Claude Lemesle• et Jean-Jacques Goldman•. En 1985, elle chante avec toujours le même bonheur "1789" Chanteuse de charme et femme de conviction, Isabelle Aubret, longtemps compagne de route du Parti communiste, ce qui lui valut un ostracisme certain de la part du show-biz, appartient au club très fermé des grandes interprètes de la chanson française. **Y. P.**

Isabelle Aubret avec Jean Ferrat, son ami et son partenaire musical de toujours.

◎ ***Isabelle Aubret In Love***
(14 standards en anglais), Disques Meys, 1991
◎ **Aragon,** Disques Meys, 1992
◎ **Chante Brel,** Disques Meys, 1995
◎ ***Changer le monde,*** Disque Meys, 1997

AUFRAY Hugues (Jean Auffray, dit)

Neuilly-sur-Seine, 1932
AUTEUR, COMPOSITEUR, INTERPRÈTE

Né dans une famille aisée de Neuilly-sur-Seine, rien ne prédisposait Hugues Aufray à la chanson. Après des études aux Beaux-Arts, il se produit dans les cabarets rive gauche de la capitale. En 1958, il remporte avec "le Poinçonneur des lilas", écrit par un compositeur encore inconnu, Serge Gainsbourg•, le tremplin *les Numéros 1* de demain, organisé par Europe 1, et peut ainsi enregistrer son premier disque chez Barclay, dont l'un des titres plein de nostalgie, "Y'avait Fanny", devient la chanson fétiche des appelés du contingent en Algérie.
En 1959, Maurice Chevalier• l'engage pour assurer la première partie de sa tournée américaine. Deux ans plus tard, Hugues Aufray enregistre "Santiano" et accède à la notoriété. Inspirée d'une chanson de marins, la mélodie est totalement à contre-courant de la vague yé-yé qui balaie la France. Aufray propose une musique entre folk et country qu'il n'hésite pas à teinter de traditionnel. Cette façon de procéder plaît, et il enchaîne au cœur des années soixante les succès que sont "Dès que le printemps revient", "Guidez mes pas", "Céline", "Des jonquilles aux derniers lilas".

Hugues Aufray, le chanteur des veillées autour du feu de camp, interprète avec sincérité un folklore reconstitué, à l'ombre écrasante de Bob Dylan.

En 1965, Hugues Aufray est à l'Olympia en vedette américaine de Johnny Hallyday•. Deux ans plus tard, c'est Bobino. Il a, entre-temps, enregistré *Aufray chante Dylan* (1965), une façon d'afficher un peu plus haut ses convictions. L'année 1970 marque un virage dans sa carrière, concrétisé par l'album *Avec amour.* Pour chanter la femme, il est revenu, temporairement, à des mélodies plus conventionnelles. Devenu plus discret par choix, accaparé par sa ferme d'Ardèche, il passe dans quelques cabarets parisiens au cours des années soixante-dix. Après *Little troubadour* (Musidisc, 1993), album où figurent des reprises du "Petit cheval blanc" de Brassens• et de la "Ballade irlandaise" de Bourvil•, le Casino de Paris marque son grand retour sur le devant de la scène. **J.P.G.**

- ***Aufray chante Dylan,*** Disques Arcade, 1996
- ***Best Of,*** Disques Arcade, 1996
- ***Les Années Barclay,*** Barclay/Polygram, 1996.

AZNAVOUR Aïda

Paris 1922
INTERPRÈTE

Elle chante au début des années quarante en vedette au Petit Casino. Sa voix, très agréable et volontaire, celle de son frère Charles. Sa carrière est confortée par son mariage, en 1956, avec le compositeur Georges Garvarentz•, qui, cependant, composera davantage pour son beau-frère et d'autres artistes (comme Johnny Hallyday• ou Sylvie Vartan•) que pour son épouse ("le Bal des truands"). Elle poursuit une intéressante carrière internationale, enregistrant plusieurs disques consacrés au folklore arménien.

AZNAVOUR Charles

Paris, 1924
AUTEUR, COMPOSITEUR, INTERPRÈTE

"Je pense que j'ai la voix de ma génération, moins belle, bien sûr, mais destinée à dire autre chose, destinée à chanter les nuits d'amour à bout de souffle. Une voix qui colle avec le genre de chansons que j'écris", reconnaît Charles Aznavour dans l'autobiographie *(Aznavour par Aznavour)* qu'il publia en 1970 chez Fayard. Seulement, cette voix brisée, perpétuellement au bord de l'extinction, à cause d'un larynx, semble-t-il, au bord de la crise de nerfs, provoqua d'abord bien des rejets avant de devenir l'essence même de son succès... Au milieu des années cinquante, lorsque la France citadine relevait la tête et sortait de l'après-guerre, ce fils d'émigrés arméniens, au physique malingre et à la voix enrouée, symbolisa, par ses chansons angoissées, qui, pour la première fois, parlaient de l'amour physique et de l'usure du bonheur, les velléités et les incertitudes d'une génération... *"Il a osé chanter l'amour comme on le ressent, comme on le fait, comme on le souffre"*, dira de lui Maurice Chevalier•. Pourtant, la route fut longue et faillit déboucher sur un échec magistralement décrit dans "Je me voyais déjà" (1961), bouleversant portrait de l'homme aux espoirs perdus que les Américains appellent le "never been". Pendant treize ans, de 1946 à 1959, sa carrière suscita, en effet, un accueil mitigé.

Né de parents arméniens, qui se verraient bien chanteurs ou comédiens, le petit Charles côtoie très vite la vie d'artiste. Son grand-père tient un petit restaurant russe rue Champollion, et son père a ouvert le sien rue de la Huchette, avant de s'occuper d'un café rue du Cardinal-Lemoine, où viennent chanter et jouer tous les musiciens arméniens de Paris. *"Je vivais entouré de chanteurs, de danseurs, d'acteurs, de musiciens (On ne roulait pas sur l'or, et pourtant on achetait des disques tous les jours, on allait au cinéma trois ou quatre fois par semaine. C'était incroyable pour l'époque..."* À neuf ans, véritable enfant de la balle, il interprète son premier rôle dans une pièce au Théâtre des Champs-Élysées. On le voit ensuite à Marigny et à l'Odéon. Sa sœur Aïda lui fait connaître en 1941 le Club de la chanson, un groupe de jeunes auteurs et compositeurs, où il fait la connaissance de Pierre Roche•, avec qui il monte bientôt un numéro de duettistes pour un gala dans les environs de Paris.

"IL A OSÉ CHANTER L'AMOUR COMME ON LE RESSENT, COMME ON LE FAIT, COMME ON LE SOUFFRE."
Maurice Chevalier

"Pierre Roche, explique-t-il, *était un très bon musicien, moi je voulais être un bonhomme de scène, on se complétait très bien. L'écriture est venue naturellement parce que Roche et moi ne trouvions pas de chansons pour duettistes. Nous n'étions pas assez connus pour qu'on veuille nous en écrire. Alors, nous nous y sommes mis."* Le duo met au point un récital à base d'absurde, de jeux de mots et d'onomatopées, dont le morceau "le Feutre taupé" demeure le porte-étendard. En 1946, lors d'une émission de radio à la RTF (France Inter de l'époque), Francis Blanche• présente Aznavour et Roche à Édith Piaf•, qui, conquise, les engage pour une tournée franco-suisse avec les Compagnons de la chanson•. Le soir même, elle invite Charles dans son appartement de la rue de Berri et lui assène : *Tu es gonflé, tout de même! Tes chansons sont remplies de trucs qu'on peut pas dire sur une scène :* "L'amour jaillit lorsque je m'abandonne" "Je mords dans son épaule" *Dis-moi, le mime, tu serais pas un peu cinglé par hasard?* Elle le surnomme "le Génie con". De 1946 à 1954, il va vivre dans son ombre, l'accompagnant au piano sur scène...

Faute de succès, à l'exception de "J'ai bu", interprétée par Georges Ulmer•, qui remporte le Grand Prix du disque, le duo Aznavour-Roche se sépare en 1950. Pierre Roche s'installe au Québec•, et Charles Aznavour, qui, par l'intermédiaire de Raymond Asso• – le premier parolier de Piaf – a rejoint les prestigieuses éditions Raoul Breton (dont il est aujourd'hui copropriétaire avec son associé Gérard Davoust•), où sont publiés les titres de Trenet•, se lance dans la composition. Il écrit sa première chanson, "Je hais les dimanches", dans un petit hôtel situé sur la 44e rue, à New York. Édith Piaf la refuse (elle le regrettera amèrement et la chantera quelques années plus tard), mais Juliette Gréco•, avec le succès que l'on sait, s'en saisit. Ce n'est qu'un début... Eddie Constantine• ("Et bâiller et dormir", 1951), Gilbert Bécaud• ("Viens", "Donne-moi", "Je veux te dire adieu", 1951), Patachou• ("Parce que", 1952), Édith Piaf ("Jezebel", "Il pleut"), Maurice Chevalier• (Mômes de mon quartier"), puis les Compagnons de la chanson, Jean-Claude Pascal•, Johnny Hallyday• ("Retiens la nuit", "Il faut saisir sa chance", "Je t'écris souvent") et Sylvie Vartan• ("La plus belle pour aller danser") en feront un de leurs paroliers attitrés.

Mais Aznavour ne peut se contenter de ce rôle-là, il veut se voir en haut de l'affiche : *"Confier son œuvre à un autre, aussi compétent soit-il, c'est abandonner à l'Assistance publique un enfant dont on est le père..."* Donc il va s'acharner à prouver, lui *"l'enroué vers l'or"*, qu'il est un chanteur, un vrai.

Acharné. En 1952, entre deux strip-teases, il passe au Crazy Horse Saloon. Chaque fois, les critiques l'éreintent. N'importe qui aurait renoncé. Pas lui. Son angoisse de fils d'émigrés au physique malingre et son amour de la langue française l'ont transformé en une sorte de missionnaire de la chanson réaliste de charme : *"Contrairement à beaucoup de fils d'émigrés qui savent qu'ils sont français par la naturalisation, je savais, moi, que j'étais français par la langue. En découvrant cette langue, j'ai trouvé un pays. Le français m'a révélé la France. Encore aujourd'hui, j'aime sûrement la langue française plus que n'importe quel lieu en France. En partant de cet amour, et aussi mû par cet instinct de créer qui vous violente, j'ai trouvé ma réponse dans la chanson."*

En 1953, à Marrakech, le destin bascule, le public l'applaudit enfin. Dans la foulée, il écrit la chanson du macho repenti, "Viens au creux de mon épaule" *("Si je t'ai blessée/Si j'ai noirci ton passé/Viens pleurer au creux de mon épau-*

le/Laisse ta pudeur/Au plus profond de ton cœur/Viens pleurer au creux de mon épaule"), qui va être les prémices de sa reconnaissance et lui permettre, en 1955, d'être enfin à l'affiche de l'Olympia. Il y fait scandale avec sa chanson "Sur ma vie" : après s'être mis nus pieds, il termine sa chanson les bras en croix, une chaussure dans à chaque main...

En 1956, Eddie Barclay• l'engage dans sa maison de disques et lui fait enregistrer des nouveaux titres sur le thème de la jeunesse, dont "On ne sait jamais" et "Sa jeunesse". Avec leur façon de créer un rythme avec des mots, de marier énergie du jazz et mélancolie slave (grâce à l'apport des orchestrations de Georges Garvarentz•, son beau-frère), ses chansons parlent au cœur des habitués du Quartier latin qui pensent que la poésie est une va-nu-pieds. Il y aura ensuite "Je ne peux pas rentrer chez moi" (1959) *("Je ne peux pas rentrer chez moi/Car mon passé y est déjà/Dès que j'ouvre la porte/Il vient me faire escorte")*, "Tu te laisses aller" (1960), "Je m'voyais déjà" (1961), "la Mamma" (1963) (avec le père de France Gall•).

Charles Aznavour a coutume de dire : "J'appartiens à une avant-garde modérée." En cinquante ans de carrière, il n'a jamais faibli.

Jusqu'en 1972, Aznavour traverse une période faste où il enregistre des chansons qui entrent directement dans notre patrimoine musical : "les Plaisirs démodés" (qui deviendra en anglais "The Old Fashion Way"), "Hier encore", "les Comédiens", "Que c'est triste Venise" (paroles de Françoise Dorin), "For me, formidable", "le Toréador", "Paris au mois d'août", "Comme ils disent", "Emmenez-moi." Chantre officiel du nouvel amour moderne, le petit homme fiévreux des débuts s'est mué en un interprète au classicisme reconnu. Jean Cocteau s'écrie : *"Comment s'y prend-il cet Aznavour pour rendre l'amour malheureux sympathique aux hommes ? Avant lui, le désespoir était impopulaire. Après lui, il ne l'est plus..."*. En 1963, New York l'accueille comme un grand : sir Charles, qui se sent proche de Charlie Chaplin, a gagné son pari.

"Pendant les époques de transition, à la veille ou au lendemain des troubles, quand l'avenir est plus sombre ou quand les souvenirs sont plus amers, les hommes et les femmes cherchent dans la chanson une façon d'exprimer leur inquiétude ou leur désarroi", notait l'écrivain surréaliste Philippe Soupault. Charles Aznavour est le chanteur du désarroi des générations de l'après-guerre. D'où l'omniprésence de l'échec dans son œuvre : échec de carrière ("Je m'voyais déjà"), de l'amour ("Comme des étrangers"), de l'existence ("l'Émigrant" ; "le Monde entier file la haine") Aznavour fut le premier à mettre en chanson cette peur que chacun ressent face à l'avenir, mais aussi l'amour pour les villes, la fierté – même angoissée – d'être jeune *(Il faut boire jusqu'à l'ivresse/Sa jeunesse...")*, l'exaltation de la vie. Bref, il est un homme du commun : *"Si je pointais tous les jours à l'usine, personne ne s'en étonnerait."*

Talents multiples. C'est pourquoi il est l'un des rares, avec Yves Montand•, à avoir mené de front une carrière cinématographique qui n'a jamais interféré avec sa vie au music-hall (citons ses rôles dans *la Tête contre les murs, Un taxi pour Tobrouk, Tirez sur le pianiste, le Passage du*

Rhin, Tempo di Roma, le Tambour, la Montagne magique...). "Ce qui m'a frappé en lui ? Sa fragilité, sa vulnérabilité, sa silhouette gracieuse qui le fait ressembler à saint François d'Assise", s'exclama François Truffaut après le tournage de *Tirez sur le pianiste. "Sur scène ou sur disque, il semble incarner une sorte de malheur diffus qui s'exprime aussi bien dans l'intonation que dans le comportement. De là l'émotion qu'il fait naître. Ce n'est pas la pitié. Plutôt une compréhension exacerbée. On voudrait l'aider, le soutenir... Presque le protéger",* commente le journaliste Lucien Rioux dans son livre *50 Ans de chanson française.*

Dans les années soixante-dix, le garçon effacé s'est changé en un solide homme d'affaires, qui gère son talent comme une multinationale : *"J'ai appris les choses par défense. On m'a obligé à devenir commerçant. Personne ne voulait s'occuper de Charles Aznavour, il a bien fallu que je me prenne en charge. Je n'avais les moyens de m'offrir ni un comptable, ni un avocat. Aux notions de comptabilité, aux commandements de la loi, je me suis mis comme à l'algèbre ou à l'instruction civique. Après je n'étais plus l'agneau innocent et ignare dont les loups ne font qu'une bouchée. Je pouvais discuter un contrat."* Mais, par contrecoup, la rage et la révolte s'en étant allées, la puissance des chansons semble diminuer. Pourtant, quelques magnifiques feux d'artifice prouvent que la qualité n'a pas baissé. En 1971, il y a l'étonnant "Mourir d'aimer", autour de l'affaire Gabrielle Russier (une enseignante qui a eu une histoire d'amour avec un de ses élèves). En 1973, c'est "Comme ils disent", bouleversante confession d'un travesti, qui, sous le titre "What Makes A man", sera un grand succès en Angleterre et aux États-Unis : *"C'est une chanson d'amour comme les autres... mais peut-être plus importante."* Puis suivront "Ils sont tombés", sur le génocide arménien, et "Autobiographies"

Au faîte de sa gloire, sir Charles, solitaire actif et autodidacte acharné, ne s'enferme pas pour autant dans une retraite dorée. Véritable ambassadeur de la chanson française, il court le monde et accumule les tournées en Angleterre, aux États-Unis et au Japon, intime avec les plus grands, dont Frank Sinatra. Après avoir chanté avec sa sœur Aïda ("Sarah", 1958), il compose pour sa fille Seda "les Marins". En 1991, il occupe avec Liza Minnelli la scène du Palais des Congrès et en 1995, après avoir signé avec la multinationale EMI, il ressort en compact tous ses premiers disques. En 1998, il confronte le jazz à la chanson dans l'album *Jazznavour,* où il est accompagné, entre autres, par Michel Petrucciani, Eddy Louiss et Richard Galliano.

Chevalier de la Légion d'honneur, officier des Arts et lettres, Hall of Fame USA, médaille de l'Académie française, il est le seul artiste français à avoir fait la couverture de la célèbre revue américaine *Billboard.*

Charles Aznavour n'appartient pas à ces plaisirs démodés qui jouent de la nostalgie pour trouver leur second souffle. Il est un des classiques de la chanson française, voire internationale, parce qu'il a su jongler avec les mots autant qu'avec les sons. À ses débuts, il chantait : *"Les gens heureux n'ont pas d'histoire/J'en ai une et c'est tout vous dire..."*

De sa vie, il a fait source d'inspiration. Ensuite, ouvrier du verbe, amant fougueux d'une langue qui le lui a bien rendu, artisan de la phrase qui swingue, il a construit un style que l'on n'a pas encore réussi à imiter. *"J'appartiens à l'avant-garde modérée",* a-t-il coutume d'expliquer. C'est sans doute dans ce cocktail d'audace et d'assurance tranquille qu'il faut voir le secret de celui qui s'est toujours vu en haut de l'affiche. **Y. P.**

- ***Intégrale*** (10 CD : ***Je m'voyais déjà, Il faut savoir, Qui ? la Mamma, Hier encore, Aznavour 65, la Bohème, De t'avoir aimée, Entre deux rêves, Idiote, je t'aime),*** EMI France, 1996
- ***Aznavour 92,*** EMI France
- ***20 Chansons d'or,*** EMI France
- ***Jazznavour,*** EMI France, 1998

AZZAM Bob

Liban

CHANSON FRANCOPHONE

Beyrouth

En pleine guerre d'Algérie, un Libanais venu d'Italie ose chanter à la radio, sur fond de rythmes orientaux : "Fais-moi du couscous chérie". En 1961, Bob Azzam (et ses rythmes) récidive avec "Mustapha", composée par Eddie Barclay•, à l'impérissable refrain : *"Chérie, je t'aime, chérie, je t'adore, como la salsa de pommodore."* Dernière salve de ce feu d'artifice kitsch, le prophétique "C'est écrit dans le ciel". Ensuite, Bob Azzam se retirera en Suisse pour tenir une boîte de nuit.

- ***Les Années Barclay,*** Barclay/Polygram
- ***Bob Azzam,*** Musidisc

BACHELET Pierre

Roubaix, Nord, 1944
COMPOSITEUR, INTERPRÈTE

Le chanteur des bons sentiments, le romantique des villes du "ch'nord", l'admirateur de Jean-Paul II a tout de même commencé sa carrière en signant la chanson générique d'*Emmanuelle,* le film érotique de Just Jaeckin. Attiré par la télévision et, surtout, le cinéma, il est sur le point de réaliser son premier long-métrage quand un grave accident de voiture l'immobilise de longs mois. Il se remet à la musique et compose. Le succès ne tarde pas. Il va dès lors enchaîner les tubes, souvent en collaboration avec Jean-Pierre Lang•. "Elle est d'ailleurs" (1980), "les Corons" (1981), "Marionnettiste" (1985), "l'An 2001" (1986) se vendent à des millions d'exemplaires. Après une première tournée avec Patrick Sébastien, l'Olympia le consacre en 1984. Avec un physique à la Brel•, comme ne manquent pas de le rappeler les médias, Bachelet, lui-même homme du Nord, est l'auteur d'une variété efficace.

- ***Les Corons*** (1981), BMG
- ***Vingt ans,*** BMG, 1987
- ***La Ville ainsi soit-il,*** BMG, 1995

BAHRI Rachid

Alger, 1949
COMPOSITEUR, INTERPRÈTE

Fou de musique, il imite sur une vieille guitare Jimi Hendrix et Django Reinhardt. En 1972, il rencontre le grand saxophoniste camerounais Manu Dibango, qui, impressionné par son savoir-faire d'autodidacte, l'amène en France et le prend dans son orchestre. En 1976, il enregistre son premier album, *Ravel et moi*. Cinq suivront jusqu'en 1984 : *Faites des chansons, Quelque part quelqu'un, Oiseau migrateur, Manager, Rêve et réalité*. Il travaille avec Étienne Roda-Gil•, Jean-Claude Collo et surtout Julie Sogui Daroy, qui lui écrit "Terre sanguine" et "Je ne vous aime plus", ses titres les plus connus. Il compose ensuite de nombreuses chansons pour Nicoletta•.

- ***Graffiti,*** Clever, 1988
- ***Il y a des braves gens partout,*** Rose Records/Media 7

BAKER Joséphine

Saint Louis, États-Unis, 1906 - Paris, 1975
INTERPRÈTE

Généreux et intense, Daniel Balavoine s'était fait le champion d'une chanson française qui aurait bien digéré le rock.

Fille naturelle d'un domestique, Joséphine Baker participe dès l'âge de dix ans à des spectacles ambulants. Cinq ans plus tard, elle chante et danse déjà comme une vraie professionnelle. Arrivée en France en 1925 avec la *Revue nègre,* qui fit scandale à l'époque, notamment pour les tenues très dénudées de Joséphine, elle se rend vite célèbre dans d'autres spectacles des music-halls parisiens. Dès 1927, de sa petite voix fluette, elle chante non seulement les classiques américains de l'époque, mais elle devient aussi une des interprètes préférées du grand compositeur Vincent Scotto• ("la Petite Tonkinoise", "Dis-moi Joséphine"), qui crée spécialement pour elle, sur des paroles de Géo Koger•, l'inoubliable "J'ai deux amours". Elle encourage beaucoup de grands musiciens de jazz américains à venir se produire à Paris et elle travaillera avec certains d'entre eux, comme Sidney Bechet. Au début de la Seconde Guerre mondiale, elle rejoint la Résistance française.

Pour qui sonne le glas. Les années cinquante et 60 voient la lente agonie du music-hall traditionnel, et Joséphine a de plus en plus de mal à joindre les deux bouts pour subvenir aux besoins de l'œuvre de sa vie : l'adoption de nombreux enfants de toutes les races qu'elle loge dans son château des Milandes, dans le Périgord. Ce sera grâce à un spectacle improvisé à Monaco qu'elle sera de nouveau la coqueluche de Paris. Grâce à cette soirée, Joséphine se retrouve quelques semaines plus tard sur la scène de Bobino à Paris, chantant devant son public retrouvé et à guichets fermés. Mais un soir, en plein tour de chant, elle est prise d'un malaise et meurt quelques jours plus tard. Plus que comme interprète, elle reste dans les mémoires comme l'exemple d'un courage et d'une volonté hors du commun. **P. S.-D.**

- ***Anthology,*** Encyclopedia
- ***1926-1932,*** Chansophone
- ***1933-1937,*** Chansophone
- ***En concert à Bobino 1975,*** Accord

BALAVOINE Daniel

Alençon, Orne, 1952 - Mali, 1986
AUTEUR, COMPOSITEUR, INTERPRÈTE

Au soir du 14 janvier 1986, Daniel Balavoine est, avec trois autres personnes, aux côtés de Thierry Sabine, quand leur hélicoptère s'écrase, à la frontière entre le Mali et le Burkina. Le chanteur, après deux participations au Paris-Dakar en 1983 et 1985, est revenu pour mener à bien une opération humanitaire : l'installation de pompes à eau solaires. Son nouvel album, *Sauver l'amour,* porté par le single "l'Aziza", fait un triomphe. Un troisième palais des Sports, devenu sa salle fétiche, est prévu à l'automne. Balavoine meurt en pleine gloire, à l'instant où les journalistes ont enfin fini par s'intéresser davantage à ses musiques qu'à ses coups de gueule spectaculaires poussés sur les plateaux de télévision.

Le battant. Grandi entre Pau, Dax et Biarritz, Daniel Balavoine se produit dans les bals et les centres culturels du Sud-Ouest avant de gagner Paris. Une première expérience de groupe ne dure que le temps d'un enregistrement. Son premier LP, *De vous à elle en passant par moi,* commercialisé en 1975, est un brouillon de sa carrière à venir. Dès son deuxième album, en 1977, *les Aventures de Simon et Gunther,* un concept autour du mur de Berlin, son esprit de révolte est perceptible. Ce disque qui possède, par moment, des ambiances de comédie musicale révèle par ailleurs un réel tempérament rock. La reconnaissance viendra, l'année suivante, avec la chanson "le Chanteur" et une participation remarquée à l'opéra rock de Michel Berger• et Luc Plamondon•, *Starmania,* où il occupe un premier rôle. Nourri de rythmes anglo-saxons, Balavoine s'est battu pour imposer un rock à la française. Il y est parvenu, comme l'attestent ses derniers enregistrements et l'impressionnant double live enregistré au palais des Sports. **J.-P. G.**

- ***Les Aventures de Simon et Gunther*** (1977), Barclay/Polygram
- ***Le Chanteur*** (1978), Barclay/Polygram
- ***Un autre monde*** (1980) Barclay/Polygram
- ***Sur scène, double live Olympia,*** (1981), Barclay/Polygram
- ***Vendeur de larmes*** (1982), Barclay/Polygram
- ***Loin des yeux de l'Occident*** (1983), Barclay/Polygram
- ***Sauver l'amour*** (1985), Barclay/Polygram

BARBARA (Monique Serf, dite)

Paris, 1930 - *id.* 1997

AUTEUR, COMPOSITEUR, INTERPRÈTE

Longtemps, telle une algue à son rocher, Barbara est restée accrochée à son piano. Il était sa passion et son refuge. Il la protégeait des autres et peut-être d'elle-même. Ce n'est qu'à partir de 1966, sur la scène de Bobino, qu'elle commença de s'en éloigner pour chanter, debout et face au public, "Ma plus belle histoire d'amour". Celle qui rêvait, enfant, d'être "une pianiste chantante" devint, cette année-là, la longue dame brune et entra, aux côtés de Fréhel et d'Édith Piaf•, dans la légende des voix du siècle.

Après avoir travaillé Schumann, Fauré et Debussy au Conservatoire de Paris (classe de Georges Paulet), puis fait la plonge à la Fontaine des Quatre Saisons où se produisaient Boris Vian• et Mouloudji•, Barbara monte pour la première fois sur scène, l'œil serti de khôl et déjà vêtue de noir, dans un troquet bruxellois qui sent le tabac et la friture, entre un illusionniste et un pianiste classique. Elle a vingt ans. Elle chante "À l'enseigne de la fille sans cœur" du Suisse Jean Vilard (ex-Gilles et Julien•). Paris lui manque. En 1953, elle est prise à l'essai à l'Écluse, cabaret mythique de la rive gauche. Baptisée "la chanteuse de minuit", elle en sera la vedette jusqu'en 1963.

Devant les soixante spectateurs quotidiens, dont elle dit aujourd'hui, avec gratitude, qu'ils l'ont menée, à la force de leur amour, jusqu'au chapiteau de Pantin, elle interprète notamment "Mon pote le gitan" de Jacques Verrières, "l'Œillet blanc" de Brigitte Sabouraud (la codirectrice de l'Écluse), "l'Homme en habit" et "les Boutons dorés" de Jacques Datin• et Maurice Vidalin•. Dans l'un de ses premiers disques, en 1960, elle prête sa voix à huit chansons de Georges Brassens•, dont "la Femme d'Hector" et "Il n'y a pas d'amour heureux". Barbara, qui écrit pourtant au même moment ces deux premières chansons, "Chapeau bas" et "Dis, quand reviendras-tu ?", n'ose pas encore être son propre auteur. Vedette anglaise, en 1961, de Félix Marten• à Bobino, elle continue de chanter en public les hommes qu'elle admire (Brel, Brassens, Aznavour•, Moustaki•...), tout en dessinant, dans le secret, l'intimité et la timidité, son autoportrait à l'encre noire.

Bobino 1965. Le destin la change en 1963. Grâce notamment à Denise Glaser, aux Mardis de la chanson du Théâtre des Capucines, à Louis Hazan, le directeur de Philips, qui lui offre son premier 33 tours, et à un voyage fondateur à Göttingen, où "les enfants blonds" lui font fête, Barbara devient alors Barbara. C'est-à-dire un auteur-compositeur-interprète. Elle ne se cache plus derrière les textes et les musiques des autres. Avec "Nantes", "J'entends sonner les clairons", "Attendez que ma joie revienne", "À mourir pour mourir", "Pierre", "Au bois de Saint-Amand", elle se ressemble. Elle ne se quittera plus.

Abandonnant définitivement les cabarets pour les salles prestigieuses, Barbara est, en septembre 1965 et en lettres lumineuses, au fronton de Bobino. France Inter organise même, grâce à Roland Dhordain et Jacques Tournier, une "journée Barbara" en direct. Du live avant l'heure. Le public trépigne, les roses volent sur la scène, c'est un triomphe. Bouleversée, reconnaissante, presque étonnée de ce qui lui arrive, Barbara écrit "Ma plus

> "ELLE DESSINE DANS LE SECRET, L'INTIMITÉ ET LA TIMIDITÉ SON AUTOPORTRAIT À L'ENCRE NOIRE."

La voix de Barbara est toujours passée par son corps tendu vers le public.

de la Grange-aux-Loups", a désappris très tôt de s'attacher, de s'installer. Après le succès de Bobino, elle voyage, chante à Milan, à Trieste, à Gênes, à Bruxelles, au Canada, puis revient à Göttingen. Sa mère meurt; elle écrit "l'Enfance", "Quand ceux qui vont", "Rémusat", "Musique pour une absente". La sans-famille dessine autour d'elle un cercle d'amis, de complices, et de collaborateurs : outre Marie Chaix, il y a le musicien Roland Romanelli, qui l'accompagnera durant quinze années, le danseur Maurice Béjart, William Sheller•, qui orchestrera plusieurs de ses musiques, et Lucien Morisse•, alors directeur d'Europe n° 1, qui lui ouvre les portes de l'Olympia, où elle crée "la Dame brune" avec Georges Moustaki• : il a écrit la chanson pour elle, il la chante à ses côtés. Elle est enfin heureuse sur scène; elle s'y déplace, à la fois voluptueuse et fière, langoureuse et provocante, aguicheuse et inatteignable, animale et cérébrale.

C'est Barbara, telle qu'en elle-même la légende la fixe pour toujours.

La fixe ? Le verbe ne convient pas. Barbara est une chanteuse hors cadre. En 1969, le soir de son dernier passage à l'Olympia, alors qu'elle est déjà au sommet de son art, elle annonce soudain qu'elle arrête la scène. *"L'Olympia était un pari, déclare-t-elle, ce métier est une aventure, pas du fonctionnariat; je reprends la route car je ne veux pas chaque fois revenir comme une cousine de famille."* Elle fait ses adieux avec sincérité. Elle ne sait pas qu'elle se trompe. Tout, pense-t-elle alors, plutôt que le succès routinier. Mieux vaut prendre la fuite quand la passion est intacte, ne pas prendre le risque de décevoir ceux qui vous aiment. Barbara a trente-neuf ans. Elle repart donc aux quatre coins du monde. À son retour, elle écrit et chante "l'Aigle noir" avec l'orchestre de Michel Colombier. C'est une manière d'autoportrait symphonique qui surprend dans un répertoire où l'on compte tant de sonates et d'impromptus. Nouveau succès. Nouvelles fugues : Barbara joue la comédie dans *l'Oiseau rare* de Jean-Claude Brialy, chante "la Solitude" dans Aussi loin que l'amour de Frédéric Rossif, et donne la

belle histoire d'amour, c'est vous", qu'elle ne se lassera jamais de chanter à ceux qui, depuis ces années-là, lui ont toujours été fidèles.

Désormais, Barbara reçoit de partout des propositions de contrats, elle rencontre le producteur de sa vie, Charley Marouani, et elle engage une secrétaire, Marie Chaix, qui écrira sur elle, vingt ans plus tard, un livre beau parce que pudique (*Barbara,* Calmann-Lévy, 1986). À cette époque, une autre que Barbara se fut perdue dans le tourbillon de la gloire. Mais l'auteur du "Mal de vivre", qui a toujours ignoré le carriérisme, résiste aux grandeurs d'établissement. Elle ne veut pas être la vedette d'un jour. Orgueilleuse, oui; vaniteuse, non. C'est un saltimbanque qui va d'hôtel en meublé, qui ne thésaurise pas et qui n'aime guère le confort sentimental. Elle qui a grandi sur les routes (Le Vésinet, Marseille, Roanne, Poitiers), dans l'ombre portée d'une grand-mère russe (Varvara) qui cuisinait la carpe farcie et d'un père fantomatique qui mourut seul à Nantes, en 1949, "sans un adieu, sans un je t'aime", au "25 rue

réplique à Jacques Brel dans *Franz*. Cette comédienne-née n'est décidément pas faite pour être actrice.

Précy Jardin. Enfin, la vagabonde s'arrête. La nomade capitule. L'aigle noir se pose. Cela se passe en 1973, dans un petit village de Seine-et-Marne où des amis ont entraîné, contre son gré, la chanteuse. Elle ne voulait pas "posséder" une maison, mais elle ignorait qu'elle en tomberait amoureuse. *"Précy/Ô jardin de Précy/Précy/Que j'aime tes soirs de mélancolie".* C'est une vieille ferme où court la glycine, un jardin clos où poussent des roses, des pivoines, un tilleul et un bouleau, où jouent cinq chats et trois chiens, une grange baptisée "aux loups", qui tient lieu de salle de répétition, et, à l'étage, son royaume secret, inviolable, dont le prince est un piano, si mi la ré sol do fa. Autrement dit, le paradis. La noctambule y découvre alors le bonheur de vivre le jour et de respirer au rythme des saisons. Précy n'a pas changé Barbara, Précy a protégé, mieux qu'aucun autre lieu, ses angoisses, ses désirs, sa solitude, ses rires et ses combats.

"JE NE SUIS PAS UNE GRANDE DAME DE LA CHANSON, JE NE SUIS PAS UNE HÉROÏNE, JE SUIS UNE FEMME QUI CHANTE."

Désormais, la grande voyageuse habite une maison où, après ses tournées, elle peut revenir et retrouver l'harmonie fondamentale. En 1981, l'ancienne "chanteuse de minuit" des caves de Saint-Germain-des-Prés remplit l'hippodrome de Pantin : une rose à la main, elle dédie "Regarde" au nouveau président de la République, François Mitterrand, et chante pendant un mois pour quelque 100 000 spectateurs : *"Pantin folie/Pantin vaisseau/Au bout de nos cœurs étoilés/Vous avez planté des soleils/Pantin espoir/Pantin bonheur".* Cinq ans plus tard, elle crée au Zénith avec Gérard Depardieu *Lily Passion,* une comédie musicale mettant en scène une chanteuse célèbre et un assassin blond, qui étonne les fans, en déçoit certains et qui partage violemment la critique.

Mutine, tendre gamine, Barbara n'est pas mécontente, une fois encore, d'avoir pu réaliser son rêve, d'avoir surpris les désabusés, d'avoir échappé non seulement au train-train de la célébrité mais aussi aux détestables poncifs que son image suscite : *"Je ne suis pas une grande dame de la chanson,* répète-t-elle avec rage, *je ne suis pas une tulipe noire, je ne suis pas poète, je ne suis pas un oiseau de proie, je ne suis pas désespérée du matin au soir, je ne suis pas une mante religieuse, je ne suis pas dans les tentures noires, je ne suis pas une intellectuelle, je ne suis pas une héroïne, je suis une femme qui chante!"* Elle l'est au Châtelet en 1987, à Mogador en 1990 et à nouveau au Châtelet en 1993, où elle crée "Sables mouvants" *(J'suis plus d'ton âge/Mais t'as le goût/À m'regarder")* tout en demeurant l'enjôleuse qui entonnait "les Boutons dorés" à l'Écluse, lançait "Dis, quand reviendras-tu ? à la Villa d'Este et faisait pleurer de joie les étudiants de Göttingen. Ils ont vieilli, pas elle. Le trac ne l'a d'ailleurs jamais quittée. Un trac d'éternelle amoureuse.

Car si Barbara est une voix – la seule peut-être que, tel un piano mal accordé, chacun de nous ait eu le sentiment d'accompagner au fil des années, au gré des bonheurs et des malheurs –, elle a aussi une parole. À la grâce, elle a toujours ajouté l'intégrité. Elle ne veut pas être vue, mais écoutée. Elle n'a jamais monnayé ses confidences à la télévision, ni ses souvenirs à la radio. Elle les réserve à la scène où, assise dans son rocking-chair, elle s'abandonne voluptueusement à ceux avec qui elle a rendez-vous : une foule d'intimes, quatre générations d'admirateurs, sa plus belle histoire d'amour. Chaque fois, elle ne se demande pas si elle les reconnaîtra : elle s'inquiète seulement de savoir s'ils se souviendront d'elle. En plus de quarante ans de carrière, elle n'a jamais trompé son public, qui lui en sait gré, avec des photographes, des reporters, des professionnels de l'indiscrétion. Son métier est de chanter, pas de se vendre. Pas plus qu'elle n'est "une tulipe noire", elle n'appartient au monde du show-biz, cette excroissance moderne du marketing, du jeunisme, de l'humanitarisme et de l'art standardisé.

Le mal de vivre. Ce qui ne l'empêche pas de militer sans cesse pour la vie. Le mythe a un cœur blessé. Elle écrit "Sid'amour à mort" en 1987, part en tournée avec des cartons de préservatifs qu'elle fait distribuer à la fin de ses spectacles, visite à l'hôpital les malades du sida et fait même brancher, chez elle, une ligne téléphonique confidentielle afin de répondre, nuit et jour, aux appels de détresse.

On apprend aussi que, sans caméras ni appareils photo, elle va régulièrement chanter dans les prisons (les Baumettes, Montluc, Fresnes, Fleury-Méro-gis...), et qu'elle reste longtemps après ses prestations pour parler et réconforter les détenus... À la veille de monter sur la scène du Châtelet, en octobre 1993, elle confie à un journaliste : *"Devant l'intolérance, devant l'exclusion, devant notre impuissance, c'est vrai qu'il y a des jours où j'ai honte d'exister. Et malgré tout, je chante."*

Son répertoire allie constamment la confidence murmurée et le lyrisme incantatoire, une tristesse sans appel et un humour enfantin, l'insouciance et la gravité. Sa musique, d'une grande beauté classique, d'une perfection limpide, n'emprunte à personne, se moque de la modernité et est indémodable. À ses textes, écrits au fil de l'émotion, on a envie de dire à fleur de peau, elle refuse toute facilité, toute complaisance ; à ses orchestrations, elle ne concède d'ordinaire que la présence discrète d'un bandonéon, d'une contrebasse et d'un synthétiseur. Sa voix, capable de l'aigu le plus cristallin et du grave le plus gouailleur, a failli se briser au début des années quatre-vingt, mais elle l'a recouvrée, intacte, lors de son récital du Châtelet en 1993. Le miracle se prolonge. Cette voix, d'ailleurs, a toujours passé par le corps, tendu comme une offrande vers son public. Sa disparition, à l'automne 1997, provoque une véritable émotion dans tout le pays.

Si, avec les décennies, ses mélodies sont devenues des souvenirs partagés et les instants magiques d'"un passé qui ne veut pas mourir", ses paroles sur "le Mal de vivre", "la Solitude", "les Insomnies", "le Soleil noir" ont gagné, malheureusement, en actualité. Depuis l'époque du caf'conc', Barbara est constamment en phase avec son époque.

Dans nos discothèques où s'empilent, comme les photographies de famille qu'on néglige de ranger, disques et CD, notre plus belle histoire d'amour, c'est elle. **J.G.**

◎ ***Ma plus belle histoire d'amour... c'est vous,*** 260 chansons (intégralité des albums 33 tours enregistrés en studio, plus un compact comprenant 21 chansons inédites), coffret de 13 disques compacts, Philips/Polygram, 1992

◎ ***Châtelet 1993,*** Philips/Polygram, 1994

BARBELIVIEN Didier

Paris, 1954

AUTEUR, INTERPRÈTE

Passionné par l'écriture depuis l'enfance, Didier propose dès les années soixante-dix ses chansons aux plus grands noms du show-biz français : Johnny Hallyday•, Michel Sardou•, Claude François•, Enrico Macias•, Daniel Guichard•, Éric Charden•, Nicoletta•, Gilbert Bécaud•, Gérard Lenorman•, Hervé Villard•, Christophe•, C. Jérôme•, Patricia Kaas•, Serge Reggiani•... En tant qu'interprète, ses premiers gros succès datent de 1980 avec "Elle" et "Elsa". Pendant l'été 1990, "À toutes les filles", en duo avec Félix Gray, dépasse le million d'exemplaires vendus. À l'automne de la même année, toujours en compagnie de Félix Gray, "Il faut laisser le temps au temps" est lui aussi certifié or. L'album enregistré en 1991 *les Amours cassés,* ainsi que le premier extrait qui en est tiré, "E Vado via", suivent le même chemin. En 1992, il connaît encore un très gros hit avec le disque sur les guerres vendéennes, Vendée 93. Avec son style de romantique du samedi soir, Barbelivien est un garçon qui transforme tout en or. **C.E.**

◎ ***Les Amours cassés,*** Pomme Music/Sony, 1991

◎ ***Vendée 93,*** Pomme Music/Sony, 1992

◎ ***Que l'amour,*** Pomme Music/Sony, 1995

BARCLAY Eddie (Édouard Ruault, dit)

Paris, 1921

COMPOSITEUR, PRODUCTEUR

Il travaille d'abord chez son père, dans un grand café, près de la gare de Lyon. Grâce au piano qu'on lui a offert pour son certificat d'études, il compose ses premières mélodies. Sous l'Occupation, il fréquente de jeunes musiciens comme Henri Crolla• et anime des bals clandestins où vient danser la jeunesse zazoue, avide de musique américaine. Quelques années plus tard, pour enregistrer "Barclay And His Orchestra", Édouard Ruault, devenu Eddie Barclay, crée sa propre maison de disques, alors de petite envergure. Le coup de maître vient en 1948. Avec Nicole (la première de ses nombreuses femmes), il décide d'importer le système du microsillon, récemment inventé aux États-Unis, qui rend obsolètes tous les enregistrements diffusés jusque-là. Le passage à ce nouveau support décuple les ventes, et le marché s'élargit.

L'incontournable du jazz et de la chanson. En 1955, Barclay lance Eddie Constantine• avec une chanson de Charles Aznavour• et Jeff Davis•, "Et bailler et dormir". Son écurie s'agrandit bientôt avec des noms comme Charles Aznavour, Léo Ferré•, Jean Ferrat•, Leny Escudero•, Dalida•, Henri Salvador•, Hugues Aufray•, puis Eddy Mitchell•, Daniel Balavoine•... Tous les grands de la chanson française, ou presque, sont passés entre les mains (expertes) d'Eddie Barclay. Jacques Brel• signe même avec la maison un contrat à vie, cas unique. Devenu une figure légendaire, Eddie promène son élégance naturelle et son goût pour la fête parmi la jet society mondiale. Vers la fin des années soixante-dix, il vend sa firme à Phonogram-Polygram, mais en reste président pendant encore cinq ans. **A.G.**

BARDOT Brigitte

Paris, 1934
INTERPRÈTE

Ambitieuse et travailleuse, le sex-symbol du cinéma français à la moue célèbre entame une carrière de chanteuse par le biais du cinéma et trouve un ton et un répertoire qui lui ressemblent. Elle chante des compositions légères et gracieuses telle "Sidonie" (1962), sur un poème de Charles Cros, extrait de la bande originale de *Vie privée*. BB enregistre un premier album en 1963, qui contient, outre une version de "Everybody Loves My Baby", des morceaux écrits par Claude Bolling, Jean-Marie Rivière•, Gérard Bourgeois• et Serge Gainsbourg• (qui la chantera avec "Initials B.B."). Elle remporte un joli succès avec des chanson drôles ou sensuelles comme "On déménage", "Invitango" ou "le Soleil".

Gainsbourg vient alors enrichir son répertoire de chansons insouciantes, pleines d'humour et de trouvailles, comme "Bubble Gum" (1965), "l'Appareil à sous" ou "Ford Mustang" ou "Harley Davidson" (1967). "Bonnie & Clyde" (1968), que les deux artistes interprètent en duo, connaît un grand succès. L'actrice poursuit sa carrière de chanteuse avec "Je me donne à qui me plaît", "Nue au soleil", "la Fille de paille" (1969, signée Gérard Lenorman•), et quelques reprises ("Tu veux ou tu veux pas?", 1971), avant d'abandonner la chanson et le cinéma pour se dévouer à la cause animale. **A. G.**

◎ ***La Madrague*** (1962-1970), Philips/Polygram, 1994
◎ ***Le Disque d'or,*** Disc'A3, 1988

BB aura réussi à se construire un répertoire qui collait à son image.

BAROUH Pierre

Paris, 1934
AUTEUR, INTERPRÈTE

Dilettante et nonchalant, ce garçon d'origine turque découvrit la chanson au Brésil, tout en hésitant sur une carrière d'acteur (on l'aperçoit dans *D'où viens-tu Johnny?*, 1963). En 1966, les "chabada-bada" qu'il pousse en duo avec Nicole Croisille• dans la chanson du film de Claude Lelouch, *Un homme et une femme* balayent ses doutes : il opte pour la chanson... Il a écrit ce thème au succès planétaire avec Francis Lai•, un accordéoniste, qui, fasciné par Stan Getz, veut marier bossa nova et jazz. Ils récidiveront pour Yves Montand• ("la Bicyclette", 1969 : le chanteur acceptera d'interpréter ce qui, au départ, n'était une pub pour une marque de bicyclette, à la suite d'une homérique partie de poker à la Cloche d'Or de Saint-Paul-de-Vence) et Françoise Hardy• ("Des ronds dans l'eau", 1968). Pierre Barouh, mécène dans l'âme, investit ses confortables droits d'auteur dans une maison de disques, Saravah. Tout en interprétant ses titres, il signe, loin de toute préoccupation mercantile, ses copains Jacques Higelin•, Brigitte Fontaine•, Areski, David McNeil•, Jean-Roger Caussimon•, Pierre Akendengué, Lewis Furey et Carole Laure•. En toute liberté, la bande à Barouh enregistre des albums audacieux et détonants, qui rompent avec le ronron de la variété des années soixante-dix. Peu à peu, Barouh préfère son rôle de catalyseur d'un nouvelle génération de chanteurs à celui d'interprète. Il voyage au Brésil, en Afrique et au Japon, où on apprécie sa voix discrète et chaleureuse. **Y.P.**

Le Pollen (1982), Saravah/Média 7, 1995
Noël, Média 7, 1991

BARRIER Ricet (Maurice Barrier, dit)

Romilly-sur-Seine, 1932
Auteur, compositeur, interprète

En 1956, il entame, avec son banjo et son accent berrichon, dans les cabarets de la Contrescarpe, une carrière de chanteur où l'humour gaulois répond au refrain paillard. Son premier album sort en 1958 et reçoit d'emblée le grand prix de l'Académie du disque français. Associé à Bernard Lelou, qui a déjà écrit pour Marie Dubas•, il propose ses services aux Frères Jacques•. Ceux-ci lui prendront une vingtaine de chansons au fil des années. Sans beaucoup passer à la radio ou à la télévision, des chansons comme "Stanislas", "la Java des Gaulois", "Dolly 25", "la Dame de Ris-Orangis", et surtout, "la Servante du château" appartiennent cependant au patrimoine national... Il revient en 1998 avec l'album *Tel quel,* enregistré en public.

La Servante du château, Polygram, 1988

BARRIÈRE Alain (Alain Bellec, dit)

La Trinité-sur-Mer, 1935
Auteur, compoisiteur, interprète

Pendant une dizaine d'années, chaque été, entre 1962 et 1972, ce Breton cabochard, à la voix cassée, enregistre le slow qui permet les rapprochements les plus tendres. La technique en est toujours la même : rythmique langoureuse, crescendo mélodique et silence tout ce qu'il y a de plus suggestif. Il y aura ainsi "Cathy" (1961), qui le révèle en finale du coq d'or de la chanson française, "Elle était si jolie" (1962), qui le propulse au concours de l'Eurovision, "Ma vie" (1964), son plus grand succès, puis "Toi" (1966) et autres "Plus je t'entends", "Tant", "Vous", "Marie Joconde", "Pauvre François", "My Love", "Qui peut dire ?", " les Guinguettes au bord de l'eau"... Ce pousseur de romances, dont le pianiste s'appelle Alain Legovic (le futur Alain Chamfort•), passe plusieurs fois à l'Olympia (1962, 1966, 1967, 1972) et au Brésil, où il devient une véritable star...

Bref, ce fils de mareyeur, diplômé de l'École des arts et métiers, a tout pour être heureux. Mais son caractère irascible le brouille avec presque toute la profession. En 1975, "Tu t'en vas", en duo avec Noelle Cordier, une des révélations de la troupe de la *Révolution française* (comédie musicale jouée au Palais des Sports en 1974), le remet en scène. Malheureusement, au début des années quatre-vingt, de sérieuses difficultés avec le fisc remettent en cause toute sa carrière.

Collection, vol. 1, AB Disques/BMG

BARZOTTI Claude (Francesco Barzotti, dit)

Chatelineau, Belgique, 1953

Ce fils d'immigré italien installé en Belgique se lance dans la chanson en 1973. Onze ans plus tard, la France fredonne "Le Rital". Avant, il y avait eu "Madame" (1982), "Beau, je s'r'ai jamais beau" (1983). Ensuite, ce fut "Prends bien soin d'elle" (1985) et "C'est moi qui pars" (1986).

Le Rital (1983), Déesse/Sony
Douce, Pomme Music/Sony, 1990
Je vous aime, Déesse, 1996

BASHUNG Alain (Alain Baschung, dit)

Paris, 1947
Compositeur, interprète

Quand il retrouve Paris, après une enfance dans la campagne alsacienne, il va se produire avec des copains dans les kermesses et autres fêtes de quartier. Leur registre oscille entre blue grass, country et rockabilly. Après des vacances à Royan où les concerts dans les bistrots lui ont rapporté ses premiers cachets, commence une longue tournée des bases américaines. Alain Bashung s'immerge un peu plus dans la culture anglo-saxonne et, surtout, le rock'n'roll.

Mauvais mélo. Son premier enregistrement, "Pourquoi rêvez-vous des États-Unis ?", date de 1966. Il va réaliser ainsi une douzaine de singles, dont un sous le pseudonyme de David Bergen. Durant près de dix ans, Alain Bashung passe par tous les états du chanteur de variété en quête de notoriété, sans jamais dépasser la 28e place du hit de "Salut Les Copains". Nourri de culture rock, il doit se plier aux exigences de producteurs sans imagination qui le transforment, plus souvent qu'à son tour, en romantique de pacotille. Il s'accroche, non sans souffrir et se retrouve, en 1973, dans la peau de Robespierre pour les besoins de la *Révolution*

Alain Bashung : un physique rock'n'roll pour un grand artiste de scène.

d'une tristesse désabusée que vient contrebalancer l'humour. Comme les accords de guitare, torturés par instant jusqu'à l'angoisse, les mots s'inscrivent dans une logique créatrice rigoureuse. Seul problème mais de taille, la maison de disques n'y croit pas. Un titre pourtant va tout faire basculer. En 1980, le délirant "Gaby, oh Gaby" – avec son introduction au saxophone, ses phrases aussi délirantes qu'incisives – propulse du jour au lendemain l'inconnu en pleine lumière. Les télés se l'arrachent. Blouson de cuir et lunettes noires, l'allure décalée déjà, Alain Bashung devient un personnage très médiatique.

Album culte. Beaucoup assurent que l'inquiétant personnage ne durera pas. L'extravagant *Pizza* (1981) cloue le bec à ses détracteurs. Aussi typé, sinon plus, que "Gaby", "Vertige de l'amour" s'installe sur les ondes et fait chalouper la France profonde. Cet autre album impose un ton définitivement rock avec les compositions radicales que sont "Rebel", "Ça cach'quekchose", "Aficionado". Sacré "bus d'acier" (prix remis par la critique rock française) devant Charlélie Couture•, Trust• et Téléphone•, Bashung vient d'apporter brillamment la preuve qu'il était fait pour durer.

française, la comédie musicale de Claude-Michel Schönberg.

Sans cette longue entrée en matière, périple particulièrement chaotique, caricatural parfois, Bashung n'aurait certainement pas acquis les convictions qui l'ont mené à la place qui est la sienne, aujourd'hui. En 1977, il peut enfin laisser parler sa véritable nature, dans un premier LP intitulé *Roman-photos.* Il y travaille avec Boris Bergman, qui s'est taillé un début de réputation en signant le texte de "Rain and Tears" des Aphrodite's Child. Les neuf chansons où pointe déjà une certaine dérision révèlent, à travers un touchant éclectisme, une solide culture musicale. Dans cette galette qui ne connaîtra pas, loin s'en faut, des ventes records, il y a déjà tout Bashung à découvrir. *Roman-photos* est la répétition générale de la carrière qui s'ébauche.

Une belle revanche. Avec *Roulette russe,* pressé en 1979, le virage rock est indéniable. Outre "Elsass Blues", son histoire, on y retrouve de véritables perles comme "Bijou, bijou", "Toujours sur la ligne blanche", "Station service". La voix a trouvé ce ton rauque qui colle si bien au genre. L'ambiance générale est noire, marquée

Play blessures (1982), qu'il met en mots avec Gainsbourg, constitue le premier virage à 180 degrés de sa carrière. Il y en aura d'autres. À l'autoparodie, il substitue un disque troublant, hors du temps, traversé par un vent de folie incendiaire. Composés dans l'urgence, les neuf morceaux choisis, plus un instrumental, pulvérisent les règles de l'écriture traditionnelle et cultivent le paradoxe jusqu'à le transformer en art. Certains mettront longtemps pour digérer *Play blessures,* et le parfum de soufre qui a entouré sa mise en forme accompagnera Alain Bashung pendant des années.

Vers l'épure. Commercialisé l'année suivante, en 1983, *Figure imposée* ressemble à une respiration. Sans sombrer dans le conventionnel, l'ambiance générale marque un retour à plus de normalité. Depuis *Passé le Rio Grande* (meilleur album aux Victoires de la musique 1986), disque aux inspirations multiples, Alain Bashung ne cesse de brouiller les pistes. D'enregistrement en enregistrement, ses textes, avec la complicité de Boris Bergman puis de Jean Fauque, ont gagné en pureté. En parfaite harmonie avec les rythmes rock, ce qu'on a cru si longtemps impossible pour la langue française, ils offrent plusieurs degrés de lecture. Bashung joue avec les sonorités, les sens multiples d'un même mot, non sans évoquer une certaine poésie surréaliste.

" FÉLIN, ÉLÉGANT, AVEC UNE INVARIABLE ÉCONOMIE DE MOTS POUR NE PAS SE PERDRE DANS D'INUTILES DIGRESSIONS."

Après *Novice* (1989), où il chante *"celui qui apprend a envie de se débarrasser de l'inutile"*, *Osez Joséphine* (1992, 250000 albums vendus), titre générique à succès, amorce un retour vers un certain conformisme, jugement qu'il faut toutefois nuancer à l'écoute de la version très minimaliste de "Nights In White Satin" des Moody Blues, du symphonique "Madame rêve" ou du virulent "Volutes". En 1993, un coffret restitue l'intégrale de sa création depuis 1978. Les 9 CD, 119 titres au total, exhument 12 inédits et le *Novice Tour.* En 1994, il sort l'album *Chatterton,* aux textes plus énigmatiques que jamais et à la couleur musicale "country-new age", selon ses propres mots. Côté cinéma, sa carrière, également, prend de l'ampleur. Son nom figure au générique de 9 films et téléfilms. Là aussi, il a imposé son attachante personnalité dans des rôles pas toujours évidents. En 1998, il sort son dixième album, *Fantaisie militaire,* avec les cordes de Joseph Racaille. Une grande réussite couronnée par les Victoires de la musique 1999 : meilleur artiste et meilleur album de l'année. **J.-P. G.**

- ***Osez Bashung*** (2 compil. 1977-1992), Barclay/Polygram
- ***Play blessures,*** Barclay/Polygram, 1983
- ***Live Tour,*** Barclay/Polygram, 1985
- ***Passé le Rio Grande,*** Barclay/Polygram, 1986
- ***Novice,*** Barclay/Polygram, 1989
- ***Chatterton,*** Barclay/Polygram, 1994

BASTIA Pascal

Paris, 1908

Auteur, compositeur

Fils du chansonnier Jean Bastia (1878-1940), il s'impose vite en écrivant des chansons pour différentes vedettes : " Quand on a du fric" (Dranem•), "Souvenir" (André Baugé) ou "Aux îles Hawaï" (Pills et Tabet, 1934). Son plus grand succès sera "Je tire ma révérence", créée par Jean Sablon•, une chanson symbole pour tous ceux qui quitteront la France après 1940. Il connaît d'autres succès après la guerre, comme "Vous, mon amour volage" (Reda Caire•) ou "la Fille de la fermière" (Luc Barney, 1946). Il est également l'auteur de plusieurs comédies musicales et de nombreuses opérettes très populaires, dont *Dix-Neuf Ans* (1933) ou *Mademoiselle Star* (1945).

BAUER Axel

1961

Compositeur, interprète

En 1984, épaulé par une vidéo de Jean-Baptiste Mondino, dont c'est le premier clip, "Cargo", une composition où dominent des synthétiseurs agressifs, propulse un nouveau venu sur le devant de la scène. Axel Bauer récidive avec un titre de la même veine, "Phantasme", sans obtenir un résultat identique. Il enregistre, ensuite, un album à dominante techno, les *Nouveaux Seigneurs,* qui le coupe un peu plus du public. En 1990, *Sentinelles* donne une plus juste dimension de son talent, dans un registre rock plein de subtilité. Après cinq ans de silence, il sort *Simple mortel,* où harmonies orientales et ambiances psychédéliques répondent à des guitares très rock.

- ***Sentinelles,*** Phonogram, 1990
- ***Simple mortel,*** Mercury, 1998

BÉART Guy (Guy Béhar, dit)

Le Caire, 1930

Auteur, compositeur, interprète

Avec Boris Vian•, Antoine• et Évariste, Guy Béart fait partie de ces ingénieurs-musiciens qui ont marqué la chanson française. Diplômé de l'École nationale des ponts et chaussées, spécialiste de l'étude des cristaux et de la fissuration du béton, il trouve quand même le temps d'écrire des chansons et de passer dans des cabarets parisiens. Patachou• le remarque et interprète son "Bal chez Temporel", sur des paroles du poète André Hardellet. Zizi Jeanmaire• lui commande du matériel ("Il y a plus d'un an",

"Je suis la femme") pour sa nouvelle carrière au music-hall. Jacques Canetti• prend alors sa carrière en main, Juliette Gréco•, sa chanson "Qu'on est bien", et il enregistre son premier disque en 1957. L'année suivante, il compose "l'Eau vive" pour le film du même nom, d'après Giono. La France entière fredonne cette berceuse toute simple où s'entremêlent de façon subtile les thèmes de l'eau et de la séduction. Le succès s'emballe. En 1958, Béart reçoit le grand prix du disque et passe à l'Olympia en première partie de Caterina Valente ; ses trous de mémoire charment le public, qui reprend pour lui le texte de ses chansons.

Béart est ainsi, qui sait faire des atouts de ses limites. Au premier rang desquelles sa voix, toute voilée, mais bien adaptée à ses mélodies, souvent élémentaires, et qui, pourtant, font mouche. Il impose durablement ses grands yeux bleus et son style de troubadour pour feux de camp, troussant des textes parfois naïfs ("les Grands Principes", "le Matin je me lève en chantant", "Suez"), parfois sophistiqués ("Chandernagor") ou mélancoliques (Il n'y a plus d'après", "Couleurs"). L'ingénieur réapparaît de temps à autre pour dénoncer les risques du modernisme ("le Grand Chambardement", "la Bombe à Neu-Neu") ou de l'oppression ("la Vérité"). Dans les années quatre-vingt, on l'oublie un peu au profit de sa fille, la comédienne Emmanuelle Béart. En butte à de graves ennuis de santé, ce grand mondain se retire. Puis revient en 1995 avec un CD de chansons inédites et un spectacle à l'Olympia au début de l'année suivante, suivi, quatre ans plus tard, par une nouvelle prestation à Bobino.

◎ ***Les Années Béart*** (1957-1982, 9 vol.), Disques Temporel
◎ ***Il est temps,*** Tréma/Sony, 1995

BEAUCARNE Julos

Écaussinnes, Belgique, 1936
AUTEUR, COMPOSITEUR, INTERPRÈTE

Cet habitant de Tourinnes-la-Grosse, au sud de la Belgique, promène un sentimentalisme malicieux, mêlant la défense de l'environnement et des particularismes régionaux à l'évocation de l'équilibre cosmique et des élans de bonne santé terrienne. Julos Beaucarne compose ses premières chansons en 1958, et effectue sa première tournée dans le sud de la France, en Provence, en 1961. Il est à l'origine de la nouvelle vague de la chanson belge, d'où ni la poésie classique ni la culture populaire ne sont exclues. Fondateur du "Front de libération des arbres fruitiers", amateur de mélodies simples, accessibles à tous, Julos Beaucarne met en musique des poèmes de Ramuz, de Victor Hugo, de Gustave Nadaud• ou de Max Elskamp. Il compose des chansons à forte teneur politique (l'album *Lettre à Kissinger,* en 1975, *Nous sommes 180 millions de francophones,* en 1974), et empreintes d'une vision tendre et libertaire de la vie, héritée de la culture wallonne, en opposition aux Flandres que Jacques Brel• représentait à sa façon. **V. M.**

◎ ***Bornes acoustiques 67/68,*** EPM/Musidisc, 1988
◎ ***Intégrale 1967/1987,*** vol. 1 à 5, Baillemont, 1995

BEAU DOMMAGE

Groupe formé en 1973 à Montréal par Pierre Bertrand, Marie-Michèle Desrosiers, Réal Desrosiers, Michel Hinton, Robert Léger et Michel Rivard•

Ingénieur de formation, Guy Béart donnera à ses chansons la solidité des produits rigoureusement conçus selon des méthodes éprouvées.

Très marqués par le folk américain et les harmonies vocales des Beatles, ces étudiants de Montréal sortent leur premier album en 1974, *la Complainte du phoque en Alaska,* dont la chanson éponyme va devenir un classique... Trois autres albums vont suivre *(Tous les palmiers, Où est passée la noce?, Un autre jour arrive en ville),* dans lesquels, toujours avec le même succès, ils chanteront les petits riens du quotidien des habitants de Montréal. Le départ, en 1978, de Michel Rivard, auteur-compositeur de grand talent, qui décide de voler de ses propres ailes, provoque la dissolution du groupe. En 1995, Beau Dommage se reforme et enregistre onze nouvelles chansons (dont la très drôle "Échappée belle"), qui, sans jouer sur la nostalgie, renouent avec un climat musical proche des années soixante-dix, où abondent clins d'œil aux Byrds et à Crosby, Stills, Nash & Young.

La Complainte du phoque en Alaska (1974), Capitol/EMI
Leurs Plus Grands Succès (live), Wotre Music, 1984
Beau Dommage, Scalen'Disc, 1995

BEAUSONGE Lucid

Nancy, 1954
AUTEUR, COMPOSITEUR, INTERPRÈTE

En 1981, une voix rauque fredonne une très poétique "Lettre à un rêveur". Elle s'adresse à un violeur, en se plaçant du point de vue de la victime... Le ton de Lucid Beausonge surprend. On la croit québécoise. Erreur, c'est une fille de l'Est. Son écriture séduit. On lui prédit un bel avenir. Hélas, un grave accident de voiture et une suite de drames dans sa vie privée l'éloignent jusqu'en 1989 du monde de la chanson. Avec dignité et élégance, elle enregistre à nouveau des disques de nostalgie et de solitude que l'on n'entend jamais à la radio.

Lettre à un rêveur (compil. 1981-1985), RCA/BMG
Où que tu ailles, D.L.B., 1989
Primitive, Clemusic, 1995

BÉCAUD Gilbert (François Silly, dit)

Toulon, Var, 1927
COMPOSITEUR, INTERPRÈTE

La cravate à pois de "Monsieur 100000 volts" est entrée dans les annales de la chanson française en 1954, lors d'un tumultueux récital à Paris, à l'Olympia, qui venait de rouvrir ses portes après une longue fermeture. Des centaines de jeunes fans y avaient alors cassé les fauteuils, galvanisés par le charisme de la vedette américaine (fin de première partie), un certain Gilbert Bécaud. Celui-ci, un temps accompagnateur du chanteur Jacques Pills•, avait eu le loisir, lors de tournées outre-Atlantique, d'observer les techniques scéniques en vigueur là-bas.

Un parcours sans faute. Pianiste émérite, élève du conservatoire de musique de Nice, Gilbert Bécaud, fils d'un contrôleur des jeux devenu maître d'hôtel au Lido, monte à Paris à la veille de la Seconde Guerre mondiale et compose ses premières chansons. Après un passage dans les maquis de la Résistance en Savoie aux côtés de son frère, il revient dans la capitale. Pills lui fait bientôt rencontrer Édith Piaf• et, ensemble, ils vont écrire pour elle, fin 1951, "Je t'ai dans la peau". Cette chanson deviendra plus tard un standard international, reprise sous le titre "Let It Me Be" par les Everly Brothers, Frank Sinatra et Sonny and Cher, notamment; elle permettra en outre à Pills d'épouser Piaf et à Bécaud de travailler avec elle. En 1952, elle lui écrit les paroles de "Et ça gueule ça madame", pour le film *Boum sur Paris.* Elle lui fait également rencontrer Louis Amade•, le sous-préfet parolier, qui deviendra un des grands complices des triomphes de Bécaud. Bécaud et Amade écrivent une première chanson, "Accroche-toi à ton étoile". Le public commence à connaître la fameuse cravate à pois de celui qu'on commence à appeler "Monsieur 100000 volts". Lors de son passage à l'Olympia, en première partie de Lucienne Delyle•, des jeunes fan's vont même jusuq'à casser les fauteuils pour exprimer leur enthousiasme. Le succès vient l'année suivante, en 1953, quand Bécaud compose son premier titre grand public avec Pierre Delanoë•, "Mes mains", créé par Lucienne Boyer•.

Suivent "Viens" (paroles de Charles Aznavour•), "Quand tu danses" (paroles de Pierre Delanoë•, musique Bécaud et F. Gérald) et "Méqué méqué" (paroles d'Aznavour). Le compositeur est lancé, l'interprète va alors s'affirmer : méditerranéen, survolté, la voix imparable; comme le dit Piaf elle-même, *"un gars du midi, l'œil espagnol et l'air d'en avoir plein le buffet".* Bref, l'image de la jeunesse du moment, celle qui découvre Saint-Tropez, les robes en vichy et Brigitte Bardot•. Ce qu'on n'appelle pas encore les tubes se suivent avec une régularité

Le compositeur de "Mes mains" saura toujours faire voleter les siennes quand il chante.

de métronome : "Je t'appartiens" (1955, paroles de Delanoë), "Alors raconte" (1956, paroles de Jean Broussolle•), "les Marchés de Provence", "Il fait des bonds" (1956, paroles de Louis Amade), "le Jour où la pluie viendra" (1957, paroles de Delanoë), "Viens danser" (1958, paroles d'Amade et Delanoë), "Pilou Pilou hé" (1959, paroles d'Amade).

Une carrière internationale. Dès lors, Bécaud triomphe à Londres et à Moscou, à New York et à Paris à l'Olympia, auquel il restera fidèle. Partout, il occupe la scène millimètre par millimètre, bondissant autour du piano à queue, avec son complet bleu et sa main collée à l'oreille à la façon des chanteurs polyphonistes. Mais le chanteur populaire a aussi d'autres ambitions.

En 1962, le rideau du Théâtre des Champs-Élysées s'ouvre sur *l'Opéra d'Aran,* un opéra en deux actes, retrouvailles du lyrisme, du belcanto et de la dramaturgie populaire, un opéra à l'italienne fort bien mené, mais qui ne connaîtra pas le succès escompté, tout en révélant les qualités de compositeur d'un Bécaud trop vite confiné à la variété.

Cela ne l'empêchera pas d'engranger les triomphes jusqu'au début des années soixante-dix : "C'était moi" (1960, paroles de Maurice Vidalin), "Et maintenant" (1962, paroles de Delanoë ; "What Now My Love" en anglais, la chanson sera reprise par plus de 150 artistes dans le monde, dont Sarah Vaughan, Shirley Bassey et Barbra Streisand), "Quand Jules est au violon", "les Tantes Jeanne" (1963, paroles de Maurice Vidalin•), "Tu le regretteras" (en l'honneur du général de Gaulle, 1965, paroles de Delanoë), "Quand il est mort le poète" (à la mémoire de Cocteau, 1965, paroles de Louis Amade), "le P'tit Oiseau de toutes les couleurs" (1966, paroles de Vidalin), "l'Important, c'est la rose" (1967, paroles de Louis Amade), "le Bain de minuit" (1970, paroles de Vidalin).

"IL BONDIT AUTOUR DU PIANO À QUEUE, AVEC SON COMPLET BLEU ET SA MAIN COLLÉE À L'OREILLE."

Les années soixante-dix sont pour Bécaud celles d'un certain passage à vide. L'artiste s'adapte mal aux techniques télévisuelles et au play-back. Il n'est plus autant en prise directe avec le public. En 1986, il écrit une comédie musicale, *Madame Rosa,* adaptée du roman d'Ajar-Gary *la Vie devant soi* et montée à Broadway. Elle ne sera jamais jouée en France. Bécaud n'arrête pas pour autant d'enregistrer. En 1992, on entend, non sans une certaine nostalgie, sa chanson "Quand t'es petit dans le Midi", écrite avec Delanoë, le compagnon des grands jours, et l'on retrouve avec plaisir cette voix grave, mélodieuse, jappante parfois pour mieux accrocher les mots. L'année suivante, il enregistre aux États-Unis un nouvel album, *Une vie comme un roman,* réalisé avec le producteur Mick Lanaro, qui avait déjà travaillé avec Patrick Bruel•.

Gilbert Bécaud reste comme un des plus beaux spécimens de crooner à la française, avec l'esprit du swing, l'éclat du jeu de piano, la voix chaude et complice. **V. M.**

- ***Bécaulogie,*** Pathé Marconi/EMI, 1988
- ***Toute la vie en Bécaud,*** Pathé Marconi/EMI, 1990
- ***40 ans en chansons*** (compilation), EMI, 1993
- ***Aran Opéra,*** BMG, 1992
- ***Une vie comme un roman,*** BMG, 1993

BEDOS Jacques

Paris 1923
Producteur

Après avoir été de 1950 à 1960 responsable du service variétés de Radio Alger, il revient à Paris et devient, en 1961, directeur artistique chez RCA puis chez Polydor. Il s'y occupe d'Alain Barrière•, de Jeanne Moreau•, Serge Reggiani•, Georges Moustaki•, Henri Tachan•, Gianni Esposito• et impose de nouveaux talents comme Maxime Le Forestier•, Dick Annegarn• ou Isabelle Mayereau•. Avec Jacques Canetti•, Claude Dejacques•, Philippe Lerichomme, Gérard Meys•, Bob Socquet, Bertrand de Labbey, il appartient à la race de ces grands producteurs, qui, dans l'ombre, ont façonné la chanson d'aujourd'hui.

BELGIQUE

Lorsqu'on se penche sur la chanson d'outre-Quiévrain, il est juste d'évoquer le grand Jacques (Brel•), l'hilarante Annie (Cordy•), le toujours jeune Salvatore (Adamo•), le très rock Jean-Philippe Smet (Johnny Hallyday•) ou la toujours sémillante Lio•. Certes, mais outre que l'Hexagone a quasiment annexé ces vedettes, il convient de signaler aussi des facettes moins connues de la pourtant si proche Belgique. Ou alors de donner un coup de projecteur à la génération montante : les trois Philippe (Lafontaine•, Swann, Bergmann, plus connu chez nous comme monsieur Patricia Kaas•), Léopold Nord ou encore la world music belge des Zap Mama et de Kadja Nin. Sans oublier le truculent Arno•, qui a déjà conquis ses lettres de noblesse hors de ses frontières, la formidable Maurane•, qui devrait logiquement connaître une carrière internationale, le mésestimé Claude Semal ou l'inusable Julos Beaucarne•, chantre infatigable de la Wallonie, voire Jeff Bodart•, le Kent• belge, sans oublier Pierre Rapsat, amateur de "tableaux musicaux", allant du reggae au blues, du rock à la ballade, sur des textes d'auteurs comme Jacques Duvall, des artistes loufoques comme Jean-Luc Fonck, Sttella ou Marka, de fortes personnalités comme les Tueurs de la lune de miel (avec leur excellente reprise de "Nationale 7" de Trenet •) ou Marc Morgan, de jolies jeunes femmes telles que Jo Lemaire (avec une très belle version de "Je suis venue te dire que je m'en vais", en 1982, de Gainsbourg •) ou la rousse Axelle Red•. Et quelques curiosités pour finir ! Plastic Bertrand•, passé comme une comète avec pourtant beaucoup d'originalité ; Isabelle Antena, qui depuis près de dix ans est une énorme star au Japon avec son complice Paul Murge, à l'origine du titre "l'Homme purge" alors qu'elle commence tout juste à être reconnue chez elle... **Y.P.**

BELLE Marie-Paule

Pont-Sainte-Maxence, 1946
Auteur, compositeur, interprète

Issue d'une famille de médecins, originaire de Corse mais installée à Nice, la jeune Marie-Paule, dotée d'une frimousse frisée de collégienne taquine, s'imaginait bien psychologue. Elle s'installe à Paris pour entreprendre des études. Sujet de son doctorat : "Angoisse et expression"... Afin de saisir ce qui poussait certains à monter sur une scène, elle fréquente assidûment divers cabarets de la rive gauche comme l'Échelle de Jacob ou l'Écluse. Elle y attrape le virus, se souvient de ses années de piano classique et des textes ésotériques qu'elle chantonnait avec son copain Michel Grisolia (aujourd'hui romancier et scénariste pour le cinéma et la télévision). Adieu la psy, vive la chanteuse... En 1970, elle est engagée à l'Écluse, où Barbara• démarra sa carrière (par respect, elle refuse de jouer du piano et, pendant dix-sept mois, s'accompagne à la guitare).

La "marrante". De son amitié avec l'écrivain Françoise Mallet-Joris naissent les chansons gouailleuses, insolentes et ironiques qui seront longtemps la marque de Marie-Paule. En 1974, elle enregistre son premier disque, avec la chanson "Wolfgang et moi", qui obtient aussitôt le prix de l'académie Charles-Cros. Et part en tournée avec son frère en chanson, Serge

À mi-chemin de la chanson d'émotion et de la chanson comique, Marie-Paule Belle reste une représentante d'un artisanat de haute qualité.

Lama•, qui ne cessera de la soutenir et pour qui elle composera "Mon nez", succulente mise en boîte. En 1978, elle assoit son personnage de provinciale délurée en chantant : *"Je ne suis pas nymphomane/On me blâme, on me blâme/Je ne suis pas travesti/Ça me nuit, ça me nuit."* "La Parisienne", parodie d'une thème d'Offenbach, est un bel exercice de style, dans lequel cette grande timide prend des accents à la Arletty. Le succès de ces "petites chansons marrantes" construites pour la scène va occulter l'autre face de la Belle, cachée, secrète, tendre, celle de "Quand nous serons amis". Au milieu des années quatre-vingt, elle craque et s'éloigne de son piano, de la scène et des disques. En 1995, elle rompt le silence avec un disque intime et sobre. Un album suit, avec, entre autres, une belle chanson signée William Sheller•, "l'Homme que j'aime le plus". **Y. P.**

◎ ***La Parisienne*** (compil.), Polygram
◎ ***Live 95,*** Polygram, 1995

BÉRANGER François

Amily, Loiret, 1937
AUTEUR, COMPOSITEUR, INTERPRÈTE

Il fut en quelque sorte le Bruant des années soixante-dix. Grand et maigre, les cheveux longs retenus par un catogan, la voix sarcastique, Béranger symbolisa les espoirs d'une bonne partie de la génération nourrie de Mai 1968. Fils d'un militant syndicaliste chrétien, qui fut résistant puis député, il travaille longtemps comme agent technique chez Renault puis entre dans le monde étrange de la pub. En 1969, il sort son premier 45-tours, de sonorité folk-rock, avec un seul titre sur les deux faces, "Tranche de vie", qui narre, dans le parler bourru des prolétaires, l'histoire des gens de son âge, de l'école sans âme à l'apprentissage sans intérêt, de la guerre d'Algérie aux barricades de Mai 1968. Bien que passant fort peu à la radio et totalement ignoré par la télévision, Béranger touche vite un important public, qui achète ses disques, plébiscite ses chansons ("Tango de l'ennui", "Rachel", "l'Alternative", "Participe présent", "Natacha") et assiste aux nombreux concerts de soutien qu'il donne bénévolement, hors des circuits traditionnels, pour les causes les plus diverses. En 1979, un titre "Mamadou m'a dit", à la rythmique guillerette mais aux mots assassins, franchit le mur des médias. Ce sera le chant du cygne. Il s'éloigne peu à peu. Pour sortir, en 1990, un nouvel abum, qui, hélas, ne fait guère de vague. En 1997, après cinq années de silence, il sort un nouvel album, *François Béranger,* et redonne plusieurs concerts, où il s'affirme toujours un incorrigible libertaire... **Y. P.**

◎ ***Intégrale*** (1974-1980, 4 vol.), Baillemont Productions
◎ ***Compilation*** (1974-1975), Baillemont Productions
◎ ***Dure Mère,*** Justine, 1990

BERGER Michel (Michel Hamburger, dit)

Paris, 1947 - Ramatuelle, Var, 1992
AUTEUR, COMPOSITEUR, INTERPRÈTE

Fils d'une pianiste classique (Annette Haas) et

d'un célèbre professeur d'urologie (Jean Hamburger), Michel Berger fait ses premières gammes sur le (vaste) piano familial, avant d'aborder de sérieuses études musicales (piano, guitare et solfège). Dès l'âge de seize ans, en 1963, il enregistre un premier 45-tours simple, avec duex titres : "Tu n'y crois pas" et "Amour et soda", dont les paroles sont signées Jean Brousse, un ami de classe. Deux autres disques suivent et Michel devient le chouchou de l'émission de radio "Salut les copains". Le succès le déroute. Il est déjà riche. Parallèlement à sa carrière qui débute, il planche sur "L'esthétique de la pop music", dans le cadre d'une maîtrise de philosophie. La note obtenue dépasse ses espérances, mais il arrête là ses études pour se lancer dans le show-business. Il se défend d'être à la mode. D'ailleurs, son premier interprète est un ancêtre, Bourvil•, pour qui il écrit "les Girafes", sur une musique d'inspiration africaine. C'est un succès. De retour d'un voyage aux États-Unis, où il rencontre, quand même, Ira Gershwin, le frère de George, il sort *Puzzle* (1965), chez Pathé-Marconi, son premier album – aujourd'hui pièce de collection. Dans ce disque, il veut forcer son talent naturel, qu'il juge banal, et tenter des expériences. C'est le flop, qui engloutit l'argent de ses premiers triomphes. On découvre toutefois au générique de l'album les noms de ses futurs complices : Claude Engel (guitares) et Michel Bernholc (arrangements).

"MÉLODISTE-NÉ ET ARRANGEUR BRILLANT, IL A LE SENS DE LA FORMULE ET DU REFRAIN QUI SE RETIENNENT SANS VERSER POUR AUTANT DANS LA COMPLAISANCE."

Le "Vadim de la chanson". À partir de 1970, Michel Berger fait des rencontres déterminantes, qui l'amènent à travailler sur nombre d'albums de jeunes artistes. C'est le cas de Véronique Sanson•, avec qui il collabore – et vit un moment – sur son premier disque, *Amoureuse*. En 1973, c'est à Francoise Hardy• qu'il offre ses services, pour son "Message personnel". Il compose aussi "la Déclaration d'amour" pour France Gall•, en 1975, et l'épouse un an après. On le qualifie rapidement de "Vadim de la chanson".

Après son mariage, il se consacre largement à la carrière de sa femme et lui écrit un grand nombre de tubes : "Musique", "Besoin d'amour", "Il jouait du piano debout", "Tout pour la musique", "Résiste", "Si Maman si" et, plus tard, "Cézanne peint", "Babacar", "Évidemment". Il n'abandonne pas sa carrière personnelle pour autant et s'installe à son tour dans les hit-parades avec "Seras-tu là ? (1975), "Quelques mots d'amour" (1980), "Celui qui chante" (1980), "la Groupie du pianiste" (1980), "Mademoiselle Chang" (1981), "le Prince des villes" (1983), "Voyou" (1983), "Chanter pour ceux qui sont loin de chez eux" (1985), "le Paradis blanc" (1990) Désormais, ensemble ("Ça balance pas mal à Paris", 1976) ou séparément, le couple Gall-Berger triomphe.

"Celui qui chante." Le 10 avril 1979, c'est la première de *Starmania,* un opéra rock futuriste écrit avec Luc Plamondon• et monté au palais des Congrès. Daniel Balavoine•, France Gall, Nanette Workman et Diane Dufresne• s'y partagent l'affiche. *Starmania 79,* dont est extraite une pléiade de hits ("les Uns contre les autres", "le Blues du businessman" et "le Monde est stone"), déplace les foules et monopolise les médias. Michel Berger, pour sa part, attendra 1980 pour découvrir la scène, au Théâtre des Champs-Élysées.

Les années suivantes seront également riches en collaborations. Après "Donner pour donner", interprété en duo par France Gall et Elton John, en 1985, il écrira, la même année, pour Johnny Hallyday• l'album *Rock'n'roll attitude,* qui inclut "le Chanteur abandonné" et "Quelque chose de Tennessee". Et ce sans cesser de créer pour France Gall : c'est l'époque de "Débranche" (1984), "Hong Kong Star" (1984), et "Ella elle l'a" (1987). En 1990, Luc Plamondon et Michel Berger se retrouvent pour *la Légende de Jimmy,* adaptation musicale de la vie de James Dean, version années quatre-vingt-dix. Demi-succès. Et, alors que dix ans après sa création, *Starmania* est toujours à l'affiche en France, il en réalise une version anglaise *(Tycoon),* où l'on retrouve dans les rôles principaux, Nina Hagen, Willy Deville et Cyndi Lauper. Elle fait un tabac dans les pays anglo-saxons, avec, notamment, le hit "The World Is Stone".

Le couple Berger-Gall trouve quand même le temps de militer pour les grandes causes : Amnesty International, S.O.S.-Racisme, Médecins sans frontières. Ils sont partout...

Double Jeu (enregistré avec France Gall en 1992) est l'album en duo tant attendu par l'ensemble du public, et aussi le dernier. Michel

la collection "Les Étoiles de la chanson", pour laquelle il utilise quelque 10 000 disques 78 tours qu'il fait revivre sous la forme de CD. **A.G.**

Michel Berger, fils de grands bourgeois, a toujours été un peu gêné par un succès qui lui venait si facilement.

Berger succombe à une crise cardiaque, le 3 août 1992. Mélodiste-né et arrangeur brillant, il a le sens de la formule et du refrain qui se retiennent. Sa musique, faite de rythmes syncopés, se veut celle d'un compositeur rassurant, tendre et romantique, même si, parfois, le désabusement n'est pas loin. **D. P.**

- ***Starmania 79,*** (1979), WEA
- ***Les Plus Belles Chansons*** (1973-1980), Apache
- ***Beau Rivage*** (1981), WEA
- ***Voyou*** (1983), WEA
- ***Double Jeu*** (avec France Gall), Apache/WEA, 1992

BERNARD Jean-Antoine

Marseille, 1923
COMPOSITEUR

Excellent pianiste, il accompagne Tino Rossi•, Mouloudji•, Colette Deréal, Mick Micheyl•, Fernand Raynaud, puis il compose : "On se reverra" (grand prix du disque 1962), "la Valse folle" (pour Colette Deréal), "J'ai gardé l'accent" (Mireille Mathieu•, 1968) ou "J'ai peur, je t'aime" (Johnny Hallyday•, 1969).

BERNARD Michèle

Lyon, 1947
AUTEUR, COMPOSITEUR, INTERPRÈTE

Avec son accordéon et sa gouaille de môme des traboules, elle redonne, en 1978, au Printemps de Bourges un coup de jeune à la chanson réaliste. En 1993, elle enregistre *Des nuits noires de monde* avec un chœur de femmes et un orchestre forain. Quatre ans plus tard, sur l'album *Quand vous me rendez visite,* son fidèle accordéon flirte avec des mélopées orientales et des accents jazzy.

- ***Des nuits noires de monde,*** EPM, 1993
- ***Quand vous me rendez visite,*** EPM, 1997

BERNARD André

Arles, 1922
PRODUCTEUR, COLLECTIONNEUR

Tout en étant le manager exclusif de l'artiste gitan Manitas de Plata, il publie de nombreux ouvrages sur la chanson, notamment sur Jacques Brel•, et monte une collection unique de photos et de gravures. Depuis 1987, il est un des proches collaborateurs de Pascal Sevran pour la réalisation des émissions "La Chance aux chansons" sur France 2. Les éditions Music-Mémoria ont également confié à André Bernard

BERNARD Raymond

Paris, 1920
COMPOSITEUR, CHEF D'ORCHESTRE

Pianiste remarquable, il fait partie de l'orchestre de Ray Ventura• (1945-1947), puis de Bernard Hilda (1947/1950). Il est l'accompagnateur de Jacqueline François• (1950/1952) puis le directeur et chef d'orchestre de Gilbert Bécaud• (1952-1967). De cette collaboration il restera quelques grands titres : "Le pays d'où je viens" et "Croquemitoufle". Il compose aussi pour Serge Reggiani• ("Ma fille"), Charles Aznavour• ("Quand tu viens chez moi"), Claude François• (En souvenir"), et pour Mireille Mathieu• ("le Canotier de Maurice Chevalier").

BERNET Ralph

Marseille, 1927
AUTEUR

Sans ce cireur de chaussures, reconverti en danseur et en crooner, le rock français n'aurait sans doute jamais existé. Parolier de Danyel Gérard•, des Chats sauvages•, des Chaussettes noires• puis de Johnny Hallyday•, il adapte dans notre langue plus d'un millier de standards du rock, dont plusieurs chansons des Beatles... "l'Idole des jeunes", "D'où viens-tu Johnny?, c'est lui. Il a également travaillé pour Hervé Vilard• ("Fais-la rire", "Mourir ou vivre"). Il aurait écrit au total plus de 2000 chansons...

BERRY Guy (Gustave Courtier, dit)

Lille, 1904 - Nice, 1982
INTERPRÈTE

Sa voix bien timbrée et nuancée lui permet, dans les années trente, d'être l'affiche de l'Alhambra, des Folies Belleville, du Palace, ou du Trianon. Habitué du célèbre cabaret Le Fiacre, il y chante "Les rêves sont des bulles de savon" et "Bonne Nuit maman". Son nom reste néanmoins attaché à la création, en 1936, de la célèbre "Révolte des joujoux" de Claude Pingault et Christian Vebel (fondateur des Trois Baudets) et de "Petit Homme c'est l'heure de faire dodo". Sous l'Occupation, il est dans la mouvance "swing" (ce genre musical qui déplaît tant au pouvoir en place) avec "Êtes vous swing?" et crée "la Légende du troubadour". Après "Lily bye bye" (1945), dépassé par les générations montantes, il abandonne la chanson dans les années cinquante. **C.P.**

BERTIGNAC Louis

Oran, Algérie, 1954
COMPOSITEUR, INTERPRÈTE

Crédité comme guitariste sur l'un des premiers albums de Jacques Higelin•, Louis Bertignac sera pendant dix ans le guitariste du groupe Téléphone•. Après la séparation du groupe en 1985, il incite la bassiste Corinne Marienneau à le suivre et fonde sa propre formation, Bertignac et les Visiteurs, où il peut désormais donner libre cours à ses orientations.

- ***Les Visiteurs,*** Virgin, 1986
- ***Bertignac Live,*** Columbia, 1998

BERTIN Jacques

Rennes, Ille-et-Vilaine, 1946
AUTEUR, COMPOSITEUR, INTERPRÈTE

Boudé par les médias et par l'industrie du disque, il fait partie de la relève des années soixante-dix de la chanson poétique. Dans cette génération quelque peu occultée, il trouve sa place auprès d'autres artistes tels que Jean Vasca ou Gilles Elbaz. Ses créations, tiraillées entre la poésie et l'engagement politique, ont trouvé petit à petit un public restreint mais fidèle. Deux fois primé par l'académie Charles-Cros, il a plus d'une douzaine d'albums à son actif. Bertin est animé de cette soif de recherche à contre-courant, en dehors de toutes les modes, allant jusqu'à distordre son propre univers poétique, ce qui rend son accès d'autant plus difficile, voire hermétique, pour les non-initiés...

- ***Café de la danse 1989,*** Scalen'Disc, 1989
- ***Hôtel du grand retour,*** Scalen Disc, 1997

BÉRURIER NOIR

Groupe de rock formé en 1983 en région parisienne avec Loran (guitare, réglages boîte à rythmes), François (chant, sirènes, instruments hétéroclites, masques et grimages), Masto (saxo), les Titines (chœurs) et Marsu (management, production)

Reconnus seulement en 1984 par une frange "punkoïde" du public parisien, ils arrivèrent en 1987 à remplir le Zénith avec une assistance qui va de l'élève admis en seconde au vieux soixante-huitard retrouvant la fougue de ses jeunes années... Tournant inlassablement dans toute l'Europe avec un répertoire fait de slogans libertaires, anti-Front national et défenseurs des droits de l'homme, ils répondent présent pour animer grèves et fêtes de soutien. Ils se sabordent en 1989. À noter que le chanteur tentera bien de reprendre le flambeau en formant le groupe Molodoï quelque temps plus tard, mais le cœur n'y est plus : c'est désormais le rap qui est devenu LA musique contestataire... **H.E.**

◎ ***Macadam massacer*** (1983), Bondage

BETTI Henri

Nice, 1917
COMPOSITEUR, INTERPRÈTE

Après le Conservatoire de Paris, il rencontre Maurice Chevalier•, dont il devient le pianiste et le compositeur. Ensemble ils écrivent "Notre espoir", "le Régiment des jambes Louis XV", "la Chanson du maçon" (1941)

Séparé de Chevalier, il compose pour Lily Fayol "le Régiment des mandolines" (1946), "le Chapeau à plumes" (1947), pour Yves Montand• "Mais qu'est-ce que j'ai" et "C'est si bon" (1947) et pour les Compagnons de la chanson•, "Maître Pierre" (1949). Henri Betti compose également de nombreuses musiques de revues (Concert Mayol, Moulin-Rouge, Lido, Folies-Bergère, Las Vegas) et signe plusieurs partitions de films et d'opérettes, dont *Mam'zell' Printemps*, *Baratin* et *le Marchand de soleil* (avec Tino Rossi•, 1969). **C.P.**

BIJOU

Groupe de rock formé à Juvisy en octobre 1975 par Philippe Dauga (basse et chant), Vincent Palmer (guitare), Joël "Dynamite" Yan (batterie) et Alain Salain (chant)

Bijou acquiert ses lettres de noblesse dès 1977 en assurant la première partie de Patti Smith à l'Élysée-Montmartre à Paris. Avec leur éminence grise, le journaliste Jean-William Thoury (son parolier et manager), le groupe est parmi les premiers de ce mouvement à chanter en français un rock simple évoquant la vie quotidienne. Mais les ventes de disques ne suivent pas, malgré quelques coups de pouce donnés par Jacques Dutronc• ("la Fille du Père Noël") puis Gainsbourg• ("les Papillons noirs" et "Betty Jane Rose"). Bijou se reforme brièvement en 1988 avec Palmer et Dauga pour enregistrer un titre, "Lola", avec une pochette dessinée par Liberatore.

◎ ***Pas dormir*** (1978), Phonogram

BIRD Ronnie (Ronald Mehu, dit)

Boulogne-sur-Seine, 1946
AUTEUR, COMPOSITEUR, INTERPRÈTE

Habillé à la manière des mods anglais (pantalons et vestes étriqués, boots pointues, cheveux en casque à la Brian Jones), il reprend tour à tour des morceaux de Buddy Holly, des Small Faces et des Who. Après un passage remarqué à la Mutualité en juin 1964 à l'occasion de la sortie de son deuxième 45-tours, il reprend en 1965 deux succès anglais, des Rolling Stones et des Pretty Things ("Elle m'attend" et "Tu perds ton temps"). À la fin des années soixante, Ronnie Bird prend conscience que le temps des adaptations est révolu. Il enregistre en 1968 "le Pivert" puis "S.O.S. Mesdemoiselles", sur des musiques originales de ses musiciens Tommy Brown (batteur) et Micky Jones (guitariste, futur Foreigner). Ronnie écrit parfois lui-même les textes de ces rocks balancés aux forts accents "stoniens" ("Tu ne sais pas", "la Surprise", ou "Si quelque chose m'arrivait"). Le public l'oublie peu à peu. Il continue cependant de composer, et l'on note, en 1996, sa contribution à un album de Ray Charles.

◎ ***1965,*** Musidisc
◎ ***Fais attention,*** Dial, 1989

BIRKIN Jane

Londres, 1946
AUTEUR, INTERPRÈTE

Dans le cœur des Français, Jane Birkin reste la petite Anglaise, éternelle compagne de Serge Gainsbourg•, qui a débarqué à la fin des années soixante dans le paysage audiovisuel hexagonal. Elle demeure aussi comme un délicat filet de voix, toujours juste, agréablement sexy et si émouvant à la fois, avec ce délicieux accent anglais auquel nous avait déjà habitués Petula Clark•. Elle s'impose enfin comme une personnalité sensible, toujours prête à apporter son concours aux causes humanitaires et aux laissés-pour-compte.

Peu de temps après avoir rencontré Jane, Serge Gainsbourg décide d'enregistrer "Je t'aime moi non plus", une ode à la libido, avec sa nouvelle compagne. Les ondes radio hexagonales refusent de diffuser ce disque ; en Angleterre, la BBC l'interdit officiellement et, au Vatican, il est condamné par l'organe officiel, *l'Osservatore Romano*. La chanson et le 33-tours éponyme ne pouvaient rêver mieux comme promotion. Ils se vendent comme des petits pains, en France et en Grande-Bretagne. En 1970 sort le premier disque concept de Serge Gainsbourg, *Histoire de Melody Nelson*. Sur la pochette on découvre une Jane Birkin transformée en lolita rousse. Elle n'y chante pratiquement pas, seulement une deuxième voix sur "la Ballade de Melody", mais il est évident qu'elle en est la principale inspiratrice.

Avec son premier album, *Di Doo Dah,* Jane est désormais une chanteuse à part entière, même si sa carrière au cinéma prime encore. Elle connaît un nouveau succès avec "la Ballade de Johnny Jane" et enregistre en 1977 le premier titre dont elle a écrit les paroles : "Yesterday, Yes A Day". L'album suivant, *Ex-fan des sixties,* commercialisé en janvier 1978, fait un triomphe grâce à l'extrait éponyme. En 1982, trois ans après leur séparation, Jane et Serge se retrouvent pour l'enregistrement d'un album, *Baby Alone In Babylone*. Réussite exceptionnelle : c'est le premier disque d'or pour Jane. Le thème de la séparation y est omniprésent, mais on se régale aussi de textes plus futiles et magnifiquement écrits, comme "les Dessous chics". La maison de disques Phonogram réclame un nouvel album réalisé par Serge Gainsbourg. Il y en aura deux : *Lost Song* en 1987 et *Amour des feintes* en 1990. Après la mort de Serge, en mars 1991, Jane multiplie les concerts en hommage au disparu (Casino de Paris, Francofolies, Londres) puis décide, en 1995, de lui consacrer un disque réunissant quinze chansons de lui qu'elle n'avait jamais interprétées auparavant. Ce sera *Versions Jane,* avec la participation de musiciens comme Jean-Claude Vannier, Doudou N'Diaye Rose, Eddy Louiss ou les Négresses vertes•. En 1998, la chanteuse rompt avec son statut de "veuve officielle" et publie *À la légère,* avec des titres signés Souchon•, Voulzy•, Daho•, Zazie•, MC Solaar•, Manset•, Miossec•, Lavoine•, Chamfort•, Françoise Hardy• et Nilda Fernandez•. **C. E.**

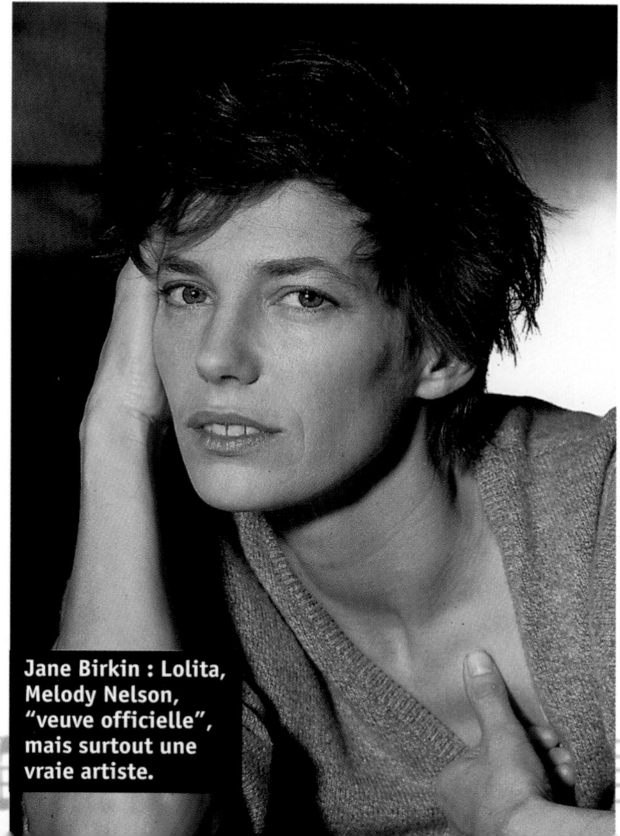
Jane Birkin : Lolita, Melody Nelson, "veuve officielle", mais surtout une vraie artiste.

- ***Ex-fan des sixties*** (1978), Phonogram
- ***Baby Alone In Babylone*** (1983), Phonogram
- ***Versions Jane,*** Phonogram, 1996
- ***Jane B. Intégrale*** (coffret 4 CD), Phonogram, 1992
- ***À la légère,*** Mercury, 1998

BIZET Marie

Paris, 1912-1998
INTERPRÈTE

En 1936, Fernandel• la fait engager dans l'opérette *Ignace*. Le cinéma s'intéresse bientôt à elle, ce qui ne l'empêche pas de s'imposer au music-hall. Elle rencontre l'organiste et compositeur Charles-Louis Pothier, qui lui donne l'un des grands succès des années quarante, "l'Hôtel des Trois Canards". Suit "J'y va-t-y, j'y va-t'y-pas" d'Albert Willemetz• en 1942. Les années n'atténuent pas sa prodigieuse vitalité en scène et à la ville, et elle ira même jusqu'à fêter ses

75 ans en s'offrant un récital au théâtre Saint-Martin. **C.P.**

2 chansons in **Chansons sous la drôle de guerre et l'Occupation,** Forlane UCD 19 105

BLANCHARD Gérard

Tours, Indre-et-Loire, 1953
AUTEUR, COMPOSITEUR, INTERPRÈTE

Gérard Blanchard reste comme le premier rocker hexagonal à avoir osé conjuguer rythme binaire et accordéon. Remarqué par un directeur artistique de chez Barclay, il enregistre son premier album, *Troglo Dancing,* en février 1982. Succès immédiat, le public découvrant que l'accordéon se marie très bien avec les rythmes à la mode. Toute la France fredonne le titre fétiche, "Rock Amadour". Suivent *Matinée et soirée* et *Version pauvre du Lac des cygnes,* qui marchent moins bien. Puis, en avril 1987, *Amour de voyou,* qui renoue avec les premières places du Top 50 grâce au titre "Elle voulait revoir sa Normandie".

Depuis ses albums se suivent – *Moteur la vie* en 1989, *Clochard milliardaire* en 1992 et *Branle-poumons* en 1994 –, avec des succès inégaux malgré le petit hit nonchalant "Un rendez-vous manqué".

Branle-poumons, Disque Dreyfus/Sony, 1994
Rock amadour (compil.), Polygram, 1988
S'la joue solo, Dreyfus/Sony, 1997

BLANCHE Francis

Francis Blanche, l'inoubliable maître Folasse des *Tontons flingueurs,* fut aussi l'auteur de plus de 400 chansons.

Paris 1921 - *id.*, 6 juillet 1974
AUTEUR, COMPOSITEUR, INTERPRÈTE

On se souvient de l'acteur, du conteur et de l'homme de radio, à la bouille ronde de tonton farceur qui fit tant rire la France des années cinquante-soixante avec son éternel compagnon, Pierre Dac. On a quelque peu oublié l'auteur-compositeur-interprète qu'il fut également... Francis Blanche a écrit, pour lui et les autres, près de 400 chansons, où affleure un désespoir ("les Bêtises" ou "Ça tourne pas rond dans ma p'tite tête") que son humour au vitriol cachait soigneusement. En 1943, jeune débutant qui égrenait des fables express, il écrit "Débit de lait, débit de l'eau", avec Charles Trenet•. Ensuite, ce sera "J'ai de la barbe" et "la Pince à linges" pour les Quatre Barbus•, puis "la Truite de Schubert" et le très antimilitariste "Général à vendre" pour les Frères Jacques•. Édith Piaf• et les Compagnons interprétèrent "le Prisonnier de la tour", charmante ballade médiévale, et Tino Rossi• chanta la "Chanson aux nuages"...

L'Inoubliable, BMG

BLANÈS Georges

Cherchell, Algérie, 1928
COMPOSITEUR, INTERPRÈTE

L'hymne officiel des JO de Grenoble, "le Printemps" du Big Bazar, de Michel Fugain• (1968), la voix de Michel Piccoli dans *les Demoiselles de Rochefort,* celle de Rex Harrisson dans l'adaptation française de *My fair Lady,* c'est lui. Il se produit dans de nombreuses opérettes : *Viva Mexico, Valses de Vienne, la Vie parisienne* et dans *la Belle Arabelle,* aux côtés des Frères Jacques•. Il collabore aussi avec Michel Fugain pour "la Ballade en Bugatti", "Ne cherche pas" et "À qui crois-tu que je pense ?".

BLANKASS

Groupe de rock fondé en 1990 à Issoudun, avec Guillaume Ledoux (chant, accordéon) ; Johan Ledoux (guitares, piano) ; Bruno Marande (basse) ; Olivier Robineau (batterie), Philippe Ribaudeau (flûte, bombarde, sax) ; Nicolas Combrouze (guitare)

Au départ, il y a un groupe punk, Zéro de conduite, fondé en 1981 par les tout jeunes frères Ledoux, Guillaume et Johan. En 1990, Guillaume, qui a troqué la batterie pour l'accordéon, et Johan, qui s'est mis à la guitare, reprennent la route avec *Blankass,* réunion d'amis berrichons influencés par le folk-rock celtique des Pogues. En 1994, remarqués par Jean-Louis Foulquier•, ils embrasent les Francofolies de La Rochelle, dont ils vont devenir des piliers. Leur premier album, *Blankass,* sort en 1995 et bénéficie d'un succès immédiat grâce au morceau "la Couleur des blés", abondamment diffusé par les radios. En 1998, un deuxième album, *l'Ère de rien,* confirme leur vitalité et les place dans la lignée de Louise Attaque•.

- ***Blankass,*** Musidisc, 1995
- ***L'Ère de rien,*** Universal, 1998

BLONDO Lucky (Luc Blondiot, dit)

Paris, 23 juillet 1944
CHANSON FRANCOPHONE

Il enregistre son premier 45 tours en 1962, "Betty et Jenny". C'est un flop, mais le deuxième, "Multiplication" (chanson créée par Bobby Darin), un madison-twist, attire l'attention. Il décroche le jack-pot avec "Jolie petite Sheila", reprise de l'Américain Tommy Roe. En 1964, changement de cap : Blondo tourne au crooner en interprétant "J'ai un secret à te dire" puis "Sur ton visage une larme", adaptation d'une chanson italienne de Bobby Solo. Il ne semble pas prendre sa carrière très au sérieux et il se lance, à partir de 1974, dans la publicité.

- ***Betty et Jenny,*** Polygram, 1990

BLONDY Alpha (Seydou Koné, dit)

Dimbokoro, centre de la Côte d'Ivoire, 1953
AUTEUR, COMPOSITEUR, INTERPRÈTE

C'est aux États-Unis, à la fin des années soixante-dix, que prend forme son style musical : le futur Alpha Blondy y découvre Burning Spear et le reggae. En 1983, il enregistre son premier album, *Jah Glory,* dont "Brigadier Sabari", le titre phare, est le plus gros succès jamais vu dans le pays. Sur fond de sirène hurlante, la chanson critique de façon insolente les forces de police. C'est désormais le style Alpha Blondy. L'album suivant, *Cocody Rock* (1984), est enregistré en Jamaïque avec les Wailers, les musiciens de feu Bob Marley. Projeté sur la scène internationale, Alpha se produit au Zénith à Paris en 1985. Ses mélodies, simples, rythmées, comme ses textes, en dioula – langue parlée dans toute l'Afrique de l'Ouest –, en français et en anglais, font mouche. Sa rencontre avec Julien Clerc• l'intronise auprès du public français, avec lequel il entretiendra des relations à éclipses, ponctuées de fracassants retours au pays et de bouffées de folie.

Rocker épris de paix et de justice, il rêve de réconcilier toutes les religions. Son reggae simple, dépouillé, parfois brutal, lui vaudra bien des disques d'or, au point d'en faire l'un des artistes africains les plus vendus en Europe.

- ***Apartheid Is Nazism,*** EMI France, 1985
- ***Brigadier Sabari,*** Syllart, 1987
- ***Jerusalem*** (avec les Wailers), EMI France, 1987
- ***Massada,*** EMI France, 1991
- ***Dieu,*** EMI France, 1994
- ***Grand Bassam Lion Rock,*** EMI, 1996
- ***Yitzak Rabin, Une Musique,*** 1999

BODART Jeff

Charleroi, Belgique, 1964
AUTEUR, COMPOSITEUR, INTERPRÈTE

De 1982 à 1992, Jeff Bodart fut le chanteur des Gangsters d'Amour, l'équivalent belge de Starshooter •. En 1995, ce grand copain de Kent•, toujours coiffé d'une immense casquette, qui le fait ressembler aux héros d'Hergé Quick et Flupke, sort un premier disque sous son nom, *Du vélo sans les mains,* suivi d'un deuxième, en 1997, *Histoires universelles.* Au menu, beaucoup d'humour et de tendresse, au milieu d'une sorte de kermesse héroïque, qui mêle mambo, bossa, rock, rhythm'n'blues et fonflons de fanfare, avec des textes pleins de fantaisie et de malice.

- ***Du vélo sans les mains,*** CNR Music/Arcade, 1995
- ***Histoires universelles,*** CNR Music/Arcade, 1997

BOLDUC, La (Mary Travers, dite)

Newport, Gaspésie, 1894 - Montréal, 1941
AUTEUR, COMPOSITEUR, INTERPRÈTE

D'abord femme de ménage puis mère de famille (épouse Bolduc), elle apprend le violon, la guimbarde et l'harmonica pour accompagner ensuite des musiciens lors des "veillées du bon vieux temps". En 1928, elle se lance dans la chanson avec "Y'a longtemps que je couche par terre". De 1929 à 1939, elle va enregistrer pas moins de 94 titres et tourner à travers tout le pays. Attirée par le répertoire celtique et par la chanson traditionnelle française, elle puise la majeure partie de son inspiration dans le quotidien des petites gens, dont elle retrace la vie ("Mon vieux est jaloux", "Tout le monde a la grippe"). Sa façon de reproduire avec la voix les mélodies habituellement jouées au violon lui vaut d'être admirée par Charles Trenet• et de devenir une légende de l'histoire musicale populaire du Québec. **P.S.**

L'intégrale, Analekta
La Bolduc, chanteuse québécoise, Silex/Auvidis, 1994

BOLLING Claude

Cannes, 1930
COMPOSITEUR, ARRANGEUR, PRODUCTEUR

Excellent pianiste, il enregistre en 1948 ses premiers disques avec un groupe de jazz dixieland. Sa rencontre ensuite avec Boris Vian• le fait entrer dans le monde des variétés. Il écrit pour lui les arrangements des *Chansons possibles et impossibles*. De nombreuses vedettes lui confient alors la direction musicale de leurs enregistrements : Sacha Distel•, Jacqueline François•, Henri Salvador•, Juliette Gréco•, Brigitte Bardot•.

Une heureuse circonstance l'amène a créer un groupe vocal féminin, les Parisiennes, constitué en réalité pour le temps d'un été. Leur première chanson, "Il fait trop beau pour travailler" (1964), est un tube qui met en valeur les quatre ravissantes créatures et relance le charleston. Dans le même temps Claude Bolling compose des chansons : "Jéricho", que chante John William•, ou "Invitango" pour Brigitte Bardot. Il signe également de nombreuses musiques de films *(Borsalino)* et de séries télévisées *(les Brigades du tigre)*.

BONIFAY Fernand

Paris, 1920 - La Seyne, 1993
AUTEUR, COMPOSITEUR

Un grand professionnel de la chanson populaire, qui sait trouver les mots et l'atmosphère d'exotisme que recherche le public d'après-guerre. Avec Guy Magenta, il signe, à partir de 1950, une série ininterrompue de succès : "la Roulotte des gitans" (Rina Ketty•), "les Carabiniers de Castille" (Lina Margy•), "les Trois Bandits de Napoli" (Lily Fayol•), "le Facteur de Santa Cruz" (Henri Genès•), "Toi mon démon" (Gloria Lasso•), "Adios Amigos" (Dario Moreno•). Il est également l'auteur de nombreuses adaptations : "Arrivedeci Roma" (Tino Rossi•, 1956), "Maman la plus belle du monde" (Luis Mariano•, 1957), "24 000 mille Baisers" (Dalida•) et, surtout, le premier tube de Johnny Hallyday• "Souvenirs, souvenirs" (1960).

BONTEMPELLI Guy

Champigny-sur-Marne, 1940
AUTEUR, COMPOSITEUR, INTERPRÈTE

Ancien élève d'Olivier Messiaen, il fait une entrée fracassante dans la chanson en recevant le prix de l'Académie Charles Cros en 1965, avec son premier disque, "les Yeux cachou". Il avait déjà écrit des chansons pour Jean-Claude Pascal• ou pour Michèle Arnaud• et fréquenté le célèbre Petit Conservatoire de Mireille•, où il amènera une amie inconnue nommée Françoise Hardy•.

Il écrit alors aussi bien pour lui que pour Juliette Gréco• ("Dans ton lit"), Françoise Hardy• ("Ma jeunesse fout l'camp"), Stone et Charden•, Bardot•, Dalida• et Richard Anthony•, à qui il donne le fameux "Aranjuez mon amour", qui se vendra à un million d'exemplaires. Il continue sa carrière en écrivant des comédies musicales, dont *Mayflower* (en collaboration avec Éric Charden et Jean-Claude Petit•), qui connaîtra une carrière internationale.

BOOGAERTS Mathieu

Nogent-sur-Marne, 1971
AUTEUR, COMPOSITEUR, INTERPRÈTE

Ce jeune chanteur bricoleur aux ritournelles lunaires appartient à l'école minimaliste (Dominique A.•, Jean Bart) apparue au milieu des années quatre-vingt-dix.

Sorte de Buster Keaton de la mélodie, fortement influencé par Dick Annegarn• et Bob Marley, il sort son premier disque, *Super,* fabriqué dans la cave de sa maison, en 1995. Reggae flottant et funk alangui s'y côtoient dans une atmosphère éberluée et naïve. Après une tournée au printemps 1997 avec son maître, Dick Annegarn, un deuxième album, *J'en ai marre d'être deux* (1998), joue à nouveau sur insouciance et dépouillement.

Super, Remark, 1995
J'en ai marre d'être deux, Remark, 1998

Auteur de l'immortelle "Paimpolaise", Théodore Botrel parfois considéré par les Bretons comme trop traditionaliste.

BORDAS Marcelle

Paris, 1897 - *id.*, 1968
INTERPRÈTE

Elle débute comme modiste. Une cliente, Mme Rasimi, femme d'un célèbre imprésario, lui donne sa chance. Elle débute alors aux Folies-Bergère en 1932, dans un spectacle mené par Mistinguett• et Fernandel•. Elle passe ensuite dans divers cabarets et à l'Alhambra et à l'A.B.C. De sa célèbre voix de baryton, rare pour une femme à l'époque, elle reprend des chansons de Thérésa• comme "la Femme à barbe", qui sera son plus gros succès. Son répertoire est surtout composé de chansons d'étudiants et de marins.

"La Femme à barbe", in Anthologie de la chanson française, EPM VC 102-6

BOREL-CLERC (Charles Clerc, dit)

Maille, Basses-Pyrénées, 1879 - Cannes, 1959
COMPOSITEUR

Après des études aux conservatoires de Toulouse et de Paris, il entame, en 1903, une carrière qui va se solder par une série ininterrompue de très grands succès. C'est d'abord "Amour de trottin" pour Mayol (1903), qui décide l'éditeur Ricordi à lui demander d'arranger une danse nouvelle sur des motifs espagnols. Huit jours plus tard, il lui apporte "la Mattchiche", qui devient un énorme "tube", chanté aussi par Mayol•. Borel-Clerc est à l'aise dans tous les genres : la fantaisie, avec "Pétronille tu sens la menthe" pour Dranem• (1906), comme le drame, avec "le Loup de mer" (1910), et l'extraordinaire mélo, avec "le Train fatal" (1916) pour Bérard.

Le matin du 11 novembre 1918, il rend visite à Lucien Boyer• et ils ont alors l'idée de "la Madelon de la Victoire", qui aura autant de succès que la première Madelon, créée par Bach en 1914 ! Toujours avec Lucien Boyer, il triomphe avec "Tu verras Montmartre". Il travaille pour Saint-Granier• ("C'est jeune et ça n'sait pas"), pour Maurice Chevalier• ("le Chapeau de Zozo", "Ma pomme", "Ah ! si vous connaissiez ma poule" et "la Marche de Ménilmontant") et pour Alibert• ("Dans ma péniche" et "Tout l'pays l'a su", une énorme rengaine reprise ensuite par de nombreux autres chanteurs).

Il n'oublie pas la romance avec "Faisons notre bonheur nous-mêmes" (pour Jean Lumière•) et "Vous n'êtes pas venue dimanche" (pour Tino Rossi•, chantée également par Elyane Célis•). L'apothéose enfin, en 1943, avec "Ah ! le Petit Vin blanc", en collaboration avec Jean Dréjac•. On vendra, un record pour l'époque, plus d'un million de partitions de la chanson. **P.S.**

BOTREL Théodore Jean-Marie Baptiste

Dinan, 1868 – Port-Blanc, 1925
AUTEUR, COMPOSITEUR, INTERPRÈTE

Fils de forgeron, il vient à Paris dès l'âge de douze ans et fait plusieurs petits métiers. Il débute modestement au caf'conc' avec deux chansons : "Mes deux sœurs jumelles" et "Il est frisé mon p'tit frère". En 1895, il rencontre chez son éditeur, Ondet, un chanteur qui débute mais qui promet beaucoup, Mayol•. Théodore Botrel lui propose un titre qu'il vient de composer : "la Paimpolaise". Elle fera la gloire des deux hommes et la France entière chantera :

"J'aime Paimpol et sa falaise
Son église et son grand pardon
J'aime surtout la Paimpolaise
Qui m'attend au pays breton."

Dès lors, Botrel se présente en scène en costume breton pour interpréter son nouveau répertoire : "la Fanchette", "le Petit Grégoire", "Fleur de blé noir", et "le Mouchoir de Cholet", qui seront autant de succès. Il accomplit de nombreuses tournées et chante avec sa femme, Lénaïk : "Par le petit doigt". Charles de Sivry, le beau-frère de Verlaine, l'accompagne au piano. En 1898 paraissent les *Chansons de chez nous,* qui consacrent Botrel chansonnier régionaliste. Elles sont tirées à 50000 exemplaires (un record pour l'époque) et couronnées par l'Académie française.

En 1914, les autorités envoient Botrel se produire devant les troupes. Ayant troqué le "chupen" et le "bragou-braz" pour un uniforme, il chante devant les blessés et les combattants : "Ma mitrailleuse" (sur l'air de "Ma Tonkinoise") et daube sur l'ennemi avec : "Guillaume s'en va-t-en guerre !". Il sera décoré de la croix de guerre, ce qui constituera le couronnement de sa carrière de chanteur patriotique. **P.S.**

◎ ***Compilation,*** Dico-ver 12045.2

BOURGEOIS Gérard

Paris, 1936
AUTEUR, COMPOSITEUR

Après avoir entamé des études d'ingénieur, il découvre la chanson et rencontre un certain Jean-Max Rivière•. Ensemble, ils écrivent (Rivière pour le texte et Bourgeois pour la musique) "la Madrague", qu'ils proposent à Brigitte Bardot•, et c'est le succès pour le duo. Ils continuent ensemble pendant douze ans et alignent les petits chefs-d'œuvre : "Un petit poisson" (Juliette Gréco•), "Il suffirait de presque rien" (Serge Reggiani•) et d'autres agréables fantaisies pour Bardot. Bourgeois trace ensuite son chemin seul en travaillant notamment pour Barbara• ("l'Homme en habit rouge"), Jean Guidoni•, Éric Charden et Enrico Macias•. Il met également son talent au service de la publicité et de la comédie musicale (pour le grand clown russe Popov).

BOURTAYRE Henri

Biarritz, 1915
COMPOSITEUR

Après le Conservatoire de Paris, il entre aux éditions Ray Ventura•, que dirige Georges Hélian, le frère de Jacques. Il connaît son premier succès avec "Ma ritournelle", qui devient très vite un tube grâce à Tino Rossi. Lié d'amitié avec le grand parolier Maurice Vandair•, il signe de nombreuses chansons à succès, comme "Dans le chemin du retour", "Fleur de Paris", qui devient une sorte d'hymne de la Libération et lance le grand orchestre de Jacques Hélian qui la prend pour indicatif. Entre-temps, il fait débuter un inconnu, qui deviendra Luis Mariano•, et pour qui il composera "Chevalier du ciel", "Ma belle au bois dormant", "le Chalet bleu" et "Archanges". Suivent "Baisse un peu l'abat-jour", "Feu follet", "Imaginez", "le Swing à l'école", et autres "Chansons grises chansons roses". Il continue sa carrière en se partageant entre l'écriture de chansons ("la Guitare à Chiquita") et les partitions de revues.

BOURTAYRE Jean-Pierre

Paris, 1942
COMPOSITEUR

Fils du compositeur Henri Bourtayre, il compose au début des années soixante ses premières chansons, avec Pierre Saka• comme parolier, pour les Chats sauvages• ("Oh lady", "Cousine cousine"), pour Dick Rivers• seul ("Baby John") et pour Eddie Mitchell• ("S'il n'en reste qu'un", "l'Épopée du rock", "De la musique"). Il connaît un grand succès avec "Adieu monsieur le professeur" (1969) pour Hugues Aufray• et fait un brillant intermède à la télévision avec la musique de la série *Arsène Lupin,* "Gentleman cambrioleur", chantée par Jacques Dutronc• (1974).

À partir de 1970, il est le collaborateur exclusif de Claude François•. Départ de nombreux succès : "Y'a le printemps qui chante" (1972), "Avec la tête, avec le cœur", "la Chanson populaire" (1974), "Toi et moi contre le monde entier", "le Téléphone pleure", sans oublier les mythiques "Alexandrie, Alexandra" (1978, paroles de Roda-Gil) et "les Magnolias". Il remporte le prix de l'Eurovision en 1971, avec Séverine, qui chante pour Monaco ("Un banc, un arbre, une rue"). En 1978 il compose le chant du cygne de Tino Rossi• : "La vie commence à soixante ans". Puis il travaille avec Michel Sardou• : "Vladimir Illitch" (1983) et "Chanteur de jazz". Depuis 1962, Jean-Pierre Bourtayre a signé un bon millier de chansons. Sa carrière se poursuit, déjà couronnée par la vice-présidence de la SACEM, et par les Victoires de la musique (1993). **C.P.**

BOURVIL (André Raimbourg, dit)

Prétot-Vicquemare,
Seine-Maritime, 1917 - Paris, 1970
INTERPRÈTE

Avant de tenir à l'écran des rôles de bon bougre un brin ahuri, notamment aux côtés de Louis de Funès, Bourvil démarra sa carrière en gagnant, en 1939, un radio-crochet à Radio Cité puis en chantant dans les cabarets parisiens des ritournelles naïves, tendance idiot du village. C'est en effectuant son service militaire dans la musique que l'apprenti boulanger normand comprit où était sa vocation... En 1946, il décroche son premier succès (dont il a écrit les paroles et Étienne Lorin, la musique), "les Crayons", au refrain demeuré célèbre : *"Elle vendait des cartes postales... et aussi des crayons".* Et récidive, dans la même veine de paysan ébahi, en 1949, avec "la Tactique du gendarme", dont il est aussi l'auteur des paroles *(La tacataca-tique du gendââârme")* et "À bicyclette". En 1959, alors que Sacha Distel• chante "Des pommes, des poires et des... scoubidou", Bourvil lance sa "Salade de fruits" (jolie, jolie), au propos plus que léger *(Tu plais à mon père, tu plais à ma mère")*, qui séduit les 7 à 77 ans.

Un tendre. Au même moment, il s'éloigne de la franche rigolade pour interpréter des chansons plus sentimentales : "Le Petit Bal perdu" (c'était bien) de Robert Nyel•, que chantera aussi Juliette Gréco•, "la Tendresse" et, surtout, "la Ballade irlandaise". Personne ne voulait de cette chanson d'Eddy Marnay• (musique d'Emil Stern•) ; le manager de Bourvil, qui cherchait à casser l'image comique de son poulain, pensa qu'il serait idéal de lui faire chanter ces très romantiques paroles : *"Un oranger/Sous le ciel irlandais/On ne le verra jamais/Un jour de neige/Embaumé de lilas/Jamais on ne le verra"* La réussite est parfaite : Bourvil s'avère un interprète sensible et intelligent, qui donne à la chanson une force poétique rare. Il poursuit dans la même direction avec "Mon frère d'Angleterre", dont Jean-Louis Murat• donnera une très belle version en 1993... Pour la petite histoire, Bourvil fut le premier à chanter Michel Berger•, qui lui avait proposé une chanson bizarre, sur une musique vaguement africaine, "les Girafes". Il en fit un succès. En 1970, quelque temps avant de disparaître, il enregistre avec Jacqueline Maillan une parodie hilarante du "Je t'aime moi non plus" de Serge Gainsbourg•.

Ne vous laissez pas abuser par ses mimiques d'hurluberlu et quelques ritournelles trop fantaisistes : Bourvil est, bel et bien, un des artistes essentiels de la chanson française. **Y. P.**

- ***L'Intégrale,*** EMI Music
- ***Du rire aux larmes*** (1946-1970), EMI France
- ***20 chansons d'or,*** EMI Music

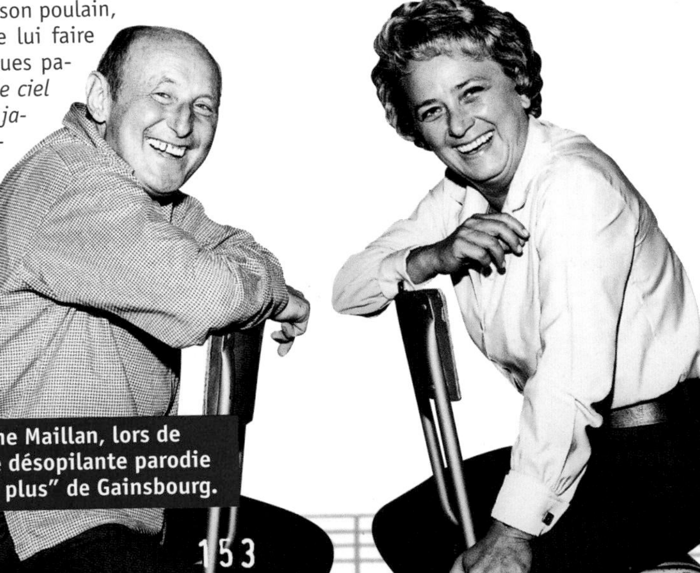

Bourvil, avec Jacqueline Maillan, lors de l'enregistrement d'une désopilante parodie du "Je t'aime moi non plus" de Gainsbourg.

BOYER Jacqueline

Paris, 1941
INTERPRÈTE

Il n'est pas facile d'être la fille de Lucienne Boyer•, l'immortelle créatrice de "Parlez moi d'amour", et de Jacques Pills•, l'accompagnateur puis le mari d'Édith Piaf•... Séduit par sa voix fraîche et son minois vichy fraise, Bruno Coquatrix•, en décembre 1958, la propulse en première partie de Marlene Dietrich au Théâtre de l'Étoile. En 1960, elle remporte successivement le grand prix de l'Eurovision avec "Tom Pillibi" (paroles de Pierre Cour• et musique d'André Popp•) et le coq d'or de la chanson française avec "Comme au premier jour". Puis c'est l'étrange "Coucouche panier, papattes en rond"... En 1966, un grave accident de voiture la rend amnésique pendant trois ans. En dépit d'un passage à l'Olympia, en 1971, avec Trenet• et d'une reprise "rock" du "Parlez moi d'amour" de sa mère, elle ne retrouvera pas le succès.

BOYER Jean

Paris, 1901 - *id.*, 1965
AUTEUR, METTEUR EN SCÈNE

Fils de Lucien Boyer•, il commence par écrire des chansons pour le cinéma ("les Gars de la marine", en 1931, sur une musique de Werner et Heymann et "Avoir un bon copain", la même année, sur une musique de Heymann), puis des dialogues et devient réalisateur de films : *Un mauvais garçon* (1936), *Circonstances atténuantes* (Michel Simon, 1939, avec la chanson "Comme de bien entendu"), *Nous irons à Paris* (1949) et *Nous irons tous à Monte-Carlo* (1951, avec l'orchestre de Ray Ventura•), *le Trou normand* (1952), en tout plus de 70 films. C'est avec le compositeur Georges Van Parys• qu'il écrit ses titres les plus réussis : "Ça c'est passé un dimanche", "Appelez ça comm' vous voulez", "Mimile", "Ça fait d'excellents Français", chantés par Maurice Chevalier•.

BOYER Lucien

Léognan, Gironde, 1876 - Paris, 1942
AUTEUR, COMPOSITEUR, INTERPRÈTE

Après un début aux Quat'z-Arts puis au Carillon, et un tour du monde, il prend la direction du Moulin de la Chanson. En 1914, il est réquisitionné pour chanter des œuvres de propagande. En novembre 1918, il propose à Borel-Clerc• de composer avec lui "la Madelon de la Victoire". Sa carrière commence alors vraiment. Il écrit des pièces de théâtre, des revues, des opérettes, et plus de 2000 chansons, dont les plus célèbres sont : "les Goélands" (paroles et musique que reprendra Damia•), "Tu verras Montmartre" (pour Marcelle Bordas•, en 1922), "le Trompette en bois" (pour Georges Milton•, en 1924), la fameuse "Ça c'est Paris" (pour Mistinguett•, en 1927, avec des paroles de Jacques-Charles), ou "Mon Paris" (pour Alibert•, en 1925).

BOYER Lucienne (Émilienne Boyer, dite)

Paris 1903 - *id.*, 1983
INTERPRÈTE

C'est l'histoire d'une petite modiste qui devient d'abord modèle d'un grand peintre (Foujita) puis chanteuse dans un cabaret (Chez Fysher) et qui remportera en 1930 avec "Parlez-moi d'amour" (Jean Lenoir) le grand prix du disque dans sa première édition. Entre-temps, elle s'était produite au Concert Mayol puis à Broadway (1927). Elle passera ensuite à Bobino, à l'Olympia, rencontrera et épousera le chanteur Jacques Pills•, retournera aux États-Unis en 1939, accumulera les succès. "Si petite", "les Prénoms effacés", "Venez donc chez moi" : son répertoire, servi par une voix de confidence amoureuse, parlait aux hommes de façon troublante. La façon dont elle étirait voluptueusement les syllabes est inoubliable. Malgré l'énorme succès de "Parlez-moi d'amour" et les propositions que lui font les Américains, elle préférera toujours l'espace intime du cabaret, le contact direct avec le public. Et, comme on n'est jamais mieux servi que par soi-même, elle ouvre ses propres cabarets : successivement les Borgia, Chez les clochards, Chez elle puis Chez Lucienne. Héritière de Damia•, elle a su renouveler un style, ouvrant ainsi la voie à Juliette Gréco• ou à Barbara•. **L.-J. C.**

◎ ***Parlez-moi d'amour,*** EMI France

BRANT Mike (Moshe Brant, dit)

Nicosie, Chypre, 1947 - Paris, 1975
INTERPRÈTE

Ce fils de fonctionnaires israéliens, passé par le kibboutz, se lance dans la chanson au milieu des années soixante. Il tourne bientôt à l'étranger, où il est remarqué par Sylvie Vartan•. Son physique de play-boy méditerranéen et sa puissante voix de crooner à la Tom Jones intéressent Gérard Tournier, l'imprésario de Sylvie, qui lui signe un contrat de cinq ans. Dès 1970, le succès est là : "Laisse moi t'aimer", "Rien qu'une larme", "Qui saura ?", "C'est ma prière". Mais, poursuivi par une angoisse profonde, Mike Brant finit par mettre fin à ses jours en se jetant d'un immeuble parisien.

◎ ***Laisse-moi t'aimer,*** EMI France

BRASSENS Georges

Sète, Hérault, 1921 - Saint-Gély-du-Fesc, Hérault, 1981
AUTEUR, COMPOSITEUR, INTERPRÈTE

Né dans une famille modeste de Sète (son père était maçon), il est tout jeune marqué par la chanson et prétendra plus tard en avoir connu deux cents dès l'âge de cinq ans. Ses goûts sont alors, et resteront, éclectiques : Tino Rossi•, Mireille•, Jean Tranchant•... Mais c'est surtout le jazz qui le marque, et la chanson influencée par cette musique, Ray Ventura ou Charles Trenet•. Au collège, il est un élève médiocre, s'amusant surtout à écrire sur des airs à la mode des parodies croquant les professeurs ou ses camarades. Parmi eux on trouve Henri Colpi, futur cinéaste, Maurice Clavel, un peu plus âgé que lui, futur philosophe, Victor Laville, qui deviendra journaliste à *Paris Match* et sera toujours à ses côtés, Émile Miramont, dit "Corne d'aurochs", toute une microsociété dont on entendra parfois les échos dans ses chansons à venir... Cet élève médiocre et distrait, qui brille surtout en gymnastique, doit à la rencontre d'un professeur de français, Alphonse Bonnafé, son intérêt pour la poésie. Maisses études sont interrompues en 1939, en classe de troisième, par un scandale, une série de cambriolages dans lesquels il est compromis. Ses parents, pour tenter de faire taire les commérages, l'envoient alors à Paris, chez sa tante maternelle.

"UNE FAÇON TRÈS PARTICULIÈRE DE JOUER AVEC LES EXPRESSIONS TOUTES FAITES, LES FORMULES FIGÉES QU'IL TRANSFORME EN CHANGEANT UN OU DEUX MOTS."

Les années de formation. Cet "exil" va être, pour lui, salutaire. Jusqu'ici il avait vaguement joué du banjo, dans un orchestre monté avec les copains sétois, mais il découvre chez la tante Antoinette un piano. Commence alors sa formation. Tout en travaillant quelques mois, sans enthousiasme, aux usines Renault de Boulogne-Billan-court, il s'invente une compétence pianistique, bien entendu autodidacte, annote scrupuleusement les livres de poésie qu'il achète chez les bouquinistes et rencontre chez sa tante une couturière bretonne, Jeanne Planche, qui jouera dans sa vie un grand rôle (il lui consacrera deux chansons, "la Cane de Jeanne" et "Chez Jeanne"). Il rédige à cette époque un recueil de poèmes, *À la Venvole,* qu'il publie en 1942 à compte d'auteur, commence à écrire des chansons, mais il est envoyé en mars 1943 au Service du travail obligatoire, à Basdorf, dans la banlieue de Berlin, où l'on fabrique des moteurs d'avion. Il s'y lie d'amitié avec Pierre Onteniente, rebaptisé Gibraltar *("parce qu'il était solide comme un roc"),* qui sera toute sa vie son homme de confiance, il interprète ses premières œuvres dans les fêtes organisées par les prisonniers français, en s'accompagnant au piano, et certaines des chansons écrites à cette époque connaîtront le succès dix ans plus tard ("Pauvre Martin", "Brave Margot", "Bonhomme"). Brassens a commencé sa formation sur le tas.

De retour à Paris pour une permission, il décide de ne pas retourner dans son camp et se cache chez Jeanne, impasse Florimont, dans le 14e arrondissement : il y vivra jusqu'en 1966. Commence alors une vie de bohème. Il s'est acheté une guitare d'occasion, a appris quelques accords, il écrit, compose, collabore sous les pseudonymes de Géo Cédille et Gilles Colin au journal anarchiste *le Libertaire,* et cherche en vain des interprètes pour ses œuvres. À cette époque, il ne songe pas en effet à monter sur scène et voudrait se contenter d'écrire des chansons pour les autres. C'est en mars 1952 que la chance lui sourit. Il passe une audition dans le cabaret que dirige à Montmartre la

Georges Brassens dans toute sa simplicité, celle de la vedette qui refuse de jouer le jeu du vedettariat.

Georges Brassens n'a jamais caché son admiration pour Jean Sablon comme pour Tino Rossi.

chanteuse Patachou• : séduite, elle lui prend immédiatement "Brave Margot", "les Bancs publics", qu'elle chantera dès le lendemain, et le pousse littéralement sur scène pour défendre les chansons qu'elle ne peut pas interpréter, comme "le Gorille", "la Mauvaise Réputation" ou "Hécatombe". Pris en main par Jacques Canetti•, Brassens fait durant l'été 1952 une tournée avec les Frères Jacques• et Patachou•. Mais, dès 1953, il est en vedette à Bobino. Sa carrière est désormais lancée, et son succès ne se démentira jamais. En particulier, il traversera la vogue yé-yé au début des années soixante sans perdre une once de popularité, remplissant toutes les salles de music-hall : pendant vingt ans, il sera une institution de la chanson française.

Un artisan de la chanson. La France a découvert avec lui un poète qui divise le public, les uns réprouvant son verbe cru, son anarchisme, les autres se réjouissant des volées de bois vert (toutes littéraires) qu'il distribue allègrement à la police et à l'Église. "la Chanson pour l'Auvergnat" (1955) les réconciliera tous, et les succès s'enchaînent alors : "le Testament", "Putain de toi", "Au bois de mon cœur", "les Copains d'abord", "Complainte pour être enterré en plage de Sète", etc. Il met en musique avec succès quelques poèmes : "la Ballade des dames du temps jadis" de François Villon, "la Prière" de Francis James et "Il n'y a pas d'amour d'heureux" d'Aragon• (sur la même mélodie), "Gastibelza" de Victor Hugo. On retiendra dans cet ensemble deux grandes réussites : "la Marine" (sur un poème de Paul Fort) et "les Passantes" (sur un poème d'Antoine Pol). Mais il écrit surtout ses propres textes, dont certains seront interprétés par d'autres que lui : Patachou bien sûr ("le Bricoleur"), Sacha Distel• ("le Myosotis"), Marcel Amont• ("le Vieux Fossile"), Pierre Louki•, etc.

L'écriture de Brassens se caractérise d'abord par l'utilisation de formes linguistiques extrêmement classiques, parfois un peu désuètes – "J'ai perdu la tramontane", "Vénus callipyge" –, ou par de discrètes références culturelles, en particulier aux chansons populaires, comme "À la claire fontaine" ("Dans l'eau de la claire fontaine"), "En passant par la Lorraine" ("les Sabots d'Hélène"), etc.

Mais il a surtout une façon très particulière de jouer avec les expressions toutes faites, les formules figées, qu'il transforme en changeant un ou deux mots, ce "défigement" étant un peu sa marque de fabrique. Les exemples de cette technique abondent :

– *"Il y avait des temps et des temps… que j'mettais pas d'vin dans mon eau"* ("Celui qui a mal tourné") ;

– *"J'ai l'honneur de ne pas te demander ta main"* et *"ma mie de grâce ne mettons pas sous*

la gorge à Cupidon sa propre flèche" ("la Non-Demande en mariage");
– *"Mes vingt ans sont morts à la guerre de l'autre côté du champ d'honneur"* ("le Temps passé");
– *"Mieux vaut tourner sept fois sa crosse dans la main"* ("les Deux Oncles");
– *"Dans ma gueule de bois j'ai tourné sept fois ma langue"* ("le Vin");
– *"La belle qui couchait avec le roi de Prusse"* ("la Tondue");
– *"La pauvre vieille de somme"* ("Bonhomme");
– *"Mourons pour des idées, d'accord, mais de mort lente"* ("Mourir pour des idées");
– *"Les femmes adultères d'abord"* ("À l'ombre des maris").

Sa culture autodidacte est partout présente, comme lorsqu'il fait référence, dans "Embrasse-les tous", à Simon de Montfort : *"Embrasse-les tous, Dieu reconnaîtra les siens."* On lit ainsi sous ses textes toute une série de références, souvent ironiques, toujours discrètes. Pour toutes ces raisons, Brassens est devenu pour le sens commun le poète de la chanson, celui que les professeurs de français faisaient volontiers écouter à leurs élèves (en évitant bien sûr les chansons trop "crues"...), celui pour lequel des milliers de jeunes gens ont appris la guitare. Dans cette image publique, un autre trait apparaît fréquemment : Brassens est un poète, certes, mais ses musiques seraient monotones, il utiliserait toujours le même rythme, les mêmes accords... Rien n'est plus faux cependant, même si le choix de la simplicité (sur scène il était accompagné par sa guitare et une contrebasse, sur disque il y ajoutait une seconde guitare) pouvait donner cette impression. Maniant les différents rythmes avec dextérité, pratiquant la coupe avec science, il savait donner aux textes, grâce aux rapports délicats entre les mots et les notes, un sens second, évoquant des images latentes, faisant parfois aussi sourire avec une rime inattendue.

Il y a chez lui une maîtrise de l'art de la chanson qui n'a pas fini d'impressionner les analystes. Il savait par exemple donner du sens à la ligne mélodique : dans l'une de ses premières chansons, "Gare au gorille", la mélodie un peu plate prend soudain un mouvement sinusoïdal, montant puis descendant d'une octave sur un iiiiiiiiiii longuement étiré qui évoque un cri d'alarme. Loin du poète plaquant ses vers sur trois accords de guitare, comme certains ont voulu le décrire, il était plutôt un artisan de la chanson qui polissait longuement ses textes, travaillait ses mélodies, ses harmonies (le plus souvent au piano) et parvenait à tirer le maximum du mariage de quelques couplets et de la musique.

Le degré zéro de la gestuelle. Les artistes qui ont débuté dans les années cinquante au cabaret et qui avaient été obligés de s'y accompagner à la guitare ou au piano eurent presque tous, le succès venu, le même réflexe : s'entourer d'un orchestre, enrichir leur environnement musical (ce fut par exemple le cas de Jean Ferrat•, Pierre Perret•, Georges Moustaki•, Guy Béart•, Jacques Brel•, etc.). Brassens eut la démarche inverse : il conserva sur la scène les moyens du cabaret, sa simplicité, se contentant d'ajouter à sa guitare une contrebasse. Nous l'avons dit, il ne voulait pas chanter ses chansons, rêvant de les faire interpréter par d'autres. Il souffrait en effet du trac, suait à grosses gouttes, tel un ours pris au piège. Mais il sut apprivoiser cette partie du métier, la plus visible, celle qui façonne une image publique, et faire de ses difficultés une qualité.

"IL RIAIT DANS SA MOUSTACHE LORSQU'IL LÂCHAIT UN "GROS MOT", COMME POUR SE FAIRE PARDONNER..."

Il entrait en scène dans son costume strict, portant chemise blanche et cravate, tenant sa guitare à bout de bras, comme un instrument aratoire. Puis il mettait le pied sur une chaise, la guitare sur son genou et il entamait son récital, riant dans sa moustache lorsqu'il lâchait un "gros" mot, comme pour se faire pardonner cette outrecuidance. La chanson terminée, il se levait et, la guitare toujours au bout de son bras, faisait un petit tour, comme un tour de piste, donnant l'air de tourner en rond, glissait trois mots à son contrebassiste (en fait il lui demandait quelle était la chanson suivante prévue au programme...), revenait à sa chaise, et tout recommençait jusqu'à la fin du récital : il quittait alors la scène sans saluer, hochant simplement la tête en réponse aux applaudissements. À l'heure où Gilbert Bécaud•, dit "Monsieur 100 000 volts", déchaînait les foules, où Jacques Brel• mimait avec passion ses chansons, cette immobilité pouvait apparaître comme d'un autre âge, un peu "rétro".

Elle avait cependant une redoutable efficacité. Accroché à sa guitare comme à une bouée de sauvetage, Brassens distribuait savamment les coups d'œil vers le public, à droite, au centre puis à gauche, et chacun, dans la salle, se sentait regardé, choisi. Ses sourires accompagnant les rares mots crus de ses textes faisaient fondre les spectateurs : ainsi, cet anarchiste, cet athée, ce bouffeur de flics et de curés avait honte, comme tout le monde, lorsqu'il prononçait des "gros" mots, comme s'il se souvenait des interdits familiaux... Il y avait dans tout cela une science de la scène qui avait l'art de se faire oublier, et ce degré zéro de la gestuelle était tout aussi chargé de sens que les déplacements sophistiqués et les chorégraphies soigneusement réglées d'autres artistes.

La génération Brassens. Jacques Brel, Georges Brassens et Léo Ferré• ont été pendant un quart de siècle la trilogie de référence pour les amoureux de la chanson française. Ils ont créé un genre à succès, sur le marché intérieur comme à l'exportation. Aujourd'hui encore, partout dans le monde, ils sont, avec Édith Piaf• et Georges Moustaki, l'un des fleurons de la culture française, à côté de certains grands crus, des parfums et de la haute couture ; ils symbolisent ce qu'on a appelé la "bonne" chanson, la chanson "poétique", et qui est tout simplement la chanson française, avec pour principale caractéristique la part qu'y occupe le texte.

Toute une génération d'apprentis chanteurs s'est ainsi "fait" les doigts sur les accords de Brassens, de Maxime Le Forestier• à Renaud• (tous deux ont enregistré ses chansons), de Pierre Perret• à Philippe Chatel•.

Il ne s'agit pas ici d'imitation, tout juste d'influence : ces artistes ont su développer leur univers propre, leur style. Il s'agit plutôt de racines, de terreau. En 1991, Alice Dona• a mis en scène un spectacle Brassens, donnant à sa troupe le nom révélateur de Génération. S'il y a une "génération Brassens", elle se manifeste par un souci commun d'écriture, de finition. Mais cette génération est aussi celle des centaines de milliers de guitaristes amateurs qui connaissent ses chansons par cœur, du public qui lui reste fidèle.

À son corps défendant, Brassens est ainsi devenu un symbole. On lui a consacré de nombreuses études, on a tenté de le récupérer, d'en faire un chrétien qui s'ignorait, de lui faire dire divers messages. Lui se définissait comme un anarchiste : *"Je suis tellement anarchiste que je traverse toujours les rues dans les passages cloutés, pour ne pas avoir à discuter avec les flics."* Anarchiste, Brassens ? Si l'on veut, mais anarchiste débonnaire et souriant, loin des meetings fiévreux (il a cependant plusieurs fois chanté gratuitement pour la Fédération anarchiste) et des bombes. Statufié de son vivant, il est cependant resté semblable à lui-même, un homme simple, timide, fidèle en amitié, pas mécontent de l'image d'ours mal léché que les médias donnaient de lui et derrière laquelle il s'abritait. **L.-J. C.**

11 volumes (1952-1985, deux CD étant enregistrés par Jean Bertola), Phonogram
Georges Brassens chante les chansons de sa jeunesse (1980), Philips
La Cane de Jeanne (compil. 1952-1964), Polygram Master Serie
Auprès de mon arbre (compil. 2 CD, 1952-1976), Phonogram
Giants of Jazz Play Brassens, Phonogram
Ils chantent Brassens (Cabrel, Dibango, F. Hardy, Le Forestier, Souchon, etc.), Flarenasch, 1996
À lire : Georges Brassens, Poèmes et chansons, Éditions Musicales 57, Paris, 1989, pour l'ensemble des textes et des partitions ; Louis-Jean Calvet, ***Georges Brassens,*** éditions Lieu Commun, Paris, 1991, en format de poche, éditions Payot, Paris, 1993

BREL Jacques

Bruxelles, 1929 - Bobigny, Seine-Saint-Denis, 1978
AUTEUR, COMPOSITEUR, INTERPRÈTE

Les fées de la petite industrie belge s'étaient penchées sur son berceau. Son père, industriel en cartonnerie, devait naturellement lui céder la place, comme dans toutes les dynasties qui se respectent. En attendant, le jeune Brel fréquente le collège de l'institut Saint-Louis, les mouvements de jeunesse (chez les scouts, son totem est "Phoque hilarant"), les terrains de football et la troupe de théâtre du collège, où ses professeurs trouvent qu'il en fait un peu trop dans l'expressivité. À quinze ans, en 1944, il écrit sa première nouvelle, suivie d'autres petits textes, s'essaie aussi à la chanson, se cherche. Mais il ne brille guère au collège et, à dix-huit ans, il entre dans la cartonnerie familiale où son frère aîné, Pierre, l'a précédé : il s'y occupera de la commercialisation du carton ondulé. Parallèlement, il milite à la "Franche Cordée", un groupe de jeunes catholiques dont il devient président en 1949. Chaque dimanche, la petite troupe emprunte une camionnette de l'entreprise de cartonnerie et va présenter des spectacles dans les hospices et les hôpitaux. Brel adapte des textes (la *Ballade des pendus* de

Villon et surtout *le Petit Prince* de Saint-Exupéry, qui sera toujours son auteur favori), écrit, compose et chante des chansons d'inspiration "catholique de gauche", un peu prêchi-prêcha, pleines de bons sentiments mais faisant preuve en même temps d'un talent prometteur : "le Diable", "Il peut pleuvoir", "Il nous faut regarder", "Sur la place", "Dites", "Si c'était vrai" datent de cette époque et témoignent parfaitement de cette tendance. C'est à la "Franche Cordée" qu'il rencontre sa future femme.

"DANS LE MÉTIER, ON SE MOQUE DE SES ALLURES PROVINCIALES, DE SES BONDIEUSERIES, DE SA GAUCHERIE..."

Marié à vingt et un ans, père de famille à vingt-deux (il aura successivement trois filles), il continue son travail à la cartonnerie et chante, dans les fêtes paroissiales d'abord, puis dans les cabarets bruxellois (le Coup de lune, la Rose noire). En février 1953, il enregistre chez Philips, à Bruxelles, un 78 tours qui parvient, à Paris, dans les mains de Jacques Canetti•, découvreur de talents, qui vient de lancer Georges Brassens•. Canetti veut rencontrer Brel, il lui donne un coup de téléphone et Jacques n'hésite pas un instant. Un simple rendez-vous décide de son avenir : c'est à Paris, pense-t-il, qu'il faut aller pour faire carrière. Il quitte tout, Bruxelles, la cartonnerie, la famille, et s'installe dans la capitale française où il va vivre quelques années de dèche avant de percer, enfin, dans le métier.

Un Belge à Paris. Car les choses ne seront pas faciles. Aux Trois Baudets, le cabaret de Canetti, à l'Échelle de Jacob, à l'Écluse, partout où il se produit, le public est tiède, et, si certaines de ses chansons plaisent, tout le monde s'accorde à dire qu'il est un exécrable interprète, qu'il s'habille de façon ridicule (une chasuble pseudo-médiévale...), qu'il ne sait pas quoi faire de son corps. Jacques Canetti, pourtant, croit en lui. Il lui fait enregistrer huit titres en février 1954 (le disque sera un échec total), puis il l'embauche pour sa tournée d'été (avec Philippe Clay• et Catherine Sauvage•). Dans le métier, on se moque de ses allures provinciales, de ses bondieuseries (Brassens l'a baptisé l'abbé Brel, et ce surnom lui restera longtemps), de sa gaucherie.

Jaillissant des coulisses comme un diable de sa boîte, Jacques Brel faisait de ses tours de chant de véritables marathons.

Mais Brel s'accroche, cherche son style. En 1956, il rencontre François Rauber, pianiste classique qui gagne sa vie dans les variétés : celui-ci devient son accompagnateur, puis son orchestrateur et, surtout, celui qui va former, conseiller cet autodidacte musical qui ne sait même pas lire une partition. Cette même année, Quand on n'a que l'amour commence à imposer Brel sur les ondes. Puis c'est Gérard Jouannest, un autre pianiste, qui entre dans sa vie, compose une grande partie de ses chansons et devient son accompagnateur exclusif sur scène. En studio, il travaille avec Rauber toujours, ainsi qu'avec André Grassi ou André Popp•. Et il tourne à en perdre haleine, en France, en Afrique du Nord, au Canada, partout où on le demande, partout où on l'accepte; il accumule les contrats et apprend son métier. En décembre 1958, à l'Olympia, il éclate et apparaît comme un fabuleux homme de scène : nous sommes loin désormais du jeune homme emprunté ne sachant que faire de ses longs bras. "la Valse à mille temps" et "Ne me quitte pas" (1959) puis "les Bourgeois" et "le Plat Pays" (1962) finissent de l'imposer définitivement. À l'égal de Brassens ou de Piaf•, Brel est désormais une immense vedette. Il se produit en URSS et aux États-Unis, en Israël et au Liban, court le monde, brûle les planches. Et brûle aussi la vie par tous les bouts. Après le spectacle, il entraîne régulièrement ses musiciens et ses amis dans de longues équipées largement arrosées, jusqu'à l'aube. Il est "le galérien des galas" comme l'écrit son biographe, Olivier Todd, chante dans toutes les villes de France quand il n'est pas à l'étranger, bat tous les records de spectacles par an, plus que Brassens, plus que Johnny Hallyday•...

Il reviendra à l'Olympia en octobre 1961, puis en février 1963, en octobre 1964, et il y fera, en octobre 1966, ses adieux au music-hall. Il a trente-sept ans, l'âge auquel certains artistes parviennent enfin à percer. Ce départ, il l'explique à longueur d'interviews : *"Je n'ai plus rien à dire, je suis devenu habile, trop habile, je ne veux pas tricher avec le public... "* Mais personne ne croit à ces adieux. En 1967, pourtant, il remplit ses derniers contrats, au Québec, en France, jusqu'à la dernière soirée, le 16 mai, à Roubaix. Rideau. Enfin presque. À New York, en effet, Brel a vu une comédie musicale, *The Man Of La Mancha,* et décide de l'adapter en français. Il interprète Don Quichotte, à Bruxelles d'abord, à l'automne de 1968, puis à Paris, de janvier à mai 1969. Et le 17 mai, deux ans jour pour jour après Roubaix, c'est cette fois un adieu définitif à la scène.

Commence alors pour lui une autre vie. Le cinéma, comme acteur : il tourne dans une dizaine de films, des *Risques du métier* à *L'aventure c'est l'aventure* en passant par *la Bande à Bonnot* ou *Mon oncle Benjamin,* révélant un talent que ses prestations scéniques laissaient supposer. Le cinéma, comme metteur en scène : *Franz,* en 1972, et *Far West* en 1973, qui seront deux échecs commerciaux. La navigation : en 1975, alors qu'il vient de subir une première opération du cancer, il se lance dans une traversée homérique de l'Atlantique, en quasi-solitaire, avec sa compagne et l'une de ses filles, sur un bateau de dix-sept mètres, puis rejoint, seul avec sa compagne, la Polynésie. L'aviation enfin : il pilote depuis 1964, a été propriétaire de différents avions et fera à la fin de sa vie de nombreux allers-retours entre les Marquises, où il s'est installé, et Tahiti. Il y a quelque chose de suicidaire dans cette course à l'exploit. Il aurait dû se soumettre tous les six mois à des examens de contrôle mais ne reviendra en Europe que de rares fois : pour enregistrer son dernier disque, puis pour mourir du cancer dans un hôpital parisien.

"Mourir face au cancer, par arrêt de l'arbitr", comme il l'a chanté dans l'une de ses ultimes chansons ("Vieillir").

Malgré son retrait précoce de la scène et sa longue absence, les ventes de ses disques ont continué à progresser, les radios ont diffusé ses chansons sans discontinuer, et son dernier album, lancé de façon très médiatique par son éditeur, Eddie Barclay•, a été un énorme succès commercial. On y trouve de grandes réussites (les Marquises", "Jaurès") et l'écho, une fois encore, de sa haine des Flamands ("les F... ").

Jacques Brel a été interprété par de nombreux artistes : en français par Barbara•, Juliette Gréco•, Isabelle Aubret•, Serge Lama• (qui lui consacre après sa mort un disque entier), et Nina Simone, dont la version de "Ne me quitte pas" a fait le tour du monde; en anglais par Frank Sinatra, Ray Charles, Tom Jones, Shirley Bassey, Joan Baez et même David Bowie ("Amsterdam"). Dans cette diffusion mondiale, il faut particulièrement signaler le spectacle qui a tenu la scène de longues années aux États-Unis, *Jacques Brel Is Alive And Well And Living In Paris,* trente chansons traduites en anglais par Eric Blau et Mort Shuman• (disponible chez WEA).

Un homme de scène. Malgré des débuts difficiles dans ce domaine, et les quolibets de ses

De gauche à droite, Jacques Brel, Léo Ferré et Georges Brassens : les trois monstres sacrés de la chanson française.

"chers collègues", Jacques Brel est avant tout un extraordinaire homme de scène. Jaillissant des coulisses comme un diable de sa boîte, il faisait du tour de chant un véritable marathon, suait d'abondance, abrégeait les applaudissements pour enchaîner sur la chanson suivante, plus vite, toujours plus vite. Un critique du *New York Times* a écrit de lui que ses jambes sont *"espièglement humoristiques"*, et derrière la formule on revoit ce grand corps dégingandé qui, pour un titre, se contorsionnait, faisait au sens propre du terme le clown et puis, subitement, le visage tendu, prenait une gravité inattendue pour la chanson suivante. Avec sa voix tour à tour gouailleuse et grave, il pouvait tout faire, même chanter l'opéra ("l'Air de la bêtise"), et ne s'en priva pas.

"MOURIR FACE AU CANCER, PAR SON COUSINAGE AVEC FERRÉ ET LEONARD COHEN."

Il n'hésitait pas, parfois, à se ridiculiser lui-même en affectant une voix chevrotante ou en forçant un accent bruxellois qu'il avait depuis longtemps perdu. Le tour de chant était chez lui une performance sportive. Avant chaque spectacle, en coulisses, il vomissait. Ensuite, épuisé comme s'il avait disputé un long combat, il s'écroulait dans sa loge. Et ce combat était tout entier mis au service d'un répertoire.

Les chansons de Jacques Brel sont en effet le plus souvent construites comme une courte nouvelle, autour d'un personnage, d'une situation, d'une crise. Jacky, Zangra, la Fanette, Jef, Jojo, Madeleine, Marieke, les prénoms abondent d'ailleurs dans ses titres et dans ses textes. Il croque volontiers des types sociaux ("les

Vieux", "les Bourgeois", "les Bigotes", "les Flamandes", "Ces gens-là"), construit de petites saynètes ("les Bonbons", "le Gaz", "Sur la place" et, surtout, "Amsterdam"). Il y a du Breughel dans ces compositions, dans ces tableaux qu'il va ensuite présenter, défendre, avec sa voix, avec son corps. Car chacune de ses chansons est traduite gestuellement, de façon souvent redondante. Brel vit ses personnages, les habite. Il saute, gesticule, pleure, ricane. En fait-il trop? Le public le suit et vibre avec lui. Sur "les Vieux", il figure du bras le mouvement du balancier d'une horloge *"qui ronronne au salon, qui dit oui qui dit non, qui dit je vous attends"*, dans "les Bonbons", il est l'idiot de service, le dragueur imbécile, dans Au suivant, on croit le voir nu, les reins ceints d'une serviette de toilette, faisant la queue dans un bordel militaire. "Amsterdam" est à tous points de vue exemplaire : le port, les marins saouls, les femmes, les brumes, tout est là, évoqué en quelques mots, en quelques phrases.

La mélodie en mineur, directement inspirée d'une chanson élisabéthaine, "Greensleeves", est appropriée, sans plus, mais surtout l'orchestration, l'interprétation, la gestuelle portent le texte, font monter la tension jusqu'à l'extase finale. La chanson est, sur disque, une réussite, mais qui n'a pas vu Brel la chanter sur scène en perd la moitié. Et ce fantastique pouvoir de suggestion, cette évocation visuelle, ce sens du geste qui porte sont suffisamment rares dans la chanson pour que l'on ait choisi ici de parler de la scène avant de parler de l'œuvre.

Et un auteur. Car si Jacques Brel n'est pas un très grand musicien, si ses mélodies ne sont pas ce qui frappe le plus chez lui, son écriture, elle, est remarquable de simplicité et d'efficacité. Il a le sens de la formule, le goût du néologisme *("je me suis déjumenté", "une maison qui se tire-bouchonne", "je mourirai")* et de l'allitération *("un divan de diva")*. Sa langue est directe, immédiatement compréhensible, et les mots font toujours mouche, au service de quelques thèmes récurrents.

Une veine antimilitariste forte, tout d'abord ("le Caporal Casse-Pompon", "la Colombe", "Au suivant"), associée à un anticléricalisme parfois violent (avec des paroles comme *"le flic sacerdotal penché sur moi comme un larbin du ciel" et des chansons comme* "la Dame patronnesse", "les Bigotes"). L'amitié aussi, qui semble avoir été pour lui la valeur la plus sûre (Jef", "Jojo"...), la mort ("le Dernier Repas", "le Moribond", "le Tango funèbre", "les Vieux"...) et surtout la femme.

Elle est, pour lui, "notre pire ennemie" ("les Biches"), celle qu'on ne comprend pas et par qui le malheur arrive : *"Les filles... c'est beaucoup d'ennui... ça dépend des sous... ça se joue de vous."*. ("les Filles et les chiens"). Brel a eu une vie privée orageuse, largement polygame, et s'il a su chanter l'amour de façon touchante ("Ne me quitte pas", "Quand on n'a que l'amour"), c'est surtout la misogynie qui l'emporte chez lui et qui frappe le plus. *"La femme est figée en putain, en être angélique, en femme soumise"*, écrit Olivier Todd, résumant bien, de façon cruelle, toutes les contradictions d'un homme à fleur de peau dans ses rapports avec l'autre sexe.

Reste une autre blessure, la plus profonde peut-être, mais toujours évoquée avec une ironie rageuse, une autre contradiction : la Belgique. Jacques Brel a fui son pays, s'est voulu parisien, puis voyageur itinérant, a chanté, clamé sa haine des Flamands (les Flamandes", "les F... ") avec des mots injustes et qui faisaient mal; il s'est moqué de l'accent bruxellois, mais il a su en même temps évoquer de façon poétique le Bruxelles de la belle époque ("Bruxelles"), les plages et leurs *"vagues de dunes pour arrêter les vagues, et de vagues rochers que les marées dépassent"* ("le Plat Pays"), allant même jusqu'à utiliser pour chanter ses origines une langue qu'il détestait et s'était toujours refusé à parler : *"Mijn platte land mijn Vlaanderland"* ("Mon pays plat, mon pays flamand", dans "Marieke").

Car Brel est, dans sa sensibilité, profondément flamand. Un Flamand francophone, qui règle ses comptes avec on ne sait quel passé, mais qui, même exilé aux îles Marquises, dans la lointaine Polynésie, reste marqué par les cieux mouillés et les cathédrales du pays de son enfance qu'il croit parfois retrouver dans les pluies des mers du Sud. Après sa mort, une main inconnue a peint sur un pont, entre Liège et Bruxelles : *"Brel is dood, hourrah! : Brel est mort, hourrah!"* Et l'on se dit qu'il aurait pu lui-même, en un ultime pied de nez à la Flandre et au ciel, rédiger ce texte. La Flandre, les femmes, deux histoires d'amour et de haine qui sont au centre de son œuvre. **L.-J. C.**

◎ 6 volumes ***(1955-1977)***, Barclay/Polygram
◎ ***Intégrale Grand Jacques*** (10 CD), Barclay
◎ ***Aux suivants***, Barclay, 1998
(Douze interprètes de la nouvelle génération, dont Dick Annegarn•, Bashung•, Stéphane Eicher•, Faudel•, Kent•, M, Mano Solo•, Noir Désir•, les Têtes raides• et

Zebda•, rendent hommage à Jacques Brel)
À lire : Olivier Todd, ***Jacques Brel, une vie,*** Robert Laffont, 1984
À voir : Jacques Brel, film de Frédéric Rossif, Télé-Hachette et Bel Air

BRETON Raoul

Vierzon, 1896 - Atlantique, 1959
ÉDITEUR MUSICAL

Étrange destin. Débuter danseur mondain et devenir un grand éditeur. Car le jeune danseur ne rêve que de chanson et n'attend que l'occasion de s'y consacrer. Il loue un petit local impasse de l'Industrie, le quartier de la musique, y installe le piano minuetto bleu qui le suit toute sa vie, et se lance dans le métier. En 1928, il édite une chanson anglaise : "Constantinople", créée au Palace par le comique belge H. Henry et reprise par tous les chanteurs fantaisistes. Il est le premier à s'intéresser à Mireille• et à Jean Nohain• et à leur opérette *Fouchtra*. Elle comprenait une perle intitulée "Couchés dans le foin" (créée par Pills et Tabet•, en 1931). À cette époque, Breton lance la pochette couleur, inventée par le dessinateur André Girard, qui avait eu l'idée de remplacer ainsi le triste papier kraft dans lequel on vendait les disques.

Désormais, installé rue Rossini, entouré de sa femme, que Jean Cocteau baptise "la Marquise", et de sa fidèle secrétaire Henriette Ragon, future Patachou•, Raoul Breton va lancer la carrière de Charles Trenet• en persuadant Maurice Chevalier• de chanter "Y'a d'la joie" (1936). Suivront Édith Piaf•, les Compagnons de la chanson•, Charles Aznavour•, qui lui doit de ne pas avoir abandonné le métier, et Jean-Jacques Debout•. Il sera aussi le premier éditeur de Gilbert Bécaud• et d'Anna Marly, compositeur du "Chant des partisans".

Il disparaît dans l'Atlantique, lui, l'éditeur de "la Mer", au cours d'un voyage vers les États-Unis.

BRIDGE
Billy (Jean-Marc Bridge, dit)

Cherbourg, Manche, 1945-1994
COMPOSITEUR, INTERPRÈTE

Imprégné par le répertoire d'Elvis Presley, il connaît immédiatement un très gros succès. Baptisé le "prince du madison", danse qu'il fit connaître en France, trois mois et deux super-45 tours seulement après ses premiers pas dans la chanson, il se retrouve en vedette à l'Olympia. En 1964, le service militaire met sa carrière entre parenthèses et il ne parviendra plus à revenir sur le devant de la scène, se contentant de composer pour d'autres. En 1971, rebaptisé Black Swan, il réalise un impressionnant retour le temps d'un tube, "Echoes And Rainbow", qui se vend à un million d'exemplaires. Le nouveau come-back qu'il tente en 1980 ne sera pas couronné de succès.

BRILLANT Dany

1965
AUTEUR, COMPOSITEUR, INTERPRÈTE

Il ne faut pas réduire cet émule de Charles Aznavour• revisité par Elvis Presley au tube un peu niais "Suzette" (1991). Doté d'une voix ample et chaleureuse où perce la Méditerranée de ses parents, ce garçon est un formidable crooner aussi à l'aise dans le swing rétro que dans la salsa la plus brûlante. En juillet 1985, abandonnant ses études de médecine, il commence à chanter aux terrasses des cafés du Quartier latin avec un voisin saxophoniste. Remarqué en septembre suivant, dans le métro, par le patron du cabaret les Trois Maillets, il va en faire les belles soirées pendant cinq ans... et devient un homme de scène accompli. Il écrit et compose lui-même des tubes comme "Viens à Saint-Germain", "Y a que les filles qui m'intéressent", "les Parfums de l'Orient", "Redonne-moi ma chance". En 1996, il enregistre à Cuba son troisième album, *Havana,* dont les titres "Quand je vois tes yeux" ou "Une fille comme ça", résolument salsa, élargissent son style. Il entame parallèlement une carrière d'acteur au cinéma.

Havana, WEA, 1996

BROUSSOLLE Jean

St Vallier-sur Rhône, 1920 - Arles, 1984
AUTEUR, COMPOSITEUR, INTERPRÈTE

Jean Broussolle écrit son premier succès avec André Popp• "Grand-Papa laboureur" (pour Catherine Sauvage•, 1948). Quatre ans plus tard, il fait son entrée chez les Compagnons de la chanson•, en remplacement de Marc Herrand. Multi-instrumentiste, il apporte au groupe un véritable enrichissement en tant qu'auteur et musicien (trompette, violon, percussions). Certaines de ses chansons, comme "le Cirque", "le Violon de tante Estelle", ou "le Tourlourous", renouvellent la présentation des Compagnons. Son nom est également lié à celui de Gilbert Bécaud• ("Alors raconte", 1956), d'Henri Salvador• ("Quand je monte chez toi", 1957), de Dario Moreno• ("Si tu vas à Rio" et de Dalida• ("Gondolier", 1958).

BRUANT
Aristide (Aristide Louis Armand Bruand, dit)

Courtenay, 1851 - Paris, 1925
AUTEUR, CHANSONNIER, INTERPRÈTE

Né de parents aisés, il fréquente le lycée de Sens. Des revers de fortune familiaux l'obligent, à dix-sept ans, à faire différents petits métiers. Le soir, il fréquente les lieux mal famés de la barrière du Trône (place de la Nation) et commence à écrire des chansons. Il loue un habit noir pour essayer son répertoire dans un café nommé les Amandiers. Puis il débute à l'Époque (futur Pacra, boulevard Beaumarchais). Il abandonne l'habit et se compose une tenue de scène raffinée : jaquette, pantalon bois de rose, gilet fantaisie, le tout surmonté d'un huit-reflets. En 1880, il est appelé sous les drapeaux pour faire une période au 113e de ligne. C'est là qu'il compose son premier succès : "la Marche du 113e". Un pas redoublé sur lequel défileront de nombreux régiments. Démobilisé, il part à la conquête d'un monde nouveau, les cafés-concerts. Il y fait la rencontre d'un journaliste connu, Jules Jouy et avec lui compose "Mad'moiselle écoutez-moi donc". Il ne passe encore à la Scala et à l'Horloge qu'en toute première partie et ne chante que trois ou quatre chansons. Jusqu'au jour où Jules Jouy le fait engager au Chat-Noir. Le vrai Bruant apparaît alors. Il rase sa moustache, laisse pousser ses cheveux, adopte un costume de velours côtelé et une chemise rouge. Il se coiffe d'un large chapeau et drape le tout dans une immense cape et de hautes bottes fourrées. Son répertoire se modifie également. Il débute avec un hymne qu'il écrit sur l'air des "Aqueros montagnos" :

"Je cherche fortune
Autour du Chat-Noir
Au clair de la lune
À Montmartre le soir."

Ce départ est prometteur et la suite ne l'est pas moins. Il crée ses fameuses rengaines sur les bas-fonds parisiens : "À la Villette", "À Ba-

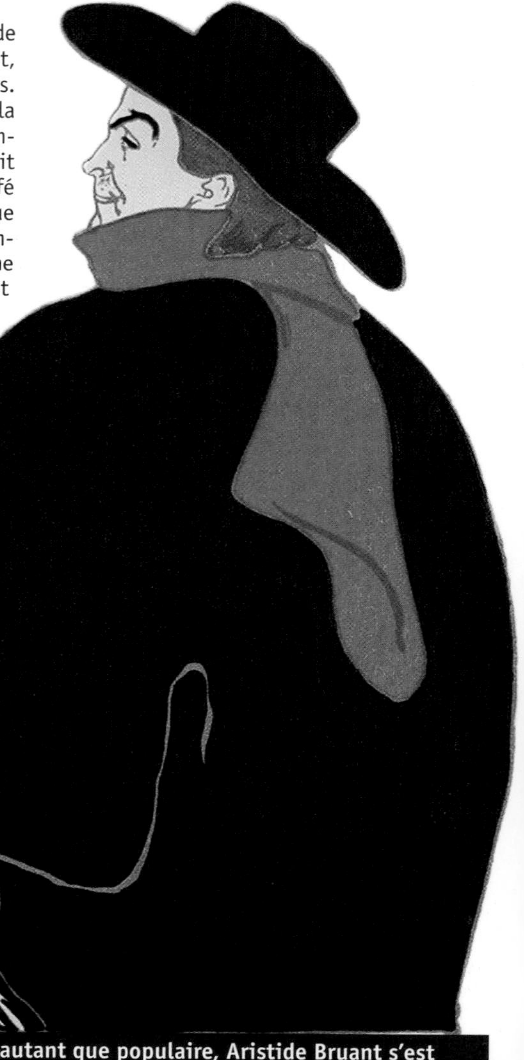

Populiste autant que populaire, Aristide Bruant s'est fait le chantre des faubourgs et des "marlous".

tignolles", "À Montparnasse", etc. Il deviendra ainsi le chantre des Apaches et des grisettes, le précurseur des Carco et des Mac Orlan. Le patron du Chat-Noir, Rodolphe Salis, délaisse son établissement et Bruant le lui rachète 1 000 francs (que lui prête un client). Il arrange la salle à son goût et la baptise : le Mirliton !

Le soir de l'ouverture, c'est la désolation. Il y a trois clients dans la salle. Furieux, Bruant les invective et chante : "Ah c'te gueule c'te binette... Oh la la c'te gueule qu'il a !" Ces derniers, loin de mal prendre la chose, exultent et l'applaudissent. Et, finalement, tous les soirs c'est le même refrain qui fait le succès du cabaret. Bruant est doublé d'un excellent homme d'affaires. Il organise chaque vendredi une soirée dite "soirée chic", qui lui permet de hausser le prix des consommations. La mode aidant, on voit débarquer en calèche les grands-ducs Vladimir et Alexis comme le prince de Galles, le futur Édouard VII. Bruant se présente bientôt à la députation comme candidat républicain socialiste et patriote. Il subit un échec cuisant. En 1917, la mort de son fils, le capitaine Bruant, fauché à la tête de sa compagnie sur le plateau de Craonne, l'atteint profondément. Il ne réapparaîtra que fin 1924, sur la scène du Théâtre de l'Empire, au cours d'une unique représentation. Il meurt quelques semaines plus tard. **P.S.**

◎ ***Grands succès,*** Orphée
◎ ***Nini peau d'chien,*** EMI Music

BRUEL Patrick (Patrick Benguigui, dit)

Tlemcen, Algérie, 1959
Interprète

L'idole des midinettes des années quatre-vingt-dix arrive en France en 1962, avec sa mère, professeur de français et divorcée. En 1978, il répond à une petite annonce parue dans *France-Soir* et tourne dans son premier film, *le Coup de Sirocco,* d'Alexandre Arcady. Bruel n'oublie pas la chanson pour autant et, au cours d'un séjour à New York, il rencontre son alter ego, Gérard Presgurvic, qui travaillera longtemps à l'écriture de son répertoire. Mais le premier 45 tours, "Vide" (1981), passe totalement inaperçu. Les prémices du succès ne se font sentir qu'en 1983, avec le deuxième 45 tours, "Marre de cette nana-là", suivi, en 1985, de "Comment ça va pour vous ?".

La "Bruelmania". *Alors regarde,* en octobre 1989, marque le début de la gloire. Cet album, produit par Mick Lanaro, est l'événement musical de l'année : presque deux millions et demi d'exemplaires vendus ! Le premier simple à en être extrait, "Casser la voix", est propulsé au sommet du Top 50, suivi, de près, par "J'te l'dis quand même", "Alors regarde" et "Place des grands hommes". Ces chansons, souvent bâties sur un fond musical folk, expriment une sorte de révolte virtuelle, non militante, purement émotionnelle. Le troisième album, *Bruel* (1994), est à nouveau enregistré avec Mick Lanaro, l'arrangeur Alain Lepas et le fidèle Gérard Presgurvic, qui coécrit ou écrit de nombreux textes. Le premier simple à en être extrait, "Bouge", ainsi que les suivants, "Combien de murs" et "J'suis quand même là" n'ont pas tout à fait le même succès que les précédents. À l'été 1995, sa décision de ne pas donner de concerts dans les trois villes du Midi conquises par le Front national suscite bien des commentaires, même parmi ses confrères artistes. **A. G.**

◎ ***Alors regarde,*** RCA, 1989
◎ ***Bruel,*** RCA 1994

BUFFET Eugénie

Tlemcen, Algérie, 1866 - Paris, 1934
Interprète

Après des débuts difficiles en Algérie et à Marseille, elle devient en 1890 chanteuse de café-concert à la Cigale, le fameux établissement du boulevard Rochechouart. Le succès est immédiat car elle crée le type de la "pierreuse", fille de mauvaise vie. Un genre de femme qu'elle a côtoyé lors d'un bref séjour en prison pour avoir crié "Vive Boulanger" au passage du président de la République. Elle interprète des chansons de Bruant•, de Botrel•, de Déroulède et du poète Jean Richepin. En 1895, elle accède à la célébrité avec "la Sérénade du pavé" :

"Sois bonne ma chère inconnue
Pour qui j'ai si souvent chanté
Ton offrande est la bienvenue
Fais-moi la charité..."

On la voit chanter alors dans les rues au profit des blessés de l'expédition de Madagascar, et sa popularité devient immense. Désormais, à la moindre annonce d'une calamité, elle chante et quête aux carrefours ! En 1902, elle fonde le cabaret de la Purée, qui vit un an. Pendant la guerre de 1914-1918, elle chante avec ardeur pour les poilus, puis fonde l'œuvre de "la Chanson aux blessés". Surnommée "la Cigale nationale", elle est décorée de la Légion d'honneur en 1933.

◎ ***Compilation,*** Chansophone 136

BÜHLER Michel

Berne, 1945
AUTEUR, COMPOSITEUR, INTERPRÈTE

À la fin des années soixante, un instituteur de village se présente dans un radio crochet. C'est le début d'une carrière de chanteur engagé, qui, seul ou souvent en première partie de Gilles Vigneault•, va présenter sa vision sans concession de la réalité suisse – "Ma mère, la Suisse" –, voire française, avec la chanson "Superdupont". Sur des mélodies très simples, Bühler raconte la réalité des travailleurs étrangers ("les Immigrés"), des gens ordinaires ("Une simple histoire"), des moments de révolte ("Sur le pavé", "Jean Junod"). Installé dans le Jura, il y présente des spectacles originaux, à mi-chemin du théâtre et de la chanson.

- ***L'Autre Chemin,*** Scalen, 1993
- ***Jusqu'à quand ?,*** Scalen, 1997

CABREL Francis

Agen, Lot-et-Garonne, 1953
AUTEUR, COMPOSITEUR, INTERPRÈTE

Bien que né à Agen dans une famille d'immigrés italiens originaires du Frioul, Cabrel va grandir à une vingtaine de kilomètres de là, à Astaffort. La mère est caissière dans une cafétéria ; le père, fou de musette, employé dans une usine de gâteaux. Il faudra toute la magie du Bob Dylan de "Like A Rolling Stone" pour que le fils ose, enfin, toucher la guitare offerte par son oncle à l'occasion de la Noël 1964.

Il passe pour un dilettante, doublé d'un frondeur. L'anglais excepté – parce qu'il veut comprendre ce que chante Dylan –, peu de matières ont de l'importance à ses yeux. En fin de première, il quitte le lycée. Devenu magasinier dans une fabrique de chaussures, Francis se taille une petite réputation dans les radio-crochets de la région. Il est élu parmi 400 postulants au tremplin musical de Sud-Radio, où il interprète une composition personnelle, "Petite Marie". Plus que les 2 000 francs de prime, "plusieurs loyers de l'époque", la présence de Daniel et Richard Seff parmi le jury va lui permettre de franchir une étape décisive. Les frères toulousains, qui ont leurs entrées dans le monde du disque, le poussent à travailler ses maquettes et lui obtiennent une signature chez CBS.

L'Olympia. En 1977 paraît *Ma ville,* album où figurent "Petite Marie" et "les Murs de poussière", chansons qui vieilliront bien et trouveront un écho plus que favorable parmi le public. En attendant, le disque, maladroit malgré les conseils des Seff, ne se vendra qu'à 15 000 exemplaires. Peu, mais suffisamment pour continuer. En pleine vogue de dance musique sur fond disco, Francis Cabrel revient en 1979 avec un album où les guitares frondeuses, mais sans inutiles débauches de décibels, dominent. Les dix compositions de ses *Chemins de traverse* défient les modes de l'instant. D'abord commercialisé, le titre générique laisse tout le monde de marbre. L'instant est venu pour "Je l'aime à mourir" de faire son entrée en scène. Cabrel, qui tourne en première partie de Marie Myriam et de Patrick Sébastien, entrevoit, éberlué, soir après soir, le succès grandissant de sa bluette que matraquent les radios. Même s'il a soudain l'impression que tout va trop vite pour lui, la gloire est au rendez-vous.

Country rock. Par plateaux de télévision interposés, on découvre ce débutant aux allures de D'Artagnan, avec sa moustache et ses longs cheveux cascadant en boucles sur les épaules. Un bonheur ne venant jamais seul, il est, coup sur coup, classé meilleure révélation masculine, oscar de la chanson française, meilleur auteur-compositeur-interprète. Entraîné par ce tourbillon, l'album s'écoule à 400 000 exemplaires. Tout naturellement, la maison de disque extrait d'abord de *Fragile* (1980) "l'Encre de tes yeux", qui perpétue l'ambiance de "Je l'aime à mourir", et reçoit un accueil tout aussi favorable. Le balancement boogie de "la Dame de Haute-Savoie" mettra plus de temps à s'imposer. Plusieurs des chansons de cet album sentimental sont enregistrées en espagnol, puis distribuées sur le marché sud-américain.

"Quelqu'un de l'intérieur." La critique dans ses comparaisons pour situer Cabrel, hésite, encore, entre Gérard Manset• et Christophe•. Il est ailleurs. En attendant, l'homme d'Astaffort, nécessités professionnelles obligent, connaît les affres de la vie citadine lors de séjours de plus en plus longs dans la capitale. Cette contrainte va lui inspirer les belles complaintes que sont "Carte postale", "Ma place dans le trafic", "Chauffard", "Je m'ennuie de chez moi", les temps forts de *Carte postale,* son nouvel et déjà quatrième album (1981). Il y affirme un attachement viscéral aux racines et à ses certitudes existentielles. Certaines de ses chansons posent un regard nostalgiques sur des modes de vie en train de disparaître. Ce qui ne l'empêche pas de s'ouvrir à un monde élargi. Plus "préoccupé qu'engagé", selon son expression, il pose un regard tranché sur l'intolérance, "Saïd et Mohammed", les premiers remous et la répression en Europe de l'Est, "l'Enfant qui dort", la condition des femmes, "Leila et les chasseurs". L'Olympia, où il s'est déjà produit en vedette le 22 février 1982, figure au programme de la longue tournée qu'il entreprend. Sans trop en faire, Francis Cabrel, accompagné d'une formation bien en place, révèle un art consommé de la scène. Plusieurs musiciens de ses débuts comme Georges Augier, Jean-Pierre Buccolo, Roger Secco, Jean-Yves Bikialo et, plus tard, Denis Benarrosh ou Denis Llable... partagent avec lui la montée en puissance d'une carrière partie de rien pour atteindre des sommets rarement égalés dans l'Hexagone.

Francis Cabrel, citoyen tranquille d'Astaffort, a pensé abandonner le métier tant son succès lui faisait peur.

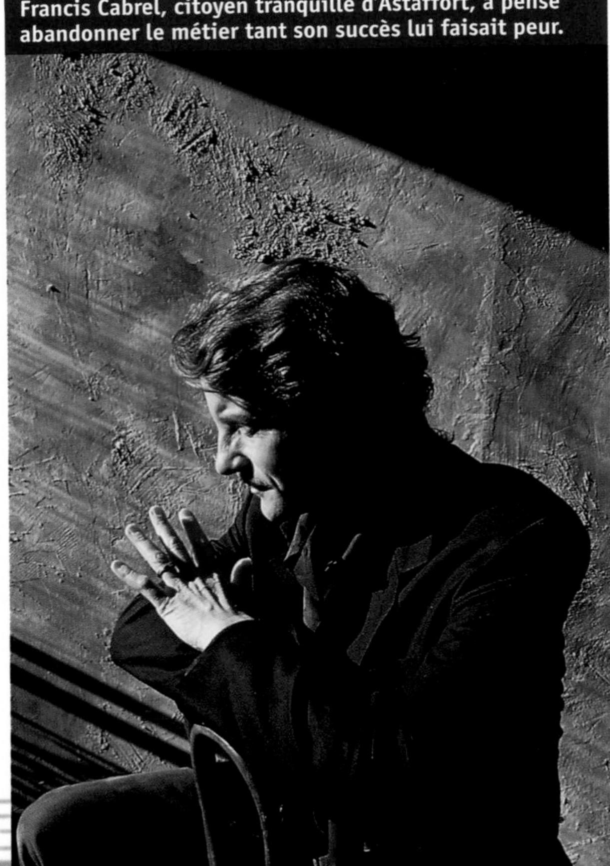

Deux millions d'exemplaires. *Sarbacane,* en 1989, va pulvériser tous ces records en se vendant à deux millions d'exemplaires. Cabrel vient de signer un album solide et abouti, celui dont rêve tout musicien. Les dix compositions réunies dans ce disque illuminé traitent de ses sujets favoris, l'amour jusqu'à la déchirure, les soubresauts du monde, les détresses, avec une unité de ton qui donne à l'ensemble des allures d'album-concept. "Sarbacane", "C'est écrit", "Petite Sirène", "Je sais que tu danses", "le Pas des ballerines" atteignent des sommets de vente.

Aux élections de 1989, Cabrel devient conseiller municipal à Astaffort pour s'impliquer un peu plus dans la vie de la communauté et souligner son attachement intact à sa terre. La tournée Sarbacane fait un triomphe avec l'orchestre traditionnel et en acoustique accompagné par un quatuor à cordes. D'une ombre à l'autre, le triple live qui la restitue, atteindra les 450 000 exemplaires.

En avril 1994, en présentant *Samedi soir sur la Terre,* Francis Cabrel, silencieux depuis quatre ans, avoue qu'ébranlé par l'immensité du succès de *Sarbacane* il a pensé arrêter, partir en pleine gloire puis que, au moment de retravailler, la peur de ne pas être à la hauteur, de se parodier l'a longtemps habité. *Samedi soir,* avec des ventes égales à celles de *Sarbacane,* est en effet différent. Moins compact, l'album flirte avec le blues, tire, non sans bonheur, vers le flamenco. Cabrel y apparaît tout aussi épanoui. Tout naturellement, la tournée qui suivait a mobilisé les foules. En 1999, après avoir lancé une école de chanson dans son village d'Astaffort, il sort un nouvel album, *Hors saison.* **J.-P. G.**

- ***Les Chemins de traverse,*** Columbia/Sony, 1979
- ***Carte postale,*** Columbia/Sony, 1981
- ***Quelqu'un de l'intérieur,*** Columbia/Sony, 1983
- ***Photos de voyage,*** Columbia/Sony, 1985
- ***Cabrel en public,*** Columbia/Sony, 1986
- ***Cabrel, 77/87,*** Columbia/Sony, 1987
- ***Sarbacane,*** Columbia/Sony, 1989
- ***D'une ombre à l'autre,*** Columbia/Sony, 1991
- ***Samedi soir sur la Terre,*** Columbia/Sony, 1994

CAIRE Reda (Joseph Gandour-Bey, dit)

Le Caire, Égypte, 14 février 1905 - 1963
Interprète

Né d'un père égyptien et d'une mère française, il s'installe à Marseille, délaisse l'étude du droit pour la chanson et prend le pseudonyme de Reda Caire, en souvenir de sa ville natale. En 1927, il débute dans l'opérette à Lyon puis monte à Paris, où il se produit, avec son style flamboyant, dans un tour de chant au Bœuf sur le toit. Il se lie d'amitié avec Gaston Gabaroche, qui lui écrit ses premiers succès, "Un soir à La Havane" et "les Beaux Dimanches de printemps". Extrêmement populaire, ténorino au physique délicat, il grave pas moins de cent cinquante 78 tours. Avant Piaf•, il contribue à lancer Yves Montand•. Sa popularité baisse après la guerre, mais, au début des années soixante, son retour sur scène fait grand bruit à Marseille : à ses vieux succès, Reda Caire mêle des nouveautés, signées Ferré•, Aznavour• ou Dimey•, enlevées avec brio. **H.H.**

- ***Les Étoiles de la chanson,*** Music Memoria
- ***Le Séducteur,*** Forlane

CALVI Gérard (Grégoire Krettly, dit)

Paris, 1922
Compositeur

Issu d'une famille de musiciens classiques, il débute sous l'Occupation avec une chanson interprétée par Josette Daydé ("Ah ! la vie m'appelle"). Très ami avec Francis Blanche•, avec qui il écrit plusieurs chansons, il penche alors résolument vers l'équipe des Branquignols et compose la partition musicale de leur premier spectacle au théâtre La Bruyère avec Robert Dhéry (1948). Un succès qui sera suivi de plusieurs spectacles musicaux : *Ah ! les belles bacchantes,* avec Louis de Funès et Jacqueline Maillan, *la Plume de ma tante, Vos gueules les mouettes,* pour ne citer que les plus célèbres), sans oublier les partitions de films *(la Belle Américaine* ou *le Petit Baigneur).*

Gérard Calvi est également le compositeur de nombreuses chansons à succès, dont "le Prisonnier de la Tour" (1949, pour Edith Piaf• et les Compagnons de la chanson•, avec des paroles de Francis Blanche•) ou "Ce n'est qu'une chanson" (1954, reprise par Frank Sinatra et Liza Minnelli). Il sera plusieurs fois président de la SACEM entre 1978 et 1996.

CANDIDO Maria (Simone Marius, dite)

Hyères, 1929
Interprète

Après de solides études d'opéra au conservatoire de Toulon, elle fait ses grands débuts dans l'opérette, en 1954, dans *À la Jamaïque* de Francis Lopez•. Elle bifurque ensuite vers la chanson, tendance latino-sentimentale, et engrange quelques petits succès avec "le Torrent", "Je te le le" et "Pilico" avant de connaître une consécration populaire en interprétant "Buenas noches mi amor", "Donne du rhum à ton homme" et "les Cloches de Lisbonne". Elle retourne à l'opérette dans les années soixante-dix.

- ***Compilation,*** Polygram PG 526 796 2

CANETTI Jacques

Roustchouk, Bulgarie, 30 mai 1909
Suresnes, 1997
Producteur

Le nom de Jacques Canetti, frère du prix Nobel de littérature Elias Canetti, est étroitement associé aux grands noms de la chanson française de la deuxième moitié du siècle. Producteur, directeur artistique, Jacques Canetti fut un découvreur. Il fait ses études à HEC à Paris, puis entre chez Polydor en 1931, où il dirige les séances d'enregistrement du Quatuor de Ravel et de la Suite lyrique d'Alban Berg par le quatuor Galimir.

Passionné de jazz, il devient le correspondant de l'hebdomadaire anglais Melody Maker. Animateur du radio-crochet de Radio-Cité, où Charles Trenet•, Édith Piaf• ou Lucienne Delyle• font leurs premiers pas, organisateur en France des premières tournées "Jazz Hot" (Amstrong, Ellington) en Europe, réfugié à Alger pendant la Seconde Guerre mondiale, il devient directeur artistique chez Polydor à la Libération et le restera jus-qu'à 1962. En 1948, Canetti fonde les Trois Baudets. Le premier spectacle du cabaret montmartrois réunit Henri Salvador•, Jean-Roger Caussimon• et Francis Lemarque•. De Polydor aux Trois Baudets, Canetti devient le passage obligé du succès. Tous les auteurs-compositeurs-interprètes qui vont bouleverser la chanson française à partir de 1950 figurent à l'affiche de son cabaret. S'y croiseront Robert Lamoureux• et Francis Blanche•, Catherine Sauvage• et Bobby Lapointe•, Mouloudji• et Raymond Devos, Juliette Gréco• et Boris Vian•, Jacques Brel• et Georges Brassens•, Brigitte Fontaine• et Serge Gainsbourg•.

Le talent d'une époque. Jacques Canetti avait du flair et la patience nécessaire au démarrage d'une carrière. En 1963, il fonde les disques Canetti, et persuade à cette occasion Serge Reggiani• de venir à la chanson, par un album consacré aux chansons de Boris Vian, ainsi que Jeanne Moreau•, qui interprète des compositions de Cyrus Bassiak (alias Rezvani). Devant la déferlante rock des années soixante-dix et à l'apparition de la nouvelle chanson française (Lavilliers•, Souchon•, Le Forestier•), Jacques Canetti perd son habileté à détecter les stars de demain, après près de trente ans de règne absolu. **V. M.**

CANFORA Armand

Alger, 1921 - Paris, 1973
Compositeur

Un des plus habiles mélodistes de sa génération. Il fait démarrer la carrière de Richard Anthony•, et donc la vague yé-yé, en composant pour celui-ci "Nouvelle Vague" (1960), dans le style des Coasters, ce qui fit croire à beaucoup qu'il s'agissait d'une adaptation de "Three Cool Cats". Il écrit aussi la musique de "Salade de fruits" pour Bourvil•, de "Sortilèges d'Andalousie" pour Luis Mariano• et de "Fais-moi du couscous chérie" pour Bob Azzam•. Accompagnateur de Mick Micheyl• et d'Annie Cordy•, il compose aussi pour le cinéma et le théâtre.

CAPDEVIELLE Jean-Patrick

Paris, 1946
Auteur, compositeur, interprète

Journaliste à *France-Soir, Actuel, Salut les Copains,* confident un temps d'Eric Clapton•, publicitaire, artiste-peintre à Ibiza, il se lance dans la chanson en 1979 avec un premier album, *les Enfants des ténèbres et les Anges de la rue.* Le public retient surtout deux chansons : "Chiquita" et "Quand t'es dans le désert", aux textes violents et imagés, chantés avec une voix aux accents faubouriens et rock, marquée par Dylan et Springsteen. Son deuxième album, *C'est dur d'être un héros,* rencontre encore le succès. Il surfe ensuite sur les styles avec des bonheurs inégaux. En 1992, on remarque *Vertigo,* tendance rhythm'n'blues. Cinq ans plus tard, il produit Ema Shaplin, une chanteuse qui interprète des airs d'opéra sur des arrangements rock.

Politiquement Correct (compil. avec 4 inédits), Tristar/Sony, 1995

CAPRI Agnès (Sophie-Rose Friedmann, dite)

L'Arbresle, Rhône, 1915 - Paris 1978
Auteur, interprète

Comédienne de formation, elle se lance dans la chanson, en 1935, au Bœuf sur le toit, ce cabaret ouvert à l'initiative de Jean Cocteau. En une saison, Agnès Capri devient la coqueluche du Tout-Paris, qui se bouscule pour entendre cette ravissante jeune femme à la petite voix pointue et son répertoire audacieux. Si Marianne Oswald• chante le versant noir de Prévert•, Agnès Capri en donne le versant rose, mais toujours avec une "cruauté d'oiseau" (comme le disait Cocteau). Elle fait scandale à l'A.B.C. en récitant le jour de Pâques le poème de Prévert "Notre Père qui êtes aux cieux, restez-y". En 1938, elle ouvre son propre cabaret (Chez Agnès Capri, rue Molière), où elle fait débuter Germaine Montero•. Pendant les hostilités, Agnès Capri doit se réfugier à Alger, où elle anime (avec Jacques Canetti•) des spectacles à l'Opéra. De retour à Paris, elle rouvre son cabaret, où elle reçoit (jusqu'en 1966) Catherine Sauvage• et Cora Vaucaire•. On salue toujours en Agnès Capri la créatrice de "la Chasse à la baleine" (de Prévert et Kosma). On néglige l'auteur de "la Grande Opéra", "Laisse parler Jacob" ou "Je suis la fille qui se prend à chanter", celle qui a ouvert la voie à la chanson au féminin, aux Nicole Louvier, Anne Sylvestre•, Barbara• ou Brigitte Fontaine•.

H. H.

CARADEC Jean-Michel

Morlaix, Finistère, 1946 -
Rambouillet, Seine-et-Oise, 1981
AUTEUR, COMPOSITEUR, INTERPRÈTE

Il y avait dans les musiques et les mots de Jean-Michel Caradec une fraîcheur et une générosité qui rendent plus pesante encore sa disparition prématurée. Il n'a que trente-cinq ans quand il se tue dans un accident de voiture. Il laisse derrière lui quelques morceaux inoubliables comme "Sous la mer d'Iroise", "Ma petite fille de rêve", "Île", "la Bataille de McDonald".

Jean-Michel travaille la musique sur la guitare que sa sœur lui offre pour ses seize ans. Parallèlement, il apprend la flûte, écrit des poésies et des nouvelles. Serge Reggiani• le met en contact avec Polydor. Durant quatre années, il affine avec le musicien François Rabbath un album qui ne sort qu'en 1973. À la fin de cette année, Jean-Michel Caradec, qui s'est jusque-là produit dans les cabarets et les clubs de la capitale, assure la première partie à l'Olympia de Maxime Le Forestier•, qu'il accompagne ensuite en tournée. L'année 1974 est celle de la révélation avec "Ma petite fille de rêve" et des compositions pleines de sensibilité que sont "la Colline aux coralines" et "Mai 1968". Même si certains le taxent parfois d'une certaine mièvrerie, il demeure comme l'un des artistes français des années soixante-dix les plus estimables.

CARLI Patricia (Rosetta Ardito, dite)

Toronto, Italie, 1943
AUTEUR, COMPOSITEUR, INTERPRÈTE

Elle se fera connaître dans les années soixante par son cri déchirant, "Arrête, arrête, ne me touche pas" (tiré de la chanson "Demain, tu te maries", qu'elle a écrite sur une musique de Léo Missir•). Elle s'éloigne ensuite de la carrière d'interprète et écrit pour Nicoletta•, Dalida•, Tino Rossi•, Claude François• et David Alexandre Winter, créateur du tube "Oh Lady Mary", en 1969. Elle compose aussi, notamment, "la Tendresse" (1972) pour Daniel Guichard•. En 1978, elle reprend le micro pour enregistrer "l'Homme à la plage".

CARLOS (Yvan-Chrysostome Dolto, dit)

Paris, 20 février 1943
INTERPRÈTE

Le fils de la psychanalyste Françoise Dolto aurait pu être kinésithérapeute ; il est devenu, grâce à son physique généreux, un chanteur fantaisiste, dont on sort les disques lors des réunions de famille. Ce fou de jazz devient en 1964 le secrétaire de Sylvie Vartan•... Quatre ans plus tard, il chante avec elle, d'une voix de canard, un fox-trot intitulé "2' 35 de bonheur". Jackpot et début d'une carrière solo : "Tout nu tout bronzé" (1973), "Senor Météo" (1974), "la Cantine" (1975), "Big Bisou" (1977), etc. En 1978, avec l'aide de Claude Lemesle, il adapte un air créole de Georges Plonquitte, "Rosalie", qui va devenir célébrissime grâce à la pub pour un jus d'orange : "Qu'est-ce que tu bois Dou Dou, dis donc ?". Depuis, il poursuit avec une belle constance une carrière d'amuseur public, dans la tradition de Dario Moreno•....

◎ ***Yvan Chrysostome,*** Trema/Sony, 1991

CARRÈRE Claude

Clermont-Ferrand, 1936
AUTEUR, PRODUCTEUR

Après des études juridiques et commerciales, et quelques essais comme parolier, il fonde avec Jacques Plait, au début des années soixante, la première société de production phonographique française indépendante. Il lance alors Sheila•, qui devient la première vendeuse de disques yéyé, et dont il écrit la majorité des chansons : "l'École est finie", "l'Heure de la sortie", "Première Surprise-partie", "le Sifflet des copains", etc. (Un conflit d'intérêts les opposera durement au cours des années quatre-vingt-dix). En 1971, il produit le super-tube (1,5 million d'exemplaires vendus) "Mamy blue" (chanté par Joël Daydé puis par Nicoletta•). Il devient également producteur de Ringo, de Sacha Distel•... Il rachète le groupe Sonopresse et devient producteur-distributeur en étendant son activité

Avec Rachid Taha, Carte de séjour annonce le succès de la musique arabe dans l'Hexagone.

au livre, à la vidéo, aux jeux et aux droits dérivés. En 1989, il vend ce mini-empire (300 millions de francs de chiffre d'affaires annuel) à Warner (WEA) et se lance dans le divertissement télé. Il a écrit plus de 2 000 chansons, dont 800 ont été de très gros succès.

CARTE DE SÉJOUR

Groupe formé à Lyon en 1982 par Mohamed Amini (guitare), Moktar Amini (basse) et Rachid Taha• (chant)

Né dans la chaleur des banlieues et les avatars du racisme ordinaire, inventeur du langage Rhorho, mélange d'arabe et de français, Carte de séjour connaît son heure de gloire, en 1986, avec une reprise très orientale du fameux "Douce France" de Charles Trenet•. Les musiciens distribueront même avec ce dernier et Jack Lang le disque dans les couloirs de l'Assemblée nationale en plein débat sur le Code de nationalité. La carrière de Carte de séjour se termine en 1989, après un maxi et deux albums. L'Hexagone n'était pas encore prêt pour cette ébauche de raï.

◎ *2 1/2,* Barclay/Polygram, 1986

CAUSSIMON Jean-Roger

Montrouge, Hauts-de-Seine, 1918
Paris, 1985
AUTEUR, INTERPRÈTE

Après des débuts au théâtre avec Jouvet et Dullin, il passe au cinéma, joue avec Carné, Renoir et Autant-Lara. Il deviendra aussi un pilier de la télévision où il interprétera une centaine de dramatiques. Parallèlement, puisqu'il ne cesse de naviguer entre ces deux métiers, il écrit des chansons. Ses premiers textes datent de sa captivité au stalag en Silésie. À son retour, en décembre 1942, il se produit au Lapin à Gill où chante sa tante, Yvonne Darle. C'est dans ce cabaret de la bohème montmartroise que, cinq ans plus tard, il fait la connaissance de Léo Ferré•. La rencontre est fructueuse. Caussimon écrit, Ferré compose puis chante : "Monsieur William", "Comme à Ostende", "Mon Sébasto", "le Temps du tango", "Mon camarade"... En 1972, ce sera "Ne chantez pas la mort" et, en 1985, une dernière collaboration, tout un album, avec ses chansons les plus libertaires (" les Loubards", "les Spécialistes", "Comment ça marche"). Caussimon a d'autres interprètes : Renée Jean, Maurice Chevalier•, Philippe Clay•, Catherine Sauvage•, les Frères Jacques•, Réda Caire•, André Claveau•, les Quatre Barbus•, Suzy Solidor• et même Serge Gainsbourg•... mais c'est Léo qui fera de lui un véritable auteur populaire.

En 1970, sur l'amicale insistance de Pierre Barouh•, il enregistre son premier 33 tours, Caussimon chante Caussimon (treize titres récompensés par le grand prix de l'académie Charles-Cros). Il avait fallu insister, tant la modestie de Caussimon était grande. Déjà, en 1967, quand Seghers avait publié ses *Chansons des quatre saisons,* dans la collection "Poètes d'aujourd'hui", Caussimon avait clamé qu'il n'était qu'un "simple chansonnier". Mais pour quelles chansons ! Celles d'un homme au désespoir tranquille parlant de la mer (ou de sa mère qui s'est suicidée en 1943), de l'amour, du temps qui passe, avec toujours la mort en filigrane. **L. C.**

◎ ***L'Intégrale*** (4 CD de 93 titres au total, 1970-1980) Saravah, Média 7

CÉLIS Élyane

Ixelles, Belgique, 1914 - Paris, 1962
Interprète

Sa belle voix de soprano lui permet de débuter sur la scène du Casino de Paris, le 30 septembre 1935, dans Parade de France, aux côtés de Maurice Chevalier•, et de se faire brillamment remarquer en chantant "Pirouli rouli", composée par Vincent Scotto•. Elle monte ensuite un tour de chant et se produit en scène de façon originale : le rideau s'ouvre sur un immense piano à queue sur lequel elle est assise, tandis que son mari, Marcel Delmas, se tient devant le clavier pour l'accompagner. Elle chante aussi bien "Lorsque demain", la chanson de la 2e DB commandée à son époux par le général Leclerc, que "Baisse un peu l'abat-jour", le tango d'Henri Bourtayre•.

◎ ***Compilation 1933-1939,*** Chansophone

CHAMFORT Alain (Alain Le Govic, dit)

Paris, 2 mars 1949
Compositeur, interprète

Dandy, raffiné, pygmalion de Lio•, Bryan Ferry à la française... Malgré ces étiquettes, Alain Chamfort est d'abord un très fin musicien, orfèvre en mélodies délicates, mais redoutablement efficaces. Venu du classique, il est d'abord clavier au sein du groupe de Dutronc•, pianiste d'Alain Barrière• et choriste. Après des débuts incertains, il décide de travailler pour les autres avant que, au début des années soixante-dix, Claude François• ne l'engage à plein temps sur son label Flèche. Passé chez CBS après l'épisode Flèche, Chamfort, en esthète, va imposer une pop simple et raffinée précurseur de tout un courant relayé par Étienne Daho•. Sur la pochette d'*Amour Année Zéro* (1981), il pose en spencer et chemise à jabot près d'un bouquet de roses. Le cliché de Jean-Baptiste Mondino reflète bien ses nouvelles ambitions, affichées dans les titres de ses LP successifs : *Rock'n'Rose* (1977), *Secrets glacés* (1983), *Tendres Fièvres* (1986).

La touche de Serge. En 1979, Poses est terminé, lorsque Gainsbourg•, avec qui il a déjà collaboré, le convainc de substituer à son texte initial, "Adieu California", un autre, "Manureva", sorte d'hommage à Alain Colas, le navigateur récemment disparu en mer. Le succès sera fulgurant. D'autres suivront comme "Chasseur d'ivoire", "Traces de toi" et "Malaise en Malaisie". En 1990, l'album *Trouble,* marqué par une indéniable influence rap, est trop en décalage avec l'image du chanteur. Deux ans plus tard, plus conforme au personnage, Neuf précède une tournée, amorcée aux Bouffes du Nord, avec pour seul accompagnement le piano de Steve Nieve, clavier d'Elvis Costello. En 1997, avec la complicité de son parolier habituel Jacques Duvall, il sort *Personne n'est parfait,* dans lequel il cultive la fausse distance et le sentiment homéopathique. **J.-P. G.**

Dandy de la chanson française des années soixante-dix et quatre-vingt, Alain Chamfort a construit une carrière d'une belle longévité.

- ***Amour année zéro,*** Epic, 1981
- ***Secrets glacés,*** Epic, 1983
- ***Tendres Fièvres,*** Columbia, 1986
- ***Neuf,*** Epic, 1993
- ***Personne n'est parfait,*** Epic/Sony, 1997

CHANSON RÉALISTE

GENRE MUSICAL

C'est au XIXe siècle, époque féconde pour la chanson française, qu'apparaît l'appellation "réaliste". Siècle du développement de l'industrie, des expéditions coloniales, le XIXe, où les républiques et les restaurations se multiplient, qui vit trois révolutions (1830, 1848 et la Commune de 1871), est propice à l'observation détaillée des mutations quotidiennes.

Description sociale. En ville, affluent les paysans pauvres, les filles perdues, qui viennent grossir les effectifs de la classe ouvrière. Les voyous survivent au-delà des barrières (les limites de Paris). Pierre-Jean de Béranger• (1780-1857) institue la chanson d'auteur en signant des textes politiques dès 1814 (" la Censure", "la Requête présentée par les chiens de qualité", "Contre la Restauration"). Les chansonniers prennent la relève : le Beauceron anarchiste Gaston Couté• (1880-1911), le Parisien Jules Jouy (1855-1897), auteur de "la Veuve" (pour la guillotine) ou de "la Soularde" qu'interpréta Yvette Guilbert• en 1881. Enfin, Aristide

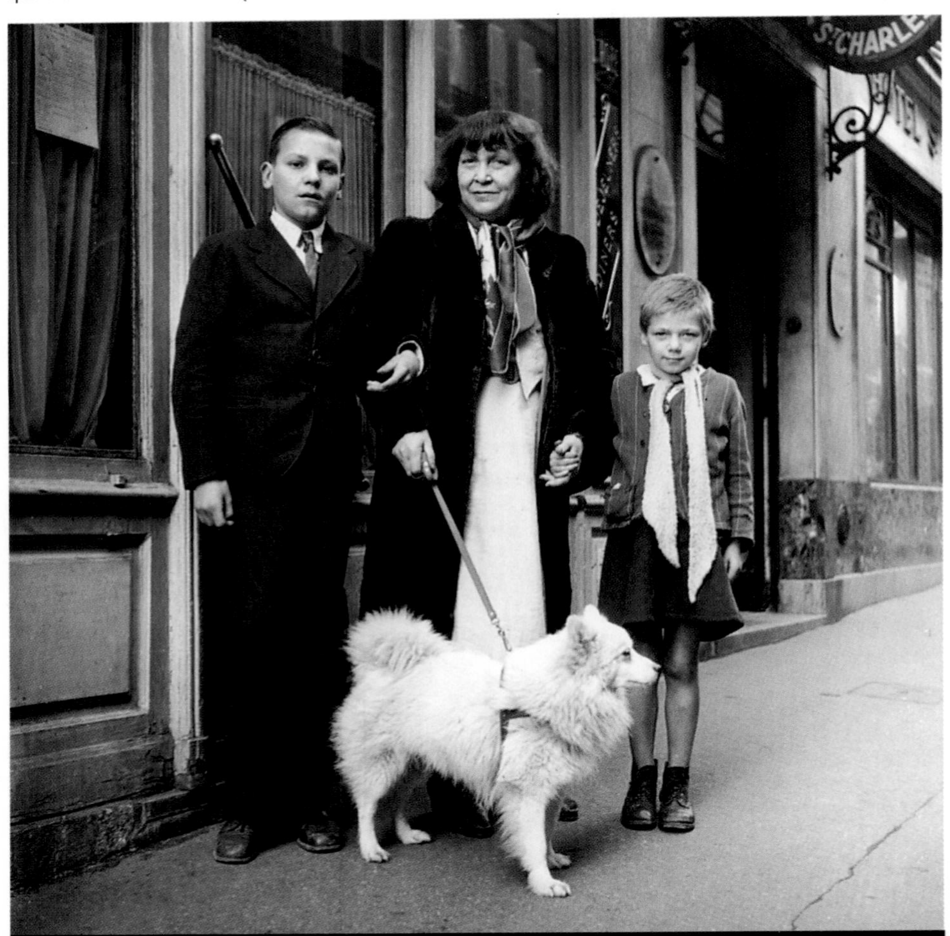

Avec "J'ai l'cafard", en 1927, Fréhel sera la première chanteuse réaliste, cataloguée comme telle.

Bruant• (1851-1925) et les dignes, mais turbulents, membres de la société des Hydropathes, fondée en 1878 au Quartier latin – de futurs piliers du cabaret montmartrois le Chat- Noir –, réconcilient la tradition littéraire et le langage de la rue, décortiquant la misère et la condition humaine avec des mots crus et tranchants. Ainsi, Maurice Mac Nab (1856-1889), mort fou à 33 ans, "Hydropathe" patenté, connaît son premier succès avec "les Fœtus" : "On en voit de petits, de grands, de semblables, de différents, au fond des bocaux transparents." Le siècle touchant à sa fin, les auteurs commentent les affaires, les scandales, les expositions coloniales, les premiers embouteillages (" l'Encombrement" de Xanrof•, auteur du "Fiacre").

Mais la capitale, avec plus de deux cents caf' conc', est aussi en plein délire comique, et produit une quantité impressionnante de chansons scatologiques, grivoises ou criblées de doubles sens (" les Vierges", interprétée au Divan japonais par Yvette Guilbert, alors chef de file de la chanson "érotico-égrillarde"). La loi du réel suppose alors la noirceur, la présence lancinante du destin, la cruauté des nantis, le masochisme primaire qui permet d'accepter la loi du plus fort en espérant quelque vengeance ultime. La chanson réaliste en gestation s'invente une mythologie : par exemple celle de la "Pierreuse" (" ... C'est une gueuse. Sa mère, elle ne la connut point, car on la trouva dans un coin, pauvre pierreuse"), prostituée racolant dans la rue, fille du pavé, décrite cruellement en 1883 dans une chanson de Paul Rosario, créée par Eugénie Buffet•, la "cigale nationale", chanteuse à succès grimée en fille du peuple, et dont Jules Jouy et Yvette Guilbert donneront une autre version en 1891 (" Moi, je suis tout simplement pierreuse, l'soir dans les fortifications, afin d'boulotter l'existence").

De belles heures au XXe siècle. Enracinée dans le siècle passé, c'est pourtant au XXe siècle que la chanson réaliste connaîtra ses plus belles heures, en se débarrassant de ses clichés pour évoluer vers la tendresse trouble du "Gris" et autres compositions de Ferdinand Bénech et Ernest Dumont. Fréhel•, enfant de la rue, née en 1891 dans le Finistère, sera l'exemple le plus déroutant du destin "réaliste".

Morte en pleine déchéance en 1951, après avoir connu une gloire internationale, Fréhel chanta les premières chansons réalistes en titre, "J'ai l'cafard" (1927), "Il n'est pas du milieu" (1928). Fréhel est une comédienne dans l'âme, tout comme sa contemporaine Damia• (1889-1978), qui mime la douleur et l'atténue à la cocaïne et à l'alcool. Damia, chef de file de la grande époque réaliste, varie considérablement le répertoire du genre, passant du mélodrame chanté (" Sombre Dimanche", 1936) à la rengaine des faubourgs (" la Chaîne" de Léo Daniderff•) ou la chanson politique (" la Veuve" de Jouy). Si Yvonne George• (1896-1930) sort de son répertoire habituel pour faire des incursions dans une chanson plus terre à terre (" la Femme du bossu"), Berthe Sylva• (1886-1941) plonge dans des abîmes de sentimentalisme réaliste, chantant l'impérissable "les Roses blanches" après avoir fait pleurer la France avec "la Prière des petits gueux" (trois enfants qui meurent de faim). Née en 1903, Marianne Oswald• est allemande. Chassée par l'avènement du IIIe Reich en 1933, elle ramène en France Brecht et Kurt Weill. Voix de gorge rauque, elle cultive la "chanson parlée" et fait du réalisme social, politique, amoureux une base esthétique. "Pour m'avoir dit je t'aime" (1932) développe ainsi les images de "la Veuve" de Jules Jouy. Héritières de la chanson réaliste, Marie Dubas•, puis Édith Piaf• sauront jouer de ces atmosphères peintes à grands traits noirs, tout comme le poète Pierre Mac Orlan•, dont les chansons sont inspirées des atmosphères louches des bars de marins et de cabarets remplis d'aventuriers et de filles faciles. Avec ses accents plaintifs, ses chanteuses coiffées en casque et sa facilité à s'apitoyer sur la misère, la chanson réaliste a connu une traversée du désert. La nouvelle chanson française (La Tordue•, Casse-Pipe, les Têtes Raides•), apparue au tout début des années quatre-vingt-dix dans les milieux rock et parfois qualifiée de "néoréaliste", donne une seconde vie au genre, en gardant la noirceur, l'atmosphère saturée ou faussement joyeuse, mais en les déstructurant : plus d'histoire racontée, plus de pitié possible, mais de l'absurde enveloppé dans une ambiance "réaliste".

V.M.

Anthologie de la chanson française enregistrée ◎ ***1920-1930,*** EPM, 1993

CHANSON RIVE GAUCHE

GENRE MUSICAL

Dans la bataille qui oppose les deux rives de la Seine, Paris a su fabriquer quelques-uns des plus beaux fleurons de la culture française. Après la domination des grands music-halls de

Depuis l'époque du groupe Octobre (à l'époque du Front populaire), Jacques Prévert (ici avec son frère Pierre) a toujours symbolisé la chanson rive gauche.

la rive droite (l'Olympia, le Casino de Paris, les Folies-Bergère) et des cabarets montmartrois sur la chanson de la première moitié du siècle, voici que les poètes et les écrivains traversent le fleuve et investissent, dans le sillage de Mac Orlan• et de Prévert•, l'art populaire le plus immédiat, la chanson. Précurseur du mouvement, mais encore rive droite, le cabaret le Capricorne, que la jeune comédienne Agnès Capri• avait installé rue Molière en 1938 et où elle interprétait les chansons de Prévert et Kosma• ("la Pêche à la baleine") devant un parterre de surréalistes et d'anciens membres du groupe Octobre, regroupant des artistes, dont Jacques Prévert, engagés à gauche. "Malgré mon parfum de Guerlain", écrivait-elle, "je dégageais une odeur de soufre." Pendant ce temps, Simone de Beauvoir et Jean-Paul Sartre ont établi leurs quartiers au Café de Flore, boulevard Saint-Germain. À la Libération, le mot d'ordre est à la liberté des mœurs.

Saint-Germain-des-Prés. La chanson et le théâtre se rejoignent sur un fond de jazz américain. Agnès Capri•, Juive qui avait fui Paris pendant la guerre, a rouvert un théâtre. Cora Vaucaire•, "la dame blanche de Saint-Germain", y constitue son répertoire (Francis Carco, Prévert bien sûr, Trenet•). On l'entendra ensuite dans les caves et cabarets qui se sont ouverts en grand nombre à Saint-Germain-des-Prés, sur la rive gauche. À l'Échelle de Jacob, créée en 1948, ou à l'Écluse, une salle de trente places ouverte en 1947, année de l'élection de Vincent Auriol à la présidence de la République et de l'invention par Christian Dior de ce que les Américains appelleront le "new look", Cora Vaucaire croise des transfuges de la rive droite (les Frères Jacques•, Marcel Mouloudji•, ami de Marcel Carné et de Jean Cocteau).

Il y a, là aussi, des nouveaux venus, des existentialistes et zazous adeptes de la Rose rouge, ou du Tabou, rue de la Harpe. En 1947, à Montmartre, sur la rive droite, Jacques Canetti• ouvre les Trois Baudets, le cabaret qui, avec celui de Patachou• et l'établissement du Palais-Royal, Milord l'Arsouille, consacrera les débuts de Brel•, de Brassens• ou de Gainsbourg•. Mais c'est de la rive opposée que vient la révolution. Un article du journal *Samedi Soir* révèle la vie nocturne florissante et amorale qui anime Saint-Germain-des-Prés en cette période où les restrictions alimentaires sont encore de mise. Deux photos dévoilent au public la muse de ces nuits sauvages : Juliette Gréco•, photographiée dans *Samedi Soir* à l'entrée du Tabou avec Roger Vadim, puis dans *France-Dimanche*, allongée à côté d'une femme. Ces images sulfureuses de l'indépendance donnent à la rive gauche son atmosphère. Parrainée par Jean-Paul Sartre, qui lui écrit "Rue des Blancs-Manteaux", et Raymond Queneau ("Si tu t'imagines"), Gréco se lance dans la chanson au Bœuf sur le toit, cabaret rive droite, où règne Jean Cocteau. Ses cheveux courts, son insolence ("Je suis comme je suis"), ses coups de cœur pour l'Amérique noire (Miles Davis) font de Juliette Gréco un modèle, que revendiqueront les stars du rock (le noir des vêtements et la coupe frangée des Beatles), et qui façonneront les générations de chanteurs à venir.

L'âge d'or. Au début des années cinquante, un duo fauteur de troubles sillonne Saint-Germain-des-Prés : Henri Salvador•, chanteur, compositeur, et Boris Vian•, trompettiste au Tabou, critique musical au magazine *Jazz Hot,* et écrivain. Vian s'en donne à cœur joie avec Salvador dans "le Blues du dentiste" ou "Rock and rollmops", s'attaque à la bombe atomique, aux militaires, au fisc, à la police, aux machistes. Écrite en 1954 au moment de la défaite de Diên Biên Phu, interprétée à l'Olympia par Mouloudji en 1956 en pleine guerre d'Algérie, reprise par Joan Baez dans les manifestations contre la guerre du Viêt-nam aux États-Unis, "le Déserteur" dégage la quintessence de la chanson rive gauche à venir : en rupture de ban, anarcho-libertaire, à l'image de Léo Ferré•, lui aussi passé par les nuits de Saint-Germain-des-Prés, comme le comique Raymond Devos.

Au milieu des années cinquante, une seconde génération de cabarets se greffe sur les lieux historiques de l'immédiat après-guerre : la Colombe, sur l'île de la Cité, le Cheval d'or, rue Descartes, le Port du salut, ou la Fontaine des quatre saisons, tenu par Pierre Prévert rue de Grenelle. On y entend Vian, Mouloudji, mais aussi Germaine Montero•, Monique Morelli• ou Philippe Clay•.

La chanson "rive gauche" vit son âge d'or à la fin des années cinquante, alors que Catherine Sauvage• – qui a débuté aux Trois Baudets de Jacques Canetti•, décidément une plaque tournante de la chanson "rive gauche" – triomphe à l'Olympia en chantant Léo Ferré. Rive gauche devient alors synonyme d'engagement, et de sérieux. Anne Sylvestre•, féministe avant l'heure, et Bobby Lapointe•, inclassable, font pourtant les fous à la Colombe ou à la Contrescarpe, tandis que Barbara• tient l'affiche de l'Écluse pendant cinq ans grâce à un puissant mélange de désespoir et d'humour. Plus violente, Francesca Solleville• débute avec des textes d'Aragon•, des chansons de Maurice Fanon• et de Pierre Louki•.

L'héritage. La chanson "rive gauche" prend de plein fouet l'avènement du rock au début des années soixante. Aux franges et aux coupes au carré, à la guitare sèche et à la pensée politique, les yé-yé préfèrent l'électricité et les bluettes adolescentes. La ruée vers le rock et le 45 tours privent ce style de ses vitrines naturelles, les cabarets, qui s'étouffent. Boris Vian est au placard. Quelques années plus tard, en transposant les délires du Tabou au théâtre du Vieux-Colombier ou à la Vieille Grille, Jacques Higelin• ou Brigitte Fontaine• assumeront l'héritage d'après-guerre. Au début des années quatre-vingt-dix, l'apport de la chanson "rive-gauche", dont l'image s'était effondrée, est mieux perçu : Anne Sylvestre est réhabilitée, Bobby Lapointe redécouvert par les jeunes musiciens, Gréco, éternelle. **V.M.**

CHAO Manu

Paris, 1961

AUTEUR, COMPOSITEUR, INTERPRÈTE

De 1988 à 1994, Manu Chao, fils de l'écrivain-journaliste Ramón Chao, après avoir participé à l'aventure du rock alternatif français au sein de groupes comme Los Carayos ou Hot Pants, fut l'âme et le pouls de La Mano Negra•. Lorsque le groupe sortit son ultime album, *Casa Babylon,* Manu se transforma en "globe-rocker" et partit pendant quatre ans en voyage, parcourant l'Amérique latine, Cuba, le Mexique, l'Espagne pour trouver des ambiances et des sons nouveaux. En avril 1998, il sort *Clandestino,* premier album sous son nom, qu'il définit comme un véritable croisement entre carnet de voyage et collage musical de ses années d'errance. Essentiellement chanté en espagnol, ce disque dédié à l'EZLN (Armée zapatiste de libération nationale du sous-commandant Marcos, au Mexique) se promène entre rythmes latinos, reggae, blues et ballades nonchalantes. Grâce à des titres enchaînés comme "Bongo Bong", "Je ne t'aime plus" (en duo avec sa compagne Anouk, elle-même à l'origine d'un très bel album, *Automatik Kalamitty,* en 1997), *Clandestino* devient vite une des réussites de l'année 1998. **Y.P.**

◎ ***Clandestino,*** Virgin, 1998

Robert Charlebois a su conjuguer le "joual" des bistrots de Montréal, la phonétique française et le rythme syncopé du rock.

CHARLEBOIS Robert

Montréal, Québec, 25 juin 1944
AUTEUR, COMPOSITEUR, INTERPRÈTE

À ses études, ce fils de bourgeois préfère le théâtre, la poésie et la musique, surtout le rock d'Elvis Presley et de Chuck Berry. Il fait la connaissance de Marcel Sabourin (comédien et futur parolier de ses chansons), étudie à l'École nationale du théâtre et joue dans des revues musicales corrosives, comme "Moi Tarzan, toi Jane", en 1965 ou "Osstidcho" (show de l'hostie), en 1968. Gilles Vigneault• remarque vite ce drôle de troubadour venu d'une autre planète et lui écrit ses premières chansons.

Lorsque Charlebois débarque à l'Olympia, en 1969, avec Louise Forestier•, il a déjà roulé sa bosse dans les festivals internationaux (Prix du festival de Spa en 1968). Ils sont programmés entre Antoine• et Georgette Plana• et le public est dérouté par ces deux Québécois qui hurlent et se trémoussent, parlent le joual (mélange d'argot québécois, de vieux français et d'anglais) dans un déluge de rock psychédélique. Furieux, Charlebois balance sa batterie dans le public. Bruno Coquatrix•, le directeur, l'expulse du music-hall. En 1972, l'incompréhension fait place à la reconnaissance de son talent de showman humoriste, éclectique, et de poète inclassable.

Entre-temps, des auteurs comme sa première femme – Mouffe –, Péloquin, Sabourin, Thibonn ou Réjean Ducharme lui concoctent des titres fétiches, "Lindberg", "Ordinaire", "Conception", "les Ailes d'un ange", "Cartier" et la trilogie "Fu Manchu". L'époque est au délire loufoque empreint de message révolutionnaire. Seul militant du Parti rhinocéros – qui promet de ne rien promettre –, Charlebois se présente contre Pierre-Elliott Trudeau (Premier ministre du Canada). Il invente la première voiture en bois antipollution, tourne dans un western-spaghetti, Un génie, deux associés, une cloche, et continue à poursuivre son idée fixe : "Trouver la note universelle qui fera chanter trois Amériques à l'unisson." Canalisant toutes les aspirations de l'époque, la génération de 68 se reconnaît dans ce nouveau héraut aux allures de bûcheron, qu'elle compare à Groucho Marx.

Imaginatif et décalé. À la fin des années soixante-dix, le clown délirant s'assagit. Devenu père de famille, il interprète les textes de son beau-frère, Jean-Loup Dabadie•, de Luc Plamondon• et de Didier Barbelivien•. Sa musique s'inspire davantage de la variété standard américaine. S'il gagne en popularité auprès d'un public plus conforme, il perd en imagination. Les sages ballades remplacent les folles histoires interminables. L'homme qui racontait les villes et les avions est devenu un campagnard soucieux d'écologie bon teint. Ce génie de la scène offre des prestations au piano manquant de punch.

La crise de la quarantaine digérée, il revient en 1992 avec l'album *Immensément,* qui renoue avec le Charlebois première époque. Couronné aux Victoires en 1993, catégorie l'album francophone, il mélange les chœurs de l'Opéra de Paris à un rock hendrixien assorti de valse créole et de blues, sur des textes de son cousin, le poète

Jean Charlebois. Fin 1996, il reçoit la médaille de vermeil de l'Académie française en présence de Charles Aznavour•. Début 1997, il sort le Chanteur masqué, où figurent des chansons de Coluche, Réjean Ducharme, Lewis Furey ou encore Jean-Jacques Goldman•.

En trente ans de carrière, Charlebois a survolé les modes pour devenir l'un des chefs de file de la chanson québécoise. Il a su adapter de multiples genres musicaux sur des textes provoquants et imaginatifs. Véritable bête de scène, il a séduit un public par un pop-rock franco-anglais décalé et revivifié. **F. Pe.**

Le Meilleur de Charlebois, 2 vol., FNAC Music/WMD, 1991
Immensément, FNAC Music/WMD, 1992
La maudite tournée, Scolan'Disc, 1995

CHARLOTS (Les)

Groupe formé à la fin des années soixante à Paris par Gérard Rinaldi (chant), Gérard Filipelli (guitare), Luis Rego (guitare), Jean Sarrus (basse) et Jean-Guy Fechner (batterie)

Ils ne sont à l'origine que les Problèmes, groupe d'Antoine• et rêvent de devenir les Beatles français. Après s'être essayés au folk-rock, une parodie sur fond d'accordéon du "Je dis ce que je pense, je fais ce que je veux", du même Antoine, leur ouvre, en 1967, d'autres horizons. La révolte remisée au placard, devenu les Charlots, le quintette détourne allégrement les classiques de tous genres et les transforme en autant de succès. Parfois aussi, les Charlots font eux-mêmes leurs morceaux. Le public en redemande, pour preuve, leurs trois semaines à l'Olympia, en 1972. C'est le moment que choisit Luis Rego pour quitter le navire et passer à autre chose. Entre-temps, le cinéma s'est emparé du phénomène "Charlots". Les films vont ainsi s'enchaîner sans qu'ils deviennent – comme ils l'avaient également souhaité – les Marx Brothers français.

Les Bons Morceaux, Vogue/BMG, 1994

CHARLYS (Charles Cachant, dit)

Paris, 1896 - Felletin, Creuse, 1955
AUTEUR, COMPOSITEUR, INTERPRÈTE

Mobilisé en 1914, il revient à la vie civile, gazé et invalide à 100 %. Il chante alors ses chansons dans les rues, s'accompagnant au violon. Un jour, une passante est conquise en entendant "Belles de nuit" : c'est Emma Liebel, une vedette de l'époque. Charlys entame alors une carrière d'auteur : pour Alibert• ("Au pays du soleil", "Quand on s'aime bien tous les deux", 1931), Jacqueline Francell ("le Petit Train départemental", 1933), Tino Rossi• ("Bohémienne aux grands yeux noirs", 1936), Maurice Chevalier• ("L'amour est passé près de vous", 1937), Fréhel• ("Tel qu'il est", "Où sont tous mes amants ?", 1936), Reda Caire• ("Jeunesse", 1936), Fred Adison• ("Quand un gendarme rit", 1936, "On va se faire sonner les cloches", 1937). Après 1940, il entre dans la Résistance, ce qui achèvera de détruire sa santé.

CHATEL Philippe

Paris, 1948
AUTEUR, COMPOSITEUR, INTERPRÈTE

Chanteur discret, un peu à part dans la variété française, il a réussi, tout en écrivant pour les enfants, à séduire les adultes. Après son premier succès en 1977 avec "J't'aime bien, Lili", c'est la déferlante *Émilie jolie* en 1979 qui lui vaut toutes les louanges. Dédié à sa fille, ce double album interprété par Souchon•, Brassens• ou Chédid• a été de nombreuses fois disque d'or. Jean-Christophe Averty, en 1980, en fait une comédie musicale, qui revient régulièrement depuis quinze ans sur les planches des théâtres. Publiant toujours des albums confidentiels, Philippe Chatel est devenu directeur des programmes pour la jeunesse sur La Cinquième. En 1997, une nouvelle version d'*Émilie Jolie* voit le jour avec les voix de la fine fleur de la chanson française (notamment Bashung•, Alain Chamfort•, Étienne Daho•, Dutronc•, Michel Fugain•, Khaled•, Johnny Hallyday•, Maurane•, Florent Pagny•, Axelle Red• et Zazie•)

Émilie jolie, RCA, 1979
Anyway, Carrère, 1991

CHATS SAUVAGES (Les)

Groupe de rock formé en 1960 à Nice, Alpes-Maritimes, autour de Dick Rivers•

Deuxième groupe de rock'n'roll français, les Chats sauvages, à la différence des Chaussettes noires•, ne sont pas parisiens. Ils arrivent de Nice. Toutefois, c'est dans la capitale, chez Pathé Marconi, qu'ils passent, au printemps 1961, une audition décisive. Hervé Fornéri, leur

Pendant quatre ans, les Chaussettes noires ont symbolisé, avec toutes les limites du genre, le "rock'n'roll à la française".

chanteur, qui a beaucoup fréquenté la base américaine de Villefranche-sur-Mer, a pris le pseudonyme de Dick Rivers après avoir vu et revu Elvis Presley jouer une certain Deke Rivers dans *Loving You*. Quant au nom du groupe, il vient des Wild Cats anglais et a été plébiscité par les auditeurs de "Salut les copains" sur Europe 1. Leur premier 45 tours sort en mai 1961. La voix de Dick Rivers est incontestablement dotée du timbre qui convient : elle est puissante, enflammée. Les trois guitaristes ont un son qui se cherche encore, mais le ton est là : les paroles sont drôles, bien balancées : "Ma p'tite amie est vache" ("Mean Woman Blues")... Leur premier 33 tours (25 cm, sortie le 2 octobre 1961) leur apporte une première consécration avec trois énormes succès : l'un original, "Twist à Saint-Tropez" ; le deuxième, "C'est pas sérieux", adapté de Cliff Richard et des Shadows, qui ne cesseront de les influencer sur le plan instrumental ; le troisième hit est une version du "What'd I Say" de Ray Charles, rebaptisée "Est-ce que tu le sais ?" (paroles de Pierre Saka•). Avec leur second album (sorti le 4 juin 1962), les Chats sauvages se montrent en net progrès : voix plus assurée, guitares plus fluides, jolis doigtés. "Oh Lady" est un vrai blues français. Mais, très vite, les groupes ne sont plus à la mode et c'est la déchirure. Dick Rivers s'en va, poursuivant seul une carrière qui dure toujours. Les Chats, eux, tentent de s'en sortir avec un nouveau chanteur, Mike Shannon (Michel Simonet, né à Toulouse), mais cela n'empêchera le groupe de se dissoudre en 1964. **M. A.**

Les Chats sauvages avec Dick Rivers et Mike Shannon 1961-1964
(Compil. de 4 CD), Pathé, 1991

CHAUSSETTES NOIRES (Les)

Groupe de rock formé en 1960 à Paris par Eddy Mitchell• (chant), William Benaïm (guitare solo), Tony d'Arpa (guitare d'accompagnement), Aldo Martinez (basse) et Jean-Pierre Chichportich (batterie)

Premier groupe français, les Chaussettes noires ont joué un rôle plus sociologique que strictement musical dans l'avènement joyeux du rock dans l'Hexagone au début des années soixante. Leur succès immédiat a suscité, un peu partout dans le pays, la formation d'orchestres du même type : un chanteur, trois guitares, une batterie. À l'origine, les Chaussettes s'étaient autobaptisées les Five Rocks. Mais un accord passé, dans leur dos, via Europe 1, entre Barclay, qui les enregistre en décembre 1960, et la marque Stemm, qui veut relancer les chaussettes de couleur noire, en a décidé autrement. Les cinq garçons découvrent leur vrai nom, a priori ridicule mais qui va contribuer à leur spectaculaire notoriété, en s'entendant à la radio.

La recette des Chaussettes. Leur premier 45 tours, contenant notamment "Tu parles trop" (adaptation française de "You Talk Too Much", tube américain du moment), et "Be Bop A Lula" (d'après Gene Vincent, idole d'Eddy), sort le 27 janvier 1961 et bénéficie d'un bouche à oreille fulgurant. Il est suivi, en mars, d'un deuxième super 45 tours dont les ventes vont dépasser les 800 000 exemplaires grâce à "Daniela", immense tube français signé Georges Garvarentz•, et "Eddie sois bon" (reprise très approximative de "Johnny B. Goode" de Chuck Berry).

Les Chaussettes noires, c'est le succès à la portée de tous. Succès qui s'enchaînent, tandis que les concerts dégénèrent. Pendant deux ans, ou presque, c'est la folie. De "Dactylo Rock", "Noël de l'an dernier" ou "le Twist", fin 1961, à "Volage", "Je reviendrai bientôt" et "Parce que tu sais" (1962), rien ne semble devoir tempérer l'irrésistible adhésion du public à ce groupe.

Fin de partie. Pourtant, de fil (de chaussette) en aiguille (d'électrophone), l'aventure s'effrite, inévitablement. Le service militaire disperse les membres du groupe à partir de l'été 1962, poussant Eddy Mitchell vers une carrière solo qui le tente légitimement. Pour Eddy, les Chaussettes noires ne sont plus à la hauteur de son ambition. Sa version de "Be Bop A Lula 63", avec grand orchestre, en apporte l'époustouflante démonstration. C'est la séparation. Sans Eddy, le groupe ne survit pas longtemps, malgré deux super 45 tours style Beatles, en 1964. Une époque s'achève. L'adolescence du rock français. **M. A.**

- ***Les Chaussettes noires,*** Master Série/Polygram, 1989
- ***Le Rock c'est ça,*** Polygram, 1990

CHEDID Louis

Ismaïlia, Égypte, 1er janvier 1948
AUTEUR, COMPOSITEUR, INTERPRÈTE

Son premier enregistrement, intitulé Balbutiements avec le titre "Nous sommes des clowns", date de 1974. Louis Chedid devra pourtant attendre 1981 et son septième album, *Ainsi soit-il,* pour être vraiment reconnu. "Égomane" et "T'as beau pas être beau" révèlent l'humour de ce chanteur, qui, derrière une bonhomie apparente, cache une réelle conviction et des idées bien arrêtées sur la vie. Avec des mots tendres parfois, une dérision toujours employée à bon escient et beaucoup de justesse (il n'est pas pour rien le fils de l'écrivain Andrée Chedid), Louis sait évoquer l'intensité qui se cache derrière la banalité apparente des choses. Discret mais indispensable. Chedid, toujours avec simplicité, jongle avec les genres, passant d'une touche jazz chaleureuse pour mieux s'approcher du rock et revenir à de traditionnelles ballades. Quand il écrit pour d'autres, le "Banal Song" d'Alain Souchon• ou "Moi vouloir toi" pour Françoise Hardy•, la facture du morceau est tout aussi convaincante. Sans trop en faire, mais en signant des titres tranchés comme "Anne ma sœur Anne" il a su se rendre indispensable en imposant un style. Des chansons comme celle-là, derrière une apparente légèreté, dressent un bilan féroce de l'époque, de ses intolérances et de ses excès. De l'Olympia aux scènes de province, la version publique du personnage séduit également. En 1992, il réalise son onzième album, Ces mots sont pour toi, dans un studio mobile, situé dans un petit village du Lubéron, à Lourmarin. À ses claviers habituels, Chedid a simplement substitué l'acoustique et fait appel pour certaines partitions à des musiciens comme Didier Lockwood ou Christian Escoudé. En 1997, son fils Mathieu sort un premier disque sous le nom de M. **J.-P. G.**

- ***Bizar,*** Phonogram, 1990
- ***Ces mots sont pour toi,*** Phonogram, 1992
- ***Répondez-moi,*** Philipps, 1997

CHELON Georges

Marseille, 4 janvier 1943
AUTEUR, COMPOSITEUR, INTERPRÈTE

Le futur baladin mélancolique fait d'abord des études de sciences politiques à Grenoble. Il découvre la guitare lors de vacances en Espagne et profite de l'occasion, quand, en 1964, il gagne, au cours d'un radio-crochet organisé par Pathé-Marconi, la possibilité d'enregistrer un 45 tours. "Le Père prodigue" (1965) et son fameux "Te voilà, toi" rencontrent aussitôt un grand succès. La qualité de ses textes – qu'il met lui-même en musique – conquiert l'auditeur. "Morte Saison", "Si demain" (1966), "Peut-être que peut-être" (1967), "Prélude", "Girouette" (1968), "Merci que ce soit nous" et "Guy" (1969) confirment ces débuts prometteurs. Et ce, sans l'aide des radios, qui le diffusent peu. En effet, son style, volontairement naïf, n'intéresse guère la critique parisienne. Chelon, lucide et plein d'humour, aime aussi à secouer ceux qui l'écoutent, avec, par exemple, "Tango critique" (1968). Avant de se fustiger lui-même dans "Soliloque" (1969). Bien qu'il évolue vers un style plus souple et confortable, Chelon ne semble pas décidé à franchir le pas qui le sépare des chanteurs à succès et reste un militant résolu de l'"exception française" et de la défense des quotas pour la chanson francophone. **A. G.**

- ***En public,*** EPM, 1992
- ***Rimbaud*** (1982), Polygram, 1990

CHEVALIER Maurice

Paris, 1888 - Neuilly, 1er janvier 1972
AUTEUR, INTERPRÈTE

Enfant de Ménilmontant, Maurice Chevalier a été le seul chanteur et acteur français à séduire Hollywood. Séduisant, gouailleur, travailleur

"Avec mon canotier sur le côté". Maurice Chevalier l'a chanté lui-même.

acharné, phénomène de scène, l'homme au canotier a considérablement influencé la chanson française, davantage par son sens aigu du spectacle de music-hall que par son répertoire. Charles Trenet•, dont Chevalier a lancé un des premiers succès, "Y'a d'la joie", puis Yves Montand• ou Gilbert Bécaud•, s'en inspireront.

Précoce. Son père ayant très vite abandonné le foyer conjugal, Maurice Chevalier doit rapidement s'assumer et devient chanteur. Précoce, il s'essaie au comique dans un fond de salle (au Café des Trois Lions) et présente un numéro "paysan", devant un public d'arsouilles éméchés. En 1900, Chevalier a douze ans. Il est fluet. La mode est au comique et à la chanson grivoise que font triompher Dranem•, Boucot (un des premiers guides de Chevalier dans la profession), Montel ou Dorville. Le gamin obtient son premier engagement, pour 12 francs par semaine, au Casino des Tourelles. De Belleville, le "petit Chevalier", qui multiplie des audaces verbales peu en rapport avec son apparence, descend vers les Boulevards et troque ses habits de comique paysan pour ceux d'un "Parigot" typique, avec, déjà, une touche de dandysme anglais. En 1902, il chante au Petit Casino, où avaient débuté Dranem, Esther Lekain• et Paulus•. Sorti de la scène sous les huées, Chevalier est humilié, et, surtout, il est dans la misère noire. Il apprend la boxe et les claquettes – il est tombé en extase devant le tap-dance américain –, et obtient un rôle de boy dans une revue au Parisiana, un music-hall du boulevard Poissonnière.

Triomphe. De fil en aiguille, il bâtit sa réputation. Il est mince, sexy et entre-temps il a grandi – "C'est un long gars qui marche en homme-serpent", écrira Colette à son propos. Il a, dit Fréhel•, une "dégaine de désossé".

Engagé au redoutable Alcazar de Marseille, il y triomphe. Et alors qu'il tient pour la première fois un rôle vedette au côté de Jane Marnac aux Folies-Bergère, il vit une liaison tumultueuse avec Fréhel, déjà célèbre, et déjà alcoolique et cocaïnomane. Chevalier est un solitaire, qui épargne chaque mois ses cachets sur un livret, et le couple s'effondre en 1911. En 1912, il partage l'affiche des Folies-Bergère avec Mistinguett•, dont il s'éprend et avec qui il apprend les ressorts secrets du métier. En 1914, blessé sur le front de Meurthe-et-Moselle, il est emmené au camp de prisonniers d'Alten-Grabow. Grâce à ses hautes relations (le roi d'Espagne), Mistinguett le fera libérer en 1916. Trois ans encore, Chevalier et Mistinguett feront vibrer Paris, le Casino de Paris et les Folies-Bergère. Mais, lui, ne supporte plus d'être le chevalier servant. En 1919, Chevalier, qui a appris l'anglais à Alten-Grabow, joue à Londres *Hello America,* une revue d'Elsie Janis. Mais c'est par des opérettes parisiennes *(Dédé, Là-Haut)* qu'il obtient ses premiers succès de chansons. "Dans la vie faut pas s'en faire" (1921), "Valentine" (1924) entrent au panthéon des succès populaires français. *Dédé* est un immense succès, dont Chevalier voudrait monter une version américaine pour la présenter à Broadway, mais le projet échoue, et la nouvelle star des Années folles sombre dans une dépression qui l'amène à une tentative de suicide. Remis sur pied, Chevalier triomphe à Paris et à Londres (une nouvelle revue, *White Birds*) et il épouse en 1927 Yvonne

Vallée, une chanteuse des Bouffes-Parisiens, dont il divorcera dix ans plus tard. Le "P'tit de Ménilmuche" découvre le canotier et le smoking, le pas de côté et le déhanchement subtil. Avec sa canne et son nœud papillon, il crée un des archétypes du music-hall.

En 1928, il part à Hollywood, contracté par Paramount Pictures, pour qui il tourne dix films de 1929 à 1933, avant de rejoindre la Metro Goldwin Mayer, jusqu'en 1935. De retour à Paris, Chevalier est une immense vedette, que la foule hystérique attend à chacune de ses sorties. "Prosper" (1935), "Ma pomme" (1936), "Ça fait d'excellents Français" (1939) propulsent le chanteur au sommet de la gloire.

Piégé. Populiste, volontiers franchouillard et opportuniste, Maurice Chevalier colle à l'histoire de France. Quand la guerre éclate, il sent le vent tourner en faveur du maréchal Pétain. En 1941, il crée deux chansons équivoques, "Ça sent si bon la France" et "la Chanson du maçon", qu'il interprète au Casino de Paris, devant un parterre où l'occupant nazi tient bonne place. Facilement piégé par les services de propagande allemands, il donne un gala de bienfaisance en Allemagne "pour les anciens prisonniers d'Alten-Grabow", que la presse collaborationniste couvre d'éloges. Cependant, il vit sur la Côte d'Azur, en zone libre, avec sa compagne Nita Raya, dont il protège les parents, des Juifs roumains. À la Libération, Chevalier figure sur la liste noire de la Résistance, dévoilée par Pierre Dac sur Radio Londres. C'est Aragon• qui le sauvera d'une possible condamnation à mort. Acquitté, il interprète "Fleur de Paris" à l'A.B.C. et au Théâtre des Champs-Élysées. Dès lors, il vit en reclus dans sa maison de Marnes-la-Coquette, tout en s'adonnant au plaisir du one-man-show, en France et à l'étranger, jusqu'à ses adieux officiels à la scène, en 1968, au Théâtre des Champs-Élysées. **V. M.**

- ***Anthologie,*** Encyclopedia
- ***Complilation 1920-1923,*** Chansophone
- ***Du charleston à la Drôle de guerre*** (coffret), Music Memoria
- ***Paris, je t'aime d'amour,*** EMI France

CHRISTINÉ Henri Marius

Genève, 1867 - Nice, 1941
Auteur, compositeur

Albert Willemetz• disait : "Avec Christiné, nous avons rénové l'art de tourner un couplet. Dès que je trouvais un départ de chanson, je lui laissais le loisir d'y adjoindre une mélodie qu'il terminait avant que je n'en fasse les paroles", ce qui donnait une prosodie et un phrasé plus modernes pour l'époque. Fragson• donne le ton en jazzant ses interprétations et il met à son répertoire : "Je connais une blonde" et, surtout, le célèbre "Reviens"(1912). Cela n'empêche pas Christiné de composer des chansons mélo comme "la Légende des flots bleus" (1907) et des refrains plus traditionnels comme "la Petite Tonkinoise" et "le P'tit Objet", plus connu sous le titre de "Ah ! Mad'moiselle Rose", chanté par Polin•.

Henri Christiné compose également la musique d'opérettes célèbres dans le monde entier comme *Phi-Phi* (textes de Willemetz et Solar), avec la chanson "C'est une gamine charmante" (1918), et, plus tard, *Dédé* (textes de Willemetz), avec "Dans la vie faut pas s'en faire", chantée par Maurice Chevalier•, à qui il donnera, en 1925, peut-être la chanson la plus importante de sa carrière, la sulfureuse "Valentine" (paroles de Willemetz). **P.S.**

CHRISTOPHE (Daniel Bevilacqua, dit)

Juvisy-sur-Orge, Essonne, 1945
Auteur, compositeur, interprète

Auteur avec "Aline", en 1965, du premier tube (au sens moderne de "succès de l'été") de l'histoire de la chanson en France, Christophe traîne depuis une réputation de romantique peu en rapport avec sa vraie nature de rocker et son réel talent. Avant de mettre un terme à sa première carrière en 1967, Christophe enchaîne les succès (" les Marionnettes", "J'ai entendu la mer") et les frasques.

La BO du film *la Route de Salina,* de Georges Lautner, qu'il cosigne avec le groupe Clinic le ramène en première ligne à l'automne 70. Une dizaine de compositions sympathiques jalonnent son parcours jusqu'à 1974, année de la révélation. Sur des paroles de Jean-Michel Jarre, alors inconnu, Christophe signe deux albums cultes, *les Paradis perdus* et *les Mots bleus.* Samouraï, le Beau bizarre, Pas vu pas pris, trois LP typés mis en mots avec la collaboration de Boris Bergman et Bob Decout, vont suivre. Depuis, la voix aiguë de Christophe s'est faite rare. "Succès fou", son dernier tube renvoie à 1983.

Depuis, il n'a enregistré que quelques singles, "Ne raccroche pas" (1985), et "Chiqué chiqué" passé totalement inaperçu en 1988. En 1995, Christophe quitte Motors pour EPIC, filiale de

Sony, et sort, l'année suivante, l'album de son retour, *Bevilacqua,* où il donne dans la musique électronique. Si la critique s'emballe, le public reste de marbre et boude ce disque audacieux.

J.-P. G.

Un peu menteur, (compil. huit compact), Motors, 1989
Clichés d'amour, (compil. 18 titres), Motors, 1993
Bevilacqua, Pomme Music, 1996

C. JÉRÔME (Claude Dhotel, dit)

Paris, 1947
AUTEUR, COMPOSITEUR, INTERPRÈTE

Ancien chanteur de bal, C. Jérôme ne s'est jamais pris au sérieux. Pourtant, bon nombre de ses chansons, qu'il enregistre entièrement seul, se sont placées en tête des hit-parades à partir du début des années soixante-dix : "Kiss Me", "C'est moi", "Himalaya", "Et tu danses avec lui", "Petite Fille 73"... Il revient au milieu des années quatre-vingt-dix à l'occasion du revival années soixante-dix orchestré par les maisons de disques et les médias.

Tous mes tubes, Musidisc, 1992

CLARET Gaston

Genève, 1901 - Nogent-le-Rotrou, 1960
COMPOSITEUR

D'abord pianiste accompagnateur des chansonniers René Dorin, Pierre Dac et Robert Rocca, il compose des chansons qui deviennent des succès : "Si petite", créée par Lucienne Boyer• (1932), "le Plus Beau Refrain de la vie" (pour Reda Caire•, 1937). Il aborde aussi le genre fantaisiste avec "Dur de la feuille" pour Georgius• ou "Margot la ventouse" pour Paul Meurisse•.

CLARK Petula

Epsom, Surrey, 1932
COMPOSITEUR, INTERPRÈTE

La pétulante Petula, sorte de Shirley Temple qui aurait su grandir, surgit, en France, au début des années soixante, tel un ravissant bonbon rose faisant exprès de ne pas perdre son accent sur "la Java pour Petula" (1958) que lui avait écrite Boris Vian•.

Enfant prodige dans son pays, elle se mua en chanteuse accomplie, qui, en 1965, avec "Downtown", devança les Beatles dans les hit-parades américains et, en 1967, fut sacrée première chanteuse d'Europe au MIDEM... Mariée avec Claude Wolf, l'attaché de presse de Johnny Hallyday•, elle mène parallèlement, jusqu'aux années soixante-dix, une carrière française ("Ne joue pas", 1960 ; "Ya ya twist", 1961 ; "Chariot", 1962 ; "les Colimaçons", 1963, etc.), interprétant plusieurs chansons de Serge Gainsbourg• ("la Gadoue", "Vilaine fille, mauvais garçon", "Ô Shérif ô"). Elle se tourne ensuite vers la comédie musicale anglo-saxonne. Bien qu'oubliée en France (Jane Birkin• aurait-elle pris sa place ?), elle continue à enregistrer des albums et à donner des concerts en Grande-Bretagne et aux États-Unis. Au total, Petula, authentique vedette internationale a vendu plus de 30 millions de disques dans le monde...

My Greatest, Clever, 1989

Blonde et charmante, Petula Clark fut, quinze avant Jane Birkin, l'Anglaise de la chanson française.

CLAVEAU André

Paris, 1915
Interprète

Doué d'un excellent physique et d'une belle voix de baryton, il débute juste avant la guerre dans le style Jean Sablon• et vole de succès en succès. Après la Libération, il connaît une suite ininterrompue de succès qui le confirme tout en haut de l'affiche : "les Yeux d'Elsa" (poème d'Aragon•, musique de Jean Ferrat• et Maurice Vander•), "Cerisier rose et pommier blanc", "Domino". Il anime en outre sur Radio Luxembourg une grande émission destinée au public féminin (le Temps des dames et des demoiselles), avant de se retirer au début des années soixante-dix.

◎ ***Cerisier rose et pommier blanc,*** Polygram, 1987
◎ ***Compilation,*** EM France

Doté d'une voix puissante, André Claveau a quelque peu bridé ses possibilités pour devenir l'idole des femmes des années quarante.

CLAY Philippe (Philippe Mathevet, dit)

Paris, 1927
Interprète

Après des études secondaires, Philippe Clay entre au Conservatoire national d'art dramatique, apprend à placer sa voix et l'art du mime. Déçu par son métier de comédien – qui le cantonne dans des rôles de grand dégingandé –, il devient chanteur par accident, des copains l'ayant inscrit, à son insu, à un concours amateur. Il fréquente alors les caves de Saint-Germain-des-Prés.

Il devient l'ami de Jacques Prévert•, Boris Vian• et Serge Gainsbourg•. Au début des années cinquante, Philippe Clay entreprend une tournée en Afrique, où il rode son répertoire, fait de chansons d'Aznavour•. En 1953, Paris le découvre avec "le Noyé assassiné" et "Monsieur James". Puis il enregistre des textes de Jean Yanne, Claude Nougaro•, Jean-Roger Caussimon•... De 1957 à 1962, il enchaîne succès à l'Olympia et ventes croissantes de disques, s'inscrivant dans la grande tradition du music-hall éclectique et fantaisiste. Entre-temps, le cinéma lui offre quelques grands rôles (Valentin le Désossé) dans *French Cancan,* de Jean Renoir, et dans *Notre-Dame de Paris,* de Jean Delannoy. Puis c'est le passage à vide jusqu'en 1971, année où il lance "Mes universités", chanson en réaction contre Mai 1968, qu'il vend à un million d'exemplaires. Depuis, on le voit dans des feuilletons à la télévision et dans les instances culturelles du R.P.R. En 1997, après dix ans d'absence, il donne un tour de chant au Théâtre Montparnasse, où il interprète des chansons d'Aznavour•, Caussimon•, Sacha Guitry, Claude Nougaro• et Boris Vian•. Chanteur, mime, danseur, acteur, sa carrière a peut-être souffert de ce manque d'unité, victime de ses dons multiples.

F. P.

Philippe Clay savait mettre son corps longiligne et son accent parigot au service de son art.

◎ ***Les Grands moments de l'Olympia : 1957,*** Polygram
◎ ***16 Titres chansons d'auteurs,*** Expression/Polygram Distribution, 1995
◎ ***Philippe Clay*** (compilation), Podis/Polygram

CLERC Julien (Paul-Alain Leclerc, dit)

Paris, 1947
COMPOSITEUR, INTERPRÈTE

Au départ, un beau jeune homme, chic, marqué par le divorce de ses parents et par le contraste des cultures entre ses deux milieux familiaux. D'un côté, un père haut fonctionnaire à l'Unesco, de l'autre, une mère d'origine guadeloupéenne qu'il ne voit que le week-end. Déjà attiré par la musique, encore accroché à ses études... En terminale au lycée Lakanal de Sceaux, il rencontre Maurice Vallet, qui devient un de ses plus fidèles complices. Ils traînent à droite et à gauche, jusqu'à ce qu'ils rencontrent Étienne Roda-Gil•, en 1966. Le garçon leur en impose. Politisé, fils d'ouvriers espagnols, il a déjà écrit des textes au sens et aux sonorités bizarres. Ils se mettent au travail. Julien, beau gosse et bon musicien, sera le produit vedette ; les deux autres lui donneront son sens. Aux tout premiers jours de Mai 1968, alors que la rue commence à s'embraser, une voix nouvelle fait son apparition sur les ondes. Une voix haut perchée et légèrement tremblée, qui chante des mots de circonstance : "J'abolirai l'ennui." Une voix sur laquelle il est impossible de mettre un nom, donc un visage, puisque la radio ne diffuse plus que de la musique en boucle, sans commentaire entre les flashes d'informations. Le premier 45 tours de Julien Clerc, "la Cavalerie" (paroles de Roda-Gil), traverse Mai 1968. Gilbert Bécaud• lui propose de jouer en première partie de son spectacle à l'Olympia (février-mars 69). Un album regroupe bientôt les onze titres déjà publiés (dont "la Californie", "Yann et les dauphins") et reçoit le prix de l'Académie Charles-Cros. Julien signe lui-même toutes les musiques, et Jean-Claude Petit préside aux arrangements.

Atmosphère. Côté textes, l'atmosphère lourde et colorée de Roda-Gil côtoie la nostalgie feutrée de Vallet. Après moins de un an de carrière, l'artiste aux boucles brunes est lancé. Il est engagé pour jouer dans *Hair* (adaptation française par Jacques Lanzmann• de la comédie musicale américaine de Gerome Ragni, James Rado et Galt McDermot), au Théâtre de la Porte-Saint-Martin. Il participe donc au disque de la comédie musicale, avec, notamment, "Laissons entrer le soleil". En 1971, il enregistre un nouveau simple "le Cœur volcan", sur une musique inspirée des tangos de Buenos Aires, que le chanteur vient de découvrir au cours d'un voyage en Argentine. L'album *Ce n'est rien* (1971), profitant de l'élan donné par la chanson-titre, est sa première très grosse vente, et l'Olympia, qui suit en décembre, est un triomphe. *Si on chantait* (1972), énorme succès radiophonique, n'a aucun mal à franchir, à son tour, le cap du double disque d'or. L'année 1974 débute avec *Terre de France* et s'achève sur un quatrième Olympia (trois semaines en novembre). Les dix plages du septième album sont empreintes de la nostalgie douloureuse d'un amour qui n'en finit pas de ne pas vouloir mourir (" Souffrir par toi n'est pas souffrir", 1975). Pour *À mon âge et à l'heure qu'il est* (1976), Jean-Loup Dabadie• et Maxime Le Forestier• signent chacun trois textes, entamant ainsi le monopole de l'écriture que détenaient jusqu'alors Vallet et Roda-Gil. Désormais, tous les arrangements sont de Julien et de ses musiciens de scène, des rescapés d'un groupe mythique du début des années soixante-dix : le Système Crapoutchick. C'est avec cette équipe, enrichie de la guitariste-chanteuse Geneviève Paris, que Julien Clerc se produit l'année suivante (janvier 77) au palais des Sports. Entre-temps, il participe à *Émilie jolie,* le conte musical de Philippe Chatel•, et tourne dans *D'amour et d'eau fraîche,* de Jean-Pierre Blanc, aux côtés de Miou-Miou, qui partage désormais sa vie. L'album suivant, *Jaloux* (1978), constitue son plus gros succès commercial. Avec, comme titres essentiels : "Travailler, c'est trop dur", un traditionnel cajun popularisé par Zachary Richard•, "Je dors avec elle" (avec Roda-Gil), "J'ai eu trente ans" (de Maxime Le Forestier) et "Ma préférence" (avec Dabadie).

Une cure de jouvence. Le début des années quatre-vingt correspond au divorce entre le chanteur et son parolier fétiche, Étienne Roda-Gil. Julien se cherche une nouvelle image dans les mots du Québécois Luc Plamondon•. *Femmes, indiscrétion, blasphème* (1982) devient disque de platine grâce à "Femmes... je vous aime". Cet album marque un virage, avec, notamment, "Lili voulait aller danser" et, surtout, "Cœur de rocker", destiné au public jeune. Les morceaux gagnent en optimisme et en simplicité, tandis que le chanteur atténue son trémolo si particulier et modernise son look. En 1983, il s'installe pendant cinq semaines sous chapiteau, à la porte de Pantin, où il reprend "l'Hymne à l'amour" de Piaf.• *Aime-moi,* porté par "Mélissa" et "la Fille aux bas nylon", le mène à Bercy du 24 avril au 5 mai 1985 (132 000 spectateurs).

Une compilation paraît alors, qui permet de retrouver des titres issus de 45 tours non réédités ; c'est le cas de "la Ballade pour un fou", écrite avec l'Argentin Astor Piazzolla, et de "Partir". Le 33 tours *Fais-moi une place* (90) et l'extrait "Nouveau Big Bang" sont les fruits d'une collaboration réussie entre Maurice Vallet (absent des deux précédents albums) et Julien Clerc. Jean-Louis Murat• et Françoise Hardy• participent à l'écriture de certains titres. *Utile* (1992), seizième album, voit le retour d'Étienne Roda-Gil, avec qui Julien signe l'intégralité de l'album. En 1993, il retrouve l'Olympia pour cinq semaines, à l'occasion de ses 25 ans de carrière. Quatre ans plus tard, c'est la sortie de *Julien* auquel pas moins de six paroliers contribuent (Roda-Gil, Dabadie, mais aussi Jean-Claude Vannier•, David McNeil•, Jean-Louis Murat• et le journaliste et écrivain Laurent Chalumeau).

Même s'il ne se définit pas comme un chanteur post-soixante-huitard, Julien Clerc reste marqué par ce moment magique, où, porté par un mouvement fort de la jeunesse française, il s'est retrouvé, sans vraiment le vouloir, comme une sorte de porte-parole d'une révolution qui n'en était pas vraiment une. Depuis, cet authentique artiste et musicien a cherché plusieurs voies, de la pop au rock, à la salsa... et à la chanson française. **A.G.**

- ***8 volumes,*** EMI France
- ***Ce n'est rien*** (compil. 1968-1990), EMI France
- ***Fais-moi une place,*** Virgin, 1989
- ***Utile,*** Virgin, 1992

CLOEREC René

Paris, 1911 - id., 1995
Compositeur

Julien Clerc a su s'adapter aux évolutions musicales de trois décennies.

L'essentiel de sa carrière de compositeur se situe au cinéma, auquel il a donné une cinquantaine de ravissantes partitions, comme celle de *Douce, la Cage aux rossignols* (avec Noël-Noël et les Petits Chanteurs à la croix de bois), *le Diable au corps, la Traversée de Paris* et *En cas de malheur.* On lui doit d'autres succès comme "le Grand Voyage du pauvre nègre" (avec Raymond Asso•, pour Édith Piaf•, en 1937).

COCCIANTE Richard

Viêt-nam, 1946
Compositeur, interprète

De l'Italie de son père il a hérité du sens de la mélodie et d'une voix. Il a onze ans quand sa famille quitte le Viêt-nam pour s'installer à Rome. Son premier album, *Mu* (1972), le fait connaître dans la péninsule, en Espagne et en Amérique latine. En 1979, le "Coup de soleil", composé par Jean-Paul Dréau, devient le tube de l'été en France, pays de sa mère. En 1987, sa chanson, "Mi refugio", accompagne avec brio le joli film de Patrice Leconte, *Tandem.* Après quelques années d'oubli en France, il revient, en 1996, pour une tournée nationale et un album, coproduit par Luc Plamondon•. En 1999, c'est à nouveau le triomphe avec la comédie musicale *Notre-Dame de Paris,* dont il a composé la musique sur des textes de Plamondon.

Richard Cocciante, compil. 18 titres, Tristar/Sony, 1994
Instants présents, Tristar/Sony, 1996

COLOMBO Pia (Éliane Pia, dite)

Homblières, Aisne, 1934 - 16 avril 1986
Interprète

Créatrice de "la Colombe" de Jacques Brel• et de "Julie la Rousse" de René-Louis Lafforgue•, interprète de Maurice Fanon•, son époux, Pia Colombo chante, à ses débuts, pendant un an à l'Écluse•. Voix basse et déchirante, répertoire sans concessions, cette jeune femme d'origine italienne se mesurera aux plus grandes salles : Olympia, Bobino, Alhambra. Un disque de chansons inédites de Léo Ferré• en 1975 et une dernière apparition importante en 1979 : Requiem autour d'un temps présent, de Maurice Fanon•, au théâtre d'Aubervilliers et en tournée. Elle s'y révèle bouleversante et drôle, démystifiant le cancer dont elle est atteinte et dont elle mourra quelques années plus tard.

Master Serie, Polygram, 1994

COMPAGNONS DE LA CHANSON (Les)

Groupe vocal créé en 1944 par Guy Bourguignon, Jean Broussolle, Jean-Pierre Calvet, Jo Frachon, Jean-Louis Jaubert, Hubert Lancelot, Fred Mella, René Mella et Gérard Sabbat

Ce groupe de neuf interprètes débute en 1944 sous le nom des Compagnons de la musique. Ils s'engagent alors sous les drapeaux et, par le biais du théâtre aux armées, suivent la troupe du général de Lattre. Démobilisés en 1945, ils décident de tenter leur chance à Paris et c'est lors de leur premier récital qu'ils rencontrent Édith Piaf•, qui les emmène en tournée aux États-Unis. Leur répertoire à cette époque est uniquement composé de chansons folkloriques comme "Perrine était servante". Piaf les incite à être plus modernes. Sa participation dans "les Trois Cloches" (du Suisse Gilles) en 1946 va grandement contribuer à la notoriété du groupe, qui prend son nom définitif.

Bon enfant. Dans les années cinquante, leur succès se confirme : "le Galérien" (1950) ; " Alors, raconte" (avec Gilbert Bécaud•, 1955), "Gondolier" (1957), "Guitares et Tambourins" (1958), toutes trois écrites par Jean Broussolle• ; "le Bleu de l'été" (1961), "Un Mexicain" (signé Jacques Plante et Charles Aznavour•, 1962) sont autant de succès populaires. Pendant quarante ans, les Compagnons vont mener leur carrière, jalonnée de nombreuses tournées à l'étranger et appuyée sur un public d'inconditionnels qui apprécient leur style simple et bon enfant. En 1980, Jean Broussolle quitte le groupe, remplacé par Michel Cassez, dit Gaston. En 1983, les Compagnons font leurs adieux à l'Olympia pendant cinq semaines. Depuis, on revoit parfois Fred Mella, leur éternel jeune premier, accompagné de certains membres du groupe.

Pour ses obsèques, en janvier 1996, François Mitterrand avait demandé que la chanson des Compagnons, "l'Enfant aux cymbales", soit jouée pendant la cérémonie à l'église de Jarnac.

C. de G.

Le meilleur des Compagnons de la chanson, EMI France, 1994
Leurs plus grands succès, EMI France, 1994

CONSTANTIN Jean

Paris, 1923 - 1997
Auteur, compositeur, interprète

Avec Édith Piaf, les Compagnons de la chanson, dans leur tenue très “mouvement de jeunesse”.

En 1955, il écrit pour Annie Cordy• la loufoque “Jolie Fleur de papillon”, en collaboration avec Jean Dréjac•. Il signe ensuite une chanson avec Charles Aznavour• pour Édith Piaf•, “À t'regarder”. Il décide alors d'être l'interprète de ses œuvres et impose sa grosse silhouette sur scène et au cabaret. Il enregistre en 1954 “Mets deux thunes dans l'bastringue”, repris par Annie Cordy• et bien d'autres vedettes. En 1956, profitant de la vogue du rythme cha-cha-cha, il compose “les Pantoufles à papa” et “Sha Sha persan”, qu'il donne aux Frères Jacques•. Ses deux plus grandes réussites restent “Mon truc en plume” (Zizi Jeanmaire•) et “Mon manège à moi” (Édith Piaf).

Les plus belles chansons de Jean Constantin, Vogue/BMG, 1994

CONSTANTINE Eddie

Los Angeles, 1917 -
Wiesbaden, Allemagne, 1993
Interprète

Eddie Constantine débarque en France en 1949. Il apprend très vite la langue et, dès 1952, on peut le voir aux côtés d'Édith Piaf• dans *la P'tite Lili,* une opérette de Marcel Achard. Il connaît ensuite la notoriété en créant au cinéma le personnage de Lemmy Caution, agent secret américain. Parallèlement, il mène une carrière de chanteur, ponctuée de succès (signés, notamment, de René Rouzaud, Charles Aznavour• et Pierre Saka•) qui seront fredonnés par la France des années cinquante : “Un enfant de la balle”, “Et bâiller et dormir”, “Ah, les femmes ! ” et “Cigarettes, whisky et p'tites pépées”. Le public raffole de cette voix nonchalante, pimentée d'un zeste d'accent d'outre-Atlantique, avec ce qu'il faut de mâle séduction (bien mise en valeur dans les duos avec Juliette Gréco• “Je prends les choses du bon côté” ou avec sa propre fille, Tania “l'Homme et l'enfant”). À partir des années soixante, on ne le voit plus guère qu'au cinéma, mais dans un registre plus intellectuel, puisqu'il tourne avec Godard (*Alphaville,* 1965) et avec le très intéressant metteur en scène danois Lars von Trier (*Europa,* 1991).

Ah, les femmes !, Polygram, 1989

CONTET Henri

Anost, Saône et Loire, 1904 - Paris, 1998
Auteur

Ingénieur de formation puis journaliste, il rencontre, pendant l'Occupation, Édith Piaf• sur un plateau de cinéma. C'est le déclic. Henri Contet va devenir du jour au lendemain un très grand auteur de chansons. Pour Édith, premier refrain, premier succès : “C'était une histoire d'amour” (1942), sur une musique de Jean Jal. Suivent “Monsieur Saint Pierre” (1944) et “Y'a pas d'printemps” (1945). Henri Contet apporte une poésie plus sophistiquée et plus recherchée aux sujets simples de tous les jours. Et continuant sur sa lancée, il écrit “Padam-Padam” (1952, musique de Norbert Glanzberg), “Bravo pour le clown” (1953), “T'es beau, tu sais” (1958). L'entourage de Piaf estime alors qu'elle va perdre son public avec ce nouveau style bien trop cérébral. Édith s'obstine et aura raison. Elle garde son public, en gagne un autre et l'on raconte à l'époque que l'on découvre ses 78 tours chez des avocats et des médecins ! La clientèle a évolué.

Henri Contet va tout de même varier ses productions et obtenir des succès avec d'autres interprètes : “ la Complainte du corsaire” (Armand Mestral•, 1946), “Ma gosse, ma p'tite môme” (Yves Montand•, 1948), “Mademoiselle de Paris" (Jacqueline François•, 1948) "la Saint Bonheur" (Yvette Giraud•, 1952) et bien d'autres. Henri Contet sera président de la SACEM de longues années durant et le créateur du Comité du cœur.

COQUATRIX Bruno

Ronchin, Nord, 1910 - Paris, 1979
AUTEUR, COMPOSITEUR, DIRECTEUR DE SALLE

Enfant unique d'une famille aisée du Nord, il est élevé à Neuilly, où il poursuit des études brillantes au lycée, mais seule la musique l'intéresse. Orphelin assez tôt, il hérite d'un joli pécule qu'il dilapide vite dans différentes entreprises d'orchestre, entre Le Touquet, Paris et Monte-Carlo. Il devient alors directeur artistique de cabarets dans le quartier de Pigalle. Paul Meurisse• vient chez lui chanter des chansons légères, et celle qu'on appelle encore la "Môme Piaf" y fait ses vrais débuts. Il lui conseille de porter la fameuse robe noire très simple qui deviendra sa seconde peau. Une amitié indéfectible naîtra de cette période. Pendant la guerre, il s'engage dans la Résistance et participe à un journal clandestin.

L'aventure Olympia. À la Libération, il est l'agent de Ray Ventura• et compose "Clopin-clopant", chantée par Henri Salvador• en 1947. Il commence à monter des opérettes, dont la première, *la Bonne Hôtesse,* est montée à l'Alhambra en 1946, avec Gisèle Pascal et Bourvil•. Se succèdent alors des succès (" les Pieds Nickelés" avec les Frères Jacques•) et... des bides comme "le Chevalier Bayard "avec un débutant, Yves Montand•. Après Bobino, l'Européen, l'Étoile, il reprend en 1952 la Comédie-Caumartin, mais il n'est pas heureux en homme de théâtre. C'est alors qu'un machiniste (Grobois) lui parle d'acquérir l'Olympia, ancien music-hall transformé en cinéma. Très réticent au départ, il accepte pourtant de s'endetter pour fonder sa salle. Elle ouvre le 5 février 1954 avec Lucienne Delyle• en vedette et Gilbert Bécaud• comme débutant. Ce dernier deviendra l'artiste fétiche de l'endroit. Bruno Coquatrix va dès lors incarner le dénicheur de talents au flair incomparable. De cette salle sont parties de nombreuses carrières d'artistes. Sa poli-tique de la "tête d'affiche" avec attractions et premières parties a ses contraintes. Parfois, ce music-hall incontournable frisera le dépôt de bilan. Mais il sera sauvé tantôt par la fidélité des artistes, tantôt par l'attachement du public. **F.P.**

Travailleur acharné, voué toute sa vie à la chanson et au spectacle, l'"empereur du music-hall" décède d'un crise cardiaque. Sa fille Patricia et son neveu Jean-Michel Boris s'occupent désormais de ce lieu mythique en sachant négocier les tournants imposés par les modes. En 1998, à la suite d'une opération immobilière dans le quartier, l'Olympia est reconstruit à l'identique en sous-sol et à quelques mètres de son emplacement initial. **F. Pe.**

CORDY Annie (Annie Cooreman, dite)

Schaerbeek, Belgique, 1928
INTERPRÈTE

Réputée pour son énergie et son sourire avenant, Annie Cordy est la plus française des Belges. S'autorisant la sacro-sainte bière après chaque spectacle, cette humoriste-fantaisiste-chanteuse-actrice s'est pourtant révélée en s'enivrant aux sources du music-hall. Elle débute très jeune comme meneuse de revue, à Bruxelles. Au début des années cinquante, Pierre-Louis Guérin, du Lido parisien, la remarque et l'embauche. C'est là qu'elle rencontre son époux, Henri Bruno (décédé en février 1989), qui en fait une vedette. Désormais, elle chante au Moulin-Rouge, puis s'essaie à l'opérette. En 1952, Francis Lopez• et Raymond Vinci la placent comme partenaire de Bourvil• et de Georges Guétary• dans *la Route fleurie,* une opérette à succès. Parallèlement, elle entame une longue carrière cinématographique. Avec Sacha Guitry, en 1953, pour *Si Versailles m'était conté* (son premier vrai film), mais aussi sous la direction de Gilles Grangier, Claude Sautet, Claude Chabrol, Pierre Granier-Deferre.

En 1961, et pour trois ans encore, elle partage l'affiche avec Luis Mariano• dans *Visa pour l'amour.* Le grand tournant de sa carrière est le Passager de la pluie, en 1969, film de René Clément où, pour la première fois, elle interprète un personnage dramatique, salué comme il se doit. Depuis, elle enchaîne tours de chant et rôles sur grand ou petit écran, ses chansons rétro et sautillantes ("Tata Yoyo", "la Bonne du curé", "Cigarettes, whisky et p'tites pépées", "Frida Oum Papa"), restant une grosse référence de la culture populaire. En septembre 1998, elle fête ses soixante ans de carrière avec une semaine triomphale à l'Olympia. **V. L.L.**

◎ ***Bravo à Annie Cordy (1974-1985),*** Sony Music, 1989

◎ ***Les Plus Grands Succès d'Annie Cordy,*** Versailles, 1994

COULONGES Georges

Lacanau-Ville, 1923
AUTEUR, ROMANCIER

Romancier d'origine paysanne, Coulonges va exceller dans la chanson, dans le genre comique comme dans le genre engagé. En 1950, il préside aux débuts de Marcel Amont• avec "Escamillo". Pour Henri Genès•, il écrit "El Coryza" et pour Philippe Clay•, "Fatigués de naissance" (1959). Il se fait plus romantique pour Luis Mariano• avec "Je t'aimerai, je t'aimerai" et, pour Patachou•, avec "la Musique". Ensuite, il devient nettement plus engagé avec "Potemkine" sur une musique de Jean Ferrat• (1965, plus de 400 000 disques vendus en un an).

Charlélie Couture passe de la chanson à la littérature, de la peinture à la BD et à la photo, mais toujours avec talent.

COUR Pierre

Arles, 1924 - Canada, 1997
AUTEUR

Tour à tour pilote d'avion, moniteur d'éducation physique, journaliste et comédien, ce licencié ès lettres accède à la notoriété dans les années cinquante, en jouant aux côtés de Francis Blanche•, juste avant de s'orienter vers la chanson. Il connaît le succès en 1958 avec "les Gitans", 1er prix du Coq d'or de la chanson, suivi dans les hit-parades de "Oui oui oui" (musique d'Hubert Giraud•, pour Sacha Distel•) et "les Moules" (pour Henri Genès•). Vient ensuite le triomphe de l'Eurovision 1960 avec "Tom Pillibi" (musique d'André Popp• et chantée par Jacqueline Boyer•). L'année suivante, Isabelle Aubret• chante son "Rêve mon rêve", Petula Clark•, "À London" et Enrico Macias• "les Filles de mon pays".

COUTÉ Gaston

Beaugency, Loiret, 1880 - Paris, 1911
CHANSONNIER

Fils d'un meunier beauceron, il monte à Paris et survit en disant des vers dans les cabarets. En 1898, il décroche un véritable engagement aux Funambules, où sa chanson "le Champ de naviots", qu'il interprète en costume paysan, le lance définitivement. Il se fait entendre dans la plupart des cabarets chantants : Conservatoire de Montmartre, Quat'-z-Arts, Noctambules, Grenier de Gringoire, Carillon, Truie-qui-file (dont il fut, avec Dominus et Gaston Dumestre, le codirecteur). Mayol a popularisé la "Chanson d'un gâs qui a mal tourné", et Léo Daniderff a mis ses poèmes en musique. Son inspiration est volontiers contestataire, voire antimilitariste ("Ça va faire plaisir au colon"). Avec l'accent de sa province, Couté débitait des satires âpres, fustigeant tous les faux bons sentiments et la dureté de ses contemporains.

COUTURE Charlélie (Bertrand Charles-Élie Couture, dit)

Nancy, Meurthe-et-Moselle, 1956
AUTEUR, COMPOSITEUR, INTERPRÈTE

Ce fils d'antiquaire-décorateur fait dès l'âge de six ans ses gammes sur Ravel, Debussy, Satie, Fauré, avec sa grand-mère, professeur de piano. En 1980, la chance lui sourit. Le responsable du prestigieux label Island, Chris Blackwell, le fait signer. Mixé à Nassau, *Pochette surprise* lui permet de se faire connaître début 1981. Quelques mois plus tard sort *Poèmes rock,* réalisé au studio Electric Lady Land de New York. À la fin de l'année, plus personne ne peut ignorer Charlélie Couture, dont la chanson "Comme un avion sans aile", au sympathique balancement reggae, fait l'unanimité. Le public accepte sans restriction ce chanteur au phrasé nasillard, aux inflexions traînantes, qui porte une barbichette, d'incroyables défroques, a les tempes rasées et de longs cheveux dans le cou. Plus que le look, la démarche créatrice de Couture va marquer.

En 1983, le chanteur enregistre un nouvel album, *Crocodile Point,* et sa première musique de film, la bande originale de *Tchao Pantin* de Claude Berri. *Art et Scalp,* commercialisé à l'automne 1985, est disque d'or, comme ses précédents enregistrements. Suivent *Solo Boys,* en 1987, et *Solo Girls,* l'année suivante. Couture repart ensuite en Australie, où il fait provision d'images, de sensations. Il compose, écrit et enregistre sur place *Melbourne aussi,* paru en 1990. L'expérience, particulièrement enrichissante, se poursuit l'année suivante et donne naissance à l'album *Victoria Spirit.* Couture affiche de plus en plus fortement l'envie de na pas être seulement un chanteur. Pour preuve, les expositions de ses dessins, peintures, photos, tant en France qu'en Suisse, les quinze musiques de films qu'il a signées, les disques produits pour Tom Novembre•, son frère, pour Pierre Éliane ou Mil Mougenot. En 1997, il sort *Casque nu,* enregistré à Chicago et fortement imprégné de blues. Charlélie Couture a également publié sept livres, dont un recueil de nouvelles inspirées par son séjour australien, les Dragons en sucre, paru aux Éditions Ramsay/ Pauvert, et a écrit des scénarios BD pour Rémy Malingrey et Loustal. **J.-P. G.**

- ***Pochette surprise*** (1980), Island, 1990
- ***Poèmes rock*** (1981), Island
- ***Quoi faire ?*** (1982), Island, 1989
- ***Solo Boys,*** EMI, 1987
- ***Melbourne aussi,*** EMI, 1990
- ***Island Colors*** (compil.), Island, 1991
- ***Dawn Town Project,*** Chrysalis/EMI, 1995

CRÉMIEUX Octave

Paris, 1872 - *id,.* 1949
COMPOSITEUR

Octave Crémieux sera le compositeur attitré de Paulette Darty, "la Reine de la valse lente" de la Belle Époque. Il compose pour elle, sur le poème de Georges Millandy, la musique de la célèbre chanson "Quand l'amour meurt" (1900). Très "parisien", Octave Crémieux est, avec Vincent Scotto•, l'un des créateurs des soupers fleuris et chantants, qui seront très en vogue.

CROISILLE Nicole

Neuilly-sur-Seine, 1936
COMPOSITRICE, INTERPRÈTE

Fille du pacha du paquebot France (Paris-New York, déjà), Nicole Croisille débute aux États-Unis, mais c'est à Paris qu'elle enregistre son premier disque, avec des adaptations de titres américains (" Ça tourne rond" et "Dieu merci, il m'aime aussi", d'après Ray Charles). Le succès n'est pas au rendez-vous. En 1966, elle enregistre "I'll Never Leave You", dont elle écrit les parades anglaises sur une musique de Jacques Arel et qu'elle chante sous le pseudonyme de Tuesday Jackson. Le public croit qu'il s'agit d'un titre américain et cela marche. C'est finalement le compositeur Francis Lai• et le chanteur parolier Pierre Barouh• qui la révèlent au grand public sous son vrai patronyme : le "Chabadabada" du film *Un homme et une femme* (1966) et la bande originale de *Vivre pour vivre* (1967) lui font entrevoir les sommets du hit-parade. Après une courte traversée du désert, jusqu'en 1972, l'éditeur Claude Pascal et le producteur Claude Dejacques lui offrent un contrat. Dès lors, elle réoriente son répertoire vers la chanson sentimentale, qui la conduit à l'Olympia en 1976 et 1978, au Ba-ta-clan en 1988, au Casino de Paris en 1991, et souvent à l'étranger. En 1992, elle est l'héroïne de la comédie musicale *Hello, Dolly* au Châtelet. Ses plus grands succès – "Parlez moi de lui", "Une femme avec toi", "Téléphone-moi", "Jusqu'au jour où tu partiras" ou "Je ne suis que l'amour" – projettent une image de chanteuse de jazz d'une grande sensibilité et à la voix puissante. Ses chansons tournent souvent autour du thème de la femme soumise par amour. Une thématique quelque peu en décalage par rapport au féminisme ambiant.

- ***Jazzille,*** Cy Records, 1987
- ***Les plus grands succès*** (1973-1985), Musidisc, 1989
- ***Black & blanche,*** Musidisc, 1990

CROLLA Henri

Naples, Italie, 1920 - Suresnes, 1960
AUTEUR, COMPOSITEUR

Dans les années quarante, Henri Crolla, excellent guitariste d'origine gitane, joue dans de petites formations de jazz puis avec de grands jazzmen comme Hubert Rostaing et Alix Combelle. Après la Libération, il fait la connaissance d'Yves Montand• et lui écrit plusieurs chansons : "Du soleil plein la tête" (paroles d'André Hornez), "J'aime t'embrasser" (paroles de Jacques Plante•) et "Calcutti-Calcutta" (paroles de Fabien Loris). Il s'associe ensuite avec Jacques Prévert• et ils écriront ensemble pour Montand, "Sanguine" et "le Cireur de souliers de Broadway" (1953), puis "le Cri du cœur" (1960) pour Édith Piaf•.

DABADIE Jean-Loup

Paris, 1938
Auteur

Fils de Marcel, parolier occasionnel des Frères Jacques•, adolescent studieux et brillant, Jean-Loup signe un premier roman à dix-neuf ans, les Yeux secs. Il se lance en 1960 dans le journalisme. Parallèlement, il découvre Guy Bedos à la télévision alors qu'il effectue son service militaire. Coup de foudre. Il lui adresse des sketches par courrier. 1963, c'est le triomphe de "Bonne fête, Paulette". Il va alors multiplier les collaborations au cinéma (Sautet, Robert, Truffaut) et à la télévision, où il travaille aux côtés de Jean-Christophe Averty. Côté chanson, il écrit pour Serge Reggiani• "le Petit Garçon", qui connaît un énorme succès. Il enchaîne avec "l'Italien", "l'Absence", "Hôtel des voyageurs". Dabadie devient dès lors le spécialiste de la haute couture du langage qui s'adapte aux artistes en leur offrant des textes sur mesure. C'est "Ma préférence" pour Julien Clerc•, "Tous les bateaux, tous les oiseaux" et "On ira tous au paradis" pour Michel Polnareff•, ou "l'Addition" pour Yves Montand•. En 1974, il convainc Jean Gabin de chanter "Maintenant je sais", qui émerge des hits entre Sheila• et les Pink Floyd.

DAHO Étienne

Oran, Algérie, 1957
Auteur, compositeur, interprète

Depuis 1991 et l'album Paris ailleurs, réalisé entre New York et la France, l'image un rien stéréotypée d'Étienne Daho a changé. Ce disque, où une rythmique solide procure des balancements rock, a une véritable épaisseur musicale avec l'apport, notamment, de cuivres et de chúurs gospel. L'étiquette réductrice de chef de file d'une pop française marquée par la création des années soixante est définitivement tombée. Finie, également, cette impression de facilité que pouvaient donner ses quatre premiers enregistrements. Daho est beaucoup plus qu'un surdoué. Les textes de Paris ailleurs, rien moins qu'une histoire d'amour, révèlent un être passionné, en proie au doute, habité de réelles angoisses.

Simple, propre et pop. Il n'est pas né à Rennes comme annoncé sur ses premières biographies, mais à Oran, dans une Algérie déchirée par la violence de la guerre et les incertitudes. Après un détour par Reims, la famille s'installe en Bre-

Photographié par Pierre et Gilles, Étienne Daho exprime là tout son dandysme faussement désinvolte.

tagne. Sa première apparition sur scène a lieu en 1980 aux Transmusicales, le réputé festival local. Au répertoire figurent cinq chansons écrites avec le groupe Marquis de Sade•. De cet épisode mitigé, il conserve le souvenir d'un interminable hoquet provoqué par le trac. Avec sa licence d'anglais et son DEUG d'arts plastiques, Daho ne connaît ni la musique ni le solfège quand il se lance dans l'écriture, porté par le grand mouvement rock rennais. Il enregistre directement des bribes de chansons sur un Dictaphone. Pour exorciser une histoire d'amour finissante, il compose une dizaine de chansons. Jacno, rencontré lors d'un concert des Stinky Toys à Rennes, accepte de produire le disque intitulé Mythomane. Sorti en 1982, l'enregistrement, au son délibérément dépouillé, passe inaperçu jusqu'à la sortie en single du "Grand Sommeil". Avec Arnold Turboust et Franck Darcel, qui l'accompagneront longtemps dans son travail, Daho gagne ensuite la capitale, où il travaille à un second disque, *la Notte, la Notte,* disponible à partir de 1984. L'une des compositions, "Week-end à Rome", devient un tube et l'album, disque d'or avec plus de 100 000 exemplaires vendus. Simples et propres, les mélodies d'Étienne Daho rencontrent un écho dans le grand public. Les paroles feutrées juste ce qu'il faut sont en harmonie avec ses musiques délicates cataloguées pop. L'album suivant, *Pop Satori,* est enregistré à Londres. Sorti en 1986, il confirme la place qu'occupe désormais Daho dans la création française et son impact grandissant. Guy Peellaert signe l'illustration de la pochette de *Pour nos vies martiennes* (1988).

Discret. Depuis 1991 et Paris ailleurs réalisé avec Édith Fambuena, la guitariste des Valentins, Daho s'était fait discret. En 1995, Reserection, un disque cinq titres, qu'il partage avec le groupe britannique Saint-Étienne, précède la réalisation d'un nouvel album. Il est également présent, le temps d'un duo, "Tous les goûts sont dans ma nature", sur *Brèves Rencontres* de Jacques Dutronc•. Auteur d'un livre sur Françoise Hardy•, Étienne Daho a produit ou écrit pour quantité d'artistes, dont Lio•, Sylvie Vartan•, Brigitte Fontaine•, Bill Pritchard, les Valentins, Dani, Pauline Lafont, Arnold Turboust. Il est à l'origine *d'Urgence,* disque réunissant des chanteurs français pour aider à la lutte contre le sida. Après avoir quitté Paris pour Londres, il sort, fin 1996, son sixième album, *Eden*. Le disque rompt avec le rock pour un univers plus contemporain, entre pop, trip hop et techno. On y remarque les voix d'Astrud Gilberto, la grande chanteuse brésilienne, et d'Elli Medeiros. L'année suivante, la tournée, Kaleïdoscope Tour, confirme la maturité d'un chanteur à la fois populaire et "branché". **J.-P. G.**

- ***Mythomane*** (1982), Virgin, 1995
- ***La Notte, la Notte*** (1984), Virgin, 1995
- ***Pop Satori,*** Virgin, 1986
- ***Pour nos vies martiennes,*** Virgin, 1988
- ***Paris ailleurs,*** Virgin, 1991
- ***Daholympia,*** Virgin, 1993
- ***Eden,*** Virgin, 1996

DALBRET Paul

Paris, 1876 - 1926
AUTEUR, COMPOSITEUR, INTERPRÈTE

Excellent musicien, il signe plusieurs succès : "la Légende des flots bleus" (musique de Christiné•, 1907), "la Valse chaloupée", grand succès de Max-Dearly• et de Mistinguett• (1909), "Ne jouez pas aux soldats•" (avec Léo Lelievre fils, 1921) et, surtout, le fameux "Arrêtez les aiguilles" (avec Paul Briollet, 1925). Comme interprète, son art de la scène était original : il fut d'ailleurs imité par la suite par plusieurs artistes comme Georgius• ou Darcelys. Il est tête d'affiche dans les plus grands caf'conc' : Fantaisie Saint-Martin, La Pépinière, la Gaîté-Rochechouart, etc. Vers la fin de sa carrière, il abandonne la romance réaliste pour la chanson coquine.

DALIDA (Yolanda Gigliotti, dite)

Le Caire, 1933 - Paris, 1987
INTERPRÈTE

L'enfance de la future "diva" sera presque aussi tragique que sa fin. Une maladie des yeux la fait durement souffrir. Au début de la guerre, son père, citoyen italien et premier violon à l'Opéra du Caire, est interné dans un camp britannique. Sa carrière est brisée. À son retour, rien ne sera plus pareil : il devient coléreux, violent, avant de mourir prématurément. La petite Yolanda en restera marquée, et toute sa vie sera une succession de grandes joies et de peines insondables.

Une vraie nature de star. Élevée chez les sœurs, son désir de réussite se manifeste très vite. Elle fait un peu de figuration au cinéma et, en 1954, elle est élue Miss Ondine du Caire (en maillot de bain panthère). Un metteur en scène français, Marc de Gastyne, la remarque et lui propose de venir tenter sa chance à Paris. Elle débarque le soir de Noël 1954 et commence sa carrière en chantant dans les cabarets, notamment à la Villa d'Este, rue de Ponthieu. Elle participe aux "Numéro 1 de demain", spectacle destiné à découvrir de jeunes talents. À l'Olympia, ce soir-là, Eddie Barclay• et Lucien Morisse•, directeur musical d'Europe n° 1, l'entendent chanter "Étranger au paradis", de Gloria Lasso•. Lucien tombe fou amoureux d'elle. Après réflexion, il décide de prendre sa carrière en main et devient son pygmalion en accord avec Eddie, qui a tout de suite deviné son potentiel. Ce n'est qu'à son troisième disque, "Bambino", que devait normalement chanter Gloria Lasso, qu'elle rencontre le succès. Ce sera le début d'une longue suite de triomphes, qui se poursuivra avec "Gondolier", "Come prima", "les Enfants du Pirée", "Darla dirladada", "Paroles, paroles" (avec Alain Delon), "J'attendrai", et qui lui fera vendre plus de 80 millions de disques en trente ans à travers le monde. Un physique de vamp méditerranéenne, une voix chaude et roucoulante, un répertoire toujours en prise avec l'époque : "Dali" a tous les atouts de la réussite populaire. Avec le début des années soixante et l'arrivée des yé-yé, on se dit que, comme les autres chanteurs de sa génération, elle ne survivra pas au nouveau genre à la mode. Pourtant, elle sent venir le vent, s'adapte et chante du twist comme "Itsy Bitsy Petit Bikini" ou du rock, italien, comme "24 000 Baisers" (1961). Rien ne semble l'arrêter.

Mais sa vie privée la rattrape toujours. Le 8 avril 1961, elle épouse Lucien Morisse, après cinq années de passion. Deux mois plus tard, scandale, elle s'affiche avec un jeune peintre et divorce après dix mois de mariage. Lucien Morisse essaiera, un temps, de briser sa carrière, puis se suicidera quelques années plus tard. En 1967, un nouveau drame survient dans sa vie : Luiggi Tenco, son amour du moment, se suicide. Peu de temps après, elle fait une tentative qui se solde par cinq jours de coma. Quand elle se réveille, brisée, elle veut mettre un terme à sa carrière. C'est le début d'une période mystique, qui la conduira en Inde. D'autres histoires suivront, toujours sur le même mode : celui de l'homme à problèmes (comme son père ?). Bien-

Désormais star "décalée" des boîtes parisiennes, Dalida est avant toute chose une immense vedette populaire.

tôt arrivera Richard Chanfray, qui se fait appeler "le comte de Saint-Germain", pour la plus grande joie de la presse du cœur.

Elle ne néglige pas pour autant sa carrière et interprète au cours des années soixante-dix plusieurs grands de la chanson française, comme Brel•, Ferré• ("Avec le temps"), Aznavour•. C'est aussi l'époque de nouveaux grands succès : "Gigi l'Amoroso" en 1974 et, l'année suivante, "Il venait d'avoir 18 ans" (paroles de Pascal Sevran), où elle a le courage d'aborder le thème de l'amour entre une femme vieillissante, comme elle, et un tout jeune homme. Elle veut élargir encore son style et se lance dans le show à l'américaine au début des années quatre-vingt. À quarante-sept ans, elle se produit au Palais des Sports, dirigée par Lester William, le chorégraphe de *la Fièvre du samedi soir,* le film culte des amateurs de disco. Robes à paillettes fendues, revues type Broadway, rien ne lui fait peur. Le succès suit.

Son engagement, que certains croient politique, fait couler beaucoup d'encre. Amie de François Mitterrand et de Jacques Chirac, elle avoue voter pour un homme et jamais pour un parti. En 1984, alors que la radio "libre" NRJ est menacée, elle n'hésite pas à déranger François Mitterrand au sommet des chefs d'État européens pour faire cesser les saisies. En 1985, elle part au Caire afin de tourner le film de Youssef Chahine *le Sixième Jour.* Tournage pénible. Le retour en Égypte, pays de son enfance, son rôle de femme vieillissante lui font prendre conscience du temps qui passe. Le film a une bonne critique, mais son public habituel est un peu déconcerté.

Elle se replie de plus en plus sur elle-même, jusqu'à ce week-end de mai 1987 où elle se suicide, en laissant ce mot : "La vie m'est insupportable. Pardonnez-moi." En choisissant de mourir, elle sauve ce qu'elle croit être sa seule réussite, sa carrière basée sur la séduction. Depuis sa disparition, son public semble s'être élargi, faisant d'elle l'égérie d'un certain milieu branché, comme en témoigne le lancement de son disque remixé techno en 1995, au Queen (célèbre boîte homosexuelle), à Paris. Cette année-là, l'écrivain Catherine Rihoit lui consacre une belle biographie, *Mon frère, tu écriras mes Mémoires* (Plon), coécrite avec Orlando, le plus jeune frère de la star. Mais, bien au-delà de ces hommages, elle laisse l'image d'une vraie chanteuse populaire, d'une femme au grand cœur.

C. de G.

- ***Les Années Barclay*** (compilation 9 CD), Barclay, 1991
- ***Paroles, paroles*** (coffret 5 CD), Carrère, 1993
- ***Comme si j'étais là*** (remix), Carrère, 1995

DAMIA (Marie-Louise Damien, dite)

Paris, 1892 - id., 1978
INTERPRÈTE

Surnommée "la Tragédienne de la chanson", Damia a inventé au début des années vingt le concept de la chanteuse dramaturge, qui glisse dans les mélodies des textes difficiles de poètes inspirés. Enveloppée dans une longue robe noire, sans décor ni fioriture, Damia apparaît comme une force de la nature.

Fille d'un sergent de police lorrain, Damia fugue à 15 ans, frôle la maison de correction, et monte à Paris, où elle fait de la figuration au Châtelet. C'est Roberty, le mari de Fréhel•, son amie, à qui elle vient de présenter Maurice Chevalier•, qui lui apprend le chant et la diction. Elle débute à la Pépinière en 1911. Ses yeux larges et sa bouche sensuelle, sa diction martelée impressionnent. Elle est alors toute frisée, couverte de faux bijoux, vêtue d'une robe rouge à franges d'or. Sacha Guitry lui dira alors : "Pourquoi, diable, vous habillez-vous en dompteuse de puces ?" Elle saura s'en souvenir. Cette année-là, elle part à Londres, pour danser la valse chaloupée avec le chanteur de caf' conc' Max-Dearly•, en remplacement de Mistinguett•, jugée trop impudique par les Anglais. À son retour à Paris – elle a vingt ans –, elle partage la scène de l'Eldorado avec Fragson, le chanteur le mieux payé de l'époque. Puis Mayol en fait la vedette de son café-concert. Et, puisque la guerre éclate en 1914, elle monte au front, chante pour les poilus, interprète "Garde de nuit à l'Yser", écrite dans une tranchée par un soldat et mis en musique par Lucien Boyer•. Artiste complète, comédienne, danseuse (avec la troupe de Loïe Fuller), Damia aime la scène, où elle est passée maître dans l'art de jouer des éclairages : elle est la première à introduire l'usage des projecteurs.

Innovatrice. Les yeux verts, les bras blancs et dénudés, des épaules de sculpture grecque, Damia devient un mythe. Abel Gance la choisit pour incarner "la Marseillaise" dans *Napoléon,* Darius Milhaud l'admire, Desnos et Cocteau sont ébahis. La robe noire de Damia et son col en V inspireront Gréco• et Piaf•, ainsi que l'usage du rideau de scène, support de la lumière, ou encore ses jeux de mains. Chanteuse à la voix râpeuse, à la limite de la brisure, Damia provoque des vertiges. Tragédienne, inspirée par le cabaret allemand, elle est aussi une chanteuse réaliste qui aime le côté mélodramatique du genre ("J'ai l' cafard", signé Despax et Eblinger, 1930), mais utilise aussi la poésie ("Le ciel est par-dessus le toit" ou "D'une prison", de Verlaine, mis en musique par Reynaldo Hahn). Elle ne néglige pas non plus l'héritage du Chat-noir, le cabaret parisien où Aristide Bruant présentait les premiers chefs-d'œuvre réalistes, et reprend "les Inquiets", composé en 1885 par Georges Demestre.

Damia choisit ses chansons en fonction de leur possibilité de mise en scène. Si elle interprète "la Veuve" de Jules Jouy, c'est que la lumière lui permet de baigner dans le rouge pour figurer la guillotine. Avec "les Goélands", une chanson de Lucien Boyer, qui sera son plus grand succès à partir de 1929, elle paraît s'envoler ; avec "le Grand Frisé", elle valse... Damia, en retrait pendant la Seconde Guerre mondiale,

Damia, la "tragédienne de la chanson", chante d'une voix "faite d'un sanglot et d'une révolte mêlés".

ne quittera définitivement la scène qu'en 1956, après un ultime passage en 1949 à Pleyel et à l'Olympia en 1954, et une tournée au Japon en 1953. Elle a tout chanté : du Kurt Weill, des chants de marins, des suppliques de pocharde, des valses musette ("La guinguette a fermé ses volets")

Son beau visage, immortalisé par le peintre Foujita, reste emblématique d'une grande tradition de la chanson française. **V. M.**

Damia, la Tragédienne de la chanson, série de 3 CD, Chansophone/Mélodie
Les Étoiles de la chanson, Music Memoria/Virgin
Compilations (1928-1931, 1933-1937, 1938-1944), Chansophone

DANEL Pascal (Jean-Jacques Pascal, dit)

Paris, 1944
COMPOSITEUR, INTERPRÈTE

Son premier disque sorti en 1963 lui permet surtout de se faire remarquer par Lucien Morisse•, qui le signe sur le label AZ. Deux ans plus tard, "Je m'en fous", "Hop là tu as vu" et surtout "la Plage aux romantiques" tirent Danel de l'anonymat et il est plusieurs fois en tête des hit-parades. En 1966, il est de nouveau numéro un avec "les Neiges du Kilimandjaro", qui connaîtra plus de cent versions à travers le monde. Jalonnée de succès, sa carrière se poursuit jusqu'au cœur des années soixante-dix. En 1980, après un neuvième Olympia, Pascal Danel se tourne vers la production.

Kilimandjaro (1966), Puzzle
The Very Best Of (1965-1968), Puzzle

DANIDERFF Léo (Fernand Niquet, dit)

Angers, 1878 – Rosny-sous-Bois, 1943
COMPOSITEUR

Après des études musicales au conservatoire de Nantes, il devient pianiste dans divers cabarets parisiens. Il met alors en musique des poèmes de Gaston Couté•. À partir de 1911, il compose plusieurs chansons qui, reprises plus tard, deviendront de grands succès : "la Chaîne" (Damia•), "le Dénicheur" (Berthe Sylva•) et "Sur les bords de la Riviera" (Fréhel•). Spécialiste des javas et des valses musettes, il connaîtra un dernier succès posthume avec "Sa robe blanche", créée par Jean Lumière•, en 1945. Mais son triomphe restera "Je cherche après Titine" (créée en 1922 par son amie Gaby Montbreuse•) que Charlie Chaplin utilisera dans son film *les Temps modernes* (en pensant à tort qu'elle était entrée dans le domaine public).

DANNO Jacqueline

Le Havre, 1931
INTERPRÈTE

Fille de marin, elle jouera les globe-trotters tout au long de sa carrière. Orientée d'abord vers la comédie, elle bifurque par hasard vers la chanson en chantant à Cannes avec des Gitans. Elle s'inscrit alors, en 1956, au petit conservatoire de Mireille• et sort un premier disque en 1960. Jacques Brel• lui confie la version féminine de "Mathilde" et, en 1968, elle manque de peu le Concours de la Rose d'or à Antibes avec "Non, c'est rien", une chanson que Barbra Streisand interprétera en anglais, sous le titre "Free Again". Elle mène ensuite une carrière internationale et joue au théâtre, au cinéma et à la télévision.

DASSARY André (André Dyhérassary, dit)

Biarritz, 1912 - Paris, 1987
INTERPRÈTE

Après avoir obtenu plusieurs prix de chant au conservatoire de Bordeaux, il est engagé dans l'orchestre de Ray Ventura•, où il chante les refrains à voix ("Dans mon cœur", "Si la brise", "Y'a des jours où toutes les femmes sont jolies", etc.). Après la guerre, il s'oriente vers l'opérette puis monte un tour de chant qu'il impose à l'ABC et à l'Européen. Sa voix puissante est mise au service d'un répertoire alternant les chansons régionalistes ("Ramuntcho", "les Cloches des Pyrénées") et les chansons classiques, comme "le Temps des cerises" ou "Plaisir d'amour". Sportif accompli, il incarne l'interprète viril au charme discrètement exotique.

DASSIN Joe

New York, 1938 - Papeete, Tahiti, 1980
COMPOSITEUR, INTERPRÈTE

À l'instar d'une Dalida• ou d'un Claude François•, Joe Dassin fait partie de ces grandes vedettes populaires des années soixante-soixante dix dont la disparition n'a en rien entamé la notoriété ni le potentiel commercial. Entre folklore américain et chanson fantaisie, la palette de Joe était assez large. Bon nombre de ses chansons (souvent adaptées du répertoire américain) appartiennent aujourd'hui à la mémoire collective.

Fils d'une violoniste classique et du metteur en scène Jules Dassin, Joe suit de brillantes études d'ethnologie avant de se lancer dans la chanson. Après avoir vécu aux États-Unis et en Suisse, c'est en France qu'il achève son doctorat d'ethnologie. Excellent guitariste, Joe finit par signer un contrat d'artiste chez CBS pour ses vingt-six ans. Le succès vient avec "Bip Bip" (adapté du Brésilien Roberto Carlos) puis "Guantanamera" (d'après Pete Seeger), "Ça m'avance à quoi" et "Excuse me lady". La carrière de Joe est alors confiée à Jacques Plaît, le découvreur de Sheila•. Ensemble, ils partent à New York pour un premier 33 tours, *À New York,* qui se vend bien, malgré l'absence de hit. L'année suivante, Joe culmine en tête des ventes avec "les Dalton", une chanson que Joe avait composée pour Henri Salvador•, sur un texte de Frank Thomas• et Jean-Michel Rivat•. Il passe pour la première fois à l'Olympia, en première partie d'Adamo•, et impose son personnage décontracté d'étudiant de campus américain. En 1968, deux gros succès viennent confirmer ces débuts plus que prometteurs, "Siffler sur la colline" et "la Bande à Bonnot".

Planétaire. Il démarre alors une carrière internationale – au Canada, en Allemagne, aux Pays-Bas, au Japon, en Italie –, bien aidé par sa bonne connaissance de l'anglais, du russe, de l'allemand, de l'espagnol et de l'italien. En 1969, il endosse pour la première fois un costume blanc et triomphe avec "Aux Champs-Élysées" (grand prix de l'académie Charles-Cros), suivi de "l'Amérique" et de "Cécilia". Au début des années soixante-dix, léger passage à vide, l'occasion pour Joe de se découvrir deux passions : le golf et Tahiti. En 1975, c'est à nouveau un triomphe via un slow, "l'Été indien" (paroles de Pierre Delanoë et Claude Lemesle), qui sera enregistré en allemand, italien, espagnol et anglais et commercialisé dans 25 pays différents. Nouveau départ, et stabilisation au zénith. Les hits s'enchaînent : "Et si tu n'existais pas", "Il faut naître à Monaco", "Ça va pas changer le monde", "l'Équipe à Jojo". En 1976, l'Amérique du Sud lui réserve un accueil triomphal. Il part ensuite à Los Angeles pour enregistrer des chansons de Jim Croce, Eric Clapton

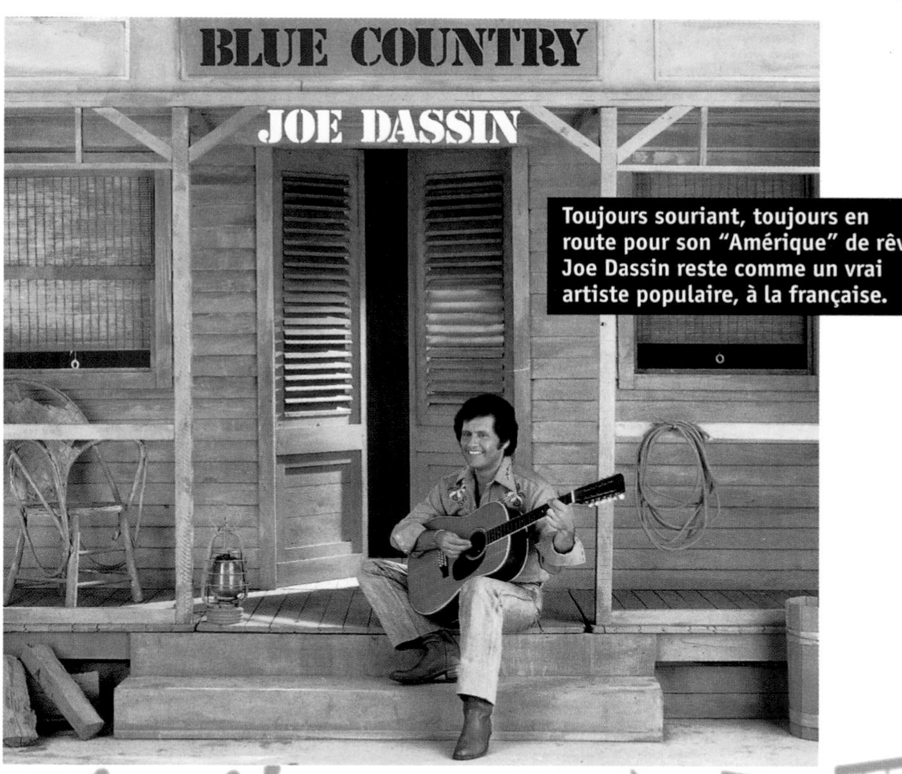

Toujours souriant, toujours en route pour son "Amérique" de rêve, Joe Dassin reste comme un vrai artiste populaire, à la française.

et Tony Joe White. Mais, surmené, ayant déjà subi des alertes cardiaques, il meurt d'un infarctus au cours de vacances à Papeete. **C. E.**

◎ ***L'Intégrale*** (coffret 9 CD), Sony, 1995
◎ ***27 Succès*** (1967-1980), Columbia/Sony

DATIN Jacques

Saint-Lô, 1920 - Salas, 1973
Compositeur

Après de sérieuses études musicales, il fait la connaissance de Maurice Vidalin. Ils ne vont plus se séparer et en quelques années vont aligner les tubes : "Julie" (pour Michèle Arnaud•, 1957), "Zon Zon Zon" et "Tais-toi Marseille" (pour Colette Renard•), "les Boutons dorés" (pour Jean-Jacques Debout•). L'apothéose viendra avec le grand prix de l'Eurovision 1961 : "Nous les amoureux", chanté par Jean-Claude Pascal•. Jacques Datin collabore ensuite avec Claude Nougaro• pour qui il compose la musique d'"Une petite fille", de "le Jazz et la Java" et de "Je suis sous". Serge Reggiani• lui doit "le Petit Garçon" en 1967 (paroles de Jean-Loup Dabadie•). Et Serge Lama• vient clore cette grande série de succès avec "les P'tites Femmes de Pigalle", en 1973.

DAUTIN Yvan

Saint-Jean-de-Monts, Vendée, 1945
Auteur, compositeur, interprète

"La Malmariée", "la Portugaise", "Boulevard des Batignolles", "le clown est mort". Il y a derrière Yvan Dautin, arrivé tardivement à la chanson, à vingt-cinq ans, une sympathique pléiade de succès. Un titre, un seul, la "Méduse", a suffi pour le faire connaître, en 1973. Le texte le pose en digne héritier de Boby Lapointe•. Dautin, sur une mélodie enlevée avec certains accents jazz du meilleur effet, multiplie les audaces verbales sur un chant délibérément haché. Les disques qui s'enchaînent apportent la preuve que, derrière son classicisme, il y a une belle variété d'inspiration. Au piano et aux cordes, il superpose avec bonheur cuivres, flûtes, accordéon, bandonéon. Les mondes qu'il raconte sont, entre tendresse, dérision et coups de colère, proches de chacun de nous. En 1982, la cessation d'activité de sa maison de disques, AZ, porte un coup d'arrêt à cette belle carrière. La parenthèse va durer une bonne décennie. Il faudra attendre 1992 et la signature sur un petit label ambitieux, Olivi Music, pour retrouver Dautin. Un nouvel album, *le Cœur cerise,* et une compilation de ses classiques réorchestrés attestent que la verve qui l'a imposé parmi les grands de la chanson française est toujours là. Yvan Dautin, plus que jamais, n'a que faire des modes, et, si le contact est repris avec le public, il manque, toujours, une chanson à succès qui l'installerait définitivement, cette fois. **J.-P. G.**

◎ ***Ses plus grands succès,*** Olivi Music/Socadisc, 1992
◎ ***Le Cœur cerise,*** Olivi Music/Socadisc, 1992

Chouchou des hit-parades Dave met au service de bluettes efficaces une voix au très large registre.

DAVE (Levenbach Dave, dit)

Amsterdam, 1944
INTERPRÈTE

Dave arrive à vingt ans à Paris, où il connaît des débuts difficiles. Mais, en 1974, il fait du "Sugar Baby Love" des Rubettes "Ce serait trop beau" et vend 700 000 singles. Il inscrit ensuite à son répertoire "Runaway", la scie de Del Shannon, en remplaçant l'orgue par sa voix aux très grandes possibilités. "Vanina" va atteindre le million de copies. Assisté de Patrik Loiseau, il transforme "Moonlight Serenade" de Glenn Miller en "Dansez maintenant". De "Du côté de chez Swan" à "Est-ce par hasard?" il va se maintenir en première ligne jusqu'au début des années quatre-vingt. Par compilation interposée, Dave fait un retour dans l'actualité quelque vingt années après son premier succès. En 1996, l'album *Toujours le même bleu* vient confirmer ce retour inattendu. L'occasion de mesurer toute l'étendue de son registre vocal.

20 Ans de carrière (triple CD), Versailles/Sony, 1995

DAVIS Jeff

États-Unis, 1917 - Paris, 1977
COMPOSITEUR

Arrivé en France en 1950, il se lie d'amitié avec son compatriote Eddie Constantine•, et les deux hommes décident de travailler ensemble. Charles Aznavour• vient leur prêter main-forte. Sur une musique de Davis, il écrit "Et bâiller, et dormir". Interprétée par Constantine, qui a été accepté par Eddie Barclay• sur l'instance d'Aznavour, la chanson est un succès, suivi bientôt de "Ah! les femmes", "Ça va barder" et "Je t'aime comme ça".

DAVOUST Gérard

Le Pecq, Yvelines, 1936
ÉDITEUR, PRODUCTEUR

En 1959, il entre chez Vogue, où il accompagnera la première tournée de Johnny Hallyday•. En 1971, il remporte le grand prix de l'Eurovision avec son équipe, composée de Séverine, Yves Descca• et Jean-Pierre Bourtayre•. Puis il est P-DG des éditions Chappell en 1972 et commence brillamment avec "le Lac Majeur" de Mort Shuman•. Depuis, Gérard Davoust a rejoint l'idole de ses débuts, Charles Aznavour•, qui a repris les éditions Raoul Breton. Il devient président de la SACEM en juin 1999.

DEBOUT Jean-Jacques

Paris, 1941
AUTEUR, COMPOSITEUR, INTERPRÈTE

En travaillant chez son parrain Raoul Breton•, l'éditeur de Trenet• et d'Aznavour•, il rencontre Mireille• et entre au Petit Conservatoire. En 1958, il enregistre "les Boutons dorés", qui rencontre un certain succès. Un soir, chez Patachou•, Johnny Hallyday• lui demande une chanson. Ce sera "Pour moi la vie va commencer". À partir de là, il écrit surtout pour les autres, notamment Sylvie Vartan• ("Tous mes copains", "Comme un garçon", "Baby Capone"...). Il se consacre ensuite à sa femme, Chantal Goya•, pour laquelle il compose des comédies musicales destinées aux enfants.

Avec toi (compil.), EMI France, 1990

DEBRONCKART Jacques

Chartrettes, 1937 - Paris, 1983
AUTEUR, COMPOSITEUR, INTERPRÈTE

Après avoir été pianiste de Maurice Fanon• et de Bobby Lapointe•, il écrit pour Juliette Gréco• et Nana Mouskouri•. En 1965, il sort son premier 45 tours, "Adélaïde", qui devient vite un classique de la chanson rive gauche•. Quatre ans plus tard, "J'suis heureux" le désigne comme le fils spirituel de Jacques Brel•. Bien que remplissant Bobino (1970) ou l'Olympia (1981), il est boudé par les médias et ne bénéficie pas de la renommée qu'il mérite. Il meurt prématurément d'un cancer en 1983.

DEGEYTER Pierre (Pierre de Geyter, dit)

Gand, Belgique, 1848 - Saint-Denis, 1932
COMPOSITEUR

Fils d'ouvriers, il est tourneur sur bois et suit des cours au conservatoire de Lille. Le maire de la ville, promoteur de l'éducation musicale populaire, suggère un jour à Degeyter de mettre en musique les textes d'Eugène Pottier• qui viennent de paraître. C'est ainsi qu'est née "l'Internationale", chantée pour la première fois dans la capitale du Nord en 1888, à la fête du syndicat des marchands de journaux. C'est immédiatement un succès, que lui conteste son frère Adolphe. Un procès a lieu en 1914 entre les deux frères, mais, pris de remords, Adolphe avoue qu'il a menti, avant de se pendre en 1915. Pierre Degeyter quitte le Nord pour Saint-Denis, où il met en musique d'autres chansons de Pottier : "l'Insurgé", "En avant, la classe ouvrière", etc. Mais il compose également des chansons sentimentales comme "Reine des fleurs", "Inconsolée", "l'Aéroplane".

DEGUELT François (Louis Deghelt, dit)

Tarbes, 1932
AUTEUR, COMPOSITEUR, INTERPRÈTE

Fils d'un chanteur d'opéra, il commence sa carrière au début des années cinquante avec un répertoire de reprises avant de chanter ses propres compositions au début des années soixante. Malgré de nombreuses récompenses décernées par le métier – prix de l'académie Charles-Cros en 1956, deuxième à l'Eurovision en 1961 (avec "Dis rien") –, François Deguelt n'a jamais été considéré comme une grande vedette. Le public, qui a surtout privilégié ses slows ("le Ciel, le soleil et la mer", "la Mélancolie"), est sans doute passé à côté de ses nombreuses autres facettes.

Le Ciel, le Soleil et la Mer, EMI

DEJACQUES Claude (Claude Bergerat, dit)

Paris, 1928-1998
PRODUCTEUR

Ancien militaire, prisonnier des Viêt-cong pendant deux ans, à vingt-quatre ans, Claude Bergerat, alias Claude Dejacques, a déjà vécu une vie de baroudeur. Par hasard, il se retrouve magasinier dans un club de livres et de disques. En 1957, il entre chez Philips, où il restera jusqu'en 1969. Il est agent de planning, adjoint à l'artistique, puis directeur artistique. Jusqu'en 1986, il exercera successivement chez Philips, Festival, Pathé Marconi, et en "free" chez Barclay et Vogue. La liste est longue des artistes qu'il a découverts ou accompagnés : Catherine Lara•, Barbara•, Louki•, Montand•, Yves Duteil•, Yves Simon•, Nougaro•, Maxime Le Forestier•. En 1986, il quitte le métier et va photographier pour l'agence Kipa les lagons du Viêt-nam.

DELAHAYE Gérard

Morlaix, 1948
AUTEUR, COMPOSITEUR, INTERPRÈTE

Gérard Delahaye fait ses vrais débuts dans la chanson en 1970. Ses premiers disques, "le Printemps" et "Transbigouden's blues" révèlent ce chanteur breton, à mi-chemin entre rêve et humour. Suivent un prix de l'académie Charles-Cros en 1982, et de nombreux spectacles. Il chante pour les enfants et les adultes de belles ballades marines, des blues marrants, avec des musiques alertes où la guitare, le violon et le synthé se marient joyeusement.

Gérard Delahaye 1973/1992, Pluriel/Scala'Disc, 1992
Le Printemps, Scalen/Disc, 1993
Ça tourne toujours, Dylie, 1994
La Ballade du Nord-Ouest, Blue Silver/Virgin, 1997

DELAIR Suzy (Suzanne Delaire, dite)

Paris, 1916
CHANTEUSE, COMÉDIENNE

À quatorze ans, elle chante dans les caf'conc', où sa voix cristalline et sa fantaisie naturelle lui ouvrent les portes de la chanson, de l'opérette et du cinéma. À partir de 1934, elle tourne dans de nombreux films, dont *L'assassin habite au 21* d'Henri-Georges Clouzot, avec qui elle vivra plusieurs années, et *Quai des Orfèvres* (1947), où elle chante "Avec son tralala" (textes d'Hornez• et musique de Francis Lopez•). Elle impose également "Tu ne peux pas t'figurer" (1951), extrait du film *Atoll K.*

Plusieurs chansons in *Compilation*
Sélection du Reader's Digest 308/3

DELANOË Pierre (Pierre Leroyer, dit)

Paris, 1918
AUTEUR

Ancien élève des oratoriens et licencié en droit, il devient inspecteur des impôts. À la Libération, il retrouve son beau-frère Franck Gérald•, qui compose des musiques. Il s'amuse alors à mettre des paroles sur ces mélodies et il leur vient l'idée de monter un numéro de duettistes. Un jour, Jean Nohain• le présente à la chanteuse Marie Bizet•, chez qui il fait la connaissance d'un certain François Silly, qui va devenir Gilbert Bécaud•. Cette rencontre est le départ d'une très longue carrière d'auteur de chansons, d'autant que, par la suite, la présence du poète-préfet Louis Amade• ne fera que consolider cette nouvelle association qui produit une remarquable série de succès : "Mes mains", "le Jour où la pluie viendra", "Marie, Marie", "Nathalie", "l'Orange", "Et maintenant", "Dimanche à Orly", "Je t'appartiens". Pierre Delanoë devient le parolier recherché de nombreux compositeurs et interprètes, parmi lesquels Édith Piaf ("les Grognards"), Bob Azzam, Yvette Giraud• et Tino Rossi•. En 1958, il remporte le grand prix de l'Eurovision avec "Dors mon amour", chanté par André Claveau•.

Les "copains". Son importante activité d'auteur ne l'empêche pas de faire équipe, de 1955 à 1960, avec Lucien Morisse• à la direction des programmes d'Europe n° 1, la nouvelle station radiophonique. Et c'est une de ses chansons, "Salut les copains", qui devient le titre de l'émission phare de Daniel Filipacchi sur cette antenne. Pierre Delanoë revient bientôt à ses chansons. Il écrit toujours pour Gilbert Bécaud, mais il se consacre désormais au répertoire de bien d'autres interprètes. Il signe ainsi avec Hugues Aufray• plusieurs succès, "le Rossignol anglais", "l'Épervier", et "la Fille du Nord", extraite d'un album exclusivement composé de chansons de Bob Dylan, traduites pour la première fois en français. À partir de 1967, ce sera Michel Fugain• ("Je n'aurai pas le temps"), puis Nicoletta• ("Il est mort le soleil"), Michel Polnareff• ("le Bal des Laze"), Joe Dassin• ("le Chemin de papa", "Aux Champs-Élysées", "l'Amérique", "l'Été indien"), Gérard Lenorman• ("la Ballade des gens heureux") et Michel Sardou• ("le France", "la Java de Broadway", "les Vieux Mariés"). **P. S**

DELÉCLUSE Claude

Paris, 1920
AUTEUR

Elle débute sa carrière avec Michèlle Senlis•, au début des années cinquante. Elles signent ensemble la chanson "C'est à Hambourg", qu'elles présentent à Germaine Montero•. Celle-ci demande à Marguerite Monnot• de composer une musique. Édith Piaf• aime la chanson et souhaite travailler avec les deux parolières, qui vont lui écrire "les Amants d'un jour" et "Comme moi". Claude Delécluse rencontre Jean Ferrat• en 1962 et lui apporte "Deux Enfants au soleil". Deux ans plus tard, ce sera "les Amants de Vérone" pour Isabelle Aubret•. Elle retrouve alors Michelle Senlis et signe avec elle "C'est beau la vie" pour Ferrat. Les deux associées recevront ensemble le grand prix de la chanson en 1963.

Avec son épouse, Michel Delpech à l'époque de ses grands succès. "Quand j'étais chanteur..."

DELETTRE Jean (Alexandre Delettre, dit)

Paris, 1902 - *id.*, 1980
COMPOSITEUR

Grand ami de Lucienne Boyer, il lui donne quelques chansons comme "Des mots nouveaux" ou "Viens danser quand même" (1933). Outre son opérette *la Belle Saison,* il signe "le P'tit Bal du samedi soir", écrite en 1946 avec Borel-Clerc• et Jean Dréjac•, chantée par Georges Guétary•.

DELPECH Michel

Courbevoie, 1946
AUTEUR, INTERPRÈTE

L'artiste au style sage et élégant commence en 1964 en tournant dans une comédie musicale, *Copains-Clopants,* dans laquelle il chante en duo avec Chantal Simon, qu'il épouse en 1966. Un an plus tôt, la chanson "Chez

Lourette", tirée du spectacle du même nom, le révèle au grand public, qui apprécie cette tendre rengaine décrivant les rapports d'amitié entre une patronne de bistrot et une bande d'adolescents rêveurs. Toujours en 1966, Delpech est celui qui a l'honneur de précéder, chaque soir, le récital d'un Brel• faisant ses adieux à l'Olympia. Sa rencontre avec Johnny Stark (l'imprésario de Mireille Mathieu•), en 1967, donne un nouvel élan à sa carrière. Il obtient le grand prix du disque 1968 pour "Il y a des jours où on ferait mieux de rester au lit".

Le chanteur-reporter. Les textes de Delpech, résolument réalistes, font de lui un "journaliste de l'instant", comme on l'a souvent surnommé. Par exemple, "Inventaire 66" recense tous les faits qui ont marqué l'année 1966. En 1969, le Festival de l'île de Wight – un des événements musicaux les plus importants de la fin des années soixante avec Woodstock – inspire à Michel Delpech le célèbre "Wight is Wight". Et les tubes s'enchaînent : "Et Paul chantait Yesterday" (1970) ou "Pour un flirt" (1971). Après avoir écrit seul ses textes jusqu'en 1972, il s'adjoint les services de l'auteur Jean-Michel Rivat•, qui va lui faire aborder plusieurs thèmes en vogue (le divorce, le rapport ville-campagne, le changement politique). Fruits de cette efficace collaboration : "les Divorcés" (1973), "Que Marianne était jolie" (1973), "le Chasseur" (1974), "Tu m' fais planer" (1975), "Quand j'étais chanteur" (1975), "le Loir-et-Cher" (1976) et "Animaux animaux" (1983). En se spécialisant dans la chanson "tranches de vie", cet auteur-interprète amateur de bons mots et de beaux sentiments rencontre l'écho d'un public qui s'identifie à sa sincérité. Il revient fort en 1997 avec l'album Michel Delpech, où l'on remarque, parmi les paroliers, la signature de Jean-Louis Murat•. **A G.**

Lucienne Delyle, une chanteuse de charme influencée par Lucienne Boyer.

- ***Pour un flirt*** (1965-1973), Barclay/Polygram, 1992
- ***Le Chasseur*** (1974-1976), Barclay/Polygram, 1992
- ***Le Loir-et-Cher*** (1977-1979), Barclay/Polygram, 1992
- ***Loin d'ici*** (1980-1985), Barclay/Polygram, 1992
- ***Michel Delpech,*** Trema/Sony, 1997

DELYLE Lucienne (Lucienne Delyne, dite)

Paris, 1917 - Monte-Carlo, 1962
INTERPRÈTE

Dès 1939, "Sur les quais du vieux Paris", de Poterat et Erwin, et "la Prière à Zumbia" la mettent en vedette. Le voile nostalgique de sa voix est accordé aux années de l'Occupation. "Mon amant de la Saint-Jean", une chanson du milieu marseillais, est un des plus grands succès de cette époque. Elle reprend des chansons réalistes du répertoire de Piaf• ("Elle fréquentait la rue Pigalle"), "Nuages" du grand guitariste gitan Django Reinhardt, et chante du musette, en suivant sa cadence.

Sa carrière s'accélère après la guerre. Elle coupe et teint en blond ses longs cheveux, se fait remodeler le nez. Ses chansons sont plus joyeuses et elle collectionne les succès comme "les Amants du dimanche" (signée Henri Contet• et Marguerite Monnot•) et met à son répertoire les premières compositions d'Aznavour• ("C'est un gars", "Mon amour, protège-moi"). En 1956, elle obtient le grand prix du disque avec "Java" (d'Emil Stern• et Eddy Marnay). Cousine de Lucienne Boyer• par le timbre, Lucienne Delyle est la chanteuse populaire par excellence, de celles qui chantent avec leur cœur. **H. H.**

Les Étoiles de la chanson (vol. 1 et vol. 2), Music Memoria/Virgin

Lucienne Delyle (compilation), EMI Music

DEMARNY Jacques

Paris, 1925

AUTEUR, INTERPRÈTE

Comédien à ses débuts, il monte en 1947 un numéro de duettistes avec son frère Jean. Ils se produisent sur la scène des plus grands music-halls et enregistrent de nombreux disques. En 1959, le numéro a vieilli et ils se séparent. Jacques décide alors d'écrire des chansons pour les autres, les vedettes du moment : Miguel Amador, Marie-José•. Au début des années soixante, il rencontre Enrico Macias• et écrit pour lui ses plus belles chansons : "Enfants de tous pays", "Mon cœur d'attache", "Non, je n'ai pas oublié", "les Millionnaires du dimanche", "Noël à Jérusalem" et "les Gens du Nord". Il écrit aussi pour Daniel Guichard• ("Je t'aime, tu vois", "Je n'ai pas le cœur à sourire"), Dalida•, Dario Moreno•, Tino Rossi•, Georges Guétary•, Annie Cordy• et Pierre Groscolas•. Entré à la SACEM en 1949, il y dépose plus de 400 titres et en devient président en 1996.

DENONCIN René

Neuilly-sur-Seine, 1923

COMPOSITEUR

Après la Libération, il connaît, avec le parolier Roger Desbois, son premier grand succès : "Marie Angèle", chantée par Guy Marly. Au cours des vingt années qui suivent, il compose plus de 400 titres, dont 60 grands succès pour Tino Rossi•, Luis Mariano•, Marie-José•, Henri Genès•, Jacques Hélian, Dario Moreno•, André Claveau• ("Merci d'avance", "Impossible", "J'ai gardé ta photo", "la Fête du tabac", "Sensual", "les Coquettes de Porto Rico", "Téléphonez-moi chérie", "Bons Baisers à bientôt", etc.). Il jouera aussi un rôle important dans l'édition, notamment chez Paul Beuscher, et sera administrateur et vice-président de la SACEM.

DERAIME Bill (Alain Deraime, dit)

1947

AUTEUR, COMPOSITEUR, INTERPRÈTE

Ancien drogué, Bill Deraime trouvera dans le blues un prolongement à ses convictions religieuses, mais aussi à son angoisse existentielle. En 1979, il commence à enregistrer et permet, avec deux titres ("Faut que j' me tire ailleurs" et "Babylone"), à un genre jusque-là marginalisé, surtout quand des Français l'interprètent, de rencontrer une audience conséquente.

En 1986, il arrête tout et effectue plusieurs retraites dans des monastères. Il ne reviendra sur les devants de la scène qu'en 1989, avec Sur le bord de la route. Depuis, il n'est plus parvenu, malgré d'excellents enregistrements comme Alligator (Musidisc), en 1991, à retrouver le haut de l'affiche.

Bill Deraime (1990), Disc'Az

Sur le bord de la route (1989), Adès/Musidisc

Tout recommencer (1994), East West/WEA

DERÉAL Colette

Marseille, 1927 - Cap-d'Ail, 1988

INTERPRÈTE

Mince et élégante, Colette Deréal se destine à la comédie, s'inscrit au cours Simon mais, dès 1959, elle opte pour la chanson. Elle signe un contrat avec Polydor et – coup d'essai, coup de maître – c'est le succès immédiat avec "Ne joue pas", une adaptation de Jean Constantin• sur un succès américain.

Elle revient à la comédie, ce qui ne l'empêche nullement d'enregistrer, au début des années soixante, de nombreuses chansons à succès : "À la gare Saint-Lazare", "On se reverra", "la Valse folle", "Cheveux fous, lèvres roses", "Notre concerto" et d'être en vedette à l'affiche des music-halls de Bobino et de l'Olympia.

À la gare Saint-Lazare, Polygram, 1989

Colette Deréal (compilation), Podis/Polygram

DÈS Henri

Renens, Suisse, 1940

AUTEUR, COMPOSITEUR, INTERPRÈTE

Venu du nord du Québec, Richard Desjardins s'est peu à peu installé dans l'olympe des grands chanteurs francophones.

En vingt ans et onze disques d'or vendus à trois millions d'exemplaires, ce moustachu toujours en jeans est devenu un phénomène de la chanson enfantine. Il n'y a pas une cour de récréation qui échappe au refrain de "C'est le printemps" ("J'suis content/C'est l'printemps/Aujourd'hui j'ai rien à faire") ou de "Galipette bobinette" ("Aujourd'hui/C'est samedi/Faut trouver quelque chose à faire"). En 1960, ce fils d'un masseur et d'une coiffeuse débarque à Paris pour chanter dans les cabarets de la rive gauche•. Il dort longtemps sous les ponts et se marie en 1964 avec Mary-Josée, qui donnera son nom à sa propre maison de disques. Faute de reconnaissance dans la chanson traditionnelle, il se met à chanter pour les bambins de deux à sept ans au début des années soixante-dix. En 1977 sort son premier album pour enfants... Aujourd'hui, chaque disque d'Henri Dès se vend en moyenne à 350 000 exemplaires, sans passage à la radio ou à la télévision. Il remplit régulièrement l'Olympia et le Zénith. Il est grand-père depuis 1996 et a remporté deux victoires de la musique en 1995 et 1997. **Y.P.**

◎ ***Bêtises,*** Mary-Josée, distr. Musidisc, 1995
◎ ***On peut tout dire,*** Mary-Josée, distr. Musidisc, 1997

DESBOIS Roger

Paris, 1923
AUTEUR

En 1944, l'éditeur Henri Baquet le met en relation avec le compositeur René Denoncin•, et ils connaissent ensemble un premier succès, "Marie Angèle" (1945), chanté par Guy Marly. Roger Desbois écrit ensuite "Merci d'avance" (pour Marie-José•, 1945), "Mama te quiero" (pour Rina Ketty•, 1951), "Helena" (pour Dalida•, 1958), "Une simple carte postale" (pour Tino Rossi•, 1961), etc. Administrateur de la SDRM et de la SACEM, il joue un rôle essentiel dans la défense du droit d'auteur.

DESJARDINS Richard

Rouyn-Noranda, Québec, 1948
AUTEUR, COMPOSITEUR, INTERPRÈTE

Né dans une ville minière du Nord québécois, Richard Desjardins remporte son premier concours de piano à l'âge de douze ans. La musique classique jure avec son environnement : Rouyn-Noranda est une des villes les plus polluées du monde, la Noranda Inc. y possède tout, mines et usines de papier. C'est par le biais du cinéma documentaire que Richard Desjardins entre en chanson : pour un film sur une violente grève dans sa ville natale pendant la dépression, il écrit une de ses premières chansons, "les Freux". Richard Desjardins exerce toutes sortes de métiers, dont celui d'instituteur chez les Inuit. Avec des amis, Richard Desjardins monte un groupe de chanson-rock baptisé Abbitibbi, avec le "b" supplémentaire de l'orthographe ancienne du mot américain désignant sa région, l'Abbitibi. Succès local, succès d'estime. **Iconoclaste.** Desjardins chante en soliste depuis 1985. Un album, les Derniers Humains, fait de lui une sorte de héros dans un tout petit milieu. Il rencontre la première fois le public populaire avec le film *le Party,* dans un rôle de détenu hard-rocker. L'album suivant, *Tu m'aimes-tu ?* lancé par une souscription auprès de mille fidèles, finit par se placer dans les sept meilleures ventes de l'année au Québec. À quarante-deux ans, Richard Desjardins se voit enfin consacré, ses spectacles font salle comble. Certains Québécois le jugent inexportable pour son accent et son langage ; Desjardins trouve vite un public et un distributeur en France ; il rempli le Théâtre de la Ville et s'installe quinze jours au Bataclan.

Artiste complet. En 1994, Richard Desjardins a retrouvé ses amis d'Abbitibbi pour un nouvel album aux colorations rock-jazz. Avec eux, il a recommencé à tourner, au Québec et en France, surprenant ceux qui n'avaient pas entendu sa prestation électrique dans *le Party.* En un album piano-voix, guitare-voix, Richard Desjardins s'est imposé comme un des auteurs-compositeurs marquants de la francophonie. Un lyrisme profond, très personnel dans son cousinage avec Ferré• et Leonard Cohen, des chansons solidement écrites, avec des longueurs et des ambitions inusitées aujourd'hui. Desjardins ne dédaigne pas la saga : "Nataq" raconte la fuite d'île en île à travers le détroit de Béring d'une horde venue d'Asie pour investir le continent américain ; "les Derniers Humains" dénoncent l'extermination des Amérindiens par les "Yankees". Desjardins peut aussi chanter l'amour : "Quand j'aime une fois, j'aime pour toujours" sera repris par Francis Cabrel•. Richard Desjardins chante en "français international", mais aussi en "chiaque", la version du québécois truffée d'anglicismes en cours à Rouyn-Noranda. L'importance portée au texte ne doit pas faire oublier pour autant le musicien, formé au classique mais fou de boogie-woogie, et le chanteur avec ses passages détonants du grave dans le nasal. En 1999, il revient avec un nouvel album, *Boom Boom,* et une tournée française. **H. H.**

- ***Tu m'aimes-tu ?*** BMG, 1992
- ***Les Derniers Humains,*** BMG, 1992
- ***Au club Soda (live),*** Scalen' Disc, 1995

DESLYS Gaby (Gabrielle Caire, dite)

Marseille 1881-1920

INTERPRÈTE, MENEUSE DE REVUE

Elle reste comme l'une des plus séduisantes meneuses de revues de la Belle Époque. Dotée d'un beau physique et d'un fort tempérament, elle débute à Paris au théâtre des Mathurins. Elle s'impose très vite et sa réputation déborde les frontières. Elle se rend aux États-Unis, où elle fait la connaissance d'un tout jeune danseur new-yorkais, adepte du ragtime, Harry Pilcer. Gaby ramène le jeune homme à Paris et impose le rythme nouveau au public de la capitale. En 1918, elle est au sommet de sa gloire, mais, très vite, la tuberculose va l'emporter. Elle laisse toute sa fortune aux pauvres de Marseille et lègue sa magnifique villa de la Corniche à une œuvre.

Belle et provocante, Gaby Deslys sera une des grandes meneuses de revue du début de siècle.

DESROCHERS Clémence

Montréal, Québec, 1934
AUTEUR, INTERPRÈTE

Fille d'Alfred Desrochers, poète de facture classique très estimé au Québec, Clémence se taille une place à part comme humoriste : dans un Québec qui se cherche une identité entre le Canada et la France, elle use du joual de Montréal, du parler québécois. La vogue des "boîtes à chansons", une sorte d'équivalent de notre "rive gauche", démarre. Clémence Desrochers a sa place dans une des plus prestigieuses, chez Bozo, aux côtés de Claude Léveillée•, Raymond Lévesque•, Jean-Pierre Ferland•. Le public apprécie surtout ses monologues, mais elle les émaille toujours de chansons qu'une Pauline Julien•, une Louise Forestier•, une Renée Claude•, un Claude Léveillé interprètent sur disque.

En 1960, Clémence écrit et joue la première comédie musicale québécoise, *l'Envol du flamant rose,* puis crée une série de spectacles musicaux, dont *les Girls* (1979) avec une Diane Dufresne• débutante. En 1967, elle a ouvert la Boîte à Clémence où elle crée la plupart de ses spectacles. Si Clémence est reine incontestée dans son genre, ce n'est qu'en 1972 qu'elle rencontre le grand public, avec l'aide d'une chanson d'autodérision, "le Monde aime mieux Mireille Mathieu" (1974). Au Québec, Clémence Desrochers connaît une curieuse célébrité. Les plus grands l'ont chantée ; elle est une sorte de monument national, tant pour le grand public comme humoriste que chez les intellectuels comme auteur. Mais aucun de la dizaine de disques qui restituent sa fine voix têtue n'a été repris en laser. En France, Clémence Desrochers est une inconnue, sauf d'une poignée de connaisseurs, les happy few qui finissent par faire l'histoire. **H. H.**

DESSCA Yves (Yves Lavot-Dessca, dit)

Lugrain, Haute-Savoie, 1949
AUTEUR, COMPOSITEUR.

Il commence par écrire pour Claude François• ("Avec la tête avec le cœur", 1969), puis pour Nicole Croisille• ("Quand nous n'aurons que la tendresse", 1970), Éric Charden, ("le Prix des allumettes") et Michel Delpech• ("l'Amour en wagon-lit"). Pour Michel Sardou•, il signe ensuite, avec Jacques Revaux pour la musique, "le Rire du sergent" et "la Maladie d'amour" (1973).

DIDIER Romain (Romain Petit, dit)

Rome, 1949
COMPOSITEUR, INTERPRÈTE

L'un des plus brillants orchestrateurs de sa génération (Francis Lemarque•, Pierre Perret•) débute comme pianiste de bar. Ses premières chansons, sur des paroles de Patrice Mithois, sont enregistrées par Nicole Croisille•. Il connaît ses premiers succès comme interprète avec "Amnésie" et "Promesses, promesses". Une musique contemporaine et classique, rythmée et contemplative, toujours subtile. Qu'il travaille avec Allain Leprest• pour les paroles ou seul, Romain Didier, grand prix de l'académie Charles-Cros 1986, reste prêt à toutes les expériences. En 1999, il revient avec un album tout en ambiance jazz, *J'ai noté,* dont il a écrit et composé la totalité (avec une réalisation de Mick Lanaro), et un tour de chant au Café de la Danse.

- ***Place de l'Europe,*** Flarenasch/Musidisc, 1988
- ***D'hier à demain*** (3 CD), Flarenasch/Musidisc, 1992
- ***Maux d'amour,*** Flarenasch/Musidisc, 1994

DIMEY Bernard

Nogent-en-Bassigny, Haute-Marne, 1931 - Paris, 1981
AUTEUR

Bernard Dimey est un curieux personnage, auteur, amoureux de la vie bohème de Montmartre, poète contemporain en décalage temporaire. Il a écrit "Syracuse" avec Henri Salvador•, "l'Amour et la guerre" avec Charles Aznavour•, "Mon truc en plumes" avec Jean Constantin•, et "Mémère", chantée par Michel Simon, sur une musique de Dany White. Journaliste, peintre, il découvre Montmartre à l',ge de vingt-cinq ans, et y rencontre le compositeur Francis Lai•. Ensemble, ils écrivent des chansons pour Juliette Gréco•, Mouloudji• ou Yves Montand•. La rue Saint-Vincent est son fief, qu'il ne quittera plus. Dimey dit ses textes au cabaret du Port-Salut, puis à Bobino en 1970, une prestation pour laquelle il obtiendra le grand prix du disque. L'univers de Dimey est celui des bars de la Butte. Avec son physique jovial, barbe en bataille et lunettes d'instituteur, Bernard Dimey s'est promené dans la vie en observant un monde peuplé de prostituées affectueuses, de bookmakers en exil, de mongoliens amoureux, d'assassins méticuleux. Atteint d'un cancer, il était totalement sorti de la chanson pour écrire de longs poèmes, rassemblés avant sa mort sous le titre de *Testament*. **V.M.**

La Mer à boire,
Disques Déesse/Sony
Testament intégral,
Disques Déesse/Sony, 1994

"PETITE FILLE DE CANADIENS MOYENS, ELLE TRÔNE DÉSORMAIS DANS LE PANTHÉON DES DIVAS POP."

DION Céline

Charlemagne, Québec, 1968
INTERPRÈTE

Céline Dion est un véritable phénomène. D'abord grâce à sa voix d'or, à la Mariah Carey : cristalline et puissante, expressive et émouvante. Mais également de par son incroyable réussite, en tête des hit-parades francophones et américains. Benjamine d'une famille modeste de 14 enfants, Céline enregistre son premier disque en 1981, "Ce n'était qu'un rêve". Elle a tout juste treize ans, et vient de faire la connaissance de l'imprésario René Angelil.
Ce dernier s'endette pour pouvoir produire son premier 33 tours, *la Voix du bon Dieu,* qui est certifié disque d'or l'année suivante. Dès lors, les albums se suivent : *Tellement j'ai d'amour pour toi* en 1982, *les Chemins de ma maison* et *Mélanie* en 1984, *C'est pour toi* en 1985. Ils seront commercialisés à travers le monde, le Japon et l'Allemagne étant les deux premiers pays, après la France, à succomber au charme explosif de la petite Québécoise.

Céline Dion s'est imposée comme une des toutes premières voix féminines dans le monde francophone comme dans le monde anglo-saxon.

Stratégie. En 1986, Céline Dion entreprend une retraite forcée pour apprendre l'anglais et changer de look. Elle réapparaît transfigurée : des cheveux courts, une voix plus travaillée, plus assurée, capable de chanter l'amour dans les deux langues officielles du Canada, pour un public planétaire. Son retour sera riche en honneurs et récompenses de toutes sortes. Elle mène alors deux carrières de front. La première avec des albums en français : *Incognito* en 1987, *Des mots qui sonnent* en 1991, *D'eux* en 1995, concocté par Jean-Jacques Goldman• avec le hit "Pour que tu m'aimes encore" vendu à plus de 2,5 millions d'exemplaires en France et 4,5 millions dans le monde. Elle empoche au passage le prix de l'Eurovision en 1986 avec "Ne partez pas sans moi" sous les couleurs de la Suisse. La seconde en anglais, qui débute en 1990 avec *Unison,* se poursuit avec *Céline Dion* en 1992, qui dépasse les 3,5 millions d'exemplaires vendus, *The Colour Of My Love* en novembre 1993, qui atteint les 12 millions, et *Falling Into You,* commercialisé au mois de mars 1996. Après s'être produite devant le pape en 1984, Céline Dion a donné un gala à la Maison-Blanche pour l'investiture de Bill Clinton, se faisant ainsi la première ambassadrice de la chanson francophone. Le 17 décembre 1994, Céline Dion a épousé son pygmalion, René Angelil, tandis que l'année 1996 (en juillet, elle chante à l'ouverture des jeux Olympiques d'Atlanta) lui apporte de nouveaux lauriers, deux victoires de la musique : "la chanson de l'année" et "l'artiste francophone de l'année". En novembre 1997, elle sort l'album en anglais *Let's Talk About Love,* qui la consacre définitivement comme une diva pop (duos avec Barbra Streisand, Carole King, les Bee

Gees, Luciano Pavaroti, etc., et interprétation du thème du film Titanic, "My Heart Will Go On". En 1998, elle renoue avec Jean-Jacques Goldman pour l'album *S'il suffisait d'aimer.*

Entre Ginette Reno• et Diane Dufresne• pour les origines, Mireille Mathieu• pour le côté français et Barbra Streisand pour le côté "international", les clefs d'une foudroyante réussite de cette "petite fille de Canadiens moyens", qui se déclare opposée à l'indépendance du Québec et entend incarner les valeurs de la famille et du travail. **P. E.**

- ***Unison,*** Sony, 1990
- ***Des mots qui sonnent,*** Columbia/Sony, 1991
- ***À l'Olympia,*** Columbia/Sony, 1994
- ***D'eux,*** Columbia/Sony, 1995
- ***Falling Into You,*** Columbia/Sony, 1996
- ***S'il suffisait d'aimer,*** Columbia/Sony

DISTEL Sacha

Paris, 1933
Compositeur, interprète

Issu d'une famille de musiciens, le futur archétype du "French Lover" achète sa première guitare sur les conseils d'Henri Salvador•. Il rejoint bientôt le Martial Solal Trio puis enregistre plusieurs chansons pour les disques Versailles, que vient de lancer son oncle, Ray Ventura•. En 1959, il connaît son premier grand succès avec "Scoubidou", qu'il compose avec Maurice Tézé•. De 1960 à 1970, il enchaîne une série de tubes : "Ce serait dommage", "Mon beau chapeau", "Monsieur Cannibale" et, surtout, "la Belle Vie", une de ses plus belles compositions (créée en anglais par Tony Bennett et reprise par Frank Sinatra, Dionne Warwick et Sarah Vaughan).

À partir de 1963, il anime des émissions de variétés vite populaires, les Sacha Shows en France et Sacha's In Town à la télévision britannique en 1972. En 1994, il forme un orchestre dans la lignée de Ray Ventura et enregistre deux disques avec cette formation.

- ***Les plus grands succès de Sacha Distel,*** Carrère, 1988
- ***Sacha et ses collégiens jouent Ray Ventura,*** Carrère, 1993

DOC GYNECO (Bruno Beausire, dit)

Clichy, 1974
Auteur, compositeur, interprète

Ce "lascar" tranquille et désabusé d'origine guadeloupéenne qui ne se prend pas au sérieux est tout simplement un des meilleurs auteurs du rap français. Son je-m'en-foutisme narquois le range plutôt du côté de Dutronc• ou de Gainsbourg• que de NTM•. Du coup, il séduit aussi bien les kids de banlieue que la célèbre ménagère de moins

Excellent guitariste de jazz, Sacha Distel aura la satisfaction de jouer avec Stéphane Grappelli.

de cinquante ans... Il se fait remarquer en 1994 lorsqu'il intègre le très radical Ministère AMER• pour son deuxième disque *95200*. Au printemps 1996, son premier album, *Première Consultation,* marque une nette évolution vers un rap commercial et grand public : "Dans les bacs de la FNAC/Aux côtés des productions AB/Tu pourras me trouver/Car je préfère être/Classé dans la variét'." Des titres comme "Viens voir le docteur", "Nirvana" (avec une allusion au suicide de l'ex-Premier ministre, Pierre Bérégovoy, qui suscite une belle controverse), "Dans ma rue", "Né ici", "les Filles du move", "Vanessa" (en hommage à Vanessa Paradis•) plaisent à un large public.

Cet album va se vendre à 800 000 exemplaires... En décembre 1998, un deuxième album, *Liaisons dangereuses,* attire plus l'attention à cause d'un duo avec l'homme d'affaire, (et ... chanteur Bernard Tapie ("C'est beau la vie") que pour de réelles qualités artistiques. **Y.P.**

 ***Première Consultation,*** Virgin, 1996

"Le rap, ça fait trop gauche caviar. J'préfère chanteur de variét'." L'ironie nonchalante de Doc Gyneco...

DONA Alice

Maisons-Alfort, 1946
COMPOSITEUR, INTERPRÈTE

En 1961, Alice Dona passe avec succès une audition au Petit Conservatoire de Mireille•. En 1963, elle enregistre son premier 45 tours ("les Garçons") et fait aussitôt partie de la vague yé-yé. Elle abandonne petit à petit sa carrière d'interprète pour se consacrer à la composition. Avec Pierre Delanoë•, elle écrit "C'est de l'eau, c'est du vent" interprété par Claude François•. Elle entame ensuite une longue et fructueuse collaboration avec Serge Lama•, qui génère de superbes chansons : "La chanteuse a vingt ans", "Je suis malade", "l'Algérie", "Femmes, femmes, femmes" puis collabore avec Claude Lemesle• sur "le Barbier de Belleville" pour Serge Reggiani•.

DOUAI Jacques (Gaston Tranchant, dit)

Douai, Nord, 1920
INTERPRÈTE

Après de solides études musicales, Jacques Douai découvre le folklore traditionnel qui marquera toute sa carrière artistique. Il débute à Paris en 1947 au cabaret Chez Pomme, où il crée "les Feuilles mortes", de Prévert• et Kosma•. Il devient alors un pilier de la chanson rive gauche•, familier des cabarets comme l'Échelle de Jacob ou la Rose rouge. Un début de tuberculose l'éloigne de la scène de 1951 à 1954, mais il revient guéri et obtient le prix de l'académie Charles-Cros pour son album *Chansons anciennes et modernes.* À côté de la reprise du répertoire ancien, il chante les auteurs et les poètes de son époque comme Léo Ferré• ("le Bateau espagnol") et Louis Aragon• ("Maintenant que la jeunesse"), et exhume des auteurs plus anciens tel le poète Gaston Couté• ("Va danser"). Seul sur scène, il chante en s'accompagnant à la guitare, d'une voix de chorale, volontairement dépourvue d'effets émotionnels. Dans les années soixante-dix, la vague folk l'ignore quelque peu, le considérant davantage comme un chanteur à texte. Cela n'empêche nullement Douai de poursuivre une très active carrière d'animateur culturel au service du patrimoine poétique et populaire.

DOUSSET Pierre-André

Nogaro, Gers, 1938
AUTEUR, COMPOSITEUR

Après avoir chanté au cours des années soixante dans les cabarets parisiens et enregistré deux disques, il se lance dans la composition et offre de nombreux titres à Mireille Mathieu•. Parmi ses succès, on retient "Téléphone-moi" (1975), pour Nicole Croisille• et, "Fou d'elle", pour Claude François•.

DRANEM (Armand Ménard, dit)

Paris, 1869 – *id.*, 1935
INTERPRÈTE

Fils d'un ouvrier bijoutier, il se produit en amateur dans un café-restaurant où chante aussi Monthéus•. En 1894, il est engagé comme "chanteur comique genre Polin" à l'Electric-Concert du Champ-de-Mars. Il entre bientôt à l'Époque, puis au Divan japonais, où, dans une revue, *le Nouveau Jeu,* d'Henry Moreau, il joue une demi-douzaine de rôles, ce qui lui vaut un engagement en vedette au Concert parisien. Mais c'est en 1900, à l'Eldorado, qu'il crée définitivement son personnage de "comique-comique" : chapeau de marin américain couvrant une tête chauve comme un œuf, jaquette étriquée, pantalons à carreaux trop larges, découvrant d'énormes chaussures sans lacets, figure maquillée (joues et nez rouges, lèvres blanches). Il chante les yeux fermés, ne les ouvrant que pour simuler la frayeur, après avoir débité une énormité.

"Ah ! les p'tits pois...", "J'suis l'fils d'un gniaf", "le Trou de mon quai" comptent parmi les succès d'une multitude de chansons volontairement stupides que Dranem a créées. L'homme était par ailleurs un artiste complet. Antoine, directeur de l'Odéon, lui fit jouer en 1910 *le Médecin malgré lui.* Après avoir créé un type original au café-concert, Dranem abandonne le tour de chant au début des années vingt pour le théâtre, puis pour l'opérette (*Là-haut, la Dame en décolleté, Phi-Phi*) et le cinéma. Il influencera de nombreux artistes comme Maurice Chevalier• ou Milton•). **P.S.**

Compilation, Chansophone 116

DRÉJAC Jean (Jean Brun, dit)

Grenoble, 1921
AUTEUR, COMPOSITEUR, INTERPRÈTE

Après s'être fait remarquer en chantant des airs de Charles Trenet• dans un concours de Radio Cité, Jean Dréjac rencontre en 1943 le célèbre compositeur Borel-Clerc• et ils écrivent ensemble "Ah ! le Petit Vin blanc", qui connaît un succès énorme (et provoquera un procès entre les deux auteurs). Il décide alors de se concentrer uniquement sur l'écriture et cela lui réussit : "le Petit Bal du sam'di soir", chanté par Georges Guétary• et "les Quais de la Seine", par Lucienne Delyle• (1947). Il gagne le grand prix de l'A.B.C. avec "la Chanson de Paris" (1950). La capitale lui porte chance, puisque quelques années après, il écrit avec Hubert Giraud• la chanson du film de Julien Duvivier "Sous le ciel de Paris" (1951). Dréjac varie avec aisance les genres et les interprètes : "Fleur de papillon" (pour Annie Cordy•, musique de Jean Constantin•), "Rengaine ta rengaine" et "la Chansonnette" (pour Yves Montand•), "l'Arlequin de Tolède" (pour Dalida), "l'Homme à la moto" (adaptation d'une chanson américaine, pour Édith Piaf•), etc. Il sera aussi administrateur et vice-président de la SACEM, puis président du SNAC (syndicat des auteurs).

DUBAS Marie

Paris 1894 - *id.*, 21 février 1972
INTERPRÈTE

D'origine juive polonaise, Marie Dubas, la plus grande fantaisiste du music-hall d'avant-guerre – créatrice aussi d'immortelles chansons comme "le Doux Caboulot", 1931, sur un texte de Carco et "Mon légionnaire", 1936, texte de Raymond Asso• et musique de Marguerite Monnot• –, a dû s'exiler en Suisse pendant la guerre, ses disques étant interdits à la radio. Son retour à l'A.B.C., le 19 janvier 1945, est triomphal. Jusqu'en 1958, celle dont Piaf• disait "je lui dois tout" ne quitte pas la scène, tant à Paris (en 1955, elle partage l'affiche de l'Olympia avec Damia•) que dans des tournées en province et au Québec ("la Prière de la charlotte le soir du réveillon" y est un classique). Sur les planches, elle ne cesse de créer de nouvelles chansons – par exemple, "la Chanson de Margarette" de Mac Orlan• et Marceau. Mais pas sur disque : celle qui déjà avant-guerre n'aimait pas enregistrer se tient loin des studios. Atteinte de la maladie de Parkinson, elle donne son dernier spectacle le 12 mai 1958, ne faisant plus que quelques prestations à la radio. **H.H.**

◎ ***Mon légionnaire*** (compil.), EMI France, 1991

DUDAN Pierre

Moscou 1916 - 1984

AUTEUR, COMPOSITEUR, INTERPRÈTE

Pianiste, il se lance en 1938 dans la chanson au cabaret parisien le Lapin à Gill en interprétant ses propres compositions. L'une de celles-ci, "le Café au lait au lit" (écrite en 1940), connaît un grand succès après la Libération. Il récidive avec le fameux "Clopin-clopant" (1947) et "Mélancolie". Il joue alors dans de nombreux films avant de s'installer en 1962 au Canad

DUFRESNE Diane

Montréal, 1944

INTERPRÈTE

Après une enfance dans un milieu modeste, marquée par la mort de sa mère, Diane s'oriente très tôt vers la chanson. Elle prend des cours avec Simone Quesnel, et ne tarde pas à faire ses débuts dans une boîte de la banlieue de Montréal où elle chante Brel•• et Ferré•. C'est là, en 1965, qu'elle rencontre Luc Plamondon•, son futur parolier. L'année suivante, elle s'installe à Paris. Elle commence dans une boîte de strip-tease de Montmartre avec des chansons de Vigneault• et de Ferland•, avant de faire ses véritables premières armes dans les cabarets rive gauche bien connus que sont l'Écluse et l'Échelle de Jacob. Sans succès cependant : les Parisiens ne sont pas encore prêts à prendre vraiment au sérieux les Québécois. Lorsque Diane rentre au pays, le malentendu se poursuit : elle est considérée par ses pairs comme trop française ! Elle continue pourtant et rencontre François Cousineau, jeune compositeur. Sa vraie carrière commence à partir de cette association. Aux commandes, le duo Plamondon-Cousineau. En 1972, Diane sort son premier album. Tout ce qui la caractérisera est inclus dans ces quelques chansons : provocation, outrance, humour, tendresse, désespoir et violence. Le premier 45 tours, "J'ai rencontré l'homme de ma vie", est un succès immédiat. Mais sur scène, le public étonné par la violence, les cuissardes et les paillettes de Diane ne sait comment réagir. Elle leur en met "plein la vue". Même impression à Paris

Conseillée par Yvette Guilbert, Marie Dubas apportera un ton nouveau à la chanson, qui influencera ensuite Édith Piaf.

où, à l'Olympia, en vedette américaine de Julien Clerc•, elle choque une audience habituée à des spectacles plus sages. Pourtant, en 1973, avec la tournée Québec à Paris, où elle rode "Chanson pour Elvis", elle se fait adopter par le public français. En 1978, elle interprète Stella Spotlight dans *Starmania*. Inusable succès, l'opéra rock écrit par Plamondon• sur une musique de Michel Berger• lui offre un rôle sur mesure.

"ELLE N'EST PAS UNE CHANTEUSE, ELLE EST À CHAQUE FOIS LA CHANSON QU'ELLE INTERPRÈTE..."

Bête de scène. Au Québec, Diane accède au statut de superstar et chante, le 23 juin 1981, devant 350 000 personnes à l'occasion de la clôture du show de la Saint-Jean. Mais, depuis 1976, François Cousineau n'est plus là et ne sera jamais vraiment remplacé. Les nouveaux compositeurs s'appellent Christian Saint-Roch, Germain Gauthier, Angelo Finaldi ou Claude Engel. Dans ces années quatre-vingt, surtout avec l'album *Turbulences,* où figure "Suicide", de Gainsbourg•, les chansons de Diane prennent un virage nostalgique. Mais sur scène, quelle que soit l'ambiance véhiculée par le morceau, le personnage est toujours juste, même dans sa démesure, comme en témoignent les spectacles Hollywood/Halloween (1982) ou Top Secret (1987). Quand, en 1984, au Stade olympique de Montréal, elle demande à son public de s'habiller en rose, ils sont 46 000 à se présenter ainsi vêtus. D'ailleurs, depuis 1978, son public est habitué à se déguiser. Il le sera encore pour assister au Symphonique n'roll qu'elle présentera dans de nombreux pays entre 1988 et 1992, ou aux Bouffes-Parisiens, en 1998, toujours surprenante, toujours innovante par crainte de se lasser en lassant les autres. **B. S.**

Les excès et la démesure de Diane Dufresne ont accompagné l'émancipation du Québec dans les années soixante-dix.

- ***Follement vôtre,*** FNAC Music, 1986
- ***Top secret,*** FNAC Music, 1987
- ***Détournement majeur,*** Adès, 1993
- ***Diane Dufresne,*** BMG, 1998
- ***Chansons pour Elvis*** (compil.), Polygram

DUGUAY Raoul

Val d'Or, Québec, 13 février 1939
AUTEUR, COMPOSITEUR, INTERPRÈTE

Poète, chanteur au registre étendu et compositeur, il est un des auteurs les plus originaux et prolifiques de la chanson québécoise. Il travaille dans les années soixante-dix avec le groupe électro-acoustique Infonie et publie de nombreux recueils d'une poésie riche en recherches formelles. Ami de Julos Beaucarne•, Duguay est un adepte du zen, dont il prolonge la philosophie dans ses chansons.

- ***L'Envol,*** RCA, 1976
- ***Nova*** (avec Michel Robidoux), Phonogram, 1994

DULAC Jacqueline

Vichy, 1939
AUTEUR, INTERPRÈTE

À vingt et un ans, Jacqueline Dulac vient à Paris et écrit des chansons qu'elle interprète dans divers cabarets : la Bolée, l'Échelle de Jacob, le Cheval d'or... Pendant cinq ans, elle attend son heure en imposant son style, chaleureux, sans artifices, aidée par une silhouette élégante et une voix pleine de charme. Sa participation aux Palmarès des chansons la révèle au grand public. Puis la consécration vient peu après, à Antibes, en 1966, où elle triomphe au grand concours de la Rose d'or grâce à la chanson "Ceux de Varsovie". En 1967, elle remporte de nouveau un grand succès avec "Lorsque l'on est heureux" (Francis Lai•/Delécluse•) et obtient, l'année suivante, le grand prix du disque de l'académie Charles-Cros. En 1981, Jacqueline Dulac enregistre la chanson "SOS Amitié", écrite pour elle par Eddy Mitchell•, dont le fils est son filleul. Elle fait ensuite une longue tournée à l'étranger et sort son premier CD de 23 titres, *Pure Laine,* en 1990. Jacqueline Dulac fait partie des artistes qui semblent s'évanouir un temps pour rejaillir encore plus forts l'instant d'après. En 1993, elle resurgit avec un album de 10 titres, *Il n'y a pas de mots pour le dire.*

◎ ***Pure laine,*** EPM/Musidisc, 1990

DUMONT Charles

Cahors 1929
COMPOSITEUR, INTERPRÈTE

D'abord pianiste de bar, il rencontre Michel Vaucaire. C'est le premier succès : "Sophie", chanson classée 2e au concours de chansons d'Europe n°1, interprétée par Jean-Philippe et, ensuite, par Patrice et Mario•, Sacha Distel• et Marcel Amont•. Michel et Charles écrivent un deuxième succès : "Envoie la musique", chanté par Colette Renard•. Charles Dumont est lancé, et Luis Mariano•, Tino Rossi•, Lucienne Delyle•, Cora Vaucaire• vont compter parmi ses interprètes. Pourtant, il n'est pas satisfait.

Le défi de "la Môme". Charles Dumont ne supporte pas qu'Édith Piaf• refuse les chansons qu'il lui propose. Le temps passe; un jour, il montre à Michel Vaucaire une musique qu'il vient de composer. Celui-ci écrit les paroles et prend rendez-vous le 5 octobre 1960, chez Édith, 67, boulevard Lannes. À contrecœur, Charles se met au piano et chante : "Non, je ne regrette rien". On connaît la suite. Il devient le compositeur favori de la grande star, et d'autres succès vont suivre : "les Mots d'amour", "Mon dieu", "les Amants" (1962). Piaf pousse Charles à défendre lui-même ses chansons et, quand elle disparaît, en 1963, une carrière d'interprète s'offre alors à ce compositeur qui n'y croyait pas : "Ta cigarette après l'amour" (1972), "Une chanson", "C'est difficile un grand amour", "À faire l'amour sans amour" (1976). Il devient ainsi le spécialiste de la chanson sentimentale désabusée.

◎ ***La Fille de Jacob,*** EMI France, 1987
◎ ***Une femme,*** EMI France, 1991

DURAND Paul

Sète, 1907- Louveciennes, 1997
COMPOSITEUR

D'abord pianiste de bar, il connaît son premier grand succès, en 1942, avec "Je suis seule ce soir", lancée par Léo Marjane•. Après la guerre, il est chef d'orchestre au Casino de Paris, ce qui n'arrête pas sa carrière de compositeur : "Aujourd'hui peut-être" (Fernand Sardou, 1945), "Un air d'accordéon" (Lucienne Delyle•, 1946), "Printemps", créée par Jacqueline François•, et, surtout, "Mademoiselle de Paris" (1948), qui fera le tour du monde.

Il dirige de nombreuses partitions de films, dont celles de *la Dame de chez Maxim's* (1950) et de *Mademoiselle de Paris* (1955).

DUTEIL Yves

Paris, 1949
AUTEUR, COMPOSITEUR, INTERPRÈTE

Arrivé à la chanson sur les traces de Brassens•, son père spirituel avoué, Yves Duteil déconcerte par la gentillesse de ses textes, son attitude jugée hors du temps et ses prises de position politique. S'il indispose depuis longtemps une bonne partie de la critique, le public l'apprécie, mieux, il l'aime. Presque vingt ans après ses débuts, il a rempli le Zénith, une semaine durant, en novembre 1990. Ses refrains les plus célèbres, avec leurs mélodies sans manière, ont un parfum d'éternité. Yves Duteil n'est pas le chanteur engagé que certains ont imaginé quand il est apparu sous les feux de la rampe avec sa guitare sèche et des musiques à dominante acoustique. Certains titres comme "la

"IL DÉCONCERTE PAR LA GENTILLESSE DE SES TEXTES, SON ATTITUDE JUGÉE PARFOIS HORS DU TEMPS ET SES ENGAGEMENTS PUBLICS..."

Langue de chez nous" (1985) posent pourtant sa différence et son refus de sombrer dans les excès électriques engendrés par des modes venues d'ailleurs. Et si, au détour d'un refrain, il assure ne pas être un messie et ne pas délivrer de message, comment ne pas voir en lui, malgré tout, un militant.

"Le" tube. En 1988, "Prendre un enfant", son hymne, est élu chanson du siècle à l'occasion du centenaire du disque qu'organisent Canal +, RTL et la SACEM. Duteil, consacré plusieurs dizaines de fois disque d'or, se retrouve placé devant Brel•, Trénet•, ses aînés. Fils de bijoutier, né à Paris, il grandit dans le quartier des Batignolles, qu'il mettra en chanson (1976). À la licence de sciences économiques que souhaite pour lui sa famille, il préfère la chanson. Il se rode au Club Méditerranée avant, service militaire accompli, de hanter les cabarets parisiens. En 1972, il enregistre son premier single, "Virages". Après une première partie de Régine• à Bobino, il est à l'Olympia• avec Juliette Gréco•. Sacré au Festival de Spa en 1974, il doit attendre 1977 et son troisième album pour accéder à la gloire. "Le Petit Pont de bois", "la Tarentelle" et "Prendre un enfant par la main" se vendent à 500 000 exemplaires. Il se produit la même année au Théâtre de la Ville et à l'Olympia, en vedette. Depuis, toujours avec la collaboration musicale de Jean Musy, Yves Duteil n'a cessé d'enchaîner les succès. En 1997, il sort l'album *Touché,* dans lequel on remarque un hommage à son grand-oncle le capitaine Dreyfus et une condamnation ferme de la drogue ("Aller simple pour l'enfer"). Maire de son village de 400 habitants, Précy-sur-Marne, chargé en 1995 d'une mission chanson par le ministère de la Culture, il se partage entre ses activités musicales et municipales. **J.-P. G.**

- ***L'Intégrale,*** EMI France, 1989
- ***Blessures d'enfance,*** EMI, 1990
- ***Touché,*** BMG, 1997

DUTRONC Jacques

Paris, 1943

COMPOSITEUR, INTERPRÈTE

La famille Dutronc habite le IXe arrondissement, fait non négligeable puisqu'il s'agit du terrain d'aventure de la future bande de La Trinité où figure, également, Jean-Philippe Smet, alias Johnny Hallyday•. Le père, ingénieur des Mines, est multi-instrumentiste et s'illustre dans les bals populaires. Jacques, l'un de ses deux fils, manifeste à son tour un goût certain pour la musique. Il joue du piano avant de revenir à un instrument plus en rapport avec les préoccupations de l'époque : la guitare. Avec un copain de quartier, Hadi Kalafate, qui demeurera longtemps son complice, il monte ses premiers groupes. En 1962, tous deux sont de l'aventure El Toro et les Cyclones, le temps de se frotter au public et d'enregistrer deux 45 tours, sans grand succès. Les concerts des Cyclones commencent par un instrumental de Jacques Dutronc baptisé "Fort Chabrol". La mélodie mise en mots par André Salvet• et Lucien Morisse• est rebaptisée "le Temps de l'amour" pour Françoise Hardy•, qui va devenir sa compagne, puis son épouse le 30 mars 1981.

Après le service militaire, il devient guitariste d'Eddy Mitchell• et se retrouve assistant artistique chez Vogue. Par jeu, il s'amuse à chanter sur des textes de l'écrivain-journaliste Jacques Lanzmann, initialement destinés à d'autres. Le directeur artistique Jacques Wolfsohn pousse alors Dutronc, qui ne se sentait pas vraiment une vocation de chanteur, à franchir le pas.

Naissance d'un couple. "Et moi et moi et moi" sort à l'aube de l'été 1966. En quelques jours, le titre se retrouve en tête de tous les hit-parades. Mené sur un rythme rock enlevé, ce manifeste de l'indifférence ne peut passer inaperçu. La mode, c'est vrai, est aux couplets contestataires et aux chanteurs engagés. Jacques Dutronc, avec une insolence dont il va faire son ordinaire, prend tout le monde à contre-pied. Les costumes trois pièces d'excellente coupe, l'allure

"DERRIÈRE UN APPARENT DILETTANTISME ET UNE INSOLENTE FACILITÉ, DES COMPOSITIONS PARTICULIÈREMENT ABOUTIES."

Le cigare, comme le blouson de cuir et les lunettes Ray-Ban, fait partie de la panoplie indispensable de Jacques Dutronc

générale de ce "crooner" électrique tendance "minet" tranchent sur la négligence vestimentaire organisée des stars du moment. Les trois autres compositions du 45 tours interprétées de la même voix nonchalante font, elles aussi, mouche. "J'ai mis un tigre dans ma guitare", "les Gens sont fous, les temps sont flous" et, surtout, "Mini mini mini" participent de la même veine. Les musiques de Jacques Dutronc collent aux univers de Lanzmann et inversement. Derrière un apparent dilettantisme, une insolente facilité, les compositions sont particulièrement abouties, maîtrisées, loin des pâles parodies anglo-saxonnes dont beaucoup de Français ont fait leur ordinaire.

Dutronc et Lanzmann récidivent sans attendre. Avec un son légèrement country, "les Play-boys" enfoncent un peu plus le clou de la dérision et soulignent définitivement l'originalité du chanteur. "Sur une nappe de restaurant", "On nous cache tout, on nous dit rien", "la Fille du père Noël", qui complètent l'enregistrement, vont devenir, eux aussi, des classiques. Le vinyle se voit attribuer, au passage, le prix de l'académie Charles-Cros. L'année prend fin avec la sortie d'un premier album où figurent, parmi quatre nouveaux titres, "les Cactus".

"LE PLAISIR N'A PAS DE MESURE/TOUS LES GOÛTS SONT DANS MA NATURE."

L'opportuniste. En quelques mois, Jacques Dutronc a vendu plus d'un million de disques. Georges Pompidou, alors Premier ministre, en appelle aux "Cactus" de la tribune de l'Assemblée nationale. En avril 1967, Dutronc sort un nouveau simple, avec une ballade légère, "J'aime les filles", l'occasion de mesurer l'étendue de son registre musical. Le second disque de l'année est, de la même manière, un chef-d'œuvre. Le duo de choc, auquel s'est jointe Anne Segalen, l'épouse de Jacques Lanzmann, s'ingénie à détourner les slogans de la publicité. Écrit par les mêmes, fin 1967, "Paris s'éveille", qui sera élu, plus tard, chanson de l'histoire du microsillon, étonne et enchante. Avec en filigrane un son léger de flûte traversière, ce clin d'œil aux couche-tard décrit les petites aubes grises de la ville. Dutronc, une fois de plus, ne se limite pas à ce petit coup de tendresse. "Fais pas ci, fais pas ça", sur une mélodie plutôt enlevée, règle son compte à l'éducation imposée à coups d'interdits aux enfants. Année 68 oblige, il y va de son "Opportuniste", caricature à peine outrancière des hommes politiques. Les tubes s'enchaînent, avec la complicité de Jacques Lanzmann toujours. "l'Aventurier", "l'Hôtesse de l'air", "Restons français, soyons gaulois", "le Petit Jardin", "le Dragueur des supermarchés" constituent quelques-uns des morceaux choisis de cet étonnant parcours. Le compositeur se glisse dans les styles les plus divers, va vers le blues pour mieux revenir à des riffs délibérément électriques, sans jamais délaisser son penchant naturel pour le jazz.

Dérision et provocation. Depuis 1966, Dutronc, c'est aussi la scène. Deux cents galas par an en moyenne. Très vite, avec un naturel déconcertant, il s'entoure d'accessoires multiples, balance sur le public du papier hygiénique, des confettis, s'installe sur un WC, s'adjoint une strip-teaseuse, revient aux rappels avec un balai... Longtemps, il va être accompagné de Kalafate et Gérard Kawczynski aux guitares, Michel Pelay à la batterie, Christian Padovan à la basse. Ces quatre derniers fonderont plus tard le groupe Système Krapoutchik. Ses interprétations du générique du feuilleton *Arsène Lupin*, "l'Arsène" (1971) et "Gentleman cambrioleur" (1973) deviennent des tubes. Après une nouvelle tournée, Jacques Dutronc se tourne vers le cinéma en 1973. Il connaîtra, là aussi, le succès sous la houlette des plus grands metteurs en scène, comme Zulawski, Sautet, Rouffio, Godard. En 1980, il s'offre un intermède musical et enregistre l'album Guerre et pets avec la complicité de son ami Gainsbourg•, qui signe quatre textes, dont le sulfureux "l'Hymne à l'amour (moi le nœud)". Deux ans plus tard, Dutronc récidive avec C'est du bronze, pour lequel Anne Segalen est revenue prêter la main. Mais c'est par "Merde in France" 1984), que le succès est de nouveau là.

Durant cinq années, Jacques Dutronc déserte les plateaux de cinéma. Avec Earl Slick, guitariste de Bowie, et le clavier de Philippe Eidel, il réalise en juin 1987 au Palais des Congrès *C.Q.F.Dutronc*. La critique n'est pas tendre avec ce disque où le son rock de "Qui se soucie de nous" voisine avec "les Gars de la narine", qui remet au goût du jour les délires d'harmonie-fanfare.

Il retourne au cinéma avec Zulawski puis Pialat, sous la direction duquel il joue Van Gogh, fabuleuse performance qui lui vaut le césar du meilleur acteur 1992. Le 8 février 1993, c'est la victoire du meilleur spectacle de l'année qu'il reçoit pour son Casino de Paris. Il s'y est installé, avec son éternel havane et ses inamovibles lunettes fumées Ray Ban, pour quatre semaines à partir du 3 novembre 1992. L'album live va se vendre à 620 000 exemplaires.

Brèves Rencontres, sorti le 4 octobre 1995, regroupe des textes de l'écrivain Linda Lê, de David Mac Neil•, de Jean Fauque, le parolier de Bashung•, d'Arnaud Garoux et de Thomas, son fils. La critique rechigne. Dutronc n'en a cure, qui chante : "Le plaisir n'a pas de mesure/Tous les goûts sont dans ma nature." **J.-P. G.**

Complètement Dutronc
(1966-1968), Vogue/BMG, 1991

L'Intégrale 1980-1987,
les Années Columbia, Columbia/Sony, 1992

Dutronc, 33 ans de travail
(les années quatre-vingt-90), Sony, 1998

C.Q.F.Dutronc, Sony, 1987

Dutronc au Casino, Columbia/Sony, 1992

Brèves Rencontres, Columbia/Sony, 1995

EICHER Stephan

Münchenbuchsee, Suisse, 1960
COMPOSITEUR, INTERPRÈTE

D'un grand-père tzigane, Stephan Eicher a hérité le culte de l'errance. Initié au rhythm'n'blues par les stations de radio de l'armée américaine basée en Allemagne, il prend, un temps, ses distances avec la musique avant d'être rattrapé par la vague de fond punk. Il enregistre bientôt ses premiers albums, *les Chansons bleues* (1983) et *I Tell This Night* (1985), dont les compositions sont interprétées, indifféremment, en anglais, français et allemand.

La rencontre avec Djian. Arrivé à une certaine notoriété, il figure aux programmes de Bourges et des Transmusicales de Rennes. L'un de ses titres, "Combien de temps" fait alors les beaux jours de la bande FM. Le phrasé dylanien d'Eicher, ses chansons rugueuses venues de la noisy pop (mélodies sur guitares saturées) pour se fixer dans un blues rock nuancé sont entrées

La philosophie de Stéphane Eicher : "Ne pas s'arrêter, regarder et passer."

dans les mœurs. Après une rencontre coup de foudre provoquée par Antoine de Caunes pour les besoins de l'émission "Rapido", le romancier Philippe Djian lui écrit quatre chansons de l'album *My Place* (1989), marqué par l'absence de batterie et l'omniprésence des cordes. Deux ans plus tard, par fax interposé, les nouveaux amis récidivent. De cette collaboration naît *Engelberg* (1991), du nom de l'ancien casino des Alpages où l'enregistrement a eu lieu. L'album se vendra à deux millions d'exemplaires, avec son titre phare "Déjeuner en paix". Cette notoriété va surtout donner à Eicher les moyens de se lancer dans une folle entreprise : transformer un palace de Carcassonne, l'hôtel de la Cité, en studio, où se mélangent instruments électriques, instruments médiévaux et percussions arabes. Le résultat est *Carcassonne,* un nouveau best-seller, dont 400 000 exemplaires s'écoulent en un mois. Durant près d'un an, Eicher, Suisse sans frontières, tourne à travers l'Europe et même au-delà. Un double live de plus de deux heures restitue cette folle aventure. Sorti en 1995, il s'intitule *Non Ci Badar, Guarda E Passa*. Empruntée à Dante, la phrase signifie "Ne pas s'arrêter, regarder et passer". L'année suivante, l'album *1 000 Vies,* hésitant entre des recettes déjà éprouvées et des audaces musicales, déçoit quelque peu par sa froideur. **J.-P. G.**

- ***I Tell This Night,*** Barclay/Sony, 1985
- ***My Place,*** Barclay/Sony, 1989
- ***Engelberg,*** Barclay/Sony, 1991
- ***Carcassonne,*** Barclay/Sony, 1993

ELSA (Elsa Lunghini, dite)

Paris, 1973
INTERPRÈTE

Fille d'un ingénieur du son et nièce de Marlène Jobert, Elsa est une enfant du sérail. La chanson "T'en va pas", du film *la Femme de ma vie,* lui offre à treize ans son premier disque de platine. Lasse de son image de petite fille sage et raisonnable, et trois albums à succès plus tard, elle opère un virage à 180°. Plus sexy, voire rebelle, les mauvaises langues disent qu'elle a définitivement enterré son "complexe Vanessa Paradis". En 1996, son quatrième album, *Chaque jour est un long chemin,* révèle une artiste qui a mûri, moins fleur bleue et plus bluesy.

- ***Rien que pour ça,*** Ariola, 1990
- ***Chaque jour est un long chemin,*** BMG, 1996

EMBRUN Éliane

Argelès, Hautes-Pyrénées, 1923
INTERPRÈTE

Elle crée plusieurs titres comme "Au chant des mandolines" ou "Valse perdue", avant de remporter en 1949 le prix Lucienne-Boyer au concours de Deauville avec "Qu'il était doux", chanson écrite par Henri Contet•. Elle se produit ensuite à l'étranger, puis tourne aux côtés de Serge Reggiani•. Elle est également la créatrice de la chanson à succès "Si j'étais une cigarette".

EMER Michel

Saint-Pétersbourg, 1906 - Paris, 1984
AUTEUR, COMPOSITEUR

D'abord pianiste de jazz, il connaît un premier succès au début des années trente avec "Béguin-biguine", chantée par Jean Sablon• et "Presque rien" chantée par Lys Gauty• (1937). Ce sera ensuite "La vie est belle", un très gros succès, chanté par Adrien Adrius et Fred Adison• et son orchestre (1938). Il fait alors la connaissance d'Édith Piaf• et lui écrit, juste avant de partir à la guerre, "l'Accordéoniste", une chanson mythique qui se termine par ce cri devenu célèbre : "Arrêtez... Arrêtez la musique !". Suivront pour Piaf "le Disque usé", "D'l'autre côté d'la rue" (1943), "Bal dans ma rue" (1949), "La fête continue", "À quoi ça sert l'amour ?" (1962). Michel Emer composera également pour Jacqueline François• ("Trois Fois merci", 1950), pour Yves Montand• ("Il chantait tout l'temps" et "Rue Lepic", en 1951). Il était marié à la grande comédienne comique Jacqueline Maillan.

ENOCH Jacques

Paris, 1907 - id., 1991
ÉDITEUR

Il reprend la tradition de la maison Enoch fondée en 1865, qui gère un catalogue consacré aussi bien à la musique classique qu'à la musique populaire et à la chanson. Ami de Prévert et Kosma, il est l'éditeur des "Feuilles mortes", de "Barbara" et des "Enfants qui s'aiment". En 1990, après avoir assuré la présidence de la SACEM, il laisse à son épouse Janine un catalogue de plus de 4 000 titres, comprenant des chansons signées Robert Desnos, Raymond Queneau, Francis Carco ou Paul Delmet.

ENZO ENZO (Kîrin Ternovtzeff, dite)

Paris, 1960
COMPOSITEUR, INTERPRÈTE

Enzo a été, comme Kent, formée au moule du rock avant de passer à la chanson française teintée de rythmes latins. Bassiste du groupe rock Lili Drop, Kîrin Ternovtzeff entreprend une carrière solo au début des années quatre-vingt-dix, composant des chansons où l'apprentissage du rock crée un climat décalé par rapport à la chanson classique. *Enzo,* son premier album, paru en 1991, avait révélé une voix chaude, une touche de tendresse et beaucoup d'intimisme jazzy. Puis Enzo est venue à la scène et a enregistré son premier succès grand public avec "Juste quelqu'un de bien", une chanson composée par Kent•. Humour ("Houhou", de Jean-Claude Vannier•), priorité donnée à l'acoustique, voix chaude, atmosphère, l'album *Deux,* qui valut à Enzo une victoire de la musique en 1994, marque le début d'une carrière prometteuse. En 1997, son troisième album, *Oui,* confirme cette orientation vers une chanson entre rêve et réalisme aux accents jazzy.

Enzo, BMG, 1991
Deux, RCA/BMG, 1994

ESCUDERO Leny

Espinal, Espagne, 1932
AUTEUR, COMPOSITEUR, INTERPRÈTE

Trente ans que ce fils de bûcheron espagnol arpente à longues enjambées, tantôt feutrées, tantôt coléreuses, la grande scène de la chanson française. Depuis ces jours de 1962 où il enregistre, poussé par Jacques Canetti•, l'éditeur Pierre Ribert et le producteur Léo Missir•, quatre chansons douces-amères, "la Ballade à Sylvie", "À Malypense", "Parce que tu lui ressembles" et "Vingt ans après". C'est aussitôt un succès, à contre-courant de la vague yé-yé, et que vient confirmer "Pour une amourette". Mais devenir une star spécialisée dans les slows tendres ne lui semble pas un avenir exaltant. "Pour régler ses comptes avec son enfance", il part faire le tour du monde et construire une école au Bénin pendant cinq ans. Lorsqu'il revient, tout est à refaire. Mais autrement. Escudero choisit de se promener. À la façon d'un troubadour qui engrange, jour après jour, village après village, des images et des impressions, et nous les redonne à la halte suivante, en complice. Un "romantisme vécu", qui se rapproche de la romance nostalgique et qui donne "la Simone", "Je t'attends à Charonne" (1968), "Vivre pour des idées" (1973), "la Planète des fous" (1979). Juste soutenu par un accordéon et une guitare, sans fioritures, sur des airs populaires, java ou tango, il glisse de l'ironie à l'émotion, tour à tour vindicatif et tourmenté. **Y.P.**

Grands Succès, Accord/Musidisc
Leny Escudero chante la liberté, Déclic/Virgin, 1997

ESPOSITO Giani

Etterbeeck, Belgique, 1930
Neuilly-sur-Seine, 1974

Comédien de formation, il vint à la chanson au début des années cinquante en se produisant dans des cabarets. D'une voix intense, en s'accompagnant au tam-tam, il propose des chansons étranges et déchirantes comme "Souvenirs d'un barbare", "la Descente en ville" ou, surtout, "les Clowns". Après une longue période de silence, il revient à la fin des années soixante, avec une approche fortement mystique, citant Krishna ou saint Paul ("Parlerai-je").

Les Clowns
(anthologie, 2 CD), Rym Musique/Polygram, 1997

Sans fioriture, Lény Escudero chante sur des musiques populaires son "romantisme vécu".

ESTARDY Bernard

Charenton-le-Pont, Val-de-Marne, 1939
MUSICIEN, ARRANGEUR

Fils de l'ingénieur électronicien qui a mis au point en France la cellule photoélectrique, il se lance dans la musique en accompagnant Nino Ferrer• à ses débuts et Nancy Holloway•. En 1967, il devient définitivement le sorcier de la console de studio, installé dans un petit local de la rue Championnet à Paris, où, depuis trente ans, il met au point disque après disque un son propre à satisfaire les artistes comme le grand public. Tout le métier de la chanson est passé par chez lui, de Johnny Hallyday• à Claude François•, en passant par Sheila•, Michel Sardou•, Dalida•, Eddy Mitchell•, Guy Béart•, Françoise Hardy• ou Marc Lavoine•.

ÉTIENNE (Les Sœurs)

Duo vocal formé en 1945
par Louise et Odette Étienne

Louise et Odette débutent en gagnant un concours de chant et se font la voix avec Loulou Gasté• et l'orchestre de Jacques Hélian. Physique jeunes filles de bonne famille, joliment swing, elles enregistrent de nombreux succès : "C'est si bon", "Après la pluie, le beau temps", "Qui sait, qui sait, qui sait ?", "Chacun son bonheur", "Au pays des merveilles", "Cinq minutes de plus". Elles se produisent en tournée à travers toute l'Europe et accompagnent plusieurs fois le Tour de France. C'est ainsi qu'Odette rencontre Jacques Goddet, le patron du journal *l'Équipe,* avec qui elle se marie.

◎ ***C'est si bon,*** Pathé/EMI, 1990

FABIAN Lara

Bruxelles, 1970
AUTEUR, INTERPRÈTE

Fille d'une mère d'origine sicilienne et d'un père belge, Lara Fabian commence à chanter en 1986 dans les cabarets bruxellois. En 1988, elle participe au concours de l'Eurovision avec la chanson "Croire", qui remporte un joli succès (elle se vend à 500 000 exemplaires). Puis elle s'installe au Québec• au début des années quatre-vingt-dix, où sort un premier album, *Lara Fabian* (1992), suivi d'un deuxième, *Carpe diem* (1995), qui la révèle aux yeux du public et des professionnels. En 1997, *Pure,* son troisième album, est publié en France, où sa voix ample et puissante attire d'emblée l'attention. Le titre "Tout" déferle sur toutes les radios... Johnny Hallyday•, séduit par son énergie et ses capacités vocales, lui demande d'interpréter un duo avec lui lorsqu'il "met le feu" au Stade de France en septembre 1998. Devenue en deux ans une véritable star, Lara Fabian marche sur les brisées de Céline Dion•, grâce à une voix qui n'est pas sans rappeler celle de Whitney Houston.

Carpe diem, Polydor, 1995
Pure, Polydor, 1997

FABULOUS TROBADORS

Groupe de rap formé en 1986 à Toulouse par Claude Sicre, alias "Doctor Cachou" (textes, chant, tambours divers), et Ange Bofarèu (chant, tambours, "human beat box" et programmation boîte à rythmes)

En fait, il ne s'agit pas de rap, mais d'une véritable mise au jour d'une culture occitane jusque-là enfermée par ses propres chantres dans le ghetto des musiques régionales. Qu'on ne s'y trompe pas : un tel débit de paroles (intelligentes et ironiques) associé à une rythmique primaire faite d'un tambourin et d'une grosse caisse sourde, tout cela faisait déjà partie du patrimoine musical du Moyen âge.

Era pas de faïre, Roker Promotion, 1991
Ma ville est mon plus beau park, Mercury/Polygram, 1995
On the Linha Imaginot, Mercury, 1998

FANON Maurice

Auneau, Eure-et-Loir, 1929 - Paris, 1991
AUTEUR, COMPOSITEUR, INTERPRÈTE

Fils d'une institutrice beauceronne, il est marqué par la guerre d'une manière indélébile et ses chansons en seront très fortement imprégnées. "la Petite Juive", qui figure dans son deuxième 33 tours en 1965, est une histoire vraie qui s'est passée à Chartres. Après un premier mariage avec une Écossaise, il rencontre Pia Colombo• et lui écrit des chansons, qu'elle interprète et enregistre. Il l'épouse en 1960 puis divorce en 1964. Une rupture qui aura inspiré la plus fameuse chanson de Fanon, "l'Écharpe" ("Si je porte à mon cou/en souvenir de toi/cette écharpe de soie.").

L'interprète. Maurice Fanon a écrit 127 chansons, des poèmes, un livre, *Tête de turc,* et un autre, resté inédit, *la Transparente.* Au début des années soixante, il décide de chanter ses propres textes. Il passe sa première audition à la Colombe en 1961 et, simultanément, au Port du Salut, qui deviendra son port d'attache. Il enregistre son premier 33 tours chez CBS et obtient le grand prix de l'académie Charles-Cros. En 1966, il tourne avec Jacques Brel• et écrit pour Juliette Gréco• et Melina Mercouri. Fanon compose souvent, mais ce qui prime pour lui c'est l'écriture. Sa langue est âpre, violente et raffinée en même temps. Lorsqu'il chante, sa voix râpeuse s'adapte à merveille à ces paroles pleines de passion. **G.**

- ***Bravo à Maurice Fanon,*** Colombia/Sony Music, 1991
- ***Maurice Fanon,*** Master Série/Polygram, 1994
- ***Avec Maurice Fanon - L'Écharpe,***
- Millésimes/Gérard Meys, 1995

FARMER Mylène

Montréal, Canada, 12 septembre 1961
INTERPRÈTE

Arrivée en France vers l'âge de dix ans, elle fréquente après de courtes études les bancs du cours Florent, trois années durant. La rencontre avec Laurent Boutonnat la pousse, un peu par hasard, vers la chanson et un premier succès, "Maman a tort", durant l'hiver 1984. Deux autres titres, "Tous des imbéciles" et "Plus grandir", ne confirmeront pas ce début de gloire. Il faut attendre 1986, son passage sur le label Polydor, et l'énorme succès de "Libertine" pour voir Mylène Farmer éclater au grand jour. L'album *Cendres de Lune* d'où est extrait le titre, soutenu par un clip d'une dizaine de minutes signé Boutonnat, dépasse le million d'exemplaires. Cultivant toujours la double image de la femme enfant habitée par un érotisme hautement suggestif, le duo récidive en mars 1988 avec *Ainsi soit je,* qui va, à son tour, atteindre des ventes record. Sur fond de musique synthétique, ce qui n'empêche pas les mélodies de tirer vers une douceur pleine de nostalgie, Mylène Farmer se promène dans un univers à la fois tragique et équivoque. En mai 1989, elle franchit le pas, remplit le Palais des Sports une semaine durant, et joue les prolongations, les 8 et 9 décembre de la même année, à Bercy, après avoir visité cinquante-deux villes de province. Sa voix aiguë, souvent à la limite de la rupture, franchit plutôt bien la rampe.

Ambiguë. Toujours soutenu par de luxueux clips, un troisième album (*l'Autre*), en 1992, atteint de nouveau le million d'exemplaires. Fin 1995, Mylène Farmer qui, de rousse, a retrouvé sa couleur naturelle de cheveux, brune, revient avec un nouvel album où elle cultive toujours ses thèmes fétiches, *Anamorphosée.* L'apport conséquent de guitares tire le répertoire vers un son rock sans parvenir pour autant à retrouver la magie qui avait imposé cette chanteuse atypique aux foules. En 1997, un double album en public restitue l'ambiance de sa tournée et permet de l'entendre chanter en duo avec Khaled• "la Poupée qui fait non" de Michel Polnareff•. **J.-P. G.**

- ***Ainsi soit je,*** Polydor, 1989
- ***Anamorphosée,*** Polydor, 1995

FAUDEL

Mantes-la-Jolie, 1978
INTERPRÈTE

Surnommé "le Petit Prince du raï", ce jeune garçon au sourire éclatant, né en France de parents d'origine algérienne, est la preuve évidente qu'une transe méditerranéenne a saisi la France. Impressionné par sa grand-mère qu'il entend chanter chaque été, du côté d'Oran, dans des mariages ou des fêtes de quartier, il décide à l'âge de huit ans de prendre lui aussi le micro. À douze ans, il forme les Étoiles du Raï, groupe qui reprend des morceaux de Khaled• ou de Mami. En 1993, il effectue ses premiers pas professionnels en ouvrant pour Jimmy Oihid et Khaled (ils chantent ensemble "Didi"). Épaulé par une bande d'amis musiciens (Gérald Toto, Mathieu Chedid, le fils de Louis, Patrick Goraguer, le fils d'Alain, arrangeur de Ferrat• ou Reggiani•), il compose les onze titres de son premier album, *Baïda,* qui sort en 1997. "Tellement n'brick (tellement je t'aime)" et "Dis-

À l'ombre de Khaled, Faudel, "le Petit Prince du raï", a popularisé cette musique auprès des adolescentes de l'Hexagone.

moi", chantées en arabe et en français, deviennent vite des tubes... En septembre 1998, aux côtés de Khaled et Rachid Taha•, il participe, dans un Bercy chauffé à blanc, à l'imposant concert "1,2,3... Soleils", où la musique maghrébine apparaît désormais comme une des composantes de la variété française. En février 1999, le public des Victoires de la musique le sacre "révélation de l'année". **Y.P.**

Baïda, Mercury, 1997
1,2,3... Soleils, Barclay/Polygram, 1998

FAVENNEC Melaine

Quimperlé, 1950
AUTEUR, COMPOSITEUR, INTERPRÈTE

Initié à la cornemuse et à la bombarde, il joue du violon en 1973 avec les Diaouled Ar Menez, et, malgré cela, il n'est pas un chanteur breton. Authentique et fin poète, il chante ses ballades accompagné par un orchestre de chambre, une guitare acoustique ou le piano d'Yvan Cassar. Parmi ses nombreux spectacles, en 1982, "le Sablier horizontal" avec chorale, bagad (formation instrumentale bretonne) et formation de jazz ou, en 1985, "Intime in time", au Printemps de Bourges. Prix Charles-Cros 1990 pour l'album *la Chambre*.

La Chambre, IIT/Blue Silver, 1990
Présent d'exil, IIT/Blue Silver, 1993

FAYOL Lily

Grenoble, 1914
Saint-Raphaël 1999
INTERPRÈTE

Après des études de violon et une carrière d'équilibriste au music-hall, elle débute dans la chanson à Dakar, en 1939. À la Libération, elle est à l'affiche de Bobino, de l'Européen et des Folies-Belleville. Elle crée alors un répertoire fantaisiste : "la Guitare à Chiquita" (1944), "le Gros Bill" (1945), "le Régiment des mandolines" (1946), "la Cane du Canada" (Vandair-Borel-Clerc) et "le Rythme américain" (1948). Elle incarne, en 1950, la célèbre *Annie du Far West* au théâtre du Châtelet. Magenta et Bonifay lui donnent "les Trois Bandits de Napoli" (1952) et Vandair-Pesenti-Lelièvre lui permettent de chanter : "Qui c'est qui fait glouglou... c'est la bouteille" (1949).

2 chansons in **_Anthologie de la chanson française,_** EPM VC 103-7 et 103-10

FELDMAN François

1956
AUTEUR, COMPOSITEUR, INTERPRÈTE

Fortement influencé par James Brown, François Feldman commence par tenir les claviers dans des groupes dance qui écument les discothèques hexagonales. Son premier disque, *You Want Every Night,* passe inaperçu en France mais grimpe à la sixième place du Top dance new-yorkais... Il va ensuite alterner chansons romantiques ("Slave", "les Valses de Vienne") et titres dansants ("Joue pas"). En 1989, l'album *Une présence* se vendra à un million d'exemplaires. Il récidive en 1991 avec *Magic'boul'vard* et remplit Bercy cinq soirées de suite. Depuis, en dépit de jolis coups d'éclat, comme "Indigo" et "À contre-jour", il semble à la recherche d'un second souffle...

Feldman à Bercy, Mercury, 1991,
Two, Mercury, 1996

FERLAND Jean-Pierre

Montréal, Québec, 1933
AUTEUR, COMPOSITEUR, INTERPRÈTE

D'abord comptable, puis, comme Félix Leclerc•, animateur de radio, il se lance dans la musique après avoir, comme il le dit lui-même, "fait des chansons par désœuvrement, puis par goût et enfin par métier". Avec Gilles Vigneault•, Clémence Desrochers•, Claude Léveillée• et Raymond Lévesque•, il crée Chez Bozo, le plus célèbre cabaret à chansons du Québec. Il vient en France au milieu des années soixante, passe au Palais de Chaillot, à Bobino•, à la Tête de l'Art, mais son inspiration urbaine ou très classique ("le Petit Roi") surprend quelque peu le public français, plus habitué alors à l'idée d'une chanson québécoise synonyme de folklore campagnard. Il impose cependant son style, plus axé sur une chronique de la vie urbaine – "les Fleurs du macadam", "la Ville", "les Bums de la 33e Avenue" – que sur la description des grands espaces.

Les 20 Premiers Succès,
Scalen'Disc, 1993

FERNANDEL
(Fernand Contandin, dit)

Marseille, 1903 - Paris, 1971
INTERPRÈTE

Deuxième enfant d'une famille de quatre, le petit Fernand traîne dès son plus jeune âge dans les coulisses des théâtres de Marseille, accompagnant son père qui a une vocation artistique rentrée : employé de bureau pendant la semaine, chanteur de caf' conc' sous le nom de Sined le dimanche. Fernand débute à cinq ans dans une pièce intitulée Marceau ou les Enfants de la République, où il déclenche déjà l'hilarité en se prenant les pieds dans le sabre de son costume. À sept ans, premier succès à la Scala de Marseille en chantant "le P'tit Objet (Ah ! mademoiselle Rose !)" de Polin•, le fameux comique troupier. Il participe à divers concours, où il obtient de bonnes places et délaisse de plus en plus l'école. Obligé très tôt de gagner sa vie, il consacre ses dimanches à la scène. En 1922, il débute réellement sa carrière sur la scène de l'Eldorado de Nice et se retrouve, trois ans plus tard, sur les planches de l'Odéon, à Paris, où, en pantalon garance et redingote bleue, il fait le comique troupier sous le nom de Fernandel (que l'on doit à sa belle-mère qui, du temps où il courtisait sa fille, le saluait d'un "Voilà le Fernand d'elle !").

Son accent provençal, sa "gueule" et son métier – précision des gestes, clarté de la diction – conquièrent le public, qui raffole de ses reprises de Polin ("la Caissière du Grand Café"), comme de ses créations ("Ignace", "Barnabé" ou "Féli-

Après la Libération, Fernandel se tournera vers le cinéma mais restera pour toujours le "tourlourou" venu de la Canebière.

cie"). C'est pourtant le cinéma qui va vraiment lui apporter la notoriété. En 1931, Marc Allégret lui donne un rôle dans *le Blanc et le Noir* au côté de Raimu, dont c'est aussi le premier film. Jusqu'à la guerre, il enchaîne cinéma – avec, notamment, Pagnol (*Angèle*) ou Christian-Jaque (*François Ier*) –, music-hall et disques. Dans les années cinquante, il privilégie sa carrière d'acteur par rapport à celle de chanteur. Il tourne trois ou quatre films par an dont il sait lui-même qu'ils ne sont pas tous des chefs-d'œuvre. Les plus célèbres restent la série des *Don Camillo*. Son fils Franck étant devenu une petite vedette du yé-yé, il chante avec lui "le Tango corse", mais cela n'a plus grand-chose à voir avec le Fernandel des années trente. **C. de G.**

L'irrésistible Fernandel (compil. 1933-1939), Forlane/Arcade
Les Étoiles de la Chanson (vol. 1 et 2, 1931-1942), Music Memoria/Virgin
L'Accent du soleil (compil. 1936-1967), EMI France
Fernandel au caf' conc', Musidisc, 1994
Fernandel, Anthologie, Night & Day, 1996
Ses plus célèbres chansons, Wotre Music
Ignace (compilation), EMI Music

FERNANDEZ Nilda (Daniel Fernandez, dit)

Barcelone, 1957
Auteur, compositeur, interprète

Nilda Fernandez, c'est le Sud réintroduit dans la chanson française de facture classique, la latinité reprise par un chanteur né d'une famille andalouse de confession protestante, élevé entre la Catalogne et la France. Fragile et indocile, doté d'une voix haute, presque féminine, mais d'une grande souplesse de registre, Nilda Fernandez mettra longtemps avant de se faire connaître du public, avec *Nilda,* un second album (le premier, *le Bonheur comptant,* enregistré dix ans auparavant, ressorti en 1992, était passé à la trappe). Chanson phare de Nilda, "Madrid" fut un succès en Espagne et en Amérique hispanophone, grâce à la version de la star espagnole Miguel Bosé. Les textes de Nilda Fernandez ne militent ni ne dénoncent, mais ils portent en eux les traces du temps présent (les décalages, l'exil, le danger de l'acculturation et de l'ostracisme) comme de discrets stigmates d'un corps amoureux. Les mélodies coulent, traversées de souvenirs de flamenco, de rythmes catalans et d'influences sud-américaines (Nilda Fernandez a donné des concerts aux côtés du Catalan Lluis Llach et de l'Argentine Mercedes Sosa). Dès lors, Nilda Fernandez bâtit sa carrière dans un rêve de latinité universelle (mambo, tango, flamenco) qui lui sert de passeport vers les quelque 300 millions d'auditeurs du marché hispanophone. Nilda Fernandez est aussi l'auteur d'un roman, *Ça repart pour un soliloque* (Stock, 1995). **V. M.**

Le bonheur comptant (1981), EMI, France
Nilda, EMI, 1991
500 Años (versions espagnoles), Polydor, 1992
Nilda Fernandez, Polydor, 1993
Innu Nikamu, EMI, 1997

FERRAT Jean (Jean Tenenbaum, dit)

Vaucresson 26 décembre 1930
Auteur, compositeur, interprète

Fils d'un artisan joaillier et d'une ouvrière dans une usine de fleurs artificielles, il voit son destin commencer dans les convulsions de l'Histoire. Le futur Jean Ferrat ne l'oubliera jamais. Sous l'Occupation, son père est déporté, et le petit Jean Tenenbaum est élevé par sa mère, sa sœur et sa tante. Soucieux de gagner quelque argent pour la famille, il quitte le lycée et travaille comme technicien dans un laboratoire de chimie tout en suivant des cours aux Arts et Métiers. Il est encore aide chimiste lorsqu'il débute dans le théâtre amateur et tient la guitare dans un orchestre de jazz. Il commence à chanter le répertoire de Mouloudji• et Montand• dans les cabarets parisiens, tout en composant ses premières mélodies à la guitare. On lui offre un contrat de trois mois en Belgique, qui lui permet enfin, en 1954, de se lancer à corps perdu dans la chanson. André Claveau• lui donne un coup de pouce en enregistrant "les Yeux d'Elsa", en 1956, une des toutes premières mélodies de Ferrat (pseudonyme emprunté à Saint-Jean-Cap-Ferrat), sur un poème d'Aragon•. Sans grand succès. De même, le premier 45 tours, sorti en 1957, qui contient quatre titres (" Frédo la nature", "l'Homme-sandwich", "les Mercenaires" et "Ma vie, mais qu'est-ce que c'est ?"), passe inaperçu. Le second, de 1960, contient la chanson "Ma môme", écrite par Pierre Frachet, qui connaît une certaine audience à la radio mais se vend peu. Après le traditionnel tour des cabarets rive gauche, Ferrat réitère et enregistre en 1961 son premier 33 tours, primé par l'Académie du disque et la Sacem. Il contient surtout "Deux Enfants au soleil", une chanson écrite à l'attention d'Isabelle Aubret•, qui lui ouvre les portes du succès.

Zizi Jeanmaire• lui emprunte, en 1963, quelques morceaux de choix, et Ferrat se retrouve à l'Alhambra en première partie de la chanteuse-danseuse, devant une salle de 3 000 personnes.

La liberté pour muse. L'apport de trois paroliers, Georges Coulonges•, Claude Delécluse• et Michèlle Senlis•, et, plus tard, Henri Gougaud, l'aide à trouver ses marques. Et, en 1964, c'est la consécration avec une chanson qu'il écrit seul, "Nuit et Brouillard", vibrant hommage à tous les déportés. Avec "la Montagne" (1965), il remporte un très gros succès, annonciateur de la vague écologiste. Ferrat sait trouver les thèmes qui portent, servi par une voix chaude, persuasive, souvent indignée. Il est tendre, jusqu'à l'extrême, avec "Que serais-je sans toi ?" (1964, poème d'Aragon), mordant, avec "Maria" (1966), antiraciste, avec "Quatre Cents Enfants noirs" (1962).

"IL SAIT TROUVER LES THÈMES QUI PORTENT, SERVI PAR UNE VOIX CHAUDE, PERSUASIVE, FORTE D'UNE INDIGNATION CONTENUE."

Et censuré avec "Potemkine" (1965) : un soir, invité à la télévision (à l'émission "Âge tendre et tête de bois"), il lui est interdit (par le directeur de la chaîne lui-même, Claude Contamine) d'interpréter cette chanson écrite pour célébrer la révolte des marins du cuirassé russe Potemkine, en 1905 Compagnon de route du Parti communiste, auquel, cependant, il n'a jamais formellement adhéré, il s'opposera souvent à ses dérives staliniennes. Son voyage à Cuba, en 1967, le marque profondément : il est fasciné par la gentillesse du peuple cubain, et se fend d'un hymne aux "Guérilleros" empreint de romantisme révolutionnaire. L'artiste s'ouvre alors à des musiques plus rythmées, mais n'en perd pas pour autant le sens du message : "Cuba Si" (1967) ou "À moi l'Afrique" (1971). Mais les radios diffusent plus volontiers sa jolie ritournelle "l'Idole à papa".

En marge. En 1970, Jean Ferrat part à la rencontre de son public, pour douze représentations au Palais des Sports, où seul Johnny Hallyday s'était jusqu'alors risqué. L'année d'après, il consacre un album à dix textes d'Aragon, dont les magnifiques "le Malheur d'aimer" et "Heureux celui qui meurt d'aimer". En octobre 1972, il passe une fois encore au Palais

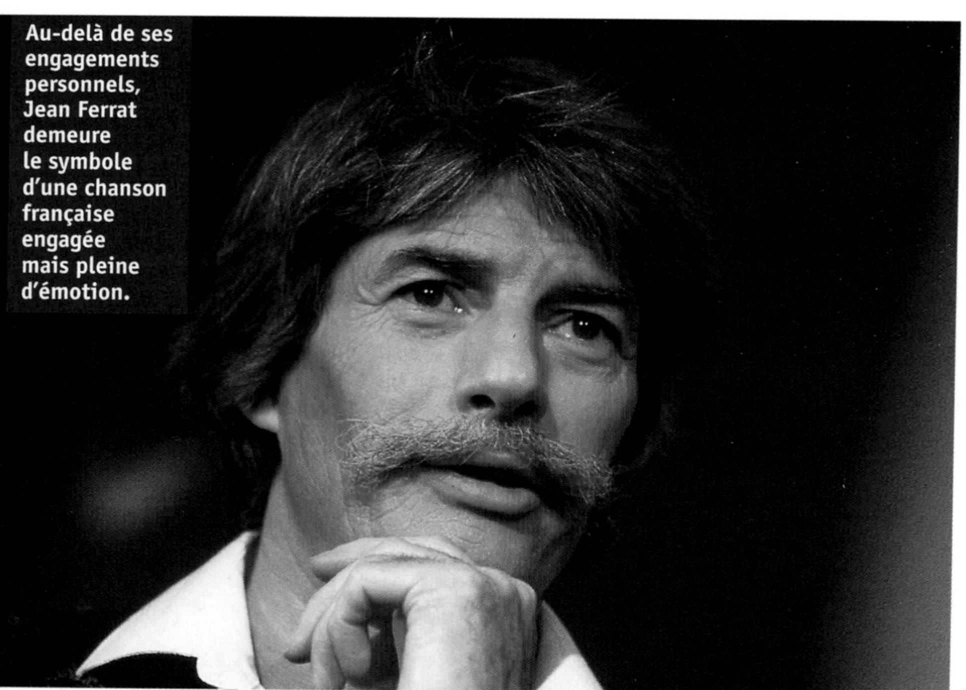

Au-delà de ses engagements personnels, Jean Ferrat demeure le symbole d'une chanson française engagée mais pleine d'émotion.

des Sports. Trois ans plus tard, Ferrat subit à nouveau les foudres de la censure à cause d'" Un air de liberté" (qui fait écho à "Dix-Sept Ans" (1970), chanson dans laquelle il montre l'absurdité de la guerre du Vêt Nam : il est boycotté par la télévision. Pendant ce temps, les radios popularisent "la Femme est l'avenir de l'homme" – qui figure parmi les plus importants tirages de l'industrie française du disque –, "Je meurs" et "Mon chant est un ruisseau". En 1973, il quitte définitivement la scène, qu'il aimait pourtant, et vit retiré dans le petit village d'Antraigues, en Ardèche, dont il fut douze ans conseiller municipal. En 1980, il publie un album, dont il a écrit tous les morceaux, qui s'ouvre sur un "Bilan" amer et réaliste du communisme. Ce disque, vendu à un million d'exemplaires en quelques semaines, parle encore et toujours d'amour, de tendresse, de combat... En 1985, sa chanson "la Porte à droite" (dans l'album *Je ne suis qu'un cri*) stigmatise le virage "réaliste" du pouvoir socialiste. En 1991, il tire les enseignements de la chute du Mur de Berlin avec *Dans la jungle ou dans le zoo,* qui renvoie dos à dos capitalisme et communisme.

Jean Ferrat mène une carrière à part, très en marge du show-business : c'est volontairement qu'il se fait rare, ce qui assure à chacun de ses retours un retentissement considérable. **A. G.**

◎ ***Les Années Barclay*** (5 volumes, 1964-1971), Barclay/Polygram, 1992
◎ ***Intégrale Ferrat chante Aragon*** (1971), Barclay, 1992
◎ ***Je ne suis qu'un cri*** (1985), Temey, 1991
◎ ***Intégrale Ferrat*** (10 cd), Temey, 1991
◎ ***Dans la jungle et dans le zoo,*** Temey, 1991

FERRÉ Léo

Monaco, 1916 -
Castellina-in-Chianti, Italie, 1993
AUTEUR, COMPOSITEUR, INTERPRÈTE

"Poète, vos papiers" ! Léo Ferré est né, à l'abri de la guerre, dans une principauté d'opérette, le jour de la Saint-Barthélemy. Il a fumé sa dernière Celtique, dans le giron des collines toscanes, chez lui, un jour de fête nationale. Ultime clin d'œil de la "graine d'ananar". Celui qui n'a cessé de mettre en images la mort ("À mon enterrement") et d'inventer des testaments ("À toi") léguait à son public une œuvre considérable : une cinquantaine de CD, où il a libéré la chanson de son corset de trois minutes, où il a mêle le lyrisme à l'argot, où il a fait descendre Baudelaire, Verlaine, Rimbaud et les autres dans la rue, où il a clamé l'amour et l'anarchie. Auteur-interprète-compositeur, né plus exactement sous le double signe de poète-musicien, il est l'une des figures majeures de la chanson française de cette seconde moitié du siècle.

La vieille pèlerine. Sa mère s'appelle Marie (dite Charlotte) ; son père Joseph. Elle est couturière, il est directeur du personnel de la Société des bains de mer, qui gère le casino de Monaco et possède la moitié de la ville. Léo Charles Albert Antoine (qui tient son prénom de sa marraine Léa) a une sœur, Lucienne, de deux ans et demi son aînée. Côté maternel, les grands-parents Scotto viennent d'Italie. Chez les Ferré, le grand-père a aussi quitté le Piémont pour Nice. Cocher de fiacre, il a transmis à son petit-fils l'amour des chevaux. Et le cheval, présent dans de nombreuses chansons, sera l'animal favori du bestiaire poétique de Ferré. Avec un tel arbre généalogique, celui-ci se sent aux trois quarts italien. Sa mère fait la pasta, son aïeul la salsa, lui chante les "raviolis, spaghettis/Et gnocchi et capelletis" ("le Marché du poète"), avant de prendre, vers la fin de sa vie, le train du sud pour s'installer en Italie (1969), dans une maison à mi-chemin entre Sienne et Florence, où il fera son huile d'olive et son vin.

"Les premières images de l'enfance font le cinéma de la vie", note-t-il dans la préface qu'il consacre aux *Chansons des quatre saisons* de son complice Jean-Roger Caussimon•. Dans son enfance, il y a la mer. Elle bercera sa vie et ses chansons. "Je me raconte la mer", dit Benoît Misère, "héros" éponyme du roman, manière d'autobiographie commencée en 1956 et achevée quatorze ans plus tard. La mer, chez Ferré, est identifiée à la femme. C'est l'Alma matrix, la source originelle et celle de ses métaphores. "La mer en vous comme un cadeau/Et dans vos vagues enveloppée" ("l'Amour fou"). C'est face à elle qu'il dirige, sur les remparts de la ville, des orchestres imaginaires. Il a cinq ans. Plus grand, découvrant la Bretagne, il troquera la Méditerranée contre la "vraie" mer, celle qui "se lave deux fois par jour". Il s'achètera même un îlot, l'île du Gesclin, entre Saint-Malo et Cancale, où il écrira son chef-d'œuvre : *la Mémoire et la mer.* Au départ, il s'agissait d'un texte de quatre cent quarante octosyllabes, d'abord intitulé "les Chants de la fureur", puis "Gesclin". De ce long poème, il tirera sept chansons : "FLB", "Des mots", "la Mer noire", "Christie", "Géométriquement tien", "la Marge" et "la Mémoire et la mer".

La solitude. À ses huit ans, ses parents l'inscrivent comme interne chez les frères des écoles chrétiennes, au collège Saint-Charles de Bordighera, une petite ville côtière coincée entre Vintimille et San Remo. On lui retire son patronyme, on lui donne le matricule 38 : exactement comme en prison. C'est d'ailleurs dans ces termes qu'il qualifiera son enfance solitaire : huit longues années avec uniforme à boutons dorés et lourd parfum d'encens. Est-ce là qu'il ourdit sa révolte et s'approprie la formule "Ni dieu, ni maître" ? Toujours est-il qu'il est élevé dans une religion stricte, sous un régime fasciste (Mussolini a pris le pouvoir en octobre 1922). Seules joies pour celui qui se rêve musicien : il joue du piston dans la fanfare et chante de sa voix de soprano dans la chorale.

"IL SOUTIENT L'ANARCHIE QU'IL DÉFINIT COMME "LA FORMULATION POLITIQUE DU DÉSESPOIR"."

Et puis, une découverte, celle de la 5e Symphonie de Beethoven, qu'il entend à la radio, alors qu'il boit un chocolat avec sa mère, passée lui rendre visite. Il en pleure d'émotion. Plus tard, il l'interpellera dans une chanson, "Ludwig ! Ludwig ! T'es sourdingue ? ("Muss es sein ? Es muss sein !") et mettra des paroles (plutôt des envolées lyriques) sur sa musique, l'Ouverture d'Egmont. Ravel est, avec Beethoven, son compositeur préféré. Dans son panthéon personnel se côtoient également Debussy, Bartôk, Mozart et Satie. Ferré, que la critique a souvent éreinté, quand il se mêlera de symphonie – lui le chanteur de variétés – a appris l'harmonie avec Leonid Sabaniev, un élève de Scriabine. Après son bac (première partie à Rome, deuxième à Monaco), il monte à Paris pour préparer Sciences-Po et une licence en droit. Il loge rue de Vaugirard et fréquente les Camelots du roi, une organisation d'extrême droite, où il croise un de ses condisciples, François Mitterrand.

La vie d'artiste. Après des allers-retours entre Paris et Monaco, entrecoupés d'une formation d'aspirant à l'école des sous-officiers de Saint-Maixent, il travaille à Radio-Monte-Carlo comme homme à tout faire (bruiteur, speaker, aide régisseur), se marie en 1943 avec une jolie blonde, Odette Schunck, qu'il a connue après sa démobilisation (à Albi, en août 1940) et montre ses premières chansons à Charles Trenet•, qui les juge intéressantes mais lui déconseille de les chanter lui-même, à cause de sa voix. Édith Piaf• est plus tendre. Elle l'encourage à faire la tournée des cabarets de la capitale et lui prend une chanson, "les Amants de Paris", enregistrée en 1948. Il compose sur les textes de René Bar (" la Chambre", "la Chanson du scaphandrier") ou sur ses propres paroles ("le Temps des roses rouges", "l'Inconnue de Londres").

À Monaco, il se produit sous le nom de Forlane ; à Paris, il se fait appeler Léo Ferrer (ça sonne espagnol) ou Léo de Hurletout (ça effraie le bourgeois). Il effectue ses débuts officiels, en novembre 1946, au Bœuf sur le toit, partageant l'affiche avec les Frères Jacques• et le duo Roche•-Aznavour•. Il chantera ensuite aux Assassins, au Quod Libet, à l'Abbaye, à l'Écluse. C'est l'époque des vaches maigres, de la bohème à Saint-Germain-des-Prés, des premières fêlures dans le couple. Elle lui inspire une chanson emblématique, écrite avec Francis Claude, la Vie d'artiste. Léo et Odette divorcent. Il écume les cabarets, court le cachet, accompagné de son chien Arkel : "Moi, je conserve le piano/Je continue ma vie d'artiste !"

Ça t'va. Il va alors voir Caussimon• du côté de la butte Montmartre, au Lapin à Gill, pour lui demander de mettre en musique son poème "À la Seine". Cette association anarcho-sentimentale va se poursuivre plus de trente ans et donner de pures merveilles : "Comme à Ostende", "Mon camarade", "le Temps du tango", "Mon Sébasto", "Monsieur William", "Nous deux", "Ne chantez pas la mort". Une nuit (celle du 6 janvier 1950), au détour du Bar-Bac (un bistrot de la rue du Bac), alors qu'il traîne avec des "copains de la neuille", on lui présente Madeleine Rabereau. Elle a vingt-cinq ans et une petite fille, Annie. Elle devient sa compagne, puis sa femme en 1952. Un amour fou de dix-huit ans, qui commence par "Ça m'va/Qu'on puisse dire un jour/Et quant à l'amour/Il n'aime qu'elle" (ça t'va) et qui se termine par "Avec le temps va tout s'en va/L'autre qu'on adorait qu'on cherchait sous la pluie/L'autre qu'on devinait au détour d'un regard" ("Avec le temps"). Avec Madeleine, Ferré va fréquenter assidûment les anarchistes. Il a déjà chanté pour les exilés espagnols à la Mutualité ; il va désormais participer à tous les galas de soutien de la Fédération anarchiste et de son journal le Libertaire. Anarchie qu'il définira comme "la formulation politique du désespoir" et à laquelle il restera fidèle toute sa vie, aidant Radio Libertaire lors de l'éclosion des radios

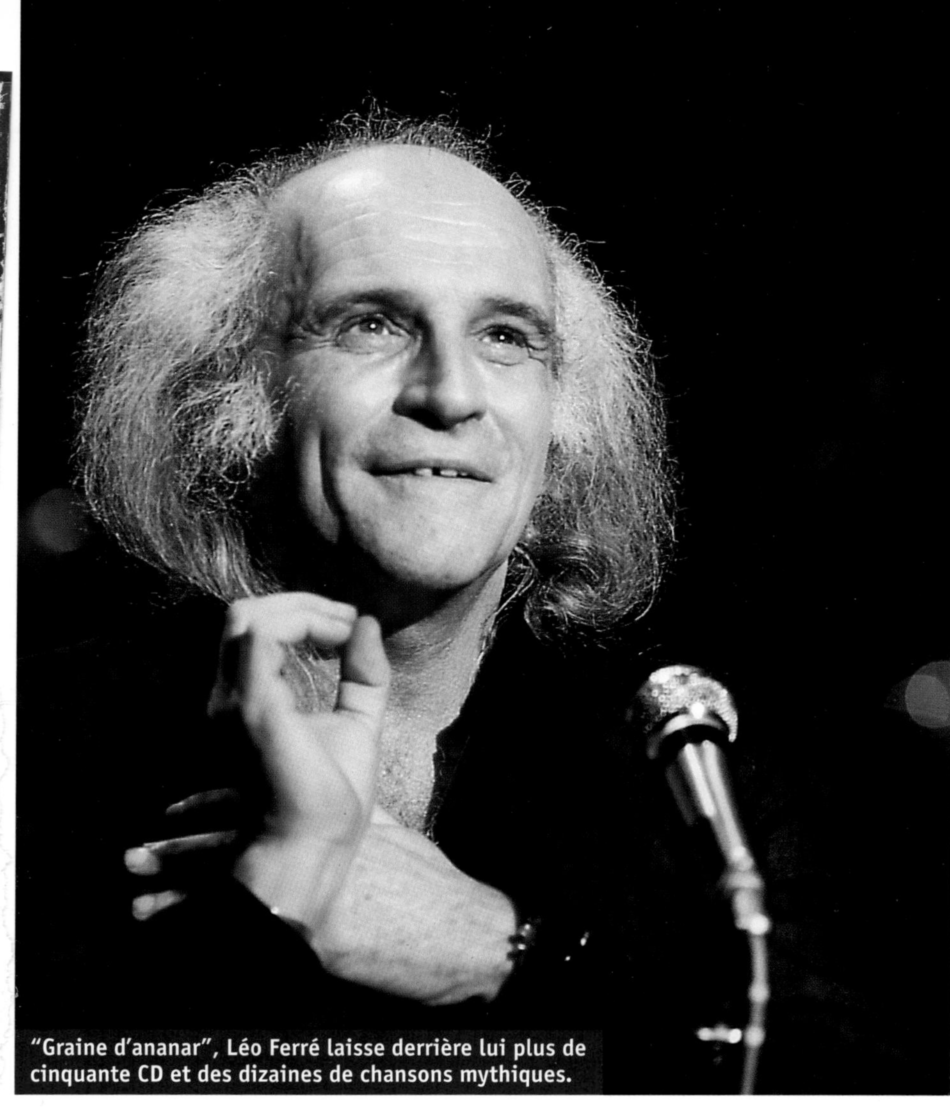
"Graine d'ananar", Léo Ferré laisse derrière lui plus de cinquante CD et des dizaines de chansons mythiques.

libres, ne passant pour ses derniers concerts qu'au TLP (Théâtre Libertaire de Paris).

Sans compter ses chansons, du "Flamenco de Paris" à "Franco la muerte" en passant par "les Anarchistes". Avec Madeleine aussi, qui agit comme un metteur en scène, il quitte ses lunettes, coupe ses cheveux "trop longs comme des voiles de thonier", déserte son piano et traverse la scène. Debout, il s'aperçoit qu'il a une voix.

L'idole. Catherine Sauvage•, son double féminin, a fait de "Paris canaille" un succès et impose ses chansons au public. Autre motif de plaisir : il a créé à l'Opéra de Monaco (1954) l'oratorio qu'il a composé sur *la Chanson du mal-aimé* de Guillaume Apollinaire. En mars 1955, il passe en vedette à l'Olympia, c'est la consécration tardive qu'il attend depuis dix ans. Il a sa bande : au piano, Paul Castanier, dit "Popaul aux doigts de plume", à l'accordéon Jean Cordon, alias "Mister Giorgina", bientôt rejoints par Maurice Frot, le secrétaire-homme de confiance. Avant de quitter la maison de disques Odéon pour rejoindre Eddie Barclay•, il enregistre un album consacré à Baudelaire, douze poèmes extraits des *Fleurs du mal* (1957). Faire revivre ces "voix chères qui se sont tues" est une tâche sacrée pour Léo Ferré. Il mettra en chansons Rutebeuf ("Pauvre Rutebeuf" repris par Joan Baez) et Villon ("la Ballade des pendus") et consacrera des albums entiers à Apollinaire et Aragon (1961), Rimbaud et Verlaine (1964). Deux ans après un récital à Bobino, en 1960, un 33 tours, avec les titres "Jolie Môme", "Merde à Vauban", "Paname" lui attire la reconnaissance définitive. Un spectacle à l'Alhambra confirme le triomphe. En 1961, l'album *l'Affiche rouge,* d'après Aragon, enthousiasme son public. À quarante-cinq ans, Léo est devenu Léo le lion.

Pépée. Le couple Ferré a un coup de foudre pour un chimpanzé, une petite guenon de la troupe The Marquis Family. Ils l'adoptent et l'appellent Pépée. La famille s'installe dans le Lot, prés de Gourdon, où ils acquièrent le ch,teau de Perdrigal. Véritable arche de Noé, il y a là une ribambelle d'animaux : la chienne Misère, le poney Arkel, le taureau Arthur, le cochon Baba, et puis des chats et des chiens, des moutons et des vaches et d'autres chimpanzés. Ferré se consacre à son passe-temps préféré, l'imprimerie. En Italie, il en installera une aussi, baptisant ses éditions Gufo del Tramonto, soit "le hibou du couchant". Il connaît des démêlés avec la censure. Ce n'est pas la première fois. Déjà, en 1961, un de ses disques avait été interdit au dernier moment, le président de la République n'ayant pas jugé de son goût "Mon général". Ici, la raison n'est pas politique. Sa chanson "À une chanteuse morte", dédiée à Piaf•, se moque entre les lignes de Mireille Mathieu•. Il y a procès : le titre est retiré, l'album repressé (1967).

Malgré cet exil campagnard, Ferré colle à l'air du temps : "Ils ont voté", "la Marseillaise", "Salut Beatnik !" accompagnent la montée de la contestation étudiante. Pourtant, Léo sera étrangement absent des événements de mai 1968. Tout juste participera-t-il, le 10 mai, au gala annuel de la F.A. (Fédération anarchiste). Cela lui sera souvent reproché. À ceux qui le coupent dans un récital par un : "Ferré, on t'a pas beaucoup vu sur les barricades", il répond : "Mes barricades, ça fait vingt ans que je les construis". En fait, en 1968, Ferré a fait sa révolution personnelle. Il s'en est allé, avec son nouvel amour, Marie-Christine. Et le 7 avril, sur ordre de Madeleine, Pépée est abattue, comme tous les autres animaux de Perdrigal. Ferré ne pardonnera jamais. Le 24 avril, dans un hôtel de Vannes, il écrit une de ses plus belles chansons, l'une des plus désespérées aussi, "Pépée".

Les anarchistes. Nouveau public et nouvelle veine créatrice. Ferré le libertaire sort *l'Été 68* avec "Madame la Misère", "les Anarchistes" ou "C'est extra", chanson culte qui détrône les Beatles au hit-parade et reste l'un de ses plus gros succès discographiques.

Ferré a retrouvé sa chevelure de barde. Sur scène, il piaffe et lève le poing, en rouge et noir, "Le rouge pour naître à Barcelone, le noir pour mourir à Paris". Toute une génération, tous "les enfants du mois de mai" se retrouvent dans son double album *Amour-Anarchie* (1970). Sur le premier volet, "le Chien" et "la The Nana" sont accompagnés par les guitares électriques de Zoo, une formation pop créée en 1968. Toujours avec le même groupe, il enregistre "la Solitude". Il change de moyen d'expression, casse l'alternance traditionnelle couplets/refrain et se lance dans de longs récitatifs. Il abandonne la rime pour une prose incantatoire, renouant avec l'influence surréaliste. Au rendez-vous, une lucidité teintée de désespoir : "Il n'y a plus rien" (1973), "Et. Basta !" (1973). Entre-temps, il a choisi de vivre en Italie. Son fils Matthieu est né (1970). Deux filles suivront, Marie-Cécile (1974) et Manuela (1978). Le divorce avec Madeleine ayant été prononcé, il peut épouser, le 5 mars 1974, Marie-Christine Diaz, dont l'origine espagnole le touche, lui qui n'a cessé de chanter l'Espagne. 1974, l'année du superbe "Avec le temps".

> "LE ROUGE POUR NAÎTRE À BARCELONE, LE NOIR POUR MOURIR À PARIS."

Les vieux copains. Il change de maison de disques, quitte Barclay pour CBS, CBS pour RCA, puis RCA pour EPM, label qu'il crée avec François Dacla, traduit par Éditions et Productions Musicales, mais qui signifie "Et Puis Merde ! Il devient son propre producteur et goûte sa liberté chérie. Propriétaire de ses œuvres, il les donne seulement en distribution et change quand bon lui semble. Ferré a une blessure secrète : on a méconnu en lui le musicien rêvant de symphonies et d'opéras, passant de la java au tango, du blues au rock, du piano romantique à la pompe des orgues, de la simplicité à la grandiloquence. Désormais, quand il enregistre, il est à la tête de l'Orchestre symphonique de Milan. En moins de dix ans, le vieil anar livre quinze albums comme *la Violence et l'ennui* (1980), *le Bateau ivre* ou *l'Opéra du pauvre.* Puis ce sera le disque testament, *les Vieux Copains* (1990). Les uns après les autres, ils sont partis : Lochu, le marin breton qu'il cite dans "les Étrangers", Richard Marsan, le directeur artistique de Barclay qui lui avait inspiré "Richard", Popaul et son piano aveugle, Jean Cordon et son piano "à la verticale", Caussimon• qu'il avait tant chanté : "C'est un sujet tabou. Pour poète maudit/La Mort. La Mort.". Le 14 juillet 1993, elle est venue le chercher, à son tour. "La mort, c'est une très jolie femme qui viendra me dire : Léo, come on, boy !" **L. C.**

- ***Les Années Odéon*** (1953-1958), Odéon
- ***Avec le temps*** (11 CD, 1960-1974),
- Barclay/Polygram
- ***Les Poètes***(vol. 1, 2 et 3, 1964-1972), Barclay/Polygram
- ***La Mémoire et la mer*** (1970), Barclay/Polygram
- ***La Violence et l'ennui*** (1980), Adès/Musidisc
- ***En public au Théâtre des Champs-Élysées*** (1984), EPM/Musidisc
- ***Les Vieux Copains,*** EPM/Musidisc, 1990

À lire :
Poète, vos papiers, La Table ronde, 1956 ; Folio, 1977 ; Éd n° 1, 1994. 77 poèmes dont la plupart deviendront des chansons. À l'origine de sa rupture avec André Breton qui lui avait dit : "Même en danger de mort, ne faites jamais paraître ce livre".
Benoît Misère, Laffont, 1970 ; Gufo del Tramonto, 1989. Ce récit d'apprentissage est en fait son autobiographie à peine déguisée.
La Mauvaise Graine, textes, poèmes et chansons (1946-1993), Éd. n° 1, 1993. 622 pages (chronologie, notes, index) organisées par Robert Horville

FERRER Nino (Agostino Ferrari, dit)

Gênes, Italie, 15 août 1934 -
Montcuq, Lot, 1998
AUTEUR, COMPOSITEUR, INTERPRÈTE

Le public ne retiendra d'abord de lui que l'aspect loufoque d'une belle série de tubes dont les premiers sont devenus des classiques : "Mirza" et "les Cornichons" datent de 1966. Les textes clin d'œil du "Téléfon" de "Oh ! hé ! hein ! bon !" "Alexandre", ses allures de dandy aux costumes apprêtés, rétro juste ce qu'il faut, font oublier que Nino Ferrer affiche dès ses débuts un goût certain pour des musiques typées comme la soul et le rhythm'n'blues. Son premier enregistrement, en 1963, "Pour oublier qu'on s'est aimé", n'avait d'ailleurs pas cette dérision qui, faute de distance parmi les masses, ne cessera jamais de lui coller à la peau.

Diplômé d'ethnologie, Nino Ferrer se passionne d'abord pour le jazz New Orleans. On le retrouve aux côtés de Nancy Holloway•, avant qu'il ne débute sa propre carrière solo. En 1969, fatigué de l'image de "rigolo" de la variété dont l'affuble la France, il s'installe en Italie où l'une de ses compositions, "Je voudrais être noir", connaît un énorme succès. À son retour, il signe *Métronomie,* un album aux climats étranges, truffé de recherches instrumentales et de bruitage. L'un des titres de l'album, "la Maison près de la fontaine", qui se vend à cinq cent mille exemplaires, donne enfin de lui une image différente, plus conforme à ce qu'il est. L'année suivante, son approche du rock, *Nino And Legs,* sur lequel il travaille avec le guitariste Micky Finn, passe pratiquement inaperçu. Le succès sera de nouveau là en

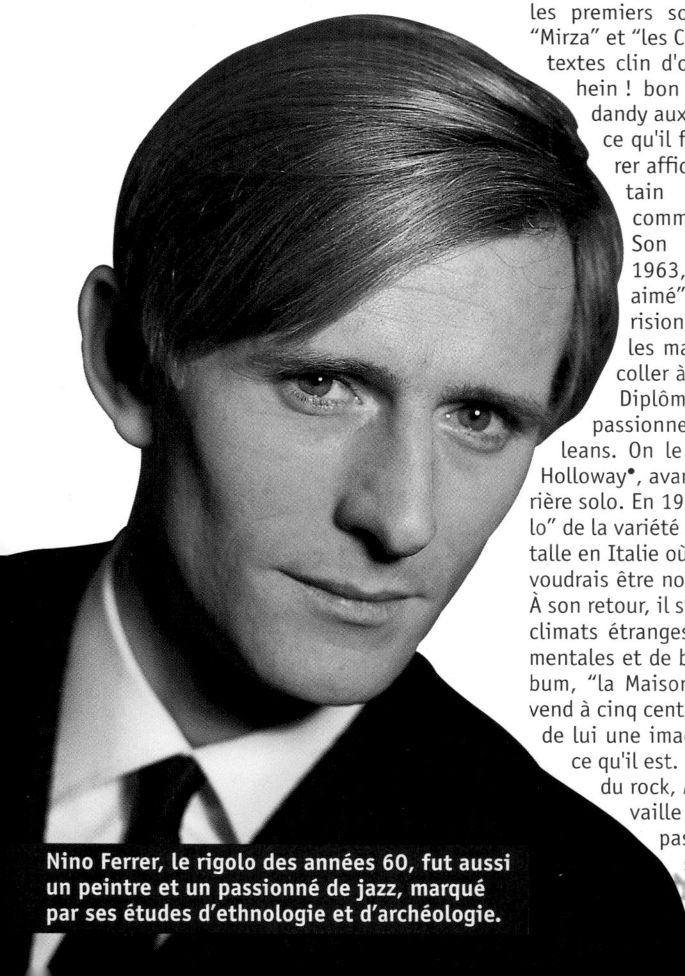

Nino Ferrer, le rigolo des années 60, fut aussi un peintre et un passionné de jazz, marqué par ses études d'ethnologie et d'archéologie.

> "BEAU COMME UN DIEU, DRÔLE COMME LA VIE, TRISTE COMME LA MORT."

1975, avec "le Sud", reprise française d'une chanson de l'album *Nino And Radiah,* réalisé en langue anglaise. Les ventes du single atteignent le million d'exemplaires, alors que le LP ne dépassera pas les cinquante mille. En 1979, Nino Ferrer, dont six nouveaux enregistrements vont prospecter autant de mondes musicaux, fait une tournée avec Higelin. En 1983, il claque la porte, las des turpitudes du show-business, et se retire dans la bastide du sud de la France.

Occupé au moins autant par la peinture que par la composition, il revient en 1993 avec un nouvel album, travaillé chez lui avec le fidèle Micky Finn, *La Désabusion*. Un titre amer qui prend tout son sens après le suicide de l'artiste, en août 1998, dans un champ du Lot. **J.-P. G.**

- ***L'Indispensable*** (coffret de 6 CD), Barclay/Polygram, 1991
- ***La Désabusion,*** FNAC Music, 1993

FERSEN Thomas

Paris, 1963

La révélation des Victoires de la musique 1993 prend ses premiers cours de guitare jazz dans le sous-sol d'un magasin de musique. Fils d'un employé de banque et d'une infirmière, Thomas Fersen découvre la scène punk en 1977. Entre ses études d'électronique et ses premiers emplois, il trouve le temps de voyager. C'est d'ailleurs au cours d'un séjour en Norvège en 1987 qu'il écrit ses premières chansons en français. Un premier 45 tours, "Ton héros, Jane" suit. Sans lendemain. Il tourne alors avec sa femme, elle-même pianiste, dans les pianos-bars et son nom fait petit à petit le tour du milieu. En 1991, l'auteur-compositeur-interprète signe chez WEA et enregistre live son premier album, *le Bal des oiseaux*. Une réussite, marquée par une influence de Randy Newman et de Tom Waits, même si l'ensemble se situe dans la tradition Prévert•. Robert Doisneau signe la pochette et l'album sort en janvier 1993. En 1995, il sort *les Ronds de carottes,* un second album enregistré au Danemark et à Paris (avec des compositions et des arrangements de Joseph Racaille et Philippe Delettrez). Sur des ambiances intimistes et jazzy, Thomas Fersen, doté d'une drôle de voix éraillée, plaque de douces musiques, légères et humoristiques à souhait. **A. G.**

- ***Le Bal des oiseaux,*** WEA, 1993
- ***Les Ronds de carottes,*** WEA, 1995
- ***Le Jour du poisson,*** WEA, 1997

FLORE Annie (Marie-Antoinette Quié, dite)

Cahuc, 1920 - Paris, 1985
INTERPRÈTE

Elle débute au Petit Casino, en 1940. Le grand départ a lieu en 1946, quand elle enregistre chez Pathé "la Fille du patron" et "La valse

Avec une drôle de voix éraillée, Thomas Fersen se construit un univers influencé par Tom Waits mais aussi par Prévert.

tourne". Elle interprète ensuite les chansons de plusieurs films ("Méfiez-vous des blondes", "Sur le pavé de Paris") et sort, dans les années soixante, une série de 33 tours, *Mes cahiers de chansons,* où elle reprend les grands succès d'autrefois, notamment de Benech et Dumont.

FOLY Liane

Lyon, 1963
INTERPRÈTE

Personnage atypique de la chanson française, Liane Foly échappe aux étiquettes, ce qui contribue à lui donner une image de femme mystérieuse et insaisissable. Sa voix chaude et sensuelle, dans la tradition des chanteuses de jazz noires américaines, est mise en valeur par une musique inspirée du swing et du blues. C'est en répondant à une annonce où l'on cherche une voix pour des jingles publicitaires qu'elle rencontre, en 1983, Alain Manoukian et Philippe Viennet, respectivement compositeur et auteur. C'est le début d'une longue collaboration qui se soldera en 1988 par un album : *The Man I Love,* où elle mêle ses propres textes à ceux de Viennet.

Malgré ses imperfections, ce disque constitue une bonne introduction au personnage de Liane et encourage le trio à continuer. Partie explorer les contrées musicales anglaises, l'équipe rencontre Nick Plytas, clavier de Terence Trent D'Arby et de Tina Turner, qui, séduit par le côté jazzy hors mode de Liane Foly et de sa musique, apportera sa contribution éclairée, tant dans le domaine artistique qu'à la production. En totale complicité avec Manoukian, il introduira les machines dans cet univers jazz, et travaillera à y insuffler vitalité et modernité.

De cette collaboration naîtra l'album *Rêve orange* (1990), qui, avec le single du même nom et "Au fur et à mesure", imposera Liane Foly dans le paysage musical français. En 1993, l'album *les Petites Notes* confirme cette orientation jazzy. Quatre ans plus tard, elle change radicalement d'orientation : nouveau look et nouvelle équipe pour *Caméléon,* rock et funky, enregistré a Los Angeles. Après le demi-échec de *Caméléon,* elle revient en 1999 avec *Acoustique,* dans lequel on remarque un hommage à Barbara•. **B.S.**

Rêve orange,
Virgin, 1990
Les Petites Notes,
Virgin, 1993

FONTAINE Brigitte

Morlaix, Côte-d'Armor, 1940
AUTEUR, INTERPRÈTE

Le cheveux ras, les lignes fil-de-fer, la complice de Jacques Higelin• explore les territoires de la peur, avec une ironie mordante et un humour du genre planant. Au début des années soixante, cette Bretonne qui rêvait de théâtre vient à Paris et commence une carrière de chanteuse dans les cabarets rive gauche et rencontre Higelin. En 1965, sort leur premier album en commun (chez Canetti), *Douze Chansons avant le déluge,* joyeux délire bigarré, puis Brigitte enregistre son premier album solo, *Brigitte Fontaine est folle.* Le groupe rencontre alors Areski Belcacem, un Kabyle né en France. En 1968, Higelin et Fontaine signent la musique d'un film, *les Encerclés,* de Christian Gion, dont est tirée une drôle de chanson qui restera liée aux événements de mai 1968, "Cet enfant que je t'avais fait". En 1970, Paris est traversé de courants musicaux révolutionnaires, devenant une des capitales du free jazz. L'Art Ensemble of Chicago invente des sonorités décalées et enregistre *Comme à la radio* avec Brigitte Fontaine, album inclassable, édité par Saravah, un label monté par le chanteur Pierre Barouh•.

> "INSOUMISE, RÉFRACTAIRE, IRONIQUE, PLANANTE."

Fantaisiste. En 1972, Brigitte Fontaine, qui vient de publier un nouvel album, *Un beau matin,* est sur la scène du théâtre du Ranelagh avec ses complices, Areski et Higelin. Les spectacles sont un immense happening, provocants et délirants. De 1972 à 1980, elle écrit deux livres, *Paso Doble* et *Nouvelles de l'exil,* enregistre avec Areski (*Je ne connais pas cet homme,* en 1973, *le Bonheur* en 1975, *Les églantines sont peut-être formidables,* en 1980). En 1988, elle parvient à enregistrer un nouveau disque, *French Corazon,* grâce à une productrice japonaise. En France, l'album est refusé partout, mais sa chanson phare, "le Nougat", joyeusement surréaliste et arabisante, perce en 1990, grâce à un clip délirant et une poignée de fans. En 1995, avec la complicité d'Étienne Daho•, Brigitte Fontaine publie *Genre humain,* puzzle imaginatif à base de pop-raï, de hip-hop précieux, de rock fantasque. Elle reçoit l'année suivante le grand prix de la Chanson française et sort en 1997 son douzième album, *les Palaces* (avec la collaboration d'Areski, Higelin et, sur un titre, d'Alain Bashung•). **V. M.**

◎ ***Comme à la radio (1969),*** Canetti/Média 7
◎ ***French Corazon,*** EMI, 1990
◎ ***Genre humain,*** Virgin, 1995

FONTENOY Marc (Alexandre Schwab, dit)

Sarny, URSS, 1910 - Paris, 1980
AUTEUR, COMPOSITEUR.

Installé en France avec sa famille après la révolution bolchevique, il devient avocat puis débute au College Inn, célèbre cabaret de Montparnasse. En 1945, Annie Flore• lui prend sa première œuvre, "la Valse tourne". C'est ensuite : "Joseph est au Brésil" pour Félix Paquet•, "Pêcheur et paysan", une parodie en 1950, pour Bourvil• et Jacques Hélian, "la Petite Diligence" (1951) pour André Claveau•, "la Fille du Cov bois", en 1954, pour Annie Cordy• et, surtout, "Buenas noches mi amor" (1957), créée par Gloria Lasso•.

FORESTIER Louise

Shawinigan, Québec, 1943
AUTEUR, INTERPRÈTE

Elle fut "la" voix de "Lindbergh". Celle qui répondait à son ami Robert Charlebois• dans ce qui demeure un des grands classiques de la chanson pop francophone (1969). Comédienne de formation, Louise Forestier suivra une carrière où le spectacle sera toujours présent, que ce soit dans la chanson même ou au théâtre et au cinéma (dans des productions et réalisations québécoises exclusivement). Côté chanson, outre "Lindbergh", elle connaît le succès en solo avec "la Prison de Londres", une complainte traditionnelle remise au goût du jour folk, puis avec "Aime mon cœur", en 1978. Elle se produit ensuite dans des spectacles musicaux produits, notamment, par Luc Plamondon•.

◎ ***La Passion selon Louise,*** Adès/Musidisc
◎ ***De bouche à oreille,*** Scalen' Disc, 1993

FORTIN Michel

Paris, 1907 - *id.*, 1991
ÉDITEUR

Il crée les éditions Fortin en 1934 et reprend quatre ans plus tard le fonds des éditions Ondet, qui regroupe plusieurs joyaux de la Belle Époque (Théodore Botrel•, Gaston Couté•, Delmet•, etc.). Il contribue au lancement de plusieurs grands artistes, dont Bourvil•. En 1989, sa fille Marie-Ange Multrier prend sa succession.

FORTUGÉ (Gabriel Fortuné, dit)

Perpignan 1887 - Paris 1923
INTERPRÈTE

Ses universités sont les troupes de pantomimes ambulants qui se produisaient dans les caf' conc' ou les villages du Midi. Petit et brun, coiffé avec une perruque rouge, il paraît en scène vêtu d'un costume de marié dans lequel il flotte. Sa ravissante voix de ténorino met en valeur les chansons de Pearly et Gabaroche•. Il connaît le succès avec "la Victoire de la Madelon" (1918), "Mes parents sont venus me chercher" (1922) et "C'est jeune et ça ne sait pas" (1923), mais meurt prématurément fauché par un paludisme contracté outre-mer.

◎ Plusieurs chansons in ***Anthologie de la chanson française,*** EPM 10 CV 101/2

FOULQUIER Jean-Louis

La Rochelle, 1943
ANIMATEUR, INTERPRÈTE

Il entre à la radio à vingt-trois ans par hasard et par chance, comme animateur à Royan. Son vrai créneau, il le trouve avec "Studio de nuit" (1975), où il va recevoir à la fois le gratin de la chanson et les inconnus, ceux qui n'ont jamais la parole. S'y côtoient Renaud•, Higelin•, Lalanne•, un boulanger intellectuel, Mary Marquet, Georges Brassens•. Il enchaîne avec une émission publique, "Les saltimbanques". En 1979, Foulquier sillonne la France avec "Y'a d'la chanson dans l'air", élue meilleure émission de l'année.

En 1983, il crée la revue Chanson, qui paraît pendant cinq ans. L'année suivante, c'est le début de "Pollen", chaque soir vers 20 h 15, toujours sur France Inter. En 1985, c'est la grande aventure des "Francofolies". L'idée est née à Montréal, mais, pour Foulquier, il semble évident que cette fête de la chanson française doit prendre racine à La Rochelle. En 1995, après Montréal, les Francofolies s'exportent à Buenos Aires et à Santiago, au Chili. En parallèle à sa carrière d'animateur, il enregistre un disque dans les années soixante-dix puis un CD vingt ans plus tard, et promène sa physionomie expressive au cinéma et à la télévision.

FRAGSON
Harry (Victor Léon Philippe Pot, dit)

Richmond, Grande-Bretagne, 1869 - Paris, 1913
AUTEUR, INTERPRÈTE

Fils d'un courtier en levures à Londres et à Anvers, il assiste dans la capitale britannique à un concert de Paulus, qui précipite sa vocation. Il vient à Paris en ayant appris phonétiquement toutes les chansons de Paulus, car il ne parle pas encore le français. Il débute en 1891 à Montmartre. Il passe ensuite à la Cigale, où il crée l'une de ses œuvres, "le Reporter en goguette". C'est le début d'une brillante carrière au café-concert et au music-hall, tant en France qu'en Angleterre.
Il apporte des innovations au tour de chant en s'accompagnant lui-même au piano et, surtout, il chante dans un style balancé et syncopé, à la manière des Noirs américains. Il devient le chef de file d'une génération avide de renverser les tabous. Fragson triomphe d'abord avec "la Boiteuse", puis ensuite avec une chanson qu'il écrit avec Henri Christiné• et qui deviendra un énorme succès "Reviens, veux-tu". Le public reprend en chœur "les Amis de Monsieur", "Je connais une blonde" et, surtout, "Si tu veux Marguerite". Une pratique courante à l'époque. Un soir de violente dispute avec son père, il est abattu par celui-ci d'un coup de revolver.

◎ ***Compilation 1903-1912,*** Chansophone

Entre Paris et Londres, Fragson chantera un répertoire allant de la chanson comique à la valse sentimentale.

FRANÇOIS Claude

Ismaïlia, Égypte, 1939 - Paris, 1978
AUTEUR, INTERPRÈTE

L'un des plus grands représentants de la variété française, Claude François voit le jour dans une petite bourgade riveraine du lac Timsah. Son père est directeur du trafic du canal de Suez. Après la nationalisation du canal par Nasser, la famille est contrainte de quitter l'Égypte et emménage à Marseille pendant l'été 1956, pour s'installer peu après à Monaco. Pour Claude, ce départ constitue une véritable déchirure. La musique sera son échappatoire. Il joue alors de la batterie dans un quartette de jazz à Monte-Carlo et, en 1960, il épouse la jeune Britannique Janet Woollacott. La même année, sur les conseils de Brigitte Bardot• et de Sacha Distel• rencontrés dans un cabaret de Saint-Tropez, la future idole des yé-yé monte à Paris. Les débuts s'avèrent difficiles. Enfin, le 16 septembre 1961, il passe sa première audition, pour la maison de disques Fontana. Sous le nom de Kôkô, il enregistre en 1962 un 45 tours qui contient quatre titres, dont "le Nabout twist", et "le Clair de lune à Maubeuge" (la rengaine de Pierre Perrin). Le disque passe plutôt inaperçu, et le chanteur reprend son nom de baptême. Puis vient le temps des tubes. Les premiers, "Belles, belles, belles" (1962), "Marche tout droit" (adaptation du hit des Roof Top Singers, en 1963) et "Pauvre Petite Fille riche" (1963), reprises de hits américains (comme cela se faisait beaucoup à l'époque), connaissent un succès énorme. Les chansons résolument optimistes, comme "J'y pense et puis j'oublie" ou "Chaque jour, c'est la même chose" (1963), séduisent définitivement un large public. Après le choc du rock rebelle du premier Hallyday• ou de Vince Taylor, Claude François devient le chef de file d'un rock gentil et positif, largement puisé dans la pop américaine (" Si tu veux être heureux" et "Marche tout droit", par exemple). Il adapte en français "If I Had A Hammer", une chanson du folk singer Pete Seeger que Trini Lopez a fait connaître dans le monde entier ; il en édulcore le texte à la traduction, et cela donne "Si j'avais un marteau", un nouveau n° 1 dans les chaumières de France. Dans la même veine, il enchaîne l'année suivante avec "la Ferme du bonheur".

Entouré de ses Clodettes, Claude François, bondissant dans ses costumes scintillants, a inventé le show populaire de la France profonde.

"Clo-Clo" dans la cour des grands. En quelques mois, il vend près de 2 millions de disques. Il incarne le yé-yé bon genre, et on l'appelle familièrement "Clo-Clo". Farfadet à l'apparence et à la voix asexuées, il se dépense énormément sur scène, se contorsionne, bondit, avec une énergie remarquable. Tous les publics se retrouvent dans ses refrains populaires, à l'efficacité redoutable, tels que "Donna Donna" (1964) ou "Même si tu revenais" (1965). À partir de 1966, il s'entoure des célèbres Clodettes, à la fois choristes, danseuses, et distraction pour les yeux du public masculin.

Ses galas attirent toujours les foules, qui apprécient ses chorégraphies sautillantes et mécaniques ainsi que ses tenues et accessoires de "minet" (costumes cintrés, chemises à jabot, gourmette, etc.). Passé maître dans l'art d'adapter des succès inconnus en France dans leur version originale, il se tourne vers le rhythm'n'blues (" J'attendrai" de Lamont-Dozier, créée par les Four Tops, en 1966, ou "C'est la même chanson", des mêmes, en 1971). Claude François se fait également confectionner des rengaines sur mesure qui font l'apologie du bonheur : "Il fait beau, il fait bon" (1971), "le Lundi au soleil" (1972), "Viens à la maison, Y' a le printemps qui chante" (1972) et "Chanson populaire" (1973). Et c'est avec une création originale, écrite avec Jacques Revaux• et Gilles Thibaut•, qu'il fait sensation : "Comme d'habitude" (1968), reprise dans le monde entier ("My Way"), par Paul Anka, Frank Sinatra, Nina Simone, puis les Sex Pistols (dans une version parodique) ou Nina Hagen.

Il devient alors l'objet d'un véritable culte, qu'il dynamise lui-même. Non content de monter sa propre maison de disques en 1968, Flèche, il fonde le célèbre journal *Podium,* un magazine de "charme", *Absolu,* une agence de

"FARFADET À L'APPARENCE ET À LA VOIX ASEXUÉES, IL BONDIT SUR SCÈNE AVEC UNE ÉNERGIE INCROYABLE."

mannequins, un parfum et le fan-club le plus élaboré du territoire, qui, à l'époque, compte plus de 15 000 membres.

"Le mal-aimé." Le 14 mars 1970, à Marseille, il s'écroule sur scène, victime d'une syncope, épuisé nerveusement et physiquement. Deux mois plus tard, sur l'autoroute du Sud, un des pneus de sa voiture éclate, et l'idole des jeunes est à nouveau hospitalisée. Début 1973, c'est le fisc qui lui cause des problèmes. En juin, un incendie d'origine criminelle endommage sévèrement son moulin de Dannemois, dans l'Essonne, alors qu'il chante ce soir-là en Belgique. La même année, un cocktail Molotov explose dans son bureau, boulevard Exelmans. Clo-Clo continue pourtant à combler son public, l'abreuvant généreusement de chansons dans lesquelles il livre son âme malade ("le Mal-aimé", 1974, "le Chanteur malheureux", 1975) et pleure sur des amours mortes ou impossibles ("Le téléphone pleure" ou "Toi et moi contre le monde entier"). Il n'abandonne pas pour autant la veine optimiste qui a fait son succès ("Je vais à Rio", 1977, ou "Cette année-là", la même année).

En vrai professionnel, il sait comprendre la vague disco qui déferle alors et pulvérise une dernière fois les hit-parades avec "Magnolias For Ever" (1977) et "Alexandrie Alexandra" (1978). Les malheurs ne s'arrêtent pourtant pas. En 1977, il est à nouveau victime d'attentats ou de coups du sort : on tire sur sa voiture à Londres ; à Monaco, l'hélicoptère à bord duquel il aurait dû monter s'écrase ; enfin, à Paris, on tente de l'assassiner. Ultime avanie : le 11 mars 1978, Claude François s'électrocute dans son bain en changeant une ampoule.

Ses obsèques ont lieu en l'église d'Auteuil, devant plusieurs dizaines de milliers d'admirateurs en larmes. Onze ans plus tard, en 1989, les remix dance, puis techno, de ses chansons ("même si tu revenais", "Alexandrie, Alexandra", ou "Magnolias...") ont su conquérir d'autres générations, qui s'éclatent, au second degré, sur ses rythmes frénétiques et ses paroles superficielles. Preuve que sa musique et son souvenir demeurent indémodables. **A. G.**

10 ans de chanson
(8 vol. 1962-1972), Polygram
Si j'avais un marteau
(1962-1964), Polygram
Hommage,
Philips/Polygram, 1993

FRANÇOIS Frédéric (Francesco Barracatto, dit)

Sicile, 1950
COMPOSITEUR, INTERPRÈTE

Né en Sicile, élevé en Belgique, découvert dans les années soixante-dix par Lucien Morisse•, directeur musical à Europe 1, il fait carrière dans ce que l'on appelle alors la variété avec des chansons comme "Laisse-moi vivre ma vie" ou "Je t'aime à l'italienne". Il traverse les époques, idolâtré par son public essentiellement féminin. Il reste fidèle à ses racines en enregistrant chez BMG *les Plus Belles Chansons napolitaines et les Italo-Américains.*

Histoire d'amour 72-92 (compilation), Trema/Sony, 1993

FRANÇOIS Jacqueline (Jacqueline Guillemautot, dite)

Neuilly-sur-Seine, Hauts-de-Seine, 1922
INTERPRÈTE

Dotée d'un joli physique et d'une belle voix, elle se lance dans la musique en interprétant, sous les auspices de Loulou Gasté•, "Ce n'était pas original" et "Gentleman" (1945), de facture réaliste. Elle prend ensuite à son répertoire des chansons signées de ses amis Pierre Roche• et Charles Aznavour• Elle s'aperçoit bientôt que son registre, c'est le charme, à la Lucienne Boyer•. Dès 1948, elle se situe dans ce créneau, et le succès vient avec "C'est le printemps", signée de Jean Sablon•. Avec "Mademoiselle de Paris" (de Paul Durand• et Henri Contet•) elle devient une millionnaire du disque. Une tournée américaine suit.

Elle reçoit le prix de l'Académie du disque 1956 pour "les Lavandières du Portugal", énorme succès signé R. Lucchesi• et André Popp•. Après la vague yé-yé, elle continue une belle carrière à l'étranger et se produit à Las Vegas.

Mademoiselle de Paris, Jacques Canetti, 1988

FRANCOPHONIE

Les musiques de l'espace francophone sont les forces vives d'une tendance musicale que l'on retrouve sur toute la planète. Le zouk de Kassav', le raï de Khaled•, le rock métis de la Mano Negra•, le cirque musette des Négresses Vertes•, le m'balax de Youssou N'Dour, le romantisme helvète de Stephan Eicher•, les mélodies cajun de Zachary Richard• sont autant de rythmes qui rassemblent une communauté tout aussi bien belge que québécoise ou africaine, sans oublier les Antilles, la Réunion et la Nouvelle-Calédonie.

Quand le 14 juillet 1990, pour célébrer la Révolution française, les Gipsy Kings, Mory Kanté et Khaled• jouent dans Central Park, à New York, devant 30 000 spectateurs, les journaux américains se félicitent de cet événement et parlent de "world music". Ce sont toutes ces musiques qui, aujourd'hui, donnent vigueur et dynamisme à la culture francophone.

Le Congo ex-Zaïre et, dans une moindre mesure, le Congo-Brazzaville sont sans aucun doute le creuset des musiques les plus populaires de ces quarante dernières années en Afrique noire. Kinshasa occupe dans ce domaine une place aussi importante que Le Caire ou Johannesburg. C'est la cité de la rumba et du soukouss, popularisés dès les années cinquante et soixante par des artistes comme Joseph Kabasele, Franco, Rochereau et, plus tard, Zaiko Langa Langa, Kanda Bongo Man et autres Papa Wemba. Des rythmes joyeux qui, plus que tous les autres, ont fait danser l'Afrique, tous pays et toutes classes sociales confondus, avant de se répandre en Occident, par l'intermédiaire des diasporas congolaises de Bruxelles et de Paris. Un tempo binaire derrière lequel on retrouve, selon la région d'origine des artistes, l'extrême diversité des musiques traditionnelles (mutuashi du Kasaï, makuandungu du Bandudu ou zambele ngingo de Kinshasa) emballées dès la fin des années trente par la biguine des Antilles, avant d'entrer en collision avec la rumba cubaine. Depuis les années soixante et soixante-dix, la musique congolaise domine largement la production musicale en Afrique noire. De Dakar à Johannesburg, il n'est pas une boîte de nuit ou une radio qui ne passe plusieurs morceaux de soukouss ou de kwassa-kwassa, chantés la plupart du temps en français. Au-delà du continent noir, le zouk antillais et le compas haïtien ont largement subi son influence.

Le Cameroun est par excellence le lieu des rencontres et des métissages. Colonisé successivement par les Allemands, puis par les Français et les Anglais, ce pays aux multiples traditions (plus de deux cents ethnies), à la fois chrétien (catholique et protestant) et musulman, a accouché d'un rythme particulièrement dansant : le makossa. Un style dont les racines remontent aux années vingt dans la baie d'Ambas, au large de Douala, successivement marqué par l'assiko (rythme de l'ethnie bassa), la rumba cubaine, le high life du Ghana et la biguine antillaise. Basse prépondérante, chaloupée mais rapide, accords de guitare, le plus souvent soutenus par une puissante section de cuivres, le makossa est d'abord popularisé en Afrique centrale dans les années cinquante et soixante avant de gagner une audience planétaire en 1972 avec le fameux "Soul Makossa", de Manu Dibango. Quant au chanteur et poète Francis Bebey, il est très influencé par la grammaire musicale (notamment les polyphonies vocales) des Pygmées.

C'est par l'Afrique de l'Ouest que le public occidental a découvert la nouvelle musique africaine, issue de la rencontre entre l'électricité et les traditions locales. Du griot guinéen Mory Kanté, des frères Touré Kunda, de Youssou N'Dour, coqueluche de Dakar, à la Béninoise Angélique Kidjo, du reggae ivoirien d'Alpha Blondy• au bluesman sénégalais Ismaël Lô en passant par le Malien Salif Keita, cette région inonde les ondes de ses talents. Les univers sonores y sont multiples. Celui des musiques d'inspiration mandingue s'étend des frontières du Sénégal à celles du Niger en passant par le Mali. C'est la terre des griots, de la kora et des lentes mélopées influencées par le monde arabe, l'islam et la poussière du désert. La région des Ouolofs et du mbalax, essentiellement le Sénégal, est porteuse d'une musique plus fiévreuse, sensible au son afro-cubain. Citons également la Côte d'Ivoire, et plus spécialement sa capitale, Abidjan, où furent implantés au temps du miracle économique les premiers studios d'enregistrement de l'Afrique francophone. Dans tous ces pays, les musiques traditionnelles ont subi à peu près le même choc, dans les années cinquante et soixante, avec l'arrivée de la variété internationale, et en particulier de la musique noire américaine, via les transistors. Souvent encouragés par les premiers gouvernements indépendants, comme au Mali et en Guinée, les orchestres nationaux se sont multipliés. Fraîchement dotée d'instruments occiden-

Le groupe martiniquais Malavoi est depuis vingt ans un des phares de la musique franco-caribéenne.

taux, notamment de guitares et d'instruments à vent, imposés par le jazz, la jeune génération des musiciens africains s'est d'abord mise en tête de copier Sylvie Vartan, Johnny Hallyday ou James Brown, avant de s'approprier les rythmes afro-cubains. Dans les années soixante-dix, on vit ces mêmes musiciens repartir à la conquête de leur propre patrimoine, avant de jeter les bases d'une musique plus métissée, bientôt rangée dans cette catégorie fourre-tout qu'est la world music. Malgré le succès international de certains artistes, les musiciens éprouvent d'énormes difficultés à trouver locaux et structures adaptés à la production musicale. Comme en Guinée ou au Mali, où bien des talents ne peuvent émerger faute de moyens. Un grand nombre de musiciens de l'Ouest africain sont donc partis tenter leur chance à Paris, à la recherche d'infrastructures dignes de leurs possibilités et d'une hypothétique carrière internationale. Paris, où la plupart des grands artistes du cru ont joué ou enregistré, est ainsi devenu un des lieux de rencontre essentiels des musiques d'Afrique de l'Ouest. Qu'ils soient exilés ou restés sur place, ces musiciens ont largement contribué à faire évoluer les multiples courants musicaux de cette partie du monde. Les nombreux échanges entre l'Afrique occidentale et le reste de la planète ont aussi permis d'étonnants mélanges entre les influences latine, peule, mandingue, portugaise, congolaise, antillaise ou wassoulou, qui font de cette région francophone le terreau d'une très forte créativité musicale.

À la croisée des cultures africaines, américaines, européennes, et, dans une moindre mesure, de l'Inde, l'archipel des Antilles est l'un des creusets les plus féconds de la musique contemporaine. C'est dans ces îles, colonisées par les Espagnols, les Français, les Anglais et les Hollandais, que sont arrivés la plupart des esclaves africains à partir du XVIe siècle. Venus de la côte ouest de l'Afrique, ils ont amené leurs traditions, leurs folklores et leurs instruments, qu'ils ont mélangés au fil des siècles aux cultures européennes.

Les Caraïbes ont ainsi accouché d'un nombre impressionnant de rythmes et de musiques qui ont profondément marqué la musique moderne, en Amérique du Sud et du Nord, en Afrique et en Europe. Bref, du calypso à la soca de Trinidad, en passant par le reggae jamaïcain, la biguine et le zouk des Antilles françaises, le merengue de Saint-Domingue ou le compas haïtien, les Antilles ont influencé la variété du monde entier. La musique a constamment accompagné l'histoire des Antilles. Au temps de l'esclavage, le travail dans les plantations de canne à sucre ou de tabac était rythmé par le tambour ou les chants. Les planteurs pensaient ainsi encourager leurs esclaves à accroître leurs rendements. Aux Antilles françaises, ces derniers avaient l'autorisation de danser le dimanche des danses appelées "bamboulas" par les Blancs, dans lesquelles les tambours (le ka en Guadeloupe) jouent un rôle essentiel. Les gens d'Église ont rapidement assis leur autorité sur les populations noires, prenant souvent la tête des festivités afin de mieux les contrôler.

Mais la fibre africaine a toujours repris le dessus comme dans les lewoz, ces rassemblements où l'on communiait dans la musique, après l'abolition de l'esclavage. Les rythmes basés sur le chant et le tambour sont à l'origine de toutes les musiques des Caraïbes. Chaque île ayant ensuite généré un style propre au gré de l'histoire et des influences culturelles. Aux Antilles françaises, les rythmes d'origine africaine ont absorbé des pas de quadrille ou de menuet, des chants militaires, les cantiques et divers chants religieux, sans oublier l'usage du violon et de la clarinette pour animer les bals des planteurs ou des fêtes patronales. Évolution qui aboutira, notamment, à la biguine. Les musiques traditionnelles reviennent d'ailleurs en force aux Antilles françaises depuis la fin des années soixante, parallèlement à un renouveau identitaire à la Martinique et à la Guadeloupe. Citons notamment des artistes comme le Martiniquais Marius Cultier, pionnier du jazz caribéen, Eugène Mona, grand défenseur du gwo ka, et tous ceux qui ont suivi leurs traces comme Malavoi, Kali, Dédé Saint-Prix à la Martinique et Akiyo à la Guadeloupe. Ces musiques constituent d'ailleurs une véritable alternative au zouk (croisement de compas, de funk et de makossa camerounais), omniprésent depuis le succès mondial du groupe Kassav'. Auparavant, dans un domaine plus proche de la variété, David Martial, avec "Célimène" (1975), avait donné une image colorée de la Martinique. Dans le même registre, on doit citer l'infatigable Compagnie Créole qui, pendant les années quatre-vingt, fit danser l'Europe entière avec "C'est bon pour le moral", "Ça fait rire les oiseaux" ou "la Machine à danser". Impossible de prononcer le mot zouk sans évoquer les Zouk Machine (avec, au départ, Joelle Ursull, qui se lance dans une carrière solo en 1988 avec une chanson de Gainsbourg, "White & Black Blues"), dont le titre "Maldon'1990" trusta le Top 50. Jocelyne Béroard, la chanteuse de Kassav', connut un énorme succès en 1987 en interprétant, en duo avec Philippe Lavil•, "Kolé séré". La journaliste de RFO, Marie-Josée Alie, ensoleilla la même année avec "Caressé-moin". La très belle Tanya Saint-Val, dont le charme guadeloupéen persuada Johnny Hallyday de chanter avec elle à la Cigale en 1994 et Michel Sardou de lui demander d'assurer sa première partie à l'Olympia l'année suivante, se fit connaître en 1987 avec l'album *Tambour* où figurait le tube "Chalé", Ralph Thamar, l'ancien chanteur de Malavoi, est un crooner suave et délicat. **Y. P.**

FRÉHEL (Marguerite Boulc'h, dite)

Paris, 1891 - *id.*, 1951
INTERPRÈTE

Fille de concierges parisiens originaires de Primel-Trégastel (Finistère), elle travaille dans une entreprise de produits de beauté. Un jour, en livrant une crème à la Belle Otéro, elle fait la conquête de celle-ci et, par son entremise, débute au caf'conc'de l'Univers, le futur music-hall de l'Empire, sous le nom de "Pervenche". C'est une très belle fille, que Vincent Scotto• décrit ainsi : "Un visage délicat, d'une adorable pureté de lignes, sur un long cou svelte, élancé". En 1910 elle épouse le chanteur Roberty, qui lui apprend les ficelles du métier et lui trouve son premier grand succès : une chanson de Léo Daniderff, "Sur les bords de la Riviera". Menant la grande vie et buvant sec, elle séduit alors le Tout-Paris par sa gouaille faubourienne en contraste avec son allure distinguée.

Elle tombe amoureuse de Maurice Chevalier•, qui vient de rencontrer Mistinguett•. C'est le drame. Elle tente de se suicider et part pour la Russie. En 1914, elle est à Bucarest et chante dans les "beuglants". Elle se drogue et mène une vie difficile. Elle revient à Paris en 1923, change de vie et reprend le tour de chant. Sa silhouette a bien changé. La belle Fréhel (nom choisi en référence au cap breton) est désormais une femme vieillie qui mêle cependant l'humour et le réalisme avec un talent toujours en éveil. Elle parvient à regagner un public avec un répertoire signé entre autres par Vincent Scotto• ("la Java bleue", paroles de Géo Koger•, 1939), Michel Vaucaire et Georges Van Parys• ("la Der des der") ou Maurice Vandair• ("Où sont tous mes amants ?", paroles de Charlys), à jouer au cinéma auprès de Jean Gabin dans *Pépé le Moko,* ce qui ne l'empêchera de mourir pauvre et solitaire dans un hôtel de Pigalle.

◎ ***3 Compilations*** (1909-1936), Chansophone

chat", "la Saint-Médard", "la Chanson sans calcium", "la Confiture" ou "la Marie-Joseph" – va de Prévert• à Charles Trenet•, Francis Blanche• (dont ils interprètent l'opérette *la Belle Arabelle*), Serge Gainsbourg• et tant d'autres.

La précision au millimètre. Accompagnés par un pianiste (Pierre Philippe, pendant de longues années) qui règle le ballet visuel et sonore, ils donnent l'impression d'une constante improvisation. Chacun interprète sa partition, sans micro, avec une précision d'horlogerie suisse – souvent au prix de longs mois de répétitions. Inimitables, ils sont restés en marge des modes, imperturbablement fidèles à leur style. Après 7 000 levers de rideaux, 352 chansons et 68 pays, ils raccrochent leurs collants et leurs moustaches, en février 1982, malgré un public indéfectible. **F. Pe.**

Dans le choix de leurs textes comme de leurs jeu de scène, les Frères Jacques ont atteint une forme de perfection.

◎ ***Les Fesses ; Mythologie*** (1975-1979), Arion, 1989
◎ ***La Confiture ; Le Brassens des Frères Jacques*** (1973-1979), Arion, 1990
◎ ***Les Frères Jacques chantent les poètes*** (2 CD), Rym Musique/Polygram, 1996

FRÈRES JACQUES (Les)

Groupe vocal formé en 1944 par André et Georges Bellec (nés en 1915 et 1919), François Soubeyran (1920) et Paul Tourenne (1923)

Leur nom vient de l'expression "faire le Jacques". André (docteur en droit) est à l'origine du groupe, créé en 1944. Bientôt viennent s'y joindre son frère Georges (peintre), François (agriculteur) et enfin Paul (employé des Postes). Une longue amitié va les réunir pendant trente-six ans de carrière. Sur une idée de Jean-Denis Malclès, leurs costumes deviennent leur marque de fabrique : collants noirs moulants, spencers gris, jaune, vert et bleu, un large échantillon de chapeaux, des gants blancs et des grosses moustaches. Ils connaissent leur premier succès en 1946, avec "l'Entrecôte", au cabaret d'Agnès Capri•, puis passeront à l'A.B.C. et à la Rose rouge. Issus de l'école de Saint-Germain-des Prés, alliant poésie et dérision, les Frères Jacques entrent très vite dans la grande tradition du music-hall. Leur répertoire – avec des chansons éternelles comme "la Queue du

FUGAIN Michel

Grenoble, 1942
COMPOSITEUR, INTERPRÈTE

Quand il monte à Paris, dans les années soixante, ce fils de médecin grenoblois veut faire du cinéma. Pourtant, il se tourne vers la composition et, en 1967, le succès arrive quand il chante "Je n'aurais pas le temps" (paroles de Pierre Delanoë• ; le titre, repris en anglais, s'imposera dans les charts d'outre-Manche). À partir de là, il suit son chemin, toujours dans l'air du temps. Il crée le Big Bazar, une communauté de jeunes qui chantent et dansent. En plein dans l'esprit soixante-huitard, ils pratiquent l'autogestion. De nombreux succès à leur actif : "Fais comme l'oiseau" (adaptation de la chanson du Brésilien Antonio Carlos e Jocafi), "Une belle histoire" (avec P. Delanoë), "C'est la fête" (paroles de Maurice Vidalin), "les Acadiens" ou "Attention mesdames et messieurs". Mais le groupe devient de plus en plus difficile à gérer. En 1977, c'est la fin de l'expérience.

Le chanteur des "colos". Fugain va successivement monter un spectacle, créer une école, l'atelier Fugain, produire des émissions de télévision. Il réussit tout ce qu'il touche. Il prend cependant de la distance avec son métier pendant un moment. Il ne revient qu'en 1988 avec *Viva la vida*. Il sort depuis régulièrement des albums et semble avoir trouvé son équilibre, confirmant son savoir-faire sur scène. Avec des mélodies efficaces, faciles à reprendre, et l'aide des meilleurs paroliers du moment (dont Kent•), il renouvelle son style en le mixant avec les musiques du monde. Souvent gaies ou nostalgiques, ses chansons sont aussi un moyen d'exprimer ses opinions, gentiment contestataires : antimilitarisme ("Ring a ding"), utopie ("Tout va changer"), lutte contre les intégrismes de tous bords ("la Liberté, demandez-la") ou contre la corruption ("le Bal démasqué"). Des thèmes qu'il aborde de nouveau en 1998 dans *De l'air.* **C. de G.**

◎ ***Les Inoubliables de Fugain***
(compil.), Flarenasch/Wotre Music, 1995
◎ ***Plus ça va,*** EMI, 1995

FYSCHER (Nylson Fyscher, dit)

Turquie, 1880 - Paris, 1935
ANIMATEUR, INTERPRÈTE

Au début du XXe siècle, le Café de Paris et quelques autres établissement à la mode organisèrent des "soupers fleuris et chantants". Le succès de ces soirées huppées donna à Fyscher, Turc de nationalité britannique, l'idée d'ouvrir ce qu'on appelle aujourd'hui la première "boîte de nuit". Elle fonctionnait d'octobre à mars et se transportait à Londres ou à New York le reste de l'année. Incontestablement, "Chez Fyscher" fut le cabaret à la mode au milieu des années vingt, avec, dans un local plutôt restreint et miteux, un public de milliardaires américains et de têtes couronnées du monde entier.

Le spectacle commençait vers minuit et se terminait vers une heure. Mais il présentait les plus grands : Damia•, Fréhel•, Gaby Montbreuse•, Yvonne George• ou Cora Madou. On y vit débuter Lucienne Boyer• et Lys Gauty•. La soirée se terminait par le tour de chant du maître de maison. "Mesdames, messieurs, disait-il avec son accent étonnant, zé vais essayer de vous chanter une chanson de Vincent Scotto•" : "Si vous aimez les fleurs, vous aimerez les femmes". Il poursuivait avec "Un pé d'amour", accompagné par son pianiste Lao Silesu, qui fut remplacé par un débutant nommé Georges Van Parys•. Fyscher composa la musique de plusieurs de ses chansons, dont "le Paradis du rêve" (poème de Jean Richepin) et "Folie". **P.S.**

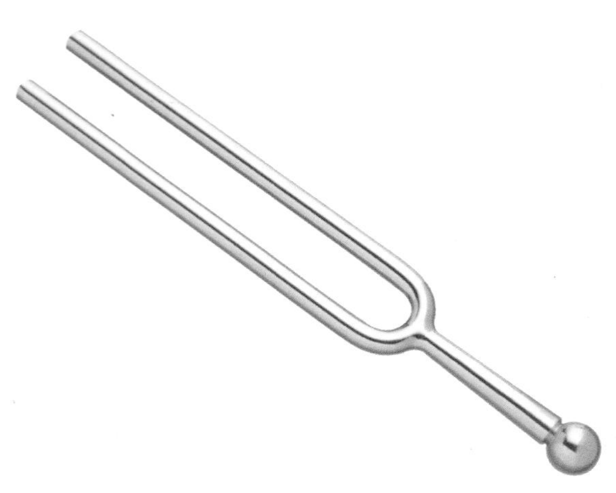

GABAROCHE Gaston

Bordeaux, 1884 - Marseille, 1961
COMPOSITEUR, INTERPRÈTE

Il débute à la Lune Rousse, en 1907. Comme compositeur, il remporte son premier succès avec "le Regret" et "Je vous aime toutes", créées par Mayol•, en 1912. Suivent "Nocturnes" (1914) pour Jeanne Dalbret•, "la Femme à la rose" pour Damia• et, en 1921, "Je n'peux pas vivre sans amour" pour Maurice Chevalier•. Tout en poursuivant une carrière de chanteur, il signe, en 1931, l'opérette *Enlevez-moi*. Deux ans plus tard, il rencontre au Bœuf sur le toit Reda Caire•, à qui il donne "les Beaux Dimanches de printemps" et "Ma banlieue". Après avoir donné, en 1940, "Ah que la France est belle !" à Tino Rossi•, il se retire à Marseille au terme d'une carrière au cours de laquelle il aura signé plus de deux mille chansons.

GAINSBOURG Serge (Lucien Ginzburg, dit)

Paris, 2 avril 1928 - *id.*, 2 mars 1991
AUTEUR, COMPOSITEUR, INTERPRÈTE

Riche et intense, telle fut l'existence de Serge Gainsbourg, l'artiste aux mille vies. La première est celle d'un fils d'émigrés russes réfugiés à Paris après avoir fui la guerre civile qui sévit dans les années vingt en Union soviétique. Durant l'occupation allemande, le petit Lulu porte, selon son expression, *"l'étoile de shérif"*. Mais la famille échappe à l'extermination programmée des Juifs en se cachant dans le Limousin. Après la guerre, jeune homme aux goûts classiques, Lucien étudie l'architecture aux Beaux-Arts puis, las des études, devient pianiste de bar comme son père.

Grand tournant de sa vie, tardif mais décisif, il commence à écrire des chansons sous le nom de Serge Gainsbourg – et sous le pseudonyme Julien Grix –, après avoir vu Boris Vian• sur scène. En 1957, il joue du piano au cabaret parisien Milord l'Arsouille et accompagne sa patronne, la chanteuse Michèle Arnaud•, première artiste à avoir soutenu ce nouveau chanteur hors norme. Il se démarque en effet de l'esprit rive gauche post-Saint-Germain-des-Prés en vogue dans les cabarets de l'époque par son inspiration caustique et acerbe. Très vite, Philippe Clay• et les Frères Jacques• viennent l'écouter et bientôt inscrivent quelques-unes de ses chansons à leur répertoire. Gainsbourg entre dans l'écurie du dénicheur de talents Jacques Canetti•, qui lui fait faire une tournée des cabarets parisiens. En 1958, "le Poinçonneur des Lilas" révèle Gainsbourg au grand public.

Il a trente ans. Boris Vian le soutient dans *le Canard enchaîné,* Marcel Aymé lui écrit un texte de présentation pour son premier 25 cm, *Du chant à la une*. Ses textes acides et sa musique, très marquée par le style jazzy et cha-cha-cha de l'époque (arrangements d'Alain Goraguer), sont très prisés par plusieurs grands interprètes de l'époque : Catherine Sauvage•, Juliette Gréco• (créatrice de "la Javanaise") ou Patachou• le chantent admirablement. L'image publique de Gainsbourg commence à se dessiner et l'on voit en lui un sombre dandy, amer et misogyne. Des titres comme "l'Eau à la bouche", "Viva Villa", "la Chanson de Prévert" élargissent son auditoire, tandis qu'il étoffe son "écurie" de femmes interprètes. Il s'intéresse à une Anglaise de Paris, Petula Clark•, qui chante avec succès son "Ô shérif ô" ; il apparaît sur les grands écrans en compagnie de Brigitte Bardot• *(Voulez-vous danser avec moi ?)*. En 1963, l'album *Confidentiel,* aux teintes jazz et blues, est enregistré avec le guitariste Elek Bacsik et le bassiste Michel Gaudry. C'est en quelque sorte le premier 33 tours conceptuel de Gainsbourg. Musicalement homogène, le disque aborde de front l'un des grands thèmes de Gainsbourg : les jeunes femmes et les désillusions qu'elles provoquent dans le cœur des hommes mûrs. *Percussions,* sorti en 1964, mêle jazz et rythmes africains. "Couleur café", "New York USA", "Pauvre Lola" : c'est une brassée de tubes gais et sensuels.

"J'AI RETOURNÉ MA VESTE LORSQUE JE ME SUIS APERÇU QU'ELLE ÉTAIT DOUBLÉE EN VISON."

Toujours "in". *"J'ai retourné ma veste lorsque je me suis aperçu qu'elle était doublée en vison"* : plongeant sans retenue dans le yé-yé qui submerge la France d'alors, Gainsbourg donne à France Gall• "Poupée de cire, poupée de son", une chanson qui remporte le grand prix de l'Eurovision 1965. Elle ouvre très grandes les portes du show-business à l'auteur-compositeur, qui devient indispensable pour Mireille Darc• ("la Cavaleuse"), Régine• ("les P'tits Papiers", "Pourquoi un pyjama ?"), Valérie Lagrange ("Guérilla"), etc. Il écrit de nouveaux titres volontairement ambigus pour la très jeune Gall•, comme ces "Sucettes", dont elle avouera ne pas avoir compris, à l'époque, le double sens grivois du texte. Gainsbourg abandonne la scène en 1965 à la suite de constantes déconvenues. À la télévision, on le voit dans un très joli rôle de clochard dans "Les cinq dernières minutes" aux côtés du célèbre inspecteur Bourrel-Souplex (épisode "Des fleurs pour l'inspecteur").

Avec "Qui est in ? Qui est out ?" commence, en 1966, une série de 45 tours rock enregistrés dans le Londres psychédélique. Suivent "Comic Strip" (1967), "Initials B. B". (1968). Sa collection d'interprètes s'enrichit de Françoise Hardy• ("Comment te dire adieu ?") et d'Anna Karina ("Sous le soleil", tiré de la comédie musicale télévisée *Anna* dans laquelle figure également Marianne Faithfull). Il retrouve aussi Brigitte Bardot pour un show télévisé, dont il écrit les chansons : "Contact", "Bonnie And Clyde", "Harley Davidson". De cette période reste un inédit (il sera publié en 1987), la version originale de "Je t'aime, moi non plus", duo censuré par la chanteuse.

C'est en 1969, *"année érotique",* que le titre sort. Il est chanté par Jane Birkin•, une jeune comédienne anglaise dont Serge s'est épris lors du tournage de *Slogan,* un film de Pierre Grimblat. La chanson est classée n° 1 dans de très nombreux pays, y compris en Grande-Bretagne, malgré le, ou grâce au, scandale créé autour d'une chanson qui parle d'*"amour physique sans issue",* mais dont on ne retient que les soupirs voluptueux. L'onde de choc atteint même le Vatican... Autre scandale, sur le mode mineur cette fois, ces très misogynes et moqueurs "Petits Boudins" que chante Dominique Walter, le fils de Michèle Arnaud•.

Moi Serge, toi Jane. Un premier 33 tours écrit pour Jane, devenue sa compagne, sort la même année que "Je t'aime...". Beaucoup d'autres suivront. C'est Jane qui figure sur la pochette d'un album résolument conceptuel, considéré comme le premier chef-d'œuvre absolu de Gainsbourg. *L'Histoire de Melody Nelson,* sorti en 1971. Arrangé et cocomposé par Jean-Claude Vannier•, il raconte la descente aux enfers d'un homme amoureux d'une lolita. Serge travaille beaucoup pour Jane, mais aussi pour la meneuse de revue Zizi Jeanmaire• durant les deux années suivantes. En 1973, Gainsbourg est victime d'une crise cardiaque. En vain, on lui interdit de fumer. On retrouve le chanteur sur disque en 1974, avec un *Vu de l'extérieur* sexualo-scato-désespéré qui annonce le personnage de Gainsbarre, artiste *"aquaboniste",* alcoolique et fumeur, le menton souligné par une barbe de trois jours. C'est à Jane que l'on doit ce look. Après un je-m'en-foutiste "Ami Caouette" rappelant les blagues musicales antillaises de Salvador, Serge y va fort. Surfant sur la vague rock "décadente", façon Bowie, il donne le sulfureux *Rock Around The Bunker* en 1975. Un an plus tard, c'est son deuxième album conceptuel : *l'Homme à la tête de chou,* qui, une fois de plus, narre les déboires d'un homme avec une belle, Marilou en l'occurrence. Le titre trouve son origine dans celui d'une sculpture de Claude Lalanne qui figure sur la pochette du disque. Gainsbourg y chante peu, le poète dit ses textes. Des vers admirables formant à jamais son chef-d'œuvre en matière de poésie : *"Lorsqu'en un songe absurde/Marilou se résorbe/Que son coma l'absorbe/En pratiques obscures/Sa pupille est absente/Mais son iris absinthe/Sous ses gestes se teinte."* Comme *Melody Nelson,* cette œuvre magistrale va inspirer plusieurs vagues d'auteurs et de compositeurs dans les années qui vont suivre. Malgré un souci constant de coller aux goûts des jeunes, Gainsbourg peine à trouver des interprètes à sa hauteur. En 1977, il écrit les textes de l'album *Rock'n'Rose* d'Alain Chamfort• (dont "Baby Lou", repris ensuite par Jane et par Lio•) tout en poursuivant son œuvre avec Birkin. Deux ans plus tard, attiré par la nouvelle vague rock, il remonte enfin sur scène pour chanter avec le trio Bijou•. Il leur écrit "Betty Jane Rose" et reprend avec eux, sur disque, ses "Papillons noirs", un duo qu'il avait naguère enregistré avec Michèle Arnaud.

Avec "la Javanaise", Juliette Gréco sera l'une des innombrables interprètes féminines de Gainsbourg.

Le parrain de la chanson. Gainsbourg est devenu l'une des grandes références des nouveaux rockers français (Taxi Girl, Starshooter, qui reprend "le Poinçonneur...") et belges (les concepteurs de Lio, Polyphonic Size et Jo Lemaire). La même année sort son premier album reggae enregistré en Jamaïque avec la gratin des musiciens locaux : Robbie Shakespeare, Lowell "Sly" Dunbar, Michael Chung, Ansell Collins et les I Three, choristes de Bob Marley. *Aux armes et cetera,* version tropicale de "la Marseillaise", provoque un vrai-faux scandale en France. Lors de la tournée qui suit la sortie du disque, Gainsbourg est empêché de chanter à Strasbourg par des parachutistes. En 1980, les mêmes musiciens jamaïquains l'accompagneront pour de *Mauvaises Nouvelles des étoiles*. grâce à ces disques, il obtient un énorme succès commercial, le premier depuis longtemps.

Mais le sort lui joue des tours, Jane le quitte, la rupture est très douloureuse. Cette même année, dans le film *Je vous aime* (Claude Berri), Gainsbourg trouve son meilleur rôle au cinéma, très inspiré par sa propre vie. Il y est aux côtés de sa grande amie Catherine Deneuve (surnommée Catherine d'Occase), pour qui il écrit "Dieu est un fumeur de havane".

Gainsbourg participe au retour de Jacques Dutronc• pour le 33 tours *Guerre et pets,* puis travaille de nouveau avec Chamfort ("Manureva") et collabore au *Play Blessures* d'Alain Bashung•, un album brûlant au goût de cendre. Isabelle Adjani ("Pull marine") s'ajoute à la longue liste de ses interprètes féminines, quand sort en 1984 *Love On The Beat,* un album funky-rock, enregistré dans le New Jersey, avec un groupe mené par le guitariste Billy Rush (ex-Ashbury Jukes) et les Simms Brothers, choristes aux voix d'androgynes. Sur le titre qui donne son nom au disque, on entend les cris de sa compagne Bambou. Rencontrée en 1981, elle fait à présent partie de la saga Gainsbourg. L'imagerie décadente est plus que jamais d'actualité pour le créateur devenu une des plus grandes vedettes des années quatre-vingt. Le conceptuel *You're Under Arrest,* son dernier album studio, sort en 1987, réalisé avec la même équipe. Il s'agit une fois de plus d'une histoire d'amour dévorante, pour Samantha dans ce cas. Gainsbourg y reprend deux vieux succès des années trente : "Gloomy Sunday" et "Mon légionnaire". Au sujet de ce dernier titre, le grand séducteur évoquera à la télévision, dans un entretien avec Étienne Daho•, des amitiés masculines plus authentiques que celles qu'il a pu connaître avec la gent féminine.

"UNE INSPIRATION QUI VA DE BAUDELAIRE ET MALLARMÉ AUX SURRÉALISTES EN PASSANT PAR COLE PORTER."

Durant les dernières années de sa vie, Gainsbourg est omniprésent à la télévision, provocateur (il propose un *"fuck"* à Whitney Houston, brûle un billet de 500 F pour se plaindre des impôts) ou débordant d'amour pour sa fille Charlotte – lors de la sortie de "Lemon Incest" – à qui il offrira un disque et un film. Il s'est noué une grande sympathie entre lui et le jeune public, ce dont il est très fier. Ses tournées sont quasiment des messes, et la France entière suit la chronique de la mort annoncée de ce buveur et de ce fumeur invétéré. Une sincère relation d'amour lie la jeunesse à ce "père indigne" si touchant. L'année précédant son décès, il écrit des textes pour Vanessa Paradis• ("Variations sur le même t'aime"), donne un album à sa compagne Bambou *(Nuits de Chine)* et à Jane *(Amours des feintes)*. Entre-temps, sa collection de "poupées" s'était également enrichie de Joëlle Ursull ("White And Black Blue") et de Viktor Lazlo ("Amour puissance six").

En 1991, un soir d'hiver, Serge Gainsbourg décède d'une crise cardiaque en son domicile parisien, rue de Verneuil, dans le très aristocratique 7e arrondissement. Ses obsèques attirent de très nombreux admirateurs sincèrement attristés. Dans les années qui ont suivi, ses interprètes Jane Birkin, Régine, Zizi Jeanmaire lui ont consacré des disques et des spectacles qui, loin d'être des hommages serviles et mercantiles, indiquent l'importance de l'auteur-compositeur. Mieux, à l'instar de MC Solaar• échantillonnant une phrase musicale de "Bonnie And Clyde" (dans "Nouveau Western"), de nombreux jeunes rockers britanniques (Jarvis Crocker de Pulp, Neil Hannon de Divine Comedy, les Australiens Nick Cave et Mick Harvey, etc.) découvrent son répertoire et s'en inspirent.

Le portrait de l'artiste ne serait pas complet si l'on n'évoquait pas ses autres passions. Comédien anecdotique et néanmoins savoureux dans des rôles de méchants (il campe une magnifique crapule dans... *la Révolte des esclaves* comme dans *Estouffade à la Caraïbe,* et un inquiétant séducteur dans *les Chemins de Katmandou*), compositeur de très nombreuses musiques de film, Serge Gainsbourg a réalisé lui-même quatre longs-métrages de cinéma : *Je t'aime, moi non plus* (1976, avec Jane Birkin et Joe Dallessandro), *Équateur* (1983, avec Francis Huster et Barbara Sukowa), *Charlotte For Ever* (1986, avec Charlotte et Serge Gainsbourg), *Stan The Flasher* (1989, avec Claude Berri) et des spots publicitaires. Il écrit également un court et fameux roman, *Evguénie Sokolov* (Gallimard, 1980), qui relate les affres d'un peintre pétomane. Gainsbourg lui-même fut... peintre. Insatisfait, il a détruit la plupart de ses toiles, au contraire de ses travaux photographiques, qu'il a largement fait publier.

Dandy *"cynique et émotif",* selon ses propres termes, poète majeur d'un art mineur, auteur-compositeur prolifique, créateur d'interprètes, Serge Gainsbourg avait de grandes oreilles et une belle plume. Il l'a dit et cela a été maintes fois confirmé par des témoins, Gainsbourg écrivait dans l'urgence, dans le stress, parfois quelques minutes avant d'enregistrer. Signe qu'un véritable artiste se nourrit en permanence et qu'à l'instant T, il est prêt à œuvrer. Musicien et mélomane sensible et ouvert, il a constamment su attraper les nouveaux sons et se les approprier : latino, jazz, afro, psychédélique, pop, glam' rock, reggae, funk. Gainsbourg a pratiqué tous ces genres avec un égal bonheur, mais sans jamais être annexé à telle ou

Artistiquement mal rasé, le regard à la fois intense et absent, Serge Gainsbourg/Gainsbarre en double de lui-même.

telle école ou mouvance. Avant de mourir, il laissa entendre qu'un nouveau projet l'aurait emmené dans le sud des États-Unis. Gainsbourg blues ? Dommage…

Fil rouge de son œuvre : des textes dignes d'un vrai et important poète classique préoccupé par la femme, se jouant des mots anglais dont il fit grand usage. L'inspiration vient directement de Baudelaire, Mallarmé, Rimbaud, des dadaïstes, des surréalistes, mais aussi de Cole Porter, le célèbre auteur-compositeur de Broadway. Ses fameuses allitérations, rejets et néologismes, appréciés des spécialistes, sont descendus dans la rue. Quel plus bel hommage recevoir ? Très demandé par des interprètes en quête de leur personnalité, mais aussi par des artistes confirmés, Gainsbourg fut un magicien leur permettant d'exprimer de nouvelles facettes de leur talent. Formé à l'école du jazz, il est devenu une grande figure de la chanson française et d'un rock hexagonal en perpétuelle recherche d'identité.

Lui, tout au long d'une trentaine d'années fructueuses, s'est définitivement trouvé. **M. D.**

◎ ***De Gainsbourg à Gainsbarre***
(intégrale 1958-1987 en 9 CD, Philips/Polygram)
◎ vol.1 : ***le Poinçonneur des Lilas*** (Philips, 1958-1960)
◎ vol.2 : ***la Javanaise*** (Philips, 1961-1963)
◎ vol.3 : ***Couleur café*** (Philips, 1963-1964)
◎ vol.4 : ***Initials B.B.*** (Philips, 1966-1968)
◎ vol.5 : ***Je t'aime, moi non plus*** (Philips, 1969-1971)
◎ vol.6 : ***Je suis venu te dire que je m'en vais***
◎ (Philips, 1971-1974)
◎ vol.7 : ***l'Homme à la tête de chou*** (Philips, 1975-1981)
◎ vol.8 : ***Aux armes et cetera*** (Philips, 1979-1981)
◎ vol.9 : ***Anna*** (Philips, 1967-1976-1980)
◎ ***Love On The Beat*** (Philips, 1984)
◎ ***You're Under Arrest*** (Philips, 1987)
◎ ***De Gainsbourg à Gainsbarre***
(2 CD compilation 1958-1987, Philips)

3 compil. thématiques :
◎ ***Du jazz dans le ravin*** (1958-1965)
◎ ***Couleur café*** (1960-1974)
◎ ***Comic-Strip*** (1966-1969), Mercury/Polygram, 1996

À lire :
Gainsbourg, de Gilles Verlant (Le Livre de poche) et ***Gainsbourg sans filtre,*** de Marie-Dominique Lelièvre (Flammarion)

GALL France (Isabelle Gall, dite)

Paris, 1947
Interprète

Celle qui donnait "Tout pour la musique" en 1981 naît dans une famille d'artistes : son père, Robert, est parolier (il écrit notamment "la Mamma" d'Aznavour•) et ancien chanteur. Sa mère, Cécile, est elle-même issue d'une famille d'artistes et chante. Toute petite, son père l'emmène avec lui voir chanter Piaf• et Aznavour. Isabelle apprend le piano et la guitare, fonde un petit orchestre avec ses deux frères jumeaux et, à quinze ans, elle enregistre son premier disque. Le succès vient avec les années yé-yé. Son "Sacré Charlemagne" (qu'elle déteste, bien que son père en soit l'auteur) accède en un tour de main au sommet des hit-parades. En 1965, avec "Poupée de cire poupée de son" écrite par Serge Gainsbourg•, elle remporte le grand prix de l'Eurovision à Naples. Propulsée au rang de vedette, elle est élue "chanteuse pop française n° 1" grâce aux évocatrices "Sucettes" de Gainsbourg. "Bébé requin" (1967), écrite sur une musique de Joe Dassin•, marque la fin de sa collaboration avec le futur Gainsbarre.

La houlette du Berger. Après plusieurs années de silence, la "Lolita des sixties" entre en studio en 1974, sous la houlette de son nouveau pygmalion, Michel Berger•. La "Déclaration" qu'il lui écrit la ramène au premier plan. Elle l'épouse en 1976. Le prolixe Berger et sa muse enchaînent albums et tubes : *Dancing Disco,* 1977 ("Musique", "Si maman si") ; *Paris-France,* 1977 ("Il jouait du piano debout", "Plus haut", "Besoin d'amour") ; *Tout pour la musique,* 1981 ("Résiste", "Diego libre dans sa tête") ; *Débranche,* 1984 ("Hong Kong star", "Cézanne peint", "Calypso") et *Babacar,* 1987 ("Ella elle l'a", "C'est bon que tu sois là", "Évidemment"). "Donner pour donner" (1980) est l'occasion d'un duo avec Elton John, organisé à la demande de celui-ci. En 1987, la popularité de *Babacar* l'incite à remonter sur les planches. France Gall retourne au Zénith pour trois semaines et séduit 6 000 personnes par jour. Elle songe à se retirer après cette tournée ; jusqu'à *Double Jeu* (1991), l'album duo (avec Michel Berger) tant attendu que l'artiste de variétés doit défendre seule sur scène. La chanteuse baby doll devenue femme émouvante s'est attachée à rester proche de son public. Les climats intimistes de ses chansons mettent en valeur cette âme qui se livre. **A. G.**

- ***Bébé requin,*** Polygram, 1987
- ***Tout pour la musique*** (1981), Apache/WEA, 1990
- ***Babacar,*** Apache, 1987
- ***France Gall Collection,*** vol.1 et vol.2, WEA, 1993
- ***France,*** WEA, 1996

GARAT Henri (Henri Garassu, dit)

Paris, 1902 - Hyères, 1959
INTERPRÈTE

Il débute comme boy de Mistinguett• au Casino de Paris en 1918. Il fait du théâtre et du music-hall, mais c'est l'arrivée du cinéma parlant qui en fait une grande vedette. Jeune premier idéal, coqueluche des années trente, il chante aussi et enregistre bientôt de nombreux 78 tours : "En parlant un peu de Paris", "Avoir un bon copain" (paroles de Jean Boyer, musique de Heymann), "Tout est permis quand on rêve", "C'est un mauvais garçon", qui sont tous de très gros succès. Son étoile pâlit dans les années quarante et il mourra oublié et pauvre.

Les étoiles de la chanson
(compilation 1931-1936), Music Memoria

GARÇONS BOUCHERS (Les)

Groupe de rock formé à l'automne 1985 à Paris autour de François "Zharbi" Hadji-Lazaro (textes, violon, accordéon, flûte, guitare, harmonica, saxo, chœurs et programmations claviers et boîte à rythmes), avec Henri "Riton Mitzouko" Escudier (basse, guitare, chœurs), "Lizt" Eric Dabda (chant, hurlements), Daniel "Belleavoine" Hennion (guitare, basse, chœurs) et Blank "Neige et ses sept mains" (guitare, chœurs et production)

C'est lors d'un premier concert au Gibus, temple parisien de la mouvance punk-rock que les Garçons Bouchers se font connaître. Provocateurs et grinçants, ils parviennent peu à peu à s'attirer la sympathie d'un public grandissant, grâce à un répertoire intégralement en français, où se mêlent poésie brute, autodérision et constats de société. Après une cassette et un 45 tours, où figure un véritable hymne, "la Bière", ils passent à la vitesse supérieure en créant leur propre label (Boucherie Productions) pour enregistrer leur premier album. Quelques propos assassins, une analyse aiguë de notre société, des initiatives souvent hardies en tant que producteurs-organisateurs ainsi qu'un clip "saignant" en firent rapidement le groupe le plus médiatisé du rock français. Terme qu'ils n'aiment pas trop, d'ailleurs, lorsque l'on parle d'eux, lui préférant celui de chanson populaire. Il en va de même avec le mot "alternatif" – trop restrictif à leurs yeux – affectionnant plutôt celui d'"indépendant". François Hadji-Lazaro, le leader du groupe, délaissera peu à peu celui-ci au profit de son autre formation, Pigalle•. **H. E.**

- ***La Saga,*** Boucherie Productions, 1990
- ***On a mal vieilli,*** Boucherie Productions, 1990
- ***Vacarmelita ou la Nonne bruyante,*** Boucherie Productions, 1992

Les Garçons Bouchers : gauloiserie, bière et rock'n'roll.

GARVARENTZ Georges (Georges Diran Wem, dit)

Athènes, 1932 - Aubagne, 1993
COMPOSITEUR

Fils d'un célèbre musicien grec, il est élevé à Paris. Attiré à son tour par la musique, il se met à composer. En 1957, Aïda Aznavour• lui crée sa première chanson "le Bal des truands". Dès lors sa carrière de compositeur est tracée. Des années cinquante aux années soixante-dix, il va écrire, pour son beau-frère Charles Aznavour : "Et pourtant", "Donne tes seize ans", "Rendez-vous à Brasilia", "Nous irons à Vérone", "les Plaisirs démodés". Mais aussi, toujours sur des paroles de Charles Aznavour•, pour Sylvie Vartan• ("la Plus Belle pour aller danser"), pour Johnny Hallyday• ("Retiens la nuit"), pour Eddy Mitchell et les Chaussettes noires• ("Daniela", "le Twist du canotier", chantée avec Maurice Chevalier•). Il écrit aussi plusieurs musiques de film, dont celle du *Taxi pour Tobrouk,* dont Charles Aznavour chante "la Marche des anges" (1961). Georges Garvarentz aura tenté et réussi le pari de rester un compositeur capable de s'intégrer dans la mouvance yéyé, où les importations anglo-saxonnes étaient majoritaires.

GASTÉ Loulou (Louis Gasté, dit)

Paris, 1908 - Rueil-Malmaison, Hauts-de-Seine, 1995
COMPOSITEUR

Mari de Line Renaud•, Loulou Gasté avait commencé sa carrière en 1931 dans l'orchestre de Ray Ventura•, où il jouait de la guitare et du banjo. Passionné de jazz et de dixieland, il compose "Avec son ukulélé" (1941) et "Elle était swing" pour Jacques Pills•, "l'Âme au diable" pour Léo Marjane• (1943). Yves Montand• le réclame, et hérite en 1944 de "Luna Park", écrite avec le parolier Jean Guigo, puis de "Battling Joe". Loulou Gasté propose aussi des musiques sur des textes qu'une jeune femme alors inconnue, la journaliste Françoise Giroud, vient lui proposer. Il en fait trois succès : "Un par un vont les Indiens", "le Petit Chaperon rouge" et "Ce n'était pas original", que chante Jacqueline François•. En 1945, il rencontre Jacqueline Ray, une habituée des radio-crochets dans le nord de la France. Il lui fait prendre le nom de Line Renaud avant de l'épouser. En 1948, une chanson, dont il a écrit la musique, sur des paroles de Mireille Brocey, les entraîne vers le succès : "Ma cabane au Canada". "Pour toi", que chante Dario Moreno• est plagiér par un crooner brésilien, Moris Albert ; elle devient "Feelings", un standard de la musique américaine. Après huit ans de bataille juridique menée aux États-Unis, Loulou Gasté obtient un demi-million de dollars de dommages et intérêts et une reconnaissance en paternité de sa chanson. Une preuve supplémentaire de son efficacité.

GAUTY Lys (Alice Gauthier, dite)

Levallois-Perret, 1908 - 1993
INTERPRÈTE

Après avoir étudié le chant classique, elle débute dans un concert d'amateurs où elle chante le grand air de *Tosca* et *Madame Butterfly*. Elle fait ensuite ses débuts professionnels à Paris, chante à Bruxelles, puis, poussée par son manager, qu'elle a épousée, à Paris de nouveau, au cabaret et au music-hall (Bobino, 1933 ; Alhambra, 1934 ; A.B.C., 1936, etc.). Sa popularité est grande comme son registre large, de la chanson réaliste à un répertoire plus intellectuel. Son titre fétiche est "le Chaland qui passe" (A. de Badet et C. A. Bixio, 1931). Vêtue d'une robe blanche très simple, sans bijou, envoûtant la salle de ses grands yeux clairs, elle chante dans un style classique, en jouant sur l'émotion, des textes de valeur, comme "Une femme" (poème de Henri Heine), les chansons de *l'Opéra de quat' sous* (B. Brecht - K. Weill), qui lui valent un prix du disque. Son répertoire comprend aussi de nombreux succès populaires : "J'aime tes grands yeux" (de Jean Tranchant•), "le Bistrot du port", "Dis-moi pourquoi"(Michel Vaucaire• - J. Kosma, 1938), "Le bonheur est entré clans mon cœur" (M. Vaucaire - N. Glanzberg•, 1938), etc. Après la Libération, sa carrière se fait plus discrète et elle abandonne la scène dans les années cinquante. **P.S.**

Le Chaland qui passe (compilation 1927-1938), EMI France

Compilation 1933-1941, Music Memoria

Compilations (1927-1936, 1932-1933, 1933-1939), Chansophone

Cataloguée chanteuse réaliste, Lys Gauty est avant tout une chanteuse d'émotion, qui semble toujours au bord des larmes.

GENÈS Henri (Henri Chaterret, dit)

Tarbes, 1920
AUTEUR, INTERPRÈTE

À quinze ans, il chante déjà dans les kermesses régionales. Après la Libération, il triomphe à Bobino dans l'opérette *Quatre Jours à Paris* de Francis Lopez•, aux côtés de Jeannette Batti (qu'il épouse) et d'Andrex•, avec qui il lance la célèbre "Samba brésilienne" (1948). Il enregistre ensuite de nombreux succès : "la Tantina de Burgos" (1956), "le Facteur de Santa-Cruz" (1957), "Fatigués de naissance" (1959), "Allez à la pêche", "À la Garenne-Bezons". De 1945 à 1983, il tournera plus de 80 films, dont *Nous irons à Paris* et *Nous irons à Monte-Carlo* (où il chante "À la mi-août") de Ray Ventura•.

Henri Genès à Bobino, EMI Music

GEORGE Yvonne (Yvonne de Knops, dite)

Bruxelles, 1896 - Gênes, 1929
INTERPRÈTE

Après des débuts dans des cabarets bruxellois, elle se pré-

sente en 1920 à l'Olympia, où son tour de chant fait scandale ; elle est sifflée, huée par un public déconcerté par son répertoire, en particulier par "Nous irons à Valparaiso", authentique chanson de la marine à voile, dont les auditeurs ne comprennent pas les "Good bye Farewell" du refrain.
Cela n'empêche pas Yvonne George de faire une extraordinaire carrière au music-hall, où sa présence déchaîne les passions. Cocteau lui confie le rôle de la nourrice dans son *Roméo et Juliette,* représenté à la Cigale, puis elle revient courageusement sur la scène de l'Olympia, où elle remporte cette fois un triomphe, avec un répertoire à la fois traditionnel et populaire : "la Mort de Jean Renaud", "la Femme du bossu", "les Cloches de Nantes", "Pars" (Lenoir), "Et c'est pour ça qu'on s'aime" (Borel-Clerc•) ; elle chante aussi des fantaisies comiques, comme "Impressions de dancing", et, bien entendu, des chansons de marins, que le public écoute cette fois sans protester. Après une saison à Londres, Ziegfield l'engage pour chanter en Amérique. C'est à l'apogée de son succès que, minée par la maladie, elle doit aller se soigner en Suisse. Après deux ans de sanatorium, se croyant guérie, elle fait annoncer sa rentrée au music-hall et part pour Gênes, où elle meurt soudain.

Kiki de Montparnasse, compilation 1925-1940, Chansophone

GEORGEL (Georges Jobe, dit)

Paris 1885 - *id.,* 1949
Interprète

Il débute à dix-huit ans aux Folies-Belleville. Mayol, qu'il admire éperdument, lui apporte alors son appui. Devenu lui-même une vedette, Georgel n'oubliera jamais cette aide providentielle. Il triomphe en effet avec "la Vipère du trottoir", "l'Épervier" et avec les bijoux que lui cisèle Vincent Scotto• : "Ton cœur a pris mon cœur", "Sous le clair de lune", "Caroline" et l'immortel "Sous les ponts de Paris", qu'il crée en avril 1913. Au cours d'une de ses dernières prestations, il découvre un jeune débutant à qui, à son tour, il donne sa chance. L'inconnu s'appelle Bourvil•.

Émule de Mayol, Georgel chantait toujours en habit, sans pour autant négliger la casquette populaire.

Le roi du caf' conc' (compilation), MC Production

GEORGIUS (Georges Guibourg, dit)

Mantes, 1891 - Paris, 1970
Auteur, interprète

Georgius débute professionnellement à la Gaîté-Montparnasse. Très vite, il est poussé à écrire lui-même ses textes. L'un des premiers, "les Archers du roy" (1916), connaît un grand succès. Il entame alors une carrière de fantaisiste dans les cafés-concerts et music-halls parisiens (la Fauvette, la Gaîté, Concert Mayol, Casino de Paris, etc.), et acquiert une popularité considérable. En habit blanc, fleur à la boutonnière, l'amuseur public n° 1, interprète des œuvres farfelues, "le Fils père" (1920), "la plus bath des javas", "Ça... c'est d'la bagnole" (1936), "le Lycée Papillon" (1937), dont il écrit les paroles (musique de Chagnon, Poussigue et Juel). Il plaît au public par ses mimiques expressives, son audace calculée, sa grivoiserie discrète et ses fulminations de bon Français

Toujours en habit blanc, avec un œillet à la boutonnière, Georgius sera l'"amuseur public n° 1" des années 20 et 30.

moyen. Auteur de 1 500 chansons, 12 revues et opérettes, 18 comédies et 14 romans policiers.

◎ ***L'amuseur public n° 1*** (compilation 1937-1939), Music Memoria

◎ ***La plus bath des javas*** (compilation 1925-1937), EMI France

◎ ***L'amuseur surréaliste*** (compilation 1942-1943), Frémeaux & associés

GÉRALD Frank (Gérard Biesel, dit)

Paris, 1928

AUTEUR, COMPOSITEUR, INTERPRÈTE

Il écrit ses premières musiques, avec des paroles de son beau-frère Pierre Delanoë•, pour Lucienne Delyle•, Marie Bizet• ou Gilbert Bécaud• ("Quand tu danses", prix Charles-Cros 1954). Après avoir enregistré lui-même quelques 45-tours, il se cantonne à l'écriture et travaille pour de nombreux artistes, dont les Parisiennes ("Il fait trop beau pour travailler"), Françoise Hardy• ("le Premier Bonheur du jour"), Nana Mouskouri• ("les Roses blanches de Corfou") et Michel Polnareff• ("la Poupée qui fait non", "Love me please love me").

GÉRARD Danyel (Gérard Kherlakian, dit)

Paris, 1939

AUTEUR, COMPOSITEUR, INTERPRÈTE

En 1958, Boris Vian• lui écrit un rock : "D'où viens-tu Billy Boy ?". Quelques années plus tard, "le chanteur suffocant" se met au twist avec "la Leçon de twist". "Je", "Il pleut dans ma maison", mais aussi "Memphis Tennessee", plus rock, seront ses grands succès. En 1970, barbu, chevelu et chapeauté, il chante "Butterfly", un titre qui marche davantage à l'étranger qu'en France. Pionnier du rock français, Danyel Gérard n'a pas pu continuer dans cette voie. De sa carrière qui se poursuit de loin en loin, restent des chansons de belle confection, comme "les Vendanges de l'amour", composée pour Marie Laforêt• ou "Fais la rire" pour Hervé Vilard.

◎ ***Je*** (1963/1967), Disc'Az

GERBEAU Roland

Vincennes, 1919

AUTEUR, INTERPRÈTE

Il débute en tentant sa chance dans des concours de chanson. Il remporte celui organisé par le Poste parisien en 1939 et peut ainsi se produire dans plusieurs bals et music-halls, où il interprète notamment la chanson qu'il a écrite avec G. Luypaerts "les Mains dans les poches". Pendant l'Occupation, il fait la rencontre de Charles Trenet•, qui lui donne les trésors que sont "Que reste-t-il de nos amours ?", "Douce France", puis "la Mer". Il prend ensuite à son répertoire plusieurs succès du moment comme "Besame mucho" puis va aux États-Unis avec Joséphine Baker et son époux, le chef d'orchestre Jo Bouillon. Il se retire de la chanson dans les années soixante, mais reste dans le métier au sein de Pathé-Marconi.

Mes premières chansons, MC Production

GILLES et JULIEN (Jean Villard, dit Gilles Aman Maistre, dit Julien)

Montreux, 1895 - Lausanne, 1982
Toulon, 1903
AUTEURS, COMPOSITEURS, INTERPRÈTES

Ils débutent l'un comme l'autre dans le théâtre, élèves de Copeau, mais bifurquent vers la chanson en se produisant tous deux dans un gala à Londres. Ils se lancent alors dans un petit music-hall de Montrouge, où Fréhel passe en vedette. Puis, c'est l'Européen et Bobino. Ils présentent un numéro très élaboré, d'inspiration expressionniste, mêlant le mime et l'interprétation musicale, appuyé sur un répertoire de qualité, souvent engagé à gauche. Ils remportent le grand prix du disque en 1934 avec une chanson intitulée "Dollar". Ils sont bientôt les vedettes du Front populaire et les jeunes militants fredonnent volontiers leur titre d'alors, "la Belle France". Ils enregistrent aussi des chansons de marins et des chansons plus légères et pleines d'humour, comme "le Chemin des écoliers", "la Jolie Fille et le petit bossu" et, surtout, une chanson de Jean Tranchant•, "la Ballade du cordonnier", dont chaque couplet se termine par *"Se casser la gueule, se casser la gueule, attention !"*. Ils se séparent en 1939. Gilles ouvre un cabaret à Lausanne (le Coup de soleil) qui devient un foyer antinazi pendant la guerre, puis revient à Paris, où il ouvre un autre cabaret, Chez Gilles. Il écrit pendant cette période plusieurs chansons qui, reprises par d'autres, remporteront un beau succès, notamment "les Trois Cloches", par Édith Piaf• et les Compagnons de la chanson•. Julien, lui, dirigera le théâtre Sarah-Bernhardt.

Compilation 1932-1936, Chansophone

GIRAUD Hubert

Marseille, 1920
COMPOSITEUR

En 1941, il entre dans l'orchestre de Ray Ventura• comme guitariste et harmoniciste. Il suit la formation en Amérique du Sud, d'où il rapporte bien des rythmes exotiques. Il connaît bientôt son premier succès en écrivant, avec Roger Lucchesi•, "Aimer comme je t'aime", qu'impose, en 1951, Yvette Giraud (son homonyme). Suivent "Sous le ciel de Paris" (avec Jean Dréjac•, pour Piaf•), "Buenas noches mi amor" (pour Gloria Lasso•), "Oui, oui, oui, oui" (pour Sacha Distel•), puis "Pauvre petite fille riche" (pour Claude François) et deux petits chefs-d'œuvre pour Nicoletta•, "Il est mort le soleil" (1967) et "Mamy blue" (1971). Une telle longévité et une telle faculté d'adaption à tous les styles demeurent sans pareil.

GIRAUD Yvette (Yvette Houron, dite)

Paris, 1922
INTERPRÈTE

Après avoir travaillé comme speakerine de radio à la Libération, elle chante devant les troupes alliées basées en France. Peu après, elle rencontre le compositeur Louiguy et le parolier Jacques Plante•, qu'elle épouse. Ils lui donnent la chanson "Mademoiselle Hortensia", qui est un des succès de 1946. Elle est lancée. Suivront une carrière internationale et une série de triomphes : "la Danseuse est créole", "Ma guêpière et mes longs jupons", "Un homme est un homme" et "les Lavandières du Portugal". En 1952, elle épousera en secondes noces Marc Herrand, l'arrangeur des Compagnons de la chanson• et fera une seconde carrière au Japon.

Yvette Giraud (compilation), EMI

GLANZBERG Norbert

Rohatyn, Pologne, 1910
COMPOSITEUR

Après avoir été chef de chœurs au théâtre de Würzburg, puis à celui d'Aix-la-Chapelle, il s'expatrie en France en 1933. Il fait la connaissance de Lys Gauty• et compose pour elle "Sans y penser" et, surtout, "Le bonheur est entré dans mon cœur", un des plus grands succès de l'année 38. Hélas, c'est la guerre. La France est envahie. Glanzberg se sauve en zone libre. À Nice, l'imprésario Félix Marouani l'engage pour accompagner Tino Rossi•. Dénoncé comme Juif, il manque d'être déporté, mais un ami corse de Tino va le sauver en faisant jouer ses relations. Après la guerre, Glanzberg compose pour Yves Montand• ("les Grands Boul'vards", paroles de Jacques Plante•) et Édith Piaf• ("Padam Padam", en 1952, "Mon manège à moi", paroles de Jean Constantin, en 1958) et Colette Renard• ("Ça c'est d'la musique", 1959).

GLENMOR
(Milig Ar Skanv dit Émile Le Scanff, dit)

Maël-Carhaix, Côtes d'Armor, 1931
Quimperlé, Finistère, 1996
AUTEUR, COMPOSITEUR, INTERPRÈTE

Porte-parole d'une Bretagne fière de sa culture, Glenmor déclame les aspirations de sa patrie celte ("Princes, entendez bien", "Dieu me damne"). Au cours des années soixante-dix, quand la vague régionaliste est au plus haut, le barde est accueilli à la Mutualité, à Bobino, à l'Olympia, où il fustige la capitale qu'il traite de "Sodome", mais aussi le clergé et l'argent.

Et voici bien ma terre,
An Distro/Coop Breizh, rééd. 1998
Apocalypse,
An Distro/Coop Breizh, rééd. 1998

GODEWARSVELDE Raoul de
(Francis, Albert, Victor Delbarre, dit)

Lille, 1928 - *id.*, 1977
INTERPRÈTE

"Sa voix gouailleuse et malicieuse sentait le houblon et le genièvre, c'était une voix de kermesse et de gaillard d'avant", disait de lui son ami Bernard Dimey•. Surnommé "le barde des Flandres", à cause de sa stature de géant et de ses manières bourrues, il ne peut être résumé à la chanson écrite un jour de 1968, sur un coin de toile cirée d'un bistrot du cap Gris-Nez, par Jean-Claude Darnal, "Quand la mer monte", au refrain connu dans le monde entier : *"Quand la mer monte/J'ai honte/J'ai honte/Quand elle descend/Je l'attends"*. D'abord chanteur des Capenoules ("tendres voyous" en ch'timi), une bande de joyeux lascars de Lille, il symbolise le formidable sens de la fête et de l'amitié des gens du Nord. Il enregistre son premier disque en 1966 sous le parrainage d'Adamo• et grâce à Maurice Biraud qui la diffuse dans son émission quotidienne sur Europe 1. "Tu n'es qu'un employé" remporte vite un joli succès. Plus fragile qu'on ne le pensait, il se suicide au printemps 1977 dans une maison en construction face à la mer du Nord.

Ses plus grands succès (compilation de 17 titres), Déesse/Sony, 1990

GOLDMAN Jean-Jacques

Paris, 1951
AUTEUR, COMPOSITEUR, INTERPRÈTE

Les biographies officielles destinées à la presse spécifient *"Signe particulier : sans"*. Tout continue à se passer comme si Jean-Jacques Goldman, troisième des quatre enfants d'une famille d'origine juive polonaise, n'avait, pour but unique, le rideau retombé, que de se fondre dans l'anonymat. Des premières années de sa vie, il dit simplement qu'elles ont été banales et sans remous. Il faudra attendre longtemps pour que, au détour d'une interview, le chanteur explique que son père, homme de gauche, a joué un rôle important dans la Résistance. Beaucoup ignoreront, de la même manière, qu'il est le demi-frère de Pierre Goldman, intellectuel révolutionnaire assassiné en pleine rue à Paris en 1979. Ces faits pourraient relever de l'anecdote s'ils ne permettaient d'en connaître un peu plus sur le personnage Goldman et cette discrétion si souvent assimilée par quantité de gens à un manque d'épaisseur.

Taï Phong. Après une formation piano et violon, Jean-Jacques Goldman se met à la guitare en 1965. Il joue dans les bals, les fêtes entre copains et même dans une église avec les Red Mountains Gospellers, qui, grâce au soutien financier d'un prêtre, enregistreront un disque. "Think" d'Aretha Franklin lui procure sa première grande émotion musicale et lui ouvre de nouveaux horizons. Avec un des groupes dans lesquels il joue, il participe en 1969, l'année du bac, à une finale du tremplin du Golf Drouot. Un an plus tard, après la nécessaire préparation au lycée Lavoisier, il suit les cours de l'École des hautes études commerciales à Lille. Durant les trois années qui le mènent au diplôme, il travaille la guitare sur des airs de folk song, délaissant quelque peu rock et blues. À son retour dans la capitale, c'est sur un autre genre qu'il va recentrer son énergie.

Le groupe Taï Phong, dont il est le guitariste et l'un des compositeurs, œuvre dans le rock symphonique rendu populaire par Genesis et Supertramp.

Avant sa dissolution pour divergences de vues artistiques, en 1980, le groupe enregistre trois LP sous label WEA. Extrait du premier, "Sister Jane" sera un véritable tube. Goldman, parallèlement, réalise trois singles confidentiels. Absorbé par le magasin de sport qu'il gère avec l'un de ses frères, il continue de composer. Pour d'autres, pense-t-il alors, avant de retrouver le studio. L'album, qu'il renonce à intituler *Démodé* sur les conseils pressants des responsables du label EPIC, sort, sans titre, le 4 septembre 1981. Goldman est, par contre, demeuré intraitable quand on lui a demandé de se trouver un autre nom, moins connoté, pour mener sa carrière.

"Quand la musique est bonne". La voix placée trop haut n'empêche pas l'impact du disque. Il suffira d'un signe fonctionne merveilleusement bien dans la tête du public. Dès l'année suivante, un nouvel album (toujours sans titre, bien que JJG ait pensé, un moment, l'appeler *Démodé*), tiré par les hits que sont Quand la musique est bonne, Comme toi, Au bout de mes rêves, réalise une vente record. La présence de Norbert Krief, le Nono de Trust•, souligne l'attachement de Jean-Jacques Goldman au rock, dont il donne de solides versions FM. Sur le LP suivant, John Helliwell, sax de Supertramp, viendra jouer en guest star. *Positif* (1984) puis *Non homologué* (1985) ne font que souligner la place qu'occupe JJG dans le cœur des foules malgré un éreintement systématique d'une bonne partie de la critique.

Certains des articles parus, alors, ressemblent à de véritables mises à mort. Goldman, qui a surmonté sa crainte viscérale de la scène par une courte tournée à la fin de l'année 1983, fait salle comble partout. Ses dix-huit concerts du Zénith en décembre 1985 sont "sold out" sans qu'aucune campagne publicitaire ne soit nécessaire. Le chanteur s'offre une pleine page du quotidien *Libération,* dans laquelle, entre la reproduction d'extraits de presse assassins, il remercie son public *"d'être venu quand même".* Ses détracteurs lui reprochent des musiques trop conventionnelles, travail méticuleux mais sans imagination. Ils supportent mal l'impact immédiat de certaines mélodies, ballades ou rock, qu'une seule écoute suffit pour ne plus oublier. Goldman chante l'amour, l'amitié, des bribes d'existence couleur du temps sans mélo mais avec les préoccupations de l'époque, qui ne sont pas forcément celle de l'élite. L'artiste dérange surtout parce que son comportement ne correspond en rien au statut de star qu'il a acquis. Discret, réaliste, intelligent, sa normalité irrite.

Si discret, si réaliste, si intelligent : Jean-Jacques Goldman n'en finit pas de détonner.

Du New Morning au Zénith. La tendance va commencer à s'inverser en 1985. La chanson composée pour les Restos du cœur à la demande de Coluche et l'album *Gang* qu'il écrit pour Hallyday• dissipent les derniers malentendus. Albums studio et live se succèdent avec une belle régularité jusqu'à *Rouge,* l'un des événements majeurs de l'année musicale 1993. Goldman, entre-temps (1990), est passé à la formule trio avec Carole Fredericks, sa choriste fétiche, et Michael Jones, compagnon de route depuis Taï Phong. *Rouge,* avec la participation des chœurs de l'armée russe et des voix bulgares, est un disque coup de cœur, lyrique et multiple. Le compositeur y affiche, sans jamais se poser en donneur de leçons, une personnalité tranchée, qui n'hésite pas à revendiquer une partie de l'héritage communiste.

"SA BIOGRAPHIE OFFICIELLE PRÉCISE "SIGNE PARTICULIER : SANS". CELA NE L'EMPÊCHE PAS D'ÊTRE LA FIGURE CENTRALE DU SHOWBIZ FRANÇAIS."

Il pose sur le tragique de la planète un regard lucide pour mieux en appeler à l'espoir. Depuis, il a retrouvé la scène avec grande formation ou en formule acoustique que restitue un double CD *Du New Morning au Zénith*. De plus en plus d'artistes font appel à ses talents de compositeur. En 1994, sous un pseudonyme, il signe un des plus gros succès de Patricia Kaas•, "Il me dit que je suis belle". L'année suivante, il compose *D'eux* pour Céline Dion•, et qui sera la meilleure vente de l'été. Il produit *Lorada* de Johnny Hallyday et signe deux chansons de ce disque foncièrement rock. En 1996, il écrit pour Khaled• ("Aïcha") et Robert Charlebois• ("Le plus tard possible"). L'année suivante, il sort, sous son nom pour la première fois depuis dix ans, l'album *En passant,* et accompagne en simple musicien le chanteur Gildas Arzel, dont il produit l'album. Classé platine avec bon nombre de ses disques, Goldman est l'un des plus gros vendeurs en France. Une figure centrale aussi. **J.-P. G.**

- ***Jean-Jacques Goldman*** (1981), Epic/Sony
- ***Quand la musique est bonne*** (1982), Epic/Sony
- ***Non homologué*** (1985), Epic/Sony
- ***Entre gris clair et gris foncé,*** Epic/Sony, 1987
- ***Federicks, Goldman, Jones,*** Columbia, 1990
- ***Rouge,*** Columbia, 1993
- ***Du New Morning au Zénith,*** Columbia, 1995

GOTAINER Richard

1948
AUTEUR, INTERPRÈTE

Au début des années quatre-vingt, l'excentrique Gotainer, à coup d'onomatopées, de gags verbaux enchaînés en cascade, installe un humour inspiré par l'époque et ses travers. Signées par le guitariste Claude Engel, les musiques sont aussi sautillantes que les sujets abordés : "Le Youki", "la Ballade de l'obsédé", "Primitif", "Chipie", "le Mambo du décalco". Gotainer a tout simplement appliqué à la chanson les recettes qui lui ont permis de se tailler une solide réputation dans le jingle publicitaire. Il est toutefois difficile, même pour un surdoué comme lui, de renouveler une telle inspiration. En 1982, l'album *les Quatre Saisons,* sans renier le goût pour l'image choc, est plein de tendresse. Cinq ans plus tard, *Vive la Gaule* n'atteint pas les buts fixés. Cependant, en 1990, il signera encore un de ces tubes pétulants qui ont fait sa renommée, "Femme à lunettes".

- ***Poil à la pub*** (compil. 1974-1984), Musidisc, 1990
- ***Tendance banane,*** Gatkess/Arcade, 1998
- ***Les Plus Grands Succès*** (compil.), Flarenasch

GOUGAUD Henri

Carcassonne, Aude, 1936
AUTEUR, COMPOSITEUR, INTERPRÈTE

Après une licence de lettres décrochée à Toulouse, il monte à Paris. Débuts en 1963 à l'Écluse•, cabaret dont il apprécie l'atmosphère et le public. Il écrira des chansons pour les autres : Juliette Gréco•, Francesca Solleville•, Serge Reggiani• ("Paris ma rose") et Jean Ferrat• ("Cuba si", "la Matinée", avec Christine Sèvres•). Dans les années soixante-dix, on le retrouve conteur sur France Inter et écrivain, auteur d'une dizaine de livres, dont *le Grand Partir.* Organisateur de nombreux festivals de conteurs, il est à l'initiative de la renaissance de cet art.

- ***Le Langage obscur,*** L'Autre label, 1992
- ***Le Grand Parler,*** L'Autre label/Mélodie, 1995
- ***L'Arbre d'amour et de plaisir,*** L'autre label/Mélodie, 1999

GOUIN Fred

Le Mans, 1889 - Niort, 1959
INTERPRÈTE

En 1915, le président de la République Raymond Poincaré lui lance : "Serre-moi la main, Gouin !". C'est dire la popularité de ce chanteur à la voix d'or qui a repris toutes les grandes chansons du répertoire, allant du rituel "Temps des cerises" aux chansons revanchardes comme "En revenant de la revue", en passant par les classiques comme "la Chanson des blés d'or".

Une nouvelle carrière commença pour lui après la guerre avec les disques que la firme Odéon lui fit graver : en 1930, il vendit plus de un million et demi de 78 tours, dont deux cent mille pour le seul "Temps des cerises". Il fut à l'affiche des plus grands music-halls et gagna beaucoup d'argent, ce qui ne l'empêcha pas de fréquenter les guinguettes et les bistrots obscurs des bords de Marne. C'est à cette époque qu'il devint l'ami attitré de Berthe Sylva•. La guerre de 1940 les priva de moyens et ils se replièrent à Marseille, mais les engagements y étaient rares. La maladie fondit sur Berthe qui mourut de froid en 1941. Fred Gouin en conçut un chagrin immense. Les années passèrent et nul ne put dire où il était allé finir sa vie. Ce n'est qu'en 1982 qu'un animateur de Radio Bleue fit connaître le mot de l'énigme : ayant entendu un appel sur les ondes, une auditrice révéla que les restes de Fred Gouin se trouvaient dans la fosse commune de Niort.

Compilation, Disco Ver 13 065-2

GOYA Chantal (Chantal Deguerre, dite)

Saïgon, Indochine, 1946
INTERPRÈTE

À peine sortie d'une institution catholique, la jeune Chantal, seize ans, rencontre l'auteur-compositeur Jean-Jacques Debout•, son futur époux. Elle est un instant vedette yé-yé avec "C'est bien Bernard le plus veinard", et comédienne nouvelle vague dans *Masculin-féminin* de Jean-Luc Godard. En 1976, elle chante "Adieu jolis foulards" à la télévision et conquiert aussitôt le tout jeune public. Suivent une série de spectacles enfantins à grand succès, dont "le Soulier qui vole" (1980), et "le Mystérieux Voyage de Marie-Rose" (1985).

Le Soulier qui vole 95, AB Production/BMG, 1995

GRAND ORCHESTRE DU SPLENDID

Groupe de musci-hall formé à la fin des années soixante-dix à Paris autour de François et Xavier Thibault

Dix-huit comédiens, danseurs, chanteurs et même techniciens du spectacle des deux sexes se décident à travailler ensemble dès le lendemain d'une petite fête improvisée dans un café-théâtre, le Splendid... Avec des titres comme "la Salsa du démon", "Macao" ou la reprise de "Qu'est-ce qu'on attend pour être heureux ?" (créée par Ray Ventura• et ses Collégiens), ils et elles réussirent ce tour de force de rajeunir une forme de spectacle – le music-hall – qui tombait en désuétude.

Les Irrésistibles (compil. 1978-1986),
Productions Paul Lederman, 1991

Couac !,
Polygram, 1992

Amusez-vous,
Mercury, 1996

GRANGE Dominique

Lyon, 1940
AUTEUR, COMPOSITEUR, INTERPRÈTE

Après avoir été l'assistante de Guy Béart• dans la célèbre émission "Bienvenue à...", elle participe en mai 1968 au Comité révolutionnaire d'action culturelle, se rapproche des groupes gauchistes et enregistre en autogestion des chansons engagées, dont elle écrit les paroles et la musique : "le Chant des nouveaux partisans", "Nous sommes tous des Juifs allemands", "Ce n'est qu'un début, continuons le combat". Elle vit depuis avec le dessinateur de BD Jacques Tardi.

GRASSI André

Paris, 1911 - id., 1972
AUTEUR, COMPOSITEUR, CHEF D'ORCHESTRE

Musicien accompli, il est pianiste accompagnateur pendant l'Occupation dans le cabaret de Suzy Solidor. À la Libération, Colette Mars interprète ses premières chansons, dont "Nostalgie". Il accompagne de nombreuses vedettes comme Odette Laure, André Claveau•, Patachou•, Juliette Gréco•, Mouloudji•, tout en continuant à écrire des chansons : "la Complainte du corsaire" (pour Armand Mestral•, 1946), "Jimbo l'éléphant" (André Claveau, 1947), "la Marie" (les Compagnons de la Chanson•, 1947), "la Fontaine aux fées" (Éliane Embrun, 1950), "les Voyous" (Philippe Clay•, 1956), etc. Il compose également la partition musicale de deux opérettes avec Guy Lafarge : *le Chapeau de paille d'Italie* (1966) et *Bouchencœur* (1967)

GRÉCO Juliette

Montpellier, Hérault, 1927
INTERPRÈTE

Si elle fut le symbole de l'époque existentialiste et de ses turbulences, Juliette Gréco demeure l'ambassadrice de la chanson française, genre mêlé de légèreté et de gravité, qui a inspiré bien des créateurs à travers le monde. Aussi "hors mode", aussi classique qu'un parfum Chanel, aussi populaire que la baguette et le camembert, aussi intelligente et fantasque qu'un texte d'André Breton, Juliette Gréco continue, cinquante ans après ses débuts à Saint-Germain-des-Prés, de chanter sur les scènes de France, d'Allemagne ou du Japon. Élégance, séduction, anticonformisme n'ont jamais quitté cette fille d'un policier corse et d'une mère aspirante artiste, dont le "manque d'affection" restera, selon Juliette Gréco, *"une blessure indélébile, toujours ouverte en moi"*.

Rebelle. Juliette et sa sœur Charlotte sont élevées à Bordeaux par leurs grands-parents, puis rejoignent leur mère, montée à Paris en 1933. Elles s'installent bientôt rue de Seine, sur la rive gauche. Dans un livre autobiographique publié en 1982, *Jujube,* Juliette Gréco se décrit comme une enfant taciturne et solitaire, et *"bizarrement rebelle"*. À la mort de leur grand-père, les deux jeunes filles sont placées dans une pension catholique et rigoureuse. Juliette Gréco voudrait devenir danseuse. Elle est petit rat à l'Opéra de Paris quand éclate la Seconde Guerre mondiale. La famille Gréco part en Dordogne, où sa mère devient responsable d'un réseau de résistants. En septembre 1943, elle est arrêtée par la Gestapo. Juliette et Charlotte s'enfuient à Paris où elles sont à leur tour emprisonnées par la police française. Sa mère et sa sœur sont déportées. Juliette Gréco est emmenée à la prison de Fresnes où elle passe trois semaines avant d'être rel‚chée, sauvée par son jeune ‚ge (quinze ans). Abandonnée dans Paris avec pour seul trésor un ticket de métro, elle rencontre un ancien professeur de français, Hélène Duc, qui l'aide à trouver une chambre et la prend sous sa protection. Juliette Gréco veut alors devenir actrice. Béatrix Dussane, puis Solange Sicard lui enseignent les rudiments de l'art dramatique. Elle joue pour la première fois au théâtre-Français un rôle de figuration dans *le Soulier de satin,* de Paul Claudel.

> **"ÉLÉGANCE, SÉDUCTION, ANTICONFORMISME N'ONT JAMAIS QUITTÉ CETTE AMBASSADRICE DE LA CHANSON FRANÇAISE."**

Juliette Gréco, sans le sou, commence son exploration de la vie de bohème et étudiante du quartier rive gauche de Saint-Germain-des-Prés, flirte un court moment avec les jeunesses communistes. En 1945, sa sœur et sa mère sont libérées. La famille semble à nouveau réunie en Dordogne, mais Mme Gréco s'engage dans la marine, part pour l'Indochine, abandonnant ses filles à leur sort. De retour de Dordogne, Gréco entreprend de "refaire son éducation" dans les bistrots de Saint-Germain. C'est au bar du Montana qu'elle croise pour la première fois Jean-Paul Sartre et Simone de Beauvoir, à la Rhumerie martiniquaise qu'elle rencontre Albert Camus et Maurice Merleau-Ponty. Elle partage une chambre d'hôtel avec Charlotte, vivant des mandats expédiés par sa mère, qui cesseront de lui parvenir quand sa sœur se marie. Elle collabore avec Jean Tardieu qui présente une émission de radio consacrée à la poésie, tard dans la nuit.

Scandaleuse. Elle s'essaie aux petits boulots mais on lui refuse les travaux de ménage. Elle s'installe alors dans un hôtel de la rue de Seine, la Louisiane, et rencontre le metteur en scène Michel de Ré, qui lui offre un rôle dans la pièce de Roger Vitrac *Victor ou les Enfants au pouvoir* (elle a dix-neuf ans, et tient le rôle d'une mère trentenaire). Un jour, une amie de Merleau-Ponty, Anne-Marie Cazalis, décide que Juliette Gréco sera célèbre. Cette dernière est l'une des inspiratrices du Tabou, une cave de la rue Dauphine fréquentée par l'avant-garde littéraire et artistique que la fin de la guerre et des privations euphorise. Boris Vian• y joue de la trompette, Jean Cocteau y passe, Miles Davis s'y plonge, et, bientôt, Juliette Gréco tient le rôle de *"chien méchant, surtout pas hôtesse ni affable"*. Cheveux longs, habillée de noir, et *"en garçon"*, dit la presse, elle forge son identité, se parant d'allures canailles et d'une autorité caressante qui la rendront célèbre.

Célèbre, elle le devient le 3 mai 1947, quand l'hebdomadaire *Samedi-Soir* publie sa photo en couverture : on la voit discutant avec le futur réalisateur de cinéma Roger Vadim à l'entrée du Tabou. L'article explique comment vivent les "troglodytes" de Saint-Germain et développe le concept d'*"existentialiste"* : *"Le mot est lâché, et comme un animal sauvage commence sa course folle à la recherche de sa véritable identité"*,

Photographiée par Robert Doisneau, Juliette Gréco en 1950, à l'époque de la Rose-Rouge.

écrit-elle dans *Jujube*. Puis c'est au tour de l'hebdomadaire *Dimanche-Soir* de livrer aux lecteurs une photo où Greco apparaît allongée aux côtés d'Anne-Marie Cazalis. Petit parfum de scandale, magnétisme personnel, amitiés solides : l'idée de la rébellion et de la liberté des mœurs selon Gréco est lancée. Après les années Travail, Famille, Patrie, après les horreurs de la guerre, la jeune génération veut désobéir. *"Je me demandais ce qu'était un existentialiste,* raconte le compositeur brésilien Caetano Veloso•. *Un ami m'a dit : "Un philosophe parisien qui fait tout, mais absolument tout ce qu'il veut." J'étais fasciné."*

Chanteuse. Mais Gréco ne se contentera jamais de n'être qu'"une personnalité". En 1949, un de ses amis, Marc Doelnitz, décide de rouvrir le célèbre cabaret le Bœuf sur le toit, créé en 1921 et repaire de Jean Cocteau. Anne-Marie Cazalis et Marc Doelnitz parviennent à la convaincre de chanter. Mais elle ne sait pas quoi. Sartre lui soumet plusieurs poèmes, parmi lesquels elle choisit “Si tu t’imagines” de Raymond Queneau et “l’Éternel féminin” de Jules Laforgue. Sartre lui offre “la Rue des Blancs-Manteaux” écrite pour *Huis clos,* mais jamais utilisée. Il lui présente son ami le compositeur Joseph Kosma•. Cinq jours plus tard, Juliette Gréco fait ses débuts officiels devant un public de choix (Sartre, Beauvoir, Cocteau, Camus, Marlon Brando).

Elle ajoute ensuite à son jeune répertoire “la Fourmi” de Robert Desnos et “les Feuilles mortes” de Prévert• (musiques de Kosma). Après un été passé à peaufiner son image sur la Côte d’Azur, elle est invitée à chanter à la Rose rouge, cabaret célèbre tenu par Nico Papatakis et où se produisent les Frères Jacques• ou le mime Marcel Marceau.

Son succès l’amène au Brésil pour trois mois, invitée par l’Office culturel français. Gréco se bâtit une stature d’artiste culte. Trop indépendante et trop littéraire, aux yeux des commentateurs, elle n’a pas encore franchi le cap du grand public. En 1951, elle enregistre son premier album, où figure “Je suis comme je suis”, une de ses chansons fétiches (Prévert/Kosma). En 1954, elle reçoit le grand prix de la Sacem pour “Je hais les dimanches” une chanson de Charles Aznavour•. À cette époque, l’existentialisme est en train de perdre son aura sulfureuse, et cesse de faire peur à la petite bourgeoisie bien-pensante. En 1952, elle débute à New York dans la revue *April In Paris* donnée au Waldorf Astoria. Puis elle entame une longue tournée en France, en vedette américaine de Robert Lamoureux. En 1954, elle passe pour la première fois à l’Olympia.

“THÉÂTRALE ET SOBRE EN MÊME TEMPS, JOUANT DES MAINS ET DU RIDEAU ROUGE, ELLE AFFIRME LA LIBERTÉ DE LA FEMME.”

Actrice. Tandis qu’elle chante, Juliette Gréco fait aussi du cinéma. On la voit en 1949 dans *Orphée* de Jean Cocteau (il lui avait confié le rôle d’Érinye), dans *Au royaume des cieux* de Julien Duvivier, dans *Sans laisser d’adresse* de Jean-Paul Le Chanois. Mais elle obtient son premier vrai rôle dans un film de Jean-Pierre Melville, *Quand tu liras cette lettre,* en 1954, aux côtés de l’acteur Philippe Lemaire, qu’elle épouse quelque temps plus tard et avec qui elle a une fille, Laurence-Marie, avant d’en divorcer en 1956. Gréco travaille beaucoup. Elle fait du théâtre (*Anastase,* de Marcelle Maurette), chante à la Villa d’Este, tourne *Éléna et les hommes* de Jean Renoir, avec Ingrid Bergman et Jean Marais (1955). Puis ce sera *le Châtelain du Liban* de Richard Pottier, et *l’Homme et l’Enfant,* de Raoul André.

Repartie à New York pour une nouvelle saison de *April In Paris,* elle y triomphe en interprétant Prévert et Kosma, mais aussi Françoise Sagan (“le Jour”, “Sans vous aimer”), Francis Blanche•, Charles Trenet•.

Alors que Guy Béart• lui compose des chansons, elle tourne aux côtés d’Ava Gardner *Le soleil se lève aussi,* de Henry King, produit par Darryl Zanuck, pilier du cinéma hollywoodien, qui veut en faire une star en lui offrant des rôles dans des films de qualité très inégale, dont *les Racines du ciel* de John Huston, en 1958, et *Drame dans un miroir* de Richard Fleischer, avec Orson Welles. L’aspect commercial des ambitions de celui qui est devenu son compagnon ne saurait satisfaire Juliette Gréco. La rupture est inévitable. Si on la revoit ensuite fréquemment au cinéma, notamment dans *la Nuit des généraux* d’Anatole Litvak (1960), ou dans *Lily aime-moi* de Maurice Dugowson (1975), c’est son rôle de schizophrène mystérieuse dans *Belphégor,* l’un des feuilletons les plus célèbres de la télévision française, diffusé à partir de 1965, qui fera d’elle une vedette populaire.

Durable. Un an après une tentative de suicide, en septembre 1965, elle épouse l’acteur Michel Piccoli. Elle renouvelle son répertoire de chansons. Guy Béart• (“Il n’y a plus d’après”), Gainsbourg (“l’Accordéon”, “la Javanaise”), Pierre Mac Orlan• (“le Pont du Nord”, “Tendres Promesses”). En 1961, elle passe à Bobino, l’année suivante à l’Olympia, et triomphe en 1966 avec Brassens au TNP. En 1968, alors que la France veut faire sa révolution, elle continue la sienne en chantant “Déshabillez-moi” (Nyel/Verlor). Elle ne passera à côté d’aucun des grands auteurs de cette deuxième moitié du siècle. Chanteurs – Ferré• (“Jolie Môme”), Brel• (“J’arrive”) –, poètes – Aragon, Desnos, Allais, Seghers, Eluard : théâtrale et somptueusement sobre, jouant des mains et du rideau rouge, silhouette pâle, frondeuse et têtue, affirmant la liberté du féminin, Juliette Gréco les a interprétés avec un art consommé du raffinement à la française. Grave et coquine, dramatique et langoureuse, rigoureuse à la manière d’Yvette Guilbert, exotique et dense.

Après avoir passé plus de trente ans chez Philips, Juliette Gréco rejoint le label Barclay en

1972, alors que, cinq ans après un concert mémorable donné à Berlin avec l'Orchestre philharmonique où 60 000 fans se pressent, et d'innombrables tournées mondiales, sa carrière semble s'étouffer en France.

Après un passage chez RCA Victor, puis chez Meys en 1982, elle a intégré dans les années quatre-vingt-dix le label Phonogram. Revenue à la scène à l'Espace Cardin en 1983, elle triomphe à l'Olympia en 1991. En 1993, elle confie la réalisation de son nouvel album à Étienne Roda-Gil•. Gérard Jouannest, les Brésiliens Caetano Veloso et João Bosco, et Julien Clerc• lui offrent des musiques soyeuses et perverses. Complice de la jeune génération (on l'a vue photographiée aux côtés du rapper M. C. Solaar•), Juliette Gréco n'a rien perdu de son insolence, sans complexes ni remords. Elle sort en 1998 l'album *Un jour d'été et quelques nuits,* avec des textes de Jean-Claude Carrière sur des musiques de son compagnon Gérard Jouannest et se produit au printemps 1999 sur la scène du Théâtre de l'Odéon. **V. M.**

◎ ***Je suis comme je suis,*** (2 CD, 1951-1972) Philips/Phonogram, 1991
◎ ***Juliette Gréco,*** Phonogram, 1993

GROSZ Pierre

Beauvais, 1944
AUTEUR

Il collabore avec des talents comme Gilbert Bécaud•, Michel Polnareff• et, surtout, Michel Jonasz•, pour qui il écrit : "Je voulais te dire que je t'attends" et "les Vacances au bord de la mer" (1975). Il a aussi comme interprètes Catherine Lara•, Michel Delpech•, Nicole Croisille•, Diane Dufresne•, Elsa•, Patricia Kaas• et bien d'autres. Diplômé de l'Institut des langues orientales, c'est un grand connaisseur de l'histoire de la chanson française.

Latin lover au sourire étincelant, Georges Guétary fut aussi un chanteur à voix, champion du "mezzo voce".

GUÉTARY Georges (Lambros Worloou, dit)

Alexandrie, Égypte, 1915
Mougins, Alpes-Maritimes, 1997
INTERPRÈTE

Issu de ces familles grecques de l'Empire ottoman, Lambros est envoyé en France pour suivre des études de commerce international. Il change bientôt de direction, étudie le chant avec Ninon Vallin, le piano et suit des cours de comédie. Chanteur dans l'orchestre de Jo Bouilon, boy au Casino de Paris aux côtés de Mistinguett• en 1937, il se réfugie pendant la guerre près de Saint-Jean-de-Luz et emprunte le nom d'un petit village basque. Engagé en 1943 dans l'orchestre de Frédo Gardoni, il rencontre Francis Lopez•, qui va lui composer son premier succès, "Robin des bois". Il devient alors, grâce à sa voix sucrée de ténorino et son art du "mezza voce", un des chanteurs d'opérette les plus populaires de France, via des spectacles comme *la Route fleurie, Pacifico,* ou *Monsieur Carnaval.* On le voit au cinéma dans un *Américain à Paris* (1951), aux côtés de Gene Kelly. Côté chanson, il impose plusieurs succès, d'abord dans le genre "latin lover", avec "Bambino" ou "Ciao ciao, Bambina", puis, l'âge venant, dans le registre "familial" avec "Papa aime maman".

Ses plus grands succès, Flarenasch
Étoiles de la chanson (compilation), Music Memoria

GUICHARD Daniel

Paris, 21 novembre 1948
AUTEUR, COMPOSITEUR, INTERPRÈTE

Fils du peuple, Daniel a toujours voulu être chanteur. Après avoir travaillé aux Halles et aux stocks chez Barclay, il signe son premier contrat d'artiste en 1966, en enregistrant du Bruant et des chansons musettes. Il chante alors, de sa voix grave et traînante au fort accent parisien, dans plusieurs cabarets de la capitale : l'Alcazar, Chez Patachou, Au Tire-Bouchon... En 1972, c'est son premier Olympia. Il s'y produira à nouveau en 1975, 1976, 1990 et 1991. Plusieurs de ses chansons sont depuis devenues des classiques : "la Tendresse" (musique de Patricia Carli•, 1972), "Faut pas pleurer comme ça" (musique de Christophe•, 1973), "Mon vieux" (musique de Jean Ferrat•, 1974)... Dans les années quatre-vingt-dix, il connaît une semi-retraite à Sauvian, petit village du sud de la France.

Daniel Guichard chante Édith Piaf, Disques Dreyfus, 1990
Retour, Disques Dreyfus, 1991
Faut pas pleurer comme ça (compil.), Polygram Master Serie, 1988

GUIDONI Jean

Toulon, 1952

Une quinzaine d'années qu'il dérange et empêche la chanson française de tourner en rond. Sur fond de tangos, de blues, de rock parfois, ou de mélodies simples comme les aime la variété, Jean Guidoni a fini par installer sur les planches un monde noir qui ressemble aux angoisses de ce siècle finissant. Depuis 1980 et *Je marche dans les villes,* sacré prix Charles-Cros, il chante la rue, sa faune, la solitude urbaine, l'homosexualité, les amours déchirées, jusqu'à rendre l'anormalité rassurante.

Le fard sans fards. Il exerce d'abord le métier de coiffeur dans les quartiers chauds de Marseille. Monté à Paris à vingt ans, il n'est qu'un pousseur de bluettes parmi d'autres. Tiré de l'anonymat par "le Têtard", sur un texte de Jacques Lanzmann•, il participe durant l'été 1977 à la tournée de Marie-Paule Belle• et de Serge Lama•. Le personnage qu'on lui impose est si peu en rapport avec ses aspirations qu'il songe à tout abandonner. Mais en novembre 1980, il apparaît au théâtre en Rond, visage fardé, vêtu de noir et c'est le succès. Signé par Polygram, il enregistre sur des tangos d'Astor Piazzolla *Crime passionnel* (1982), enchaîne avec *le Rouge et le rose* (1983). De disque en disque, Guidoni s'immerge un peu plus dans le sexe et la détresse de l'homme. En 1988, *Tigre de porcelaine,* son second prix Charles-Cros, a, cependant, la faveur des radios. Guidoni, qui écrit désormais la majorité de ses textes, se produit entouré seulement d'une danseuse et de deux pianistes. Depuis, il enchaîne les albums (dont le remarquable *Vertigo,* en 1995, sur des musiques de Michel Legrand•) sans parvenir vraiment à dépasser l'audience d'un cercle, relativement vaste, d'initiés. **J.-P. G.**

Je marche dans les villes (1980), Vogue
Tigre de porcelaine (1988), Vogue
Vertigo, Paradoxe/Polygram, 1995
Fenêtre sur cœur, Polygram, 1997
Le Haut Mur (2 CD réunissant **Crime passionnel, le Rouge et le rose, Putains**), Polygram

GUILBERT Yvette

Paris, 1867 - Aix-en-Provence, 1944
AUTEUR, INTERPRÈTE

Travaillant très tôt dans la couture, elle est remarquée par Edmond Stoullig, critique dramatique, qui lui fait donner des leçons de diction. Elle joue aux Bouffes-du-Nord en 1885, puis dans de nombreux théâtres parisiens et en tournée. Elle prend ainsi "de superbes leçons gratuites" auprès d'acteurs célèbres de l'époque, qui influenceront sa manière de chanter. En 1889, elle débute comme chanteuse au casino de Lyon puis à l'Eldorado, qu'elle quitte au bout de deux mois, en butte à l'indifférence, voire à l'hostilité du public.

Elle entre à l'Eden-Concert, où elle a l'idée d'une silhouette "unique et bon marché" : dame rousse, aux gants noirs, vêtue de satin vert. "La Pocharde", rimée par elle dans un moment de désespoir et mise en musique par Byrec, obtient enfin un succès, mais la di-

> "VÊTUE DE SATIN VERT, LA "DISEUSE FIN DE SIÈCLE" MIT SA DICTION IMPECCABLE AU SERVICE DES MEILLEURES CHANSONS."

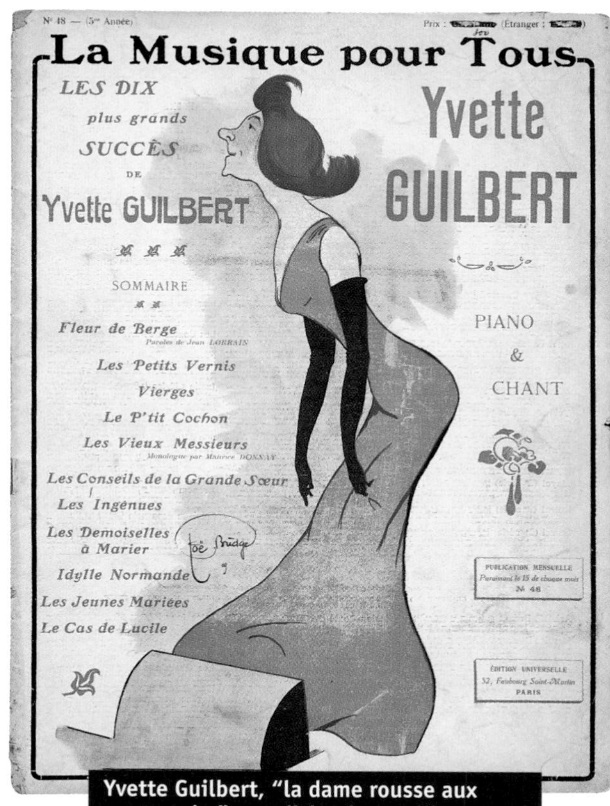

Yvette Guilbert, "la dame rousse aux gants noirs", est d'abord une silhouette, immortalisée par Toulouse-Lautrec.

rection refuse les chansons de Léon Xanrof•, dont "le Fiacre", qui, lui dit-on, "devait être réservé à la province", et qui, plus tard, contribuera à sa célébrité. Elle passe au Moulin-Rouge, que son ami le directeur Zidler vient de créer, mais où le concert n'est qu'accessoire, à côté du bal et du pétomane. Son tour de chant terminé, elle se rend au Divan japonais, d'où est partie sa véritable consécration artistique. Elle y gagne le surnom de "diseuse fin de siècle", et affine son style personnel "tragicocomique". Elle crée la chanson "les Vierges", dans laquelle les mots "osés" sont remplacés par des mots "toussés", ce qui accentue le caractère grivois de l'ensemble. Ce genre de répertoire, où l'on trouve également la fameuse "Madame Arthur" de Paul de Kock, lui apporte la gloire dans les cafés-concerts, les cercles littéraires, ainsi que dans ses tournées en Angleterre et en Amérique.

Toulouse-Lautrec, qui fait sa connaissance en 1894, compose un album de 16 planches sur elle et un projet d'affiche, qu'elle refuse. Son portrait au fusain, du musée d'Albi, est cependant l'une des plus belles réussites de Lautrec. En 1900, une maladie des reins astreint Yvette Guilbert à une intervention chirurgicale, qui sera renouvelée cinq fois. Enfin libérée de ses souffrances, elle aborde une seconde carrière, se consacrant à la renaissance des vieilles chansons françaises. Elle sait les choisir avec goût et les présenter avec intelligence, esprit et une diction impeccable, bien que certaines transcriptions ne soient pas toujours rigoureusement exactes.

◎ ***47 enregistrements originaux*** (1897-1934), Musidisc

GUSTIN Gérard

Cannes, 1930 - 1994
COMPOSITEUR, CHEF D'ORCHESTRE

Pianiste de jazz, il enregistre deux albums avec Stéphane Grappelli et un autre avec Chet Baker. Il rencontre Sacha Distel•, et, pendant dix ans, il collabore à la musique de plusieurs succès du chanteur, dont "Monsieur Cannibale" (1966), "l'Incendie à Rio" (1967). Gérard Gustin travaillera également pour Claude François• et Annie Cordy•.

H Arthur (Arthur Higelin, dit)

Paris, 1966

AUTEUR, COMPOSITEUR, INTERPRÈTE

Arthur H débute à la Vieille Grille en décembre 1988, avec le contrebassiste Brad Scott, auquel se joindra bientôt le batteur Paul Jothy. En 1990 paraît un premier album particulièrement bien accueilli par la critique (*Arthur H*). Un second suit en avril 1992, baptisé Bachibouzouk et dans lequel Arthur propose une ambiance swing et film noir. Aussi marginal que réussi, ce début de parcours est récompensé par une victoire de la musique. Des cuivres sont venus enrichir sur la scène le trio du départ. Arthur H a donné près de 500 concerts quand il se retrouve à l'Olympia en octobre 1993, spectacle restitué par un enregistrement live. Sur son piano, jazz, rock, tango, java swinguent sans complexe. On pense d'abord à Tom Waits pour l'ambiance et pour cette capacité à communiquer une émotion authentique. Mais Arthur H n'a pas besoin de modèles, tout juste de références qui vont de Prévert• à Gainsbourg•, certains punks• et puis Jacques Higelin•, son père. Il y a aussi Piaf•, Damia• ou Fréhel•, qu'il n'hésite pas à mettre à son répertoire. En 1996, avec l'assistance du contrebassiste Brad Scott et sur des arrangements de Joseph Racaille, il sort l'album *Trouble-fête,* parcouru de sons singuliers. **J.-P. G.**

- ***Arthur H,*** Polydor, 1990
- ***Bachibouzouk,*** Polydor, 1992

HALLYDAY
Johnny (Jean-Philippe Smet, dit)

Paris, 1943

AUTEUR, INTERPRÈTE

"Chanteur américain de culture française", disait la pochette de son premier 45 tours, sorti chez Vogue en mars 1960. En fait, c'est le contraire. Johnny Hallyday est typiquement, complètement un chanteur français de culture américaine. Typiquement : des traits à la James Dean sur un déhanchement à la Elvis Presley. Complètement : il symbolise à lui seul, en un répertoire d'environ 800 chansons, la France moderne de la seconde moitié du XXe siècle. France d'après-guerre, en mouvement, avec ses hauts et ses bas. Comme lui.

Animal obstiné, mythe vivant, servi par un physique de star et une voix de plus en plus puissante, Johnny Hallyday n'a jamais cessé d'être "là", s'adaptant à tous les airs du temps,

Johnny en 1960, l'année de ses premiers 45 tours.

à tous les "la" des airs à la mode. Le petit Smet a eu la chance de sa malchance : être recueilli par sa tante, suite à la séparation précipitée de ses parents. Hélène Mar, la sœur aînée de son père, est danseuse et fréquente le monde du spectacle avec ses deux filles, Desta et Menen. Tous les quatre, ils se retrouvent en 1949, à Londres, où Desta rencontre Lemone Ketchan, qui deviendra Lee Halliday, nom d'artiste inspiré par celui du médecin de sa famille : Halladay. Les dés sont jetés. Jean-Philippe prend des cours de danse, apprend à jouer de la guitare et participe petit à petit au show familial. Il monte sur les planches, interprète du Brassens• et des chansons de cow-boy, style "Davy Crockett". On lui déniche aussi des petits rôles dans des films publicitaires (la Samaritaine) ou dans *les Diaboliques* d'Henri-Georges Clouzot (scènes coupées au montage).

Bizarre. Il ne fréquente pas beaucoup l'école, mais sa passion est ailleurs. La découverte du rock'n'roll, via le film *Loving You,* avec Elvis Presley, se charge du reste. Il se fait alors appeler Johnny par ses copains de la bande du square de La Trinité ainsi qu'au Golf Drouot, lieu de rendez-vous des premiers amateurs de rock en France. Lee Halliday lui offre bientôt une guitare électrique. Flanqué d'un bassiste et d'un batteur, Johnny monte un premier tour de chant qu'il rode à l'Astor, cabaret où siège le fan-club de Paul Anka, et connaît deux bides successifs, l'un à l'Orée du Bois (dans le très chic bois de Boulogne), l'autre au Robinson-Moulin-Rouge (devenu depuis la Locomotive). Presque découragé, il retrouve l'énergie en chantant devant les GI des bases américaines stationnées autour de la capitale. "Stage intensif" qui lui fait gagner cette fois la partie au même Robinson-Moulin Rouge, en 1959, et lui vaut de passer, le 30 décembre, à l'émission de radio "Paris Cocktail", avec Colette Renard• au programme. Étrange cohabitation qui va lui porter chance, là encore : les paroliers de la chanteuse, Jil et Jan, le remarquent et le présentent à Jacques Wolfsohn, directeur artistique des disques Vogue. Son premier 45 tours, sous le nom de Johnny Hallyday, avec deux "y" en raison d'une coquille et qui va lui rester ainsi, sort le 14 mars 1960. Il contient, notamment, "Laisse les filles" et "T'aimer follement", rocks "à la française" particulièrement indigents, côté paroles, musique et accompagnement. Le 3 juin, un deuxième simple sort, avec Souvenirs, souvenirs, titre original mieux conçu, qui fait aussitôt un tabac. C'est le premier tube de Johnny. Le premier d'une longue liste…

> " ANIMAL OBSTINÉ, MYTHE VIVANT, SERVI PAR UN PHYSIQUE DE STAR ET UNE VOIX DE PLUS EN PLUS PUISSANTE "

Première télévision aussi : parrainé par Line Renaud• dans "l'École des vedettes", le grand garçon paraît bien timide pour un rocker… Mais à l'Alhambra, en première partie du spectacle de Raymond Devos, il se déchaîne sur scène, face à un parterre de marbre et à des balcons en folie. En dix minutes et trois chansons, un phénomène est né. Phénomène vocal et scénique. Johnny, qui n'a pas encore dix-huit ans ni sa voix définitive, chante avec une sorte de hoquet. Les jeunes spectateurs sont électrisés. Et quand il se roule par terre, la tension est à son comble.

Pour le premier festival de rock au Palais des Sports, en février 1961, ils sont des milliers à venir l'entendre hurler "Tutti frutti", morceau sulfureux de Little Richard. Bien des années plus tard, Johnny reconnaîtra que ses premiers disques étaient plutôt "bizarres" et qu'il chantait "très faux". Ce qui est juste…

Limite. En fait, cette période chez Vogue est un faux départ de Johnny Hallyday dans sa vie de rocker. Un prologue raté dans lequel, toutefois, la suite de son histoire s'annonce clairement. Il y a déjà dans ces balbutiements tout Johnny, ou presque, cette façon d'occuper la scène, de mettre le feu aux mots… Tout comme cette capacité à faire des concessions sans qu'elles passent pour des trahisons. Ainsi, des chansons ridicules comme "Itsy Bitsy petit bikini" (chantée aussi par Dalida•) ou à la limite du grotesque comme "Kili Watch" préfigurent déjà ces détours imprévisibles que l'idole ne cessera, plus tard, d'imposer à ses fans. Toujours est-il que Johnny rompt avec Vogue à l'été 1961. Philips lui fait de l'œil depuis un moment, lui promettant les musiciens de qualité que Vogue lui refuse. Ce qui ne se refuse pas…

Signature chez Philips, donc. Et nouveau manager, qui a pour nom Johnny Stark. Tout change alors. Johnny apprend à travailler sa voix et se voit offrir la possibilité d'enregistrer à Londres. La différence est immédiate : Johnny chante mieux, s'aventure davantage dans les graves et développe une rage nouvelle dans les aigus. Quant à l'orchestre, il est assez bon pour le faire passer, en deux super-45 tours, dans la cour des grands. "Nous

Hallyday 98 : il "met le feu" au Stade de France archicomble.

quand on s'embrasse" est du pur rock'n'roll, inspiré du "High School Confidential" de Jerry Lee Lewis, tandis que "Il faut saisir sa chance" est une composition originale de Georges Garvarentz•, beau-frère de Charles Aznavour•. "Viens danser le twist", en versions française et anglaise, d'après "Let's Twist Again" de Chubby Checker, sera son premier disque d'or et fera vibrer son premier Olympia, où, du 20 septembre au 9 octobre 1961, il se montre, en smoking bleu nuit, sous une lumière nouvelle : celle d'un rocker avec du métier. Le cinéma s'intéresse à lui et, dans le film *les Parisiennes,* il chante "Retiens la nuit" (un très beau slow signé Aznavour-Garvarentz) à la toute jeune Catherine Deneuve. Deux stars (et une courte idylle) sont en train de naître.

> " CETTE MANIÈRE SYSTÉMATIQUE DE BROUILLER LES PISTES EN EMPRUNTANT CELLES QUE LUI INDIQUENT LES VENTS PORTEURS "

À partir de 1962, les succès vont se succéder. Du 17 au 20 février, Johnny enregistre à Nashville des "vieux" rocks américains, dont "I Got A Woman" de Ray Charles, "Blueberry Hill" de Fats Domino, "Be Bop A Lula" de Gene Vincent et, bien sûr, "Hound Dog" d'Elvis. En juin, le premier numéro de Salut les copains lui consacre sa couverture et publie, à l'intérieur, une lettre à Johnny que les lecteurs retrouveront chaque mois. La tournée d'été est émaillée de nombreux incidents et bagarres, rançons de sa nouvelle gloire rock'n'roll auprès des "blousons noirs", mauvais garçons de l'époque. À la rentrée, "Pas cette chanson" puis "l'Idole des jeunes" ne sont pas seulement des adaptations de succès américains ("Don't Play That Song" de Ben E. King et "Teenage Idol" de Ricky Nelson) mais la mise en avant des thèmes de prédilection de Johnny : le rejet du passé (il n'a pas eu de parents), la défaite en amour (le rêve impossible d'une famille), la solitude de la star. "La Bagarre" d'après "Trouble" de Presley, chantée sur une chorégraphie musclée lors de son deuxième Olympia en octobre-novembre 1962, est une manière de régler leur compte à ces blessures secrètes. Johnny, si on le "cherche", on ne le trouve jamais là où on le croit… Il est peut-être "né dans la rue", cela ne l'empêche pas d'être reçu par le général de Gaulle pour l'arbre de Noël de l'Élysée. Johnny chez de Gaulle, c'est un avant-goût du Johnny le tatoué qui portera la cravate au balcon de la mairie de Neuilly, en mars 1996, pour son cinquième mariage !

Adapter, s'adapter.
"C'est très facile, pour moi, de m'adapter. Je me sens aussi bien à l'aise en smoking qu'en jean et blouson noir", confiera-t-il dans le livret accompagnant la sortie de son intégrale discographique en 1993, l'année de ses cinquante ans, l'année de son étonnant Parc des Princes (spectacle Retiens ta nuit : 3 soirs en juin réunissant 180 000 personnes). Cet aveu lucide et tranquille, cette façon de reconnaître les inévitables complaisances, voire les contradictions, qui ont ponctué sa longue carrière, est à porter au crédit de celui qu'on a souvent pris pour un semi-idiot. Non, Johnny n'est pas dupe.

Certes, on peut lui reprocher d'avoir épousé encore plus de modes que de femmes, il en convient lui-même. Mais sa vie privée ne regarde que lui (…enfin presque). Quant aux modes, elles l'ont aidé à négocier les virages, quand il le fallait. Le rocker motard a su poursuivre sa route.

D'où viens-tu Johnny ?, film de Noel Howard qu'il tourne en juin 1963 avec Sylvie Vartan•, était aussi, déjà, la bonne question. Toujours sans réponse. Il peut chanter "Da doo ron ron", ce qui ne veut rien dire, attirer 150 000 jeunes dans la nuit du 21 au 22 juin, place de la Nation, ce qui préfigure beaucoup, et interpréter "la Marseillaise", le 14 juillet, lors d'un gala à Trouville, ce qui scandalise les anciens combattants et trouble le général lui-même. "Pour moi la vie va commencer", fait-il savoir dans une autre chanson en forme de bonne résolution, avant de s'écrier "Excuse-moi part'naire", fin 1963. Insaisissable… Cherchez l'idole est le titre d'un autre film, qui, à son tour, au printemps 1964, illustre bien les multiples facettes du chanteur. Lequel, le 8 mai de la même année, part sagement faire son service militaire en Allemagne – comme Elvis – et se marie l'année suivante, le 12 avril 1965, à la mairie de Loconville (Oise). Avec Sylvie Vartan. Entre ces deux événements, l'armée et le mariage, il a enregistré "le Pénitencier" d'après les Animals. Johnny se sent-il en prison ? Insaisissable… Cette manière systématique de brouiller les pistes en empruntant celles que les vents porteurs lui montrent du doigt, Johnny n'en changera jamais, quitte à se travestir, quitte à en souffrir.

En réplique aux "Élucubrations" d'Antoine•, qui le met en boîte (" en cage à Médrano"), il se

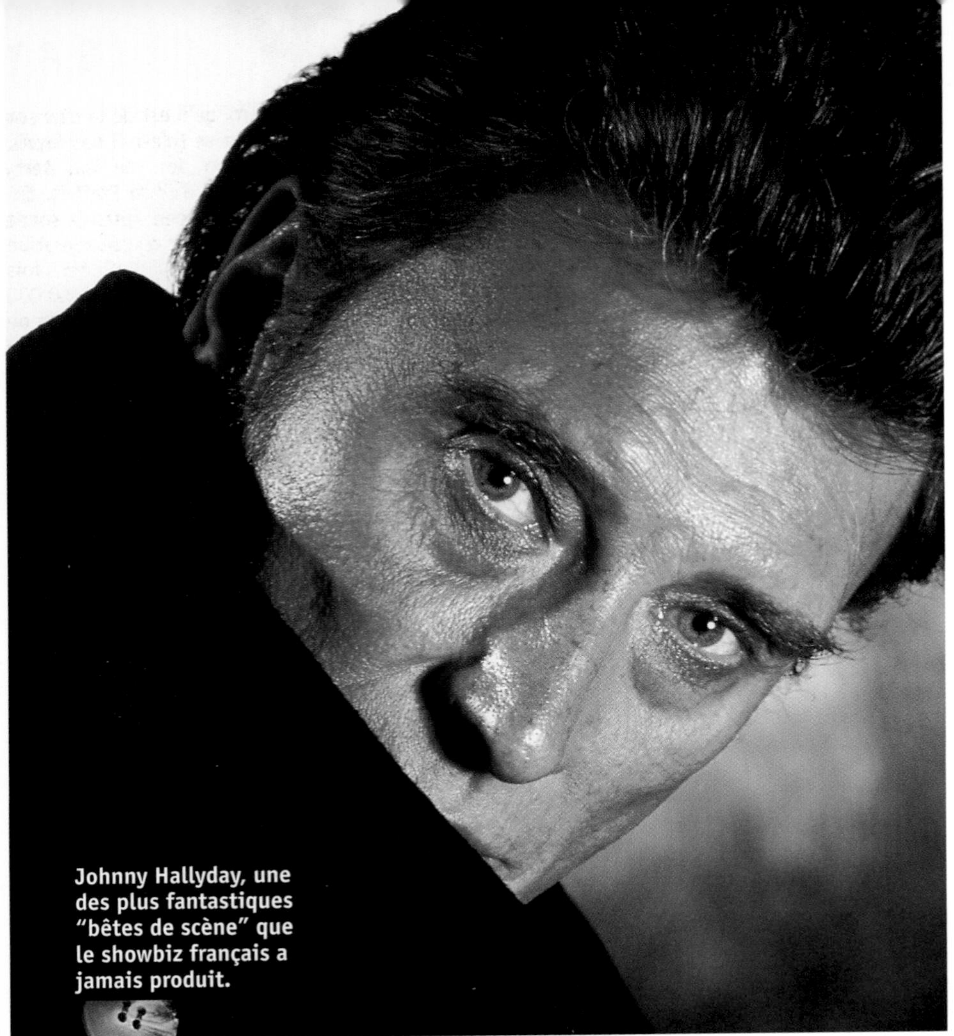

Johnny Hallyday, une des plus fantastiques "bêtes de scène" que le showbiz français a jamais produit.

moque, en mai 1966, des beatniks iconoclastes. Cheveux longs, idées courtes est balancée comme un poing dans la figure, ultime argument du rocker frenchie face à la montée des hippies issus des classes moyennes. Pourtant, Johnny se sent à côté de la plaque.

Quelque chose lui échappe. Les temps changent, sans lui. Déprimé, en quête d'un nouveau souffle, il tente de se suicider, le 10 septembre 1966, en se tailladant les veines du poignet droit. "Noir c'est noir" (reprise du "Black Is Black" des Espagnols de Los Lobos) exprime cet état d'esprit, sur l'album Génération perdue, qui va bien marcher et lui permettre de recoller au peloton de tête. "Quand j'ai fait ce disque, expliquera-t-il, c'était l'époque où j'écoutais Dylan tout le temps" Cheveux longs, idées courtes ? Peu importe. Il en sera ainsi chaque fois que se dessineront des nouvelles tendances. Il rencontre Otis Redding au Marquee Club à Londres et, dans la discothèque voisine, repère un guitariste américain encore inconnu, Jimi Hendrix, qu'il engage aussitôt pour sa nouvelle tournée. De ces nouvelles influences vont naître de nouveaux titres clés : "Hey Joe" (Hendrix), après "les Coups" (influence rhythm'n'blues) et avant "San Francisco" (influence hippie). Johnny adapte et s'adapte. Tant bien que mal. "San Francisco", hymne à la non-violence, colle mal à l'image du rocker aimant la "bagarre" et les "coups". Johnny avouera plus tard sa "faiblesse" à propos de la reprise de ce tube à fleurs venu de Californie.

Il survit aussi à la grande vague de mai 1968, malgré un grave accident de la route avec Sylvie dans une DS 21. L'idole n'a pas perdu pour autant le contrôle de "sa" route et il se glisse, lentement mais sûrement, dans le courant, contestataire et utopiste, des années soixante-dix. Il va alors chanter "Jésus-Christ", sur un texte du journaliste-écrivain Philippe Labro, puis "Hamlet" en 1976. Cela ne l'empêche nullement de prendre le train des années quatre-vingt et de s'exhiber en Mad Max, en septembre 1982, dans un show intitulé "le Survivant", au Palais des Sports de Paris.

Protéiforme. Johnny a survécu à tout, porté par des succès aussi incontournables que divers. Des rocks : "Oh ! Ma jolie Sarah" (1971), "Je suis né dans la rue" (1971), "Gabrielle" (1976), "le Bon Vieux Temps du rock'n'roll" (1979). Des blues : "Je suis seul" (1967), "la Musique que j'aime" (1973), "Ma gueule" (1979). Des slows : "Que je t'aime" (1969), "J'ai un problème" (avec Sylvie Vartan, 1973), "Requiem pour un fou" (1976). Des ballades : "Joe, la ville et moi" (1972), "J'ai oublié de vivre" (1978).

Autant de tubes qui, pourtant, ne constituent pas encore le "meilleur" de sa musique. Contre toute attente, le milieu des années quatre-vingt va nous révéler un Johnny capable tout à la fois de chanter Michel Berger•, d'être dirigé par Jean-Luc Godard et de se laisser porter par les mots de Jean-Jacques Goldman•. Un Johnny Hallyday (alors marié avec la cérébrale comédienne Nathalie Baye) soudain affiné, dégraissé, bien dans sa peau de rocker vieillissant.

Michel Berger lui écrit, en 1985, un album empreint d'une "rock'n'roll attitude" assez éloignée des réflexes habituels de la star. Dans "le Chanteur abandonné" et, surtout, dans "Quelque chose de Tennessee" (hommage à Tennessee Williams), Johnny surprend à nouveau, capable de se fondre dans un style qui n'est pas vraiment le sien, plus délicat, plus littéraire. Même chose avec Jean-Luc Godard, cinéaste réputé difficile, auquel il livre dans Détective (1985) un talent de comédien que, il faut bien le dire, ses pochades des années soixante n'avaient pas permis de révéler. Même chose, enfin, avec Jean-Jacques Goldman, personnalité complexe et émérite du show-biz français, qui lui offre en 1986 quelques perles comme "Laura" et "Je te promets". À chaque fois, Johnny tient le pari qui lui est proposé.

En 1996, trois ans après son triomphe du Parc, l'homme aux 100 millions de disques vendus s'en va chanter à Las Vegas. Comme le "King", ou, plutôt, comme le roi qu'il est de la chanson rock d'expression française (n'a-t-il pas repris, d'ailleurs, de belle façon, lors de son Bercy 1995, "l'Hymne à l'amour" d'Édith Piaf• ?). Encore roi, à l'automne 1998 peu après la sortie de l'album *Ce que je sais* (écrit en collaboration avec Pascal Obispo•), quand il remplit trois fois de suite le nouveau Stade de France (80 000 places) pour des concerts mémorables. King ou roi, à Las Vegas, Johnny Hallyday est plus que jamais un chanteur français de culture américaine… **M. A.**

- ***Les Grands Moments de l'Olympia,*** 1962, Polygram
- ***Meets The Rattles*** (en allemand, 1964), Média 7
- ***Souvenirs… souvenirs*** (compil. 1961-1982), Vogue/BMG
- ***Hallyday Story*** (4 CD, 1961-1985), Polygram
- ***Rock'n'roll attitude,*** Philips/Polygram, 1985
- ***Ça ne change pas un homme,*** Phonogram, 1991
- ***Parc des Princes,*** Phonogram, 1993
- ***Rough Town*** (en anglais), Phonogram, 1994

HARDY Françoise

Paris, 1944

AUTEUR, COMPOSITEUR, INTERPRÈTE

L'histoire commence avec une lycéenne comme les autres, qui se fait offrir une guitare après l'obtention de ses baccalauréats. Françoise va bientôt abandonner ses études d'allemand pour la chanson. Élève assidue du Petit Conservatoire de Mireille• pendant deux ans, elle passe avec succès une audition pour le label Vogue. Le super 45 tours "Oh oh, chéri" sort en 1962. Mais c'est "Tous les garçons et les filles", titre figurant sur la face B, qui est remarqué (plus tard, il sera promotionné par un scopitone – l'ancêtre des clips – signé Claude Lelouch). Le disque, vendu à deux millions d'exemplaires, est n° 1 dans toute l'Europe. Son succès foudroyant doit beaucoup aux prestations télévisées de Françoise, qui rejoint la cohorte des chanteurs yé-yé, juste au moment où est publié le premier numéro du magazine *Salut les copains.*

Sophistiquée et populaire. En 1963, Françoise, poussée par son compagnon d'alors, le photographe du show-biz français, Jean-Marie Périer, va se laisser tenter par le grand écran. On la voit au cinéma dans *Château en Suède* sous la direction de Roger Vadim, puis dans Une balle au cœur (1965), dans *Grand Prix* (1966) et, pour quelques apparitions, dans *Masculin-Féminin* de Godard et dans *What's New Pussycat ?*

Françoise intéresse la mode, qui lui fait porter les tenues en métal de Paco Rabanne, les compositions géométriques de Courrèges (qui semblent faites pour elle) et, bien sûr, la mini-jupe de Mary Quant. Pendant cette période frénétique, outre "Tous les garçons...", les tubes – twists ou ballades – se suivent : "le Temps de l'amour" (écrit par Dutronc pour les Fantômes), "J'suis d'accord", "Je veux qu'il revienne", "Mon meilleur ami", "C'est à l'amour auquel je pense", "Mon amie la rose", "Ma jeunesse fout l'camp" (signée Guy Bontempelli•), "le Premier Bonheur du jour", "l'Amitié", "Des ronds dans l'eau" (de Pierre Barouh• et Francis Lai•), etc. Ils dessinent le portrait d'une artiste plutôt cérébrale et mélancolique, mais en même temps réellement populaire et capable d'adopter plusieurs styles. En 1966, Françoise enregistre à Londres avec, notamment, John Paul Jones (futur Led Zeppelin), Mick Jones, Tommy Brown, et sort plusieurs titres en anglais. Cette année-là, elle rompt avec Périer et devient la compagne de Jacques Dutronc•. En 1968, Serge Gainsbourg lui donne "l'Anamour", "Comment te dire adieu", et l'écrivain Patrick Modiano lui écrit "Étonnez-moi Benoît".

> "UNE ARTISTE PLUTÔT CÉRÉBRALE ET MÉLANCOLIQUE, MAIS EN MÊME TEMPS RÉELLEMENT POPULAIRE ET CAPABLE D'ADOPTER PLUSIEURS STYLES"

L'année 1970 constitue un tournant. Françoise a arrêté de se produire sur scène depuis deux ans, et enregistre à nouveau en France avec de jeunes confrères, faisant preuve de plus en plus d'ambition artistique. On l'entend en duo avec la brésilienne Tuca, et avec Patrick Dewaere pour "T'es pas poli". En 1973, elle donne naissance à Thomas (né le 16 juin et qu'on entendra vingt-deux ans plus tard sur le disque de son père, Jacques Dutronc).

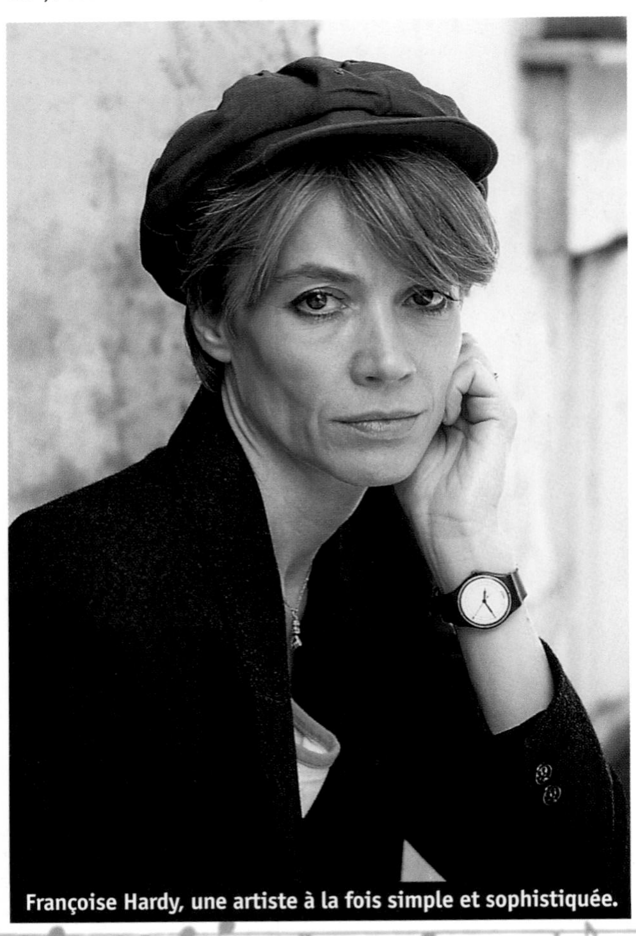
Françoise Hardy, une artiste à la fois simple et sophistiquée.

Elle s'assure la collaboration de Michel Berger•, qui lui écrit "Message personnel", et travaille ensuite avec Hugues de Courson (ex-Malicorne•) et Jean-Michel Jarre. De 1977 à 1982, ce seront les années funky sous la houlette de Gabriel Yared. Une tendance approfondie grâce à la complicité de Michel Jonasz•. "J'écoute de la musique saoule", "Brouillard dans la rue Corvisart" (duo avec Dutronc) sont des tubes en 1978, suivis de "Jazzy rétro Satanas" (1980), "Tamalou" (1981), "Tirez pas sur l'ambulance" (1982). Entre-temps, Louis Chédid• et Jean-Claude Vannier• sont venus renforcer l'équipe de Françoise. Après "Moi vouloir toi" (1983), elle se consacre de plus en plus à l'astrologie, une passion qu'elle prend très au sérieux, au point d'écrire et d'animer des émissions de radio sur RMC sur la question. En 1988, elle décide de se retirer de l'industrie du spectacle après un dernier LP (*Décalages*) afin d'écrire pour qui lui plaît (Julien Clerc• et nombre de débutants). Mais son départ est heureusement remis en cause, puisque Françoise revient sur sa décision en 1996 en sortant l'album *le Danger* (Virgin), sur des musiques de Rodolphe Burger (du groupe Kat Onoma) et Alain Lubrano.

Inoubliable. Pendant les années quatre-vingt, bon nombre de ses chansons ont été reprises des deux côtés de la Manche : "Tous les garçons et les filles" par Eurythmics, "Je veux qu'il revienne" par Stinky Toys, "Comment te dire adieu" par Jimmy Sommerville, "Et si je m'en vais avant toi" par Étienne Daho•, qui lui consacre, avec Jérôme Soligny, une biographie fervente (*Superstar et ermite,* Jacques Grancher, 1986).

Les Britanniques demeurent toujours fous d'elle. Malcolm McLaren la convie à participer à son disque *Paris Paris* en 1994, tandis que le groupe phare Blur lui demande un titre (" To The End", 1995).

Dès ses débuts, Françoise Hardy a choisi de pratiquer un style empreint de douceur. Dans un premier temps, ses chansons sont dotées d'une production minimale (qu'elle abhorre), puis elles se sophistiquent durant sa période londonienne, de loin la plus intéressante. Échappant aux modes, elle est l'une des pièces maîtresses de la chanson hexagonale, mais aussi un modèle de pop à la française. **M. D.**

- ***In Vogue*** (vol. 1 et 2, 1962-1972), Vogue/BMG
- ***Blues 1962-1993*** (compil.), Vogue/BMG
- ***Jazzy rétro Satanas*** (compil. 1977-1980), Pathé-Marconi/EMI
- ***Décalages,*** Flarenasch, 1988
- ***Le Danger,*** Virgin, 1996

HENRY Pierre

Boulogne-sur-Seine, 1944
ÉDITEUR

Après une formation juridique, il entre chez Pathé-Marconi (futur EMI), où il va s'imposer comme l'un des meilleurs spécialistes du droit de la chanson. Président du Comité national de la musique, il cumule d'importantes fonctions à la SACEM et au Syndicat des éditeurs de musique.

HESS Johnny

Engellery, Suisse, 1915 - Paris, 1983
AUTEUR, COMPOSITEUR, INTERPRÈTE

Tout en continuant des études à l'École supérieure de commerce à Paris, Johnny Hess est pianiste au College Inn, cabaret dans le vent à Montparnasse. Il y rencontre Charles Trenet• et ils montent en 1934 un numéro de duettistes swing, Charles et Johnny. Leur première chanson "Sur le Yang Tsé Kiang" est un succès. Puis vient le triomphe international de "Vous qui passez sans me voir" créée par Jean Sablon•. Leur collaboration durera jusqu'en 1937. Hess crée ensuite un cabaret (le Jimmy's, rue Huygens) où passent des artistes comme Henri Salvador•. J. Hess chante seul, enregistre 200 disques et continue d'écrire (plus de 600 chansons). Il a composé de nombreux succès : "Rendez vous sous la pluie" (paroles de C. Trenet), "Je suis swing" (paroles d'André Hornez•, 1938), "J'ai sauté la barrière" (paroles de Maurice Vandair•, 1938), "Ils sont zazous" (paroles de M. Martelier, 1943). À la Libération, l'arrivée du style be-bop éclipse le genre swing et la carrière de Johnny Hess s'arrête bientôt.

- ***Compilation,*** Music Memoria
- ***Trenet et Hess,*** Music Memoria

HEYRAL Marc (Marius Herschkovitch, dit)

Levallois-Perret, 1920 - Paris, 1989
COMPOSITEUR

Né de parents russes immigrés en France, il rencontre en 1948 Eddy Marnay• avec qui il compose ses premières chansons, dont "Paris s'éveille", chantée par Renée Lebas•. Deux ans plus tard, il remporte le concours de Deauville avec "Monsieur le consul à Curitiba", interprétée par Francis Linel•. Il travaille ensuite pour plusieurs artistes, dont Yves Montand• ("Premier Pas" et "Mon pote le gitan", 1954) et Félix Marten• ("la Marie Vison", 1956).

HIEGEL Pierre

Paris, 1913-1980
AUTEUR, INTERPRÈTE, MUSICOLOGUE

Enfant de Belleville, il doit sa prodigieuse culture musicale à ses nuits studieuses, alors que, le jour, il est apprenti bijoutier. Dans les années quarante, il est le grand animateur des concerts classiques de Radio Paris, tout en écrivant des chansons pour Lucienne Delyle• ("le Refrain sauvage", "J'ai chanté sur ma peine") et André Claveau• ("le Coffre aux souvenirs"). À la Libération, il fonde avec André-Paul Antoine la maison de disques Pacific, exerce ses qualités de musicologue à Radio-Luxembourg et écrit pour Line Renaud• ("Tes yeux bleus", 1950). Devenu, en 1951, directeur artistique de Pathé-Marconi, il découvre et lance Marie-José Neuville•. Il est également à l'origine de la carrière de Mathé Altéry et de Barbara•, qui lui avait confié le choix de ses enregistrements. Les dernières années de sa vie, il revient à RTL.

HIGELIN Jacques

Brou-sur-Chantereine, Seine-et-Marne, 1940
AUTEUR, COMPOSITEUR, INTERPRÈTE

Issu d'une famille modeste, Jacques Higelin est poussé par son père vers le monde du spectacle. Enfant, il chante des chansons de Trenet• dans les cinémas, au cours de ces fameux entractes music-hall aujourd'hui disparus. Adolescent, il apprend la cascade, et, passant audition sur audition, décroche un contrat de figurant pour l'opérette Nouvelle Orléans. Jeune homme, il apprend la musique et suit l'enseignement théâtral du cours Simon. Higelin tourne dans un premier film (*Le bonheur est pour demain* d'Henri Fabiani), suivi d'autres tels que le très joyeux *Bébert et l'omnibus* d'Yves Robert. Il fait également du théâtre, mis en scène par Michel Vitold. Comme nombre de jeunes artistes des années soixante-soixante dix, Higelin sympathise avec les mouvements de gauche, même s'il demeure un poète sans étiquette.

La guerre d'Algérie, à laquelle il participe comme appelé, le marque très profondément. De cette expérience, il tirera un livre, recueil de sa correspondance épistolaire avec sa fiancée, publié chez Grasset en 1987 (*Lettres d'amour d'un soldat de vingt ans,* réédité en Livre de poche). Démobilisé, il refait du théâtre, dans les salles spécialisées dans la comédie boulevardière, expérience qui le déçoit, mais aussi au sein de la troupe de Marc'O, une occasion de se lier d'amitié avec les comédiens Bulle Ogier, Jean-Pierre Kalfon, Pierre Clémenti, Valérie Lagrange. Peu à peu, Higelin entre dans un univers théâtral ambitieux, courant d'une banlieue à l'autre pour défendre des textes de valeur. Mais cela ne lui suffit pas. Le jeune artiste épanche son trop-plein de fantaisie et de créativité dans les petites salles de l'underground parisien. C'est le début de la grande époque du café-théâtre. Higelin joue des sketches, improvise des situations à la manière des avant-gardistes du moment. Et chante.

En marge. En 1965, il est devenu l'un des piliers de la jeune chanson parisienne, mi-rive gauche, mi beatnik. Un temps, il accompagne Georges Moustaki• et, sous l'égide de Jacques Canetti•, se produit dans le cabaret les Trois Baudets, pour un récital Boris Vian•. On le voit aussi dans *"Maman j'ai peur,"* un spectacle à la Vieille Grille, avec Rufus et Brigitte Fontaine•. La rencontre avec celle-ci est capitale. Il en résulte d'abord deux albums, 12 chansons d'avant le déluge, suivi de 15 chansons d'avant le déluge... En 1968, "Cet enfant que je t'avais fait", duo Higelin-Fontaine, atteint enfin le grand public. Brigitte et Jacques bénéficient du renfort d'Areski Belkacem (compagnon de Brigitte) et un trio hors du commun se forme pour le spectacle Niok. En 1969, les trois amis rejoignent la bande de Pierre Barouh•, chanteur et directeur du nouveau label Saravah. Au sein de cette confrérie, Higelin se révèle être un auteur-compositeur épris d'ouverture musicale et un délirant vocaliste. En 1971, Jacques sort en solo *Crabouif,* un album culte, avec "Je suis mort qui qui dit mieux", "I Love The Queen", "Tiens j'ai dit tiens", qui sont des tubes underground. Puis Higelin disparaît à bord d'un camion pendant deux ans, afin de faire le point.

En 1974, il ressurgit avec *BBH 75,* un album délibérément rock. Fini l'acoustique et les ambiances baba rustique, place à l'électricité urbaine. Dans ces années-là, pourtant, hormis une poignée de résistants et les parodiques Au bonheur des dames•, rares sont ceux qui misent sur le rock made in France. Grâce à son guitariste Simon Boissezon, Higelin réussit cependant a transmettre son surcroît d'énergie avec toute la crédibilité rock nécessaire. "Cigarette", "Mona Lisa Klaxon", "Est-ce que ma guitare est un fusil ?", "Paris - New York, New York - Paris" deviennent immédiatement des standards. Higelin commence alors une carrière de showman rock en animant les premières parties de vedettes anglo-saxonnes tels que les Sparks ou Sly And

> "POÈTE INTÉGRAL, LIBRE COMME L'AIR, HIGELIN EST SANS CONTESTE LE FILS SPIRITUEL DE CHARLES TRENET."

Vedette de tant de concerts-marathons, Jacques Higelin a connu plus d'une loge d'artistes.

The Family Stone. Définitivement bête de scène, il rallie à lui un auditoire parisien de plus en plus important au cours de concerts interminables – au grand plaisir des spectateurs –, donnés souvent au profit d'associations, de journaux et de partis de gauche, et de tournées nationales qui vont jouer un grand rôle dans son acceptation par un large public jeune. Confirmation de cette nouvelle orientation, *Irradié* (album sorti en 1975) est enregistré avec Louis Bertignac•.

Jamais la routine. Comme à chaque moment crucial de sa carrière, Higelin se lasse du train-train, si dynamique soit-il. Curieusement, alors qu'il se met au diapason du punk-rock en donnant des concerts furieux et carrés, ses disques reviennent à plus de douceur et de variété. Les thèmes abordés et les formes musicales changent d'un titre à l'autre. *Alertez les bébés* (1976), *No Man's Land* (1977, avec le tube "Pars", repris plus tard par Grace Jones), le couple de LP *Champagne pour tout le monde, Caviar pour les autres* (1979, en partie enregistrés à La Nouvelle-Orléans) installent Higelin dans un registre "chanson de qualité" reconnu de tous, avec des titres comme "Géant Jones", "Je veux cette fille", "la Rousse au chocolat", "Banlieue Boogie Blues", "L. comme beauté", "l'Attentat à la pudeur", "Champagne", etc. S'il ne vend pas beaucoup de simples, ses 33 tours s'écoulent par milliers. D'innombrables spectacles enregistrés et publiés sous forme de disques en public suivent. Ce sont de longs résumés dans lesquels Higelin déborde de lyrisme, ou d'emphase, selon les points de vue.

À partir de 1979, ses shows multicolores attirent les foules au pavillon Baltard, à Mogador, au Casino de Paris, au cirque d'Hiver ("Jacques Joseph Victor dort"), au Rex mais, nettement moins, à Bercy, où le grand Jacques semble avoir eu les yeux plus gros que le ventre. Financièrement parlant, c'est une déroute. Pourtant, durant ce spectacle, fidèle à son flair, qui sent la montée de la world music, il offre un tremplin aux Africains Youssou N'Dour et Mory Kanté, futures stars internationales.

Épuisé, Higelin ? Sa production discographique du début des années quatre-vingt est ressentie comme moins pertinente. En 1988, Higelin revient à une certaine concision avec *Tombé du ciel.* Une tendance confirmée par Illicite en 1991. Il semble connaître alors un sursaut d'énergie qui le replace dans la course. Dans les années quatre-vingt-dix, Higelin retrouve le chemin des manifs en s'engageant, notamment, en faveur de l'association le Droit au logement au côté de l'Abbé Pierre. Il publie à l'automne 1998, son vingt-deuxième album, Paradis païen, prélude à une vaste tournée hexagonale.

Poète intégral, libre comme l'air, insaisissable, capable du pire comme du meilleur, Higelin est sans conteste le digne fils spirituel de Charles Trenet•. Chanteur français, dans ce que ce qualificatif peut avoir de meilleur, Higelin a toujours su évoluer en fonction de l'air du temps, ce qui explique la fraîcheur de son inspiration et l'amour que lui renvoie un public fidèle. **M.D.**

- ***Jacques Canetti présente Jacques*** (1966), Jacques Canetti/Musidisc
- ***Higelin & Areski*** (1969), Saravah/Média 7
- ***Jacques "Crabouif" Higelin*** (1971), Saravah
- ***BBH 75*** (1974), EMI France
- ***Alertez les bébés*** (1976), EMI France
- ***Champagne pour tout le monde*** (1979), EMI France
- ***Caviar pour les autres*** (1979), EMI France
- ***Higelin à Mogador*** (1981), EMI France
- ***Tombé du ciel,*** EMI France, 1988
- ***Illicite,*** EMI France, 1991
- ***Aux héros de la voltige,*** EMI France, 1994
- ***Au cœur de Jacques Higelin*** (compil. 1974-1988), EMI France

HIMMEL Henri

Autriche, 1910 - New York, 1966
COMPOSITEUR, ÉDITEUR

Venu d'Autriche à Paris au début des années trente, Henri Himmel s'associe au parolier Charlys et à un jeune éditeur grec. Il loue un petit bureau rue de l'Échiquier, où il installe les éditions Benjamin. Il donne à Fred Adison• "Avec les pompiers", qui connaît un grand succès. Mais Himmel ne se spécialise pas uniquement dans la fantaisie. Il compose pour Reda Caire• une superbe valse, "Jeunesse", et pour Tino Rossi "Il pleut sur la route", bientôt suivie de "Au-delà des nuages". Henri Himmel invente un système de promotion unique. Dès qu'une de ses chansons est enregistrée, il en distribue plusieurs 78 tours dans les cinémas de quartier afin que le projectionniste de chaque salle le fasse entendre à l'entracte. Avant la radio et la télé, c'est une des premières formes de "matraquage" pour lancer une nouveauté ! Peu avant l'arrivée des troupes allemandes, il part définitivement pour la Grande-Bretagne puis pour les États-Unis.

HOLLOWAY Nancy

Cleveland, États-Unis, 1937
INTERPRÈTE

Elle arrive à Paris en 1956 et chante dans les boîtes de jazz. Remarquée par Bruno Coquatrix•, elle passe en vedette anglaise à l'Olympia et enregistre "Quand un garçon me plaît" "Derniers baisers" et "C'est bon d'être en été". Elle connaît le succès en 1963 avec son adaptation talentueuse du "Don't Make Me Over" de Dionne Warwick ("T'en va pas comme ça"), et d'autres titres de chez Tamla Motown, la grande maison de musique noire de Detroit. Suit une carrière au cinéma et à la télévision et de nombreuses prestations dans les boîtes de jazz.

- ***T'en va pas comme ça*** (compil. 1963-1966), Musidisc, 1991

HOLMÈS Joël (Joël Covrigaru, dit)

Tighina, Roumanie, 1928
AUTEUR, COMPOSITEUR, INTERPRÈTE

Fils d'immigrés roumains, il sort un premier disque en 1958, avec un titre signé Jean-Max Rivière•, "la Pierre". Le succès vient avec le deuxième album, qui comporte "Jean-Marie de Pantin" et "la Mer m'a donné", chansons écrites en collaboration avec Maurice Fanon• et Georges Moustaki•. Prix Charles Cros en 1962, il quitte trop vite le métier de chanteur pour se reconvertir dans la publicité et la composition pour la télévision.

- ***Jean-Marie de Pantin*** in Anthologie de la chanson française, EPM VC 106-1

HORNEZ André

Lens, 1905 - Paris, 1989
AUTEUR

Il travaille d'abord dans le cinéma avant de se mettre, en 1936, à écrire des chansons : pour Tino Rossi• ("Tant qu'il y aura des étoiles", musique de Vincent Scotto•) et surtout pour l'orchestre de Ray Ventura•. Avec Paul Misraki•, il écrit : "Ça vaut mieux que d'attraper la scarlatine", "Comme tout le monde", "Y'a des jours où toutes les femmes sont jolies" (1938). Après la Libération, il écrit de nouvelles chansons, qui deviennent vite célèbres, comme "Avec son tralala", chanson du film *Quai des Orfèvres* (créée par Suzy Delair•, musique de Francis Lopez•, 1947) ou "C'est si bon" (pour Yves Montand•, musique de H. Betti•, 1947).

Ce fut un des paroliers les plus adroits de la chanson française moderne. Il jonglait avec les mots sur n'importe quelle mélodie, ce qui donnait le plus heureux des mariages entre paroles et musique. Ainsi, "la Romance de la pluie",

chantée par Maurice Chevalier• :
"J'adore entendre le gai flic flac
Le son joyeux de la goutte d'eau
Qui tombe et qui claque
Ce clapotis qu'en piz zi ca to
Font de petit's flaques
C'est la romance de la pluie..."

HOURDEAUX Jacques

Bar-le-Duc, Meuse, 1921
AUTEUR

Après des débuts comme chansonnier au Caveau de la République et à la Vache enragée, il écrit "la Polka du colonel" pour Bourvil•, "Ce serait dommage" pour Sacha Distel•, "l'École est finie" pour Sheila• ou "Bonne Chance" pour Gloria Lasso•. Il publie également une méthode de solfège et collabore à plusieurs journaux satiriques.

HYSPA Vincent

Narbonne, 1865 - Villiers-sous-Gretz, 1938
AUTEUR, CHANSONNIER

Il débute au Chat-Noir, où il remplace Mac-Nab. Il y reste un an puis s'en va promener un peu partout son morceau vedette "le Ver solitaire". Il se produit dans de nombreux cabarets, et le public apprécie son accent de terroir qui le fait surnommer "Hyspa le Bon Belge". En 1902, il prend la direction des Quat'-Z-Arts, où il est un des premiers à manier la satire politique et à brocarder les parlementaires de son temps. Dans cette veine, on peut citer : "la Visite du tsar", "le Banquet des maires", "les Joies de l'Exposition" et "le Mariage de Deschanel".

IAM

Groupe de rap formé à Marseille en 1986 par Philippe Fragione (Akhenaton/Chill) et Éric (DJ Kheops) sous le nom de Lively Crew, puis B-Boy Stance et enfin IAM

Après une rencontre en 1984 entre "le seul rapper et le seul DJ de Marseille" (dixit Chill et Kheops), un voyage initiatique à New York et beaucoup de galères, l'embryon de ce qui deviendra IAM s'avère pleinement opérationnel avec l'arrivée du rapper Shurik'n (Geoffroy Mussard) en 1988. Lively Crew devient alors B-Boy Stance, tourne avec le collectif de raggamuffin marseillais Massilia Sound System• et enregistre sur le label indépendant de ces derniers une cassette autoproduite, *Concept,* en 1990. Le compositeur-sampler Imhotep (Pascal Perez) et les deux danseurs (Abdelmalek Sultan et Divin Kephren) sont depuis venus compléter la formation. Et c'est donc sous le nom d'IAM que sort *Concept,* dont la plupart des raps pharaoniques truffés de samples extraits de la version française du spectacle son et lumière de *Karnak* se retrouveront un an plus tard sur le premier album officiel du groupe, *De la planète Mars.* Leur premier coup d'éclat : les trois premières parties de Madonna à Bercy en juillet 1990, et des passages répétés à "Rapline", l'émission rap de M 6. Après leur premier album acclamé par la critique, mais modérément écoulé à 60 000 exemplaires (le rap français n'est pas encore installé), ils attendent deux ans avant de sortir *Ombre est lumière,* un double CD contenant près de deux heures et demie de musique. Le risque commercial est payant, le disque est un immense succès grâce à deux singles qui tourneront en boucle sur les FM françaises soudain gagnées par le virus du rap, "Je danse le MIA" et "le Feu". Le premier titre est une réminiscence amusée des années quatre-vingt et des minets marseillais, basée sur un sample du "Give Me The Night" de George Benson. Le second est un chant traditionnel de l'Est jadis repris par Annie Cordy• ("Frieda Oum Papa") qui deviendra l'hymne du club de football l'Olympique de Marseille ("Ce soir, on vous met le feu !").

Chefs de file. IAM s'impose comme un groupe majeur, parcourant la France et braquant les projecteurs des médias sur la "planète Mars", le surnom qu'ils ont donné à la cité phocéenne. Le groupe est invité à l'émission américaine "Yo ! MTV Raps", rare consécration pour des rappers français toujours en quête d'adoubement par les maîtres d'outre-Atlantique. En 1995, Akhe-

IAM, un groupe complet qui a su adapter le rap à l'humour marseillais.

naton• sort un disque solo, *Métèque et mat* où les chansons "la Cosca", "Je ne suis pas à plaindre" et "l'Americano" témoignent de la sensibilité de Chill/Akhenaton, l'un des chefs de file du rap français. La critique salue l'humour d'Akhenaton, sa verve et sa faculté à évoquer ses racines napolitaines comme ses souvenirs d'enfance. *L'École du micro d'argent* sort en 1997 et, avec plus de 500 000 exemplaires vendus, confirme IAM comme le groupe leader du rap français. En 1998, Shurik'n, le poète du groupe, sort son premier album solo (*Où je vis*), rejoignant ainsi Kheops (*Sad Hill*) et Imhotep. Capable d'alterner les salves d'humour marseillais et les récits dramatiques, IAM est un groupe complet qui a toujours défendu son intégrité rap et l'art du sampling face aux détracteurs. **O. C.**

- ***De la planète Mars,*** Labelle Noir/Virgin, 1991
- ***Ombre est lumière,*** Delabel/Virgin, 1993
- ***IAM 3,*** Delabel/Virgin, 1996
- ***L'École du micro d'argent,*** Delabel/Virgin, 1997

IGLESIAS Julio

Madrid, 1943
Interprète

À mi-chemin entre le crooner et le torero, ce bel hidalgo à la voix de velours s'est construit, depuis 1968, une solide réputation de Rudolph Valentino des temps modernes mâtiné de Tino Rossi•. Avec 120 millions d'albums, enregistrés en sept langues, vendus à travers le monde, il représente une des plus belles réussites commerciales de la chanson populaire contemporaine.

Après l'Espagne, ce fils de chirurgien et ancien footballer conquiert la France, où il chante en français avec Dalida•, Juliette Gréco•, Mireille Mathieu• et Sylvie Vartan•. En 1976, "Manuela" chavire les cœurs, en 1979, "Pauvres Diables" enflamme les esprits... Et, en 1980, "Je n'ai pas changé" (en espagnol, "Non vengo ni voy") impose définitivement l'image du chanteur, les yeux mi-clos, susurrant des mots d'amour à toutes les femmes. En 1996, il enregistre *Tango,* avec une douzaine de titres de Carlos Gardel, la légende de cette musique. **Y. P.**

◎ ***Mes plus grands succès,*** Columbia/Sony, 1998

IL ÉTAIT UNE FOIS

Groupe de pop fondé en 1971 par Joëlle Mogensen (chant), Serge Koolen (guitare, chant), Richard Dewitte (batterie, chant), et Lionel Gaillardin (guitare)

À la fin des années soixante, Joëlle (américano-franco-danoise) rencontre deux anciens musiciens de Michel Polnareff•, Serge Koolen et Richard Dewitte. Lionel Gaillardin vient compléter la formation, qui enregistre en 1972 son premier succès, "Rien qu'un ciel". Avec une pop très "variété" appuyée sur des harmonies vocales soignées et des mélodies acidulées, Il était une fois s'offre à plusieurs reprises les sommets des hit-parades au cours des années soixante-dix : "J'ai encore rêvé d'elle" (1975), "Viens faire un tour sous la pluie" (1975) et "Pomme" (1975). Fin de l'aventure après la mort de Joëlle, le 15 mai 1982, à la suite d'une overdose.

◎ ***Les Plus Belles Fois*** (1972-1978), EMI France, 1992

INDOCHINE

Groupe de rock formé en 1981 à Paris par Nicola Sirkis (chant et synthés), Stéphane Sirkis (claviers, séquenceurs, boîte à rythmes et guitare), Dominik Nicolas (guitare, composition) et Dimitri Bodianski (saxo)

Avec une guitare sortie droit des années soixante portée par toute une machinerie électronique, une voix parfois à la limite de la justesse et des textes à l'imagerie adolescente ("Bob Morane contre tout chacal..."), Indochine a du mal à démarrer avec son premier album *L'Aventurier...* Mais une fois lancé sur les rails du succès, le groupe prend la place du défunt Téléphone• dans le cœur des adolescentes, puis va bien plus haut puisque le 4e album *7 000 Danses* (1987) est vendu hors France à plus d'un million d'exemplaires, la palme revenant au... Pérou ! En 1997, après le départ de Dimitri et Dominik, leur retour est marqué par un disque d'or, *Indo Live.* Deux ans plus tard, alors que le groupe prépare un nouvel album, Stéphane Sirkis, dont on avait noté le très net engagement politique à gauche, meurt brutalement d'une hépatite foudroyante.

◎ ***L'Aventurier*** (1982), RCA
◎ ***3e Sexe*** (1985), Arista
◎ ***7 000 Danses,*** Carol, 1987
◎ ***Unita, le best of,*** BMG, 1996

INNOCENTS (Les)

Groupe de pop formé en 1980 dans la région parisienne autour de Jean-Philippe Nataf, dit Jipé (chant, guitare), et Rico (basse)

Venus de la scène alternative au début des années quatre-vingt, où ils ont côtoyé la fine fleur du punk-rock parisien, les Innocents, plus tentés par le folk-rock et le songwriting que par le "no future", ont d'abord accumulé les faux départs. Après un premier 45 tours sans impact puis un album décevant, *Cent Mètres au paradis,* en 1989, et un changement de personnel, les membres du groupe étaient à deux doigts de changer de métier. *Fous à lier* en 1992, un deuxième disque plus léché avec des textes bien écrits, va pourtant les propulser dans les hit-parades l'année suivante. Avec des tubes comme "l'Autre Finistère" et "Mon dernier soldat", les voilà sur un nuage avec 500 000 exemplaires vendus et des salles combles pour les écouter. Ils reviennent fin 1995 avec un troisième disque, *Post-Partum,* sobre et mélodieux, suivi d'une tournée en 1996, dopés par leur Victoire de la musique en tant que meilleur groupe de l'année.

◎ ***Fous à lier,*** Virgin, 1992
◎ ***Post-Partum,*** Virgin, 1995

ITHIER Hubert

Paris, 1920
AUTEUR

Après avoir été assistant à la radio de Pierre Cour• et Francis Blanche•, il écrit dans les années cinquante des chansons pour Luis Mariano• ("la Prière péruvienne"), Line Renaud• ("Mambo italiano"), Henri Salvador• ("Amour de Saint-Tropez") ou Bourvil• ("les Rois fainéants"). Au cours de la décennie suivante, il offre ses services notamment à Marie Laforêt• ("Viens sur la montagne") ou Mireille Mathieu• ("la Dernière Valse", "la Chanson de Lara").

JEANMAIRE Zizi (Renée Jeanmaire, dite)

Paris, 1924
INTERPRÈTE

Ex-rat de l'Opéra, Zizi Jeanmaire est devenue chanteuse presque par hasard. En 1950, dans un spectacle monté par la compagnie de son futur mari, Roland Petit – *la Croqueuse de diamants* (coécrit par Raymond Queneau) –, on lui demande d'interpréter un morceau au titre éponyme. Au vu du résultat, elle décide de tenter sa chance et de changer de vocation. Elle choisit les textes d'un auteur qui débute, Guy Béart• ("Il y a plus d'un an", "Je suis la femme"), et se produit sur les planches de l'Alhambra en 1955. Pour l'occasion, elle a coupé ses longs cheveux noirs et adopté une minijupe noire qui ne cache rien de ses jambes. En 1957, Bernard Dimey• et Jean Constantin• lui composent ce qui va devenir sa principale locomotive, "Mon truc en plumes". Un mélange de gouaille parigote et de chic, conjugués avec la tradition du music-hall. Dans les années soixan-

Pour toujours, Zizi Jeanmaire sera identifiée à son "truc en plumes".

te, Serge Gainsbourg• lui écrit de nombreux titres : "Ces petits riens", "King Kong", "Bloody Jack", "Tout l'monde est musicien"... En 1970, elle réalise son rêve en devenant meneuse de revue au Casino de Paris. **C.E.**

◎ ***Mon truc en plumes,*** Polydor, 1988
◎ ***Zizi au Zénith,*** Sergent Major/Wotre Music, 1995

JIL et JAN (Gilbert Guenet et Jean Setti, dits)

Jil, 1926 - Jan, 1921-1993
Auteurs, compositeurs, interprètes

Après des débuts prometteurs au sein d'un orchestre qui tourne en Belgique et en France à la fin des années quarante, les deux cousins écrivent pour plusieurs artistes, dont Jacques Hélian ("Dis à ta mère", "Toujours dans les nuages") et André Claveau• ("la Vieille Rengaine"). L'arrivée de la vague yé-yé ne les surprend pas : ils proposent aussitôt leurs textes à Johnny Hallyday• ("Kiliwatch", "Je cherche une fille", "Depuis qu'ma môme", "Ma guitare" ou "les Bras en croix"). Certaines de leurs compositions ont également connu une belle carrière : c'est le cas de "Mon homme est un vrai guignol" pour Colette Renard• (1959) ou de "Papa t'es plus dans l'coup" pour Sheila• (1963).

JONASZ Michel

Drancy, Seine-Saint-Denis, 1947
Compositeur, interprète

Michel Jonasz est né à Drancy, cette commune d'où partaient les convois français pour les camps de la mort nazis. Une commune très particulière pour une famille juive hongroise, dont le grand-père maternel est mort en déportation. Dans cette famille, on pleure en écoutant les mélopées tziganes ; la musique est constamment présente, elle fait partie des interminables repas du dimanche où l'on déguste des plats traditionnels en évoquant la mémoire du grand-père, qui chantait si bien dans les synagogues ; il possédait, paraît-il, une magnifique voix de "hazan" (chantre juif). Le jeune Michel s'en souviendra en 1978, dans le disque *Gui-gui* où le violon tzigane gémit parmi les cuivres et les cordes.

Du Golf au théâtre de la Ville. Michel Jonasz quitte brusquement l'école, s'essaie à la peinture et, par l'entremise de sa sœur Évelyne, prend des cours de théâtre à la Porte de Vanves. Il a une bonne voix, et trouve bientôt beaucoup de plaisir à jouer devant un public, même restreint. Avec son copain Alain Goldstein, qui gratte vaguement de la guitare électrique, ils forment un groupe où ils jouent les "tubes" de l'époque. La période est rock, on se produit au Golf Drouot et on est fier de côtoyer les Chats sauvages•, Dick Rivers•, Johnny Hallyday•... Il décide sa mère à lui acheter un piano électrique. Engagé par Kenty et les Skylarks, il plaque quelques accords au hasard, tâtonne, et se débrouille. Les débuts sont difficiles, il ne connaît qu'un morceau !

Avec l'ami Goldstein, il fonde les Lemons et ils dénichent un chanteur, Vigon, qui lui propose d'interpréter une chanson en première partie. Après Vigon et les Lemons naît le King Set, où Michel est à la fois pianiste et chanteur : un premier 45 tours en 1967 chez AZ, avec un titre prometteur, "Apesanteur", écrit par Claire-Lise Charbonnier, la femme de son ancien professeur d'art dramatique. Le King Set obtient un succès d'estime puis disparaît. Chez AZ, on le voudrait plus commercial, mais Michel Jonasz résiste. Il préfère l'authenticité, qui peut aller jusqu'à la totale exposition de sa faiblesse, à la Brel• ("J'veux pas qu'tu t'en ailles").

Il s'accroche, trouve des auteurs à la mesure de son talent : Frank Thomas• ("Dites-moi", 1974), Pierre Grosz• ("Changer tout", "les Vacances au bord de la mer", 1975) et Jean-Claude Vannier• ("Super Nana", 1974) et d'excellents orchestrateurs comme Jean-Claude Petit ou Gabriel Yared. Un univers et un style Jonasz s'ébauchent, qu'il a lentement mûris sur scène en assurant les premières parties de Stone et Charden, Eddy Mitchell•, Véronique Sanson•. Il éclate vraiment en 1977 au théâtre de la Ville.

Les années quatre-vingt commencent. Après une collaboration brillante avec les vieux jazzmen du Golden Gate Quartet en 1978 *(Golden Gate),* Michel Jonasz va enchaîner une série d'albums (*Les années quatre-vingt commencent,* 1980 ; *la Nouvelle Vie,* 1981 ; *Tristesse,* 1983 ; *Lord Have Mercy,* 1984, *Unis vers l'uni,* 1985) où spleen et soleil, tristesse et joie composent une palette surprenante parfaitement contrastée. Musique répétitive, funk, blues, boogie, bossa

> "MUSIQUE RÉPÉTITIVE, FUNK, BOSSA, JAZZ, TOUTES LES COULEURS MUSICALES SE FONDENT DANS UNE PROFONDE OSMOSE."

jazz, toutes les couleurs musicales se fondent dans une profonde osmose, soulignée par quelques chansons phares comme "Joueur de blues" en 1981, ou "la Boîte de jazz" en 1985. Ces années quatre-vingt verront naître non seulement un chanteur, mais également un comédien. Avec une bande de copains, il s'amuse dans une comédie de Didier Kaminka, *Toutes les mêmes sauf Maman,* au théâtre de la Gaîté-Montparnasse. Il tourne dans un film d'Élie Chouraqui, *Qu'est-ce qui fait courir David ?,* et l'on pense à lui, en 1983, pour le césar du meilleur second rôle. En 1986, Franck Cassenti lui propose l'adaptation d'un roman d'Élie Wiesel, *le Testament d'un poète juif assassiné.* Il semble que le rôle ait été écrit pour lui.

La source. Mais il reste avant tout un musicien et un homme de spectacle. En 1985, il assure un superbe show au Palais des Sports et 1988 voit le couronnement de sa carrière avec le grand prix de l'académie Charles-Cros pour l'album *la Fabuleuse Histoire de Mr Swing.* En 1992, le Zénith verra triompher un artiste en pleine possession de ses moyens. Cette année-là, son album *Où est la source ?,* assez différent de ses productions antérieures, semble marquer un tournant dans son inspiration.

Issu d'une famille où l'on écoutait les complaintes tziganes, Michel Jonasz sera toujours un interprète très intense.

Chez ce chanteur hanté par ses souvenirs, on voit s'esquisser une espérance qui pourrait s'appeler sérénité et peut-être même bonheur. Dirigé par Yves D'Angelo, le disque est enregistré à Los Angeles avec des musiciens de la taille de Brad Cole ou Steve Gadd, batteur de Charlie Mingus et Chick Corea.

Michel Jonasz dit de lui : *"Dans mes chansons, sur la scène j'ai cherché... Dans mon corps et dans ma tête. Rien d'autre que le bonheur d'aimer. Dans l'infini bonheur d'être, j'ai cherché."* Une belle définition pour ce chanteur à la frontière de trois traditions : la chanson française, le jazz et la musique tzigane. **È. G.**

- ***Les années quatre-vingt commencent*** (1980), WEA
- ***Unis vers l'uni*** (1985), WEA
- ***La Fabuleuse Histoire de Mr Swing,*** WEA, 1988
- ***Où est la source ?,*** WEA, 1992
- ***Soul Music Airlines,*** EMI, 1996
- ***Best Of Michel Jonasz,*** WEA

JOURDAN Michel

Nice, 1934
AUTEUR

Après des débuts difficiles, il écrit, grâce à l'appui de l'éditeur Gilbert Marouani, "les Vendanges de l'amour" (1963) pour Marie Laforêt•. Un premier succès qui sera suivi de beaucoup d'autres : "Maillot 38-37" (Frank Alamo), "Qui saura ?" (Mike Brant•), "Lady Lay" (Pierre Groscolas•), "Il a neigé sur Yesterday" (Marie Laforêt) ou "Pauvres Diables" (Julio Iglesias•).

JOUVIN Georges

Rennes, 1923
COMPOSITEUR, CHEF D'ORCHESTRE

Surnommé "l'homme à la trompette d'or" à la suite d'un concours d'instrumentistes disputé aux États-Unis et qu'il remporte haut la main, Georges Jouvin va briller au sein de plusieurs orchestres, avant de monter sa propre formation. Des années cinquante aux années quatre-vingt, il joue un rôle important dans les variétés. Presque toutes les chansons qu'il reprend sont des succès, et certaines de ses créations deviennent célèbres : "il silenzio", "Rio Bravo", "Oh ! mon papa". En tout, 270 albums et 3 000 titres enregistrés, couronnés par un oscar de l'académie Charles-Cros en 1981.

JULIEN Pauline

Trois-Rivières, Québec, 1928 - Montréal, 1998
AUTEUR, INTERPRÈTE

Si Pauline Julien apprit d'abord le métier de comédienne dans son pays natal, c'est à Paris qu'elle débuta dans la chanson dans les cabarets de la rive gauche en interprétant Boris Vian• et Léo Ferré•, entre autres. Puis elle rentre au Canada où elle rencontre Gilles Vigneault•; et de là vient son engagement pour la cause du Québec libre, la francophonie, les droits de la femme... Son sens inné de l'art dramatique fera beaucoup pour son succès, et elle reviendra régulièrement en France avec un répertoire désormais presque exclusivement composé d'auteurs québécois (Gilles Vigneault•, les écrivains Réjean Ducharme et Michel Tremblay), avant d'écrire ses propres chansons ("l'Âme à la tendresse", "l'Étranger", "Fille").

◎ ***Pour mon plaisir Gilles Vigneault,*** Decca/BMG
◎ ***Femmes de paroles,*** Kebekdisc

JULIETTE (Juliette Noureddine, dite)

Paris, 1962
COMPOSITEUR, INTERPRÈTE

Potelée, frisée, chanteuse et compositrice, Juliette est une des personnalités nouvelles les plus marquantes de la chanson française des années quatre-vingt-dix. Elle se situe volontiers dans la tradition réaliste (reprenant à l'occasion des chansons de Marianne Oswald•), du comique troupier de "Revue de détail" à la chronique sociale ironique de "Consorama". Un premier album live en 1991, *Qué tal ?,* est suivi de trois autres, dont *Rimes féminines* en 1996, où, sur des textes de Pierre Philippe (qui avait travaillé auparavant avec Jean Guidoni•), elle impose sa voix forte et sa gouaille, avec des musiques oscillant entre mélodie traditionnelle, orchestration classique, ambiance jazzy et fanfare. Début 1999, elle sort *les Assassins sans couteau* et passe avec succès l'épreuve de la scène de l'Olympia. **H.H.**

◎ ***Qué tal ?,*** Rideau Bouge/Scalen'Disc, 1991
◎ ***Rimes féminines,*** Rideau Bouge/Scalen'Disc, 1996

JUVET Patrick

Montreux, Suisse, 1950
AUTEUR, COMPOSITEUR, INTERPRÈTE

Un beau physique de grand blond, une voix qui monte facilement dans les aigus, et voilà notre jeune Helvète parti, en 1970, à la conquête de Paris. Après quelques tentatives manquées, c'est l'énorme succès de "la Musica" (paroles de Jean-Michel Rivat• et de Frank Thomas•), véritable scie à minettes. Tout en composant pour d'autres (notamment "le Lundi au soleil" pour Claude François•), Juvet impose son personnage ambigu, en costumes glitter à la Bowie, et sort en 1974 l'album *Chrysalide.* Il collabore avec Pierre Delanoë• (pour la chanson "Écoute-moi") et le musicien Jean-Michel Jarre pour l'album *Paris By Night* en 1977. Vers la fin des années soixante-dix, il se laisse porter par la vague disco avec "Où sont les femmes ?" et "I Love America" bien placés dans les hit-parades européens et américain. Puis c'est le reflux brutal. Jusqu'au milieu des années quatre-vingt-dix, où il bénéficie du revival "seventies"...

◎ ***Best Of (1972-1995),*** Barclay/Polygram, 1995

KAAS Patricia

Forbach, Moselle, 1966
Interprète

Revenir d'abord sur l'enfance à Stiring-Wendel, au cœur de la Lorraine houillère. Le père est mineur de fond. La mère, d'origine allemande, va faire partager à la petite dernière ses rêves de gloire balayés par la vie. En 1979, Patricia est engagée dans un cabaret de Sarrebrück, toute proche, le Rumpelkrammer. Un client, architecte et animateur d'un centre culturel à Bitche, autre bourgade mosellane, la remarque et lui obtient une audition chez Polygram. Produit par Gérard Depardieu, avec un texte de son épouse Élisabeth et une musique de François Bernheim, "Jalouse" sort dans l'indifférence la plus totale. De longs mois plus tard, Patricia Kaas est de retour avec un second simple qui va la propulser vers la gloire. "Mademoiselle chante le blues" traînait au fond d'un tiroir de Didier Barbelivien•, trousseur de tubes patenté, elle en fait son hymne. Une patiente tournée des stations régionales de France 3, des passages répétés dans les galas, alors nombreux, des radios libres seront nécessaires pour que la profession s'intéresse à elle. Dès lors, tout va aller très vite. "D'Allemagne", son histoire encore, autre titre, écrit de concert par Bernheim et Barbelivien, est venu, entre-temps, attester que cette voix aux sublimes accents rauques ne serait pas qu'un coup sans lendemain. Sacrée révélation féminine de l'année aux Victoires, oscar de la SACEM, Patricia sort, fin 1988, un premier album intitulé *Mademoiselle chante*. Ses deux compositeurs attitrés ont travaillé sur mesure pour elle, mitonnant, entre blues et jazz avec çà et là quelques accents rock, des histoires d'amour et des tranches de vie dans une grande tradition de chanson française réaliste. "Mon mec à moi", "Elle voulait jouer Cabaret", "Quand Jimmy dit" trustent la tête des charts. Disque d'or à sa sortie, l'album est certifié platine après trois mois d'exploitation seulement.

Internationale. Quand paraît, le 10 avril 1990, son second album, *Scène de vie,* avec toujours aux commandes pour la plupart des composi-

"LA SILHOUETTE N'A RIEN PERDU DE SA FRAGILITÉ, LES YEUX DE LEUR LIMPIDITÉ, MAIS C'EST UNE FEMME QUE RETROUVE LE PUBLIC."

Patricia Kaas, la "Marlene de Forbach", construit peu à peu une solide carrière en France et à l'étranger.

tions le duo de choc Bernheim-Barbelivien, Patricia Kaas est en tournée. Elle va tourner six mois durant, s'offrir sept Olympia bondés et autant de Zénith où sera enregistré un double disque live, *Carnets de scène*. Entre trois concerts dans des stades russes de 18 000 places, un passage au show télévisé de Johnny Carlson à Los Angeles et une demi-douzaine de prestations dans de grandes villes américaines, elle reçoit, début 1992, pour la troisième fois consécutive, la victoire de l'album le plus exporté de l'année. Une distinction de plus pour celle qui collectionne les trophées. Elle va, ensuite, disparaître quelques mois des feux de la rampe pour revenir le 6 avril 1993 avec l'album-révélation *Je te dis vous*. François Bernheim et Didier Barbelivien ne sont plus là que sur quelques chansons. La silhouette n'a rien perdu de sa fragilité, les yeux de leur limpidité, mais c'est une femme que retrouve le public. Elle le proclame haut et fort avec des titres troublants comme "Reste sur moi", "Je retiens mon souffle" de Marc Lavoine• et Fabrice Aboulker, et "Il me dit que je suis belle", titre offert par Jean-Jacques Goldman• sous le pseudonyme Sam Brewski. Le disque va se vendre à 2 300 000 exemplaires. Sur scène, elle continue d'impressionner tant par sa voix que par une aisance qui n'hésite plus à prendre de troublants accents sensuels. Début 1997, son quatrième album, *Dans ma chair,* marque une nette orientation vers une carrière internationale (avec Phil Ramone, qui a travaillé avec Billy Joel ou Paul Simon, comme producteur) Plusieurs titres ont été écrits sur des mélodies américaines, même si l'on note la participation de Jean-Jacques Goldman• (pour trois chansons) et de Zazie• (pour une chanson). En 1999, elle retrouve J.J. Goldman et Zazie - auxquels s'est joint Pascal Obispo• - sur le générique de son cinquième album, *le Mot de passe.* **J.-P. G.**

- ***Mademoiselle chante,*** Polydor, 1988
- ***Scène de vie,*** Columbia/Sony, 1990
- ***Carnets de scène,*** Columbia/Sony, 1991
- ***Je te dis vous,*** Columbia, 1993
- ***Tour de charme,*** Columbia, 1994
- ***Le Mot de passe,*** Columbia, 1999

KACEL Karim

Paris, 1959

AUTEUR, COMPOSITEUR, INTERPRÈTE

Français d'origine kabyle, cet ancien éducateur pour jeunes connaît en 1983 un tube radiophonique inattendu avec "Banlieues". Son premier album, en 1984, confirme un talent de parolier et révèle un registre vocal étendu, mais le suivant, *P'tite Sœur* (Grand Prix de l'académie Charles-Cros 1986), est mieux maîtrisé, suivi de *Ruse de sioux* (1991), avec la belle chanson "Mother, Mother". Succès au théâtre de la Ville, au Printemps de Bourges et retour au disque en 1995, avec le CD *L'orage est passé,* dans lequel il aborde les grandes questions de la métempsycose et du spiritisme.

- ***Ruse de sioux,*** Polygram, 1991
- ***Ce n'est qu'un jeu,*** CNR Music/Arcade, 1997

KENT (Kent Hutchinson, dit)

Lyon, 1959
AUTEUR, COMPOSITEUR, INTERPRÈTE

Après avoir donné au rock français l'électrochoc dont il avait besoin à la fin des années soixante-dix avec son groupe lyonnais Starshooter, Kent devient une sorte d'institution dans le Paris "branché" du début des années quatre-vingt. Il entame une carrière solo en 1985 avec l'album *Embalao*. Mais la veine after-punk s'y fait encore trop sentir, et il faudra attendre 1989, avec *À nos amours,* pour que Kent, enfin libéré de ses fantômes, jette les bases d'une expression originale qui va aller en s'affirmant. Bientôt, ses orchestrations prennent des formes où accordéon, basson et scie musicale ont droit de cité, où valse et java fricotent avec le rock binaire. Les textes aussi deviennent plus réfléchis ("J'aime un pays"). Kent glisse alors de plus en plus vers l'écriture, commençant par signer des chansons pour des artistes comme Enzo Enzo• ("Juste quelqu'un de bien"), Michel Fugain• ou Johnny Hallyday• puis publie plusieurs romans.

- ***À nos amours,*** Barclay, 1989
- ***Tous les hommes,*** Barclay, 1991
- ***D'un autre Occident,*** Barclay, 1995
- ***Nouba,*** Barclay/Polygram, 1996
- ***Métropolitain,*** Barclay, 1998

KERVAL Serge (Serge Portécaille, dit)

Brest, 1939 - Nantes, 1998
INTERPRÈTE

Après des études de musique classique, il rencontre Jacques Douai• et bifurque vers la chanson "rive gauche". Il devient alors, au cours des années cinquante et soixante, un habitué des cabarets parisiens. En 1966, il obtient le grand prix de l'Académie du disque français. Il interprète Félix Leclerc•, Charles Trenet•, Georges Brassens•, Georges Moustaki•, Anne Sylvestre• et Bob Dylan (pour un album très controversé). Il met aussi en musique Hugo, Musset, Jules Verne et Hervé Bazin. Véritable ambassadeur de la chanson française, il parcourt le monde entier en chantant dans le circuit des Alliances françaises. Il enregistre trente disques 33 tours et dix CD, dont les deux derniers, *Solo* et *35 ans de chanson, 35 ans de passion,* paraissent en 1993 et en 1995. Ne se sentant plus en phase avec l'évolution de la chanson, il se suicide dans sa maison de Nantes au début de l'été 1998.

- ***Solo,*** Scalen, 1993
- ***35 ans de chanson, 35 ans de passion,*** Scalen, 1995

KETTY Rina (Cesarina Pichetto, dite)

Turin, Italie, 1911 - Cannes, 1997
INTERPRÈTE

Arrivée à Paris dans les années trente, Rina Ketty découvre avec émerveillement le milieu des artistes montmartrois. En 1934, elle se

Reine du tango et du paso doble, Rina Ketty s'impose comme une des premières chanteuses de charme, dans le genre "exotique".

Artiste mondialement reconnu, Khaled est l'introducteur de la musique arabe auprès du grand public français.

lance dans la chanson au fameux cabaret le Lapin à Gill, où elle interprète un répertoire très classique, avec des textes de Théodore Botrel• et Gaston Couté.• Elle gagne ensuite une audience plus large en adaptant pour le public français des succès italiens, comme "Rien que mon cœur", en 1938. Avec "Sombreros et mantilles" et "J'attendrai" (de Poterat et Olivieri, qui va devenir un symbole de la "drôle de guerre"), elle passe en 1939 au stade de grande vedette populaire. À la Libération, elle parvient à reconquérir son public, mais reste cependant trop liée à l'avant-guerre pour continuer longtemps. Dans le genre "exotique", elle se fait supplanter par Gloria Lasso• puis par Dalida•. Elle quitte la France en 1954 pour le Québec, où elle entame une seconde carrière.

◎ ***Les Étoiles de la chanson,*** Music Memoria
◎ ***Compilation*** (2 CD), Virgin

KHALED (Khaled Hadj-Brahim, dit)

Oran, 1960

Né dans une famille de cinq enfants, passant une partie de son enfance et son adolescence à Eckmühl (actuellement Haï-Mahieddine), Khaled est musicien dès ses six ou sept ans. Fils d'un employé du garage de la police d'Oran, il commence, comme tous les gamins pauvres d'Afrique, en jouant sur une "guitare" bricolée à partir d'un bidon d'huile pour automobile ; les "cordes", il les prend dans l'équipement de son père, amateur de pêche à la ligne.

" UN SENS NATUREL DE LA MÉLODIE ET UNE VOIX PUISSANTE RAPPELANT CELLE DES ANCIENS MAÎTRES DE LA TRADITION RURALE ORANAISE. "

Vers 1976-1977, Cheb Khaled enregistre son premier 45 tours et connaît un certain succès auprès des amateurs de raï•, avec sa chanson "Trig el lici" ("la Route du lycée"). Il y évoque une époque où il devait concilier musique et scolarité. Ses études s'arrêtent en quatrième année du secondaire : de bonnes notes, mais trop d'absences. Il apprend alors divers métiers – mécanique, électricité auto, cordonnerie, plomberie, bijouterie, dactylo – tout en enregistrant sous le nom de Cheb Khaled cinq autres 45 tours jusqu'en 1978, où la cassette audio supplante définitivement le microsillon en Algérie.

Dès le début des années quatre-vingt, Cheb Khaled devient le chanteur le plus populaire d'Algérie et des émigrés sans être diffusé par la radio et la télévision algériennes, ni avoir donné de concert public jusqu'au festival de raï d'août 1985 au théâtre de Verdure d'Oran, où se produiront officiellement la plupart des vedettes du genre. La vox populi y intronise Cheb Khaled "roi du raï", cette musique issue des "bas-fonds" qui écrase désormais tous les autres genres en Algérie sans l'aide des médias, voire malgré eux.

De Cheb à Khaled. En 1987 est produit en France le premier album hors d'Algérie de Cheb Khaled, *Kutché,* à la suite duquel la star du raï s'installe dans l'Hexagone et commence à donner une série de concerts internationaux. La véritable consécration internationale arrive à partir de 1992 avec le succès de Didi, morceau de l'album *Khaled,* repris en diverses langues dans les pays du tiers-monde et classé parmi les dix premières chansons du Top 50 à l'époque. À cette occasion, le chanteur se débarrasse du qualificatif Cheb ("jeune", en français) en déclarant : *"Je ne vais pas rester jeune toute ma vie."* En juillet de la même année, il est nommé chevalier de l'Ordre des arts et des lettres. En 1993, Khaled représente la France musicale aux côtés du Guinéen Mory Kanté et des gitans français Gipsy Kings lors d'un concert donné au Central Park de New York pour fêter le 14 Juillet ; c'est aussi l'année où il réalise son album *N'ssi n'ssi,* qui fera l'essentiel de la bande originale du long métrage de Bertrand Blier, *1, 2, 3, soleil,* et lui fera remporter le césar de la meilleure musique de film. Malgré la répétition incessante de sa dénégation *"je ne fais pas de politique",* Khaled est interviewé les trois quarts du temps pour donner son avis sur le malaise des enfants d'immigrés maghrébins en France, le mouvement islamiste ou la question arabo-israélienne. En 1996, Jean-Jacques Goldman• écrit et compose pour lui "Aïcha", qui obtient d'emblée un énorme succès et décroche, l'année suivante, le titre de meilleure chanson de l'année aux Victoires de la musique. Dans la foulée, l'album *Sahra,* grâce à son mélange de paroles françaises et de rythmes orientaux, touche un vaste public qui n'avait pas autant vibré pour les mélodies algériennes depuis Enrico Macias•. En septembre 1998, il participe, aux côtés de Rachid Taha• et de Faudel•, au concert "1, 2, 3... soleils" à Bercy, où se mélangent musiques maghrébines et techno, annonçant l'arrivée d'une nouvelle génération de chanteurs hexagonaux, avec un pied sur chaque rive de la Méditerranée. Ils interprètent ainsi, en arabe, "Comme d'habitude" de Claude François•... **B. D.**

- ***Le Meilleur de Cheb Khaled,*** vol.1, Blue Silver, 1991
- ***Le Meilleur de Cheb Khaled,*** vol.2, Blue Silver, 1992
- ***Khaled,*** Barclay/Polygram, 1992
- ***Sahra,*** Barclay, 1996
- ***1, 2, 3... soleils,*** Barclay/Polygram, 1999

KOGER Géo (Georges Konyn, dit)

Paris, 1895 - *id.*, 1975
AUTEUR

Il débute de belle façon en 1927 en écrivant "Tango d'adieu" pour Berthe Sylva•. À partir de 1931, il enchaîne les succès avec Ouvrard• (et le célèbre "Je n'suis pas bien portant") et Tino Rossi• ("Marinella", "Tchi-tchi", "Ô Corse, île d'amour"). Il travaille aussi pour Fréhel• ("la Java bleue", 1939), Alibert•, Joséphine Baker• ("J'ai deux amours") et Maurice Chevalier ("Prosper", 1935). Son écriture, très moderne, lui permet de s'adapter à de nombreux interprètes et de tenir longtemps dans le métier, "Pigalle" pour Georges Ulmer• venant vingt ans après ses débuts pour Berthe Sylva.

KOSMA Joseph

Budapest, Hongrie, 1905
La Roche-Guyon, Val-d'Oise, 1969
COMPOSITEUR

Si l'on considère que "les Feuilles Mortes" est l'une des chansons les plus connues du répertoire français, on a tout de suite une idée de l'importance de son compositeur, Joseph Kosma. Fils d'un instituteur et petit-fils d'une élève de Franz Liszt, Joseph apprend le piano tout seul, à l'oreille. D'instinct il en arrive à reproduire les airs à la mode. À dix ans, il est déjà capable d'improviser sur des films muets. À douze ans, il écrit un opéra. Diplômé de l'Académie nationale de musique, il est nommé stagiaire à l'Opéra, où il collabore avec le chef d'orchestre Faglioni. Mais, bientôt, il préfère suivre Bertolt Brecht et son théâtre ambulant, ce qui lui permet de travailler avec Kurt Weill, le compositeur de *l'Opéra de quat'sous.*

Monsieur Jacques. En 1933, il s'installe à Paris, où il accompagne la chanteuse Lys Gauty• avant de rencontrer le poète Jacques Prévert•. Leur première œuvre commune s'appelle "la Belle Étoile" mais personne n'en veut. Finalement, c'est Jean Renoir qui en hérite pour son film *le Crime de Monsieur Lange.*

Dans la foulée, Kosma se voit confier la partition de *la Grande Illusion.* Entre 1939 et 1945, il rejoint l'équipe Prévert dans le petit village médiéval de Tourrettes-sur-Loup, où ils entrent en contact avec la Résistance. Il trouve cependant le temps de travailler sur *Le Soleil a toujours raison,* une opérette avec Tino Rossi• en vedette. En 1943, il prépare la musique des *Enfants du paradis.* En 1946, son premier spectacle "l'École buissonnière" présenté à la salle Chopin est complet tous les soirs. Joseph Kosma devient alors l'une des figures de Saint-Germain-des-Prés. Outre de magnifiques chansons popularisées par Juliette Gréco• ("Si tu t'imagines", paroles de Raymond Queneau, ou la Fourmi, paroles de Robert Desnos), Yves Montand• (Barbara), Cora Vaucaire• ou les Frères Jacques•, il écrit aussi des musiques de film, de théâtre, et des opéras, comme *les Canuts,* en 1959.

KUBNICK Henri

1912-1991

AUTEUR ET PRODUCTEUR DE RADIO

En 1941, sur une musique de Vincent Scotto•, il écrit "Si tu revois Paris", chanté par Alibert•. L'année suivante, il remporte un gros succès avec "Feu follet" (musique d'Henri Bourtayre•), chanté par Michel Roger. Ses deux plus grands titres seront sans conteste "le Porte-Bonheur" (musique de Loulou Gasté•), enregistré par Jacques Hélian (qui avait enregistré la fameuse "Fleur de Paris", en 1944, sur une musique de Bourtayre), et "Une fleur sur l'oreille" (musique d'Henri Bourtayre), pour Guy Berry•. Côté radio, on retiendra l'émission "le Jeu des mille francs", longtemps animée par Lucien Jeunesse, qui remportera un record de longévité sur les antennes de France Inter.

LAFARGE Guy

Périgueux, 1904 - Paris, 1990
Compositeur

Il signe plusieurs succès après la Libération : "le P'tit Cousin" (pour Jacqueline Ricard, 1946), "les Jeunes Filles de bonne famille" (pour Jacques Hélian, 1947) et "le Petit Rat" (pour Suzy Solidor•, en 1948). Puis il remporte le prix de Deauville avec "la Seine" (paroles de Flavien Monod), chantée par Renée Lamy et reprise peu après par Jacqueline François•. En 1950, il signe avec Philippe-Gérard "la Strasbourgeoise" pour Jacques Hélian et son orchestre.

Il s'oriente ensuite vers l'opérette avec *Il faut marier maman* et *la Belle Arabelle* (1956) pour les Frères Jacques•. Il termine sa carrière comme producteur de radio et directeur artistique de la firme Decca à partir de 1954.

LAFFAILLE Gilbert

Paris, 1948
Auteur, compositeur, interprète

Cet ancien professeur de lettres se lance dans la chanson en 1973. Il auditionne à l'Échelle de Jacob, rue Mouffetard. Peu à peu, Laffaille va imposer ses textes caustiques et sa voix distinguée avec "Neuilly blues" (récit de son enfance bourgeoise), "Interrogations écrites" (son expérience d'enseignant) ou "le Président et l'Éléphant" (satire des safaris africains de Valéry Giscard d'Estaing, qui va donner son nom à son premier album, sorti en 1977).

Cérébral. Caussimon•, Vigneault• et Nougaro• apprécient son travail et l'invitent lors de leurs concerts ou de leurs émissions télé. Sept albums suivent et, curieusement, trois autres au Japon où l'artiste est très reconnu. En 1981, un drame personnel l'éloigne deux ans du métier, avant qu'il ne revienne en 1983 avec le show *Je vais mieux*. Engagé à gauche (il quittera un temps le professorat pour l'alphabétisation des immigrés), il défend une chanson française acoustique dans la lignée, dit-il, *de Cesaria Evora, du blues et du fado*. En 1995, il passe enfin à l'Olympia et sort un disque de compilation, *Tout m'étonne*.

◎ ***Travelling,*** Kotch Music, 1988
◎ ***Tout m'étonne,*** Déclic/Virgin, 1995
◎ ***La Tête ailleurs,*** Déclic, 1999

LAFFORGUE René-Louis

San Sebastián, Espagne, 1928
Albi, 1967
AUTEUR, COMPOSITEUR, INTERPRÈTE

René-Louis Lafforgue aborde la chanson en 1951 mais n'abandonnera jamais complètement le métier d'acteur qu'il a toujours aimé. Son premier succès, "le Poseur de rails", en 1953, puis, surtout, "Julie la Rousse", en 1957, le situent dans le métier à une bonne place, proche de Brassens•, Ferrat• et Brel•.
Une bonne gueule sympathique, une moustache en guidon de vélo, des cheveux frisés. Il est grand prix du disque en 1959. De bons titres, à mi-chemin de la rengaine et de la chanson engagée• : "Grand Manitou", en 1961, "les Enfants d'Auschwitz", en 1966. Parti pour un tournage, il se tue en percutant une voiture près d'Albi.

◎ ***Julie la Rousse,*** La Chance aux chansons, 1994

LAFONTAINE Philippe

Bruxelles, 1955
AUTEUR, COMPOSITEUR, INTERPRÈTE

Artiste atypique, il commence par tenir son propre café-théâtre, le Quai aux bardes, à Bruxelles, puis compose pour la pub, avant de se faire remarquer en 1981 avec "Bronze bronze". La consécration arrive en 1989 avec le tube "Cœur de loup", qui sera plusieurs semaines en tête du Top 50. En 1991, il accepte de représenter la Belgique au concours de l'Eurovision à condition que la chanson "Macédonienne", dédiée à sa femme d'origine yougoslave, ne soit commercialisée qu'à un seul exemplaire. À partir de 1992, il se tourne vers des ambiances à dominantes sud-américaines, voire world music, sans réussir à renouer avec le succès. Il est l'auteur de nombreuses chansons pour Maurane•.

◎ ***Fa Ma No Ni Ma,*** Vogue, 1989
◎ ***Folklores imaginaires,*** Tréma, 1996

LAFORÊT Marie (Maïtena Doumenach, dite)

Soulac, Gironde, 1940
AUTEUR, INTERPRÈTE

Après des débuts au cinéma dans *Plein Soleil* de René Clément et dans *la Fille aux yeux d'or* de Gabriel Albicocco (le premier de ses quatre maris), elle se lance dans la chanson au début des années soixante et connaît vite le succès, en 1964, avec "les Vendanges de l'amour" (signée M. Jourdan et Danyel Gérard•). Les tubes vont se succéder : "Viens sur la montagne", "Que calor la vida", "Ivan, Boris et moi", "la Bague au doigt", "Katy cruelle", "Viens, viens" et le désopilant duo avec Guy Béart•, "Frantz", dans lequel elle incarne une future jeune veuve qui quitte le chevet de son vieux mari agonisant pour rejoindre son soupirant. Sa beauté aide à sa carrière, mais ce sont surtout sa voix (rauque dans les graves, naïve dans les aigus, sensuelle dans le mezzo) et son répertoire (habilement constitué d'une sorte de mélange de chanson française traditionnelle et de folklores du monde) qui l'imposent auprès du public.

Ses magnifiques "yeux d'or" contribueront autant que sa voie rauque et sensuelle au succès de Marie Laforêt.

Dans les années soixante-dix, elle se fait plus discrète, proposant parfois des chansons assez exigeantes, comme "Cadeau" ou "J'ai le cœur gros du temps présent" (dont elle est l'auteur, en 1979, avec G. Layani). Elle alterne de plus en plus le cinéma (avec Lautner, Solanas, Verneuil, Enki Bilal) et la chanson, où elle évoque la nostalgie des années soixante ("Il a neigé sur Yesterday", "Manchester et Liverpool"), tout en continuant dans son registre des folklores ("Yerushalaïm", "Calle Santa Rita"). En 1999, elle triomphe au théâtre dans le rôle de Maria Callas dans les dernières années de sa vie.

Reconnaissances, Polygram, 1993
Éventail (compil. 1963-1993), Polygram
Manchester et Liverpool (compil.), Musidisc, 1991
Les Vendanges de l'amour (compil.), Columbia/Sony, 1992
Fragile de A à Z (coffret 1963-1993), Polygram, 1994

LAHAYE Jean-Luc

1958
AUTEUR, INTERPRÈTE

Un premier succès, "Femmes que j'aime", devient l'un des tubes de l'été 1982. Dans la foulée, Jean-Luc Lahaye enregistre un album où figure son second tube, "Appelle-moi Brando", sur de variété-rock traitée au synthétiseur. Sa biographie d'enfant de la DDASS, *Cent Familles,* connaît un grand succès populaire. Il lance fin 1986, avec la collaboration d'Antenne 2, une fondation portant son nom pour venir en aide aux enfants abandonnés. Il est, au printemps 1986, au Palais des Sports, avec de nouveaux succès, "Papa chanteur" et "Djemila des Lilas", avant d'animer, à la rentrée 1987, un show de variété, *Lahaye d'honneur* sur la première chaîne. L'aventure aura, surtout, pour fâcheuse conséquence de le couper de son public. Après deux albums assez sombres en 1990 (*Paroles d'hommes*) et 1994 (*Parfum d'enfer*), il revient à la veine de ses débuts avec *Rendez vous,* en 1997.

Papa chanteur (compil.), Polygram
Femme que j'aime, Mercury, 1998

LAI Francis

Nice, 1932
COMPOSITEUR, INTERPRÈTE

Accordéoniste autodidacte, il rencontre le poète Bernard Dimey• et écrit avec lui des chansons pour Mouloudji•, Juliette Gréco• et Yves Montand•. Il fait ensuite la connaissance de Pierre Barouh• et de Claude Lelouch, ce qui l'amène à composer la musique d'*Un homme et une femme,* succès mondial (200 versions différentes), oscarisé en 1966. Puis c'est une seconde consécration avec la musique de *Love Story,* en 1970. Surnommé le Nino Rota de Lelouch, il a écrit une centaine de musiques de films et 500 chansons (pour Sinatra, Brigitte Bardot•, Françoise Hardy•, etc.). Une musique simple et mélodieuse, entre le jazz et la bossa-nova, qu'il s'essaie à chanter lui-même sur l'album *Paris New York* en 1979.

B.O. des films de Claude Lelouch, Disc'AZ, 1995.

LAJON Annette

Paris, 1902-1984
INTERPRÈTE

Depuis son premier disque ("Mon cœur est léger", 1934) jusqu'au dernier ("Un bateau qui vient de France", à l'occasion du lancement du paquebot *France* en 1961), elle multiplie les succès : "le Moulin qui jase" (1934), "Viens dans mes bras", "l'Étranger" (1936), "Sombre Dimanche" (*id.*), "Johnny Palmer" (1937), "J'ai perdu d'avance" (1940) et "Les fleurs sont des mots d'amour" (1942).

Compilation, Chansophone 149

LALANNE Francis (Francis Manzor, dit)

Bayonne, Pyrénées-Atlantiques, 1958
AUTEUR, COMPOSITEUR, INTERPRÈTE

Après un apprentissage musical avec ses deux frères, René et Jean-Félix, au sein de Bibi Folk, Lalanne se fait remarquer dès 1979 avec "la Maison du bonheur" (tirée de l'album *les Trois Oranges bleues*), puis en 1980 avec "La plus belle fois qu'on m'a dit je t'aime". Depuis, entre rock, ballade et protest song, il poursuit une carrière appuyée par d'incontestables qualités scéniques et un ton passionné, et qui, sans atteindre les sommets, est ponctuée de quelques succès ("On se retrouvera", 1986). Figure familière et controversée de la chanson, il publie également des livres et joue la comédie (notamment la comédie musicale d'Herbert Pagani, *Megalopolis,* au Bataclan, en 1999).

La Maison du bonheur (compil.), Polygram, 1992

LAMA Serge (Serge Chauvier, dit)

Bordeaux, 1943
AUTEUR, INTERPRÈTE

Dès sa plus tendre enfance, Serge aspire à venger son père, chanteur lyrique à la carrière à moitié réussie, et remplit des carnets de poèmes. Au début des années soixante, Barbara•, alors vedette de l'Écluse, est séduite par ses chansons et obtient son passage régulier dans le cabaret. Puis il est à Bobino en 1964, en première partie de Georges Brassens•. En août 1965, sa vie bascule : il est victime d'un grave accident, qui le met deux ans hors circuit. Il a perdu l'usage de ses membres, sa voix elle-même semble en danger. Il s'accroche et, en juin 1967, il enregistre "les Ballons rouges" allongé sur une civière. Au cours de sa convalescence, il rencontre le compositeur-pianiste Yves Gilbert, qui devient (avec Alice Dona•, à partir de 1971) son plus grand complice. Au cours des années soixante-dix, Lama, Gilbert, Dona et l'arrangeur Jean-Claude Petit alignent un nombre impressionnant de succès : "Superman", une adaptation des Kinks, "le Temps de la rengaine" (où il évoque le destin de son père), "D'aventure en aventure" (1968), "Je suis malade" (1973), "Tarzan" (1977) ou "Femme, femme, femme" (1978).

Macho-phallo. À la sortie de "Chez moi" (1973), qui met en scène une adolescente séduite par un adulte, et de "les P'tites Femmes de Pigalle" (véritable succès populaire), ses détracteurs le qualifient de machiste triomphant et de phallocrate réactionnaire. Il n'en reste pas moins l'auteur de petites saynètes pleines de nostalgie ("Une île", "Toute blanche"), réalistes et humoristiques ("le Roi du café-tabac", "Dans ma garçonnière"), parfois empreintes d'une poésie sensible ("Mon ami, mon maître"). Il monte une comédie musicale inspirée de la vie de Napoléon, personnage qui le fascine depuis toujours. Entre 1984 et 1988, plus d'un million de personnes voient le spectacle en France, en Belgique, en Suisse et au Québec. À partir de 1989, il se tourne résolument vers le théâtre. Il revient à la chanson en 1994 et effectue une longue tournée, l'année suivante. L'album *Lama l'ami* (1996) restitue ces instants, avec quatre chansons nouvelles, dont "Titanic". **A.G.**

La carrière de Serge Lama a été marquée par celle de son père, artiste lyrique.

- ***Je suis malade*** (compilation), Polygram Master Série, 1987
- ***Les P'tites Femmes de Pigalle,*** Polygram, 1988
- ***À la vie à l'amour,*** Philips/Phonogram, 1995
- ***Lama l'ami,*** WEA, 1996
- ***Symphonique,*** WEA, 1998

LANG Jean-Pierre

Neuilly-sur-Seine, 1936
AUTEUR, COMPOSITEUR, INTERPRÈTE

Après avoir travaillé pour le cinéma (la musique des *Aventuriers* de Robert Enrico), il écrit "Fais-moi un signe" pour Gérard Palaprat• et "Comme si je vais mourir demain" pour Johnny Hallyday• (1971). Il travaille ensuite avec Carlos• et Nicole Croisille• avant d'entamer une longue collaboration avec Pierre Bachelet• : plus de 130 chansons, dont "Elle est d'ailleurs" (1980) et "les Corons" (1982).

LANGLOIS Simone

Paris, 1936
AUTEUR, INTERPRÈTE

Jean Nohain• la fait débuter à treize ans aux Trois-Baudets. Vite devenue célèbre, elle enregistre "Au printemps" et "Je ne sais pas" de Jacques Brel•, qui débute alors ; il lui offre ensuite la version féminine de "Ne me quitte pas", qu'elle lance à l'Olympia en 1961 et qui obtient le grand prix de l'Académie du disque. Elle enregistre aussi en duo avec Brel "Sur la place". Elle aura enregistré plus de cinquante disques de tous formats au cours de sa carrière.

◎ ***Simone Langlois*** (compilation), Polygram

LANJEAN Marc (Jean Marcland, dit)

1903-1964
AUTEUR, COMPOSITEUR

Il compose en collaboration avec Henri Kubnick•, "Aux îles du soleil", son premier succès enregistré par Elyane Dorsay. Puis c'est "les Yeux des Muchachos" pour Ray Ventura• et son orchestre. Il participe au succès d'Henri Salvador• avec "la Maladie d'amour" et des Sœurs Étienne• avec "les Oranges de Jaffa". On lui doit aussi les paroles du "Grisbi" (musique de Jean Wiener), thème du célèbre film de Jacques Becker *Touchez pas au grisbi*.

LANTIER Jack

Paris, 1930
INTERPRÈTE

D'une voix douce et pleine de charme, il interprète des chansons à la mode, succès d'Yves Montand•, Jacqueline François•, etc., jusqu'en 1952, où, remarqué par un imprésario, il est engagé à l'A.B.C. pour jouer l'opérette de Francis Lopez• *la Route fleurie*. Les disques Vogue l'engagent en 1969 après ses succès à la télévision : il enregistrera plus de 27 albums et vendra des millions de disques, s'installant durablement comme une vedette du troisième âge.

◎ ***Ses grands succès,*** Vogue/BMG

LAPOINTE Boby (Robert Lapointe, dit)

Pézenas, Hérault, 1922 - *id.*, 1972
AUTEUR, COMPOSITEUR, INTERPRÈTE

Jamais chanteur n'aima autant jouer avec les mots, jamais bon vivant ne fut autant sceptique. Robert Lapointe, citoyen de Pézenas (Hérault), a marqué la chanson française de ses audaces verbales, de sa voix déglinguée et de ses harmonies fanfaronnes. Un peu laissé à l'écart après sa mort en 1972, cet homme du Sud passé par les fourches Caudines du parisianisme est redécouvert par une nouvelle génération de chanteurs au début des années quatre-vingt-dix.

Honnissant le bourgeois et le bien-pensant, volontiers coquin, Boby Lapointe s'inscrit à contre-courant des variétés faciles. *"Mon père est marinier/Dans cette péniche/Ma mère dit la paix niche/Dans ce mari niais/Ma mère est habile/Mais ma bile est amère/Car mon père et ses verres/Ont les pieds fragiles"* : le double sens, le calembour et les sous-entendus fondent l'art de cet inventeur-né, dandy en maillot de marin, barbu éclectique, hilarant et frondeur.

Fantasque. Son père, commerçant grainetier et joueur de piston, comme sa mère, Élodie, chantent à longueur de temps. Dès son jeune âge, Boby Lapointe est doué pour les canulars. Il veut devenir pilote d'essai dans l'aviation, passe le bac mathématique, s'amuse à plonger du haut du rocher des Deux-Frères au cap d'Agde, ou à skier sur un pied à Font-Romeu. Il prépare Sup-Aéro, construit un planeur qui s'écrase. C'est la guerre qui coupe les ailes du jeune Robert. En 1943, il est réquisitionné pour le service du travail obligatoire. Évadé, il est fait prisonnier lors d'une rafle et s'évade une seconde fois. À la Libération, il devient scaphandrier à La Ciotat et nettoie les épaves. Cela ne l'empêche pas d'écrire sans cesse, des sketches loufoques, des rimes, des traités théoriques sur le calembour. À l'issue d'un gala à Juan-les-Pins, il montre ses textes aux Frères Jacques•, qu'il avait découverts lors d'une escapade à Paris. Sans succès : c'est trop difficile à chanter.

En 1946, il épouse Colette, dont il a deux enfants, Ticha et Jacky. Il aide son père à gérer le domaine viticole que celui-ci vient d'acquérir. Mais l'esprit bohème le reprend.

En 1951, il publie son premier recueil de textes, *Douze Chants pour un imbécile heureux,* avant de débarquer à Paris avec femme et enfants. Représentant de commerce, travailleur des Halles, rédacteur publicitaire, installateur d'antennes de télévision, il finit par ouvrir une boutique, Poil de Carotte, avec sa femme. Colette et Boby suivent les cours d'art dramatique du dimanche de Jean Le Goff. Colette, qui a pris le nom de Brumaire, dit les textes de Boby : *Sentimental bourreau, Charade, Étranges Propos d'un réveil chromé,* ancêtre de la chanson "Ta

Katie t'a quitté". Lui fait la tournée des cabarets. En 1954, le couple se sépare. Seul à Paris, Boby Lapointe joue les noctambules. Un soir, l'imprésario André Tives l'entend chanter "Aragon et Castille". Il propose la chanson à Bourvil•, qui l'interprète dans le film de Gilles Grangier, *Poisson d'avril.*

"LE DOUBLE SENS, LE CALEMBOUR ET LES SOUS-ENTENDUS FONDENT L'ART DE CET INVENTEUR-NÉ, DANDY EN MAILLOT DE MARIN."

En 1959, Boby Lapointe échoue au Cheval d'Or, une petite salle de la rive gauche•, où se produisent Ricet Barrier•, Anne Sylvestre•, Raymond Devos ou Pierre Étaix. François Truffaut l'y découvre en 1960 et l'appelle à reproduire son numéro dans son prochain film, *Tirez sur le pianiste,* dont Charles Aznavour• est la vedette. Aznavour est au piano, et Boby chante "Framboise", hochant la tête et balançant le torse. Il articule tellement mal que Truffaut doit sous-titrer la scène. Lapointe y gagne un surnom : "le chanteur sous-titré". Philippe Weil, un jeune décorateur, passionné de jazz, qui travaille avec le producteur et propriétaire du cabaret les Trois Baudets, devient son directeur artistique. En février 1960, Philippe Weil le programme dans un spectacle collectif, Qualitativement vôtre.

L'effet Truffaut. À la fin de l'année paraît le premier 45 tours de Boby Lapointe, où figurent cinq chansons arrangées par Alain Goraguer•, "Aragon et Castille", "Framboise", "Marcelle", "Insomnie", "le Poisson Fa". Sur la pochette, il apparaît vêtu d'une combinaison de plongeur. En 1961 sort un second disque ("Bobo Léon", "Embrouille Minet"...) chez Fontana. Porté par le film de Truffaut, il se produit à l'Alhambra dans le programme de Charles Aznavour. Brassens se lie d'amitié avec ce drôle de bonhomme, imprévisible et fantasque, et l'emmène en tournée, malgré ses retards incessants.

De l'Alhambra au Vieux-Colombier, des tournées en Suisse au théâtre des Capucines, Boby Lapointe n'en fait qu'à sa tête. Il ouvre une cave rue de la Huchette, le Cadran bleu, où les clients doivent pointer sur des machines qu'il a récupérées dans les usines de Sud-Aviation. Il y donne "Show et froid de volaille", veut monter une comédie musicale, fait faillite et retrouve les cabarets. Grâce à Lucien Morisse, directeur musical d'Europe n° 1, il signe un contrat discographique chez AZ.

C'est alors que la déferlante yé-yé s'abat sur la France. Boby Lapointe, qui n'est pas un gros vendeur d'albums, est victime d'une image de "chanson de papa". Il s'essaie alors à des exercices plus modernes, tel "Saucisson de cheval", composé avec Michel Colombier, sur des arrangements plus clinquants. Remarié en 1966 avec Bernadette, une styliste de chez Chanel, Boby Lapointe poursuit en électron libre sa carrière de chanteur : un concert à Pézenas avec Maurice Fanon•, une alliance avec Joe Dassin•, des

Brassens adoptera Bobby Lapointe et l'emmènera en tournée, malgré son caractère fantasque et ses retards incessants.

films (*Max et les ferrailleurs,* de Claude Sautet, en 1970, *les Assassins de l'ordre*, de Marcel Carné, *la Veuve Couderc,* de Pierre Granier-Deferre). Il donne son dernier concert à Bobino en décembre 1971 à la demande de Pierre Perret•, avant de mourir des suites d'un cancer, à Pézenas. **V. M.**

◎ ***Intégrale Boby Lapointe,*** Polygram, 1987

LARA Catherine

Poissy, 1945
COMPOSITEUR, INTERPRÈTE

Premier prix du conservatoire de Versailles en 1958, Catherine Lara poursuit ses études à celui de Paris. Son aventure professionnelle débute avec les Musiciens de Paris. Elle a vingt et un ans, coupe les queues-de-pie et entre en scène le plastron décoré d'araignées en plastique... Primée par la Fondation de la vocation comme violon solo (1968), elle vivote de concerts et de séances studio (pour Juliette Gréco•, Jean Sablon•...). Le milieu de la variété l'attire et elle compose ses premières chansons. En 1971, année où elle accompagne Claude Nougaro• avec son Quatuor, elle enregistre son premier album. Françoise Hardy• l'encourage à persévérer.

L'explosion. Entourés des meilleurs (Daniel Boublil, Jean Musy, Claude Dejacques...), ses premiers pas discographiques sont d'un néoclassicisme sage. Il faudra six albums pour débrider la pétulante Lara. En 1979, elle opère sa mutation rock avec *Coup de feel,* virage superbe et déchaîné qu'elle doit au guitariste-compositeur Claude Engel. Elle paraît en artiste libérée et prolifique à travers ses nouvelles productions : *Geronimo* (1980), *Lala* (1981), *Sale Gosse* (1983), *la Rockeuse de diamants* (1983), *Flamenrock* (1984). Son violon rugit comme une guitare, sa voix donne la chair de poule. Les années quatre-vingt-dix voient l'accomplissement de son grand œuvre "rockmantique" longtemps porté et désiré par l'artiste, qui se projette dans le personnage de son héroïne : *Sand et les Romantiques* (1991). Après *Maldonne* (1993), esthétisant et alambiqué, elle sort *Mélomanie* (1996), plus rock et plus direct, sur des textes de Jean-Claude Vannier• **F. B.**

◎ ***La Rockeuse de diamants*** (1983), Trema/Sony
◎ ***Espionne*** (1984), Trema/Sony
◎ ***Lara Live,*** Trema/Sony, 1988
◎ ***Rocktambule,*** Trema/Sony, 1988
◎ ***Maldonne,*** Trema/Sony, 1993

LAROCHELLIÈRE (Luc de)

Laval, Québec, 1966
AUTEUR, COMPOSITEUR, GUITARISTE,

Luc de Larochellière a d'abord hésité entre peinture et chanson. En 1986, lauréat de trois prix au festival de la chanson de Granby, il franchit le pas. Avec l'arrangeur Marc Pérusse, il publie en 1988 son premier album, *Amère America*. C'est la révélation et le succès commercial. Il confirme en 1990 avec le très dynamique Sauvez mon âme.

◎ ***Sauvez mon âme,*** Trafic/Tréma/Sony, 1991

LARUE Jacques (Marcel Ageron, dit)

Paris, 1906- *id.,* 1961
AUTEUR

Jacques Larue s'impose d'entrée en 1939 en remportant le grand prix de l'A.B.C. avec "Mon village au clair de lune", enregistrée par Jean Sablon• (musique Jean Lutèce). La qualité de son texte surprend. C'est simple, poétique, original et chantant. Il fait alors équipe avec Louiguy et cela donne, pour Léo Marjane•, "l'Âme au diable", "On s'aimera quelques jours" et, pour Maurice Chevalier•, "Ça sent si bon la France" (musique de Louiguy, 1941). En 1950, il donne à André Claveau• un très grand succès, "Cerisier rose et pommier blanc" (musique de Louiguy•). Jacques Larue est aussi à l'aise dans l'écriture d'une chanson originale que dans l'adaptation d'une œuvre étrangère. Il le prouve avec "Qui sait, qui sait", chanté par Henri Salvador•, "les Enfants du Pirée" (Melina Mercouri), "Bambino" (Dalida•) et "Avril au Portugal" (Yvette Giraud•).

En 1956, il signe "Avec ce soleil" (musique de Philippe Gérard), qui sera chanté par les Compagnons de la chanson•, Patachou• et Édith Piaf•.

LASSO Gloria

Barcelone, 1928
INTERPRÈTE

Elle arrive en 1954 en France, chante dans un cabaret espagnol des Champs-Élysées. Remarquée par l'éditeur Maurice Tézé•, elle enregistre le succès du moment "Étrangère au paradis" (arrangement du thème du prince Igor de Borodine, avec des paroles de Francis Blanche•). Francis Lopez• écrit alors pour elle "le Pauvre Muletier" et "la Valse mexicaine". Mais, sur le

Dans la lignée de Rina Ketty, Gloria Lasso sera avec Caterina Valente puis Dalida une incarnation de la "chanteuse exotique".

créneau de la chanson de charme "exotique", la concurrence, incarnée par Dalida•, est de plus en plus rude. Trop impulsive, Gloria ne sait pas très bien l'affronter. De sombres problèmes d'argent et d'imprésarios indélicats la font se retirer au Mexique, où elle déchaîne les foules. Un premier come-back en 1972 se solde par un échec. Mais depuis, grâce à Pascal Sevran•, qui la relance dans son émission "La chance aux chansons", elle connaît de nouveau la notoriété. Elle est aujourd'hui aussi célèbre pour son tempérament de feu et ses nombreux (9) maris que pour ses chansons.

- ***Anthology,*** Clemusic, 1996
- ***Bon voyage !*** (compilation), EMI Music
- ***For ever*** (compilation), Musidisc

LATRAVERSE Plume (Michel Latraverse, dit)

Central City, Colorado, 1946
AUTEUR, COMPOSITEUR, INTERPRÈTE

Ce grand cow-boy hirsute, né aux États-Unis est québecois jusqu'au fond de sa glotte encombrée de joual (parler local). De tango en samba, de gigue en jazz New Orleans, de biguine en quadrille, sans oublier la tarentelle, il balade son jusqu'au-boutisme peuplé de sarcasmes, tout à la fois joyeux et désespéré.À l'opposé de l'angélisme d'un Vigneault•, il est le punk à claquettes de la chanson québécoise. Au milieu des années quatre-vingt, il prend du champ et se tourne vers la littérature et le théâtre.

- ***Le Lourd Passé,*** Scalen'Disc, 1995
- ***Chansons nouvelles,*** Scalen'Disc, 1995
- ***All Dressed,*** Scalen'Disc, 1996

LAURE Carole (Carole Lord, dite)

Montréal, Québec, 1948
AUTEUR, INTERPRÈTE

Actrice, interprète et parfois parolière, Carole Laure est surtout connue pour ses spectacles et ses disques en compagnie de son mari, le Canadien Lewis Furey. Jolie séductrice, fascinée par l'univers du cabaret, elle est capable d'offrir aussi de convaincantes reprises des standards pop américains des années soixante, en anglais ou en adaptation française. En 1997, elle sort l'album *Sentiments naturels* avec le concours de la fine fleur des remixeurs français, dont Dimitri From Paris et DJ Cam.

- ***Western Shadows,*** Secret/Polygram, 1989
- ***She Says Move On,*** FNAC Music, 1991
- ***Sentiments naturels,*** Columbia/Sony, 1997

LAURE Odette (Odette Dhommée, dite)

Paris, 1917
INTERPRÈTE

Après avoir remporté le radio-crochet du Poste parisien, elle commence à chanter, en 1945, chez Suzy Solidor•, "le Petit Officier de marine", jusqu'au moment où Michel Emer• lui donne "Moi j'tricote" et Francis Blanche•, "Ça n'tourne pas rond dans ma p'tit' tête..." (1950). Sa carrière est lancée et elle peut mener de front la chanson, la comédie et le cinéma. Grâce à plusieurs succès, comme "Allô mon cœur", elle reçoit le grand prix de l'Académie du disque en 1954.

LAVIL Philippe (Philippe de la Villegégu du Fresnat, dit)

Fort-de-France, Martinique, 1947
AUTEUR, COMPOSITEUR, INTERPRÈTE

Après des études sérieuses, ce fils de békés (Blancs des Antilles) enregistre à Paris en 1969 "Avec les filles je ne sais pas", énorme succès qui lui monte à la tête. La traversée du désert commence. Il songe à retourner aux Antilles. Puis il revient en force en 1982 avec "Il tape sur des bambous". Enchaînant tubes et disques d'or, sa plus grande réussite est le duo "Kolé Séré" avec Jocelyne Béroard du groupe Kassav', en 1987. Parlant couramment créole, il contribue à faire connaître le zouk et donne l'image d'un chanteur aimable, qui se balance au rythme des ballades exotiques et nonchalantes.

Best of, RCA/BMG

LAVILLIERS Bernard (Bernard Ouillon, dit)

Saint-Étienne, Loire, 1946
AUTEUR, COMPOSITEUR, INTERPRÈTE

À Saint-Étienne, terre de mines, de manufacture et de textile, Bernard Lavilliers apprend, dès son plus jeune âge, l'âpreté de l'existence. De la proche périphérie encore campagnarde aux cités de banlieue, il découvre que, dans ce monde-là, il faut se battre pour survivre. Au contact d'un père prolétaire et leader syndical, il prend conscience de la lutte des classes. Sa mère, enseignante, l'entraîne très tôt vers la littérature, qui demeurera l'une de ses passions. Le gamin sacrifie au rite de l'école buissonnière, fait le coup de poing, s'encanaille, suffisamment pour goûter aux lois rigoureuses et si peu épanouissantes de la maison de redressement. Toutes les conditions sont réunies pour que ses années de braise fassent de lui un rebelle. Il s'essaie à la boxe puis à l'art du théâtre dans des troupes locales et enfin se tourne vers la chanson. Son apprentissage, sur le tas, du métier de tourneur, n'est qu'un avatar dans ce début d'existence tumultueux. L'intermède professionnel aura au moins pour mérite de lui faire découvrir de l'intérieur ce qu'il s'appliquera à ne jamais être. Formé à l'école de Léo Ferré•, dont il est devenu, par disques interposés, un disciple, Lavilliers cultivera toujours un goût de la liberté.

> "IL BOXE AUSSI, SCULPTANT CE CORPS MUSCULEUX QUI SERA POUR LUI UN VÉRITABLE HABIT DE SCÈNE."

Dans les usines. Il se produit, accompagné de sa seule six-cordes, dans le pays stéphanois. Il boxe aussi, sculptant ce corps musculeux qui sera plus tard pour lui un véritable habit de scène. En 1965, parce qu'il étouffe dans un paysage trop étriqué, il s'en va... L'échappée brésilienne, entre Rio et Bahia, occupe une année de son existence. À son retour, les autorités militaires le consignent dans une forteresse de Metz. Tout juste libéré, on le retrouve dans les bars, les cabarets parisiens. Dès 1968, il enregistre chez Decca deux 45 tours puis un LP. De facture rive gauche, l'exercice, réédité depuis sous le titre *Premiers Pas,* n'a pas la luxuriance des réalisations à venir. Le chant se suffit, le plus souvent, de la guitare. Il met ainsi en musique un poème d'un autre anarchiste, Gaston Couté•, "Christ en Croix".

Lavilliers chante dans les usines, s'arrête un temps à Marseille, où il s'initie à la gestion de boîtes de nuit. Il va, ensuite, beaucoup tourner dans sa région d'origine, ainsi qu'en Bretagne et en Lorraine, où il rencontre celui qui va devenir son manager, Michel Martig. Deux albums, *les Poètes* (1972) et *le Stéphanois* (1975), précèdent l'enregistrement des *Barbares* (1976), qui le fera connaître. Les certitudes accumulées tout au long de sa turbulente existence alimentent ce vinyle irrévérencieux à l'ambiance sombre, entre rock et bossa, pour exprimer la révolte des banlieues. Tout l'art de conteur de Lavilliers, ses phrases ciselées, est déjà là. Guidé par Richard Marsan, compagnon de route de Ferré et producteur artistique chez Barclay, il vient de rencontrer deux musiciens qui vont compter énormément pour lui : François Bréant et Pascal Arroyo.

Aventurier. *15e Round,* avec sa profession de foi "N'appartiens à personne", confirme l'année suivante son importance dans le panorama musical. Lavilliers et son clan, grossi du guitariste Hector Dran, multiplient les concerts en province avant de s'installer pour une semaine triomphale à l'Olympia où est enregistré un double album en public, *T'es vivant. Pouvoirs* (1979), avec une face complète consacrée aux turpitudes des systèmes politiques totalitaires et aux résistances qu'elles génèrent, fait la part belle aux climats glacés des synthétiseurs. *O Gringo* (1980) dissipe le malentendu. Il deviendra platine comme *15ᵉ Round*. Entre New York, rock, salsa et reggae de la Jamaïque, Lavilliers a prospecté de nouvelles planètes.

La photo illustrant la pochette le représente dans une chambre anonyme. Près de lui une valise ouverte, un magnétophone, un pistolet : il se pose en aventurier à la recherche d'instantanés sur une époque perturbée. Il ne s'agit pas d'une simple attitude. En 1981, il réalise ainsi un reportage pour *Stern* sur le Salvador. Après avoir surmonté la douloureuse rupture avec Lisa Lyons, star du body-building, son "haltère ego", dont est imprégné l'album *État d'urgence*, il ramène d'Afrique le sublime *Voleur de feu* (1986). Outre la participation, sur un titre, des tambours du griot sénégalais Doudou N'Diaye Rose, le LP comporte l'un des plus gros tubes de Lavilliers, "Noir et Blanc", aussi populaire que "Idées noires", le duo avec Nicoletta• (1983).

Avec Mahu, son percussionniste, il part, caméra sur l'épaule, en Haïti et au Nicaragua déchiré par la guérilla. L'album *If* (1988) est marqué par ce périple comme le sera *Solo* (1991), enregistré après un long séjour en Asie. En 1994, de retour du continent américain, il enregistre un LP pessimiste sur la situation et le devenir du monde, *Champs du possible*. *Voleur de feu* et *Clair-obscur* suivent en 1996 et 1997.

Avec ses musiques métisses et ses épaules de débardeur, il reste un des véritables précurseurs de la world music, aussi à l'aise dans la tradition de la chanson rive gauche que dans les rythmes et les sonorités des horizons lointains.
J.-P. G.

Costaud et baroudeur, Bernard Lavilliers développera un répertoire à son image.

- ***Les Poètes*** (1972-1975), Disques Dreyfus/Sony
- ***Le Stéphanois*** (1975), Disques Dreyfus
- ***Les Barbares*** (1976), Barclay
- ***15ᵉ Round*** (1977), Barclay
- ***T'es vivant*** (1978), Barclay
- ***Pouvoirs*** (1979), Barclay
- ***O Gringo*** (1980), Barclay
- ***Olympia Live*** (1984), Barclay
- ***Voleur de feu*** (1986), Barclay
- ***Gentilshommes de fortune*** (1987), Barclay
- ***If, Barclay,*** 1988
- ***Solo, Barclay,*** 1991
- ***Champs du possible,*** Barclay/Polygram, 1994

LAVOIE Daniel

Vancouver, 1949
AUTEUR, COMPOSITEUR, INTERPRÈTE

Daniel Lavoie, bien qu'habitant à Montréal, n'est pas québécois, il est plutôt de là-bas, tout au fond, à l'ouest du Manitoba. Du coup, deux cultures, l'anglaise et la française, sont inextricablement mêlées dans son paysage intérieur. Daniel Lavoie a commencé du côté du rock'n'roll avant de passer à la chanson et à se produire en France en 1975, avec un premier disque, *J'ai quitté mon île*. En 1985, sa chanson "Ils s'aiment" est un tube qui lui vaut un disque d'or. Depuis, entre musiques de film *(les Longs Manteaux)* et chansons tendres, il poursuit tranquillement une carrière internationale...

En 1999, il participe comme interprète au triomphe de la comédie musicale *Notre Dame de Paris,* signée Richard Cocciante• et Luc Plamondon•.

Chez lui, les mots sont là, nécessaires et doux, mais plus comme composante générale d'une ambiance que comme poésie. Ses mélodies, intimistes et aériennes comme un accord de piano électrique, sont les cousines de celles de Neil Young ou de Jackson Browne.

◎ ***Ils s'aiment,*** WEA, 1987
◎ ***À l'Olympia,*** WEA, 1987

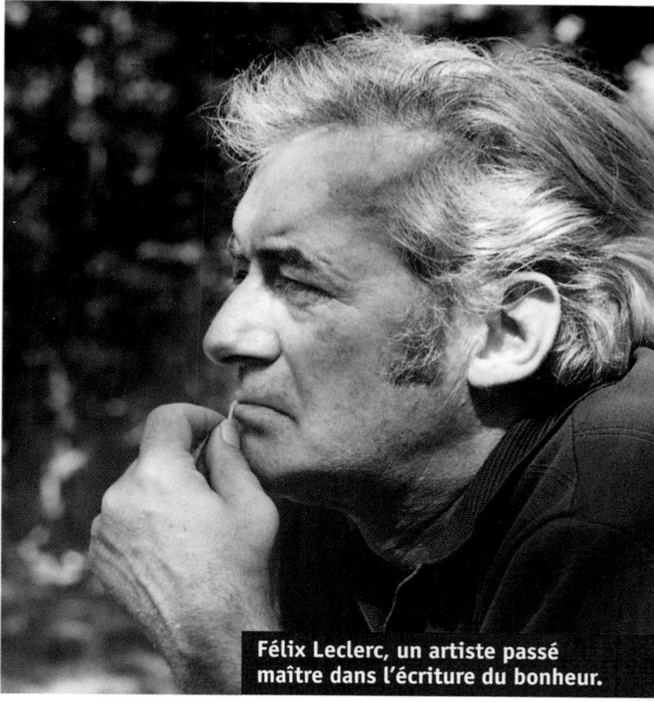

Félix Leclerc, un artiste passé maître dans l'écriture du bonheur.

LAVOINE Marc

Longjumeau, 1962
Auteur, interprète

D'abord figurant dans une poignée de téléfilms (son premier rôle fut dans un épisode de la série adolescente *Pause Café*), c'est par la chanson qu'il s'est révélé au public au début des années quatre-vingt. Ténébreux au regard pourtant clair, il a aligné quelques tubes devenus des classiques du genre qu'on fredonne facilement ("le Parking des anges", "les Yeux revolver", "Bascule avec moi" ou encore un inoubliable duo avec Catherine Ringer des Rita Mitsouko•, "Qu'est-ce que t'es belle"). Parallèlement, il est acteur au cinéma. *(Frankenstein 90, l'Enfer, Fiesta).*

◎ ***Marc Lavoine*** 1985-1995, RCA/BMG, 1995
◎ ***Lavoine Matic,*** AVREP/BMG, 1997

LEBAS Renée

Paris, 1917
Interprète

Lancée en 1937 par un radio-crochet de Radio-Cité, elle passe la guerre en Suisse où elle se fait apprécier par l'auditoire de Radio-Sottens. Elle chante alors de belles chansons de circonstance comme "14 juillet", signée du Suisse très francophile Gilles• (alias Jean Villard), ou "Exil". À la Libération, elle connaît une belle carrière d'une quinzaine d'années, fondée sur un répertoire de qualité, avec des auteurs comme Boris Vian• ou Francis Carco. Son plus grand succès reste "Où es-tu, mon amour ?" (1946, texte de Lemarchand• et musique de Stern•), suivi, en 1952, par "Tire l'aiguille" (d'Eddy Marnay et Emil Stern). À partir des années soixante, elle s'occupe d'autres chanteurs, comme Régine• ou Serge Lama•, tout en continuant une carrière d'interprète.

◎ ***Renée Lebas,*** Music Memoria/Virgin, 1995

LECLERC Félix

La Tuque, Québec, 1914
Île d'Orléans, 1988
Auteur, compositeur, interprète

Celui qui n'avait pas "des chaussures vernies mais des gros brodequins solidement plantés sur terre" a joué un rôle très important non seulement au Québec mais aussi dans toute la chanson francophone. La France l'a découvert et, à travers cette découverte, une voix est née pour le nouveau Québec. L'affaire commence au début des années cinquante lors d'un voyage dans la Belle Province de Jacques Canetti•, le légendaire directeur artistique. Celui-ci entend à la radio un animateur à la voix sympathique qui propose aux auditeurs ses contes et ses chansons. Il décide de le faire venir à Paris et le fait passer à l'ABC. Dans cette France d'avant Georges Brassens•, Leclerc tranche singulièrement. Costaud, vêtu de la solide chemise à carreaux du bûcheron qu'il a été un temps, il apporte une grande bouffée d'air pur. Seul avec sa guitare, il est comme une réminiscence de l'époque des troubadours. En fait, Leclerc (qui reçoit le Grand Prix de l'académie Charles-Cros dès 1951) va ouvrir la voie non seulement à la chanson québécoise en France, mais aussi à tous les Jacques Brel•, Georges Brassens, Léo Ferré• et tant d'autres qui vont faire de la chanson à texte un genre bien précis. Il est intéressant de savoir que Boris Vian• lui-même, devenu quelques années avant sa mort directeur artistique pour Canetti, puis pour une sous-marque de Philips, l'avait ardemment défendu comme "artiste à signer les yeux fermés".

"COSTAUD, VÊTU DE LA CHEMISE À CARREAUX DU BÛCHERON QU'IL A ÉTÉ UN TEMPS, IL APPORTE UNE GRANDE BOUFFÉE D'AIR PUR."

Militant. Le personnage de Leclerc – sixième d'une famile rurale de onze enfants, simple, honnête, taillé dans du chêne et qui, au-delà du bon sens paysan, dénonce avec une rare beauté dans les mots les injustices que subissent les francophones au Québec – devient un fer de lance pour le mouvement autonomiste. Premièrement en France, car le grand public avait complètement oublié l'existence de ces terres francophones de l'autre côté de l'Atlantique… Ensuite au Québec, où, adoubé par sa reconnaissance parisienne (qui, à l'époque, demeurait une formalité quasi obligatoire), Félix Leclerc est désormais une vedette. Toute une génération va trouver en lui une expression sage mais néanmoins déterminée des volontés autonomistes qui agitent alors la Belle Province…

Bref, Leclerc donne une certaine respectabilité à un mouvement qui est souvent considéré comme terroriste. Pourtant, son œuvre n'est pas directement revendicative, si l'on excepte des chansons comme "l'Encan" (1975), où il affirme ses convictions (qui se manifesteront explicitement lors de sa prise de position en faveur du "oui" au référendum de mai 1980 sur l'autonomie constitutionnelle du Québec). Quand elle se manifeste, cette revendication s'insère en général dans des poèmes qui parlent du quotidien ou des états d'âme que chacun peut éprouver. En France, le grand public le connaît à travers des chansons comme "le P'tit Bonheur", "Moi, mes souliers" ou "la Prière bohémienne", qui font désormais partie de la mémoire collective de l'Hexagone, et, comme cela arrive souvent, ses titres sont malheureusement plus évocateurs auprès de la jeunesse que son nom.

Calme. Cet oubli vient certainement en partie de la façon dont Félix Leclerc a mené sa carrière. D'une part, il a toujours été beaucoup plus présent au Québec qu'en France et, d'autre part, l'"homme tranquille" a toujours préféré les cabarets et les MJC aux grandes salles. Quant aux médias, il n'en était pas friand… Les années 1970 marquent peut-être la période la plus intéressante de sa carrière et il connaît aussi un regain de popularité en France après quelques années d'obscurité. La Francofête, organisée en 1974 au Québec pour soutenir le mouvement indépendantiste peu avant des élections où l'autonomie est en jeu, voit se succéder sur scène trois générations d'artistes québécois : Leclerc (la chandelle), Gilles Vigneault• (la lampe à pétrole) et Robert Charlebois• (l'électricité). Il prennent même un malin plaisir à chanter ensemble ("Quand les hommes vivront d'amour") – symbole évident – et l'enregistrement live tiré du festival connaît, en France comme au Québec, un impact prévisible auprès des post-soixante-huitards assoiffés de causes à défendre…

Le Québec est à la mode et l'album de Félix *le Tour de l'Île* (1975) montre à toute une nouvelle génération qu'il est bien d'une autre trempe qu'un poète de feux de camp pour boy-scouts. Mais une fois les élections passées et l'espoir d'indépendance remis aux calendes grecques, l'intérêt suscité par la chanson québécoise s'étiole quelque peu. Cette continuelle "presque indépendance", dont la dernière tentative en 1995 s'est une fois de plus soldée par un échec, a peut-être laissé des traces dans le subconscient du public français. Le trio Leclerc/Vigneault/Charlebois aurait sans doute connu une dimension supplémentaire dans le contexte d'une victoire politique, et Leclerc aurait certainement été reconnu comme celui qui l'aurait rendue possible.

Généreux. Il n'en demeure pas moins que la stature de Félix Leclerc dans son pays natal est

Même si le poil a blanchi, Maxime Le Forestier reste ce barbu chantant, hippie fou de voyages et de Georges Brassens.

immense, car il fut l'expression culturelle du Québec en chansons. En France, son image est tellement liée à celle de Brassens – l'autre homme à la guitare – que ce dernier tend à l'éclipser. Pourtant, mis à part une petite similitude musicale et physique, tout les sépare : Félix est loin de l'anarchie bien française et de la bonhomie individualiste, parfois agressive, de Brassens. Chez lui, tout est tendresse, bonté, vérité et fraternité exprimées au travers de métaphores d'où l'âme sort purifiée de sa peine ; mais que l'on ne s'y trompe pas : le verbe va bien au-delà de ce qui pourrait paraître comme une description simpliste. Félix Leclerc est passé maître dans l'écriture d'un genre des plus difficiles : le bonheur... **P. S.-D.**

- ***Moi, mes souliers*** (compil. 1950-1978), Phonogram
- ***Le P'tit Bonheur*** (compil. 1960-1964), Phonogram
- ***La Vie, l'amour,*** la mort (1964), Phonogram
- ***Mon fils*** (1978), Scalen'Disc
- ***L'Encan*** (1979), Phonogram

LE FORESTIER Maxime

Paris, 1949

AUTEUR, COMPOSITEUR, INTERPRÈTE

Avec ses airs de ne pas y toucher, sa voix agréable mais limitée, Maxime Le Forestier s'est construit un des plus beaux parcours de la chanson française, toujours à la mode sans jamais se renier.

L'affaire commence dans une famille modeste mais mélomane. La mère, Geneviève (dite Lili), traduit les dialogues de feuilletons américains pour la télévision, tout en poussant ses trois enfants à la musique. Anne deviendra professeur de composition tandis que Catherine et Maxime seront chanteurs. Encore adolescents, ces deux derniers forment le duo Cat et Max en s'accompagnant à la guitare. Ils immortaliseront cette collaboration (sans oublier la sœur aînée) dans la très jolie chanson "la Petite Fugue" *("La fugue d'autrefois/Qu'on jouait tous les trois")*. Avec une adaptation de Peter, Paul & Mary, ils obtiennent une seconde place au concours de la Rose d'or d'Antibes. Ils rencontrent alors Georges Moustaki•, qui leur confie quelques textes et musiques originaux. En mai 1968, Cat et Maxime iront chanter dans les usines en grève. En 1969, à la veille de son service militaire, Maxime propose une chanson de sa composition, "Ballade pour un traître", à Serge Reggiani•, qui décide de l'interpréter. Affecté à une unité de parachutistes (expérience dont il tirera la chanson "Parachutiste"), mais dans l'incapacité de s'adapter à l'esprit de corps, il finit dans un bureau. Le soir, il s'en échappe pour aller accompagner à la guitare Catherine, qui a déjà enregistré deux albums. Elle remporte le grand prix du Festival de Spa en 1971, ce qui lui permettra de s'offrir un voyage en Californie avec son frère. Ils s'intègrent un moment à une communauté hippie.

De cette escapade aux États-Unis, Maxime rapportera des sons, Catherine, elle, le virus du voyage. Après un passage à la Gaîté-Montparnasse, elle prend la route. Maxime reste seul.

Sous les pavés, la gloire. En 1971, il enregistre son premier 45 tours chez Polydor ("Mon frère" et "Éducation sentimentale"), rapidement suivi d'un autre : "San Francisco" (1972, paroles de J.-P. Kernoa). Il se constitue une petite équipe, formée de Patrice Caratini à la basse et Alain Le Douarin à la seconde guitare. Ensemble, ils peaufinent un son à la lisière du folk et d'une certaine tradition française, dont Georges Brassens• est le plus illustre représentant. Ce dernier lui propose d'ailleurs de passer en première partie de son spectacle à Bobino, en 1972. Le public et la presse (la télévision l'ignore) accueillent avec enthousiasme ce nouvel auteur-compositeur-interprète, qui joue les morceaux de son premier album. Les ventes augmentent rapidement et font brusquement de lui le plus gros vendeur de 33 tours en France. Le second album, en 1973, prend le même chemin, avec entre autres "Mauve", "Dialogue", "Entre quatorze et quarante ans", et "le Steak", souvenir d'un temps pas si lointain, sous-titré "Complainte de ceux qui ont le ventre vide", considérée comme une gaudriole par ceux qui ont le ventre plein. À la veille de son spectacle au théâtre de la Ville (mars 1974), il a déjà vendu plus de 600 000 albums. La télévision et la presse adolescente l'ignorent pourtant. La tournée qui suit le mène dans des salles de 8 000 personnes.

Au chansonnier sentimental et poète ("la Rouille"), le public préfère l'antimilitariste de "Parachutiste" (reprise par Joan Baez), l'antipatriote de "J'm'en fous d'la France" (de Marianne Sergent), ou l'écologiste avant l'heure ("Comme un arbre dans la ville"). Il impose d'ailleurs deux conditions aux organisateurs : pas de service d'ordre, et pas de places à plus de 10 francs.

Peau neuve. Il part à la découverte de l'URSS, où il présente et explique lui-même ses morceaux en russe. Pendant tout le mois d'octobre 1976, il est au Cirque d'hiver, dans un spectacle qui mêle mime, cirque et chansons. Son cinquième album, *le Fantôme de Pierrot,* ne remporte pas le succès escompté, en dépit de véritables trouvailles comme un "Hymne à sept temps", "Blues blanc pour un crayon noir", "la Chanson du jongleur", "le Fil" et "Amis". L'époque n'est plus aux rêves de 68. On traite désormais les contestataires et autres "babas cool" avec ironie. Sentant le vent, Maxime clame dans "Sage" (1978) qu'il ne veut pas devenir un *"vieux chanteur de mai sage"*. Pourtant, si sa musique prend alors des accents jazz rock, selon les canons du moment, qui décontenancent une large frange de ses fidèles, Maxime Le Forestier est resté le même dans l'esprit. Cela ne suffit pas. Malgré plusieurs tournées et albums, il lui faut subir quelques années de purgatoire. Mais, surfant habilement sur la vague world music, avec sa légitimité de musicien ouvert depuis toujours aux musiques d'ailleurs, il retrouve la faveur du public grâce à deux chansons : "Né quelque part" (1987) et "Ambalaba" (1988), qui marquent son retour au premier plan avec un passage au Bataclan en 1989.

> "UN SON À LA LISIÈRE DU FOLK ET D'UNE CERTAINE TRADITION FRANÇAISE, DONT GEORGES BRASSENS EST LE PLUS ILLUSTRE REPRÉSENTANT."

En 1995, son album *Passer ma route* confirme ce parti pris éclectique, en mêlant bamba, blues, jazz, zouk, fado et chanson française et en convoquant des musiciens emblématiques comme ceux de Zouk Machine, de I Muvrini ou Didier Lockwood et l'harmoniciste Jean-Jacques Milteau. L'année suivante, il enregistre les dernières chansons que Brassens n'avait pas eu le temps de graver sur disque ni de chanter en public. Le succès est tel qu'il sillonne la France avec le spectacle "Soirées Brassens", qui donne l'album *84 chansons de Brassens en public.* **A. G.**

- ***Mon frère*** (1972), Polydor
- ***Né quelque part,*** Polydor, 1988
- ***Bataclan,*** Polydor, 1989
- ***La Sagesse du fou,*** Polydor, 1991
- ***Douze nouvelles de Brassens, petits bonheurs posthumes,*** Polydor, 1996

LEGRAND Michel

Paris, 1932

COMPOSITEUR, INTERPRÈTE

Le grand seigneur de la chanson populaire française a de la branche : son père était le chef d'orchestre et compositeur Raymond Legrand ; sa sœur Christiane fut la soprano des Swingle Singers, un groupe vocal jazzy franco-américain, très en vogue dans les années soixante. Le jeune Michel entreprend très vite des études au Conservatoire de Paris et s'affirme comme un élève étonnamment doué. Devenu arrangeur, il se fait la main en accompagnant au piano Henri Salvador•, Maurice Chevalier•, Jacqueline François•, puis, plus tard, Juliette Gréco•, Zizi Jeanmaire• et Bing Crosby. Réunissant des solistes de renom, il réussit la gageure de séduire un public américain au cours de sessions désormais considérées comme classiques, avec Miles Davis ou Ben Webster, tout en dirigeant de grands solistes classiques comme Samson François. Il est également auteur de ballets, travaillant pour Roland Petit et Gene Kelly.

Le musicien complet est aussi un acteur réputé du monde de la chanson : il commence par composer pour d'autres – notamment, "le Jazz et la Java" pour Claude Nougaro• – avant d'interpréter lui-même les textes d'Eddy Marnay ("la Lune", "la Valse des lilas" et, en duo avec Nana Mouskouri•, "Quand on s'aime") ou de Jean Dréjac• ("Comme elle est longue à mourir ma jeunesse" ou l'album *Présence,* 1995).

Le "grand" des musiques de film. Il écrit sa première musique de film en 1954 pour *les Amants du Tage* d'Henri Verneuil. Mais c'est en signant les partitions de deux films musicaux d'un genre nouveau qu'il connaît un véritable succès : *les Parapluies de Cherbourg* (1963) et *les Demoiselles de Rochefort* (1966) de Jacques Demy. En 1958 et 1964, il collabore avec Francois Reichenbach sur six de ses films, avec Agnès Varda (*Cléo de 5 à 7,* en 1961), et bien évidemment avec Jacques Demy, son frère de création (*Lola,* 1960 ; *la Baie des anges,* 1962). Les partitions qu'il offre à Jean-Luc Godard au début des années soixante s'inscrivent dans l'esprit "nouvelle vague" : *Une femme est une femme, Vivre sa vie, le Grand Escroc, Bande à part.*

Peu après, il se laisse enlever par le cinéma américain, comme d'autres compositeurs français tels Maurice Jarre ou Georges Delerue. Il devient vite l'un des plus cotés. Hollywood lui décerne plusieurs oscars, pour *l'Affaire Thomas Crown* (de Norman Jewison, 1968, avec la chanson "les Moulins de mon cœur" qu'il interprète lui-même en français), *l'Été 42* (de Robert Mulligan, 1972) et *Yentl* (interprété par Barbra Streisand•, en 1984). Il retrouve la France en 1981, participe à la bande originale de *les Uns et les Autres* de Claude Lelouch puis signe celles de *Paroles & musique* (1984) et *Train d'enfer* (1985). En 1983, il crée la musique du James Bond *Jamais plus jamais,* à la demande expresse de Sean Connery.

Un chant parfait totalement en phase avec les autres instruments et des partitions dont l'originalité le dispute au dynamisme ont fait de Michel Legrand un artiste respecté dans le monde entier. **A. G.**

- ***Les Parapluies de Cherbourg*** (1964), Accord/Musidisc
- ***Les Demoiselles de Rochefort*** (1967), Polygram
- ***Legrand,*** Polygram, 1992

LEGRAND Raymond

Paris, 1908 - *id.,* 1974
COMPOSITEUR, CHEF D'ORCHESTRE

Après des études au Conservatoire national de musique, il aurait pu faire une grande carrière dans la musique classique, mais il est attiré très tôt par les variétés. Sa première composition est pour Fred Adison• : "On va se faire sonner les cloches". Après un séjour aux États-Unis, il mène ensuite une brillante carrière d'arrangeur musical pour l'orchestre de Ray Ventura. Au début des années quarante, il formera son grand orchestre et s'illustrera avec Irène de Trebert dans le film *Mademoiselle Swing.* Parmi ses titres de l'époque, on retient "El Rancho Grande" ou "J'ai un clou dans ma chaussure".

Après la Libération, il accompagne de nombreuses vedettes et dirige une nouvelle formation avec comme chanteuse Colette Renard•, qu'il épouse. Il est le père de Christiane, membre des Swingle Singers, et de Michel, qui fera une grande carrière dans la chanson.

LEKAIN Esther (Esther Nikel, dite)

Nancy, 1870 - Nice, 1948
INTERPRÈTE

Elle débute à quinze ans à l'Alcazar de Marseille, puis vient travailler à Paris avec Porel (mari de Réjane). À partir de 1900, elle chante à Parisiana, où son succès est immédiat avec "la Dernière Gavotte" (Scotto• et Vargues). Pendant six ans, elle y créera de nombreuses chansons à succès, dont "la Petite Tonkinoise" (Scotto, Christiné et Villard) et "C'est un petit béguin" (Christiné• et Timmory). Vêtue simplement, présentant sans emphase, avec une diction lente et précise des chansons très variées, elle triomphe auprès du public des caf'conc', pourtant peu habitué à tant de sobriété. Elle s'est produite pendant de longues années dans tous les music-halls de Paris et de province, ainsi que dans les principales capitales européennes.

Esther Lekain a eu de nombreux élèves, dont son filleul Jean Lumière• et Odette Laure•.

◎ ***Compilation,*** 1906-1933, Chansophone

LEMAIRE Georgette (Georgette Kibler, dite)

Paris, 1943
Interprète

Elle gagne au "Jeu de la chance" en novembre 1965 en même temps que Mireille Mathieu•. Mais le manager Johnny Stark lui préférera la Provençale. Elle connaît une vie de hauts (un premier super 45 tours avec trois chansons de Charles Dumont•) et de bas mêlée de mini-scandales. Souvent comparée à Édith Piaf• et malgré un public fidèle à son évidente sincérité, elle connaît une carrière en demi-teinte.

◎ ***Vous étiez belle madame,*** Polygram, 1987

LEMAÎTRE Patrick

Paris, 1949
Compositeur

D'abord comédien au théâtre et au cinéma, il se retrouve en 1969 dans la troupe de Hair au théâtre de la Porte Saint-Martin, où il rencontre Gérard Palaprat. Il compose pour celui-ci "Fais-moi un signe" (1973), qui sera un grand succès. Il travaille ensuite pour Enrico Macias• et Daniel Guichard•, avant d'offrir ses services à Johnny Hallyday• ("Comme si je devais mourir demain") et Céline Dion• ("les Chemins de ma maison"). Tout en continuant de servir de nombreux interprètes, il mène une action continue au sein de la SACEM.

LEMARCHAND Henry

Bordeaux, 1911 - Paris, 1991
Auteur

Issu d'une famille d'artistes, il connaît dès ses débuts une grosse réussite avec la version française du célèbre "Poème" de Fibich. En 1934, il réalise une autre lucrative adaptation de l'œuvre de Jaromir Vejvoda "Beer Barrel Polka" ("Chantons la bière et l'amour"). Viennent ensuite des chansons originales. Il écrit pour Rina Ketty• "Prière à la Madone" (1938), et "Je rêve au fil de l'eau", pour Reda Caire• (1936). En collaboration avec le compositeur Emil Stern•, il écrit "Où es tu mon amour" (1946), enregistrée par Renée Lebas•. Il gagne en 1950 le concours de la chanson de Deauville avec "Monsieur le Consul à Curitiba", interprétée par Francis Linel. Il sera président de la SACEM de 1980 à 1982.

LEMARQUE Francis (Nathan Korb, dit)

Paris, 1917
Auteur, compositeur, interprète

Fils d'émigrés juifs d'Europe de l'Est, élevé dans le quartier populaire de la Bastille, rue de Lappe, lancé à onze ans dans le monde du travail, juste avant la crise, Nathan Korb était programmé pour chanter la révolte et les misères du monde. Car il chante très vite, en duo avec son frère (les Frères Marc, 1935), puis se lance dans le théâtre avec le groupe Octobre, animé par le poète Jacques Prévert•. C'est l'époque du Front populaire, les ouvriers sont en grève et Francis Lemarque, militant au Parti communiste, va dans les usines occupées porter la bonne parole artistique.

La rencontre avec Montand. Mais tout commence vraiment pour lui en 1946, lorsque Prévert le présente à Yves Montand•, le chanteur monté de Marseille et qui monte surtout vers les sommets du métier. Montand, qui n'est qu'interprète, est en quête de chansons pour étoffer son répertoire. Il écoute celles qu'a composées Lemarque et prend immédiatement "Ma douce vallée" (qui évoque peut-être pour lui des images de Far West), "À Paris" puis "C'est à l'aube", "Quand un soldat"... Lemarque va, sans l'avoir voulu, modifier l'image publique du chanteur Montand. Le prolétaire rigolo, désinvolte, marqué par le jazz et le music-hall américain, devient militant lorsqu'il chante "Quand un soldat" : il a désormais un répertoire double, poétique et engagé.

Mais il y a un revers à cette médaille. Francis Lemarque est certes désormais reconnu, auteur à succès (Juliette Gréco•, André Claveau•, Renée Lebas•, Marcel Amont•, Lucienne Delyle•, Patachou•, Henri Salvador• ont recours à ses talents), mais sa carrière d'interprète subira le contrecoup de cette promotion. Pourtant doté

" DES CHANSONS PÉRENNISANT LE SENS DES JOIES SIMPLES, POPULAIRES, QUI RÉSONNENT DES FLONFLONS D'ACCORDÉON ET SENTENT LA FRITE. "

Auteur fétiche d'Yves Montand, Francis Lemarque aura un certain mal, en tant que chanteur, à se dégager de son illustre interprète.

d'une voix agréable, il ne passe guère que dans les cabarets. Certains de ses titres, interprétés par lui-même, ont certes eu, sur les ondes, du succès ("Marjolaine", "Un petit cordonnier", "le Temps du muguet"...), mais il reste surtout un auteur-compositeur, littéralement phagocyté par son interprète Yves Montand, qui est devenu "sa voix".

Un auteur militant. Francis Lemarque est un auteur – et un homme – "engagé". Il se produit – gratuitement – dans les galas de soutien, n'est jamais avare de son temps dès qu'il s'agit d'être aux côtés du prolétariat. Pourtant, même s'il chante la condition des travailleurs ("les Routiers"), le pacifisme ("Quand un soldat"), voire même le satellite russe lancé par l'URSS ("Soleil d'acier"), il n'est pas seulement un auteur militant. Il a exalté l'amour avec sensibilité ("Toi tu n'ressembles à personne", "Marjolaine") et composé des chansons bon enfant, à la limite de la fable ("Un petit cordonnier", "la Grenouille"), qui obtinrent dans les années cinquante un grand succès populaire. Mais il est avant tout le chantre de Paris, celui qui a su le mieux mettre en chansons la ville des marlous, des guinguettes, des bals populaires et des défilés du 14 juillet ("À Paris", "Bal, petit bal", "Paris se regarde", etc.), allant même jusqu'à écrire, en collaboration avec Georges Coulonges•, un oratorio, *Paris Populi* (1977).

Un mélodiste populaire. Francis Lemarque est aussi un compositeur de talent (il écrira pour le cinéma, et notamment pour les films de Gilles Grangier avec Jean Gabin, *Le cave se rebiffe, Maigret voit rouge,* et pour le fameux *Playtime* de Jacques Tati). Son sens de la ligne mélodique, celle que l'on retient immédiatement ou presque, donne à ses chansons comme un air d'évidence : elles sont faites pour être fredonnées, sifflotées. Car c'est bien l'adjectif "populaire" qui qualifie le mieux cet auteur-compositeur fécond dont les œuvres n'ont plus d'âge et font d'ores et déjà partie du patrimoine. **L.-J. C.**

Chante Paris, EPM/Musidisc, 1989
À Paris (enregistrement public 1994), double CD Musidisc, 1994

LEMESLE Claude

Paris, 1945
AUTEUR

Ancien khâgneux, il passe par le Petit Conservatoire de Mireille•, puis rencontre en 1966 un jeune étudiant franco-américain en archéologie, Joe Dassin•. C'est le début d'une collaboration fructueuse, qui va permettre au fin lettré d'écrire de nombreux succès : "la Fleur aux dents", "l'Équipe à Jojo", "l'Été indien", "Ça va pas changer le monde", "Et si tu n'existais pas". Lancé, Lemesle, à côté d'une modeste carrière d'interprète, écrit pour une pléiade d'autres artistes : Carlos• ("Señor Météo", "Big Bisou"), Michel Sardou• ("Je veux l'épouser pour un soir"), Serge Reggiani• ("le Barbier de

Belleville"), Julio Iglesias• ("Je n'ai pas changé"). Au total, près de 1 000 chansons.

LENOIR Jean (Jean Neuburger, dit)

Paris, 1891 - Suresnes, 1976
AUTEUR, COMPOSITEUR

On doit à ce spécialiste des romances de nombreux succès ("C'est une petite étoile", "Voulez-vous danser grand-mère ?"). Il reste surtout comme l'auteur et le compositeur d'une des plus belles chansons françaises, "Parlez-moi d'amour" (1930), qui fut le plus grand succès de Lucienne Boyer•.

LENORMAN Gérard (Gérard Aumard, dit)

Bénouville, 9 février 1945
COMPOSITEUR, INTERPRÈTE

Le futur "petit page de la chanson" apprend la guitare et écrit ses premières chansons à douze ans. Par manque de confiance en lui, il délaisse l'écriture, mais compose (pour Brigitte Bardot•, notamment, avec "la Fille de paille"). En 1970, il se fait connaître en succédant à Julien Clerc• dans la comédie musicale *Hair*. L'année suivante, avec "Il" (signée Guy Skornik), le public adopte ce jeune premier nostalgique. "La Ballade des gens heureux" (1975, musique de Lenorman et texte de Pierre Delanoë•) reste, avec "Michèle", son plus gros succès. Mélodiste doué, il a sacrifié par paresse un potentiel non négligeable, préférant se faire livrer du "sur mesure".

Gérard Lenorman (compil. 1971-1976), Columbia/Sony

LÉONARD Herbert (Hubert Loenhard, dit)

Strasbourg, 1947
INTERPRÈTE

Il est d'abord le guitariste des Lionceaux, formation des années soixante dans le sillage des Chaussettes noires• et des Chats sauvages•. Amateur de rhythm'n'blues, il reprend Otis Redding et s'envole pour la gloire en 1968 avec "Quelque chose en moi tient mon cœur", qui fait de lui l'idole des bals du samedi soir, quand un grave accident l'écarte provisoirement de la vie artistique. En 1981, il se relance avec "Pour le plaisir", qui atteindra les deux millions d'exemplaires vendus. Il revient au devant de la scène au milieu des années quatre-vingt avec des chansons de plus en plus érotiques.

Gold, Sony, 1994

LEPREST Allain

1955
AUTEUR, COMPOSITEUR, INTERPRÈTE

Allain Leprest a d'abord écrit pour les autres (Francesca Solleville•, Isabelle Aubret•), avec un style virtuose fait de rimes rigoureuses, récurrentes et de mots choisis pour leur justesse et leur effet sonore. Installé sans complexe dans la tradition rive gauche•, tendance Brel•pour la fougue et l'écriture (qui se réfère aussi à Antoine Blondin, auquel Leprest dédiera une chanson, "Rue Blondin"), membre du Parti communiste (*"Papa est anar, alors j'ai fait stal"*), il sort un premier disque en 1988, *Reverras-tu le Sénégal ?* (avec la collaboration de Romain Didier• sur certains titres). On y remarque vite sa voix tranchante et ce sens de la formule qui rappelle en effet le grand Jacques, notamment dans "la Retraite" *("Tiens, c'est le fond de la bouteille / ça y'est, nous voilà vieux ma vieille")*. Il ne néglige pas pour autant la musique, pratiquant parfois des arrangements country ou recourant à l'accordéon magique de Richard Galliano. En 1994, il sort un deuxième CD, suivi, au début de l'année suivante, d'un passage à l'Olympia.

Reverras-tu le Sénégal ? Meys/Sony, 1988
Allain Leprest, Saravah/Média7, 1994
Nu, Night § Day, 1998

LÉVEILLÉE Claude

Montréal, Québec, 1932
AUTEUR, COMPOSITEUR, INTERPRÈTE

Sa rencontre avec Édith Piaf•, alors en tournée au Québec, le décide à venir à Paris, où il écrit notamment pour elle "le Vieux Piano". Il connaît le succès comme interprète en 1962 avec "Frédérique". Le public a cependant du mal à suivre la mélancolie exacerbée et la nostalgie omniprésente de ses chansons ("Ne me parlez plus de vos chagrins"). Au cours des années soixante-dix, il revient à ses racines québécoises, sentiment exprimé avec force dans "Ce matin un homme", ou plus tendrement dans "les Filles d'Acadie".

Enfin revivre, Flarenasch/Wotre Music, 1995

LÉVESQUE Raymond

Montréal, Québec, 1928
AUTEUR, COMPOSITEUR, INTERPRÈTE

D'abord comédien et clown à Montréal, Raymond Lévesque s'installe dans les années cinquante à Paris où il chante dans les cabarets et écrit des chansons pour Eddie Constantine• (la superbe "Quand les hommes vivront d'amour", 1956, reprise vingt ans plus tard par Félix Leclerc•, Robert Charlebois• et Gilles Vigneault•) et Jean Sablon• ("les Voyages"). Il retourne au Québec dans les années soixante et y affirme un net engagement autonomiste, notamment avec "Québec mon pays" et "Bozo-les-culottes" consacré à un militant québécois emprisonné. Il écrit aussi pour Pauline Julien• et continue de défendre lui-même ses chansons dans les cabarets, où l'on apprécie sa chaleur et son humour direct.

8 chansons, 3 monologues, Scalen'Disc, 1993

LEYRAC Monique (Monique Tremblay, dite)

Québec, 1928

Dans les années cinquante, Monique Leyrac, qui a fait une petite carrière en France, chante surtout le répertoire français ; Aznavour lui écrit "les Filles de Trois-Rivières". Au début des années soixante, elle s'impose auprès du grand public avec un album de chansons de Gilles Vigneault• sur des musiques de Claude Léveillée• : *Mon pays c'est l'hiver* remporte le prix du Festival international de Spa. Elle crée *l'Opéra de quat'sous* à Montréal ; elle est la première à commander au jeune Luc Plamondon• tout un album, sur des mélodies classiques. Monique Leyrac s'est éloignée de la chanson dans les années quatre-vingt pour retourner au théâtre, sa première passion… Dommage : elle est de la race des grandes interprètes.

LIO (Vanda de Vasconcelos, dite)

Mangualda, Portugal, 1962
INTERPRÈTE

En 1979, Lio (dont le nom est inspiré de la BD sexy *Barbarella*) a dix-sept ans, lorsque sort "Banana Split". Cette pochade entêtante, puis "Amoureux solitaires" lancent définitivement la lolita bruxelloise, tenante d'une pop• acidulée. Par la suite, Lio alterne entre la chanson ("Les brunes comptent pas pour des prunes") et une carrière remarquée au cinéma (*Elsa Elsa,* en 1985). Entre Nico et Dorothée en passant par Françoise Hardy•. Elle revient en 1996 avec l'album *Wandatto* (Warner), et Boris Bergman comme parolier

Best Of (1980-1983), RCA/BMG, 1987
Des fleurs pour un caméléon, Polydor, 1991

LOPEZ Francis

Montbéliard, 1916 - Paris, 1995
COMPOSITEUR

Le prince de l'opérette, l'enchanteur de toute une époque, le représentant d'un genre aujourd'hui disparu, ou presque. D'origine basque, Francisco Lopez, tout en obtenant un diplôme de dentiste, apprend le piano seul et compose des chansons à ses moments perdus. Démobilisé en 1942, il fréquente les cabarets parisiens avec ses copains du rugby, ce qui lui permet de faire de nombreuses connaissances dans le milieu artistique. André Dassary•, ancien chanteur de Ray Ventura•, le présente à Raymond Legrand, dont l'orchestre va enregistrer quatre de ses chansons. C'est le début d'un succès qui sera lié à celui de ses nombreux interprètes, Tino Rossi•, Georges Guétary• ("Robin des bois"), Suzy Delair• ("Avec son tralala"), Maria Candido ("Rossignol de mes amours") ou Maurice Chevalier•. Il retrouve alors une connaissance basque, Mariano Gonzáles, le futur Luis Mariano•. En 1945, au pied levé, il écrit avec l'aide de Raymond Vincy pour le Casino Montparnasse l'opérette *la Belle de Cadix* et propose le rôle à Mariano. Le succès est immédiat et sera constant jusqu'à la mort du chanteur, en 1970, grâce à la parfaite adéquation entre la voix du ténor et la musique de Lopez, toute en espagnolades et en refrains légers. *Andalousie, le Chanteur de Mexico, la Route fleurie* et, bien sûr, *Violettes impériales* sont les opérettes dont les musiques sont restées les plus célèbres parmi les 50 qu'aura écrites Lopez, et dont certaines seront reprises au cinéma. Mais, le temps passant, les productions des années soixante-dix et quatre-vingt perdent leur charme en se plagiant elles-mêmes. **C. de G.**

LOUIGUY (Louis Guiglielmi, dit)

Barcelone, 1916 - Paris, 1991
COMPOSITEUR

Lauréat du Conservatoire de Paris, Louiguy entre dans la carrière aux côtés d'Albert Willemetz en écrivant la musique de l'opérette *la Quincaillière de Chicago,* représentée à l'A.B.C. en 1938. Pendant l'Occupation, il s'associe à Jacques Larue et compose son premier grand succès en 1941, "Ça sent si bon la France", créée par Maurice Chevalier• au Casino de Paris. La même année, il confirme ses dons d'excellent mélodiste avec "On s'aimera quelques jours", que va enregistrer Annette Lajon•. Il écrira aussi les paroles et la musique (ce qu'il fera rarement) pour "le Vagabond" que lui chantera Édith Piaf•. Il retrouve celle-ci à la Libération et cosigne l'illustre chanson qu'elle a composée elle-même, "la Vie en rose".

En 1953, il lui composera également la musique de "Bravo pour le clown" (texte d'Henri Contet•). Il rencontre Jacques Plante•, avec qui il fait équipe durant de longues années. Ensemble, ils vont faire d'une jeune débutante, Yvette Giraud•, une vedette à part entière avec "La danseuse est créole" et "Mademoiselle Hortensia". Puis ce sera un des plus grands succès d'André Claveau• avec "Cerisier rose et pommier blanc" (paroles de Jacques Larue•, 1950).

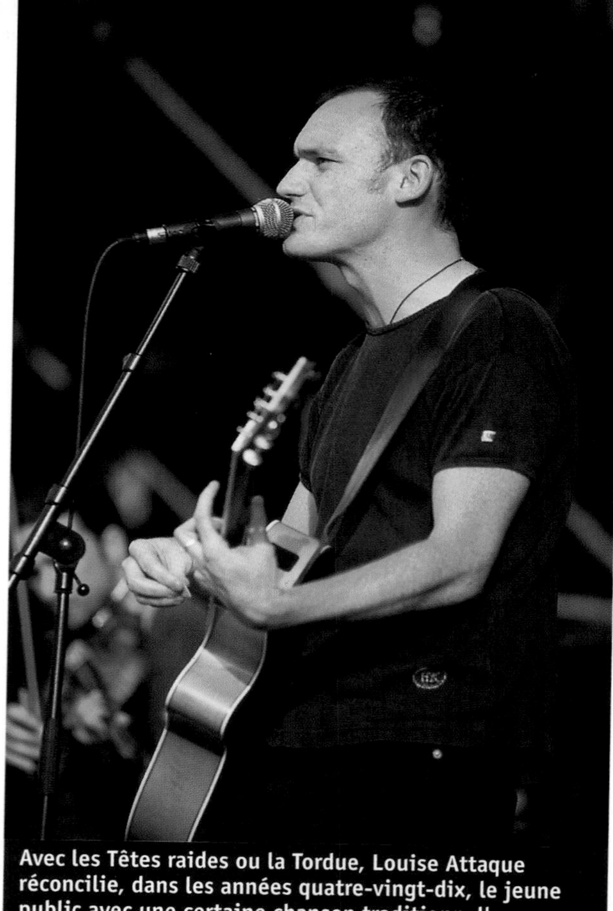

Avec les Têtes raides ou la Tordue, Louise Attaque réconcilie, dans les années quatre-vingt-dix, le jeune public avec une certaine chanson traditionnelle.

LOUISE ATTAQUE

Groupe fondé à Paris en 1994 par Gaétan Roussel (chant, guitare), Robin Feix (basse), Alexandre Margraff (batterie) et Arnaud Samuel (violon)

Ces Parisiens que personne n'avait vus venir sont sans doute les premiers sidérés par l'ampleur de leur succès : leur premier disque, *Louise Attaque,* sorti en 1997, s'est vendu à ce jour à 400 000 exemplaires uniquement par le bouche-à-oreille...

En marge des coups de marketing de l'industrie musicale actuelle, ils se sont construits à l'école de la scène et se placent dans la lignée de Passion Fodder, Noir Désir•, La Mano Negra•, voire même de Jacques Brel•, dont ils reprennent "Vesoul" sur scène. Le secret de leur réussite ? Les inflexions mélodramatiques d'une grande voix cassée à la Brel et le mariage du folk-punk nerveux de leurs maîtres, les Violent Femmes, un groupe américain, avec leurs racines lyricistes et chansonnières hexagonales. Résultat : de petits bijoux acoustiques et énergiques comme "J't'emmène au vent", "Ton invitation", "Amours", "Léa".

◎ ***Louise Attaque,*** Trema/Sony, 1997

LOUKI Pierre (Pierre Varenne, dit)

Paris, 1927

AUTEUR, COMPOSITEUR, INTERPRÈTE

D'abord comédien, il compose des chansons. Le succès de "la Môme aux boutons", chantée en

1955 par Lucette Raillat•, l'a poursuivi pendant toute sa carrière au point d'occulter quelque peu le reste de sa production. Cet ami de Georges Brassens• a été interprété par Jean Ferrat•, Catherine Sauvage• et Colette Renard•. Il a lui-même enregistré plus de 180 chansons, dont plusieurs textes engagés, comme "les Cimetières militaires", "Je n'irai pas en Espagne" ou "Ça fera vingt ans".

Retrouvailles (1972), Saravah/Média 7, 1995

LUCCHESI Roger

Ajaccio, 1912 - Paris, 1983
AUTEUR, COMPOSITEUR, INTERPRÈTE

Il fait partie un temps de l'orchestre de Jo Bouillon, avant de se lancer dans la chanson et de donner le texte de "Maria" à Tino Rossi• en 1941.

D'autres titres suivront, comme "le Petit Cireur noir", "les Lavandières du Portugal" (avec André Popp• en 1955, pour Jacqueline François•) et "les Maraîchères de Bahia" pour Henri Decker, en 1956.

LUMIÈRE Jean (Jean Anezin, dit)

Marseille, 1905 - Paris, 1979
INTERPRÈTE

Après avoir étudié la comédie et le chant, il débute à Nice et à Marseille, puis à l'Européen, en 1930, grâce à l'appui d'Esther Lekain•. Le public découvre une voix tendre, parfaitement maîtrisée, qui respecte texte et mélodie, sur le registre du chanteur de charme. Grand prix de l'Académie du disque, sept fois lauréat de référendums sur "la voix la plus radiophonique", il interprète notamment "la Petite Église" (Charles Fallot - Paul Delmet•, 1934), "Chanson d'automne" (Maurice Rollinat•), "Faisons notre bonheur nous-mêmes" (Borel-Clerc• - Telly, 1936), "Visite à Ninon" (Maquis - Pothier, 1936), "le Tango chinois" (1938) et "la Sérénade indochinoise" (1943). Après de grandes tournées en France et à l'étranger, il quitte la scène en 1960 et enseigne le chant. Parmi ses élèves, on compte Édith Piaf•, Cora Vaucaire•, Marcel Amont•, Christiane Legrand et Mireille Mathieu•.

20 succès, Forlane
Les Étoiles de la chanson (1931-1950), Music/Memoria

MACIAS Enrico (Gaston Ghrenassia, dit)

Constantine, Algérie, 1938
AUTEUR, COMPOSITEUR, INTERPRÈTE

Celui qui rêve de réconcilier tous les hommes acquiert sa première guitare à l'âge de quinze ans. Auprès de Raymond Leiris, maître du "malouf", la version constantinoise de la musique arabo-andalouse, il se révèle très vite un musicien hors pair. Poussé par la nécessité, Enrico devient instituteur. En 1962, comme tant d'autres pieds-noirs, la famille Macias, dont Suzy, fille de Raymond et épouse d'Enrico, met le cap sur la métropole. Au culot, il obtient, le jour même du concert, la première partie de Gilbert Bécaud• à Saint-Raphaël et enthousiasme le pianiste de ce dernier, Raymond Bernard. Il est alors invité à la fameuse émission de télévision "Cinq Colonnes à la une" et la France découvre un chanteur avec un cœur "gros comme ça" et une musique peu familière, une variété orientale, dont elle ignore qu'elle est portée par une très longue tradition. C'est très vite le succès avec des tubes, avec des textes signés par Jacques Demarny•, comme "J'ai quitté mon pays", "Enfants de tous pays", "les Filles de mon pays", "Paris tu m'as pris dans tes bras".
Les thématiques sont simples : le déchirement de l'exil, la rencontre avec les compatriotes de la métropole et, au-delà, la fraternité entre les peuples. La carrière de Macias est durablement lancée. Quelles que soient les modes du moment, il est toujours là, remplissant régulièrement l'Olympia des années soixante aux années quatre-vingt-dix. Grâce à la qualité de ses prestations scéniques, sa notoriété dépasse les frontières, et il tourne dans de très nombreux pays. Durant les années soixante et soixante-dix, Enrico Macias ne quitte plus le sommet des hit-parades, grâce à "Mon cœur d'attache" (1965), "les Millionnaires du dimanche" (1967), "les Gens du Nord" (1967), "Noël à Jérusalem" (1969), "le Grand Pardon" (1970), ou "Poï, Poï, Poï, dis !" (1972). Enrico Macias rêve d'amitié entre les peuples, de paix entre Arabes et Juifs. En 1979, il se précipite au Caire quand sont signés les accords Sadate-Begin pour une grande tournée de "réconciliation". Ses mélodies simples, sa voix sucrée et harmonieuse, et les sons arabisants (il intègre souvent l'oud, luth arabe) et andalous contribuent tous à exalter cette paix universelle qu'il défend inlassablement.

En juin 1996, il est invité par des chanteurs de raï (dont Chaba Fadela) à venir chanter au-

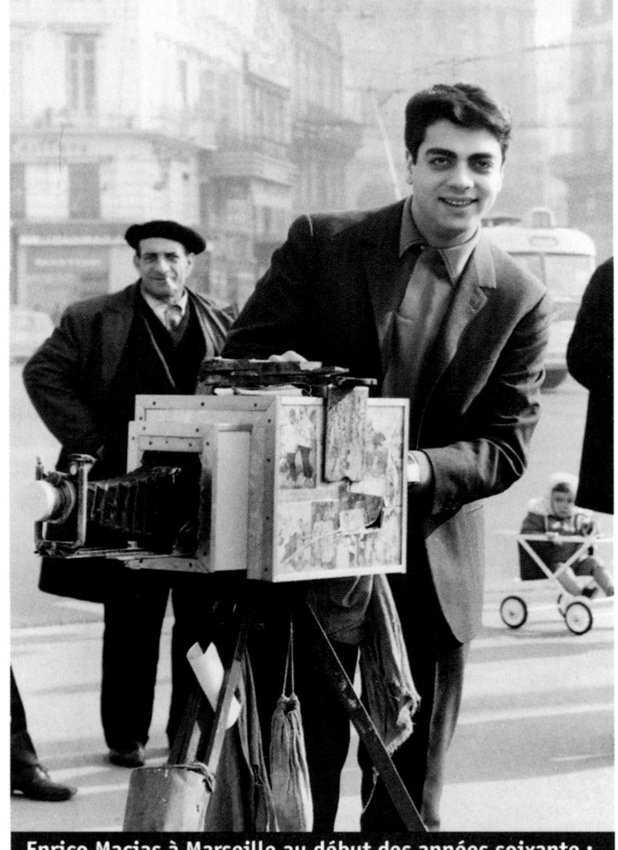
Enrico Macias à Marseille au début des années soixante : le point de départ pour tant de pieds-noirs venus d'Algérie.

près d'eux, reconnaissance poignante de son influence artistique ainsi que de son œcuménisme moral. **A. G.**

◎ ***La France de mon enfance,*** Trema/Sony, 1987
◎ ***Enrico à l'Olympia 89,*** Trema/Sony, 1990
◎ ***À Suzy,*** Trema/Sony, 1993
◎ ***Le Meilleur d'Enrico Macias*** (1962-1967), EMI France, 1994

MAC ORLAN Pierre (Pierre Dumarchais, dit)

Péronne, Somme, 1882
Saint-Cyr-sur-Morin, Seine-et-Marne, 1970
Auteur, poète

Dans les années 1900, le jeune bohème fréquente assidûment Montmartre, comme Francis Carco, et tout particulièrement le cabaret Le Lapin à Gill.

L'importance de la musique (et de l'accordéon) est évidente dans l'œuvre de Mac Orlan. Beaucoup de ses personnages, hommes et femmes, chantent. Mais, dans la vie réelle, ce seront des femmes qui interpréteront ses textes : Germaine Montero•, Monique Morelli•, Juliette Gréco•, Francesca Solleville•, Catherine Sauvage•. Les chansons de Pierre Mac Orlan relèvent de la tradition sentimentale ("la Fille de Londres", "la Chanson de Margaret") comme du pittoresque militaire ("le Départ des joyeux", "Rose-des-bois", "Marie-Dominique", "Bel Abbès"), avec, en toile de fond, cafard, amours impossibles, mauvais garçons, légionnaires, filles perdues et bordels à soldats. Ces textes seront servis par des musiciens de talent, parmi lesquels Georges Van Parys•, l'accordéoniste Marceau ou Philippe-Gérard.

La simplicité de ses rimes, les atmosphères typées, le mélange ritournelle-drame, le ton emphatique, l'excès de sentiments (bons ou mauvais) : tout cela semble un peu désuet avec le recul du temps. Il n'en reste pas moins que la chanson populiste de Mac Orlan a su garder un certain parfum d'authenticité et d'envie de vivre. La chanson moderne doit plus qu'elle ne le pense à cet aventurier de l'écriture.

◎ ***Monique Morelli chante Mac Orlan,*** EPM Musique, 1989

MAGENTA Guy (Guy Fredline, dit)

Paris, 1927 - *id.*, 1975
Compositeur

Il tient un magasin de photo boulevard Magenta et c'est dans son arrière-boutique que, le soir, il écrit au début des années cinquante ses premières chansons avec son copain Fernand Bonifay•. Premières réussites : "la Roulotte des gitans", "les Trois Bandits de Napoli" et "José le caravanier". Il décide alors de se lancer complètement dans le métier et met son talent au service de Dario Moreno• ("Adios amigo", 1955), Gloria Lasso• ("Toi mon démon", 1956) ou Marcel Amont• ("la Casquette", 1958). Il remporte plusieurs concours avec des titres comme "Cherbourg avait raison" (Frida Boccara) et "le Voyageur sans étoile" (John William•) et persiste dans le succès avec "Soirées de princes" (1964) pour Jean-Claude Pascal•, "Il faut ranger ta poupée" (1967) pour Hugues Aufray• et "les Ricains" (chanson très controversée, car jugée pro-yankee alors que la guerre du Viêt Nam fait rage) pour un débutant nommé Michel Sardou•. Il se tue au volant de la Jaguar qu'il venait de s'offrir.

MAGNY Colette

Paris, 1926
Villefranche-de-Rouergue, Aveyron, 1997
Auteur, compositeur, interprète

Fille de comédienne, Colette Magny apprend le banjo avec Claude Luter et se lance dans la chanson en 1961. Son passage télévisé au Petit Conservatoire de Mireille• lui ouvre toutes les portes. Produit par CBS, "Melocoton" est classée au hit-parade de "Salut les Copains" en 1963, et Colette passe à l'Olympia avec Claude François• et Sylvie Vartan•. Il y a malentendu : en pleine période yé-yé, on veut la "vendre" en Bessie Smith française, alors qu'elle puise dans les conflits sociaux la matière du brûlot politique que deviendra son œuvre.
Sa rupture sans concession avec le show-business la prive de diffusion radio et télé. Elle chante Cuba et le Viêt Nam révolutionnaires, les grands poètes de la lutte (Neruda, LeRoi Jones, Max Jacob...), rejoint les avant-gardes politiques, vibre à l'unisson de Mai 1968 sur le terrain, dans les usines (cf. les chansons "À Saint-Nazaire" et "Chronique du Nord"), hurle en faveur des Black Panthers... Elle s'aventure dans le free-jazz, la musique contemporaine, la musique progressive... Colette déstructure l'organisation des textes, soumise à l'interprétation faite de cris, de conflagrations, de harangues parlées et de mélodies voluptueuses.
Décrispée, elle revient au bon vieux jazz avec *Chansons pour Titine* (1983) et retrouve un second souffle. En 1989, elle sort le curieux album *Kevork,* projet de longue date autour de la mythologie attachée à la pintade. **F. B.**

- ***Kevork ou le Délit d'errance,*** Scalen'Disc, 1989
- ***Melocoton, 1964 ; Inédits 91,*** Scalen'Disc, 1991

MALAR Pierre (Louis Azun, dit)

Montréjeau, Haute-Garonne, 1924
Interprète

Il rencontre Édith Piaf• au cour d'un radio-crochet organisé par Radio Toulouse. Elle le fait débuter en janvier 1945 au Théâtre de l'Étoile, en compagnie d'un autre jeune nommé Yves Montand•. Paris, qui aime alors l'exotisme, et qui a adopté les Rina Ketty• et Luis Mariano•, fait un triomphe à ce jeune homme qui chante aussi bien en espagnol qu'en français, et la firme Odéon lui tend un micro. Sa carrière est lancée, aux rythmes de "Sérénade argentine", de "la Roulotte des gitans" ou de "Luna rossa".

MALICORNE

Folk
Groupe formé en 1973 par Gabriel Yacoub (guitare et chant), Marie Yacoub (dulcimer, épinette, vielle et chant), Laurent Vercambre (violon, mandoline, harmonium et mandoloncelle) et Hughes de Courson (basse et production)

Avec sa voix un peu nasillarde et des arrangements chant-instruments tout droit sortis du Moyen Âge, Gabriel Yacoub• a fait de Malicorne "le" groupe folk français incontournable des années soixante-dix. Intimement mêlée aux courants écologistes alternatifs, après avoir accompagné un temps Alan Stivell, la formation écume de 1974 à 1978 les MJC et les divers festivals avec ses reprises des musiques traditionnelles de l'Hexagone. Elle suscite même l'intérêt des Anglais dès 1975, puis celui de toute l'Europe jusqu'en 1978. Dissous une première fois en 1981, Malicorne se reforme en 1984 pour une tournée... américaine ! En 1985, une nouvelle mouture, plus électronique, se constitue pour l'album *Cathédrales de l'industrie,* mais Gabriel Yacoub reprend sa carrière solo dès 1988.

- ***Almanach*** (1976), Hexagone/Musidisc
- ***Cathédrales de l'industrie,*** Celluloïd/Mélodie, 1985
- ***Quintessence*** (compil.), Hexagone/Musidisc

MAMA BÉA (Béatrice Tekielski, dite)

Avignon, 1948
Auteur, compositeur, interprète

Après un premier disque, en 1971, d'une facture très variétés, qui passe inaperçu malgré son lyrisme brutal, Mama Béa, armée de sa seule guitare électrique, écume les scènes des maisons des jeunes du Sud-Est. Elle se met au rock et se forge un personnage hargneux, mi-chanteuse de blues, mi-Colette Magny• hallucinée. Elle s'impose en 1977 avec deux disques, *la*

Folle et *Faudrait rallumer la lumière dans ce foutu compartiment,* où, sous un déluge de décibels et de mots incantatoires, perce un tempérament emporté. *Pour un bébé robot* (1978) et *Visages* (1979) confirment cette orientation. Puis vient le moment du doute, des choix et des séparations. En 1982, elle chante cependant Piaf dans *Édith et Marcel,* le film que Claude Lelouch consacre à l'histoire d'amour entre Marcel Cerdan et la chanteuse. Et obtient un joli succès... Las ! elle ne réussit pas à rebondir, et revient à ses premières amours, n'hésitant pas à reprendre "les Anarchistes" de Léo Ferré•.

No Woman's Land, Mafalda Connection, 1990

MANO NEGRA (La)

Groupe de rock formé en 1987 à Sèvres autour de Manu Chao (guitare, basse, chant)

Formation directement issue des années alternatives en région parisienne, et composée d'éléments venus des Volés, de Los Carayos, de Hot Pants et de Bernadette Soubirous et ses apparitions, La Mano Negra doit son existence à l'attrait de Manu Chao• pour la scène, à son véritable amour pour le rock pur et dur, à un public fiévreux qui ne lui aurait jamais permis de s'arrêter, ainsi qu'à sa foi en certains miracles : que des gens n'ayant jamais touché un instrument de musique puissent en maîtriser les bases en moins de trois mois ! Très attendue par la faune musicale francilienne, ainsi que par les critiques, La Mano Negra fait l'unanimité lors d'un premier concert, éblouissant, qui fit traînée de poudre. Quelques concerts bondés et quelques salles à la limite de l'embrasement plus tard, elle marque le coup, en 1988, avec un premier album – *Patchanka* – produit par Boucherie Productions, se permettant, au passage, de signer un des titres les plus rassembleurs de la fin des années quatre-vingt et du début des années quatre-vingt-dix : Ronde de nuit... La vraie consécration suit de peu le deuxième album, *Puta's Fever,* chez Virgin cette fois, Boucherie n'ayant pas pu suivre le budget de production. Enchaînant concerts sur concerts, tournées sur tournées, le groupe connaît alors un succès international, tout à fait inattendu pour un groupe venant du rock alternatif français.

Une synthèse hyperactive. Mêlant allégrement rap, reggae, rock des années soixante, musiques hispanisantes, larsens hendrixiens, ska•, chanson du Moyen-Orient, La Mano Negra, éminemment inventive, est aussi à l'origine d'une initiative qui la fera jouer, en 1992, dans toute l'Amérique latine, emmenant avec elle troupes de théâtre, acrobates, clowns et autres artistes de rue. Une expérience unique mais épuisante, qui met fin à l'aventure du groupe... **H. E.**

Patchanka, Boucherie/Virgin, 1988
Puta's Fever, Virgin, 1989
King Of Bongo, Virgin, 1990
Amerika Perdida, Virgin, 1992
Mano Negra Best of, Virgin, 1998

MANO SOLO

Châlons-sur-Marne, 1963
AUTEUR, COMPOSITEUR, INTERPRÈTE

Illustrateur, peintre, Mano Solo fait ses débuts de chanteur au sein du groupe de rock alternatif la Marmaille nue. En 1993, il entreprend une carrière en solo, et publie un album douloureux et fébrile, où il évoque sa séropositivité, le sida et la drogue. Écorché vif, ce fils d'un dessinateur célèbre (Cabu), réunit un public de passionnés, accroché à la voix vibrante et aux mélodies décharnées de ce talent explosif. Après une longue tournée, il remplit l'Olympia en 1994. Une fois sorti son deuxième disque en 1995, il annonce qu'il se retire de la scène. Il revient cependant l'année suivante avec ses anciens camarades de Chihuaha, un groupe de rock alternatif, pour un album, *les Frère Misère,* très engagé, quasiment punk. En 1997, il enregistre un troisième album solo *Je ne sais pas trop,* prélude à une tournée à travers la France.

La Marmaille nue, East West/WEA, 1993
Les Années sombres, East West/WEA, 1995
Je ne sais pas trop, EastWest/WEA, 1997

MANSET Gérard

Saint-Cloud, Hauts-de-Seine, 1945
AUTEUR, COMPOSITEUR, INTERPRÈTE

Musicien autodidacte, Gérard Manset enregistre un premier disque visionnaire *Animal on est mal,* en 1968. Sorti alors qu'éclatent les événements de Mai, il ne se vendra qu'à une dizaine d'exemplaires, bénéficiant pourtant d'un important passage radio. L'étudiant des arts déco qui a déjà réalisé à titre confidentiel "Caesare", une chanson en latin (venue, depuis, grossir sa légende), s'immerge alors dans un défi à la dimension de sa démesure. En 1970 paraît *la Mort d'Orion,* premier opéra pop français, un véri-

Refusant le jeu du vedettariat, Gérard Manset reste comme un des artistes les plus singuliers de la génération apparue autour de 1968.

table monument. La critique salue unanimement cet oratorio funèbre que relaie abondamment *Campus,* l'émission nocturne de Michel Lancelot sur Europe 1. Pour conter la destinée tragique de l'humanité, Manset a multiplié les inventions techniques, mêlé les styles et les genres. Il a fait appel pour la partie vocale à Giani Esposito• et Anne Vanderlove•. Accompagné d'un somptueux livret noir, l'album s'écoule à 20 000 exemplaires. Manset qui, à l'origine, ne pensait pas s'attarder dans la chanson crée avec un ami, Jean-Paul Malek, le studio Milan dans le IXe arrondissement de Paris.

Il multiplie les collaborations, écrit "Chimène", avec René Joly, compose pour Herbert Léonard•, produit *Tout feu tout flamme,* du groupe Ange•, tout en poursuivant sa propre carrière. En 1975, "Il voyage en solitaire", titre extrait de son quatrième album, *Y'a une route,* connaît un immense succès populaire (300 000 exemplaires). Manset se sent alors rattrapé par ce business qu'il dénonce et redoute. À ceux qui s'apprêtent à lui dresser une statue, il répond l'année suivante par disque interposé, *Rien à raconter*. La messe est dite. Le pensum suivant, *2870,* marque un peu plus sa distance avec un Vieux Monde si peu en rapport avec ses attentes. Désormais, Gérard Manset voyage. Il sillonne à la recherche de l'autre l'Amérique latine, l'Afrique, l'Asie. De ces incessants voyages il rapporte de nouvelles sensations, des paysages, et, à défaut de certitudes, une philosophie de la vie. Quatre albums, dont *Royaume de Siam,* disque-culte, restituent cette période. Le compositeur n'hésite plus à électrifier sa musique. Il use moins des artifices que lui offre la technique en studio, et certaines compositions ont une réelle facture live.

Décomplexé. L'écriture est toujours aussi belle, empreinte d'une poésie contemporaine. Les phrases, particulièrement expressives, en harmonie totale avec la musique, s'ingénient à remettre en forme le quotidien pour en cerner mieux l'absurde et le pathétique. Identifiables entre toutes, les mélodies de Manset, menées par un piano, des guitares, rock parfois, des synthétiseurs, ont une facture invariablement élégantes. Le climat fortement référencié pop de *la Mort d'Orion* a cédé la place à une inspiration sans cesse renouvelée et souvent soutenue par un mélange d'instruments acoustiques et électriques. Touché par le message bouddhiste, Manset réalise deux albums particulièrement mystiques, *Lumière* et *Prisonnier de l'inutile,* dont il précisera, par la suite, que la plupart des morceaux ont été composés à la même époque. À la sortie du second, en 1985, las de n'être seulement suivi que par une chapelle – ses ventes ne dépassent pas les 40 000 exemplaires –, le chanteur décide de renoncer. Il accorde exceptionnellement deux ou trois interviews et disparaît. Le silence va durer quatre ans, entrecoupé par la publication du roman *Rêve de Siam* (Aubier-Montaigne, 1987). L'album du retour, *Matrice,* peuplé de morceaux de bravoure rock comme "Banlieue nord" et "Camion bâché", est enfin classé disque d'or. La télévision diffuse le clip (où apparaît Richard Bohringer) réalisé par Franck Lords autour du titre générique. Un nouveau cycle est commencé, que déclinent deux autres LP *Revivre* (1991) et *la Vallée de la paix* (1994), sans que Gérard Manset ne parvienne, malheureusement, à conserver les faveurs du grand public. Sa collaboration à la carrière de David Hallyday se limitera à "Père", titre hommage avant le show anniversaire du Parc des Princes de Johnny en 1994. Quatre ans plus tard, il sort *Jadis et naguère,* dans lequel il pousse encore plus loin son désir de clarté et d'épure.

« UN UNIVERS MUSICAL TRÈS PERSONNEL ET ADAPTÉ À UNE VOIX DONT L'APPARENCE MONOCORDE AJOUTE À LA CHARGE ÉMOTIVE. »

Peintre, écrivain, photographe, Manset a décomplexé la chanson française et lui a ouvert des horizons. Refusant lieux communs et tics de création, comme toute apparition sur scène ou à la télévision, il a inventé un univers musical, entre Beethoven et Paul McCartney, particulièrement imaginatif : une partition parfaite pour cette voix dont l'apparence monocorde ajoute à la charge émotive. Dans un milieu où la création tend souvent vers la facilité, l'originalité de cet artiste, l'unité de ton de l'ensemble de sa discographie continuent d'étonner. **J.-P. G.**

- ***Matrice*** (1989), EMI France
- ***Royaume de Siam*** (1979), EMI France
- ***Toutes choses*** (double CD ; best of), EMI France, 1990
- ***Revivre,*** EMI France, 1991
- ***Entre dans le rêve*** (coffret CD), EMI, 1992
- ***La Vallée de la paix,*** EMI, 1994

MARBOT Rolf (Marcus Albrecht, dit)

Breslau, 1906 - Paris, 1974
ÉDITEUR, COMPOSITEUR

D'origine autrichienne, il fonde à Paris les éditions Méridian. À la Libération, il édite les premières chansons de Pierre Dudan• ou de Francis Lemarque•. Rebaptisée SEMI (Société d'édition musicale internationale), sa société rachète de nombreux catalogues anciens, avec des perles comme "Viens poupoule" ou "les Roses blanches". Marbot ne néglige pas pour autant l'époque moderne (Piaf•, Montand•, Mariano•, Sablon•, puis Michel Polnareff•). Il s'intéressera aussi à la musique de chambre et de film.

MARCHAND Guy

Paris, 1937
INTERPRÈTE

Guy Marchand est un artiste complet, à l'américaine, capable de jouer d'un instrument, de danser, d'interpréter des rôles et de chanter, d'une belle voix grave de crooner, mais jamais dépourvue d'humour. Après avoir débuté comme clarinettiste de New Orleans puis comme saxophoniste de jazz cool, il impose un premier tube en 1965, "la Passionnata", où il met en valeur son registre vocal et sa drôlerie

Chanteur, musicien, danseur, comédien, Guy Marchand est un exemple d'artiste complet à l'américaine, qui aurait bien observé Maurice Chevalier.

Pour toujours, Luis Mariano demeure le "prince de l'opérette", un genre qui appartient désormais au passé.

sur fond de musique espagnole. L'air de rien, il va ensuite construire une carrière de trente ans, avec de bonnes chansons comme "He crooner" ou "Moi je suis tango tango", d'après Astor Piazzolla, et de bons rôles au cinéma (notamment dans *Loulou* de Maurice Pialat, en 1980) et à la télévision dans le rôle de l'inspecteur Nestor Burma. **V.L.L.**

- ***Buenos Aires,*** Une musique/Polygram, 1995
- ***Nostalgie gitane,*** EMI, 1999
- ***La passionata*** (compil.), Polygram

MAREUIL Jacques (Xavier Jean André, dit)

Brest, 1917
AUTEUR, INTERPRÈTE

Il débute comme interprète dans l'opérette en 1936 et s'y maintiendra jusque dans les années soixante. Il y rencontre Annie Cordy•, qui va l'encourager dans sa carrière parallèle d'auteur de chansons. Il lui écrira ainsi "Calamity", "Nini la chance" et "Tata Yoyo". Il a également travaillé pour Chevalier• ("Quand le bâtiment va"), Montand• ("Le chef d'orchestre est amoureux"), les Frères Jacques, Roger Pierre et Jean-Marc Thibault ("Rendez-vous au Pam-Pam", 1953) et Joséphine Baker• ("Revoir Paris").

MARGY Lina (Marguerite Verdier, dite)

Bort-les-Orgues, 1914 - Paris, 1973
INTERPRÈTE

Lina Margy reste comme la créatrice, en 1943, d'"Ah ! le petit vin blanc" de Jean Dréjac•, qui devient un immense succès à la Libération. C'est également elle qui met à son répertoire, en 1947, la chanson "Voulez-vous danser, grand-mère ?", qui sera reprise en 1979 par Chantal Goya•. À l'inverse des chanteuses réalistes de l'époque, elle est une sorte de Mimi-Pinson de la chanson, avec une voix enjouée, un peu nasillarde, qui roule malicieusement les "r". Elle termine sa carrière en effectuant de nombreuses tournées à travers le monde.

MARIANO Luis (Mariano Eusebio Gonzáles y García, dit)

Irún, Espagne, 1914 - Paris, 1970
INTERPRÈTE

Installé avec sa famille à Bordeaux en 1937, il entame à Marseille des études d'architecture écourtées par la guerre, puis retourne à Bordeaux et s'inscrit au cours de chant du Conservatoire. En 1942, il part à la conquête de Paris, avec pour tout bagage son physique avantageux d'hidalgo et une voix incroyablement souple et suave. Il joue une première fois dans l'opérette *España mia* à l'ABC. Sa rencontre avec Francis Lopez• le conduit alors vers la gloire. En 1945, celui-ci en fait le jeune premier de *la Belle de Cadix* (musique de Lopez et livret de Maurice Vander•) au casino Montparnasse. Mariano y interprète (en plus de la chanson-titre, véritable rengaine populaire) "Une nuit à Grenade" et "le Rendez-vous au clair de lune". Sa carrière est définitivement placée sur les rails du succès. Les opérettes qu'il chante (*le Chanteur de Mexico* en 1951, *le Chevalier du ciel* en 1955, *le Secret de Marco Polo* en 1959, *le Prince de Madrid* en 1967, *la Caravelle d'or* en 1969) entraînent ses admirateurs, et, surtout, admiratrices dans des terres où règnent soleil, aventure et amour.

Un monde de rêve repris à l'écran dès 1946 (il tournera ainsi *Andalousie* en 1951, *Violettes impériales* en 1952 ou *Sérénade au Texas* en 1958). Mariano est en France l'un des premiers à posséder de véritables "fans", à voir s'évanouir les spectatrices des salles où il passe. En 1952, son fan-club compte 16 000 adhérents. Deux ans plus tard, il fête son premier millionième disque vendu. Même s'il ne rencontre pas la même adhésion lors d'un tour de chant à l'Olympia dans les années soixante, le public ne le reconnaissant que comme chanteur d'opérette, sa popularité demeurera intacte jusqu'à sa mort, qui annonce le déclin de l'opérette. Sa tombe au cimetière d'Arcangues, dans les Pyrénées-Atlantiques, demeurera longtemps un lieu de pèlerinage. **A.G.**

◎ ***La Belle de Cadix ; Andalousie,*** EMI France
◎ ***L'Album Souvenir*** (20e anniversaire ; 2 CD, 1945-1969), EMI France

MARIE-JOSÉ (Mauricette Lhuillier, dite)

Oran, 1916
Interprète

Née de mère espagnole, elle devient une spécialiste du tango, si à la mode dans les années trente. Sa voix a un timbre qui colle parfaitement au disque, qui connaît alors un grand développement. Parmi ses succès : "le Bar de l'escadrille" (1942), "Lis-moi dans la main, Tzigane" (1950), "Maria Dolores" (1951) ou "Sensual" (1953).

◎ ***18 succès inoubliables,*** Marianne Mélodie

MARINIER Paul

Rouen, 1866 - Lyons-la-Forêt, Eure, 1953
Auteur, compositeur

Fils de banquier et Montmartrois d'adoption, il se fait connaître par la chanson "Bonsoir, madame la lune", dont il écrit la musique avec Émile Bessière. Il devient le fournisseur attitré de Félix Mayol•, avec "Family House" (1898), "Le printemps chante" (1902), "la Fifille à sa mémère" (1905) et écrit également pour Yvette Guilbert• et Fragson•. Avec Charles Fallot, il fonde le célèbre cabaret La-Pie-qui-Chante, puis, avec Lucien Boyer, le Carillon.

MARJANE Léo (Thérèse Gérard, dite)

Boulogne-sur-Mer, 1918
Interprète

Elle débute au cabaret Shéhérazade, où elle se fait remarquer par sa voix de velours au phrasé très moderne. Jean Bérard, directeur des disques Pathé-Marconi, l'oriente vers la chanson jazz, dont elle devient la première représentante en France, avec "Begin the Beguine" (1938), "Night and Day", "En septembre sous la pluie" et "Je suis seule ce soir". Grande vedette sous l'Occupation, elle tente de relancer sa carrière après la Libération en enregistrant "Mets deux sous dans l'bastringue" de Jean Constantin• ou "Je veux te dire adieu" de Gilbert Bécaud•, mais elle ne connaîtra plus le même succès.

◎ ***Compilation 1937-1942,*** Chansophone
◎ ***Léo Marjane Anthologie,*** Encyclopedia

MARNAY Eddy (Edmond Bacri, dit)

Alger, 1920
Auteur, interprète

D'abord interprète, Eddy Marnay fréquente Stéphane Golman, Léo Ferré• et Francis Lemarque•. Mais le succès lui viendra comme parolier. Dès 1948, sa chanson "les Amants de Paris" (musique de Léo Ferré) est interprétée par Édith Piaf•. Une carrière prestigieuse va suivre, avec la collaboration des meilleurs musiciens de l'époque : Emil Stern•, Michel Legrand•, Henri Salvador•, Michel Magne, Philippe Gérard, André Popp• ou Marc Heyral. Ses interprètes seront aussi à la hauteur : Patachou• ("Java, qu'est-ce que tu fais là ?"), Marie Laforêt• ("Mon amour, mon ami"), Yves Montand• ("Planter café"), Mireille Mathieu• ("Mille Colombes"), Claude François• ("Il fait beau, il fait

Chanteur de charme au féminin, Léo Marjane reste comme l'interprète de "Je suis seule ce soir".

bon"), Michel Legrand• ("la Valse des lilas") ou Bourvil• ("la Ballade irlandaise"), pour ne citer que les principaux.

Il compte à son palmarès le grand prix de l'Eurovision 1969 pour "Un jour, un enfant", chantée par Frida Boccara. En 1982, au Festival de Tokyo, il enlève un grand prix avec "Tellement d'amour pour toi", chanté par (la toute jeune) Céline Dion•. Un monument de la chanson française.

MAROUANI famille

Sousse, Tunisie
PRODUCTEURS, IMPRESARII

Félix débarque à Paris à la fin des années trente. En face de chez lui habite un certain monsieur Tavel, agent artistique de numéros visuels dans les music-halls. Séduit par ce monde nouveau, Félix sympathise avec lui. Les deux hommes créent alors la première agence de spectacle en France, gérant les carrières de Tino Rossi• et Maurice Chevalier•. Sa réussite est telle que Félix fait venir son frère Daniel de Tunisie, puis ses cousins, Eddy et Maurice, qui fonderont à leur tour une agence de spectacle, devenant, à partir de 1938, les agents d'Édith Piaf•. Jacques, un des fils de Félix, reprendra l'agence de son père et gérera, à partir des années soixante, les carrières, notamment, de Nino Ferrer•, Maurice Fanon•, Gérard Lenorman•, Michel Fugain• et Sylvie Vartan•, avant de devenir producteur de télévision.

D'autres cousins viendront aussi se joindre au métier : Gilbert sera éditeur des chansons de Jacques Brel•, Francis Cabrel• et Michel Jonasz•. Charley sera l'agent d'artistes tels que Salvatore Adamo•, Jacques Brel•, Joe Dassin•, Richard Anthony•, Françoise Hardy•, Barbara•, Serge Reggiani•, Henri Salvador• ou Carlos•. Marcel sera également éditeur de chansons ; Roger, directeur artistique des disques Festival. D'autres parents, plus ou moins proches – les frères Olivier et Talar –, seront eux aussi imprésarios, éditeurs et tourneurs (organisateurs de tournées).

Didier, le fils de Maurice, enregistrera plusieurs disques chez Barclay avant de se lancer définitivement comme compositeur. David, le fils de Marcel, montera, à la fin des années quatre-vingt, le duo David et Jonathan, dont les premiers disques seront de très gros succès.

MARQUIS DE SADE

Groupe formé en 1977 à Rennes autour de Franck Darcel (guitare), Christian Dargelos (claviers) et Philippe Pascal (chant), avec Éric Morinière (batterie), Thierry Alexandre (basse) et la présence de Philippe Herpin "Pinpin" et Daniel Pabœuf aux cuivres

Le 7 avril 1982, après une dernière tournée, les membres de Marquis De Sade se séparent. Pas moins de cinq groupes sortiront de cette matrice : Marc Seberg, Sax Pustuls, Anches Doo Too Cool, Les Nus et Octobre. Autant dire que la deuxième vague du rock à Rennes est due au suicide parfaitement orchestré d'une formation néoromantique, à la musique new wave lyrique et aux textes tourmentés virant à l'expressionnisme.

Dantzig Twist (1979), Barclay
Rue de Siam (1981), Barclay

MARTEN Félix

Remagen, Allemagne, 1919 - Paris, 1992
Interprète

À la Libération, il débute une carrière d'interprète fantaisiste au cabaret, à Paris et en province, et même en Extrême-Orient. Doué d'un excellent physique et d'une jolie voix grave, il enregistre ses premiers disques en 1955. C'est immédiatement le succès grâce à deux nouvelles chansons : "la Marie-Vison" et "le Briquet". Puis il fait une rentrée remarquée au cinéma et à la télévision dans la série *le Saint*. Il enregistre également de nouveaux succès : "Fais-moi un chèque", "À Passy", "À Versailles" et "Où sont les pépées ?".

Les Enfants de Paris, Pathé Marconi/EMI, 1990

MARTIN Hélène

Paris, 1928
Auteur, compositeur, interprète

Après quelques essais au théâtre, elle débute dans la chanson en 1956 dans les cabarets de la rive gauche, dont elle n'est sortie que pour passer les portes de quelques maisons de la culture ou, exceptionnellement, celles de Bobino• et du Théâtre des Champs-Élysées... Parmi les poètes qu'elle interprète de préférence – hormis ses propres compositions ("la Nuit", "les Statues") –, on trouve Aragon• ("Musée Grévin"), Raymond Queneau ("Saint-Ouen Blues") ou Jean Genet ("le Condamné à mort"). Mais ses activités ne s'arrêtent pas là : elle a aussi créé une maison de disques (Cavalier), a réalisé "Plain Chant" (une émission de télévision) et – rien d'étonnant ! – a publié un recueil de poésie chantée, continuant en cela l'œuvre de Luc Bérimont•, chez qui elle avait d'ailleurs enregistré.

Hélène Martin chante les poètes, Adès, 1985

MARTIN CIRCUS

Groupe de rock formé en 1969 à Paris par Paul-Jean Borowski, Patrick Dietsch, Jean-François Leroi, Bob Brault et Gérard Pisani

Après un premier album assez ambitieux, le groupe décide de systématiquement "chercher le tube", après le succès du 45 tours "Je m'éclate au Sénagal" (1972). Quand sort le deuxième album, *Acte II,* il ne reste plus qu'un seul membre d'origine de cette formation, qui devient un groupe à succès pour enfants avant de passer au disco en 1979.

Story 69/79, Vogue/BMG

MARTINET Henri (Alexandre Léon, dit)

1901 - Marseille, 1985
Compositeur

Sa carrière est fondamentalement marquée par "Petit Papa Noël", dont il écrit la musique en 1944 sur des paroles de Raymond Vincy•. Tino Rossi• ne disait-il pas : "Toute ma vie je n'ai chanté que des chansons d'amour alors que la chanson qui a le plus marqué ma vie est une chanson d'enfant !"
Deux ans auparavant, Henri Martinet avait composé deux succès pour Andrex• : "Bébert, le monte-en-l'air" et "Y'a des zazous dans mon quartier".

MAS Jeanne

Alicante, Espagne, 1958
Interprète

Jeanne Mas débute comme speakerine sur une chaîne privée italienne, avant d'obtenir un petit rôle dans un film de Dino Risi, *Cher Papa,* aux côtés de Vittorio Gassman. De retour en France, où elle a grandi, elle enregistre plusieurs 45 tours avant d'obtenir un premier succès en 1983, "la Toute Première Fois". En plusieurs albums (dont *Femme d'aujourd'hui,* 1986, et *Jeanne Mas,* 1987) et quelques tubes ("En rouge et noir", gros succès en 1986, "Sauvez-moi"), cette chanteuse au look new wave-baroque s'est fait une place dans le show-biz français.

Femmes d'aujourd'hui, Pathé Marconi, 1986
Les plus grands succès de Jeanne Mas, EMI, 1996

MASSILIA SOUND SYSTEM

Groupe de raggamuffin fondé en 1984 à Marseille par François Ridel (Papet Jali) et René Mazzarino (Tatou), avec le sélecteur B. Martin (Goatari)

Les Marseillais du Massilia commencent à tourner en 1987 en empruntant au reggae jamaïquain ses rythmiques et son mode de diffusion, le sound system, sorte de discomobile avec une sono et des micros. Le Massilia chante en occitan, s'adresse à la mairie de Marseille (en 1993, dans "Qu'elle est bleue" : *"Pas de marinas / Oh monsieur Vigouroux / Il ne faut pas saccager ça"*) et illustre sa convivialité en servant le pastis au public lors de ses concerts. Les Massilia ont monté à Vitrolles l'Estudio Zéro, un petit studio digital autogéré dans lequel ils enregistrent les petits groupes ragga de la région, dont la plupart sont réunis sur la compilation *Ragga Baleti*. En 1996, Massilia participe à la bande-son du spectacle de Hans-Peter Cloos, *Romeo et Juliette,* avec Denis Lavant et Romane Bohringer.

Rude et souple, Roker Promocion, 1989 (K7)
Commando Fada, Roker/Shaman, 1995

MASSOULIER Jean-Claude

Paris, 1934
AUTEUR, COMPOSITEUR, INTERPRÈTE

Très vite, les qualités percutantes de ses textes tentent les plus grands : Marie-Paule Belle• lui chante "l'Amour dans les volubilis", Jean Ferrat•, "Maria", et les Compagnons de la chanson•, "Tzeinerlin". Sa plus grande réussite sera sa rencontre avec les Frères Jacques•, qui lui reprennent "Ça, c'est l'rugby" (sur une musique d'André Popp•) et surtout la célèbre "Chanson sans calcium" (1968).

MATHIEU Mireille

Avignon, 1947
INTERPRÈTE

L'histoire commence de façon édifiante : la "petite sœur de Piaf" est l'aînée d'une famille très pauvre de treize enfants. Mireille, dite "Mimi", fait la lessive et colle des enveloppes à la fabrique du coin, ce qui ne l'empêche pas de vouloir vouer sa vie à la chanson. Gagnante, en 1964, d'un concours dans sa bonne ville, elle monte à Paris pour participer au "Télé Dimanche" de Roger Lanzac et Raymond Marcillac, en 1965. Elle l'emporte devant Georgette Lemaire• et 10 millions de téléspectateurs, qui croient, un instant, revoir la grande Édith, récemment disparue. Johnny Stark, manager de Johnny Hallyday•, décide de prendre en main cette carrière prometteuse. Certains diront bientôt qu'il a fait de cette jeune fille sa marionnette. Peu importe.

Ambassadrice. En 1966, Mireille fait les premières parties de Hugues Aufray•, de France Gall• et de Sacha Distel• à l'Olympia. Puis elle part aux États-Unis sur les traces de son ombre tutélaire. Et cela marche, là comme bientôt dans le monde entier, de New York à Tokyo, en passant par Moscou. Avec sa voix puissante et ses roulements de "r", Mireille représente une certaine "qualité France". Les tubes se suivent : "Mon credo", "Qu'elle est belle", "Paris brûle-t-il ?", "J'ai gardé l'accent", "Celui que j'aime", "Une histoire d'amour", "Femme amoureuse" (adaptation du "Woman In Love" créé par Barbra Streisand et écrit par les frères Gibb des Bee Gees), etc. Du travail de grande professionnelle, mais peut-être rien que cela. **A.G.**

Les Plus Grands Succès de Mireille Mathieu, Carrère Musique, 1988
Les Grandes Chansons françaises, BMG
Vous lui direz..., East West, 1995

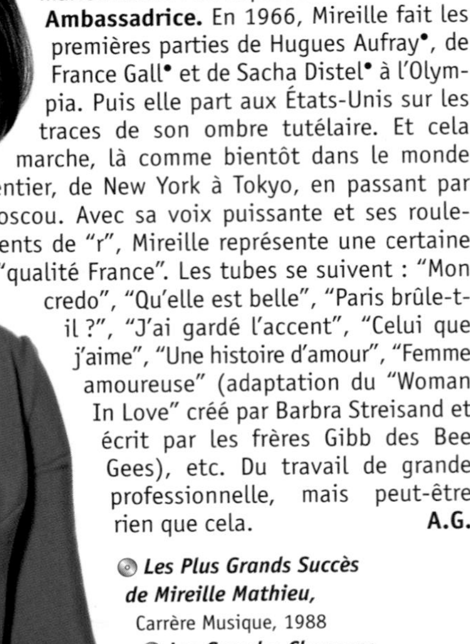
De New York à Tokyo, Mireille Mathieu incarnera une certaine "qualté France".

MAURANE (Claudine Luypaerts, dite)

Ixelles, Bruxelles, 1960
Interprète

Voix de chanteuse de blues, mais aussi capable de rendre les détails de la mélodie, Maurane, sur scène, a une véritable santé, de l'humour et du coffre. Elle est découverte par le grand public en 1988, grâce au rôle de Marie-Jeanne, la servante-automate de *Starmania,* l'opéra rock de Michel Berger• et Luc Plamondon•, dont une nouvelle version est alors présentée. Maurane est une enfant de la balle, fille d'une mère pianiste et d'un père directeur de conservatoire. Après avoir étudié le violon, puis la guitare, elle chante dans les bars et les cabarets de Bruxelles. Elle aime le jazz, les rythmes brésiliens qui balancent. En 1979, le chanteur Pierre Barouh•, patron du label Saravah, la découvre. Après avoir sorti un 45 tours, "Je m'roule en boule", elle assure à Bruxelles la première partie de Daniel Lavoie•, puis celle de Claude Nougaro• avant de remporter, en 1983, le prix de la première chanson du Festival de Spa, avec "Petite Chanson d'amour".

En 1985 sort son premier album, *Danser,* tendre et rythmé, suivi de *H.L.M.,* plus confidentiel. On la voit à Paris au Théâtre de la Ville. En 1988, elle intègre l'équipe de *Starmania,* nouvelle version. Les portes des multinationales lui sont ouvertes. Polydor-France publie *Maurane* en 1989, puis, en 1991, *Ami ou Ennemi,* où l'arrangeur et compositeur Jean-Claude Vannier• précise un style, à la fois mélancolique et énergique, résumé à merveille dans "Sur un prélude de Bach". Du Québec à la Belgique, en passant par Paris, Maurane devient une ambassadrice convaincue de la francophonie. En 1998, elle s'impose à nouveau avec la chanson "l'Un pour l'autre", titre phare de l'album du même nom (où l'on note aussi un duo avec Eddy Mitchell•). **V. M.**

- ***Danses,*** Mélodie, 1988
- ***Ami ou Ennemi,*** Polydor, 1991
- ***Une fille très scène*** (en public), Polydor, 1993
- ***Différente,*** Polydor, 1996
- ***L'Un pour l'autre,*** Polydor, 1998

Max-Dearly avec Minstinguett. En compagnie de cette dernière, il crée la fameuse "Valse chaloupée" en 1909.

MAX-DEARLY (Lucien Max Rolland, dit)

Paris, 1874 - Neuilly-sur-Seine, 1943.
Interprète

Avec Fragson•, il sera le premier chanteur "à accent anglais". Sa carrière débute dans les caf' conc' puis au cirque où il prend la place d'un artiste nommé Dearly, dont il adopte le nom. Il bifurque vers la chanson et se produit à Marseille en reprenant des chansons de Paulus•. Au tournant du siècle, il s'impose à Paris sur la scène de la Scala, délaissant ses accoutrements clownesques d'antan. Pendant une dizaine d'années, il séduit le public avec des chansons comme "l'Anglais obstiné", "Tra la la v'la les Anglais", "le Jockey américain" et "la Valse chaloupée", qu'il crée en dansant avec Mistinguett•. Il abandonne alors le tour de chant pour se consacrer à la revue et au théâtre.

MAX-FRANÇOIS

1914-1995
Auteur

Spécialiste de l'adaptation de titres étrangers, il signe la version française de la chanson du film *Le train sifflera trois fois* ("Si toi aussi tu m'abandonnes", reprise par John William•). En 1948, sur une musique de Paul Durand•, c'est "Papa maman samba" pour Georges Guétary• et "Sérénade argentine" pour Rina Ketty•. C'est en 1952 qu'il connaîtra un de ses plus grands succès, "Au loin dans la plaine", créée par Eddie Constantine• et Armand Mestral•. On peut également détacher de ses nombreuses productions : "Quelle heure est-il ?" (pour les Sœurs Étienne•), "Quand le bâtiment va" (Maurice Chevalier•) et "Tango magique" (Tino Rossi•).

MAYEREAU Isabelle

Bordeaux, 1947
AUTEUR, COMPOSITEUR, INTERPRÈTE

Son premier album, *l'Enfance,* a le chuchotement voluptueux et le toucher frileux d'une détresse élégante. Trois disques suivent : *Des mots étranges* (1979), *Nuage blanc* (1980) et *Isabelle Mayereau.* Elle occupe ensuite la scène de Bobino. En 1982, elle amorce un tournant, et la jeune fille sage se pique d'une pointe sadique désabusée. Les bleus de l'âme se muent en cauchemars pleins d'araignées noires. La mélancolie n'est plus câline mais énigmatique... Depuis, elle disparaît puis revient de temps à autre sur le circuit de la chanson.

- ***Tu m'écris,*** Disc' AZ, 1988
- ***Film noir,*** Tristar/Sony, 1996
- ***Juste une amertume,*** Touchstone Records/Sony, 1997

MAYOL Félix

Toulon, 1872 - *id.,* 1941
INTERPRÈTE

Félix Mayol a été qualifié de "chanteur de charme comique", bel hommage à l'étendue de son répertoire.

Il débute dans des sociétés d'amateurs sous le nom de "Petit Ludovic", avant de se frotter aux professionnels de Marseille. En 1895, il commence sa carrière parisienne au Concert parisien, où Dorfeuil lui signe un contrat de trois ans. Il chante alors "la Paimpolaise" de Botrel•, "Une noce à la cascade" (Marinier), puis, en 1897, au Ba-Ta-Clan, dirigé alors par le même Dorfeuil, le "Petit Grégoire" (Botrel) et "Cette petite femme-là" (Christiné). Il impose peu à peu son personnage - silhouette rondouillarde, habit, brin de muguet à la boutonnière, et toupet sur le crâne - et son style, très joué, avec force mimiques, pas de danse et accessoires divers. Après des premiers "faux adieux" à la scène, il se produit, en 1901, à l'Eldorado et à la Scala. Il chante "Embrasse-moi Ninette" (Christiné•), "la Cabane bambou" (Marinier•), "la Polka des trottins" (Trebitsch - Christiné), "Le printemps chante" (Marinier) et "Viens Poupoule" (chanson adaptée par Christiné d'une scie allemande d'Adolph Spahn : "Komm Karoline"), qui va faire de Mayol la vedette populaire n° 1. En 1903, Mayol commence à enregistrer sur disque ses succès. En 1905, il enregistre ainsi "la Mattchiche", adaptée par Borel-Clerc de motifs espagnols, et qui devient la danse en vogue de l'année. Il a l'intelligence de varier son répertoire, de travailler avec des auteurs de talent (de Lucien Boyer à Vincent Scotto•), tout en restant un artiste essentiellement populaire. En 1910, ayant racheté le Concert parisien, il lui donne son nom, et engage, pour le premier spectacle, Tramel, Raimu, Sardou et Andrée Turcy•. Il vieillit cependant et la critique se moque volontiers de ses façons d'avant-guerre. Ce n'est pourtant qu'en 1938 que Mayol se retira définitivement à Toulon : il n'avait pas donné moins de sept représentations d'adieux ! Il meurt largement oublié par ses pairs, sinon par le public. **P.S.**

Compilation (1904-1932), Chansophone

McNEIL David

New York, 1946

AUTEUR, COMPOSITEUR, INTERPRÈTE

Fils du peintre Marc Chagall, David McNeil partage ses années de jeunesse entre New York, Saint-Tropez et Paris. Après une incursion dans le cinéma, il choisit la chanson, rencontre Pierre Barouh• et enregistre trois albums originaux sur son label Saravah. Sur le premier, sorti en 1972, figure le délectable "Hollywood", dont Yves Montand• fera un succès commercial huit ans plus tard – malgré une interprétation bien fade.

Le style de McNeil, imprégné, lui, de folk song, doit beaucoup à sa par-faite connaissance des œuvres de Woody Guthrie, de Bob Dylan et de Leonard Cohen. Ses ballades, souvent construites sur trois accords, ont parfois la simplicité mélodique du premier, tandis que la sophistication de ses textes trahit la fréquentation des deux autres. En français, son écriture riche en références culturelles rock et en audaces formelles (allitérations, enjambements, rimes sur les noms propres, franglais) exercera une influence pas toujours reconnue sur d'autres auteurs-compositeurs (Yves Simon•, Alain Souchon•).

Dans les années quatre-vingt, David McNeil écrit nombre de succès pour – ou avec – Montand•, Souchon• ("Casablanca") ou Julien Clerc• ("Melissa") et, préférant une vie de riche reclus au contact direct du public, évite systématiquement les tournées. Il retrouve les studios en 1991 pour un compact d'une perfection ahurissante *(Seul dans ton coin)*, qui sera – comme, déjà, *Funky Punky* en 1977 – primé par l'académie Charles-Cros. En 1995, il signe les textes de plusieurs chansons de l'album de Jacques Dutronc•, *Brèves Rencontres*. De plus en plus absorbé par l'écriture de ses romans (dont *Tous les bars de Zanzibar*), il trouve quand même le temps de se produire à l'Olympia en 1997. Entouré de Souchon•, Le Forestier•, Julien Clerc• et Renaud•, il annonce ses adieux à la scène et enregistre un album en public particulièrement réussi. **J.V.**

D'Hollywood à Babylone, Mantra/Wotre Music, 1990

Seul dans ton coin, Virgin, 1991

Olympia 1997, Virgin, 1997

MC SOLAAR (Claude M'Barali, dit)

Dakar, Sénégal, 1969

Banlieusard parisien dès l'âge de six mois (d'abord à St-Denis, puis à Évry et enfin à Villeneuve-Saint-Georges), le petit Claude passe son bac en 1988. C'est à peu près à cette époque qu'il lance ses premiers textes sur les ondes de Radio Nova, prolongement naturel de son goût pour les mots, la rhétorique et la contradiction. Alors qu'il étudie (plutôt mollement) les langues à la fac de Jussieu, il enregistre une cassette démo trois titres dans le sous-sol d'un laboratoire de chimie à Noisy-le-Sec, en compagnie de son DJ et ami, Christophe Viguier, alias Jimmy Jay. Ce sont donc les premières moutures de "Caroline", "Quartier Nord" et "Bouge de là" qui vont convaincre le label Polydor de signer ce jeune rappeur déjà entouré d'une solide équipe, le 500 One posse. Dans le posse (la bande) de celui qui se fait désormais appeler MC Solaar (ou Claude MC pour les amis), on trouve la choriste Melaaz (qui sortira son propre album en 1995), le coéquipier Soon E MC, le DJ Jimmy Jay (l'homme de main, qui fondera par la suite son propre label), le manager Régis, les danseurs Bambi Cruz et Arlini, bref toute une corporation rap qui évolue autour de l'astre Solaar. En quelques mois, "Bouge de là", ce rap au quotidien qui raconte quelques anecdotes urbaines devient un tube radio. Quand sort le deuxième single, "Victime de la mode", Solaar est déjà presque une

> " LE RISQUE D'ÊTRE HAPPÉ PAR UN SHOW-BIZ TROP HEUREUX D'AVOIR ENFIN TROUVÉ UN RAPPEUR "COOL"."

Serge Gainsbourg• dont le "Bonnie And Clyde" est largement samplé sur le premier 45tours extrait du disque, "Nouveau Western". L'album se vendra à 900 000 exemplaires. Trois ans plus tard, séparé de son complice Jimmy Jay, MC Solaar sort *Paradisiaque,* que les aficionados du hip hop jugent nettement moins convaincant. La rançon du succès ? **O. C.**

Qui sème le vent récolte le tempo, Polydor, 1991
Prose combat, Polydor, 1994

Sénégalais de Villeneuve-Saint-Georges, MC Solaar est un virtuose du dictionnaire, grand admirateur de Georges Perec.

star. Le premier album, *Qui sème le vent récolte le tempo,* est dans les bacs mi-1991 et contient deux autres singles, le rap-titre et le fameux "Caroline", premier rap slow à séduire la France profonde et les radios FM. Le ton fleur bleue de ce morceau (l'un de ses premiers textes) ne plaît pas à tous, et les 200 000 albums vendus en moins d'un an ne contribuent pas à faire diminuer les critiques du "mouv'" (comme disent les fans de hip-hop), sa base qui lui reproche son succès populaire et médiatique. Solaar est happé par un show-biz trop heureux d'avoir enfin trouvé un rappeur "cool". Lui-même proclame sa passion pour les mots et son vif intérêt pour le groupe littéraire de l'Oulipo (auquel appartenait Georges Perec), spécialisé dans les tours de force d'écriture.

Dominant et contesté. En 1994, paraît *Prose combat,* un album plus réfléchi, marqué par

MEDEIROS Elli

Montevideo, Uruguay, 1956
Interprète

Après l'épisode du groupe new wave/pop Stinky Toys, deux albums et une dizaine de concerts, Elli Medeiros continue l'aventure avec son ami Jacno. Le couple signe notamment la B.O. du film d'Éric Rohmer *les Nuits de la pleine lune.* Elli, qui pose dans des revues de mode, dessine, amorce en 1986 une carrière solo. "Toi mon toit" réalisé avec son nouveau compagnon Ramuntcho Matta, devient un énorme tube. La chanteuse, qui s'est produite dans différents clubs parisiens et à l'Olympia, aux côtés d'Étienne Daho•, enregistre sans tarder un nouvel album, commercialisé début 1987. Depuis, on la voit parfos au cinéma.

Bom Bom..., Barclay/Polygram, 1987

MÉNÉLIK (Albert Tjamag, dit)

Bobigny, 1969
Auteur, interprète

On le remarque en 1993 sur les *Cool Sessions* de Jimmy Jay, le DJ de Mc Solaar•, avec "Un petit rien de jazz". En 1995, il sort son premier album, *Phénoménélik,* qui contient trois tubes, "Tout baigne", "Tranquille" et "Quelle aventure". Après avoir remporté une victoire de la musique en 1996 et effectué une tournée internationale, il participe à la B.O. du film *Ma 6T va crack-er* et au disque collectif *11'30 contre les lois racistes.* En 1997, son deuxième album, *Je me souviens,* fait preuve d'un bel éclectisme en mélangeant rap, funk, soul, reggae et trip-hop.

Phénoménélik, Sony, 1995
Je me souviens, Sony, 1997

MENGO Art (Michel Armengot, dit)

Toulouse, 1962
AUTEUR, COMPOSITEUR, INTERPRÈTE

Pur produit de l'école de Toulouse, il enregistre son premier album en 1989. Et poursuit dans l'excellence avec "Un 15 août en février" (1990), "Guerre d'amour" (1992), "La mer n'existe pas" (1995) et "Live in Mandala" (1997), enregistré dans un cabaret toulousain. Il collabore également avec d'autres : Johnny Hallyday• ("Ça ne change pas un homme") et, surtout, Ute Lemper, avec qui il a enregistré "Parler d'amour", dans l'album qu'il lui a consacré.

MESTRAL Armand (Armand Zelikson, dit)

Paris, 1917
INTERPRÈTE

Doté d'une belle voix de basse chantante, il entre au Conservatoire, où il obtient un prix et un engagement pour l'Opéra-Comique. Après la guerre, il chante à la Gaîté-Lyrique et à l'Opéra-Comique. Puis il se lance dans la chanson et enregistre "Plaine, ma plaine", "Mississippi", "l'Angélus de la mer", et "Ma cabane au Canada", en même temps que Line Renaud• (1948). Il fait aussi carrière dans l'opérette *(Colorado, Carnaval de juillet)* et au cinéma *(Napoléon, Gervaise, Mon oncle Benjamin...).*

Compilation, MC Production JBCD 294

MEURISSE Paul

Dunkerque, 1912 - Paris, 1979
INTERPRÈTE

Issu d'une famille très bourgeoise, il s'imposera surtout comme un très grand comédien de théâtre et de cinéma, en ne se départissant jamais de la raideur que lui avait conférée sa stricte éducation. Il avait pourtant débuté au music-hall et y avait fait une honorable carrière. En cachette de sa famille, il avait gagné un radio-crochet et avait réussi à se faire engager comme boy de revue à dix-sept ans. Par la suite, il se constitua un tour de chant original, composé de chansons loufoques, d'humour absurde, dont il débitait les textes avec un flegme britannique : "Un tango, c'est un tango", "les Bonnets à poil et à plumes", etc.

MEYERSTEIN-MAIGRET Georges

Berlin, 1913 - Paris, 1999
ÉDITEUR

En 1945, il prend en main les destinées de la firme Polydor, qui avait édité à la fin des années trente les premiers disques de la Môme Piaf. Depuis, la maison n'a plus guère recruté de nouvelles vedettes. Meyerstein appelle alors Jacques Canetti• à la rescousse et, en quelques années, le catalogue s'enrichit de noms aussi prestigieux que ceux de Georges Brassens•, Michel Legrand•, Félix Leclerc•, Mouloudji•, Guy Béart•, Jacques Brel•, Juliette Gréco•, Patachou• et de bien d'autres. En 1952, c'est la fusion avec Philips puis, quelques années plus tard, l'arrivée de Johnny Hallyday• et d'autres jeunes prometteurs. La fin de sa carrière est marquée par le rachat de Barclay par sa nouvelle compagnie, Polygram.

MEYS Gérard

Paris, 1936
ÉDITEUR

Il commence sa carrière en 1956 chez Philips, aux côtés de Jacques Canetti• et de Georges Meyerstein•. Quatre ans plus tard, il fonde les éditions Alléluia et publie les chansons de Jean Ferrat•. Suivront sur son catalogue des titres prestigieux signés Isabelle Aubret•, Juliette Gréco•, Georges Chelon•, Francis Lemarque• ou Anne Sylvestre•.

MICHEYL Mick (Paulette Michey, dite)

Lyon, 1922
AUTEUR, COMPOSITEUR, INTERPRÈTE

En 1950, elle est lauréate du prix de la Chanson de charme avec "Marchand de poésie". Trois ans plus tard, elle reçoit le prix de l'académie Charles-Cros pour "Ni toi, ni moi". Sa carrière est jalonnée de succès : "Ma Maman" (reprise par Mireille Mathieu•), "Cano... canoë", "Je t'aime encore plus" et, surtout, en 1952, "Un gamin de Paris" (dont elle écrit les paroles sur une musique d'Adrien Marès). Contre toute at-

Avec sa voix grave et sa désinvolture, Mick Micheyl sera une des grandes vedettes de la chanson française des années cinquante.

tente, Mick prend, en 1963, la succession de Line Renaud• au Casino de Paris et devient une étourdissante meneuse de revue. Elle revient ensuite à ses premières amours, la peinture, et atteint une grande renommée en se spécialisant dans la gravure sur acier.

La Marchande de poésie (compilation), EMI Music

MILTON
Georges (Georges Désiré Michaux, dit)

Puteaux, 1888 - Juan-les-Pins, 1970
INTERPRÈTE

Ses premiers pas dans le métier furent difficiles : il aura du mal à imposer sa silhouette courtaude et sa tête énorme. Après une tournée en Amérique du Sud, il est encouragé par Maurice Chevalier•, grâce auquel il chante au Casino Saint-Martin, et, dès lors, connaît le succès populaire au Casino Montparnasse, au Petit Casino, au Kursaal, à la Gaîté-Rochechouart et à la Cigale, où il joue une revue. Il impose peu à peu ses succès, qui sont généralement tirés des opérettes ou des films où il joue : "la Fille du bédouin" (Barde-Moretti, 1927), "Pouet-Pouet" (Barde-Yvain, 1929) ou "C'est pour mon papa" (Pothier-Pujol-Oberfeld, 1930). Il est aussi le créateur en France de la fameuse opérette *l'Auberge du Cheval blanc,* en 1932. Émule de Dranem• à ses débuts, il définit peu à peu son style propre, populaire, dynamique et très proche du public, qui l'a affectueusement surnommé "Bouboule".

Compilation 1926-1939, Music Memoria

Compilation 1925-1942, Chansophone

MINISTÈRE AMER

Groupe de rap fondé à Sarcelles en 1989 par Stomy Bugsy, Passi, Doc Gyneco, Hamed Daye, DJ Ghetch, Kenzy

Ils sont les soldats-businessmen du rap français. Après avoir appartenu à la frange la plus radicale du hip-hop hexagonal, ils ont décidé de jouer la carte commerciale... Un maxi CD, "Traîtres", attire l'attention en 1989. En 1992, la sortie de leur premier album, *Pourquoi tant de haine ?,* suscite le courroux de la police à cause du morceau "Brigitte, femme de flic", où une accorte jeune femme se voit pousser dans des retranchements que la morale réprouve. Deux ans plus tard, rebingo sur la B.O. du film de Mathieu Kassovitz *la Haine,* où ils interprètent le très explicite "Sacrifice de poulet". Ils prennent une orientation nettement gangsta-rap en 1994 avec leur deuxième album, *95200,* où des titres comme "Nègres de la pègre", "Cours plus vite que les balles" évoquent un certain cinéma américain. En 1995, Stomy Bugsy•, Doc Gyneco•, Passi• changent de tactique, mettent Ministère AMER en sommeil et sortent chacun leur album solo, avec le succès que l'on sait...

Pourquoi tant de haine ?, Musidisc, 1992

95200, Musidisc, 1994

MIOSSEC Chrisophe

Brest, 1964
AUTEUR, INTERPRÈTE

Ce Breton commence au début des années quatre-vingt-dix au sein d'un groupe qui porte son nom et qui réunit des inconditionnels de Brel•, de Gainsbourg• et de rock anglo-saxon. Boire, leur premier album en forme d'ode à l'ivresse, est aussitôt remarqué. Emmené par un auteur à la gouaille sensible et délicate, Miossec enthousiasme la critique française. Les compositions intenses et nerveuses de Guillaume Jouan, mises en valeur par des arrangements minimalistes, rendent intact le chanté-parlé pathétique de Christophe Miossec. Les textes soignés, empreints d'un hyperréalisme poétique, placent Miossec dans le peloton de tête de la nouvelle chanson française, tout près de Jean-Louis Murat• ou de Sylvain Vanot•. En 1997, *Baiser* remporte un un véritable succès populaire.

- ***Boire,*** Play It Again Sam, 1995
- ***Baiser,*** PIAS, 1997
- ***À prendre,*** PIAS, 1998

MIREILLE
(Mireille Hartuch, dite)

Paris, 1906
id., 1996
COMPOSITEUR, INTERPRÈTE

Issue d'une dynastie de fourreurs d'origine anglaise et polonaise, la petite Mireille est poussée très tôt vers le spectacle par ses parents, eux-mêmes artistes. C'est à Londres, à l'âge de six ans, qu'elle débute dans un film en interprétant un rôle de petit garçon. Attirée par le piano, elle est ensuite remarquée par Francis Planté, le grand maître de l'époque, mais ses mains sont trop petites pour envisager une carrière de concertiste. Elle choisit donc le théâtre et est engagée à quatorze ans par Firmin Gémier pour interpréter à l'Odéon les rôles de Chérubin puis de Puck. Elle part en tournée avec Pierre Fresnay, mais cela ne suffit pas à la détourner de la musique : en 1926 puis en 1927, elle est vedette de deux revues où elle fait sensation en jouant du piano avec ses pieds.

Après avoir songé à une carrière de pianiste, Mireille s'oriente vers le théâtre puis vers la chanson.

À l'américaine. En 1928, Claude Dauphin, alors décorateur de l'Odéon, lui présente son frère Jean Nohain•, un avocat qui écrit à ses moments perdus des contes et des poèmes pour enfants. Mireille lui demande d'écrire les paroles d'une chanson qu'elle a composée. Ce sera "le Petit Chemin", suivi de *Fouchtra,* une opérette "à l'américaine", mais dans un milieu auvergnat. Ce projet n'intéressant personne, Mireille décide alors de partir pour Londres, où Noel Coward la remarque et la fait engager dans le spectacle *Bitter Sweet* qu'il part monter à Broadway. Elle va le jouer pendant deux ans aux États-Unis avant de se retrouver à Hollywood, où elle figure dans un court-métrage avec Buster Keaton et un film avec Charles Boyer. Pendant ce temps, son ami Raoul Breton•, devenu éditeur, convainc le célèbre duo Pills et Tabet• d'enregistrer "Couchés dans le foin", un extrait de *Fouchtra*. En 1932, Mireille reçoit un télégramme de son père : sa chanson est devenue un véritable triomphe. Elle revient en France pour enregistrer ce que l'on appelle alors des "opérettes disquées" avec pour partenaires Pills et Tabet, et Jean Sablon•. Ce seront des succès : "le Vieux Château", "les Trois Gendarmes", "la Partie de bridge", etc. Maurice Chevalier• lui prend "Quand un vicomte" et Jean Sablon• connaît son premier succès avec "Puisque vous partez en voyage". Mireille enregistre à son tour en solo et enchaîne les spectacles dans les plus grandes salles parisiennes. Elle fait aussi de la radio et des tournées jusqu'en 1937, date à laquelle elle épouse le philosophe Emmanuel Berl. Théodore (c'est ainsi qu'elle le surnomme) lui ouvre le milieu de la littérature et de la poésie. Le couple Berl fréquente Jean Cocteau, Paul Morand, André Malraux, Albert Camus, Colette. Mais la guerre les contraint à s'exiler en Corrèze.

> "ELLE A NTRODUIT EN FRANCE UNE INSPIRATION MUSICALE NOUVELLE, À MI-CHEMIN ENTRE LE JAZZ ET LA MUSIQUE CLASSIQUE."

L'école des stars. À la Libération, Mireille reprend une émission à la radio, voit ses chansons reprises par de nouveaux talents (comme Yves Montand•, qui interprète les ravissantes compositions "Une demoiselle sur une balançoire" et "le Carrosse") et remonte sur scène jusqu'en 1955, date à laquelle elle entreprend une nouvelle aventure. Sacha Guitry lui a donné l'idée du Petit Conservatoire de la chanson dans un article paru dans *l'Officiel du spectacle*. Mireille s'enflamme pour l'idée et va voir le directeur général de la radio nationale, Paul Gilson, afin d'obtenir locaux et infra-structures pour son projet. On lui accorde un temps d'antenne d'une demi-heure le dimanche pendant six mois pour expérimenter la formule. L'émission débute le 18 mai 1955, avec pour "parrain" Cocteau, qui, en voisin, vient rassurer une Mireille émue comme un débutante et lui remettre un dessin qui va devenir le sigle du Petit Conservatoire. Le principe de la classe, gratuite et ouverte à tous, est simple. Après audition d'une vingtaine de candidats, Mireille en retient quatre ou cinq. Tour à tour, professeur implacable, sans complaisance et pourtant pleine de tendresse pour ses élèves, elle les appelle au micro afin qu'ils se produisent devant leurs camarades. Le succès s'installe et, en 1960, l'émission devient télévisée pour ne s'arrêter qu'en 1974. Depuis, le Petit Conservatoire continue son aventure deux fois par semaine, au 69, de la rue Boissière à Paris.

Il a vu débuter bon nombre d'artistes tels que Françoise Hardy•, Yves Duteil•, Hugues Aufray•, Alain Souchon•, Pierre Palmade. Tous parlent de leur "professeur" avec énormément de respect et de tendresse. Avec sa voix fluette, Mireille a su créer un style fait de fraîcheur, d'ironie, de poésie légère. Elle a introduit en France une inspiration musicale nouvelle, à mi-chemin entre le classique et le jazz. En 1995, à quatre-vingt-dix ans passés, elle remonte sur scène à Chaillot, habillée par Christian Lacroix, avec un succès toujours égal. **C. de G.**

◎ ***Intégrale Mireille,*** Night & Day, 1995
◎ ***Mireille à Chaillot,*** Musidisc, 1995
◎ ***Compilation 1929-1935,*** Chansophone
◎ ***Les Chansons de Mireille par leurs créateurs,*** Music Memoria

MISRAKI Paul (Paul Misrachi, dit)

Constantinople, 1908 - Paris, 1998
AUTEUR, COMPOSITEUR

Après des études classiques, Paul Misraki est, entre 1930 et 1939, le principal arrangeur et second pianiste de l'orchestre de Ray Ventura• et ses collégiens ; il compose toute une série de succès que la France entière va bientôt fredonner, en commençant par "Tout va très bien, madame la marquise" (1934), puis "Venez donc chez moi", 1935, sur des paroles de Féline, créée par Jean Sablon•. La même année, il compose la musique de l'opérette *Normandie,* avec "Je voudrais en savoir davantage" et "Ça vaut mieux que d'attraper la scarlatine". Les plus grandes vedettes interprètent ses chansons : Danielle Darrieux ("Dans mon cœur", 1939), Jean Lumière• ("le Bateau de pêche") et Ray Ventura• ("Sur deux notes" et "Comme tout le monde"). Ses mélodies, comme "Insensiblement" (1941, qui connaîtra un succès international), faciles à retenir, sont sur toutes les lèvres.

Après l'exil dû à l'occupation allemande (Argentine, puis Hollywood), il reprend une brillante carrière en France à partir de 1945 avec "Maria de Bahia" (A. Hornez, 1947, créé par l'orchestre de Ray Ventura•), "Tu peux pas t'figurer", (1951), "Chiens perdus sans collier" 1956. Il compose la musique de 145 films, écrit pour le théâtre, et mène aussi une carrière de romancier et d'essayiste, attentif aux problèmes spirituels.

MISSIR Léo (Léon Missir, dit)

Île de Samos, Grèce, 1925
Compositeur, chef d'orchestre, producteur

Musicien autodidacte, il se fait remarquer par Eddie Barclay• dans une boîte de Val-d'Isère où il joue une parodie de cha-cha-cha, la danse à la mode de l'époque. Il sort peu après "le Cha-cha-cha des thons" (1958), qui rencontre un joli succès. Il est alors engagé comme directeur artistique chez Barclay, une maison encore toute jeune qu'il va contribuer à développer en pilotant la carrière de nombreux artistes qui viennent le rejoindre, comme Charles Aznavour•, Léo Ferré• ou Jacques Brel•. Tout en continuant à composer quelques chansons qui seront autant de tubes ("Dactylo Rock" pour les Chaussettes noires•, "À Malypense" pour Leny Escudero•, "Demain tu te maries" pour Patricia Carli•), il lance plusieurs vedettes, comme David Alexandre Winter, Nicoletta• ou Daniel Balavoine•.

MISTINGUETT (Jeanne Bourgeois, dite)

Enghien-les-Bains, 1873
Bougival, 1956
Interprète

Fille de commerçants ambitieux, elle reçoit des leçons de violon et de chant. Alice Ozy, actrice de vaudeville, la fait chanter et danser. L'art classique l'ennuie. Saint-Marcel, revuiste en vogue, avait l'habitude de prendre avec elle le train d'Enghien. Il la baptise d'abord "Miss Helyett", du nom d'une opérette à succès, puis, en rimant un couplet sur l'air en vogue "la Vertinguette", lui suggère de s'appeler "Miss Tinguette", qu'elle transformera en "Mistinguette", puis "Mistinguett".

En 1895, elle débute au Trianon Concert, mais c'est, deux ans plus tard, à l'Eldorado qu'elle remporta son premier grand succès. Elle y restera dix ans, apprenant le métier et à pallier ses limites vocales par une gestuelle très expressive. En 1908, aux Bouffes-Parisiens, dans une revue de Rip, elle réalise pour la première fois le type de "petite môme des faubourgs". Pour la première fois, la presse célèbre ses jambes ! En 1909, elle crée au Moulin-Rouge, avec Max-Dearly•, "la Valse chaloupée", qui lui vaut la célébrité, et inspire à Van Dongen un tableau connu. En 1911, elle trouve sa consécration de vedette aux Folies-Bergère en même temps que son partenaire de cœur, Maurice Chevalier•, qui joue avec elle la scène comique principale : "la Valse renversante".

Après la guerre de 1914-1918, Mistinguett est inégalable dans son rôle d'animatrice de revues à grand spectacle, où elle tient plusieurs rôles. Elle s'entoure de "boys", jeunes partenaires débutants, dont certains feront carrière : Jean Gabin, Reda Caire•, Georges Guétary•. En 1926, la revue "Ça c'est Paris" constitue un des sommets de sa carrière.

Elle crée et enregistre de nombreux succès : l'un des premiers, en 1920, fera le tour du monde : "Mon homme" (Willemetz et Jacques-

"À force d'assiduité, je suis devenue nature", aimait à répéter Mistinguett.

Charles - Maurice Yvain : *"Je l'ai tell'ment dans la peau/ Qu'j'en suis marteau"*). Contrairement aux autres chanteurs, la Miss ne lance pas une chanson avec un disque ou un tour de chant dans un grand music-hall mais à partir d'une revue du Casino de Paris ou des Folies-Bergère. Ce sera ainsi pour "Gosse de Paris", "J'en ai marre", "la Java", "la Belote" ou "C'est vrai" (*"On dit que j'ai la voix qui traîne/En chantant mes rengaines/C'est vrai"*, 1935).

"ARTISTE COMPLÈTE, ENTRE LE COMIQUE DÉBUT DE SIÈCLE, LA CHANSON RÉALISTE ET LA VAGUE EXOTIQUE."

Artiste complète, entre le comique début de siècle, la chanson réaliste et la mode exotique, d'une conscience professionnelle exemplaire et d'une ardeur au travail exceptionnelle, elle obtient au théâtre et au cinéma de nombreux succès : *la Vie parisienne* (Offenbach, Variétés, 1911, rôle de Pauline) ; *Madame Sans-Gêne* (V. Sardou, Porte-Saint-Martin, 1921, rôle de la maréchale Lefèbvre). Mistinguett danse et chante jusqu'en 1951, où, terrassée par une crise cardiaque, elle est astreinte au repos. "Mistinguett n'était ni parfaitement belle, ni très bonne chanteuse, ni très bonne danseuse, mais sa présence en scène, son charme, son abattage étaient prodigieux", écrit Paul Derval. Bel hommage pour celle qui sut comprendre et charmer son public comme personne. **P.S.**

- ***Anthologie,*** Encyclopedia
- ***Compilation 1920-1931,*** Chansophone
- ***Mistinguett,*** EMI France
- ***Anthologie,*** Encyclopedia
- ***Les Étoiles de la chanson,*** Music Memoria

MITCHELL Eddy (Claude Moine, dit)

Paris, 1942
AUTEUR, INTERPRÈTE

Lancé par le succès de son groupe, les Chaussettes noires• (1961-1963), Eddy Mitchell s'est vite fait un nom (les fans l'appellent aussi "Schmoll") dans la chanson française, même s'il lui a fallu attendre le milieu des années soixante-dix avant d'imposer son style propre, fait de country-rock et de rhythm'n'blues. Quand il sort son premier album solo, *Voici Eddy... c'était le soldat Mitchell,* le 8 septembre 1963, il ne dévoile pas vraiment son jeu. Sur la pochette, en noir et blanc, son visage n'est qu'à demi éclairé. Il se cherche, on le cherche, entre rocks faciles, jolis slows, digressions jazzy ("Quand une fille me plaît") et reprises soignées ("Chain Gang" d'après Sam Cooke, "Je reviendrai" d'après Gene Vincent). Mais sa voix est là, ample, sûre. Sûre de trouver sa voie.

Rock en V.F. Il consacre au rock ses deux albums suivants, comme pour reprendre les choses à zéro. Rock des débuts, des pionniers, celui auquel il doit tout. Et l'hommage prend des allures de rêve d'enfant réalisé. Dans *Eddy In London,* enregistré en octobre 1963, à Londres comme son nom l'indique, Eddy Mitchell est accompagné par des musiciens hors pair, tel Big Jim Sullivan à la guitare solo (qui a joué avec Eddie Cochran). "C'mon Everybody" devient "Comment vas-tu mentir ?" et onze autres classiques sont revisités. Auxquels il faut ajouter, dans la foulée, la douzaine de standards de l'album *Panorama,* enregistré au même endroit, en avril 1964. "Roll Over Beethoven" de Chuck Berry devient "Repose Beethoven"... Le tout est musclé, carré. Les textes, que Claude Moine n'écrit pas encore complètement, collent déjà bien aux accords pressés, à ces sonorités venues d'ailleurs. Les mots s'accrochent bien, sans tomber dans le vide (de sens), jamais à côté de la plaque. L'humour Mitchell pointe son nez : Eddy va progressivement adapter le français au rock. Il va faire du rock en V.F., lui, le fou de cinéma américain, qui animera, quelques années plus tard, la fameuse émission de télé consacrée aux vieux films made in USA, "La dernière séance", d'après le titre d'une de ses plus belles chansons. Puis, il fait entrer dans sa danse d'autres tendances, nettement plus rhythm'n'blues. En octobre 1964, dans l'album *Toute la ville en parle,* beaucoup plus cuivré, il s'attaque au "Busted" de Ray Charles, rebaptisé "Fauché" et s'offre son premier vrai tube en solitaire, "Toujours un coin qui me rappelle", adapté d'un morceau enregistré, la même année, par un dénommé Lou Johnson, chanteur inconnu de rhythm'n'blues américain. "Toujours un coin qui me rappelle" sonne l'arrivée d'Eddy Mitchell grandeur nature. Il va d'un coin à l'autre, d'un rythme à l'autre, de Londres à Memphis, avec toujours, au détour d'un couplet, quelque chose qui lui "rappelle" : clin d'œil au passé, aux héros de son enfance, de son adolescence. "J'avais deux amis", magnifiquement dédié à Buddy Holly et Eddie Cochran, à partir de "St James Infirmary", vieux blues rendu célèbre par Louis Armstrong, et "S'il n'en reste qu'un", sorte de manifeste où le chanteur se réclame haut et fort d'une musique qu'il ne trahira jamais, rassurent, en 1965, les rockers purs et durs tandis qu'Eddy entend, au loin, Otis Redding et s'aperçoit que son pianiste, Pierre Papadiamandis•, est un sacré compositeur. Tout pour trouver, enfin, cet équilibre entre base rock et orchestration rhythm'n'blues, entre richesse mélodique et textes travaillés. Tout pour le rock soul, le slow soul…

Traversée du désert et retour aux sources. L'album *Seul (Soul ?)*, en 1966, avec "Société anonyme" (pamphlet anticapitaliste mené tambour battant, sur des paroles irrésistibles de Ralph Bernet•), J'ai oublié de l'oublier (ballade inoubliable), puis "Alice" en 1967 (autre slow que les mémoires n'ont pas effacé) vont en dire long sur les promesses de ce nouveau tandem Mitchell-Papadiamandis. Pourtant, il va falloir attendre encore… Victime des multiples expériences pop surgies de Mai 1968, Eddy se laisse emporter par cet air du temps qui ne lui ressemble pas (thèmes sans mélodies, textes bavards) et s'enlise. Traversée du désert dont il ne sortira vivant que par… le rock' n' roll, auquel il revient en 1974, profitant d'une mode rétro rugissante. Direction Nashville, où il met en boîte, à nouveau, quelques vieux classiques. Direction case départ… pour mieux retrouver son chemin. C'est l'album *Rockin' In Nashville,* avec, à l'harmonica, Charlie McCoy, qui a accompagné Elvis Presley et Bob Dylan, et, côté choristes, les Jordanaires, qu'Elvis a bien connus aussi… L'accord est parfait entre eux et lui et donne naissance à douze rocks au swing aérien, d'"À crédit et en stéréo" ("No Particular Place To Go" de Chuck Berry) à "C'est un rocker" ("I'm A Rocker", du même Chuck Berry) en passant par des reprises de Gene Vincent, bien sûr, comme "C'est un piège" ("Get It"). Cent mille exemplaires s'arracheront aussitôt. À partir de ce moment-là, comme revenu à lui, Eddy Mitchell va aligner hit sur hit. En s'appuyant sur les bases mêmes d'un rock populaire "à l'américaine" qui date d'hier, et même d'avant-hier, il va, avec la complicité de Papadiamandis, raconter le monde d'aujourd'hui, monde fatigué ("la Fille du motel", en novembre 1976), monde finissant ("la Dernière Séance", octobre 1977), monde sans travail ("Il ne rentre pas ce soir", octobre 1978), et affirmer un style, une couleur ("Couleur menthe à l'eau", novembre 1980) dont il ne s'éloignera plus. De plain-pied avec le réel (on note son engagement en faveur des Restos du cœur, lancés par son grand ami Coluche), Eddy Mitchell, c'est le rock des familles, celui que l'on

Eddy Mitchell, alias Schmoll, alias M. Eddy, fait partie, depuis des décennies, du décor sonore des familles françaises.

"IL VA FAIRE DU ROCK EN V.F., DU ROCK DES FAMILLES, QUE L'ON SE REPASSE COMME DES SCÉNARIOS DE TROIS OU QUATRE MINUTES."

se repasse comme des scénarios de trois ou quatre minutes. L'unité du ton, de *Rockin' In Nashville* à *Rio Grande*, vingt ans plus tard, en passant par "le Cimetière des éléphants", en 1982, est frappante : elle se confond avec une unité de temps. Rassurant. **M. A.**

- ***Tout Eddy... ou presque,*** compil. 5 CD : 1960-1964, 1965-1970, 1971-1975, 1976-1979, 1980-1986, Polydor, 1987
- ***Casino de Paris,*** Polydor, 1991
- ***Rio Grande,*** Polydor, 1993
- ***Mr Eddy,*** Polydor, 1996

MOÏSE Teri

Los Angeles, 1970
AUTEUR, COMPOSITEUR, INTERPRÈTE

En 1996, lorsqu'une voix mélodieuse et pudique murmure "les Poèmes de Michelle", on se demande d'où vient cette chanteuse capable de passer de la soul au folk ou au funk avec un pareil velouté... Teri Moïse est d'origine haïtienne mais elle a grandi en Californie. En 1990, elle débarque à Paris pour suivre des cours de lettres à la Sorbonne, retourne apprendre la basse une année au Musician Institute de Los Angeles et revient à Paris pour devenir choriste... Son premier album est une splendeur. Il est aussitôt récompensé par une victoire de la musique. En 1999, un deuxième disque, *Teri Moïse,* vient confirmer que nous tenons là un des plus solides talents francophones du moment.

- ***Les Poèmes de Michelle,*** Source/Virgin, 1996
- ***Teri Moïse,*** Source/Virgin, 1999

MONNOT Marguerite

Decize, Nièvre, 1903 - Paris, 1961
COMPOSITEUR

Fille d'organiste, elle compose sa première œuvre, "Bluette", à trois ans. Vincent d'Indy, Alfred Cortot et Nadia Boulanger sont ses professeurs. La maladie l'éloigne d'une carrière de concertiste. Un ami de son père lui propose alors d'écrire une valse pour un film d'après Tristan Bernard. Elle accepte et cela donne "Ah ! les mots d'amour". On est en 1931, le ton est donné. De valse en valse, elle compose ensuite "Viens dans mes bras" pour Lucienne Boyer• et elle fait la connaissance de Raymond Asso•, en 1936, qui lui donne le texte de "Mon légionnaire", créé par Marie Dubas• puis repris par Édith Piaf•. Avec cette dernière, une collaboration et une vraie amitié vont naître. Édith n'hésitera pas à réveiller Marguerite en plein milieu de la nuit pour lui faire part d'une idée de chanson. Dans ces conditions, les succès se suivent : "Escale" (Suzy Solidor•, 1938), "le Petit Monsieur triste" (Piaf, 1939), "Jour de fête" (Piaf, 1941), "Ma môme, ma p'tite môme" (Montand•, 1947), "l'Hymne à l'amour" (Piaf, 1951), "la Goualante du pauvre Jean" (Piaf, 1954), "C'est à Hambourg" (Piaf, 1957), "Milord" (Piaf, 1959). Elle composera aussi la partition de la comédie musicale de Marcel Achard *la P'tite Lily* et récidivera au théâtre Gramont avec *Irma la douce* (1957). **P.S.**

MONTAGNÉ Gilbert

Paris, 1951
COMPOSITEUR, INTERPRÈTE

Non-voyant de naissance, Gilbert Montagné se passionne très tôt pour le piano. Adolescent, il se rend aux États-Unis, où il se met à composer. Il rentre en France en 1971 avec son premier tube dans sa valise, "The Fool". Après une absence de plusieurs années, il revient en 1984 et aligne les chansons à succès : "On va s'aimer", "les Sunlights des tropiques", "le Blues de toi" et "Liberté". En 1996, il sort un nouvel album, *Comme une étoile,* dont Didier Barbeliven• écrit la majeure partie des textes. Un excellent pianiste influencé par la musique américaine, souvent taxé de Stevie Wonder blanc et français.

- ***Liberté,*** Polydor, 1984

MONTAND Yves (Ivo Livi, dit)

Mansumanno Alto, Italie, 1921
Senlis, Oise, 1991
INTERPRÈTE

Quand on prononce le nom d'Yves Montand, plusieurs personnages apparaissent qui se superposent : le chanteur, le comédien, le militant. Durant les dernières années de sa vie, ces deux dernières images, fortement sollicitées, ont un peu occulté celle du chanteur. C'est pourtant sans doute ce dernier qui, avec le recul, prendra le dessus. Pour autant, on ne peut abstraire Yves Montand de sa multiplicité, de ses facettes, de ses contradictions : comme le titrait joliment un article de *Studio* juste après sa mort, Yves Montand était un "homme nombreux". C'est même cette pluralité qui a perpétuellement enrichi les diverses déclinaisons de sa personnalité.

Le "Rital". Mais en fait, dès le début, le jeune Ivo Livi est déjà pluriel. Troisième enfant d'une famille pauvre du sud de l'Italie, il arrive à l'âge de deux ans en France, à Marseille, où ses parents se sont réfugiés pour fuir le fascisme. Les Livi habitent une baraque sans confort accrochée sur les collines au-dessus de Marseille, dans le quartier dit "de Verduron-Haut". Le père d'Ivo, Giovanni, réussit à monter une petite fabrique de balais et, aidé de sa femme, il s'échine quinze heures par jour pour survivre. Bientôt la famille peut emménager au troisième étage d'un immeuble du quartier des Crottes. Les trois enfants Livi, Lidia, Giuliano et Ivo, grandissent dans ce bonheur que procure, même dans la pauvreté, le sentiment du devoir accompli. Et, le 8 janvier 1929, la famille Livi a la satisfaction d'être enfin reconnue avec la signature, par le président Doumergue, de l'acte de naturalisation : ils sont français. Ivo devient Yves quelques mois avant ses huit ans. Et deux ans plus tard, nouveau déménagement, mais cette fois pour une maison plus agréable, impasse des Mûriers, dans le quartier de la Cabucelle. Le petit Yves est heureux, même si l'école l'ennuie : il faut dire qu'il a de la peine avec le français, d'autant qu'on continue à ne parler qu'italien à la maison. Il ne fera donc pas d'études, comme en avaient rêvé ses parents.

Mais, en 1932, la crise plonge à nouveau la famille dans la misère. La fabrique de balais fait faillite. Chaque enfant doit travailler : Lydie se lance dans la coiffure, Julien devient serveur dans une buvette et le petit Yves, qui n'est pas si petit que cela, et c'est sa chance, parvient, alors qu'il n'a que onze ans, à faire croire qu'il a bien l'âge légal (treize ans) pour pouvoir travailler. Il se fait embaucher dans une usine de pâtes, où il remplit des cartons durant dix heures par jour pour un salaire de cinquante francs par semaine. Bientôt, il deviendra manœuvre puis livreur et, un peu plus tard..., mis à la porte de l'usine pour avoir tenu tête à son patron ; il est alors engagé comme serveur dans un bistrot du port. Mais sa sœur, elle, a si bien réussi dans la coiffure qu'elle ouvre bientôt son propre salon, dans le garage de la maison familiale : c'est là qu'Yves fera ses débuts de shampouineur avant de passer brillamment son CAP de coiffeur.

C'est à cette époque – il a quelque treize ans – qu'Yves a son premier contact avec le cinéma : on s'y rend en famille le samedi soir, à l'Idéal-Cinéma, où il découvre tout à la fois Fred Astaire et Fernandel•. La coiffure ne le passionne guère mais, tout en continuant de couper, friser, onduler, il commence à chanter dans le salon les chansons de celui qui est devenu son idole, Charles Trenet•. Et un soir de 1938, il risque le coup de se présenter au patron d'un caf' conc' de son quartier, Francis Trottobas, dit Berlingot : celui-ci l'engage. Il va être son premier "impresario". C'est lui d'ailleurs qui le

Yves Montand et Simone Signoret : elle lui apportera rigueur, ouverture intellectuelle et conscience politique.

En 1982, à plus de soixante ans, Yves Montand se lance dans ce qui sera sa dernière série de spectacles à Paris et à l'étranger : il connaîtra alors son plus grand triomphe sur scène.

pousse à changer de nom : *"Yves Livi, ça ne colle pas, trouve autre chose !"* Le jeune garçon se souvient des appels de sa maman qui, des années durant, ont ponctué ses fins de journée : *"Ivo, monta, monta !"* (rentre, rentre !). Il propose Yves Montant – avec un *t*. Va pour Montant. Quelques années plus tard, il changera le *t* en *d*, mais l'essentiel du nom est né là, sur le porche du caf' conc' de Berlingot.

Marlou. Bien sûr, les parents d'Yves ne voient pas d'un bon œil leur fils s'engager dans un chemin hasardeux et s'alarment quand il parle de quitter la coiffure pour faire l'artiste. Pourtant, recommandé par Berlingot, le jeune Yves, qui a maintenant seize ans, se présente chez Marguerite Fancelli, qui va lui donner ses premiers cours de chant. Il n'a pas d'argent pour les payer, mais on lui fait crédit sur l'avenir. Le jeune homme en prend à son aise et, même quand sa mère lui donne quelques sous pour dédommager Madame Fancelli, il va les dépenser au cinéma et paie son professeur d'un sourire. Mieux, il séduit sa fille, Mado, qui va l'accompagner dans ses premières prestations en échange d'un baiser... Car Yves est alors un beau marlou, comme on dit, tant et si bien d'ailleurs que ses "fiançailles" avec la jolie Mado ne dureront guère ; mais elles lui auront permis de se rôder devant quelques publics locaux en chantant des chansons ou en faisant des imitations des vedettes de l'époque. Pourtant, Berlingot le lui a répété, s'il veut avoir quelque chance de faire une carrière, il lui faut réussir l'épreuve majeure : celle de chanter dans ce temple marseillais qui fait (et défait) les réputations, l'Alcazar.

Il va donc se préparer à son apparition à l'Alcazar (où Reda Caire• l'aidera à être admis), non plus avec les chansons des autres – il serait alors catalogué imitateur – mais avec une chanson que compose pour lui son premier compositeur-parolier, un aveugle, Charles Humel•. Ils ont parlé tous les deux d'abord, Yves a dit son intérêt pour les westerns et les cow-boys : c'est ainsi que va naître "Dans les plaines du Far West". Et c'est avec cette première chanson qu'il conquiert l'Alcazar. Hélas, le tremplin espéré débouche sur le vide : nous sommes en 1939, c'est la guerre. Fini le music-hall, il faut retourner travailler. Il entre comme métallo aux Chantiers de la Méditerranée, mais très vite on débauche. Il découvre le chômage, trouve un boulot de docker à la Joliette : des mois terribles. Jusqu'à ce que, début 1941, il retrouve Berlingot et reprenne les galas dans la région et une nouvelle prestation réussie à l'Alcazar. C'est à ce moment qu'il fait la connaissance d'Audiffred, un impresario parisien pour lequel Yves, avec une certaine ingratitude, plante là celui qui l'a découvert, aide, lancé... Grâce à Audiffred, le jeune Yves se produit au-delà des frontières de Marseille, de Toulon à La Ciotat et de Toulouse à Lyon (où il passe en vedette américaine de Rina Ketty•). Il triomphe à chaque fois et Audiffred songe de plus en plus pour lui à Paris. Mais, pour lui donner plus d'aisance en scène, il lui fait prendre des cours de danse qui, au bout d'heures et d'heures à se désarticuler durement, lui permettront de mettre au point ce fameux chaloupé, ses célèbres contorsions qui feront merveille sur scène.

L'Occupation a succédé à la guerre. Le jeune Livi se voit plus d'une fois tracassé par les Allemands, qui le soupçonnent d'avoir trafiqué son patronyme de Lévy en Livi ! Il échappe miraculeusement au STO et à la Milice, mais il n'a alors aucune conscience politique et n'envisage à aucun moment d'entrer dans la Résistance. Sa seule aventure, c'est celle de sa carrière, son seul combat, c'est celui de la conquête de Paris – mais du Paris du music-hall ! Étrange pour un homme qui, plus tard, exhortera les autres à se lever contre les tyrannies... Toujours est-il qu'il débarque finalement à Paris en février 1944 pour faire ses débuts à l'ABC, "le" music-hall parisien, dont la vedette alors est André Dassary. Et il fait un tabac. À tel point qu'il est engagé par plusieurs autres music-halls avec lesquels il doit harmoniser ses horaires pour pouvoir satisfaire tout le monde. C'est à cette époque aussi que, contre l'avis de tous et de son impresario, Audiffred, en premier lieu, il décide de se présenter sur scène en chemise et pantalon, sans veste, sans cravate. Et ça marche ! Et puis, un jour, c'est le Moulin-Rouge : la vedette s'y appelle Édith Piaf•. Quand on lui annonce l'arrivée d'un chanteur marseillais en première partie, elle fait la moue et exige une audition devant elle !... Et elle est conquise – par le talent, la voix, la personnalité, la présence... et par l'homme. Coup de foudre réciproque : c'est une belle histoire d'amour qui commence. Mais c'est aussi une passion du travail bien fait : Édith fait répéter Yves sans relâche chaque matin, le reprend sur chaque détail, l'éduque, lui apprend à entrer en scène, lui permet d'asseoir son style.

Ce sera l'époque de ces chansons qui lui ont donné sa marque, "Battling Joe" et "Luna Park" (paroles de Jean Guigo et musique de Loulou Gasté•), "les Grands Boulevards" (signée Jacques Plante• et Norbert Glanzberg•), "Gilet rayé"..., des chansons aussi qu'Édith écrit pour lui, "Elle a...", "Mademoiselle Sophie" ou "Mais qu'est-ce que j'ai à tant l'aimer". Mais la pygmalionne est vite dépassée par le savoir-faire et le savoir-plaire de son poulain chéri : le 5 octobre 1945, il triomphe à l'Étoile et est sacré définitivement vedette du music-hall. Déjà il lorgne vers le cinéma, mais aussi vers ces grappes de jeunes femmes qui l'assaillent à chaque sortie de scène. L'amour d'Yves et Édith bat de l'aile. Yves Montand est engagé par Carné pour tourner dans *les Portes de la nuit* : c'est un échec. Sa vie privée est aussi un échec : Édith le quitte. Il reprend alors galas et tournées, comme pour s'étourdir. En mai 1947, il rencontre un pianiste amateur de jazz, Bob Castella. Ils sympathisent, ils décident de travailler ensemble pour un temps : cela durera quarante-quatre ans !

Simone. Mais la grande date de ces années-là, c'est le 19 août 1949 : il est à la Colombe d'Or, à Saint-Paul-de-Vence, et il rencontre une jeune et brillante actrice, la femme du cinéaste Yves Allégret. Elle est belle à le bouleverser, le coup de foudre est réciproque : Simone Signoret sera le grand amour de la vie d'Yves Montand, le seul peut-être. C'est elle qui va l'inspirer, le protéger, le cultiver, l'éclairer, le soutenir, l'épauler toute une vie durant. En mars 1951, quand il ose le premier one-man-show, seul en scène à l'Étoile avec 22chansons et deux poèmes, Simone est là, dans la coulisse, prête à le consoler si... Mais c'est un triomphe : ils le partagent, comme ils vont dès lors tout partager. D'ailleurs, le 22 décembre 1951, ils se marient, à Saint-Paul-de-Vence, bien sûr. Au contact de Simone, Montand va apprendre non seulement le bonheur mais aussi la rigueur et, plus nouveau encore, il va apprendre à regarder le monde : elle lui ouvre la voie de la prise de conscience politique ; c'est le début d'un autre long chemin.

Mais la chanson dans tout ça ? Elle se porte très bien pour Montand. Bien sûr, il y a le cinéma qui l'attire ; il tourne *le Salaire de la peur* avec Clouzot, il y aura aussi *la Loi* de Jules Dassin, avec Gina Lollobrigida et Melina Mercouri. Mais, du 5 octobre 1953 au 5 avril 1954, il y a six mois d'un récital fabuleux, à guichets fermés, où toute la France, toute l'Europe défilent, avec même des spectateurs venus d'Amérique qui s'appellent Gary Cooper ou Kirk Douglas ! Prévert• a écrit un poème pour le programme. Et Montand chante des chansons nouvelles qui sont aussi l'écho d'une conscience nouvelle, antimilitariste, "le Dormeur du Val" ou "Quand un soldat" (signée Francis Lemarque•), et puis cette chanson qu'il mettra quatre ans à imposer : "les Feuilles mortes" (de Prévert et Kosma•).

La prochaine étape, c'est l'Amérique : après avoir été un temps persona non grata aux États-Unis, pour cause de flirt avec les communistes, Yves Montand est enfin invité à New York et fait ses débuts à Broadway, le 22 septembre 1959. Ce soir-là, dans la grande salle du Henry Miller Theatre, il voit, de derrière le rideau, entrer dans la salle Marlene Dietrich, puis Lauren Bacall, puis Ingrid Bergman, puis Montgomery Clift... et enfin Marilyn Monroe ! Il est liquéfié de trac. Pourtant il frappe lui-même les trois coups avec sa canne, pose son chapeau de guingois et fonce. À la fin, 16 rappels : c'est le délire. Il a gagné ! Quelques semaines plus tard, il est l'invité de la célèbre émission de télévision de Dinah Shore : 60 millions de téléspectateurs, dont les producteurs de la Century Fox... et Marilyn encore une fois. Mais il lui reste encore à faire un tour d'Amérique où il vole de triomphe en *standing ovation* – avant d'être engagé pour tourner sous la direction de George Cukor un film assez insipide, mais où il a pour partenaire... Marilyn Monroe ! C'est là que se place la fameuse idylle avec la blonde divine, une histoire qui, il faut le reconnaître, n'est guère à l'avantage de Montand qui, se contentant d'une aventure avec une jolie femme, n'a pas vu que Marilyn était vraiment désespérément amoureuse, et qu'il la brisait un peu plus. Mais Simone veillait : c'est même elle qui téléphonera à Marilyn pour lui enjoindre de ne pas chercher à relancer son mari !

"SES GRAVES COULÉES À L'ITALIENNE."

Avec les années soixante, la vie de Montand change, plus axée sur le cinéma. Bien sûr, il triomphe encore au Golden Theatre de Broadway pendant huit semaines, en 1961, ou à l'Étoile en 1963 ; bien sûr, les tournées à travers le monde, de l'Angleterre au Japon, déchaînent les foules. Mais lui-même doute. Il y a eu la mort de Marilyn en 1962, il y a la désillusion du cinéma qui ne lui a pas encore apporté de grand succès, mais où il veut à toute force prouver son talent – et il tourne, tourne beaucoup. D'autant que, dans le domaine de la chanson, c'est le moment où deux vagues croisées surfent aux sommets et occupent la quasi-totalité du terrain, celle des auteurs-compositeurs-interprètes, les Brel•, Brassens•, Ferré•, et puis celle du yé-yé, dont un jeune homme en France commence à incarner l'image, Johnny Hallyday•. Montand doute de lui-même, de la validité de ses engagements politiques comme de son charisme de chanteur. Arrive 1968, qui n'est marquée dans la vie de Montand que par son retour à l'Olympia. Trente-trois soirs de suite il va faire trépigner de bonheur son public : il sait comment faire et il a inscrit à son programme quelques chansons nouvelles qui ont un parfum de nostalgie, comme celle que lui a écrite Pierre Barouh•, "À bicyclette", mais qui ne sont pas particulièrement marquées par le souffle révolutionnaire. C'est d'ailleurs pour une triste divergence politique qu'il va rompre avec son frère Julien, communiste convaincu, comme le père Livi, ce père qui meurt justement le 7 octobre de cette année 1968. Et Yves, qui chante alors à l'Olympia, ne se déplace pas pour assister aux obsèques.

Mais, après ce tour de chant, c'est le cinéma qui reprend Montand, c'est l'époque de *Z* (1968), de *l'Aveu* (1969) de Costa-Gavras, qui bouleversent le public : il est enfin reconnu comme un grand acteur, qui va enchaîner les succès, notamment avec Claude Sautet. Mais il a abandonné la chanson. Durant des années alors, on va le supplier de remonter sur scène ; il ne dira jamais non, mais différera, repoussera, jusqu'à ce retour, enfin, en 1981. Bien sûr, il y a eu quelques grands shows télévisés, un nouveau disque aussi en 1980 (avec de nouvelles chansons superbes : "l'Addition", "les Roses de Picardie", "Duke Ellington", "Hollywood"...), mais, durant treize ans, il n'est pas remonté sur une scène. Ce sera donc à l'Olympia, du 7 octobre 1981 au 3 janvier 1982 : moins de trois mois et le privilège pour quelque 180 000 personnes d'avoir assisté à un spectacle inouï. Et la tournée de 50représentations qu'il enchaîne en province suscite la même folie. À tel point qu'il accepte d'offrir une "rallonge" aux milliers de ceux qui ont été frustrés de ne pouvoir entrer : du 20 juillet au 14 août, il revient à l'Olympia, qui n'avait jamais connu une telle animation au creux de l'été. Il continue sur sa lancée par une tournée mondiale, de Rio (où 20 000 Brésiliens l'acclament dans le stade Maracana) à San Francisco et à New York (où il chante tout simplement... au Metropolitan Opera !) puis à Tokyo : le monde entier l'ovationne, lui et sa voix de velours inaltérée, la caresse de ses graves coulées, à l'italienne, les claquements secs du rythme, dont il joue comme personne, et puis cette fantastique présence en scène, solitaire, avec simplement un chapeau, une canne, un parapluie, une chaise, et ses mains, et son corps tourbillonnant. Ce n'est plus de l'art, c'est de la magie. Il chante 29 chansons, des nouvelles, celles du dernier album, mais aussi des anciennes, "Luna Park" (avec un numéro de claquettes qui fait chavirer la salle), "les Feuilles mortes" ou "le Chat de la voisine". C'est sans doute non seulement le plus grand triomphe de Montand mais un des plus grands

triomphes du siècle au music-hall. Et ce sont ses adieux – même s'il ne le sait pas encore.
Crépuscule. Au printemps 1984, il sort un nouveau disque qui fait événement, d'abord parce que c'est Montand, mais aussi parce qu'il a su choisir un nouvel auteur d'une très grande qualité pour ses chansons, David McNeil•. Mais, le 30 septembre 1985, un séisme le jette à terre : Simone meurt dans leur maison d'Autheuil, dans l'Eure, alors qu'il est en train de tourner *Manon des sources*. Il était venu la voir la veille et était reparti anxieux. Rien ne sera plus comme avant. Bien sûr, il y aura Carole, une liaison officialisée, un enfant, Valentin, d'autres films, des émissions de télévision où il se prendra un peu trop au sérieux, donnant des leçons politiques comme tous ceux qui se sont souvent trompés. Mais la voix qui avait tant de charme, la voix velours et ambre chaud, la voix qui faisait des courbes et semait des frissons, cette voix-là s'est tue : Yves Montand ne chantera plus. Lui le sait déjà. Et, le 9 novembre 1991, le monde entier le saura définitivement. **A. D.**

◎ ***Récital 59 au Théâtre de l'Étoile*** (1959), Phonogram
◎ ***Montand chante Prévert*** (1962), Phonogram
◎ ***Je sais que vous êtes jolie*** (1968), Phonogram
◎ ***D'hier et d'aujourd'hui*** (1980), Phonogram
◎ ***Olympia 1981,*** Phonogram
◎ ***Collection chansons*** (2 CD), Polygram

MONTBREUSE
Gaby (Julie, Léontine Hérissé, dite)

Tours, 1885 - Paris, 1943
INTERPRÈTE

Elle fut une meneuse de revue appréciée. Sa voix faubourienne et éraillée avait une vulgarité étudiée et son abattage en scène était célèbre. Elle fut l'amie du compositeur Léo Daniderff•, l'auteur de "Je cherche après Titine", qu'il avait composé en grande partie pour elle. Son répertoire comprenait des dizaines de chansons comme "la Valse des monte-en-l'air", "Eh ! Youp ! Ça ira bien", "Mon bouquet de réséda" ou "De la vraie amour".

◎ ***Compilation,*** Chansophone 147

MONTÉHUS (Gaston Brunschwig, dit)

Paris, 1872 - *id.*, 1952
CHANSONNIER

C'est le parolier des luttes sociales. En 1908, les vignerons du Midi font la grève. Le 18 juin, les soldats du 17e régiment d'infanterie refusent d'obéir aux ordres de leurs officiers et mettent la crosse en l'air. Montéhus écrit et chante "Gloire au Dix-Septième" (musique de Chantegrelet et Doubis). En 1909, il préconise la grève générale avec "Victoire sociale" (- Chantegrelet). Dans la tradition du mouvement ouvrier anarchisant, il écrit aussi "le Chant des jeunes gardes", "la Butte rouge", "Lettre d'un socialo" et "Ils ont les mains blanches". Il se présente devant son public avec une casquette et une ceinture rouge lui ceignant les reins. Pendant la guerre de 1914-1918, l'anarchiste pacifiste vire patriote et chante "J'ai gagné ma croix à la guerre, pour l'avoir, j'ai donné mon sang". Il est alors habillé en soldat, le front ceint d'un pansement taché de sang. Redevenu pacifiste après la guerre, il chante à l'Olympia en 1920, devant un public bourgeois qui applaudit ses chansons engagées. En 1947, Montéhus est décoré de la Légion d'honneur par le ministre de la Guerre Ramadier. **P.S.**

◎ ***Le Chansonnier humanitaire*** (compilation 1905-1936), EPM

MONTERO
Germaine (Germaine Heygel, dite)

Paris, 1909
INTERPRÈTE

Venue du théâtre (en Espagne, puis en France), elle chante juste avant la guerre chez Agnès Capri• des chansons de Béranger•, Bruant•, Xanrof• ou Prévert•. Après la guerre, elle devient une spécialiste de la chanson espagnole avec l'album *Madrid 1925* (contenant des chansons madrilènes du début du siècle) et des poèmes de García Lorca tout en continuant à interpréter un répertoire français de qualité (Mac Orlan•, Boris Vian•, Léo Ferré•). Elle joue à la télévision et continue, à près de quatre-vingt-dix ans, à s'occuper de la réédition de ses CD.

◎ ***Chansons espagnoles, chansons de Prévert*** (2 CD), Podis/Polygram

MORATO Nina

Malakoff, 1965
INTERPRÈTE

Si ses trois premiers 45 tours sous le nom de Stéphanie de Malakoff n'ont guère laissé de trace, sa première apparition en tant que Nina Morato, en 1993, avec un rock canaille

("Maman") décoiffe. Elle caracole vite en tête du Top 50 et son premier album, *Je suis la mieux* (1993), nous montre une gavroche qui n'a pas froid aux yeux. En 1994, elle est la révélation de l'année aux Victoires de la musique. En 1996, un deuxième album, *l'Allumeuse,* d'une très grande richesse musicale, entre techno et néoréalisme, confirme sa fougue et son talent.

L'Allumeuse, Polydor, 1996

MOREAU Jeanne

Paris, 1928
INTERPRÈTE

Sa première pièce de boulevard, *l'Heure éblouissante,* immense succès, lui offre deux chansons, gravées en 1953. Mais c'est en 1962 qu'elle se révèle véritablement à la chanson. Truffaut consacre toute une séquence de son film *Jules et Jim* à une valse délicieuse : "le Tourbillon". Jeanne Moreau chante, accompagnée à la guitare par Cyrus Bassiak (plus connu sous le nom de Rezvani). Un auteur rencontre sa voix. Ensemble ils enregistrent un 45 tours pour le film *Peau de banane* et un album de chansons signées Bassiak ("J'ai la mémoire qui flanche", "J'tai dans la peau, Léon"...), produits par Jacques Canetti• en 1963. Jeanne Moreau chante au Festival de Montreux et l'album reçoit le grand prix de l'académie Charles-Cros en 1964. Les mêmes se retrouvent en 1966 pour un second album, primé par l'Académie nationale du disque français. Entre-temps, *Viva Maria,* de Louis Malle, présente le duo de chanteuses de caf'conc' le plus cher de 1965. Bardot•-Moreau entonnant "Ah les p'tites femmes de Paris" dans une ambiance mexicaine haute en couleur, fantasque comédie-western-musicale-révolutionnaire...

Raffinée. 1968, retour à une approche plus intériorisée, confidentielle de l'art vocal : Jeanne Moreau reconstruit l'univers de l'héroïne de *Manigances,* roman d'Elsa Triolet, dans l'album *les Chansons de Clarisse*. Cette expérience l'incite à écrire elle-même. Elle goûte la liberté de diriger sa propre création : mots simples sur jazz de velours. Paru en 1970, l'album *Jeanne chante Jeanne* ne dépasse pas l'audience d'un cercle d'initiés, pour qui elle chante à l'abbaye de Royaumont (juin 1971). D'autres chansons de sa plume ponctuent ses films *Absences répétées* (1972), *le Jardin qui bascule* (1975). Puis des duos, parlé avec Marguerite Duras pour *India Song* (1975), chantés avec Yves Duteil• pour "l'Adolescente" (1979) et Guy Béart• pour "Parlez-moi d'moi" (1980). En 1981, un coup de foudre pour la poésie de Norge lui fait enregistrer ses textes mis en musique par Philippe Gérard, puis en images par Jean-Christophe Averty. **F. B.**

Jeanne Moreau chante Norge, Jacques Canetti, 1981
Toujours (double CD, 1963-1981), Jacques Canetti
Le Tourbillon (compil.), Phonogram

MORELLI Monique

Béthune, Pas-de-Calais, 1923
INTERPRÈTE

Le profil type de la chanteuse à texte, à mi-chemin de la tradition montmartroise et de la mouvance rive gauche•. Formée à l'école des artistes réalistes et populaires comme Fréhel•, elle se constitue cependant un répertoire plus intellectuel, fondé sur des auteurs comme Francis Carco, Pierre Mac Orlan• ou Aragon•. À la fin des années cinquante, elle s'associe avec le compositeur Léonardi, qui lui taille des mélodies sur mesure pour ses adaptations des poètes ("Maintenant que la jeunesse", "Un air d'octobre"). Elle tient un cabaret à Montmartre *(Chez Ubu),* puis à Saint-Germain *(Au Temps perdu).*

Monique Morelli chante Aragon, EPM/Musidisc

MORENO Dario (Davi Arugete, dit)

Smyrne, 1921 - Istanbul, 1968
INTERPRÈTE

Après de brillantes études de droit au Mexique, il vient à Paris où le compositeur et chef d'orchestre Paul Durand• le fait débuter dans la chanson. Tout au long des années cinquante, Dario Moreno va osciller entre le cinéma avec Bernard Borderie, Henri Verneuil, Henri-Georges Clouzot *(le Salaire de la peur),* Michel Boisrond *(Voulez-vous danser avec moi),* et le disque. Son style musical va de l'opérette *(le Chanteur de Mexico, la Vie parisienne)* aux musiques latino-américaines comme le cha-cha-cha, le mambo ou la samba ("Quand elle danse", "Si tu vas à Rio", "Brigitte Bardot") et jusqu'à une inspiration moyen-orientale ("Istanbul", "Hava Naguila", "Mustapha"). À l'avènement des yé-yé, son étoile pâlit. Il fait son come-back en 1968, engagé par Brel• dans la comédie musicale *l'Homme de la Mancha.* Malheureusement, il meurt d'une hémorragie cérébrale quinze jours avant le début du spectacle. Personnage haut en couleur, avec sa double origine turque et mexicaine, amateur de grosses voitures américaines, il est d'abord un comédien, à la scène comme à la ville. Relancé dans les années quatre-vingt, il est l'archétype du chanteur de charme des années cinquante, excentrique et exagéré.

◎ ***Si tu vas à Rio*** (compil.), Polygram, 1988
◎ ***Oh ! qué Dario !*** (compil.), Phonogram, 1994

MORETTI Raoul

Marseille, 1893 - Vence, 1954
COMPOSITEUR

Pianiste de talent, Raoul Moretti s'impose dans la chanson comme dans l'opérette et le film musical. En 1923, Perchicot fait un succès avec sa chanson "Quand on aime, on a toujours vingt ans", suivie, un an plus tard, de "Quand on est deux", interprétée par Dranem•, sur des paroles de Willemetz•. En 1928, il occupe encore les sommets avec "la Fille du bédouin" (- A. Barde). Cette chanson est tirée de son opérette *le Comte Obligado,* qui tiendra l'affiche pendant des années. De même, le succès d'Albert Préjean "Sous les toits de Paris" (- R. Nazelles, R. Clair) sera tiré du film éponyme de René Clair de 1930.

MORGAN Claude

Sousse, Tunisie, 1947
COMPOSITEUR, INTERPRÈTE

Après des débuts d'interprète dans les années cinquante, il compose notamment pour Hugues Aufray• ("Hasta Luego"), Enrico Macias•, Gérard Lenorman• et Michel Delpech• ("Tu me fais planer", 1976). Il remporte aussi un très gros succès avec un morceau instrumental intitulé "El Bimbo". Il poursuit sa carrière dans les années quatre-vingt comme arrangeur.

MORISSE Lucien (Lucien Trzesniewski, dit)

Paris, 1929 - 1970
AUTEUR, PRODUCTEUR RADIO

Après la guerre, il débute comme magasinier à la discothèque de la Radiodiffusion française. Tout le monde de la radio vient chercher son 78 tours, servi par Lucien, qui connaît par cœur les milliers de disques du lieu. Il obtient bientôt un poste plus rémunérateur comme réalisateur dans une société qui fournit des programmes à Radio-Luxembourg. Quand Louis Merlin fonde Europe n° 1, ses affaires se présentent mal. La nouvelle station ne peut diffuser que de la musique. Mais comment faire ? Merlin fait alors appel à Lucien Morisse, qui a l'idée d'engager son copain Paul Caron, un marchand de peinture amoureux fou de la chanson qui possède plus de 4 000 disques. Et, chose paradoxale, alors que sa station obtient enfin le droit d'émettre comme toutes les autres, Louis Merlin apprend que son taux d'écoute a rejoint celui de Radio-Luxembourg et dépasse celui de la Chaîne parisienne. Lucien avait inventé FIP avant la lettre. Avec Bruno Coquatrix•, il va ensuite créer un programme de spectacle radio international, "Musicorama", à l'Olympia, et un grand concours, le Coq d'or de la chanson, sans compter de nombreuses émissions de jeunes (les numéros 1 de demain), qui font découvrir Hugues Aufray•, Alain Barrière• et Dalida• (qu'il épouse en 1961). Il écrit lui-même quelques textes de chansons, surtout des adaptations ("Itsi bitsi petit bikini", "la Leçon de twist") et fonde les disques AZ, qui vont lancer plusieurs artistes, comme Michel Jonasz. En septembre 1970, tout le show-biz français assiste à son enterrement après son suicide. **P.S.**

MOULOUDJI (Marcel Mouloudji, dit)

Paris, 1922 - Neuilly-sur-Seine, 1994
AUTEUR, COMPOSITEUR, INTERPRÈTE

Fils d'un maçon kabyle et communiste et d'une mère bretonne et catholique, Marcel Mouloudji vit avec sa famille dans des chambres sans eau courante du XIXe arrondissement, à Paris. Avec son frère André, ils finissent par rencontrer plusieurs membres du groupe théâtral Octobre : Jean-Louis Barrault, Roger Blin, Raymond Bussières, Jacques Prévert• et, surtout, Marcel Duhamel, futur directeur de la Série noire, chez Gallimard, et mécène de cette troupe très engagée à gauche. Pour le jeune Marcel, c'est l'éblouissement. Duhamel va être son père spirituel : il le loge chez lui et lui fait découvrir Baudelaire, Rimbaud, Apollinaire, Lautréamont et les surréalistes.

"CATHOLIQUE PAR MA MÈRE
MUSULMAN PAR MON PÈRE
UN PEU JUIF PAR MON FILS
BOUDDHISTE PAR PRINCIPE"

De Belleville à Saint-Germain-des-Prés. Prévert le fait ensuite tourner dans le film de Marcel Carné, *Jenny,* où il tient le rôle d'un petit chanteur de rues. Mouloudji y interprète la première chanson de Prévert et Kosma, "l'Enfance". Pendant la guerre, Mouloudji fréquente le milieu intellectuel de Saint-Germain-des-Prés. Encouragé par le couple Sartre-Beauvoir, il rédige – à vingt ans – le premier tome de ses mémoires, *Enrico,* qui recevra le prix de la Pléiade à la Libération. À la Libération, il entame alors une carrière de peintre, tout en chantant Prévert• et Vian• au Gypsy's et au Vieux-Colombier, mais le cinéma reste son activité principale jusqu'en 1951.

Antimilitariste et censuré. Jacques Canetti•, l'incontournable directeur artistique de Philips, va cependant le ramener vers la chanson. Pour lui, Mouloudji va enregistrer, en décembre 1952, l'emblématique "Comme un p'tit coquelicot" (paroles de Raymond Asso• et musique de Claude Valéry). C'est un énorme succès, qui touche tous les publics et reçoit le grand prix du disque 1953. "Un jour tu verras", signé Georges Van Parys•, et "la Complainte des infidèles", de Sacha Guitry et Van Parys, connaîtront aussi une très large audience. La censure, incommodée, en pleine guerre d'Indochine et de Corée, par son "Quelle connerie la guerre !" (proférée dans la chanson "Barbara", de Prévert et Kosma) va tout de même lui faire des ennuis. Ces derniers vont empirer lorsque, le 7 mai 1954, le jour même de la chute de Diên Biên Phu, il chante pour la première, au Théâtre de l'Œuvre, la chanson de Boris Vian•, "le Déserteur". La chanson sera interdite d'antenne l'année suivante, après que Europe n° 1 a eu l'audace de la diffuser. Plusieurs autres titres de Mouloudji passeront aussi à la trappe, mais, cette fois, pour cause de grivoiserie ("la Complainte du maquereau", en 1958, ou "la Complainte de l'obsédé", en 1962).

Résolument chansonnier. En 1961, à trente-neuf ans, Mouloudji signe chez Vogue et fait ses adieux au cinéma. Il tente aussi l'aventure de la production et lance en 1965 un certain Graeme Allwright• et sa chanson "le Trimardeur". Il renoue avec le succès de la décennie précédente en chantant "les Beatles de 40", en 1966. Ses derniers tubes datent du début des années soixante-dix avec le très antimilitariste "Allons z'enfants" – joyeux pied de nez à ses censeurs d'autrefois – et le délectable "Autoportrait", et sa fameuse tirade : *"Catholique par ma mère/Musulman par mon père/Un peu juif par mon fils/Bouddhiste par principe/Alcoolique par mon oncle/Névrosé par grand-mère/Sans classe par vieille honte/Dépravé par grand-père/Athée, Ô grâce à dieu [...]"* L'actualité oublie un peu Mouloudji après 1976. Il meurt brutalement, alors qu'il préparait un nouveau disque et la deuxième partie de ses mémoires. **A. G.**

Pendant une vingtaine d'années, Mouloudji fut le représentant d'une chanson rive gauche accessible au grand public.

◎ ***Les Meilleures Chansons de Mouloudji*** (1972), Déesse/Sony, 1972

◎ ***Au théâtre de la Renaissance*** (1974), Déesse/Sony, 1974

◎ ***Mouloudji chante Prévert,*** Musidisc

MOUSKOURI Nana

Athènes, 1936

INTERPRÈTE

Après le Conservatoire d'Athènes, elle rencontre Manos Hadjidakis, le compositeur de *Jamais le dimanche,* qui lui écrit plusieurs chansons. Elle devient très vite une vedette en Allemagne avec "les Roses blanches de Corfou" puis aux États-Unis en tournant avec Harry Belafonte et, enfin, en France, en chantant à l'Olympia en 1966. Elle se spécialise dans la ballade folk : "Adieu Angelina" (de Bob Dylan), "Guantanamera" (révélée par Pete Seeger). Puis dans les airs traditionnels français ("le Temps des ce-

Nana Mouskouri (ici avec Harry Belafonte) a su mener une vraie carrière internationale.

rises", "l'Enfant au tambour" ou "Plaisir d'amour") ou grec ("To fangari ine kikkino"). Elle aborde également le gospel avec l'album *Oh Happy Day* (1990). Manquant sans doute de charisme et de glamour, Nana Mouskouri possède néanmoins le charme d'une voix très pure.

◎ ***Je chante avec toi Liberté*** (compil.), Phonogram, 1987
◎ ***Vieilles Chansons de France,*** Phonogram, 1984
◎ ***Nana Mouskouri tout simplement,*** Phonogram, 1989

MOUSTAKI Georges (Joseph Mustacchi, dit)

Alexandrie, Égypte, 1934
AUTEUR, COMPOSITEUR, INTERPRÈTE

Né dans une famille grecque d'Alexandrie, il s'installe à dix-huit ans à Paris. Pour survivre, il chante sur les terrasses, dans les cabarets et devient, occasionnellement, journaliste. Henri Salvador• est le premier à lui prendre des chansons. Il écrit, ensuite, pour Tino Rossi•, Yves Montand•, Colette Renard•, Dalida•, avant de rencontrer Édith Piaf•, dont il devient un intime et même un peu plus. En 1959, le "Milord" qu'il a écrit pour elle (sur une musique de Marguerite Monnot•) connaît un énorme succès. Dix ans plus tard, il est sur la scène de l'Olympia pour interpréter en duo avec son amie Barbara• "la Dame brune", une autre de ses chansons. Il est désormais un auteur à succès, qui a accompagné avec ses titres la carrière d'un débutant célèbre, Serge Reggiani• ("Sarah", "Votre fille a vingt ans", "Ma liberté").

En balade. En 1969, Georges Moustaki enregistre lui-même "le Météque", que le comédien vient de lui refuser. Le triomphe est immédiat. Cette chanson nonchalante et libertaire lui ressemble et colle à l'air du temps. Vendue à plus d'un million d'exemplaires en France, elle reçoit un accueil enthousiaste dans plusieurs pays d'Europe. Après une tournée en Belgique, Moustaki est à Bobino au début de 1970. L'année suivante, "le Temps de vivre", composée par Moustaki, est particulièrement appréciée du public. Le chanteur se produit alors au Japon, au Brésil, au Canada, en Afrique. Le 28 octobre 1973, il est à l'affiche du Carnegie Hall à New York. Comme lui, ses musiques ont une chaleureuse coloration méditerranéenne, tout en intégrant les apports de multiples cultures, de la chanson française traditionnelle aux rythmes afro-cubains ou sud-américains. Voyageur impénitent, Georges Moustaki, peintre à temps perdu, a sorti en mai 1996 un nouvel album intitulé *Tout reste à dire*. Il y partage un titre avec Enzo Enzo•, un autre avec Nilda Fernandez• et chante un texte que lui a donné l'écrivain américain Jerome Charyn, "Gentle Jack".

J.-P. G.

Tout reste à dire, Tristar, 1996
Ballades en balade (coffret 4 CD, 1969-1984), Polygram
Le Métèque... et autres succès (compil.), Polydor

MOUTET Jo

Montaigu-le-Blin, Allier, 1926
COMPOSITEUR, CHEF D'ORCHESTRE

Virtuose de l'accordéon, il accompagne Lily Fayol• au début des années cinquante et compose pour plusieurs artistes, dont Gloria Lasso• ("Toi je t'aimerai", en 1956). Sa rencontre avec Georges Guétary est déterminante. Il va composer pour ce dernier plusieurs succès, dont "Marilyn", "Papa aime maman" et "Dis papa". Il signe également la partition de l'opérette *Pacifico.* Sous le pseudonyme de "Jo l'Auvergnat", il enregistre plusieurs disques et devient l'arrangeur de nombreux accordéonistes.

MURAT
Jean-Louis (Jean-Louis Bergheaud, dit)

Chamalières, Puy-de-Dôme, 1952
AUTEUR, COMPOSITEUR, INTERPRÈTE

Après des débuts au sein du groupe Clara, il enregistre en 1980, un single trois titres qui le fait immédiatement remarquer par la critique. Le ton désespéré d'une de ses compositions, "Suicidez-vous, le peuple est mort", donne d'entrée la dimension d'un personnage torturé. Comparé à Manset, Murat développe une écriture originale sur des musiques aux tonalités novatrices d'une efficace fluidité. Avec des mots simples, il parvient à remettre en forme la banalité du jour, à lui donner une envergure poétique. Malgré deux albums, en 1982 et 1984, il ne parviendra pas à s'imposer. En 1987, signé par Virgin, il réalise à Londres *Si je devais manquer de toi.* Deux ans plus tard, l'album *Cheyenne Autumn,* par sa succession d'ambiances, ne manque pas d'étonner. Les musiques à base de claviers n'en sont pas moins particulièrement travaillées. Comme il ne va cesser de le faire, Jean-Louis Murat projette ses sentiments sur la nature. À dominante new wave, le disque se vend à cent mille exemplaires.

Sinueux. *Le Manteau de pluie* sort à l'automne 1991. Le titre générique est inspiré d'un recueil du poète japonais Basho. L'une des chansons, "Col de la Croix-Morand" – titre emprunté à l'un des cols de sa montagne auvergnate –, apporte une énorme audience à Murat. *Vénus,* sorti en octobre 1993, précède de peu une tournée. L'accueil de l'album est mitigé. En 1995, outre un duo avec Mylène Farmer•, il reprend à l'occasion d'une compilation "la Marie-Jeanne" de Bobbie Gentry et Joe Dassin•, "Avalanche" de Leonard Cohen et "Mon frère d'Angleterre" de Bourvil•.
J.-P. G.

Cheyenne Autumn, Virgin, 1989
Le Manteau de pluie, Virgin, 1991
Murat 82-84, EMI, 1991
Vénus, Virgin, 1993
Murat Live, Virgin, 1995
Dolorès, Virgin, 1996

Grand voyageur, Georges Moustaki a conduit une carrière internationale tout en écrivant pour quelques-unes des plus importantes vedettes françaises.

NÉGRESSES VERTES (Les)

Groupe de rock formé en 1987 en banlieue parisienne par Noël "Helno" Rota (chant), Stéphane Mellino (guitare, chant), Mathieu Canavese (accordéon, chant), Paulo (basse), Abraham Sirinix (trombone), Michel Ochowiak (trompette), Jo Roz (piano), Iza Mellino (percussions) et Zé Verbalito (batterie)

La gouaille du Paris de toujours et l'école du rock alternatif, cela donne les Négresses vertes. Helno, le chanteur, accompagna un temps l'épopée des Bérurier Noir•, les autres venaient du cirque rock Zingaro ou du groupe les Maîtres. Bref, la même galaxie.

Malgré des débuts difficiles sur scène, le groupe se met petit à petit en place. Leur chanson "Zobi la mouche" passe sur Radio Nova en 1986 et bientôt le label anglais de Peter Murray, Off The Track, leur fait signer un contrat. Leur premier album, *Mlah,* sort en 1989 et connaît très vite le succès. Le public est séduit par leurs costumes de marlous et par leur mélange original de chanson de rue à la française, de sons

Avec leur "java-rock" caustique et mélancolique, les Négresses vertes restent comme un des groupes français les plus authentiques.

gitans et de rock. Les textes d'Helno sont marqués d'un humour caustique et d'une poésie populaire à la Doisneau, non exempte cependant d'une certaine mélancolie morbide : *"Un pêcheur dans les algues/Voyant la meur si basse/Que l'pauvre type s'est noyé/Créateur je vous blâme/L'homme est sans nageoire/La nature l'a atrophié".*

L'irremplaçable Helno. *Famille nombreuse,* leur deuxième album, sort en 1991 et confirme le talent du groupe, qui prend de plus en plus les choses au sérieux, faisant passer la rigolade et l'ivresse après le travail. Las ! Le 21 janvier 1993, Helno meurt chez sa mère d'une overdose. Les Négresses essaient de reconquérir leur place dans le cœur du public et sortent un bon album en 1994, *Zig-Zague*. En 1996, le groupe sort l'album *Green bus, les Négresses vertes en public*. Mais malgré le talent certain de Stéphane, le chanteur-guitariste, Helno, l'ex-punk crooner à la voix sautillante et voilée, est difficilement remplaçable. **H. E.**

Mlah,
Delabel/Virgin, 1989

Famille nombreuse,
Delabel/Virgin, 1991

10 remixes (compil. 1987-1993), Delabel/Virgin

Zig-Zague,
Delabel/Virgin, 1994

NERO Jacqueline
(Jacqueline Herrenschmidt, dite)

Paris, 1931
PRODUCTRICE

Après des débuts comme interprète dans les années cinquante, elle est l'assistante du producteur Léo Missir• et fait signer Leny Escudero• chez Barclay. Elle devient alors une des rares femmes "talent scout" et contribue ainsi à la découverte d'artistes comme Nino Ferrer•, Guy Marchand• puis Renaud• et Alain Bashung•.

NEUVILLE
Marie-José (Josée de Neuville, dite)

Paris, 1938
AUTEUR, COMPOSITEUR, INTERPRÈTE

En 1955, elle a dix-sept ans, elle est collégienne, et prépare son bac tout en griffonnant des chansons. Pierre Hiegel•, le directeur artistique de la firme Pathé Marconi lui fait enregistrer ses chansons : "Une guitare", "Johnny Boy", "Gentil Camarade". C'est un succès immédiat. La jeune fille, candide (?), au visage encadré de deux longues nattes, enchaîne avec : "le Monsieur dans le métro", "Ingénue libertine", "Par derrière, par devant", "On voudrait on n'peut pas". Au total, une trentaine de chansons qui connaîtront un

Le groupe rennais Niagara représentera une certaine variété pop à la française en vogue dans les années quatre-vingt.

succès fort mais court. À vingt ans, la collégienne de la chanson quitte le métier et devient une dame rangée, qui écrit des livres.

◎ ***Couleur sépia,***
Rym Musique, 1998

NIAGARA

Duo formé en 1984 à Rennes par Muriel Moreno (chant) et Daniel Chenevez (guitare, claviers, programmation musicale)

Au début des années quatre-vingt, Muriel et Daniel s'inscrivent dans la mouvance de ce rock rennais qui vit l'éclosion, entre autres, d'Étienne Daho• et de Marquis de Sade•. Le couple, alors à la ville comme à la scène, décide bientôt d'entamer une carrière solo sous le nom de Niagara et sort un premier 45 tours en octobre 1984. Profitant de la silhouette et des tenues très sexy de Muriel, le duo va jouer d'emblée la carte du "visuel" et des vidéo-clips, qui constituent, à l'époque, une réelle nouveauté. Leurs premiers succès – "Chiki-boum", "l'Amour à la plage", "Je dois m'en aller" – sont chaque fois accompagnés d'un clip, baignant le plus souvent dans une atmosphère colorée et ludique bien adaptée à la dimension pop de leur musique. Leur premier album, *Encore un dernier baiser* (novembre 1986), ne peut ainsi passer inapercu. On les voit au Printemps de Bourges 1986, à l'Olympia l'année suivante, aux Transmusicales de Rennes ou aux Francofolies de Jean-Louis Foulquier•. Deux albums suivent : *Quel enfer !,* sans doute leur meilleur, en 1988, et *Religion,* deux ans plus tard, avec une intéressante approche "hard rock glamour".

Après un quatrième album en 1992 – *la Vérité* –, le duo rentre en sommeil (Muriel sortant un CD en solo en 1996, *Toute seule*, imitée, l'année suivante, par Daniel Chenevez, qui propose le sien, *Excentrique*). Niagara reste cependant la formation emblématique d'une certaine "pop à la française", musique hybride entre le rock rennais des origines et une variété de qualité. **H. E.**

◎ ***Quel enfer !,*** Polydor, 1988
◎ ***Religion,*** Polydor, 1990

Nicoletta avec son éditeur, Eddie Barclay, qui contribua grandement à l'éclosion de sa carrière.

NICOLETTA (Nicole Grisoni, dite)

Vougy, Haute-Savoie, 1944
AUTEUR, INTERPRÈTE

Orpheline, élevée par sa grand-mère, elle est renvoyée de plusieurs maisons de redressement qui la jugent irrécupérable pour la société. Adolescente, elle vit de petits boulots dans les boîtes de Saint-Germain-des-Prés lorsque Léo Missir•, de chez Barclay, la remarque. En 1967, elle enregistre "la Musique" suivie d'"Il est mort le soleil", immense succès adapté en anglais par Ray Charles, son idole. "Mamy Blue" la consacre définitivement comme grande chanteuse populaire à voix.

Indépendante. D'esprit rebelle et indépendant, elle choisit ses musiques (soul, jazz) et écrit ses textes ("les Tours d'ivoire", "Ripaille"). Elle fonde sa propre maison d'édition en 1972 et, plus tard, sa maison de production pour aider de jeunes chanteurs. Artiste de scène en lutte contre l'envahissement du play-back, elle doit pourtant attendre 1975 pour passer en vedette à l'Olympia. Après une éclipse au début des années quatre-vingt, c'est le retour en force via

"Idées noires", un duo avec Bernard Lavilliers•, et le rôle d'Esmeralda dans la comédie musicale écrite par William Sheller• en 1987. Ruinée malgré le succès public, elle continue ses galas en France et à l'étranger, et obtient quelques rôles à la télévision. En 1995, l'album *J'apprends, J'apprends,* avec les signatures de William Sheller, de Richard Cocciante• ou de Pierre Delanoë•, rappelle que l'artiste à la voix forte et ample n'a rien perdu de son allant. **F. P.**

◎ ***Ma vie, c'est un manège,*** Collection "Master Série", Polygram, 1988
◎ ***J'apprends, J'apprends,*** Vogue/BMG, 1995
◎ ***Connivences,*** BMG, 1998

NOËL Magali (Magali Guiffray, dite)

Izmir, Turquie, 1932
INTERPRÈTE

Elle débute au cinéma en tournant avec Bourvil• dans *Seul dans Paris* (1952). Entre deux films, Magali Noël chante des chansons américaines au Crazy Horse Saloon. Elle enchaîne au Bœuf sur le toit, une revue de Marc Doelnitz avec des airs d'opérettes. En 1955, elle tourne dans le film *Du rififi chez les hommes,* dont elle enregistre la chanson titre. En 1956, c'est la rencontre avec Boris Vian•, qui donne naissance à une série de succès, dont le plus célèbre est "Fais-moi mal Johnny". Elle mène alors sa carrière sur deux fronts : comédies musicales et cinéma. À la fin des années quatre-vingt, elle présente un récital-hommage à Boris Vian• et, fin 1996, un récital "Jacques Prévert•", toujours avec des inédits.

◎ ***Regard sur Vian,*** Jacques Canetti/Musidisc
◎ ***Soleil blanc,*** Dreyfus Music, 1998

NOËL-NOËL (Lucien Noël, dit)

Paris, 1897 - Nice, 1989
CHANSONNIER

D'abord employé à la Banque de France, il chante, en amateur, des chansons de Fragson en imitant le célèbre artiste. Enrôlé en 1917, c'est au front qu'il commence à écrire des chansons qui resteront longtemps à son répertoire : "Somme toute", "le Casque" ou "l'Avion". Il débute enfin aux Noctambules en 1920 et y remporte un succès immédiat. Les spectateurs, légèrement fatigués des chansons politiques, firent un triomphe au personnage du timide crâneur que leur présentait le chansonnier. Il chante et enregistre "la Soupe à Toto", "le Rasoir du coiffeur", "le Chapeau" ou "l'Enterrement", plaisantes satires de la vie quotidienne. Pendant des années, Noël-Noël va suivre une brillante carrière de chansonnier, gentiment ironique, mais parfois plus caustique ("la Valse industrielle" ou "Réception mondaine"). Il débute au cinéma en 1930 et tourne dans de nombreux films. De 1934 à 1939, il fait tous les ans un tour de chant à l'A.B.C., en reprenant ses anciens succès. En 1941, au théâtre de Dix-Heures, à l'A.B.C. et à l'Étoile, après de nombreux démêlés avec la censure, il brocarde l'occupant sous une forme faussement naïve dans des œuvres comme : "les Polonais", "Juin 1940", "le Livre des réclamations".

◎ Plusieurs titres in ***Grenier de Montmartre,*** Sélection Reader's Digest 594/3

NOHAIN Jean (Jean Legrand, dit Jaboune, dit)

Paris, 1900 - *id.,* 1981
AUTEUR

Fils du poète Maurice Legrand, dit Franc-Nohain, Jean Nohain est d'abord avocat, puis journaliste. Mais, au début des années trente, il va être, avec Mireille•, un des responsables du renouvellement de la chanson française. Il écrit des textes charmants, poétiques, pleins d'humour, que Mireille accompagne d'une musique tout aussi spirituelle : "Couchés dans le foin", "la Partie de bridge", "Quand un vicomte", "le petit chemin", "Fermé jusqu'à lundi", "Puisque vous partez en voyage", "Parce que ça me donne du courage" (par Henri Salvador•, grand prix du disque 1949) et "Une demoiselle sur une balançoire" (Yves Montand•, 1950).

Après la guerre, il produit et anime de nombreuses émissions de variétés radiophoniques, puis télévisées, dans un style résolument optimiste (Que personne ne sorte, Reine d'un jour, Trente-Six Chandelles, de 1932 à 1958). Avec C. Vebel et C. Pingault, il contribue à l'opérette *Plume au vent.* Il a aussi écrit des chansons sur des mélodies de R. Moretti•, M. Emer•, P. Misraki•, G. Van Parys•.

NOIR DÉSIR

Groupe de rock formé à Bordeaux au début des années quatre-vingt par Bertrand Cantat (chant), Serge Tayssot-Gay (guitares), Frédéric Vidalenc (basse) et Denis Barthe (batterie)

Noir Désir est né sur les bords de la Garonne et sur les cendres du mouvement punk. Depuis leurs premiers tubes ("les Sombres Héros de l'amer", "À l'arrière des taxis", "En route pour la joie"), c'est sur scène que Bertrand Cantat et ses acolytes distillent le plus efficacement leur énergie brute, à coups de guitares furieuses et de paroles aussi incantatoires qu'incandescentes. Une présence musicale d'une intensité rare sur la scène rock française, enrichie par les textes de son chanteur qui en appellent à Lautréamont, Artaud, Maïakovski ou Kafka. Musicalement, Noir Désir se situe à un carrefour où l'on croise sans crier gare les influences du Gun Club, des Doors, de Joy Division, des Stooges et de Fugazi (groupe-phare du hard core indépendant californien), à qui Noir Désir emprunte Ted Niceley pour produire l'album *Tostaki* (1992).

Le succès maîtrisé. Guidé par l'idée d'intégrité et de refus du compromis, le groupe revendique le droit de diriger lui-même sa carrière, allant parfois jusqu'à refuser de participer à certaines émissions de télévision. Ce qui ne l'empêche pas de flirter avec le Top 50 (200 000 exemplaires de *Tostaki* vendus). C'est cette même intégrité qui pousse le groupe à tout arrêter en 1992 pour souffler, avant de donner naissance à son album, suivi d'une tournée triomphale en 1993. En 1997, *666 667 Club* apparaît comme leur meilleur album. Très politique, il décrit le paysage français avec une rage militante. L'année suivante, le groupe reçoit la distinction des 13es Victoires de la musique pour la chanson "l'Homme pressé". **G2K.**

Veuillez rendre l'âme (à qui elle appartient), Barclay, 1989
Tostaki, Barclay, 1992
Dies irae (live), Barclay/Polygram, 1994

Du "Jazz et la java" à "Nougayork", la carrière de Claude Nouga demeure exemplaire par son inventivité et son énergie.

NOUGARO Claude

Toulouse, 1929
AUTEUR, COMPOSITEUR, INTERPRÈTE

Cet homme du Sud est fils de musiciens : un père premier baryton à l'Opéra de Paris, une mère italienne professeur de piano. Sa prime enfance est baignée par Massenet, Puccini ou Fauré. Mais bientôt ses parents sillonnent les scènes lyriques européennes, et le jeune garçon, privé de cette richesse musicale, est élevé par ses grands-parents, dans le quartier reculé des Minimes, à Toulouse. Sa bouée de sauvetage sera la radio : à douze ans, Claude Nougaro découvre, grâce aux émissions de jazz du critique Hugues Panassié sur Radio-Toulouse, Bessie Smith, Louis Armstrong, Glenn Miller. Il y a aussi les chansons de Trenet•, celles de Vincent Scotto• et de Piaf•, qui le bouleverse. En 1947, il devient apprenti journaliste, pour *le Journal des curistes* de Vichy, puis, en 1950, pour *l'Écho d'Alger,* en Algérie, après s'être débarrassé de ses obligations militaires en s'engageant dans la Légion étrangère au Maroc.

"LE BRÉSIL DEVIENT SA "PATRIE CARDIAQUE" ; CŒUR ÉNORME AUX OREILLES NÉGRO-LATINES."

Arrivé à Paris, où ses parents habitent désormais, il traîne du côté de Saint-Germain-des-Prés, croise pour la première fois le poète Jacques Audiberti en 1951. Il assiste en coulisse aux spectacles du Palais Garnier où chante son père, puis s'enfuit vers le Lapin agile, où il lit des poèmes, parfois les siens ("Pégase", onze quatrains décasyllabiques, sur Paris, ville dévorante). Aux Deux Magots, en 1954, Nougaro rencontre à nouveau Audiberti. Il se lie d'amitié avec Brassens• et Mouloudji•, écrit des paroles de chansons pour Marcel Amont• ("le Balayeur du roi") et Philippe Clay• ("Joseph", "la Sentinelle"). Il envoie des textes à Marguerite Monnot•, compositrice d'Édith Piaf•, qui les met en musique ("Méphisto", "le Sentier de la guerre").

En 1955, il chante ses premières chansons au Lapin agile, accompagné par le pianiste du lieu. En 1958, il y crée "Il y avait une ville", qui figure sur son premier 33 tours, paru en 1959. Il entreprend sa première tournée en lever de rideau de Dalida•. Jacques Audiberti l'aide et devient son père spirituel. En 1962 naît Cécile, qui inspirera à Claude Nougaro une de ses plus belles chansons. Il enregistre un 25 cm avec Michel Legrand•, où il phagocyte les tendances musicales qui l'ont nourri avec une facilité déconcertante. "Le Cinéma", "Une petite fille", "les Don Juans" et "le Jazz et la Java" signent, en période de plein essor du yé-yé, le manifeste pluriculturaliste et libertaire de Claude Nougaro, baigné par la modernité du cinéma, de Bardot•, symbole de la bohème post-rive gauche• et de l'ouverture sur les musiques du monde. En 1963, "Cécile ma fille" fait un tabac. Victime d'un très grave accident de voiture, il revient sur des béquilles chanter fin 1963 à l'Olympia. Avec le guitariste brésilien Baden Powell, il écrit "Bidonville". Le Brésil devient sa "patrie cardiaque" ; cœur énorme aux oreilles négro-latines". En 1965, il adapte "Blue Rondo à la Turk", de Dave Brubeck. Voix vibrante, voix de jazz, punch et tension : cet "À bout de souffle" swingant et cinématographique peaufine l'image du don Juan vivant sa vie en travelling panorama.

1965, c'est l'année de la mort d'Audiberti (Nougaro lui dédie "Chanson pour le maçon"), mais aussi celle de sa rencontre avec l'organiste antillais Eddy Louiss et le pianiste Maurice Vander. À la fin des années soixante, Nougaro n'a jamais été autant proche du jazz, dont il reprend des thèmes fondateurs : il écrit "Armstrong" (arrangé par Maurice Vander), "À tes seins", emprunté à Sonny Rollins, "Sing Sing Song" de Nat Adderley. Il fait ses premières tentatives africaines, avec "l'Amour sorcier", rend hommage à la Ville rose, "Toulouse". Les événements de Mai 1968 lui inspirent un torrentiel et tellurique "Paris Mai", plaidoyer pour la vie, qui sera interdit d'antenne, bien que, personnellement, Nougaro se déclare farouchement étranger à la politique. De Bobino à l'Olympia, Nougaro promène une insoumission sensuelle.

Alors que sort l'album *Locomotive d'or,* il se produit trois semaines au théâtre de la Ville. En 1974, dans *Récréation,* il chante Ferré, Trenet, Brel, Gainsbourg. Après *Femmes et famines* (1976), il crée ses longs poèmes épiques sur la scène de l'Olympia ("Plume d'ange", "Victor"), sur des musiques de Jean-Claude Vannier et Maurice Vander. En 1978, *Tu verras* est couronné par le prix spécial de l'Académie du disque, suivi en 1980 du grand prix national de la chanson pour "Assez !". Claude Nougaro ne cesse de tourner, mais sa carrière semble amorcer un creux : les déluges de mots, les "recettes de jazz", mais aussi les brouillards personnels de Claude Nougaro déplaisent. En 1986, Barclay, met fin à son contrat, pour "absence de résultats".

Retour. Après une première tournée africaine, il part à New York pour y enregistrer *Nougayork* (WEA), produit par Mick Lanaro et conduit par Philippe Saisse, jeune musicien français expatrié aux Etats-Unis, coup de poing entre jazz, rock et poésie vivante, qui surprend. C'est un album urbain, neuf, "gonflé à bloc, solide comme un roc", où un Nougaro exorcisé de ses dépressions intérieures entonne "Gardien de phare" ou "Rhythm'n'flouze" avec une nouvelle santé. En 1989 sort *Pacifique,* enregistré sur la

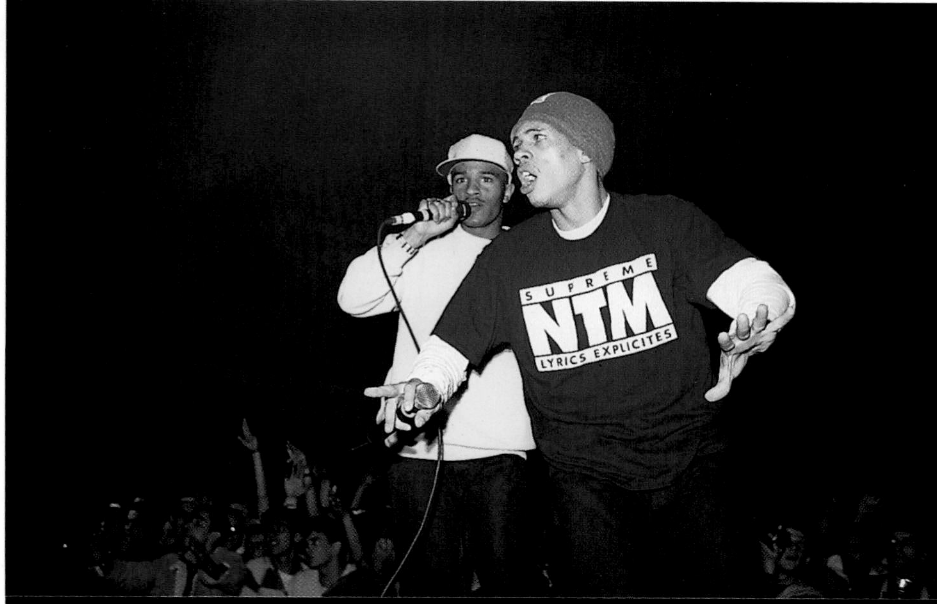

Même si le groupe défraye la chronique par les violences de Joey Starr, NTM demeure encore l'un des très grands du rap français.

côte ouest des États-Unis. Après plusieurs haltes à l'Olympia de Paris, il se lance dans une tournée marathon (222 concerts) en duo avec Maurice Vander et revient dans le giron du groupe PolyGram. Après la parution de *Chansongs,* hommage au tango, à la chanson française et au jazz toujours, il commence une nouvelle tournée avec les musiciens Didier Lockwood et Maurice Vander, interrompue par une alerte cardiaque qui l'oblige au repos. Il revient fort en 1997 avec l'album *l'Enfant phare* (avec des compositions de Maurice Vander, d'Eddy Louiss, d'Aldo Romano et de ses musiciens), une tournée d'été et un beau recueil de ses textes et dessins (*Nougaro sur paroles*). **V. M.**

- ***Grand angle, coffret*** (1962-1982), Philipps/Polygram
- ***Nougayork,*** WEA, 1987
- ***Une voix, dix doigts*** (en public), Philipps/Polygram, 1991
- ***Chansongs,*** Philipps/Polygram, 1993
- ***Ombre et lumière*** (en public), Philipps/Polygram, 1998

NOVEMBRE Tom (Jean-Thomas Couture, dit)

Nancy, 1959
Interprète

Frère cadet de CharlÉlie Couture•, il sort son premier album, *Version pour doublage,* en 1982, dans lequel il installe un univers musical loufoque. Suivent *Toile cirée* en 1983 et *l'Insecte* en 1986, dont certaines chansons figurent dans son one-man-show *le Cocktail de Sergio*. On le voit aussi au cinéma (*la Salle de bain,* 1989) où sa silhouette longiligne fait merveille.

- ***Tom 1 - Tom 2*** (compil. double CD), Polygram, 1994

NTM

Groupe de rap formé en 1989 à Saint-Denis, Seine-Saint-Denis, par Didier Morville (Joey Starr) et Bruno Lopes (Kool Shen)

Comme tous les premiers groupes de rap français, Suprême NTM (pour Nique Ta Mère, leur expression fétiche) débute sur Radio Nova, puis place un titre, "Je Rap", sur l'historique compilation de 1990, *Rapattitude.* Leur premier album, *Authentik,* est précédé du single "le Monde de demain". Développant une image hardcore et un sens du punch rythmique peu commun, le duo Joey Starr/Kool Shen affirme son style avec l'album *1993. J'appuie sur la gâchette,* enregistré à New York. Le morceau-titre, qui raconte un suicide, hérisse les radios. Ce n'est qu'avec *Paris sous les bombes* que NTM sera enfin reconnu médiatiquement, vendant 200 000 albums et ratant de peu la victoire de la musique en 1996, au profit des Innocents•.

"Qu'est-ce qu'on attend pour foutre le feu", l'un des textes forts du disque, montre que, malgré une demi-décennie dans le show-biz, les lascars de Saint-Denis n'ont pas réduit leur discours à des thèmes légers comme ceux de leurs deux singles à succès, "la Fièvre" et "Tout n'est pas si facile". À l'été 1996, l'interdiction d'un de leurs concerts sur intervention du maire Front national de Toulon les met plus que jamais sur le devant de l'actualité. Une actualité relancée par leur démêlés avec la justice (prison avec sursis et amendes pour "propos outrageants" envers la police). Le groupe sort cependant un nouvel album en 1998, Suprême NTM, manifeste de rap brut, à l'opposé de la poésie de Mc Solaar• ou des figures de style d'IAM•. En 1998 et 1999, Joey Starr défraie à nouveau la chronique pour deux affaires de violence sur les personnes d'une hôtesse de l'air et de son ex-compagne... **O. C.**

- ***Authentik,*** Epic/Sony, 1991
- ***1993. J'appuie sur la gâchette,*** Epic/Sony, 1993
- ***Paris sous les bombes,*** Epic/Sony, 1995
- ***NTM Live,*** Epic/Sony, 1995
- ***Suprême NTM,*** Epic/Sony, 1998

NYEL Robert

Grasse, 1930

Auteur, compositeur, interprète

Peintre de talent, il est aussi l'auteur et le compositeur de quelques-unes des plus ravissantes chansonnettes des années cinquante et soixante : "le Petit Bal perdu", "Ma petite chanson" (pour Bourvil•, en 1959), "Magali" (pour Robert Ripa, en 1961) ou "Marions-les" et "Déshabillez-moi" (pour Juliette Gréco•, sur une musique de Gaby Verlor•, en 1967).

OBISPO Pascal

Bergerac, 1965
AUTEUR, COMPOSITEUR, INTERPRÈTE

Issu de la scène rennaise (en 1988, il appartient au groupe Senzo de l'ex-guitariste de Marquis de Sade•, Franck Darcel), Pascal Obispo sort en 1990 un premier album qui ne rencontre aucun écho. Deux ans plus tard, *Plus que tout au monde* révèle cet enfant des Beatles et de Michel Polnareff•. La chanson "Tu vas me manquer", grâce à une voix particulière et à une mélodie pop entraînante, attire l'oreille du grand public. En 1994, *Un jour comme aujourd'hui* renferme plusieurs succès, comme "Où est l'élue ?", "Tombé pour elle" ou "Tu compliques tout". Il participe ensuite à l'album de sa compagne Zazie• et, en 1996, il est à Bercy, en première partie de Céline Dion•. La même année, il sort *Superflu,* où sa voix plus "polnareffiante" que jamais s'envole sur des textes de Jacques Lanzmann ou de Zazie avec qui il chante en duo sur "les Meilleurs Ennemis". 1997 et 1998 sont des années de très gros succès, soit comme interprètes de ses propres titres ("Lucie", "Personne"), soit comme auteur, pour Florent Pagny• ("Savoir aimer", vendue à plus d'un million d'exemplaires) ou pour Johnny Hallyday• (réalisation de son album *Ce que je sais*).

- ***Plus que tout au monde,*** Epic/Sony, 1992
- ***Un jour comme aujourd'hui,*** Epic/Sony, 1994
- ***Superflu,*** Epic/Sony, 1996
- ***Obispo Live,*** Epic Sony, 1998

ODIEU (Didier Kengen, dit)

Bruxelles, 1960
AUTEUR, COMPOSITEUR, INTERPRÈTE

Personnage iconoclaste et provocateur de la scène bruxelloise, Odieu, croisement improbable de Brel• et des Sex Pistols, a quelque chose de Jean Constantin•. Son premier 45 tours, "Odieu et le feu", remonte à 1982. Le public français l'a découvert en première partie de William Sheller• dès 1984. Le guitariste de TC Matic et d'Arno•, Jean-Marie Aerts, produit son premier album, *Please !,* en 1992. Le deuxième, *T'es qui toi ?,* sort en 1996, produit par Martin Meissonnier, le producteur d'Amina• (qui participe d'ailleurs au disque). Plus à l'aise sur scène que sur disque, Odieu n'a pas encore obtenu la reconnaissance qu'il mérite.

- ***Please !,*** Media 7, 1992
- ***T'es qui toi ?,*** Disques Dreyfus, 1996

OGERET Marc

Paris, 1932
Compositeur, interprète

Marc Ogeret se fait d'abord connaître par ses disques à thèmes comme *Autour de la Commune* ou *Aragon,* pour lesquels il effectue un véritable travail d'archives afin de rechercher quelques chansons ou poèmes mal connus, sinon inédits. À l'instar d'Hélène Martin•, il développe un répertoire de poèmes mis en musique : Seghers, Aragon•, Genet ("le Condamné à mort"), Marc Alyn... Récompensé par l'académie Charles-Cros en 1962, il "fait" son premier Bobino en 1965. En 1996, il sort un bel album consacré aux chants de marins.

◎ ***Chansons contre,*** Vogue/BMG
◎ ***Chants de marins,*** EPM/Musidisc, 1996

OSWALD
Marianne (Marianne Bloch-Colin, dite)

Sarreguemines, 1901
Limeil-Brévannes, Val-de-Marne, 1985
Interprète

Après des débuts à Berlin, elle débarque dans le Paris des années trente, où elle impose les chansons de Bertolt Brecht et Kurt Weill. Tragique à souhait mais à la manière allemande (le fameux "expressionnisme"), dans la tradition des diseuses, elle s'adonne à la chanson parlée. Au Bœuf sur le toit, le lieu où le Tout-Paris d'alors se doit d'être vu, après avoir captivé Darius Milhaud, Paul Fort, Arthur Honegger, Aragon•, Gide ou Max Jacob, elle sidère Jean Cocteau, qui écrit pour elle "la Dame de Monte-Carlo" et "Anna la bonne", chanson qui s'inspire de l'assassinat perpétré par les sœurs Papin sur leur maîtresse. Elle interprète "Embrasse-moi" (chanson que Piaf lui empruntera) de Prévert• et Kosma•, desquels elle offrira plus tard une version de "la Chasse à l'enfant" (évocation du bagne de Belle-Île-en-Mer). Signé par Henri-Georges Clouzot et Maurice Yvain•, "le Jeu de massacre" atteindra des sommets de cruauté et d'audace, tandis que "les Soutiers", de Gaston Bonheur, l'affilieront au courant réaliste.

Après avoir passé la période de la guerre aux États-Unis, elle revient en France et interprète des rôles de premier plan dans *les Amants de Vérone* et *Notre-Dame de Paris* pour se consacrer ensuite à la production de télévision. Elle reste comme un des précurseurs du style "rive gauche"•, mais aussi d'artistes comme Barbara• ou Jean Guidoni•. Dans les années quatre-vingt-dix, des jeunes groupes comme Casse Pipe ou les Têtes raides• ("Mes sœurs n'aimaient pas les marins") reprendront son répertoire. **S. H.**

◎ ***L'art de Marianne Oswald,*** EPM/Musidisc

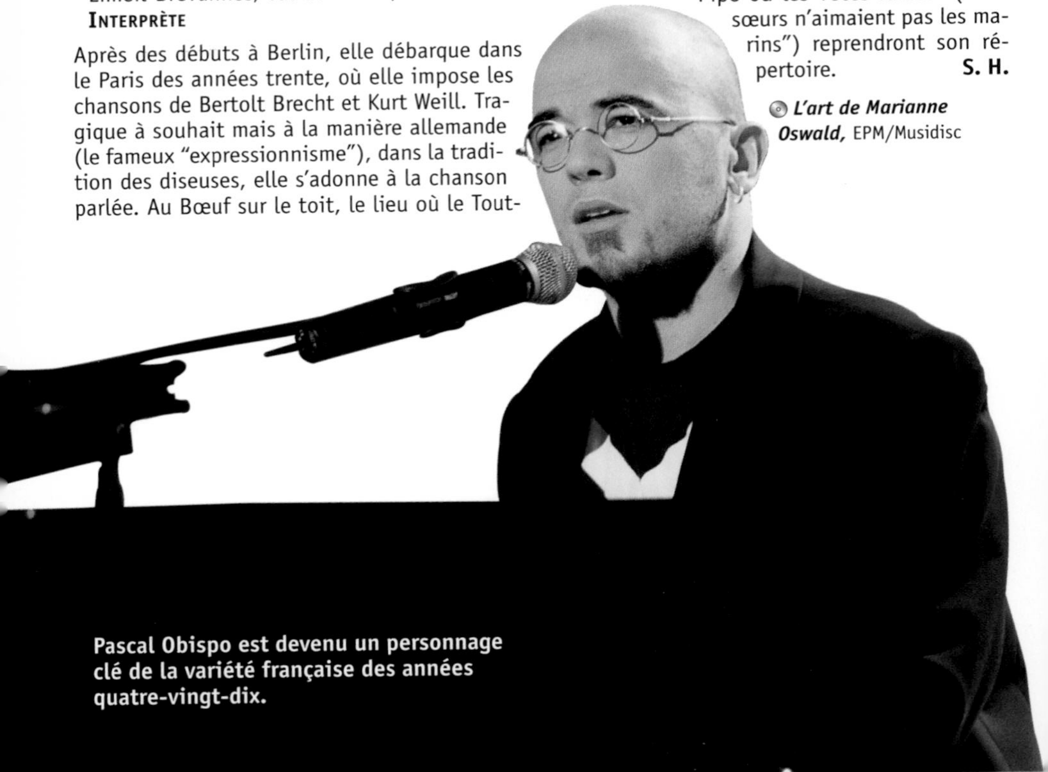

Pascal Obispo est devenu un personnage clé de la variété française des années quatre-vingt-dix.

OUVRARD (Gaston)

Bergerac, 1890
Caussade, Tarn-et-Garonne, 1981
AUTEUR, COMPOSITEUR, INTERPRÈTE

Le père de Gaston, Éloi, a créé en 1877 le genre "comique troupier". Le fils commence par exercer le métier d'employé de banque, avant de se lancer à son tour dans la chanson, au grand dam de son père. Il débute en 1909, sous le nom d'Ouvrard fils. Sa première chanson est "l'Amant de la cantinière", créée par son père. Après la Première Guerre mondiale, il a su habilement rajeunir le genre paternel, sous l'uniforme bleu horizon. Mais, en 1928, il lâche l'uniforme militaire pour le smoking. Il estime ce renoncement à l'une des silhouettes types du café-concert comme la condition indispensable pour prendre une vraie place au music-hall.

Ouvard fils, servi par une diction impeccable, s'est rendu célèbre par des chants de volubilité : "Si j'avais des ailes" (Ouvrard, 1924), "C'est beau la nature" (Ouvrard, 1926), "Suzon la blanchisseuse" (L. Bousquet - Izoird, 1926), "le P'tit Tom Pouce" (Ouvrard, 1930), "le Soldat sportif" (Koger - Ouvrard, 1935), "Mes tics" (Géo Koger• - Ouvrard, 1935) et l'immortel "Je n'suis pas bien portant" (Koger - Ouvrard, 1936).
P.S.

◎ ***Les Étoiles de la chanson*** (compilation), Music Memoria

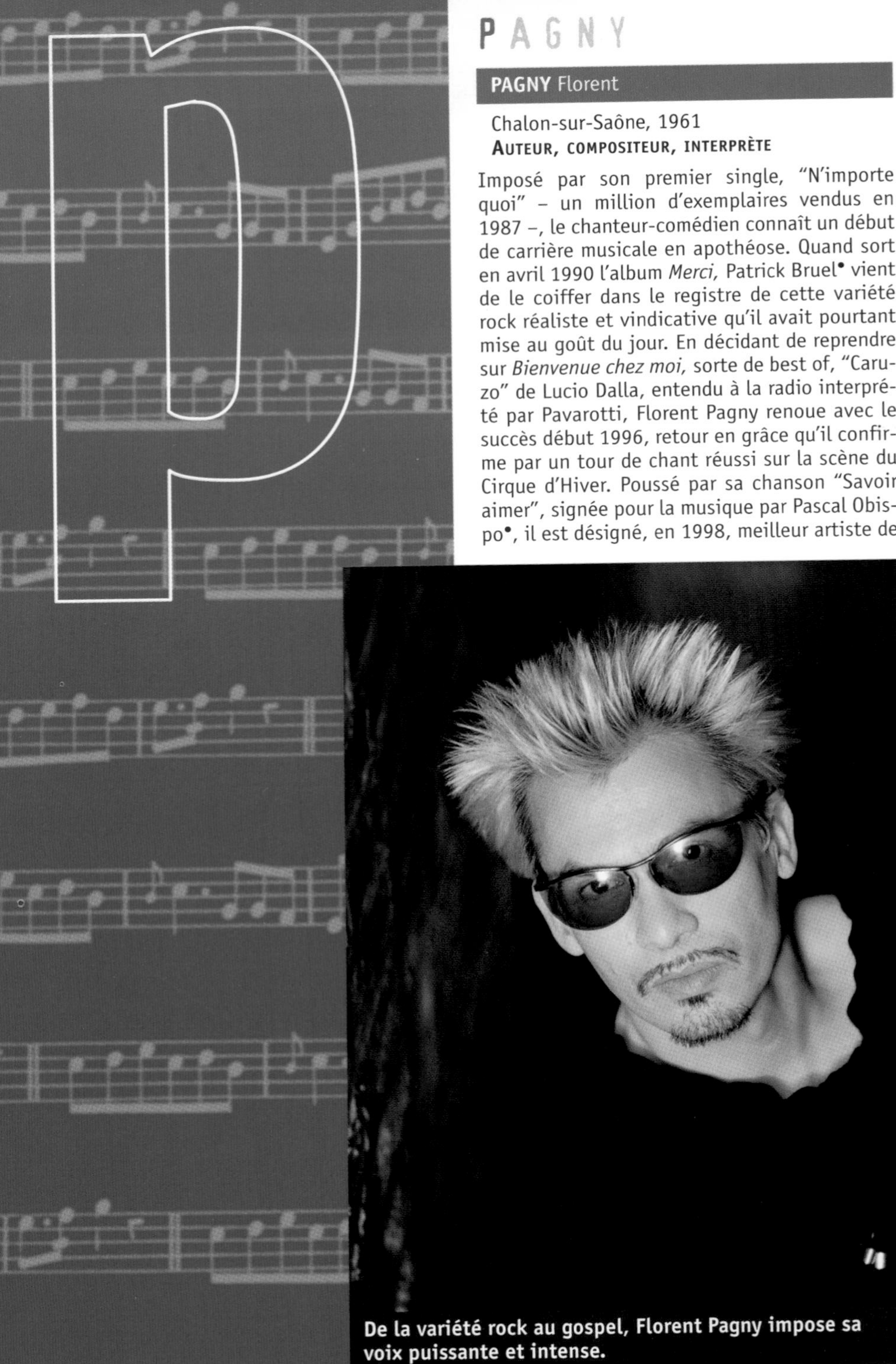

PAGNY Florent

Chalon-sur-Saône, 1961
AUTEUR, COMPOSITEUR, INTERPRÈTE

Imposé par son premier single, "N'importe quoi" – un million d'exemplaires vendus en 1987 –, le chanteur-comédien connaît un début de carrière musicale en apothéose. Quand sort en avril 1990 l'album *Merci,* Patrick Bruel• vient de le coiffer dans le registre de cette variété rock réaliste et vindicative qu'il avait pourtant mise au goût du jour. En décidant de reprendre sur *Bienvenue chez moi,* sorte de best of, "Caruzo" de Lucio Dalla, entendu à la radio interprété par Pavarotti, Florent Pagny renoue avec le succès début 1996, retour en grâce qu'il confirme par un tour de chant réussi sur la scène du Cirque d'Hiver. Poussé par sa chanson "Savoir aimer", signée pour la musique par Pascal Obispo•, il est désigné, en 1998, meilleur artiste de

De la variété rock au gospel, Florent Pagny impose sa voix puissante et intense.

l'année aux 13es Victoires de la musique. **J.-P.G.**

◎ ***Bienvenue chez moi,*** Mercury/Polygram, 1995
◎ ***Savoir aimer,*** Mercury/Polygram, 1997

PALAPRAT Gérard

Paris, 1950
AUTEUR, COMPOSITEUR, INTERPRÈTE

Il fait ses grands débuts dans l'adaptation française, en 1969, de la célèbre comédie musicale américaine, symbole de la période hippie, *Hair,* au Théâtre de la Porte-Saint-Martin. Il y reste trois ans, jusqu'au succès de sa chanson "Fais-moi un signe", qui lui vaut la rose d'or d'Antibes. Quelques titres suivront, comme "Écoute la source du bonheur", dans la lignée de ses convictions hindouisantes.

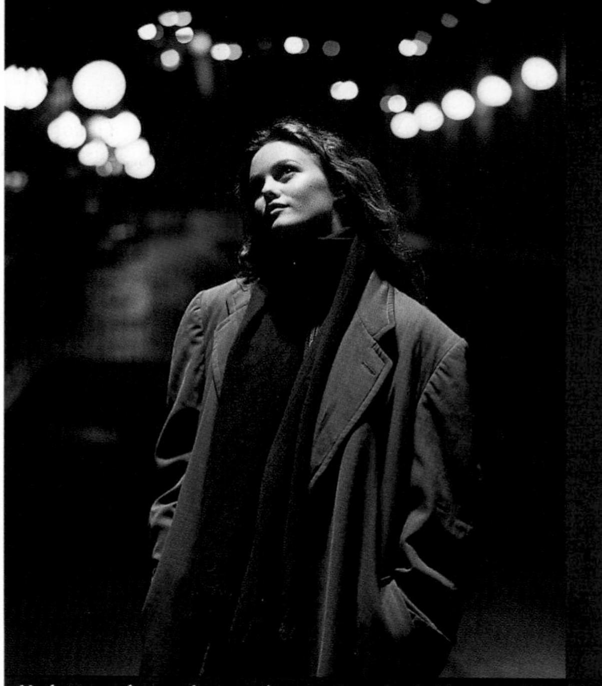
Vedette précoce des années quatre-vingt, Vanessa Paradis semble avoir orienté son talent plutôt vers le cinéma.

PAPADIAMONDIS Pierre

Paris, 1937
COMPOSITEUR

Ce passionné de jazz croise la route d'Eddy Mitchell• en 1968. "J'ai oublié de l'oublier" est, cette année-là, le début d'une longue coopération qui va donner "Alice", "C'est facile", "la Fille du motel", "la Dernière Séance" (1977), "Couleur menthe à l'eau", "le Cimetière des éléphants" ou "Lèche-bottes blues". À Michel Delpech• il donne "Que Marianne était jolie" (1973) et travaille également pour le grand Ray Charles. Il compose pour le cinéma (*Une semaine de vacances,* de Bertrand Tavernier) et sera primé par la SACEM en 1990 et 1993.

PAQUET Félix

Lille, 1906 - Paris, 1972
INTERPRÈTE

Il fait ses classes en assurant les levers de rideau. Puis, un jour, il passe en tête d'affiche à l'Empire. Il possède un répertoire bien particulier. Il n'hésite pas à s'arrêter au cours d'une chanson pour raconter une histoire, laquelle chanson est la plupart du temps une scie populaire avec reprise chantée du public : "Il a mal aux reins, Tintin", "Là où il y a des frites" (1935), "le Refrain des chevaux de bois" (1936), "Barnum Circus" (1941), etc. Il finit sa carrière comme homme de confiance de Maurice Chevalier•, auprès duquel il reste jusqu'à sa mort, en 1972.

PARADIS Vanessa

Saint-Maur, 1972
INTERPRÈTE

Poussée par son oncle, l'acteur Didier Pain, elle rencontre à douze ans le compositeur Franck Langolff et Étienne Roda-Gil•, le parolier de Julien Clerc•. Son physique de Bardot de poche et sa voix acide plaisent à Langolff, qui lui offre la musique de "Joë le taxi". Roda-Gil en écrit le texte. Pris en main par le producteur Marc Lumbroso, ce véritable tube-surprise (2,5 millions d'exemplaires vendus) atteint en 1987 le sommet des hit-parades français et... anglais.

De Gainsbourg à Kravitz. Entre deux escapades amoureuses avec son compagnon, Florent Pagny•, elle enchaîne sur deux 45 tours, "Manolo, Manolete" et "Maxou", puis sur un très sage premier album : *M et J* (pour Marilyn et John). Roda-Gil est remplacé par Serge Gainsbourg•, qui rajoute cette nouvelle nymphette à sa collection de stars et lui écrit douze textes. C'est *Variations sur le même t'aime* (1990), dont le premier extrait, "Tandem", donne lieu à un fameux clip de Jean-Baptiste Mondino. En 1990, Vanessa obtient une victoire de la musique pour *Variations...*, puis incarne Mathilde dans *Noces blanches* de Jean-Claude Brisseau (film pour lequel elle reçoit le césar du meilleur espoir féminin). En 1992, l'album *Paradis*, entièrement signé par le rocker américain Lenny Kravitz, laisse éclater plusieurs succès, tous interprétés en anglais. Vanessa entame alors une première tournée de soixante-dix concerts en mars 1993, qui la mène à l'Olympia. **A.G.**

- ***M et J***, Polydor, 1988
- ***Variations sur le même t'aime***, Polydor, 1990
- ***Paradis***, Remark, 1992

PARENT Kevin

Québec, 1972
AUTEUR, COMPOSITEUR, INTERPRÈTE

Ce jeune prodige de la scène québécoise commença par chanter en anglais (Dylan, Young) puis s'essaya au français (Cabrel•, Plume Latraverse•). Remarqué en 1995 au Festival d'été de Québec avec la chanson "Nomade sédentaire", il sort la même année son premier album, *Pigeon d'argile*, qui se vend à 200 000 exemplaires au Québec. Il reçoit le prix de la chanson de l'année décerné par le public lors du Gala de l'Adisq (l'équivalent des Victoires de la musique) pour "Seigneur", devant Céline Dion•. On le voit ensuite au Printemps de Bourges et aux Francofolies de La Rochelle. Entre agressivité et naïveté, ses ballades évoquent à la fois Charlélie Couture• et James Taylor.

- ***Pigeon d'argile***, Virgin, 1995

PARÈS Philippe

Paris, 1901 - 1979
COMPOSITEUR, ÉDITEUR

Il signe avec Georges Van Parys• plusieurs opérettes, comme *Lulu, la Petite Dame du train bleu* ou *l'Eau à la bouche*. Leurs noms sont également associés aux génériques de certains films, dont *le Million* (1931). Il signera aussi de nombreuses chansons : "Si l'on ne s'était pas connus" (1931) que crée Albert Préjean, et l'inattendue "Tout est au duc" (1935). Il dirige ensuite les disques Columbia pour la France.

PASCAL Jean-Claude (Jean-Claude Villeminot, dit)

Paris, 1927 - *id.*, 5 mai 1992
INTERPRÈTE

Styliste chez Hermès, modèle chez Christian Dior, dessinateur de théâtre, jeune premier au cinéma, en 1961, il saisit et réussit l'opportunité de la chanson en gagnant le prix de l'Eurovision avec "Nous les amoureux". Chanteur de charme polyglotte, il enregistre plus de 50 albums et parcourt le monde entier. Ami de Jacques Brel•, sa voix suave et profonde sert une interprétation fine et sensible de jeunes auteurs d'alors comme Béart•, Gainsbourg• et Ferrat•. En 1962, il obtient le prix de l'académie Charles-Cros. Abandonnant peu à peu la chanson, il termine sa carrière comme écrivain.

- ***Soirées de prince*** (compil.), EMI France, 1990

PASSI (Passi Balende, dit)

Brazzaville, Congo, 1972
AUTEUR, INTERPRÈTE

Fondateur avec Stomy Bugsy• et Doc Gyneco• de Ministère AMER•, Passi est avec Akhenaton• un des meilleurs paroliers du rap français. Après avoir participé à l'album de Doc Gyneco• *Première Consultation*, en interprétant en duo "Est-ce que ça le fait ?", il sort un premier titre sous son nom, "les Flammes du mal", sur la B.O. du film de Jean-François Richet *Ma 6T va crack-er*. En 1997, son premier album, *les Tentations*, avec le tube "Je zappe et je mate" est une belle réussite tant artistique que commerciale. Akhenaton• a produit et cosigne sept morceaux de l'album. Parallèlement, Passi dirige le groupe Bisso Na Bisso, où hip-hop et musique africaine se rencontrent. (*Racines*, premier album en février 1999, chez V2).

- ***Les Tentations***, V2, 1997

PATACHOU (Henriette Ragon, dite)

Paris, 1918
INTERPRÈTE

En 1948, après avoir exercé divers petits métiers (notamment dans une pâtisserie), Patachou ouvre son propre cabaret à Montmartre. Elle a pour parrain et "mentor" Maurice Chevalier• lui-même... Petite revanche sur son ancienne condition ? Toujours est-il qu'elle a toujours pratiqué

un étrange cérémonial de reconnaissance pour accueillir les membres de ce qui allait devenir un des hauts lieux de la chanson française : armée de grands ciseaux, elle leur coupait la cravate ! Les biographes et les psychanalystes apprécieront... L'important reste sa vraie générosité et un jugement très sûr comme découvreuse de talents : on lui doit probablement d'avoir su encourager Georges Brassens• à un moment où ce dernier avait bien failli raccrocher (1952). Car son cabaret avait une "raison sociale" : faire entendre les chansons qui lui plaisaient, celles écrites par de nouveaux auteurs comme celles qui étaient boudées par le grand public. Et elle avait trouvé le moyen infaillible pour arriver à ses fins : elle les interprétait elle-même, ce qui amenait parfois l'auteur à monter lui aussi sur scène pour continuer en duo avec Patachou... qui savait quand elle pouvait s'éclipser, une fois son "poulain" suffisamment à l'aise pour le final.
Son répertoire va de la chanson réaliste d'avant-guerre ("les Voyous") aux impertinences de Gainsbourg•, en passant par la gouaille parisienne ("la Bague à Jules", "Un gamin de Paris") la nostalgie de Van Parys• ("la Complainte de la Butte"), l'univers de Ferré• ("Nous les filles") ou le charme de Béart• ("le Bal chez Temporel")... Mais elle ne cherchera jamais à se hisser elle-même au statut de star : elle laisse cela à d'autres, animant le restaurant de la tour Eiffel, donnant des leçons de music-hall au théâtre des Variétés, et honorant plus ou moins régulièrement de sa présence "La chance aux chansons" (émission TV de Pascal Sevran•). Son fils, Pierre Billon, perpétuera la tradition en écrivant des chansons pour Johnny Hallyday•. **P.S.-D.**

◎ ***Les Grands Moments de l'Olympia :*** 1955, Polygram
◎ ***Patachou*** (compilation), Polygram

PATÉ André

Paris, 1919
COMPOSITEUR

Il débute comme pianiste de bar, jouant à l'Horizon, rue Vignon, en alternance avec un autre inconnu nommé Louis de Funès. Il accompagne ensuite André Dassary• avant de se lancer dans la composition en 1953, apportant à Jacques Hélian "Doucement mon p'tit gars" et à Caterina Valente "Un train bleu dans la nuit". Il se consacre alors à l'édition musicale tout en composant des rythmes latins sous le pseudonyme de Pedro Liberal ("Corps à corps" pour Dario Moreno•, "le Bateau de Tahiti" pour Maria Candido• et "Muchas gracias" pour Gloria Lasso•). C'est malgré tout André Paté et non Pedro Liberal qui, un jour de 1959, apportera à Bourvil• "les Rois fainéants" et, en 1960, "les Voiliers" à François Deguelt•.

PATRICE ET MARIO

Patrice Paganessi Vertova (Lombardie, 1916 - Paris, 1992) Mario Moro (Turin, 1918)
INTERPRÈTES

En juin 1938, ils font connaissance au cours d'un radio-crochet au Raincy. Le duo Patrice et Mario est né. Six ans plus tard, ils signent un contrat avec la firme Odéon et jusqu'en 1964 ils vont enregistrer un nombre impressionnant de titres, dont "la Fête aux lanternes", "Tango hawaïen", "Étoile des neiges", "les Trappeurs de l'Alaska", etc. Au total, plus de deux cent cinquante 78 tours.

◎ ***Patrice et Mario,*** morceaux choisis, Columbia

PATTI Guesch (Patricia Porrasse, dite)

Paris, 1946
AUTEUR, INTERPRÈTE

Ex-rat de l'Opéra, Guesch Patti hésitera toujours entre deux carrières, celle de danseuse et celle de chanteuse. En 1966, elle forme le duo Yves et Patricia, se consacre ensuite à la danse, puis se retrouve, en 1982, dans le groupe Da Capo. En 1987, sous le nom de Guesch Patti, elle enregistre "Étienne", qui sera un énorme hit en France et à l'étranger. En 1995, elle grave son quatrième et meilleur album à ce jour, *Blonde,* mélange (moins commercial) de rock, de jazz et de rap.

◎ ***Blonde,*** XIII Bis, 1995

PERRET Pierre

Castelsarrasin, Tarn-et-Garonne, 1934
AUTEUR, COMPOSITEUR, INTERPRÈTE

Au Café du Pont, tenu par ses parents le long du canal de la Garonne, l'enfance de Pierre s'épanouit parmi la clientèle des mariniers, ouvriers métallurgistes, soldats... Le bistrot est une école vivante de la société et de tous ses parlers. À la fin de la guerre, Pierre Perret se met au solfège et au saxophone. Après son certificat d'études, décroché en 1948, il entre à plein temps au Conservatoire de Toulouse. Durant cinq ans, il cumule les cours de musique et d'art dramatique et dévore les classiques (Molière, Hugo, Bal-

Paillard, gourmet, caustique, Pierre Perret, dit "Pierrot la tendresse", est aussi un artiste engagé contre toute forme d'intolérance.

Son écriture se fait plus mordante. L'univers caricatural de ses chansons, qui s'apparente à celui des dessins de Dubout, fait bientôt mouche auprès du grand public.

En 1964, "le Tord-Boyaux" et "les Filles ça me tuera" sont les premiers d'une longue série de succès populaires : "Trop contente" (1964), "la Corrida" (1965), "les Jolies Colonies de vacances" (1966), "Tonton Cristobal" (1967)… Largement relayés par les radios et la télévision, ces petits tableaux de mœurs, burlesques et gaulois, visent avec justesse les travers de la société. Malgré des propos à la portée sans équivoque ("les Postières", 1967), Perret évite toujours la critique agressive. Il excelle dans la description de caractère ("Cuisse de mouche", 1968), la saynète bouffonne ("la Bibise d'accord", 1967), avec le plus souvent la sexualité pour moteur ("Dépêche-toi mon amour", 1971)… Sa voix espiègle incite les garnements aux vilaines farces qui font plaisir ("Ouvrez la cage aux oiseaux", 1971). En plein débat sur l'éducation sexuelle à l'école, une chanson comme "le Zizi" (1974) est un merveilleux pied de nez.

zac…). Pendant ses études, sanctionnées par un prix de saxophone et un accessit de comédie, il trouve le temps de jouer la comédie au Grenier de Toulouse et de sympathiser avec Georges Brassens•. Pendant et après son service, effectué à Paris, en 1953, dans la fanfare, il fréquente assidûment, jusqu'à sa mort en 1956, Paul Léautaud, qui parfait son éducation littéraire et poétique. C'est le temps des premières chansons.

Rive gauche. Après l'armée, Brassens, en bienveillant modèle, l'aide à tenter sa chance. Boris Vian• et Jacques Canetti• l'encouragent aussi. En 1957, il passe à La Colombe. Dès le premier soir, l'imprésario Émile Hebey lui propose un contrat. Suit un disque : *Moi j'attends Adèle*. En 1959, la maladie le contraint à interrompre une carrière qui démarre tout juste. De retour après deux ans de sanatorium, il rencontre sa femme, Rebecca, qui veillera dès lors sur lui, ses affaires et leurs trois futurs enfants.

Maturité. Passé la quarantaine, sans brader sa faconde, il trouve un ton plus profond. Ses chansons donnent à réfléchir sur des sujets délicats : le racisme ("Lily", 1977, qu'il a peaufiné trois ans durant), la vieillesse des pauvres ("l'Hôpital", 1979), le divorce ("À cause du gosse", 1979), les quartiers déshérités ("Y'a cinquante gosses dans l'escalier", 1981), les commandos anti-avortement ("Elle attend son petit", 1981), la nocivité de la télévision ("la Télé en panne", 1983), la famine en Afrique ("Riz pilé", 1989), la guerre ("la petite Kurde", 1992)… Valses, tangos, bastringue, etc., ses musiques se réfèrent immuablement aux canons de la chanson française, l'accordéon tenant une place de choix.

Exploitant sa maîtrise de l'argot et de l'irrévérence, Pierre Perret entre en littérature avec *les Pensées* (1979). *Le Petit Perret illustré par l'exemple,* dictionnaire de la langue verte, obtient un tel succès qu'il connaît deux éditions (1984 et

1991). *Adieu Monsieur Léautaud* (1986) est un hommage à son bon maître.

Au *Petit Perret gourmand* (1987) succèdent une autobiographie, *Laissez chanter le petit* (1989) et trois volumes du *Petit Perret des Fables* (1990, 1991, 1992), adaptation de La Fontaine dans un argot fleuri. *Les Grandes Pointures de l'Histoire* (1993) démystifie la vie de grands personnages historiques assoiffés de pouvoir, de sexe et de religion. *Chansons de toute une vie* (1993) présente plus de 250 de ses chansons, et son *Anthologie de la poésie érotique* (1995), près de 140 friandises verbales de l'Antiquité à nos jours. En s'impliquant dans une réforme de l'orthographe qui fit grand bruit fin 1990, Pierre Perret poursuivait sa vocation : mettre les pieds dans le plat. Il revient en 1999 avec un album, *la Bête est revenue* (EMI Music France), marqué par un fort engagement contre l'extrême droite. **F. B.**

"DES PETITS TABLEAUX DE MŒURS, BURLESQUES ET GAULOIS, QUI VISENT AVEC JUSTESSE LES TRAVERS DE LA SOCIÉTÉ."

Irène, Une Musique/Carrère, 1986
Ce soir c'est fête/Cœur cabossé, Une Musique/Carrère, 1989
Bercy Madeleine, Une Musique/Carrère, 1992
Chansons éroticoquines, Une Musique/Carrère, 1995
36Grands Succès (1963-1968, coffret 2 CD), Vogue/BMG
Pierrot l'intégrale (coffret 9 CD), Une Musique/Carrère, 1994

PERRIN Pierre

1926 - Paris, 1985

Grâce à une seule chanson, "le Clair de lune à Maubeuge" en 1962, ce chauffeur de taxi parisien connut la célébrité et fit connaître Maubeuge à travers le monde. Annie Cordy•, Bourvil•, Fernand Raynaud• et Claude François• reprendront à leur tour cet hymne impérissable. Pierre Perrin mourut en 1985 sans avoir jamais renoué avec le succès.

PERSONNE Paul (René-Paul Roux, dit)

Argenteuil, Val-d'Oise, 1949
AUTEUR, COMPOSITEUR, INTERPRÈTE

Batteur à l'origine, il se met à la guitare en découvrant Jimi Hendrix. Au cours des années quatre-vingt, il connaît une trajectoire en dents de scie. En 1984, un disque six titres, *Barjoland,* lui permet d'élargir singulièrement son audience, sensible à sa voix rauque et à son univers musical démarqué entre Tom Waits et B.B. King.

Comme à la maison, qu'il réalise entièrement seul, relance sa carrière en 1992. Avec la complicité de Boris Bergman, de Jacno, du comédien Gérard Lanvin, le compositeur a trouvé des textes en phase totale avec ses musiques typées. En janvier 1993, il s'offre un véritable triomphe à l'Olympia. On le retrouve également, sur scène ou en studio, aux côtés de Bashung•, Higelin•, Jean-Louis Aubert•, Johnny Hallyday• ou Stephan Eicher•. Après *Rêve sidéral d'un naïf idéal* (1994), Paul Personne signe en 1996 *Instantanés.* Outre Bergman et Christian Dupont, Richard Bohringer et Jean-Louis Aubert ont apporté leur contribution.

Comme à la maison, Polydor, 1992
Rêve sidéral d'un naïf idéal, Polydor, 1994
Instantanés, Polydor, 1996

PETIT Jean-Claude

Vaires-sur-Marne, 1943
COMPOSITEUR, CHEF D'ORCHESTRE

Musicien de talent, aussi à l'aise dans le jazz que dans le classique, il intègre vite le rythme du rock et s'impose comme un pilier des studios Barclay. Il devient l'arrangeur de Julien Clerc•, Serge Lama•, Mort Shuman• et de bien d'autres. Il compose aussi des chansons, dont "Il a neigé sur Yesterday" pour Marie Laforêt•, plusieurs musiques de films, ainsi que la musique des comédies musicales *la Révolution française* et *Mayflower.*

PEYRAC Nicolas (Jean-Jacques Tazartez)

France, 1949
AUTEUR, COMPOSITEUR, INTERPRÈTE

En 1975, c'est le premier succès, dans la veine folk-variété, avec "So Far Away From L.A.", suivi, deux ans plus tard, de "Je pars", qui l'installe dans l'image du voyageur mélancolique, malgré le hit "Et mon père", dans la lignée Sardou•-Lama•. Entre États-Unis, France et Québec, il continue à enregistrer, tout en écrivant et en réalisant des films documentaires. Il se fait un peu oublier pour revenir en 1996 avec une tournée française et un nouvel album,

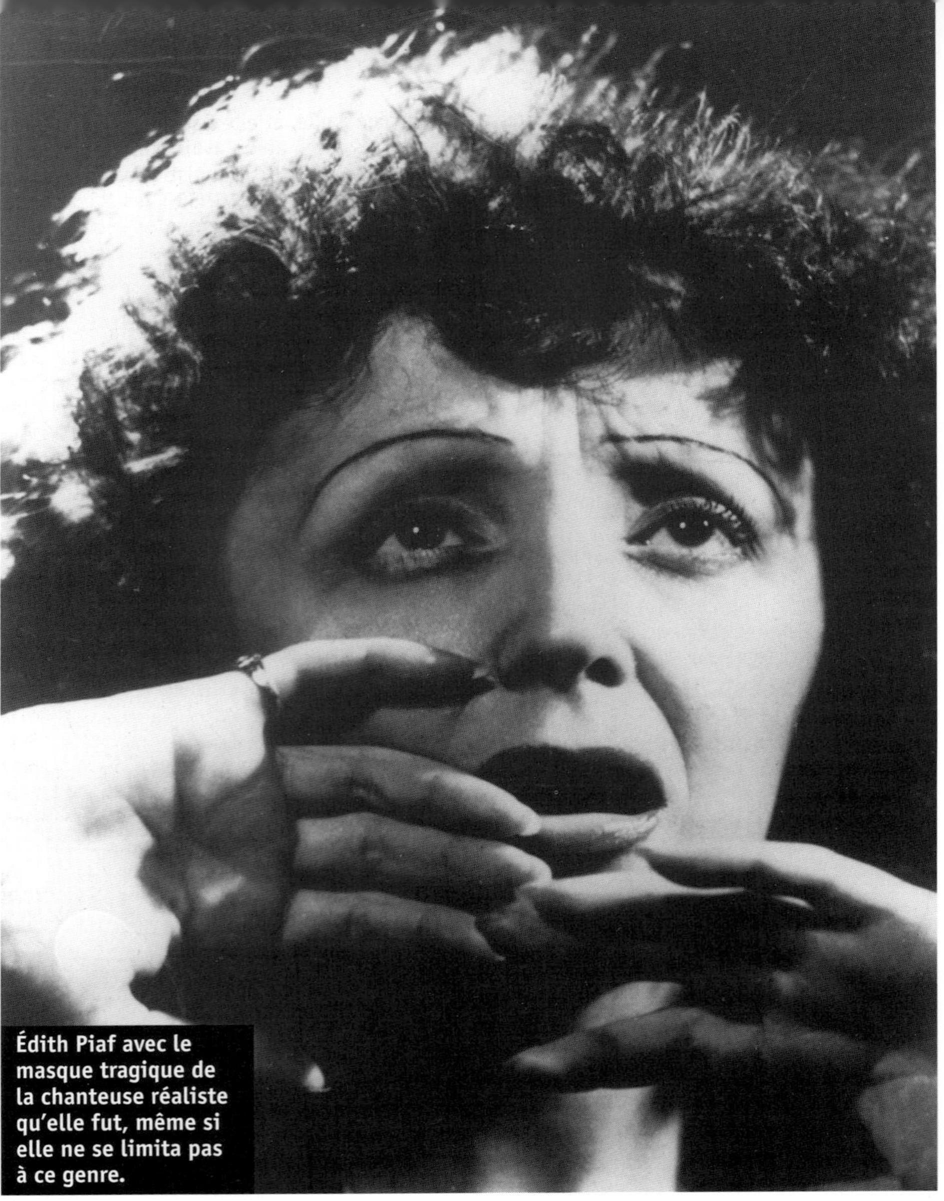

Édith Piaf avec le masque tragique de la chanteuse réaliste qu'elle fut, même si elle ne se limita pas à ce genre.

J'avance, suivi, tois ans plus tard, d'*Autrement,* son quinzième disque.

◎ ***Les Plus Belles Chansons de Nicolas Peyrac,*** EMI, 1994

PHILIPPE-GÉRARD (Philippe Bloch, dit)

São Paulo, Brésil, 1924
AUTEUR, COMPOSITEUR

Licencié en philosophie et prix de piano, il ne se destine pas du tout à la musique légère. Cependant, réfugié à Genève pendant la Seconde Guerre mondiale, il y rencontre Francis Carco, dont il met en musique des poèmes qui seront chantés par Germaine Montero• et Renée Lebas•, et, plus tard, par Juliette Gréco•. Sa carrière débute réellement à la Libération, quand, sur des paroles de Flavien Monod, il compose pour Édith Piaf• "Pour moi toute seule". Celle-ci lui présente Yves Montand, pour qui il compose en 1949 "C'est à l'aube" (- F. Monod, 1949), suivi, plus tard, de "la Chansonnette" (- J. Dréjac), "Rengaine ta rengaine" (- J. Dréjac) et "le Chat de la voisine" (- R. Lagary, 1958). Il retrouve ensuite Piaf pour "le Chevalier de Paris" que reprendra Frank Sinatra. On lui doit aussi la belle mélodie de "Un homme passe sous la fenêtre et chante", un texte d'Aragon chanté par Francesca Solleville•, et la chanson "le Rififi", extraite du film *Du rififi chez les hommes* (1954).

PIAF Édith (Édith Giovanna Gassion, dite)

Paris, 1915 - id., 1963
AUTEUR, INTERPRÈTE

Édith Piaf serait née au 72, rue de Belleville, d'Anita Maillard, dite Line Marsa, chanteuse, et de Louis Gassion, acrobate antipodiste (c'est-à-dire qui jongle avec les pieds). La légende veut qu'elle ait vu le jour dans la rue, au sein d'une famille misérable. L'acte d'état civil enregistré à la mairie du XXe arrondissement énonce plus sobrement que l'enfant est née à l'hôpital Tenon. C'est la guerre et le père est absent. Édith passe ses premières années auprès de ses deux grand-mères, l'une kabyle, habitant Barbès, l'autre demeurant à Bernay, en Normandie, où elle tient une maison de tolérance. À l'âge de douze ans, la petite fille, qui a retrouvé son père, devient sa partenaire, quêtant après ses spectacles de rue. Trois ans plus tard, Édith chante toujours dans les rues mais, cette fois, en compagnie de "Momone", Simone Berteaut, sa sœur "adoptive". La légende raconte encore qu'Édith aurait signé à la mère de Simone une sorte de contrat d'engagement pour sa fille, lui garantissant le gîte, le couvert et quinze francs par jour. Quelque temps après, Édith s'associe avec les époux Ribon pour former un trio qui se produit dans les casernes parisiennes.

"LA PETITE FILLE CHANTE DANS LA RUE AVEC SON PÈRE, QUÊTANT APRÈS LE SPECTACLE."

1935-1939. Édith a 20 ans. La vie l'a déjà marquée. Elle a traîné à Pigalle, échappé de peu au trottoir, mais, surtout, a perdu une petite fille, Marcelle, morte à deux ans faute de soins. Elle possède cependant tous les atouts de la réussite, sa voix et sa rage de vaincre. C'est Louis Leplée, prince interlope des nuits parisiennes, qui va la porter de la rue, où elle fait la manche, à la scène de son cabaret des Champs-Élysées, où, pour la première fois, elle gagne sa vie en chantant sous un projecteur et sans tendre la main. Désormais, la môme Piaf – c'est Leplée qui lui a trouvé ce nom – a besoin d'un répertoire bien à elle, et elle a ses idées sur la question. Très vite, après avoir signé un contrat chez Polydor, elle enregistre ses premières chansons en décembre 1935 ("les Mômes de la cloche", "la Java de Cézigue", "l'Étranger" et "Mon apéro"). À la radio, dès ses premières interviews, elle montre son sens de la promotion et de la réclame.

Mais Leplée est assassiné au printemps 1936 et Piaf (qui est placée en garde à vue pendant quarante-huit heures) est freinée dans son élan. Jacques Canetti• lui donne alors un coup de main et, par son entremise, elle trouve quelques engagements à Paris et en province. Toutefois, il lui faut un nouveau parrain : Raymond Asso• surgit alors et devient son véritable pygmalion, mêlant l'amour au métier. Sur une musique de Marguerite Monnot•, il offre à la chanteuse son premier succès, "Mon légionnaire", qu'Édith refusera d'abord (la chanson sera créée par Marie Dubas•) en affirmant que *"c'est trop cabaret, et moi je veux faire de la scène"*. En revanche, elle adoptera sans réticence "Mon amant de la coloniale" (mai 1936). Raymond Asso• va alors la prendre complètement en main, lui apprenant le métier et essayant de la retirer du monde malsain où elle baigne depuis toujours. Mais la guerre éclate bientôt et Raymond part sous les drapeaux. Leur association se termine ainsi. Si Raymond n'aura passé que trois ans auprès de la môme, Marguerite Monnot, la compositrice, elle, ne la quittera plus.

La situation générale devient dramatique, mais Édith pense surtout à sa carrière. Bientôt, le poète Jean Cocteau lui donne un rôle au théâtre dans *le Bel Indifférent,* où elle impose son amant du moment, Paul Meurisse•. Les scènes se succèdent, l'Alhambra, Bobino, l'Européen. Plus qu'avec les disques, c'est en public qu'elle s'impose. Elle veut toujours plus. Avant-guerre, la consécration parisienne passe par l'A.B.C. Asso avait réussi à lui en ouvrir les portes en 1937. À partir de "l'Accordéoniste" (signée Michel Emer•, enregistrée au printemps 1940), chaque nouveau disque, chaque nouvelle salle représente une marche de plus vers une gloire nationale.

1940-1944. Ni le départ de Raymond Asso, ni l'Occupation n'arrêtent la môme, qui est devenue définitivement Édith Piaf. Elle repasse à l'ABC, chante en duo avec Paul Meurisse, enchaîne les tournées, réussit l'examen d'auteur-parolière à la SACEM en février 1944, écrit elle-même plusieurs de ses chansons (dont "C'est un monsieur très distingué", "Où sont-ils mes petits copains ?", "C'était un jour de fête", "Un coin tout bleu", "Celui que j'aime a les yeux tristes", "C'était si bon", "Rue sans issue"). Elle effectue même deux déplacements à Berlin (août 1943 et février 1944), qu'on lui reprochera par la suite, mais elle affirmera que c'était d'abord pour les prisonniers français. Elle sera toutefois félicitée à la Libération pour l'aide qu'elle aura apportée à de nombreux amis juifs. Mais la période est marquée pour Édith par une rencontre. Fin juillet 1944, Yves Montand• est entré dans sa vie. Cette fois, c'est elle qui joue le rôle de pygmalion. Elle met à sa disposition son parolier (et ancien amant) Henri Contet•, obligeant celui-ci à donner au jeune Yves la chanson "Ma môme", pourtant destinée à Maurice Chevalier•...

"GRACE À SON ACHARNEMENT ET À "LA VIE EN ROSE", ELLE FINIT PAR DOMPTER NEW YORK ET CONQUÉRIR L'AMÉRIQUE."

1945-1952. Édith Piaf a trente ans. Vedette des temps d'Occupation, elle n'est pas éprouvée par les années de l'après-guerre. Sa mère, usée par la drogue, meurt le 6 février 1945, à moins de cinquante ans. Mais Édith pense surtout à son tour de chant au Théâtre de l'Étoile avec Montand. Elle était inquiète pour lui ; elle réalise bientôt que c'est à elle de se surpasser pour continuer à emballer la salle déjà conquise par le bel Yves. Elle trouve quand même l'énergie, dans le courant du mois de mai, d'écrire et de composer l'une de ses plus célèbres chansons, "la Vie en rose", sans penser à la mettre à son répertoire. Elle la confie à l'éditeur Roger Seiller• (Paul Beuscher) pour qu'il l'exploite sans s'occuper d'elle. Ne connaissant pas la musique, elle demande au compositeur Louiguy• d'en transcrire la mélodie afin d'en tirer un petit format (partition). Le temps passe et, un jour, la jeune chanteuse Marianne Michel tombe en arrêt devant la chanson. Elle la met à son répertoire et l'interprète au cours de plusieurs émissions sur la Chaîne Parisienne. C'est un succès. Rentrant de tournée, Piaf l'entend à son tour à la radio. On connaît la suite...

À l'été 1946, la belle histoire avec Montand s'est arrêtée. Édith s'étourdit dans le travail, fait la connaissance d'un sympathique duo d'artistes nommés Pierre Roche• et Charles Aznavour•, et les emmène en tournée. Grâce à son imprésario Louis Barrier, celle que l'on nomme déjà Piaf, tout court, s'impose chez Pathé-Marconi, la prestigieuse maison française. Ses disques commencent à être diffusés dans le monde entier. Barrier lui décroche bientôt une première série de récitals en Amérique, alors que Jean-Louis Jaubert, l'animateur des Compagnons de la Chanson•, devient pour un temps l'élu de son cœur. Avec ces drôles de garçons un peu scouts, elle fait carillonner, à partir de 1947, "les Trois Cloches" d'un continent à l'autre sur des paroles de l'auteur suisse Gilles-Jean Vilar. À New-York, les Compagnons rencontrent un tel triomphe qu'ils font de l'ombre à Édith elle-même, mais la chanteuse s'obstine, apprenant l'anglais, se familiarisant avec les techniques américaines de la scène. Grâce à son acharnement et à "la Vie en rose", elle finira par dompter New York et restera outre-Atlantique comme une des très rares artistes françaises pleinement reconnues.

Les voyages en Amérique se répètent, croisant ceux d'un fameux boxeur français, Marcel Cerdan. Leur ambition et leur combat quotidien pour la gloire les rapprochent. Ils vivent une aventure passionnée stoppée net par le dramatique accident d'avion qui emporte le boxeur le 27 octobre 1949. Édith est brisée, mais trouve la force, le soir même, de monter sur scène. À la mémoire de son amour disparu, elle écrit une de ses plus belles chansons, sur une musique de Marguerite Monnot•, "l'Hymne à l'amour". Elle ne s'en relèvera jamais complètement, s'adonnant de plus en plus à l'alcool et à la drogue. À l'été 1950, un séduisant Américain vient quelque peu distraire Édith de sa peine ; il s'appelle Eddie Constantine•.

Il aidera d'ailleurs Édith lors de sa quatrième "expédition" américaine, quand elle enregistre sur place "les Feuilles mortes" en anglais ("Autumn Leaves") et "C'est d'la faute à tes yeux" (adaptée par Eddie en "Don't Cry"). En France, le succès ne se dément pas : "l'Hymne à l'amour" et "Padam-Padam" (de Henri Contet et Norbert Glanzberg•) se vendent autant sous forme de partitions en petit format qu'en disques. Les spectacles se succèdent à l'ABC, l'Olympia, Bobino, la salle Pleyel. En 1952, Édith se marie pour la première fois, avec le chanteur Jacques Pills•, récemment divorcé de Lucienne Boyer•. La scène se passe à l'hôtel de ville de New York et Marlene Dietrich• est leur témoin. Pills fera tout pour éloigner Édith de ses démons, mais l'artiste est déjà très abîmée et le mariage ne tiendra pas plus de trois ans.

1953-1956. Désormais, auteurs et compositeurs de toutes générations, comme Bécaud• et Aznavour•, s'empressent d'apporter leurs œuvres à Édith Piaf, qui porte un soin particulier au choix de son répertoire. Dans les années cinquante, le disque, promu par le cinéma, devient essentiel pour la carrière d'un artiste. Piaf tourne alors des films prétextes pour elle à chansons, dont *Si Versailles m'était conté* (1953) de Sacha Guitry et *French Cancan* (1954) de Jean Renoir. Le public américain la couronne enfin en 1956 lors de son récital historique au Carnegie Hall. Et alors qu'elle règne avec des chansons de facture traditionnelle, comme "la Goualante du pauvre Jean" ou "Sous le ciel de Paris" de Jean Dréjac•, Piaf, toujours plus innovante, fait adapter à celui-ci, en 1956, un tube de rock'n'roll américain ("Black Denim Trousers" signé Leiber et Stoller, et chanté par les Cheers), qui devient "l'Homme à la moto". Nouveau succès. Le répertoire tout comme la vie de celle qu'on appelle désormais Madame Piaf se maintient dans un paradoxe permanent. L'étoile brille sur la scène quand, dans les coulisses, la femme se consume dans l'enfer des drogues et de la maladie.

1957-1963. Édith a quarante-deux ans. Après une nouvelle tournée triomphale aux États-Unis, elle rentre en France au summum de sa gloire. Elle a divorcé de Jacques Pills. Son appartement du boulevard Lannes, près du bois de Boulogne, devient une véritable usine à chansons qui fonctionne jour et nuit. Michel Rivgauche•, qui a déjà écrit "Ça c'est de la musique" pour Colette Renard•, y apparaît, lui offrant "la Foule" sur une valse folklorique péruvienne : c'est un nouveau grand succès.

En 1958, forte d'un répertoire toujours plus riche, Édith affronte l'Olympia• pendant trois mois. Le chanteur Félix Marten•, sa nouvelle liaison, figure au programme. Bientôt, il est remplacé par un jeune Grec prénommé Georges et qu'on appelle Jo Moustaki•. Celui-ci lui apporte "Milord" sur une musique de Marguerite Monnot, toujours fidèle. La chanson va franchir les frontières et se classer dans les hit-parades qui apparaissent alors dans toute l'Europe. "Mon manège à moi" (signée Jean Constantin• et Glanzberg) connaît aussi la faveur du public. Cela ne suffit pas à apaiser Édith. Son amant d'après, le peintre américain Douglas Davis, se sauvera comme l'avait fait Georges Moustaki, devant son despotisme amoureux. Malgré une santé très précaire, voilà Édith de nouveau sur scène à l'Olympia. Une salle qu'elle sauve de la faillite par amitié pour Bruno Coquatrix•, son directeur, en lui offrant une série de récitals.

Au début de 1960, un jeune compositeur, Charles Dumont•, lui apporte sa tendresse et ses derniers grands succès, "Mon Dieu", "les Mots d'amour", "Non, je ne regrette rien", éclipsant la fidèle Marguerite Monnot. "Non, je ne regrette rien"

Édith Piaf et Gilbert Bécaud : Avec Aznavour, Bécaud fera partie de la génération années cinquante des auteurs d'Édith.

connaît un énorme succès, d'autant que les putschistes d'Alger, en avril 1961, la chantent au moment de se rendre à l'armée après l'échec de leur tentative. Cette période est également marquée par des tournées en Europe du Nord qui s'enchaînent avec la sortie de ses disques.

"ELLE PORTE À LA PERFECTION L'ÉCONOMIE DU GESTE ET DE L'EFFET, JOUANT MÊME DE SA FATIGUE."

Pendant l'hiver 1961, Édith rencontre Théo, un jeune coiffeur grec qu'elle baptisera Sarapo, qui signifie "je t'aime" en grec. Il ne la quittera plus. Tour à tour son secrétaire ("parce qu'il a son bachot", dit-elle), puis son manager, elle veut aussi en faire un chanteur. Édith épouse Théo en octobre 1962, dix ans après son premier mariage. Elle chante en duo avec lui, elle lui demande même de paraître torse nu en scène. Des coulisses au chevet de ses lits d'hôpitaux, il sera le compagnon des derniers jours. Ensemble, ils chantent "À quoi ça sert l'amour ?" à l'Olympia et à Bobino. Quand Édith se produit dans ces salles magiques, le public se lève et l'honore d'ovations qui dépassent les vingt minutes.

Ses forces s'épuisent comme sa fortune, car elle ne regarde pas à la dépense. Elle se prête au jeu de la presse à scandale, qui mise sur les drames de sa vie intime, ses accidents de voiture et ses opérations chirurgicales. C'est la fin. Piaf meurt le 11 octobre 1963 ; elle n'a que quarante-huit ans, mais son corps est celui d'une vieille dame qui quitte ce monde le même jour que Jean Cocteau, avec lequel elle entretient sans doute plus d'une ressemblance. Malgré sa piété, Édith est privée de funérailles religieuses. L'Église n'accepte pas son divorce et l'*Osservatore Romano* la traite d'"*idole du bonheur préfabriqué*". Ses obsèques au Père-Lachaise sont cependant suivies par une foule considérable et, depuis, sa tombe est devenue un lieu de pèlerinage pour de nombreux fidèles à sa mémoire.

Derrière une légende qu'elle contribua à romancer elle-même, Piaf montra toutes les qualités d'une artiste, véritable metteur en scène de son personnage. Portant à la perfection l'économie du geste et de l'effet, jouant même de sa fatigue. Montrant une connaissance parfaite des textes et des musiques qui la servaient, allaient à sa personne comme la petite robe noire qu'elle arborait, robe au décolleté laissant apparaître une croix, témoin de sa foi de charbonnier.

Marquée par le pygmalionisme de Leplée, qui la tira de la rue et la baptisa Piaf, de celui de Raymond Asso qui lui redonna un prénom, elle renvoya à son tour l'ascenseur de la gloire à ses auteurs ou compositeurs qu'elle ne manquait jamais d'annoncer avant de chanter leur chanson, objet de ses commandes... **S. H.**

Quelques-unes des partitions fétiches d'Édith Piaf.

◎ ***30*^e^ *Anniversaire*** (compil. 1946-1962), EMI France
◎ ***Coffret intégral de ses enregistrements*** (9 CD 1946-1963), EMI France
◎ ***L'Intégrale*** (1936-1945), Polygram
◎ ***The Édith Piaf Story*** (en public 1957 et 1960), Déjà Vu

À lire :

Gilles Costaz, *Édith Piaf, une femme faite cri,* Seghers, 1988
Pierre Duclos et Georges Marin, *Piaf,* Le Seuil, 1993
les Conquêtes de Piaf, Hall de la Chanson, 1993

PIERRON Gérard

Thouars, 1945
INTERPRÈTE

Tendre et révolté, cet ancien terre-neuvas est le meilleur interprète du chansonnier libertaire du XIXe siècle Gaston Couté•, qu'il a découvert sur l'album *Poètes maudits d'hier et d'aujourd'hui,* où Pierre Brasseur disait "Jour de lessive". S'accompagnant à l'accordéon, ce chanteur subtil sait à la fois jouer sur la passion engagée et la fraternité généreuse. Avec son ami Allain Leprest•, il compose vingt chansons pour Francesca Solleville• en 1992, avant de préparer une anthologie de poètes marins.

◎ ***Gaston Couté*** (enregistrement public au Théâtre d'Ivry), Chant du Monde, 1992
◎ ***En revenant du bal,*** Saravah, 1997

PIGALLE

Groupe de rock recréé début des années 1980 par François Hadji-Lazaro (textes, guitare, violon, mandoline, sax programmation claviers et boîte à rythmes) et Daniel Hennion (basse, chœurs)

Pigalle mélange, dans les années quatre-vingt, le rock et une écriture rappellant plutôt la chanson réaliste des années trente et le folk des années soixante-dix. Le deuxième album de la formation suscite un réel engouement avec des morceaux tels que "Dans la salle du bar tabac de la rue des Martyrs" et l'association d'instruments comme la vielle à roue ou l'accordéon à une musique hybride punk-folk...

◎ ***Pigalle 2*** (ou Regards affligés sur la morne et pitoyable existence de Benjamin Tremblay, personnage falot mais ô combien attachant), Boucherie Productions/Island, 1990

PILLS Jacques (René Ducos, dit)

Tulle, 1906 - Paris, 1970
INTERPRÈTE

Étudiant en médecine, il délaisse rapidement les amphithéâtres pour devenir boy au côté de Mistinguett•. Associé à Georges Tabet, il fait une entrée fracassante dans la chanson avec "Couchés dans le foin" (de Mireille• et Jean Nohain•). Le duo, à mi-chemin du jazz et de la tradition française, triomphe aussi dans l'opérette et au cinéma. Ils tournent au cinéma *Prends la route* (1937) et passent dans le cabaret de Lucienne Boyer• Chez elle. Pills épouse alors Lucienne ; ils auront une fille, Jacqueline, qui remportera le prix de l'Eurovision en 1960. La guerre sépare Pills et Tabet. Le premier chante alors seul avec encore beaucoup de réussite : "Dans un coin de mon pays" (B. Coquatrix - J. Féline, 1940) et "Chaque chose à sa place" (G. Van Parys• - J. Boyer, 1940). Il tourne un film, *Seul dans la nuit,* dont la chanson porte le même titre et qui est un très gros succès (1945). Il épouse Édith Piaf• en 1952 et chante avec elle "Ça gueule ça, Madame", une chanson de Gilbert Bécaud•. À la fin de sa vie, il dirige avec Bruno Coquatrix• l'école de la chanson de l'Olympia.

◎ ***Intégrale Pills et Tabet*** (1931-1938), Polygram

PINGAULT Claude

Paris, 1902 - *id.,* 1991
AUTEUR, COMPOSITEUR

Il connaît son premier succès en 1933 avec "le Petit Train départemental", qu'il écrit en collaboration avec Tiarko Richepin. Viennent ensuite "Johnny Palmer" (pour Damia•) et "la Révolte des joujoux" (pour Guy Berry•), sur des paroles de Christian Vebel. On lui doit aussi, en 1941, la musique de l'opérette *Plume au vent,* sur un livret de Jean Nohain•.

PLAIT Jacques

Monestier-de-Clermont, Isère 1923
Paris, 1994
AUTEUR, PRODUCTEUR

Dans les années cinquante, il dirige chez Pathé-Marconi les premiers pas de Richard Anthony•, avant de s'occuper chez Philips de Serge Gainsbourg•, de Dario Moreno• ou du jeune Johnny Hallyday•. En 1962, associé à Claude Carrère•, il lance Sheila• avec le succès que l'on sait. À la tête des disques CBS, il lance Joe Dassin• puis s'occupe de Carlos•. Doté d'un sixième sens pour détecter les tubes, il avait pour devise : "Ce qui plaît à Plait plaira au plus grand nombre."

PLAMONDON Luc

Saint-Raymond-de-Port-neuf, Québec, 1942
AUTEUR

Après avoir écrit quelques textes pour Monique Leyrac et Renée Claude, ce parolier tous azimuts se fait connaître par la voix de Diane Dufresne• ("J'ai rencontré l'homme de ma vie", "Chanson pour Elvis", etc.). Il sera ensuite sollicité par Ginette Reno•, monument de la chanson québécoise, qui chante sur scène sa très folklorique "Ma mère chantait toujours". Puis, en 1979, il écrit le livret de l'opéra rock *Starmania,* dont la musique est composée par Michel Berger•. C'est la consécration immédiate, pour les auteurs comme pour les jeunes vedettes qui interprètent l'œuvre, parmi lesquelles Daniel Balavoine•, Fabienne Thibault•, puis Maurane•. Chacun des titres de l'opéra est un succès : "le Monde est stone", "les Uns contre les autres" et "le Blues du businessman", interprété à l'origine par Claude Dubois. Plamondon est alors au sommet de sa carrière. Devenu le parolier à la mode, il écrit pour Catherine Lara•, Julien Clerc•, Johnny Hallyday•, Robert Charlebois•... Chaque fois, l'auteur se coule dans la peau de son personnage, livrant du travail sur mesure. Mais la comparaison entre ce qu'il écrit pour Julien Clerc ("Cœur de rocker") et ce qu'Étienne Roda-Gil• écrivit pour le même chanteur n'est pas au bénéfice du premier et montre ses limites. Plamondon a du talent, il est habile, mais il lui manque peut-être un peu de folie, ou de poésie... Dans les années quatre-vingt, le couple Plamondon-Berger se reconstitue pour un nouvel opéra rock, *la Légende de Jimmy,* tentative d'évocation de la vie de James Dean. Mais on ne refait pas deux fois *Starmania* et l'entreprise, malgré un énorme battage médiatique, sera de fait un échec. En 1996, Plamondon retrouve Ginette Reno et prépare un *Roméo et Juliette* explosif, avec une Montréalaise et un Indien Mohawk. En 1998, il connaît à nouveau un immense succès avec la comédie musicale *Notre-Dame de Paris,* dont il écrit les textes sur une musique de Richard Cocciante•. **L.-J. C.**

◎ ***Anthologie Plamondon*** (2 CD), Scalen' Disc

PLANA Georgette

Agen, 1918
INTERPRÈTE

Danseuse à Bordeaux, elle monte en 1941 à Paris en tant que chanteuse de music-hall et connaît un succès fulgurant avec des rengaines des années vingt. Véritable phénomène populaire, elle quitte cependant la scène en 1948 pour cause de mariage. Quinze ans plus tard, elle réussit son retour à la chanson : après un passage à Bobino, sa reprise, en 1968, du vieux succès de Bénech et Dumont, "Riquita" (1925), amuse le public par son côté "kitsch" et Georgette se permet alors de passer l'année suivante à l'Olympia• avec... Antoine• en première partie !

◎ ***Les Grands Succès de Georgette Plana,*** Vogue

PLANTE Jacques

Paris, 1920
AUTEUR

Sa vocation se précise très tôt alors qu'il habite encore chez ses parents, qui tiennent un garage rue Cardinet. Il fréquente les copains du parc Monceau, sous l'Occupation, et écrit ses premières chansons avec l'un d'eux, Lawrence Riesner•. Il a tout compris très vite, l'art du couplet, la concision du refrain, la prosodie. En 1946, c'est le grand départ avec le compositeur Louiguy• et une toute jeune interprète, Yvette Giraud•. L'équipe est formée et c'est tout de suite deux succès : "La danseuse est créole" et "Mademoiselle Hortensia".

Il ajoute "Maître Pierre" au répertoire des Compagnons de la chanson• et de Georges Guétary• (musique d'Henri Betti•) et "Domino" à celui d'André Claveau (musique de Louis Ferrari, 1949). Au début des années cinquante, il a comme interprète Yves Montand• pour "J'aime t'embrasser" et "les Grands Boul'vards" (musique de N. Glanzberg•, 1951), et Line Renaud• ("Ma petite folie"), pour qui il avait déjà réalisé l'adaptation d'"Étoile des neiges" en 1947.

La rencontre avec Charles Aznavour• sera encore plus productive : "Sarah", "l'Enfant prodigue", "les Comédiens", "For me Formidable" et "la Bohème". Il écrit aussi pour Petula Clark• ("Chariot") et pour Hugues Aufray• ("Dès que le printemps revient"), et, à partir de 1966, il fournit quelques tubes à Sheila• : "Adios Amor", "la Famille", "Quand une fille aime un garçon". Jacques Plante monte sa propre maison d'édition, avec un catalogue important qui est devenu celui des éditions MCA/Caravelle, alors qu'il s'est retiré en Suisse.

PLASTIC BERTRAND (Roger Jouret, dit)

Bruxelles, 1954
INTERPRÈTE

Vendu à huit millions d'exemplaires en 1978, États-Unis compris, le single "Ça plane pour moi" n'est pas interprété par lui sur le disque. Qu'importe, Plastic Bertrand, imprégné de folklore punk, va enchaîner les tubes : "J'te fais un plan", "Tout petit la planète", "Stop ou encore" ou "Houla Hoop". Au début des années quatre-vingt, Plastic se reconvertit, partiellement, dans l'animation télé.

Suite diagonale, Tristar, 1994

Petite et fine, Polaire se trémoussait sur scène, le corps secoué de trépidations.

POLAIRE (Émilie Zouzé Marie Bouchaud, dite)

Agha, près Alger, 1877
Champigny-sur-Marne, 1939
INTERPRÈTE

À seize ans, elle débute à l'Européen, où son frère chante sous le nom de Dufleuve. Elle a pour tout répertoire "De la flûte au trombone". Elle finit par imposer son personnage de petite femme énergique aux cheveux courts, préfiguration de la "garçonne" des années vingt. Elle passe ensuite aux Ambassadeurs et à l'Eldorado, où elle restera trois ans avec son grand succès "Tama-ra-boum-dié". En 1896, elle chante à la Scala "Je suis mam'zelle gambilleuse" et crée un genre que la critique qualifie d'épileptique, tant elle est secouée de trépidations.

Artiste douée, elle fut pendant une dizaine d'années la reine de Paris, lançant la mode, sortant avec Colette, habillées en sœurs jumelles et pilotant l'une des premières voitures automobiles. Après la guerre, elle abandonne le caf'conc'• pour le théâtre, laissant le souvenir d'une féministe de la Belle Époque. **P.S.**

Compilation, Chansophone 136

POLIN (Pierre Paul Marsalès, dit)

Paris, 1863 - La Frette-sur-Seine, 1927
INTERPRÈTE

La future gloire du caf'conc' débute au concert de la Pépinière, en 1886, avant de passer à l'Eden Concert, où il reste cinq ans, et à l'Alcazar d'été. Il est lancé et concurrence directement Paulus•, qui craint de passer dans une salle après lui. En 1892, il songe à abandonner le caf'conc' pour le théâtre, mais il revient quand même à la chanson au bout de six mois. Il triomphe dans le genre troupier naïf, en culotte rouge, veste trop courte et petit képi avec un mouchoir à carreaux qu'il tortille dans ses doigts pour mieux paraître embarrassé. Après l'époque glorieuse d'Ouvrard père, Polin•, qui procède de lui, adopte un jeu plus sobre, restant immobile au-devant de la scène, chantant à mi-voix et obligeant ainsi le spectateur à se concentrer. Raimu, Fernandel• et bien d'autres

Gloire du caf'conc', Polin fit évoluer le genre par la sobriété de sa présence sur scène et par le côté intime de son interprétation.

subiront son influence. Les chansons favorites de Polin étaient "Ma grosse Julie", "la Petite Tonkinoise", qu'il créa, "l'Ami Bidasse", "Aux Tuileries" et "la Caissière du Grand Café". Dès 1898, il renoue avec le théâtre et on l'y verra triompher en 1921 dans *le Grand Duc,* au côté de Lucien Guitry. **P.S.**

Plusieurs titres in ***Anthologie de la chanson française***, EPM VC 100-5

Plusieurs titres in ***les Comiques troupiers,*** Forlane

POLNAREFF Michel

Nérac, Lot-et-Garonne, 1944

Auteur, compositeur, interprète

Le 26 mai 1966, la sortie de "la Poupée qui fait non" marque la fin d'une époque, celle des yéyés. Enregistrée à Londres selon la volonté de son auteur, cette petite chanson bouscule la création hexagonale, en quête de renouveau. Les médias se penchent jusqu'au bégaiement sur la biographie de Michel Polnareff, premier prix de solfège à douze ans, devenu beatnik sur les marches du Sacré-Cœur, après s'être usé le tempérament dans les assurances et l'institution bancaire. Teint diaphane, chevelure décolorée tombant sur les épaules, celui que d'aucuns comparent à un Chopin moderne raconte comment il a claqué la porte du domicile familial, trop bourgeois, appris la guitare en quelques jours à l'aide d'une méthode. On découvre, dans la foulée, que son père (sous le pseudonyme Léo Pol) est l'auteur de quelques classiques, dont "le Galérien" et "Un jeune homme chantait", interprété par Édith Piaf•. Bon sang ne saurait mentir, Polnareff, vainqueur, au début de l'année, de la finale du trophée "Disco Revue", à La Locomotive, avec des rocks de Buddy Holly et Jerry Lee Lewis, persiste en imposant deux slows qui vont chavirer l'été 1966. Si "Love Me Please Love Me" – une longue ballade où éclate tout son savoir-faire au piano – est cosigné avec Frank Gérald•, il écrit seul le scandaleux – pour l'époque – "l'Amour avec toi". Trois mois à peine auront suffi au nouveau venu pour installer sa nature complexe faite d'exigence artistique et de provocation. Les tubes vont suivre : "l'Amour avec toi" en 1966, "Tous les bateaux tous les oiseaux" en 1969 (signé J.-L. Dabadie• et P. de Senneville) ou "On ira tous au paradis" en 1973 (texte de J.-L. Dabadie).

Polnarévolution. Michel Polnareff, qui, désormais, cache son regard de myope derrière des lunettes fumées cerclées de blanc et arbore une abondante chevelure frisée, prouve qu'il est beaucoup plus qu'un simple chanteur. Pour enregistrer "Âme câline" en Angleterre toujours, il mobilise quarante violons, trois cors et un clavecin. On va le retrouver, au cinéma avec la BO du film *la Folie des grandeurs* de Gérard Oury. Une dépression l'oblige alors à annuler la série de concerts qu'il devait donner en vedette à l'Olympia. À la suite d'une agression physique et verbale (on lui reproche son allure ambiguë) dont il a été victime lors d'un gala en province, il enregistre "Je suis un homme", cinglante et humoristique réponse à ses détracteurs. Fatigué nerveusement, il doit de nouveau s'arrêter à la fin de l'été 1970. La pause sera brève. Il sort bientôt l'album *Polnareff's,* puis enchaîne sur une série de spectacles à grande mise en scène, dont "Polnarévolution", qui est un triomphe, avant l'échec du suivant, "Polnarêves".

"BEATNIK SUR LES MARCHES DU SACRÉ-CŒUR, LE TEINT DIAPHANE, LES CHEVEUX DÉCOLORÉS TOMBANT."

Persuadé qu'il gaspille son talent dans la vieille Europe, Michel Polnareff, harcelé par le fisc, précipite son départ pour les États-Unis et, fin 1973, s'embarque à bord du *France*. Là-bas, "Âme caline", en version instrumentale, se classe premier dans les charts. Mais, très vite, la déconvenue sera cruelle. Métamorphosé par des séances de culturisme, Polnareff lance avec le single "Lettre à France" un véritable appel au secours à son public d'origine, à l'aube de l'été 1977. L'année suivante, il se présente devant une chambre correctionnelle pour fraudes fiscales, avec, dans ses bagages, un album clin d'œil, *Coucou me revoilou*. En 1981, un nouvel enregistrement, *Bulles,* est sacré double platine (800 000 exemplaires). La magie se représenterait-elle ? Las ! Pressé en 1985, *Incognito* ne décollera jamais. Depuis, Polnareff s'est réinstallé à Paris. C'est d'une suite du Royal Monceau qu'il enregistrera *Kâma Sûtra* en 1989. On le sait atteint d'une grave maladie des yeux. La peur de l'opération le paralyse pendant deux ans. Ayant surmonté son angoisse, il donne un concert à l'automne 1995 au Roxy, fameux club de Los Angeles, qui donne lieu à un album, *Live At The Roxy,* sorti en mai 1996. **J.-P. G.**

Les grandes chansons de Michel Polnareff (1966-1991), Epic
Live At The Roxy, Columbia, 1996

PON Maurice

Bordeaux, 1921
AUTEUR

Avec Bernard Michel, comédien et pianiste qu'il a rencontré dans les milieux du théâtre, il écrit pour l'orchestre de Ray Ventura•. Ils font la connaissance d'Henri Salvador•, prélude à une longue et fructueuse collaboration. Pon écrira ainsi les textes d'"Une chanson douce", de "l'Abeille et le papillon", du "Petit Indien" ou du "Travail c'est la santé". Il mettra ensuite son talent au service de nombreux artistes comme Jean Sablon•, Marcel Amont•, Fernandel•, Bourvil•, Nana Mouskouri•, Rika Zaraï• ou Michel Fugain•, tout en réalisant plusieurs disques pour enfants.

POPP André

Fontenay-le-Comte, 1924
COMPOSITEUR

Après une éducation musicale classique, sa rencontre en 1944 avec Jean Broussolle (futur Compagnon de la chanson•) va le faire changer de route. Il compose bientôt sa première chan-

En 1971, pour annoncer ses débuts à l'Olympia, Michel Polnareff n'hésite pas à couvrir les murs de la capitale d'affiches où il exhibe la partie la plus charnue de son anatomie.

son, "Grand-Papa laboureur" (1948), pour Catherine Sauvage•, dont ce sont aussi les débuts et le premier succès. En 1955, Jacqueline François• chante "les Lavandières du Portugal", une chanson qu'il a écrite avec Roger Lucchesi. Puis il est grand prix du disque avec l'enregistrement original de l'histoire d'un orchestre, *Piccolo, Saxo et Cie* (1957). Trois ans plus tard, il enlève l'Eurovision avec "Tom Pillibi", chanté par Jacqueline Boyer•. En 1967, il participe encore à l'Eurovision avec "L'amour est bleu", chanté par Vicky. Mais sans le même succès que précédemment. Paul Mauriat enregistre néanmoins la chanson et, l'année suivante, le disque est distribué aux États-Unis sous le titre "Love is blue". Ce sera un triomphe. Il compose aussi pour les Frères Jacques• ("la Pendule", sur un texte de Raymond Queneau) et pour Marie Laforêt• ("Manchester et Liverpool").

POTERAT Louis

Troyes, 1901 - Paris, 1982
Auteur

Ses débuts sont prometteurs. Il collabore avec des noms prestigieux : Reynaldo Hahn, Arthur Honegger, Darius Milhaud pour des films de la société Pathé-Nathan. Sa carrière commence véritablement au début des années trente avec un premier grand succès pour Lys Gauty•, "Le bonheur n'est plus un rêve" (1934). C'est aussi un adaptateur avisé : il écrit la version française du grand succès international "J'attendrai", chanté par Rina Ketty• et Jean Sablon•, et "la Valse au village" ("The Umbrella Man"), chantée par Léo Marjane•. Sous l'Occupation, il écrit aussi bien pour Irène de Trébert ("Mlle Swing") que pour Georges Guétary• ("Caballero", "Chic à Chiquito", et "la Valse des regrets" sur une musique de Brahms). Il signe également deux succès pour Danielle Darrieux, "Les fleurs sont des mots d'amour" et "Premier Rendez-vous", extrait du film du même nom. Enfin, dans les années cinquante, sur une musique d'André Salvador (le frère d'Henri), il est l'auteur du grand succès de la jeune Éliane Embrun, "Si j'étais une cigarette". Auteur de plus de 1 500 titres, il sera vice-président de la SACEM.

PRÉVERT Jacques

Neuilly-sur-Seine, Hauts-de-Seine, 1900
Ormonville-la-Petite, Manche, 1977
Auteur

Fils d'un employé des assurances très marqué à droite, le petit Jacques vit une enfance plutôt heureuse, malgré le lent déclassement social de son père. Après avoir arrêté ses études à quatorze ans, il est enrôlé en 1920 et se rend en Syrie où il fait la connaissance d'un autre appelé, Marcel Duhamel, le futur créateur de la "Série noire". Rendu à la vie civile, il participe avec Duhamel et le peintre Yves Tanguy à la vie intense du Montparnasse des années vingt et rencontre bientôt les surréalistes. En 1928, il écrit sa première chanson pour un de ses amis, professeur de danse, "les Animaux ont des ennuis". Dans cette comptine, on trouve déjà ce qui sera le style Prévert, ce mélange de simplicité, de cocasserie et de poésie : *"Le pauvre crocodile n'a pas de C cédille/On a mouillé les L de la pauvre grenouille"*... Au cours des années trente, il rejoint le groupe Octobre, collectif de créateurs et de cinéastes proches du Parti communiste. Il écrit alors nombre d'articles, de sketches et de poèmes, dont certains, comme la Pêche à la baleine deviendront des chansons célèbres. La compositrice du groupe des Six, Germaine Taillefer, met en musique sa "Chanson de l'éléphant" et Marianne Oswald• chante son "Embrasse-moi". En 1934, il donne au Secours rouge – une organisation communiste – le texte prophétique "Il ne faut pas rire avec ces gens-là", où, sur fond de pacifisme, il annonce : *"La prochaine guerre va commencer / Le jour de gloire est arrivé / On décore les abattoirs / On pavoise chez les vieillards."* En 1935, il travaille avec Jean Renoir pour le film *le Crime de monsieur Lange* et fait la connaissance du pianiste Joseph Kosma•, alors que la toute jeune Agnès Capri• interprète, l'année suivante, plusieurs de ses œuvres au Bœuf sur le toit.

La gloire. S'ouvre ainsi l'ère des grands films que Prévert va écrire en tant que scénariste et dialoguiste – *Quai des brumes, les Disparus de Saint-Agil, les Enfants du paradis, les Amants de Vérone* – et des chansons que Kosma mettra en musique d'une façon inoubliable. En 1945, la publication en recueil *(Paroles)* des poèmes de Prévert rencontre un succès énorme, notamment auprès de la jeunesse qui plébiscite, avec la liberté retrouvée, sa légèreté d'écriture et son anarchisme plein d'humour. La musique de Kosma s'adapte merveilleusement à ces poèmes à la métrique souvent irrégulière, et cela donne plusieurs des plus belles compositions de la chanson française – "les Feuilles mortes", "Barbara", "les Enfants qui s'aiment", "Deux Escargots à l'enterrement", "Sanguine" – qui seront reprises par les plus grands interprètes comme Yves Montand•, Jacques Douai•, les Frères Jacques•, Mouloudji• ou Cora Vaucaire•. "Les Feuilles mortes" constitueront toutefois le seul vrai succès "grand public", repris aux États-Unis par Nat King Cole, Bing Crosby et Frank Sinatra. En 1956, Prévert prend ses distances avec le mouvement communiste après l'affaire de Budapest, puis il appuie, sans le signer lui-même, le "manifeste des 121", opposé à la guerre en Algérie. Il meurt dans son village de Normandie, où il est enterré et où le rejoindra, quinze plus tard, son vieil ami et voisin, le décorateur de cinéma Alexandre Trauner.

Prévert et ses interpètes (compil. avec Agnès Capri, les Frères Jacques, Serge Reggiani, Mouloudji, Yves Montand, Marlene Dietrich, Catherine Ribeiro, etc.), PolyGram, 1992

PRINCESS ERIKA (Érika Dobong'na, dite)

Paris, 1964
INTERPRÈTE

Petite-fille d'un chef de tribu bassa (ethnie du littoral au Cameroun), Erika Dobong'na, alias Princess Erika, est plus parisienne que camerounaise. C'est dans sa ville natale, la capitale française, qu'elle apprend au conservatoire le solfège et le piano. Elle forme d'abord un groupe avec ses sœurs, les Blackheart Daughters. Elle découvre ensuite le reggae, qu'elle va jouer avec un groupe de copines dans les squats parisiens, entre gare du Nord et porte de la Villette. Elle se fait connaître avec un tube reggae, "Trop de blah blah" en 1988. Elle récidive avec *Artiste (*1992), un album dans la veine afro-funk-reggae, suivi, trois ans plus tard, de *D'origine,* pot-pourri qui lui vaut un hit pour "Faut qu'j'travaille". Avec une musique à la frontière du reggae, de la soul et de la chanson française, des textes travaillés et une voix à la fois rauque et câline, Princess Erika a réussi à imposer son style.

Artiste, Polydor, 1992
D'origine, Polydor, 1995
Tant qu'il y aura, Epic, 1999

PRIVAS Xavier (Antoine Taravel, dit)

Lyon, 1863 - Paris, 1927
AUTEUR, INTERPRÈTE

En 1888, il chante ses premières chansons à l'inauguration du Caveau lyonnais : "Soldats de plomb", "Hanneton vole, vole", "Mon musée". En 1892, il vient à Paris. Il fréquente les soirées de la Plume, y chante les "Thuriféraires" avec un très grand succès. Malgré les encouragements de Verlaine, il connaît une période difficile. Il parvient cependant à entrer au Chat-Noir et fait le circuit des cabarets montmartrois. En s'accompagnant au piano, il chante d'une voix fluette des chansons romantiques qui tranchent avec la gauloiserie ambiante. Certains le comparent à un "Baudelaire pasteurisé". Ses chansons les plus célèbres restent "le Testament de Pierrot", "le Vieux Coffret", "la Chanson du fil" et "la Chanson des heures et des chimères".

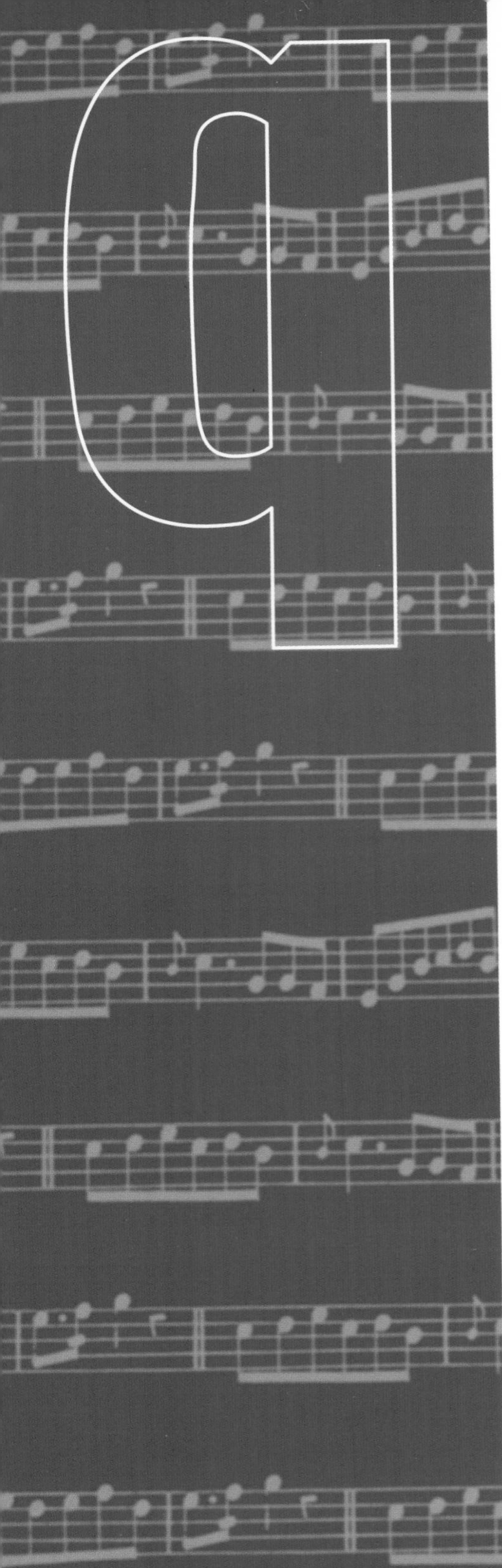

QUATRE BARBUS (Les)

Groupe vocal formé en 1938 sous le nom des "Compagnons de route" par Jacques Tritsch, Marcel Quiton, Georges Thibaut et Pierre Jamet

Les Quatre Barbus enregistrent leur premier grand succès en 1949, "la Pince à linge", avec des paroles que Francis Blanche• met sur le premier mouvement de la cinquième symphonie de Beethoven. Puis ce sera toute une série de chansons de la même veine, dont "le Parti d'en rire" (paroles de Pierre Dac et Francis Blanche, sur le célèbre boléro de Ravel). Leur répertoire s'étendra ensuite avec des albums de chansons enfantines, de chansons de marins et de chansons historiques (*la Commune*). Ils obtiennent un grand prix du disque en 1970.

QUÉBEC

Le Québec constitue, dans une fédération canadienne majoritairement anglophone, et aux portes des États-Unis, l'exemple étonnant d'une identité culturelle qui a su, contre vents et marées, résister à l'assimilation américaine. Dans ce processus, nul doute que la chanson, plus que toute autre expression artistique, aura joué un rôle essentiel.

Tradition et conservatisme. Avant 1945, le Québec jouit d'une forte tradition de chant et danse populaires. Les immigrants venus de France y ont importé un folklore qui, comme son homologue irlandais aux États-Unis, s'est acclimaté au nouveau continent. En attestent de très nombreux collectages et travaux ethnomusicologiques. Pionnière reconnue de la chanson québécoise moderne, Marie Bolduc• va être la première artiste professionnelle à réaliser la synthèse entre ce folklore essentiellement rural et l'écriture de couplets inédits, racontant avec humour les mésaventures d'une population encore paysanne aux prises avec les inventions de la vie moderne et urbaine (l'auto, la radio, les assurances). Chantées sur des airs traditionnels, avec force "turlutage", ses paroles ne sont pas toujours faciles à démêler de celles du vieux fonds populaire. La disparition de la Bolduc laisse un grand vide dans la chanson au "Canada français" – puisqu'on ne dit pas encore le Québec. La décennie 40 est traversée par la mode du country & western, sous l'influence du grand voisin américain. Le soldat Lebrun, puis Willie Lamothe, ses plus célèbres représentants, connaissent la popularité avec un répertoire

Avec Harmonium et Offenbach, Beau Dommage était à la tête du courant rock et pop dans le Québec des années soixante-dix.

teinté de sentimentalisme et de morale conservatrice, tandis que les recueils de *la Bonne Chanson,* sous l'égide de l'abbé Gadbois, arbitrent le bon goût. Il faut attendre le début des années cinquante pour voir émerger la chanson québécoise au sens moderne du terme. 1951 ; exactement, quand, au retour de son triomphe parisien, Félix Leclerc•, boudé à ses débuts, est enfin acclamé et adopté par ses compatriotes. Outre le début d'une nouvelle culture, Leclerc apporte au public québécois le plus précieux des cadeaux : le sens de sa dignité et le respect de lui-même, dans un pays encore marqué par le conservatisme du clergé catholique et du premier Ministre Duplessis.

La "révolution tranquille". Les années soixante connaissent une explosion culturelle sans précédent, un réveil collectif baptisé plus tard "révolution tranquille". Stimulés par l'exemple de Félix Leclerc, les auteurs-compositeurs, ici "chansonniers", s'affirment pour nommer un pays (Gilles Vigneault• : "Mon pays", "les Gens de mon pays", "Il me reste un pays") et en appeler à la résistance contre la colonisation anglaise (Raymond Lévesque•, avec "Bozo-les-Culottes"). Les "boîtes à chansons" fleurissent dans toute la Belle Province, de Montréal à Québec, la radio et le disque relayent leurs spectacles, le public se passionne et apprend les chansons par cœur. Le voyage du général de Gaulle, en 1967 (avec son fameux discours au slogan symbolique "Vive le Québec libre !"), marque pour les Québécois le début d'une reconnaissance officielle et internationale. Du coup, toute une aile du mouvement culturel québécois se politise et se radicalise. Le 5 octobre 1970, un diplomate britannique, James Richard Cross, est enlevé par des militants du

FLQ (Front de Libération du Québec). Cinq jours plus tard, c'est au tour du ministre du Travail, Pierre Laporte. Le gouvernement fédéral et celui de la province refusant toute négociation en échange de sa libération, Pierre Laporte est assassiné (Cross sera libéré). L'événement déclenche une vague de répression policière et d'arrestations qui déciment et divisent le mouvement entre partisans et adversaires de la "violence révolutionnaire".

"LA CHANSON QUÉBÉCOISE RÉSISTE, PAR LA SATIRE OU LA PURE POÉSIE CHANTÉE, À LA TENTATION DE LA MIÈVRERIE ORCHESTRÉE."

Le reflux. Les chanteurs eux-mêmes sont divisés, et la production discographique comme les spectacles québécois reflètent ces contradictions et hésitations, jusqu'au référendum de 1978, qui se traduira par un échec des partisans de la souveraineté. Le 13 août 1974, la "Superfrancofête" organisée sur les Plaines d'Abraham, à Québec, a vu triompher Gilles Vigneault, Félix Leclerc et Robert Charlebois• réunis sur scène devant plus de 300 000 personnes, symbolisant les espoirs d'indépendance. Parallèlement, une pop music et un rock québécois se développent, avec les groupes Beau Dommage•, Harmonium, Offenbach. Après le reflux du référendum de 1980 (rejetant la "souveraineté-association" de la Belle Province), un courant de variétés plus commercial prend le dessus, avec les succès de chanteuses comme Diane Dufresne•, Fabienne Thibault•, plus tard Diane Tell•, mises sur orbite par un habile parolier, Luc Plamondon• (la comédie musicale *Starmania,* créée en 1978 puis *Notre-Dame de Paris,* en 1998). Pourtant, un courant d'auteurs-compositeurs plus audacieux, de Paul Piché à Michel Rivard•, de Raoul Duguay• aux Séguin•, de Plume Latraverse• à Richard Desjardins• (la plus importante révélation des années quatre-vingt-dix en la matière), résiste encore, par la satire ou par la pure poésie chantée, à la tentation de la banalisation et de la mièvrerie orchestrées, là comme ailleurs, par le show-business. Des deux côtés de l'Atlantique, les festivals continuent de rythmer annuellement l'évolution de la chanson québécoise : le Festival d'été de Québec, les Francofolies de La Rochelle, qui s'exportent à Montréal dans les années quatre-vingt-dix, entre autres, prennent le pouls des échanges culturels entre la "Nouvelle France" et l'ancienne. **J. V.**

La Bolduc : L'Intégrale en 4 volumes, Musée du Son, Scalen'Disc, 1993

Robert Charlebois, F. Leclerc, Gilles Vigneault : ***J'ai vu le loup, le renard, le lion*** (1974), Phonogram

Divers artistes : ***Les Plus Belles Chansons Québécoises,*** Sony/FNAC Music, 1996

À lire : Millière, Guy : ***Québec, chant des possibles,*** Albin Michel, coll. "Rock & Folk", 1978

RAILLAT Lucette

Lyon, 1937
INTERPRÈTE

Elle navigue longtemps dans les milieux du théâtre, aux côtés de Roger Planchon et de Jean Dasté. Elle aboutit finalement au cabaret du Lapin Agile, où elle rencontre Pierre Louki•, qui lui donne "la Môme aux boutons". Elle l'interprète et en fait un grand succès. Dans les années soixante, elle s'oriente vers l'opérette.

La Môme aux boutons, EPM

RED Axelle (Fabienne Demal, dite)

Hasselt, Belgique, 1968
AUTEUR, INTERPRÈTE

D'origine flamande, elle commence par chanter en anglais ("Little Girls", 1983), puis s'oriente vers le français ("Kennedy Boulevard", écrit et composé par les Toulousains Daniel et Richard Seff, 1988), tout en s'inspirant de cette soul music que ses parents écoutaient ("Aretha et moi", 1989). En 1993, son premier album, *Sans plus attendre,* grâce au tube "Sensualité", va se vendre à 500 000 exemplaires. On la compare alors, à tort, avec Vanessa Paradis•. En 1996, elle enregistre à Nashville avec Steve Cropper, le guitariste d'Otis Redding, et Lester Snell, l'organiste d'Isaac Hayes, l'album *À tâtons,* qui, porté par des titres comme "Ma prière" ou "À quoi ça sert" (chanson du film *le Cousin*), marche sur les brisées du précédent. En juillet 1998, elle interprète en duo avec Youssou N'Dour la chanson officielle du Mondial 98, "Dans la cour des grands". Le 16 novembre 1998, elle donne au Palais des Congrès de Paris un concert, "The Soul of Axelle Red", quelque peu controversé, avec des grands noms de la musique noire américaine (Wilson Pickett, Eddie Floyd, Percy Sledge, Sam Moore, Mavis Staples, Ann Peebles). Son troisième album, *Toujours moi,* sort en mars 1999. **Y.P.**

Sans plus attendre, Virgin, 1993
À tâtons, Virgin, 1996

REGGIANI Serge

Reggio Emilia, Italie, 1922
INTERPRÈTE

Lorsque Serge Reggiani apparaît sur la scène de Bobino en première partie de Barbara• en 1966, il est loin d'être un inconnu. En 1939, encore

Serge Reggiani commence sa carrière de chanteur à quarante-quatre ans.

et lui demande de venir choisir des chansons à son bureau. De là naîtra le premier projet d'album consacré à Boris Vian•, qui sortira en 1966. La même année, Reggiani fait la première partie de Barbara• à Bobino. Entre le "petit garçon" quadragénaire et la "dame en noir", le courant passe tout de suite. Barbara• fait travailler Serge, lui inculquant les bases de la respiration ventrale et diverses techniques vocales. Pour le reste, Serge joue sans réserve de ses talents de comédien et de sa voix chaude, jamais vraiment assurée mais si pleine d'émotion.

Intense. Le premier essai discographique ne convainc pas le public, mais Reggiani commence à prendre goût à l'exercice. L'album suivant, en 1967, connaît un énorme succès, et la carrière de Reggiani chanteur est définitivement lancée. Très vite, il a su affiner son style et choisir ses textes et ses compositeurs : Georges Moustaki• ("Ma liberté", "Sarah"), Jean-Loup Dabadie• ("le Petit Garçon"), Albert Vidalie ("les Loups"), Maxime Le Forestier• ("Ballade pour un traître"), Claude Lemesle• ("le Barbier de Belleville"). Il devient ainsi celui dont tous, jeunes comme vieux, retiennent les airs, devenus des classiques. En novembre 1968, Serge reçoit un prix de l'Académie de la chanson puis se produit pour la première fois en vedette à Bobino•, redécouvrant le trac dont la puissance virginale lui confirme qu'il est bien vivant.

adolescent, il a débuté au théâtre dans *Marie-Jeanne ou la Femme du peuple,* puis multiplié les rôles au cinéma, notamment, en 1946, dans *les Portes de la nuit* de Marcel Carné et, en 1952, avec Simone Signoret dans *Casque d'or* de Jacques Becker, où il incarne le fameux personnage de Manda. Sur les planches, il a joué Sartre *(les Séquestrés d'Altona)* et Cocteau *(les Parents terribles)*. Bref, il est alors un personnage populaire de la scène et de l'écran français, bien que son talent ne soit pas toujours reconnu à sa juste valeur. Au milieu des années soixante, Reggiani rencontre Jacques Canetti•, grand découvreur de talents, chez Yves Montand• et Simone Signoret. Canetti, pris d'une de ses inspirations coutumières, conseille à Serge de se mettre à chanter. Le lendemain, il lui téléphone

Sur scène, Reggiani met ses qualités d'acteur au service de la chanson, jouant, vivant littéralement ses textes, leur donnant un aspect théâtral, presque expressionniste. Il raconte des histoires, celles des hommes, de leurs blessures, du temps qui passe (*"La femme qui est dans mon lit/N'a plus vingt ans depuis longtemps",* dans "Sarah") ou de la tendresse, avec souvent une certaine autodérision, promenant sa gueule marquée par l'âge et les verres de trop dont il parle parfois ("Au bar de l'arbre sec"). Reggiani le libertaire, *"l'antifasciste jusqu'au tréfonds des os"*, sait aussi se faire engagé, dénonçant l'antisémitisme *("Au n° 103, la concierge a donné/Deux ou trois Juifs tremblants")* et fustigeant les militaristes. Il poursuit son chemin, avec son image de solitaire, et un univers bien particulier qu'il a su conserver même dans son disque, *Serge Reggiani 95* (avec des textes de Claude Lemesle et Didier Barbelivien•), où, à soixante-treize ans, il vogue toujours entre chansons d'amour, nostalgie et ironie. Deux ans ans plus tard, il triomphe sur la scène du Palais des Congrès et sort un nouvel album en 1997, tout en se consacrant à l'écriture (un roman) et à la peinture...

" IL JOUE SANS RÉSERVE DE SES TALENTS DE COMÉDIEN ET DE SA VOIX CHAUDE, JAMAIS VRAIMENT ASSURÉE, MAIS SI PLEINE D'ÉMOTION. "

Les loups sont entrés dans Paris, Jacques Canetti/Musidisc
Olympia 89, Trema/Sony, 1989
Ma liberté... et autres succès (compil.), Polydor
En chanson (coffret 8 CD), Polydor, 1992
Nos quatre vérités, Tréma, 1997

RÉGINE (Régine Sylberberg, dite)

Etterbeck, Belgique, 1929
INTERPRÈTE

D'origine juive polonaise, elle connaît une enfance douloureuse. Revenu de déportation, son père, cafetier à Belleville, l'initie à la vie nocturne. Elle fréquente alors Saint-Germain-des-Prés•. En créant le "New Jimmy's" à Montparnasse, club très fermé pour noctambules célèbres et fortunés, elle devient la reine des nuits parisiennes et lance le twist. Des habitués la poussent à brûler les planches.

En 1967, Charles Aznavour• lui écrit "la Femme à barbe" et "Oublie-moi". Puis elle enchaîne avec "les Petits Papiers" de Serge Gainsbourg• et "la Grande Zoa", titres avec lesquels elle installe sa renommée. Elle tourne au cinéma avec Claude Lelouch et Claude Berri. Perfectionniste et volontaire, elle travaille inlassablement pour réaliser son rêve : la scène. En 1973, elle atteint la consécration à Bobino, où on lui reconnaît, outre un sens exceptionnel du music-hall, un véritable talent de chanteuse populaire à la gouaille toute parisienne. Le public est cependant dérouté par cette chanteuse à l'accent faubourien, dont le répertoire oscille entre le sophistiqué et le vulgaire. Malgré 70 enregistrements, les prix de l'académie Charles-Cros et du Disque français, Régine fait du show et de la chanson en dilettante. Elle s'occupe de son association SOS Drogue International tout en gardant un œil sur son empire de la nuit. Possédant un réel savoir-faire de meneuse de revue servi par des textes de qualité (Patrick Modiano, Dabadie•...), elle séduit ou exaspère sans réussir toujours à obtenir une reconnaissance légitime. **F. P.**

Mémo Mélo, Trema/Sony, 1993

RENARD Colette (Colette Raget, dite)

Ermont, Val-d'Oise, 1924
INTERPRÈTE

Après de sérieuses études musicales, cette belle rousse au timbre gouailleur occupe différents petits emplois, avant de devenir dactylo du chef d'orchestre Raymond Legrand, qui l'épouse et en fait la chanteuse de sa formation. En 1956, elle décroche le rôle d'Irma dans la comédie musicale *Irma la Douce,* composée par Marguerite Monnot•.

Voix impressionnante. En dépit de nombreux succès ("Où va-t-on s'nicher ?", "Zon, zon, zon", "Tais-toi Marseille", "Ça c'est d'la musique"), de plusieurs disques d'or, de onze passages à l'Olympia•, Colette Renard, à cheval entre la chanson réaliste• et la chanson fantaisiste, aura du mal à se défaire de cet équilibre instable, qui lui colle littéralement à la peau. Elle se lance alors, et avec bonheur, dans la chanson libertine, mais, plus chanteuse de scène que de disque, elle a du mal à résister à la vague yé-yé et se transforme, jusqu'au milieu des années soixante-dix, en une sorte d'ambassadrice itinérante de la chanson française. En 1976, Georges Brassens• l'invite à partager avec lui la scène de Bobino et, en 1982, elle décroche deux disques d'or... En 1998, elle remonte sur scène pour un récital au théâtre de Dix-Heures, à Paris, et publie son autobiographie, *Raconte-moi ta chanson.* **Y.P.**

Les lignes de ma vie, Griffe/Sony, 1993
Cocktail Collection, Vogue/BMG

RENARD Jean

Provins, 1933
Compositeur

Après des débuts discrets comme interprète, il se consacre uniquement à la composition. Il travaille ainsi pour Marcel Amont•, Colette Deréal•, Sylvie Vartan• ("Par amour par pitié" et "2'35 de bonheur", 1967), Johnny Hallyday• ("Que je t'aime", 1969), Françoise Hardy• ("le Premier Bonheur du jour") et Mike Brant• ("Qui saura ?", 1972).

RENAUD (Renaud Séchan, dit)

Paris, 1952
Auteur, compositeur, interprète

Son grand-père maternel était mineur dans les charbonnages du Nord, sa mère travailla quelques années en usine, et son père enseigna l'allemand, tout en écrivant des romans policiers. De ses origines composites, où l'ascension sociale le dispute à la conscience de classe, Renaud gardera, outre un militantisme sympathique et une gouaille populaire, une certaine tendance à l'authenticité forcée, comme si le destin professoral du père constituait une tache sur l'impeccable arrière-plan prolétarien de la mère. Le futur chanteur au bandana rouge est d'abord un mauvais élève, qui ne pense qu'à participer aux manifestations contre la guerre du Viêt Nam ou l'armement atomique. D'ailleurs, c'est en 1968, tandis qu'il occupe la Sorbonne avec ses amis anarchistes et sa fidèle guitare sèche, qu'il interprète une de ses premières chansons, "Crève salope". Il arbore alors la tenue de gavroche, avec pantalon à carreaux, casquette et mégot, dans le style révolté de François Béranger•. Cet admirateur de Brassens•, Dylan et Aristide Bruant•, qui joue à ses heures perdues "la Plus Bath des javas" dans les rues, se lie bientôt d'amitié avec Romain Bouteille, puis avec Coluche. Le producteur de ce dernier, Paul Ledermann, lui offre de se produire au Caf'Conc', la salle qu'il vient d'ouvrir aux Champs-Élysées. Renaud s'empresse de tenter sa chance, mais les débuts s'avèrent difficiles. Il interprète ensuite quelques petits rôles pour la télévision, et se retrouve mécanicien dans un magasin de motos. L'avenir prolétaire semble alors l'emporter sur le destin bourgeois. Pourtant, au début du mois de juin 1975, un jeune homme frêle, timide et rongé par le trac, qui lance fièrement "Société tu m'auras pas", apparaît à la télévision. Ce n'est pas encore le miracle. Il faudra attendre deux ans pour que sorte un deuxième album, *Renaud (Laisse béton),* plus convaincant. Plusieurs chansons retiennent l'atten-tion : "les Charognards", qui mettent en scène un voyou agonisant face à l'indifférence des passants, "le Blues de la Porte d'Orléans", "Je suis une bande de jeunes (à moi tout seul)" et surtout "Laisse béton", une histoire de dépouille, dans laquelle Renaud se met au diapason de la mode en utilisant le verlan, vieux jargon des apaches d'antan basé sur l'inversion des syllabes. En même temps, on redécouvre "Hexagone", une chanson extraite du premier disque : l'un après l'autre, les défauts supposés des Français y sont disséqués, avec humour et dérision. Dès lors, l'élan est donné, voilà Renaud parti pour les grands concerts, les tournées triomphales. Il a désormais opté pour le look loubard, avec jeans, blouson noir et bottes Santiag'.

Le gouailleur à la "chetron sauvage". En ce début de décennie 80, il devient populaire grâce à des chansons pleines d'humour et de bons mots, comme "Marche à l'ombre", "Adieu minette", "la Boum" ou encore "It is not because you are" où il s'essaie, après Aznavour•, au franglais contrôlé. Mais surtout grâce à des chroniques sociales comme "Baston", "Où c'est qu'j'ai mis mon flingue ?" ou "Dans mon HLM". En fait, son réalisme social procède davantage d'une vision comique, au second degré, proche de la bande dessinée à la Frank Margerin (et de son héros Lulu, le gentil loubard), que de la tradition sombre de Fréhel• à Piaf•. Ses écarts plus prononcés vers une poésie de bon aloi achèvent de conquérir le grand public. Même ceux qu'il prend pour cible : *"Le jour où les cons s'ront plus à droite/Y'a p't'être une chance qu'il vote à gauche/Mon beauf"* ("Mon beauf"). Après un détour vers la musique de film (*Viens chez moi, j'habite chez une copine,* en 1981), il publie *le Retour de Gérard Lambert,* qui parfait sa réputation. "Mon beauf", "J'ai raté télé-foot" et "Étudiant poil aux dents" deviennent de véritables chansons populaires, en parfaite adéquation avec leur époque et les gens qui la vivent.

"SON RÉALISME SOCIAL PROCÈDE DAVANTAGE D'UNE VISION COMIQUE, AU SECOND DEGRÉ, QUE DE LA TRADITION SOMBRE DE FRÉHEL À PIAF."

Cheveux longs, foulard et blouson de cuir : Renaud incarnait le banlieusard des années soixante-dix et quatre-vingt.

Un provocateur au grand cœur. En 1984, Renaud se rend aux États-Unis pour enregistrer l'album *Morgane de toi*, qui le porte au sommet d'un parcours sans faute. On y retrouve un Renaud sentimental exacerbé (la chanson-titre, hymne à l'amour des enfants), observateur attentif de celle qu'il aime et à qui il dédie tous ses albums ("En cloque") et du reste du monde ("Deuxième Génération"). Le fêtard invétéré fan d'accordéon ("Pochtron !") y côtoie le voyageur ("Dès que le vent soufflera"), et le conteur touchant, s'amusant de tout ("Doudou s'en fout"), ironisant sur sa place dans le show-business français ("Ma chanson leur a pas plu"). Sa popularité continue de grandir. "Miss Maggie", en 1985, où il fustige Margaret Thatcher, déclenche un petit scandale. Tout est oublié en 1988 et les extraits de *Putain d'camion !,* album musicalement marqué par les séjours irlandais de Renaud, occupe beaucoup les ondes. Dans les années quatre-vingt-dix, on le retrouve acteur dans *Germinal,* de Claude Berri (1993), et à nouveau auteur pour *Renaud cante El'Nord* (1992) et *À la belle de Mai* (1994, avec trois morceaux composés par Julien Clerc•) où il s'essaie à la chronique régionale (en l'occurrence, le Nord et Marseille). La simplicité de ton adoptée par Renaud a largement contribué à son accession au vedettariat. **A. G.**

- ***Renaud*** (Laisse béton) (1977), Polydor
- ***Marche à l'ombre*** (1980), Polydor
- ***Morgane de toi*** (1984), Polydor
- ***Mistral gagnant*** (1985), Virgin
- ***Putain d'camion !,*** Virgin, 1988
- ***Marchand de cailloux,*** Virgin, 1991
- ***À la belle de Mai,*** Virgin, 1994
- ***Renaud chante Brassens,*** Virgin, 1995

RENAUD Line (Jacqueline Enté, dite)

Armentières, 1928
INTERPRÈTE

Issue d'une modeste famille du nord de la France, elle participe à tous les radio-crochets de sa région, avant de devenir professionnelle en 1944. Installée à Paris après la Libération, elle rencontre le chanteur Loulou Gasté•, qui va bientôt devenir son mari. En 1947, il écrit pour elle ce qui sera l'un de ses plus grands succès, "Ma cabane au Canada", qui lui vaut le prix de l'académie Charles-Cros. Les succès – "Ma p'tite folie", "le Chien dans la vitrine", "Étoile des neiges", "Pam poudé" – et les spectacles s'enchaînent. En 1954, elle conquiert l'Angleterre, où on la surnomme bientôt "Mademoiselle from Armentières", puis les États-Unis, où elle se produit dans le célèbre show télévisé de Bob Hope sur la chaîne NBC.

Lutte contre le sida. Au début des années soixante, au lieu de se laisser submerger, comme tant d'autres, par la vague yé-yé, elle rebondit grâce à un travail acharné, pour bâtir une carrière internationale durable, qu'elle concrétise par un engagement à Las Vegas. Le début d'une longue histoire d'amour avec l'Amérique. Mais elle n'abandonne pas pour autant la France, qu'elle retrouve en 1976, se réinstallant au Casino de Paris jusqu'à la fermeture, en 1979, puis continuant à monter des shows dans toute la France. Elle est sur les planches dans *Folle Amanda,* au début des années quatre-vingt, et au cinéma, notamment dans *Ma femme me quitte,* puis, dès 1985, elle se lance dans la lutte contre le virus VIH, aidant à la création de l'Association des jeunes contre le sida. Un combat que cette admiratrice de Jacques Chirac mène depuis avec un acharnement et une sincérité qui font l'unanimité. **C. de G.**

Line Renaud et son mari Loulou Gasté : un couple taillé pour le succès.

Mademoiselle from Armentières, EMI France, 1987

Ma cabane au Canada, Phonogram, 1989

RENO Ginette

Montréal, 1946
INTERPRÈTE

La France la découvre en avril 1983 dans une émission de Michel Drucker, où elle interprète "J'ai besoin de parler". Son physique impressionnant et sa voix exceptionnelle, que Céline Dion• (elles partageront le même manager, René Angelil) imitera ensuite, feront le reste... Pourtant, Ginette Reno est une figure nationale du Québec depuis déjà quinze ans, avec une quarantaine de disques à son actif. Dans les années soixante, elle devient, à coups d'adaptations de hits américains, une des gloires du yé-yé québécois. Après avoir élevé trois enfants et tenté une carrière à Las Vegas, elle revient au Québec en 1975, où elle casse la baraque avec "Plus haut, plus loin" lors d'un concert en hommage à Jean-Pierre Ferland• pendant la Nuit de la Saint-Jean. Luc Plamondon• lui écrit dans la foulée "Une femme sentimentale", qui deviendra une sorte de manifeste... Même si elle n'a pas toujours su résister à la facilité et s'est souvent égarée dans une production mièvre, Ginette Reno possède une voix qui rivalise avec celles d'Ella Fitzgerald ou de Sarah Vaughan. Charles Aznavour• lui a offert "Au premier rang" et "l'Essentiel". Michel Legrand• a réalisé un disque jazzy avec elle, *J'ai besoin de parler.* Cette femme pieuse, qui a suivi des études de théologie auprès d'un dominicain psychanalyste, s'adresse à Dieu par ces mots avant de monter sur les planches : *"Je vais faire mon possible, Toi fais l'impossible."* **Y.P.**

La Chanteuse, Arcade, 1996

REVAUX Jacques

Azay-sur-Cher, Indre-et-Loire, 1940
COMPOSITEUR

Dès le début des années soixante, il compose pour Richard Anthony•, Hervé Vilard•, Dalida•et

Johnny Hallyday•. En 1966, il rencontre Michel Sardou•, dont il devient le producteur. Parmi le fruit de trente années de collaboration, on peut citer "les Bals populaires", "le Rire du sergent", "la Maladie d'amour", "les Lacs du Connemara", "la Java de Broadway", toutes produites par Trema, la maison de disques que Jacques Revaux a montée avec Régis Talar. Son plus grand succès reste cependant "Comme d'habitude", écrite pour Claude François• en 1968 et dont on a recensé plus de mille versions, dont la fameuse "My Way", adaptée en anglais par Paul Anka et reprise par Frank Sinatra.

REVIL Rudi

1916 - 1983
COMPOSITEUR, ÉDITEUR

Il rencontre Maurice Vandair• et compose pour lui la musique d'"Il pleurait comme une madeleine", dont Maurice Chevalier• fait un énorme succès en 1939. Après la guerre, il fait la connaissance de Francis Lemarque•, pour qui il composera quelques belles chansons comme "Rue de Lappe" (1950), "le Petit Cordonnier" (1954) ou "Marjolaine" (1957). Il travaille aussi pour les Frères Jacques• ("La Saint-Médard") et Jean-Claude Darnal. Il se révèle aussi un éditeur avisé en créant les Éditions tropicales, qui accompagnent le succès de plusieurs adaptations, comme "Si j'avais un marteau" (Claude François•) ou "Itsi bitisi petit bikini" (Dalida•).

RIBEIRO Catherine

Lyon, Rhône, 1940
AUTEUR, INTERPRÈTE

Cette fille de travailleur immigré portugais, fortement concernée par la politique, a un sens aigu du drame, qu'elle joue parfois contre elle-même (plusieurs tentatives de suicide), mais qui sert si bien la cause des poètes et des compositeurs (Prévert•, Brel•, Barbara•, Manset•) qu'elle interprète. Elle débute chez Barclay en 1966, en adaptant une chanson de Bob Dylan. Dotée d'une puissante voix de contralto, Catherine Ribeiro chante des poèmes libres et improvise sur les vagues de la musique du guitariste Patrice Moullet. En 1969, avec le directeur artistique Christian Dejacques (Barbara, Nougaro•, etc.), la chanteuse et ses musiciens enregistrent deux albums chez Festival sous le nom de Catherine Ribeiro + Bis. Passé chez Philips, le groupe prend le nom de Catherine Ribeiro + Alpes. L'album *Âme debout* confirme le style : hors des sentiers battus, sorte de mélange de pop déchirée et de chanson classique, planant et violent, succession d'orages et de mélopées suaves. Après 1980, la carrière de Catherine Ribeiro souffre du tournant commercial de la chanson française. Depuis, elle effectue des retours réguliers, avec son répertoire riche et éclectique.

- **Catherine Ribeiro + Alpes :** ***le Rat débile et l'homme des champs,*** Mantra/Wotre Music, 1974
- ***Fenêtre ardente,*** WMD, 1993
- ***Vivre libre*** (en concert), Wotre Music, 1995

RIBERT Pierre

Tlemcen, Algérie, 1926
ÉDITEUR

Après avoir repris en 1948 la direction artistique des Éditions métropolitaines, il s'impose d'emblée en découvrant de nouveaux talents, comme Mick Micheyl•, Barbara• ou Leny Escudero•. En tant que producteur indépendant, il réalise l'édition phonographique des poèmes d'Albertine Sarrazin et l'album 1971 de Philippe Clay•.

RICHARD Zachary

La Fayette, Louisiane, 1950
AUTEUR, COMPOSITEUR, INTERPRÈTE

Originaire du sud-ouest de la Louisiane, cet artiste à l'identité hybride, toujours à cheval entre le Vieux Continent et l'Amérique du Nord, entame au début des années soixante-dix une première carrière de folksinger standard. Il redécouvre le français, fonde son groupe, le Bayou des Mystères, et publie en 1976 un premier album, *Réveille,* cri de révolte contre l'invasion de l'Acadie par les Anglophones. Son militantisme cajun et francophone le rendent populaire au Québec, où il habitera quelques années. Son adaptation du traditionnel cajun "Travailler c'est trop dur" connaît un joli succès avant d'être repris en 1978 par Julien Clerc•. Au cours des années quatre-vingt et quatre-vingt-dix, il publie plusieurs albums comme *Mardi Gras Mambo* (1989), marqués par les rythmes du cajun et du zydeco. En 1996, *Cap Enragé,* entièrement acoustique et en français, confirme la diversité et la sensibilité de cet artiste multiforme. **J.V.**

- ***Mardi Gras Mambo,*** Média 7, 1989
- ***Cap Enragé,*** Initial, 1996

Les Rita Mitsouko prenaient autant de soin à soigner leur image qu'à écrire leurs chansons et à concevoir des arrangements.

RICOU Alain de

Meknès, Maroc, 1943
Éditeur

Il débute en 1967 chez EMI au secteur variétés puis au secteur éditions, où il devient l'éditeur des œuvres de Gilbert Bécaud•, de Julien Clerc•, de Pierre Vassiliu•, etc. Reconnu comme un grand spécialiste du droit d'auteur, il prend la tête, en 1985, des éditions Allo Music et assure, de 1996 à 1998, la présidence de la chambre syndicale des éditeurs de musique.

RIESNER Lawrence

New York, 1920
Auteur

Fondateur du Club de la chanson, regroupement sous l'Occupation d'artistes et de paroliers anticonformistes et amateurs de swing (avec Pierre Roche•, Francis Blanche•, Pierre Saka• et Jean-Louis Marquet), il écrit à cette époque "Quand la ville dort" pour Roland Gerbeau et "Le vent m'a volé mon cœur" pour Léo Marjane•. Plus tard, il animera des émissions de radio et de télévision, aux côtés, notamment, de Francis Blanche.

RITA MITSOUKO (Les)

Duo de rock formé au début des années quatre-vingt à Paris par Catherine Ringer (chant) et Fred Chichin (guitare, programmations, synthétiseurs)

Malgré un 45 tours prometteur en 1981, ("Don't Forget The Nite"), personne ou presque ne prédit un grand avenir au groupe nommé les Rita Mitsouko, lorsque celui-ci sort en avril 1984 son premier album éponyme. Les pessimistes semblent avoir raison. Pourtant, au mois de janvier suivant, tout change avec la sortie en 45tours de la chanson, extraite de l'album, "Marcia Baila". Ce rock latino à l'énergie communicative, se vend à 1 million d'exemplaires. Fred Chichin (né le 28 avril 1954), le sorcier, en descente hippie via la case prison, promène de sa hauteur dégingandée un air de malade lunatique. Quant à Catherine Ringer (née le 18 décembre 1957), ancienne actrice porno reconvertie à la comédie musicale, elle arpente les plateaux de télé habillée de sacs plastiques, exposant fièrement une dentition gruyère, qui participe à son look.

> "Fred promène sa hauteur dégingandée, tandis que Catherine se présente habillée de sacs plastiques."

Après une tournée au Japon et un passage à New York, le couple récidive avec l'album *The no comprendo* (1986), chef-d'œuvre insolite produit par Tony Visconti (ex-mucien de David Bowie), d'où se dégagent les hits "Andy", "les Histoires d'A" et "C'est comme ça". Durant cette année 1986, les Rita affirment leur intérêt pour l'image. Quand sort leur troisième album, *Marc et Robert* (1988, toujours produit par Visconti), le groupe est déjà couvert de récompenses et a tourné dans le monde entier. Pourtant, *Marc et Robert* ne suscitera pas le même enthousiasme que les deux précédents disques. Le plus gros succès sera le duo Catherine Ringer et Marc Lavoine•, "Qu'est-ce que t'es belle". En 1993 sort l'album *Système D* et son tube "Y a d'la haine", où s'insinuent des influences hip-hop. Fin 1996, on note une reprise de leurs succès accompagnée d'un orchestre acoustique. Depuis, le duo se fait plus discret. **B. S.**

- ***Rita Mitsouko*** (1984), Virgin
- ***The no comprendo,*** Virgin, 1986
- ***Marc et Robert,*** Virgin, 1988
- ***Re,*** Virgin, 1990
- ***Système D,*** Delabel/Virgin, 1993

RIVARD Michel

Montréal, Québec, 1951
AUTEUR, COMPOSITEUR, INTERPRÈTE

Enfant urbain de la chanson québécoise, compositeur de "la Complainte du phoque en Alaska", Rivard se situe dans la lignée de Gilles Vigneault• et de Félix Leclerc•, mais il est le pur produit de Montréal, de la rue Sainte-Catherine, chantée par les sœurs McGarrigle. L'esprit baladeur, bohème et familial le rattache à la grande tradition québécoise. Mais, chez Rivard, il n'est question ni de forêt, ni de neige, ni de village au bord de la rivière. De son travail avec Maxime Le Forestier• ("l'Enterrement du père Sept heures", en 1978, "Bille de verre", écrite en 1988), de ses disques les plus récents (*Un trou dans les nuages,* paru en 1987 au Québec, *le Goût de l'eau,* en 1992), il ressort un regard tranquille promené sur la société nord-américaine et sur la mort. Des papillons aux dinosaures, des responsabilités paternelles aux drôleries de la vie, Michel Rivard construit de la belle chanson, à la façon d'un Brassens•.

En 1971, Michel Rivard débute au théâtre avec ses amis de la Quenouille bleue, une troupe de café-théâtre, de cirque et de music-hall. Ils sillonnent le Québec en minibus. En 1973, Pierre Bertrand, Marie-Michèle Desrosiers, Robert Léger et Michel Rivard fondent Beau Dommage•. Sorti fin 1974, leur premier album est un triomphe : "la Complainte du phoque en Alaska" leur permet de vendre plus de 300 000 albums rien qu'au Québec, tandis que la chanson est enseignée aux enfants dans les écoles primaires françaises. La carrière du groupe perdure jusqu'en 1978, date à laquelle Rivard commence sa carrière solo, ce qui ne l'empêche de retrouver à l'occasion ses anciens complices, comme en 1995 pour l'excellente "Échappée belle", récit tragi-comique des déboires d'un ancien célibataire... **V. M.**

- ***Le Goût de l'eau,*** Fnac Music/Wotre Music, 1992
- ***Un trou dans les nuages,*** Scalen'Disc, 1993

RIVAT Jean-Michel

Vesoul, 1939
AUTEUR

Après avoir rencontré Joe Dassin•, Jean-Michel abandonne sa vocation de chanteur pour se consacrer uniquement à celle de parolier. Les tubes s'enchaînent : "Excuse Me Lady", "Bip Bip", "Siffler sur la colline". En collaboration avec Franck Thomas•, il écrit aussi pour France Gall• ("Bébé requin"), Sylvie Vartan• ("Deux Minutes trente-cinq de bonheur"), Hugues Aufray•, Hervé Vilard•, Stone et Charden• et encore Dassin ("les Daltons", "la Bande à Bonnot"). En 1972, il se met au service de Michel Delpech• : "les Divorcés", "Quand j'étais chanteur", "Tu me fais planer", etc. Devenu producteur dans les années quatre-vingt, il lance la chanteuse Desireless et son grand tube "Voyage, voyage".

RIVERS Dick (Hervé Forniéri, dit)

Nice, Alpes-Maritimes, 1945
AUTEUR, INTERPRÈTE

Séparé des Chats sauvages• qui l'ont rendu célèbre un an auparavant, Dick Rivers effectue, à partir du mois d'août 1962, une reconversion. En 1976, en Louisiane, il tente un retour aux sources, accompagné d'ex-musiciens d'Elvis Presley, son idole absolue. Résultat : l'album *Faire un pont* (avec la chanson "Country Roads") est un succès.

Sans décrocher vraiment de la chanson ("Nice baie des Anges", "N'en rajoute pas mignonne"), Dick se tourne vers la rédaction d'un livre autobiographique, *Hamburger, pan bagnat et rock'n'roll,* qui marche bien, et, en 1991, adapte Buddy Holly en français avec, sur le disque,

Dick Rivers : le charme discret du rock'n'roll de chez nous.

une reprise réussie de "Not Fade Away". Il devra pourtant attendre 1995 pour faire une vraie réapparition publique grâce à son album country-blues *Plein Soleil,* enregistré aux États-Unis et plein de charme. Du coup, la même année, il retrouve la scène, celle de Bobino, où il surprend son monde, y compris Johnny Hallyday•, et fête ses cinquante ans en avril 1996 à Disneyland-Paris en trichant – un peu – sur son âge.

Very Dick,
le meilleur de Dick Rivers (1961-1991), EMI, 1994
Plein Soleil, WEA, 1995

RIVGAUCHE Michel (Michel Ruiz, dit)

Paris, 1927
AUTEUR, COMPOSITEUR

En 1954, il remporte le grand prix de Deauville avec "Mea culpa", chanté par Line Andrès et qu'Édith Piaf• mettra ensuite à son répertoire. En 1957, l'éditeur Pierre Ribert le recommande à cette dernière pour la version française de "la Foule". La même année, Michel Rivgauche va multiplier les succès : "l'Amour en mer" pour Marcel Amont•, "Vache de Java" pour Henri Genès• et "Ça c'est d'la musique" (1958) pour Colette Renard•.

Il réservera cependant le plus gros de sa production à Édith Piaf : "Salle d'attente", "Fais comme si", "les Blouses blanches", "Boulevard du crime", en tout 17 chansons. Michel Rivgauche est aussi un auteur de sketchs, écrits pour Jacques Fabri, Jacques Dufilho, Pierre Richard et Odette Laure.

RIVIÈRE Jean-Max

Paris, 1937
AUTEUR

Il se lance dans la carrière en écrivant pour Joël Holmès puis pour Brigitte Bardot•, à qui il apporte sa première chanson, "Sidonie" (extraite du film de Louis Malle *Vie privée,* 1963). Il rencontre Gérard Bourgeois•, avec qui il fait équipe pour donner d'autres chansons à B.B. : "la Madrague", "les Amis de la musique", "Ne me laisse pas l'aimer" et "C'est rigolo". Le tandem fonctionne aussi pour Dalida• ("Manuel Benitez El Cordobés", 1965), pour Françoise Hardy ("l'Amitié") et pour Juliette Gréco• ("Un petit poisson"). Séparé de Bourgeois, il met son talent au service de Monty et de François Valéry ("Chanson d'été" et "Prince d'amour", 1974).

ROBLIN Manou

Paris, 1943
AUTEUR

À seize ans, la plus jeune parolière des années soixante travaille pour Dick Rivers•, Richard Anthony• et Johnny Hallyday• (pour qui elle écrit notamment "Pour une poignée de terre"). Après avoir offert ses services à Frank Alamo•, elle conçoit un Noël pour les Compagnons de la chanson• et plusieurs titres pour Nicoletta• et Nicole Croisille•. À la fin des années quatre-vingt-dix, elleassure la présidence de la commission des programmes à la SACEM

ROCHE Pierre

Beauvais, 1919
Compositeur

Sous l'Occupation, son appartement du square Montholon devient le lieu de rendez-vous de toute une pléiade de la classe montante de la chanson, avec Francis Blanche•, Charles Aznavour•, Lawrence Riesner• ou Pierre Saka•. Pierre Roche fait ses premières armes au Club de la chanson, rue de Ponthieu, où il interprète ses propres chansons comme "Après la pluie", en s'accompagnant au piano. Puis il forme un duo avec Charles Aznavour•, qui, à la Libération, obtient ses premiers succès avec "le Feutre taupé", "Départ express", "Poker". Leur écriture (Aznavour pour les textes, Roche pour la musique) est moderne, très swinguée et ils sont remarqués par Édith Piaf•, qui les engage pour une tournée aux États-Unis. Avant de partir, ils donnent un succès à Georges Ulmer• : "J'ai bu". De retour en France, ils se séparent. Roche collaborera encore avec Aznavour pour : "Il y avait trois jeunes garçons" et "J'aime Paris au mois de mai". Il se marie avec la chanteuse Aglaé et passera le restant de sa vie au Canada.

RODA-GIL Étienne

Montauban, 1941
Auteur

Fils d'un combattant républicain espagnol réfugié à Montauban et d'une mère "qui chantait tous les tangos qu'elle entendait à la radio", Étienne Roda-Gil rencontre Julien Clerc• en 1967. Le 9 mai 1968, "la Cavalerie" sort chez Pathé-Marconi. La France est en plein remous, Julien Clerc a les cheveux bouclés, Roda-Gil lui donne la dimension du rêve. "Ivanovitch", "le Patineur", "la Fille de la véranda", "Ce n'est rien" : dix ans durant, le parolier si spécial et le mélodiste si pur vont étonner la France.

Un mariage qui finit par une rupture, au seuil des années quatre-vingt. Julien Clerc chante d'autres mots ; Étienne Roda-Gil écrit déjà pour les autres : "le Lac majeur", en 1972, pour Mort Shuman• (le blues européen), "la Femme nue" pour Catherine Lara• (la vitalité), "Alexandrie Alexandra" et "Magnolias For Ever", en 1978, pour Claude François• (la démesure orientale). En 1987, il habille une adolescente, Vanessa Paradis•, des parures de la nuit errante : c'est "Joë le taxi", écrite avec le musicien Frank Langholff. Deux ans plus tard, il offre un album français, *Cadillac,* au plus américain de nos héros, Johnny Hallyday•. En 1990, Julien Clerc et Étienne se retrouvent : l'album *Utile* sort en 1992. En 1993, il écrit pour Juliette Gréco• un album teinté de musique brésilienne. En 1995, il signe une série de onze chansons pour Louis Bertignac•, ex-membre du groupe Téléphone•. Étienne Roda-Gil est également l'auteur d'un opéra-rock : *36, Front populaire,* composé avec Jean-Pierre Bourtayre• en 1977. **V.M.**

RODOR Jean

Sète, 1881 - Paris, 1967
Auteur, interprète

En 1913, il présente un texte à Vincent Scotto•, qui lui compose aussitôt une musique. Ce sera le premier grand succès de sa jeune carrière d'auteur : "Sous les ponts de Paris". Il ne s'arrête plus en si bon chemin. En 1922, c'est "la Vipère du trottoir" pour Georgel• et, en 1927, il donne à Marie Dubas la chanson-clé de son répertoire• "Pedro" (musique de Jey). Il écrira aussi pour Tino Rossi• ("Écoutez les mandolines" et "Tarentelle"), et pour André Dassary• "Ramuntcho", qui restera longtemps un grand succès indissolublement lié au nom du créateur. Jean Rodor sera secrétaire général et vice-président de la SACEM.

ROSSI Tino (Constantin Rossi, dit)

Ajaccio, 1907
Neuilly-sur-Seine, 1983
Interprète

Fils d'un tailleur d'Ajaccio, il étrenne sa voix à l'église paroissiale Saint-Roch puis gagne le continent ; il débute comme chanteur de caf' conc' à Aix, puis il est chanteur de charme à l'Alcazar de Marseille, où le public l'accueille avec sympathie. Il arrive dans la capitale en 1925 et se retrouve boy au Casino de Paris. En 1935, il monte son premier tour de chant à l'A.B.C., la salle où toutes les carrières se nouaient alors. La gloire n'est pas encore au rendez-vous, mais elle se présente l'année suivante quand, poussé par le fameux directeur de salle Henri Varna, il chante ses premières chansons corses – "Vieni, vieni", "Ô Corse, île d'amour" – sur des musiques de Vincent

Tino Rossi en compagnie de Salvador Dali. Un duo surréaliste.

Scotto•. Il enregistre alors (1934) "Adieu Hawaii" et vend près d'un demi-million de disques, chiffre considérable pour l'époque. Le cinéma le requiert aussitôt, servant de tremplin à ses nouvelles chansons. Il tourne alors *Marinella* (d'où sont tirées "Marinella" et "Tchi tchi"), *Naples au baiser de feu, Fièvres,* des œuvrettes sans conséquence destinées à mettre en avant son physique de beau Méditerranéen et sa voix suave de ténorino coulant comme le miel. En 1941, Tino, dont la liaison avec l'actrice Mireille Balin défrayait pourtant la chronique, rencontre une jeune comédienne, Lilia Vetti, qui devient vite sa seconde épouse.

Permanence. La guerre n'a pas de prise sur lui et, l'année de la Libération, il sort ce qui sera son plus grand succès, "Petit Papa Noël", signé Henri Martinet et Raymond Vinci. On le voit encore à l'écran, notamment dans *la Belle Meunière* de Marcel Pagnol, en 1948, mais il s'éloigne du cinéma. L'apparition de concurrents potentiels comme Luis Mariano• ou Georges Guétary• n'entame nullement sa position. Dans les années soixante, en pleine période yé-yé, il crée avec succès à l'ABC l'opérette, *le Temps des guitares.* Il triomphe encore en 1976 sous le chapiteau du cirque Jean Richard installé dans le jardin des Tuileries à Paris. Peu de temps avant sa mort, il passe encore trois mois sur scène, en 1982, à faire ses adieux à un public qui ne l'a jamais abandonné. Rarement, un chanteur n'aura suscité un tel engouement populaire, proche de l'adoration. **A.G.**

◎ ***Disque d'or*** (1933-1942), EMI France
◎ ***Chansons corses*** (1932-1959), EMI France
◎ ***Sérénades et romances*** (1935-1959), EMI France

ROUZAUD René

Paris, 1905 - *id.*, 1976
AUTEUR

Ancien journaliste, il signe en 1945 deux grands succès sur des musiques de Guy Luypaerts : "Rêver" et "Libellule". En 1954, il s'affirme avec une chanson que chante Édith Piaf• : "la Goualante du pauvre Jean", musique de Marguerite Monnot•. C'est ensuite "l'Enfant de la balle", pour Eddie Constantine•, "Où sont les pépées ?", pour Philippe Clay•, et la "Moisson", pour Yves Montand• (1957).

SABLON Germaine

Le Perreux, 1899 - Paris, 1985
INTERPRÈTE

Fille de compositeur et sœur de chanteur (Jean Sablon•), elle suit des études musicales poussées avant de débuter au cabaret (le Bosphore, 1932), puis au music-hall (1933), où elle chante "Ici l'on pêche" de Jean Tranchant•. Dès lors, elle crée quelques-uns des grands succès des années 1930-1940 : "Un jeune homme chantait" (R. Asso• - Léo Pol), "Je rêve au fil de l'eau" (Chomette), "C'est lui que mon cœur a choisi" (R. Asso - M. Monnot•), etc. Engagée dans la Résistance (Légion d'honneur, croix de guerre, quatre citations), elle fait écrire et crée le célèbre "Chant des partisans" (Anna Marly - Maurice Druon et Joseph Kessel) dans le film *Pourquoi nous combattons* (Londres, 1943). Ambassadrice de la chanson française, elle a chanté dans le monde entier, reprenant aussi des chansons folkloriques comme "Aux marches du palais", "la Passion du doux Jésus".

◎ ***Compilation 1932-1939,*** Chansophone

SABLON Jean

Nogent-sur-Marne, Val-de-Marne, 1906
Cannes, 1994
INTERPRÈTE

Swing. Issu d'une famille de musiciens – son père, Charles Sablon, fut chef d'orchestre et compositeur, et sa sœur, Germaine Sablon•, pianiste et chanteuse, rejoignit la Résistance et créa "le Chant des partisans" de Maurice Druon et Joseph Kessel sur une musique d'Anna Marly –, il se lance dans la chanson après de bourgeoises études au lycée Charlemagne. Comme l'avait fait sa sœur, il commence par la revue et l'opérette, au Casino de Paris au côté de Mistinguett puis au théâtre Daunou. Il enregistre alors des opérettes sur disques, avec Jacques Pills• et Mireille•. Celle-ci lui propose de travailler avec lui. L'association leur profite à tous les deux : en 1932, Sablon se fait connaître avec la chanson de Mireille "Puisque vous partez en voya-

> "L'AMÉRIQUE L'ACCUEILLE À BRAS OUVERTS ET, TRÈS VITE, IL DEVIENT LE « FRENCH TROUBADOUR »."

Jean Sablon en compagnie de Tino Rossi

ge" ; il reprendra également son célèbre "Petit Chemin". Mais Sablon ne se contente pas de cela : les rythmes nouveaux, le "swing" comme on dit, l'attirent. Il s'associe avec trois musiciens de jazz – dont un certain Django Reinhardt à la guitare – puis avec le violoniste Stéphane Grappelli, et prend à son répertoire des chansons très chaloupées, comme "J'ai le béguin pour la biguine", de Michel Emer• et Jamblan, ou, surtout, en 1936, "Vous qui passez sans me voir", signée Charles Trenet• et Johnny Hess•. Il met au point son art de chanteur, non plus déclamant, mais doux, murmuré, câlin, la voix sur les notes et le tempo. "Je tire ma révérence" (de Pascal Bastia•, 1938) puis "Syracuse" (de Bernard Dimey• et Henri Salvador•) resteront parmi les plus beaux exemples de cette façon de chanter.

Professionnel. Toujours à l'affût de la nouveauté, Sablon s'intéresse à une technique sans précédent dans le spectacle, le microphone, y voyant non seulement un moyen de communiquer avec des grandes salles, mais un véritable accessoire de scène. Le public français n'apprécie pas, et les chansonniers le surnomment "Le petit qu'a le son court".

Face à une telle incompréhension, Jean décide, comme l'avait fait avant lui sa copine Mireille, de traverser l'Atlantique. Bien lui en prend. Broadway l'accueille à bras ouverts – George Gershwin et Cole Porter lui proposent "Love Walked In" et "In The Still Of The Night" – et, très vite, il est considéré comme le "french troubadour", l'équivalent hexagonal de Bing Crosby. Désormais, avant puis après la Seconde Guerre mondiale, sa carrière se déroulera entre Nouveau et Ancien Monde, puis sur l'ensemble de la planète, faisant de Jean Sablon une des rares vedettes françaises vraiment internationales.

J. Ch.

◎ ***Syracuse,*** Pathé Marconi/EMI, 1987
◎ ***Les Étoiles de la chanson,*** Music Memoria/Virgin, 1994

SAINT-GRANIER (Jean Adolphe Alfred Granier de Cassagnac, dit)

Paris, 1890 - *id.*, 1976
AUTEUR, INTERPRÈTE, REVUISTE

En 1912, il débute au Porc-Épic avec trois chansons : "le Remplacement des lettres par un chiffre sur les autobus", "le Voyage d'André de Fouquières aux USA", "le Déménagement de Fallières". En 1913, il écrit avec Maurice Mérall sa première revue pour le Little Palace. Il en écrira environ 50, dont beaucoup en collaboration avec Rip. En 1918, il abandonne la chanson satirique pour la chanson sentimentale ("Ramona", "Marquitta", "Cheerie") ou amusante ("C'est jeune et ça n'sait pas"), qui furent des succès. À partir des années trente, il se consacre surtout à sa carrière de producteur et d'animateur radio.

SAKA Pierre (Pierre Sakalakis, dit)

Sartrouville, 1921
AUTEUR

Auteur et mélodiste, il place ses premières chansons après la Libération : "le Dimanche matin" (1948, pour Jacques Hélian) "Couci Couça" (1949, pour Aimé Barelli et Lucienne Delyle•) ou "le Chant des Moissons" (1950, pour Jacqueline François•). Il obtient son premier grand succès en 1953 avec "Ah, les femmes !", chanté par Eddie Constantine• (pour le film *Cet homme est dangereux*). Tout en poursuivant une carrière active d'animateur et de producteur à la radio, Pierre Saka adapte de nombreux tubes américains pour les vedettes yé-yé, dans les années soixante : "Est-ce que tu le sais ?" (Les Chats sauvages•, Sylvie Vartan•), "Je bois du lait" (Les Pirates), etc. En 1972, il est l'un des créateurs de la fameuse émission "L'oreille en coin", sur France Inter, où il signe plus de 3 000 parodies. Il est également l'auteur de plusieurs ouvrages, dont *la Chanson française des origines à nos jours* (Nathan, 1980) et *la Chanson française à travers ses succès* (Larousse, 1994)...

SALABERT Francis

Paris, 1875 - Shanon, 1946
ÉDITEUR

Le nom de Salabert reste comme l'un des plus prestigieux de l'édition musicale de la première moitié du XXe siècle, avec un catalogue comportant les noms de Mistinguett•, Caruso, Mayol•, Bruant•, Guilbert•, Chevalier•, Damia•, Dranem•, Fragson• et de très nombreuses opérettes. Après la Première Guerre mondiale, il signe un accord de réciprocité avec les éditeurs américains de Gershwin, d'Irving Berlin et de Cole Porter, tout en éditant les œuvres de Vincent Scotto•. En 1945, un an avant la disparition de l'éditeur dans un accident d'avion, le catalogue Salabert regroupe 350 opérettes, 800 œuvres symphoniques et ballets, et 80 000 chansons.

SALVADOR Henri

Cayenne, Guyane française, 1917
AUTEUR, COMPOSITEUR, INTERPRÈTE

"Je n'aime pas la tristesse. C'est un poison et une inélégance". Tout Salvador est dans cette formule. Amuseur public, complice de Boris Vian•, compositeur de chansons superbes, telle "Syracuse" (avec le parolier Bernard Dimey•), guitariste de jazz émérite, chanteur à la voix de miel : tel est l'homme de "Mimi la petite souris" et de "Rock and rollmops". Le parcours musical de ce fils de Guadeloupéens – un père percepteur des impôts – et né en Guyane française, commence en 1929 : un cousin *"l'ensorcelle"* avec un disque de Duke Ellington et un autre de Louis Armstrong•. Il achète une guitare et, raconte-t-il, se met à *"en jouer dix-huit heures par jour"*. Cela lui permet de un concours de chanteurs amateurs au Paris Berlitz, en 1931. Il fréquente alors les cabarets de Montparnasse, et notamment le célèbre Jimmy's, où il gratte son instrument. Cet apprentissage sera déterminant. Il est bon musicien, il est noir avec un accent parigot et une admiration sans borne pour le clown de son enfance, Rhum. On commence à le réclamer.

En 1941, il écume les terrasses de café et les cabarets de la Côte d'Azur, en zone libre, avec son frère André et l'orchestre de Bernard Hilda. Il y croise Ray Ventura• et ses collégiens, dont certains, tel Paul Misraki•, sont menacés par les lois antisémites. Ventura propose à "l'homme vêtu de blanc" (un surnom donné à Salvador par Mouloudji•) de l'emmener pour une tournée sud-américaine. De retour en France, Henri veut jouer les solistes. L'éditeur Georges Meyerstein• lui fait enregistrer un premier disque en 1946, avec "Clopin Clopant", de Pierre Dudan• et Bruno Coquatrix•, et une de ses propres compositions, à partir d'un vieil air folklorique, "Maladie d'amour". Ce n'est pas encore le succès. Il passe ensuite à Bobino, où il s'impose

> "IL AIME AVANT TOUT LE RIRE (LE SIEN EST D'AILLEURS LÉGENDAIRE), LE MIME ET LA PARODIE."

Henri Salvador dans un de ses fameux sketchs comiques.

comme vedette américaine (fin de première partie). Le public le plébiscite, ce qui lui permet d'enchaîner, en 1948, sur la scène de l'Alhambra. C'est un artiste complet, chanteur, musicien, amuseur. Il ne lui manque que le sens des affaires. Par bonheur, il rencontre une jeune femme venue d'Égypte, Jacqueline, qui devient son épouse et son manager, contribuant largement au développement de sa carrière. Après avoir écrit "Fleur de pavé", une chanson swing dédiée à Mistinguett, que crée Maurice Chevalier•, il interprète lui-même "Une chanson douce", élaborée en 1950 avec Maurice Pon•, avec qui il inventera également des chansons "*pour enfants*" ("l'Abeille et le papillon", "le Petit Indien", "le Loup, la Biche et le Chevalier").

L'ami Boris. En plein essor de la mythologie existentialiste, Salvador hante les cabarets de la rive gauche•, mais, contrairement aux branchés angoissés de l'époque, il aime avant tout le rire (le sien est d'ailleurs légendaire), le mime et la parodie. À la fin des années cinquante, son pianiste, Jacques Diéval, lui présente un autre amateur de canulars, l'écrivain, critique de jazz et trompettiste Boris Vian•. C'est le coup de foudre. Ensemble, ils écrivent plus de 400 chansons (dont "le Blues du dentiste", "la Java mondaine", "le Taxi"), caustiques, burlesques, mais aussi farouchement antimilitariste ("Marche arrière") ou critiques sous des dehors de franche rigolade, comme "Faut rigoler", écrite par Vian et inspirée par le paradoxe du "nos ancêtres les Gaulois" enseigné aux petits Antillais. En 1957 toujours, les deux compères montent des émissions-gags à la radio, sur la pataphysique, et parodient le rock'n'roll, signant leurs œuvres des noms d'Henri Cording, Vernon Sullivan et Big-Mac (Michel Legrand•). Boris Vian meurt en 1959. Le coup est rude mais la vie continue. Salvador compose "Syracuse" en 1962, puis s'oriente vers le pastiche ("Twist SNCF"). En 1964, il fonde sa société de production, Rigolo. L'année suivante, "Le travail, c'est la santé" triomphe. Suivront "Quand faut y aller", et les chansons gags ("Zorro est arrivé", "Adios Anita") qui battent les records de vente de 45 tours. Henri Salvador compose pour Walt Disney (*Blanche-Neige et les sept nains, les Aristochats*) et apparaît sans cesse à la télévision. Il ne reviendra à la scène qu'en 1982, à Paris.

En 1992, Henri Salvador se remet à sa première passion, le jazz, donnant des récitals dans des clubs (le Petit Journal Montparnasse), mêlant chansons, histoires à rire, comme à son habitude, et rendant hommage à ses maîtres, Charlie Christian, Django Reinhardt. Après avoir publié un livre, *Attention ma vie* (Éd. Lattès), cet amoureux de pétanque et de longues nuits de sommeil propose un nouvel album, très swing, *Monsieur Henri* (chez Sony), produit par Mick Lanaro et écrit par Jean-Claude Vannier•. Début 1996, à soixante-dix-neuf ans, il chante en duo avec Ray Charles "le Blues du dentiste", offrant un moment époustouflant de professionnalisme au public pourtant blasé des Victoires de la musique. **V. M.**

Anthologie Henri Salvador (coffret de 8 CD) Carrère, 1992
Monsieur Henri, Sony, 1994
Ses plus grands succès (compil.), Carrère/WEA

SALVET André (René Varrin, dit)

Rivesaltes, Pyrénées-Orientales, 1918
AUTEUR, PRODUCTEUR, JOURNALISTE

Personnalité très éclectique, il est d'abord l'auteur des premiers succès de Georges Ulmer• ("Marie, petit béguin du mois de mai", "Bing vieux cheval de gaucho"). Après avoir écrit "Mourir au printemps" pour Charles Trenet•, il travaille, dans les années soixante, pour la nouvelle génération des Sheila• ("L'école est finie", "le Sifflet des copains"), Richard Anthony• ("Donne-moi ma chance"), Johnny Hallyday• ("T'aimer follement") et autres Chats sauvages• ("Twist à Saint-Tropez"), tout en offrant ses services à Line Renaud•, à Dario Moreno• ou à Brigitte Bardot•. Il fonde également le MIDEM avec Bernard Chevry et produit des émissions de variétés à la télévision. Enfin, il pratique la critique de disques au *Figaro* et écrit plusieurs livres.

SALVET Robert

Rivesaltes, Pyrénées-Orientales, 1913
Paris, 1977
ÉDITEUR

Venu à Paris pour des études de pharmacie, il rencontre un jeune artiste danois, nommé Georges Ulmer•. Robert Salvet devient son éditeur et le fait engager dans l'orchestre de Fred Adison•. Une des chansons d'Ulmer, "Marie, petit béguin du mois de mai" est un succès. Pendant la guerre, Salvet installe ses bureaux à Marseille et continue d'imposer son poulain ("Quand allons-nous nous marier", "Un monsieur attendait"). En 1946, "Pigalle" connaît un succès énorme et lance définitivement les éditions Salvet. À la fin des années cinquante, deux grands éditeurs américains, les frères Aberbach, choisissent Robert Salvet pour exploiter leurs chansons en France, et pour ce dernier c'est un nouveau grand départ, avec un catalogue qui s'enrichit de chansons de Johnny Hallyday•, Sylvie Vartan• et Eddy Mitchell•.

SANSON Véronique

Boulogne, Hauts-de-Seine, 1949
AUTEUR, COMPOSITEUR, INTERPRÈTE

Une voix, un vibrato uniques, un jeu de piano alternant la poigne et la dérive en tendresse, des textes à fleur de peau et servis par des mélodies efficaces, Véronique Sanson a marqué les trente dernières années de la chanson francophone. Depuis *Amoureuse*, en 1972, jusqu'à *Sans regrets*, son dixième album, paru en 1993, son public l'a suivie fidèlement, malgré une absence de presque dix ans passés aux États-Unis, de 1974 à 1985, où elle vit alors avec son mari Stephen Stills (du groupe de folk-rock Crosby, Stills, Nash and Young). Pianiste amateur, Véronique Sanson fait ses premiers essais musicaux sur une plage en 1966, où, l'œil fixé sur l'Amérique et Dione Warwick, elle monte son premier groupe, les Roche-Martin, avec sa sœur Violaine et François Berheim. En 1967, enregistrant le premier 45 tours des Roche-Martin, elle rencontre Michel Berger•. De leur collaboration naîtra un nouveau style de chanson française, rock à l'élasticité incomparable, où le rythme impose les paroles, et la musique, les sonorités. "Besoin de personne" (1972), "Chanson d'une drôle de vie" trouveront leur prolongation dans le travail de Michel Berger. Véronique Sanson donne ses premiers concerts en première partie de Michel Polnareff•, enregistre *Amoureuse* en an-

"UNE VOIX, UN VIBRATO UNIQUES, UN JEU DE PIANO ALTERNANT LA POIGNE ET LA DÉRIVE EN TENDRESSE, DES TEXTES À FLEUR DE PEAU ET DES MÉLODIES EFFICACES."

Véronique Sanson : une musique entre le jazz et le rock pour servir des textes où la langue française se coule facilement dans le rythme.

des menaces de mort, est contrainte de retirer la chanson du tour de chant. En 1989, Véronique Sanson tente le pari de l'orchestre symphonique, en donnant un spectacle au Théâtre du Châtelet avec l'Orchestre Fisyo de Prague. Une tournée et un album, *Symphonique Sanson.* En 1994, Véronique Sanson enregistre son septième album en public, aux côtés de vedettes de la chanson française venues lui rendre hommage aux Francofolies de La Rochelle. Force, fragilité, joie intérieure, désirs en arrêt et flamboyance de la vie : voilà bien les contradictions de Véronique Sanson, qui a épousé l'humoriste Pierre Palmade en 1995. **V. S.**

- ***Amoureuse*** (1972), WEA
- ***De l'autre côté de mon rêve*** (1973), WEA
- ***Vancouver*** (1976), WEA
- ***Sans regrets,*** WEA, 1992
- ***Zénith 93*** (en public), WEA, 1993
- ***Comme ils l'imaginent,*** WEA, 1994
- ***Indestructible,*** WEA, 1998

glais, avant de triompher avec son deuxième album, *De l'autre côté de mon rêve.*

L'univers de Véronique Sanson. En 1973, Véronique Sanson épouse Stephen Stills. L'année suivante, elle enregistre *le Maudit* aux États-Unis, dont elle réalise elle-même les orchestrations. Musicalement marquée par les gros moyens de réalisation dont elle dispose alors, son inspiration perd de la fraîcheur des débuts (voix, piano) mais gagne en épaisseur, dessinant le profil de la plus américaine des stars françaises. Les histoires de rencontres fortes ("On m'attend là-bas", 1974 ; "Comme je l'imagine"), de cœurs blessés, d'incontournables solitudes ("Vancouver", 1976) peuplent l'univers de Véronique Sanson, où apparaissent quelques cris de protestation, contre l'intolérance, pour le respect de l'écologie ("Rien que de l'eau", paru dans l'album *Sans regrets*). Après une tournée commune avec Alain Souchon• en 1986, "Allah", une chanson produite par Michel Berger•, marque en 1988 son vrai retour sur la scène française. En 1989, elle est à l'Olympia. Mais l'affaire Rushdie battant son plein, Véronique Sanson, recevant

SAPHO

Marrakech, Maroc, 1950

Interprète

Quand elle ne chante pas, elle écrit ou dessine. Sapho s'impose en 1977 avec un premier album au ton résolument rock. Son répertoire, de plus en plus large, inclut, notamment, des tonalités orientales (elle n'hésite pas à reprendre des classiques d'Oum Kalsoum). Sa voix puissante et sensuelle, capable d'investir différents registres, lui permet ce genre de prodige. Du Bataclan au Festival des Eurockéennes, l'excentricité scénique de cette diva séduit incontestablement, même si la dizaine d'albums qu'elle a enregistrés n'a pas toujours reçu l'audience méritée. Tout en publiant des romans, elle continue de développer son univers musical et sort en 1999 *la Route nue des hirondelles,* témoignage d'une Marocaine d'origine que la langue française fait frissonner de plaisir.

- ***La Traversée du désir,*** Gorgone/Sony, 1992
- ***La Route nue des hirondelles,*** Mélodie, 1999

SARCLORET (Michel de Senarclens, dit)

Paris, 1951
AUTEUR, COMPOSITEUR, INTERPRÈTE

D'origine suisse, ce disciple de Georges Brassens• et de Pierre Desproges commence par être architecte avant de se lancer dans la chanson en 1981. Il crée son propre label, Côtes du Rhône Production, et intitule en toute modestie son premier album *les Plus Grands Succès de Sarcloret*. Suivront notamment : *les Premiers Adieux de Sarcloret* (1983), *l'Amour comment procéder* (1990), *Idiotensichergesammeltewerke* (1993), *T'es belle comme le Petit Larousse à la page des avions* (1994) ou *le Soir on fait des nouilles* (1996). Mordant et facétieux, Sarcloret est un personnage touchant que le public français a véritablement découvert en 1996 lorsque Renaud• lui a demandé de l'accompagner en tournée.

◎ ***T'es belle comme le Petit Larousse à la page des avions,*** EPM, 1994
◎ ***L'Amour de l'amour (et la chair à saucisse),*** Déclic/Virgin, 1995

SARDOU Michel

Paris, 1947
AUTEUR, COMPOSITEUR, INTERPRÈTE

Humaniste et chauvin, capable de défendre à la fois les Restaurants du cœur, le socialisme, la peine de mort et les lois anti-immigration, Michel Sardou incarne une France pantouflarde et bonne vivante, populaire et grincheuse. Depuis 1965, il enchaîne les tubes, vend en moyenne un million d'exemplaires chacun de ses albums, anime les programmes de télévision et fait salle comble (en 1995, on le verra six mois durant remplir l'Olympia à Paris). Ce faiseur de tubes est l'héritier d'une dynastie de comédiens, fondée à Toulon par Baptistin Hippolyte, charpentier de marine et mime. Son fils Valentin, né en 1868, est "comique excentrique" chez Félix Mayol•. Il s'éprend d'une jolie Avignonnaise, bientôt surnommée "la Sardounette". Leur fils Fernand naît entre deux trains à la gare d'Avignon. Marié à Jackie Rollin, elle-même née au Concert Mayol, il est bientôt le papa de Michel, futur chanteur vedette.

Politique. L'enfant de la balle n'aime pas l'école, il la quitte à seize ans pour travailler, serveur dans le cabaret paternel, poussant à l'occasion la chansonnette. En 1965, Michel Sardou n'adhère pas au mouvement hippie, aux beatniks qui défilent contre la guerre au Viêt Nam. Il écrit "le Madras" (*"Portez du madras et des cheveux longs/Aimez les Beatles et même Ursula/Ayez l'air de filles en étant des garçons"*), selon un schéma politique auquel il ne renoncera jamais : on en prendra pour témoins "les Ricains", écrit l'année de la mort du Che et du retrait de la France de l'OTAN (1967), "les Bals populaires" lors de l'adoption de la loi anti-casseurs (1970), "les Deux Écoles" quand le débat sur l'école laïque bat son plein (1984), sans compter ses engagements sur les questions d'actualité, tels "le France" (lors de la fin d'exploitation du prestigieux paquebot) ou "le Bac G". En 1966, Michel Sardou fait la connaissance de Jacques Revaux•, qui devient son compositeur attitré (et à qui l'on doit également "Comme d'habitude", créé par Claude François•), puis de Pierre Delanoë•, gaulliste convaincu, qui lui écrit en 1967 "les Moutons".

Brun, petit, la mèche en bataille, Sardou a un timbre, une flamme têtue dans l'œil. La voix n'est pas ce qu'elle est aujourd'hui, sûre d'elle-même. Il prendra des cours de chant avec madame Charlot, le professeur des stars et des hommes politiques. L'insuccès le poursuit jusqu'en 1969. Barclay, sa maison de disques le congédie, mais le directeur des éditions Barclay•, Régis Talar, croit en lui. Il casse sa tirelire pour produire un nouvel album, fonde une entreprise, Trema, avec Jacques Revaux, afin de récupérer la TVA. Ce sera la déferlante des "Bals populaires", succès absolu, écrit, comme "J'habite en France" et "Mourir de plaisir", par Vline Buggy•, fille de Géo Koger•, auteur de "la Java bleue".

Anti... Anti-intellectuel ("Cent Mille Universités"), antimilitariste ("Si j'avais un frère"), contraint au service militaire ("le Rire du sergent", en 1971, sera sa vengeance), Sardou peuple les années soixante-dix et le début des années quatre-vingt de ses prises de position ou de ses commentaires sur les phénomènes de société (le divorce, le féminisme, etc.). Il provoque la polémique au point de susciter la création de "comités anti-Sardou", auxquels adhèrent les féministes

> "FURAX CHRONIQUE, BOUDEUR DE PREMIÈRE, SARDOU PEUPLE LES ANNÉES 70 ET LE DÉBUT DES ANNÉES 80 DE SES PRISES DE POSITION TRANCHÉES."

s'assagit avec "les Lacs du Connemara" en 1981. En 1983, l'anti-stalinien "Vladimir Illitch" affirme son ancrage dans la droite populaire. Un temps barriste, Sardou s'est finalement avoué chiraquien convaincu. Tandis que sa mère poursuit une carrière au théâtre, Michel Sardou, dont le père meurt en 1976, continue de brûler les planches de France et de Navarre. Propriétaire d'une maison à Miami, il accumule les tournées-marathons, travaillant sa voix jusqu'à la maîtriser totalement, peaufinant son personnage de père de famille tranquille. Peu sollicité par le cinéma (*Cross,* de Philippe Setbon, *Promotion canapé,* de Didier Kaminka), Michel Sardou regarde vers le théâtre. En 1997, il sort son vingtième album, Salut, qui marque ses retrouvailles avec le compositeur Jacques Revaux•, sur des textes de Barbelivien•, Dabadie• et de l'ancien journaliste à *Rock'n'folk,* Laurent Chalumeau. **V. M.**

Grande gueule, grande voix, Michel Sardou continue à remplir les salles décennie après décennie.

indignés par "les Villes de solitude" et "les Vieux Mariés", en 1973. Ses concerts sont chahutés ; à l'entrée, des mains anonymes tracent des croix gammées et dessinent des moustaches en brosse sur les affiches. Furax chronique, boudeur de première, Sardou chante "le France", et s'étonne de ne pouvoir faire un gala *"sans 250CRS".* En 1976, sa pétition de principe en faveur de la peine de mort (exprimée dans "Je suis pour", écrit quand la polémique sur le procès de Patrick Henry, accusé du meurtre d'un enfant, va bon train), déclenche de nouvelles polémiques. L'année suivante, pourtant, il fait part de son intention de voter Mitterrand : *"J'ai voté Giscard, j'ai été cocu… Reste un socialisme humain, intelligent, ouvert, plus jeune."* Il se fâche avec Pierre Delanoë, et l'hebdomadaire trotskiste *Rouge* le réhabilite. Il défend alors Pétain, celui de la Première Guerre mondiale, *"vieillard rusé",* dans "Verdun", en 1979. Puis, il

- ***La Maladie d'amour*** (1973), Trema/Sony
- ***La Vieille*** (1975), Trema/Sony
- ***La Java de Broadway*** (1977), Trema/Sony
- ***Les Lacs du Connemara*** (1981), Trema/Sony
- ***Vladimir Illitch*** (1983), Trema/Sony
- ***Regards,*** Trema/Sony, 1988
- ***Intégrale Bercy 91*** (2 CD), Trema/Sony, 1991
- ***Ses plus grandes chansons*** (vol.1 et 2), Trema/Sony

SAUVAGE Catherine (Janine Saunier, dite)

Nancy, 1929 - Bry-sur-Marne, 1998
INTERPRÈTE

Au début des années cinquante. Jeanine Saunier, qui se produit déjà dans les cabarets, se transforme en Catherine Sauvage, le prénom à cause de l'impératrice de Russie, et le nom, c'était celui d'une copine de classe. Elle fait bientôt la connaissance de Léo Ferré•, une rencontre qui va orienter toute sa carrière. Elle décide d'inscrire plusieurs chansons de Léo à son répertoire : "Paris Canaille", "Graine d'ananar"…

Tout s'enchaîne alors très vite. En 1953, Jacques Canetti• la fait passer à son théâtre des Trois Baudets ; elle obtient, l'année suivante, un premier prix du disque grâce à "l'Homme" de Ferré, ce qui la propulse sur la scène de l'Olympia, de Bobino et de la Gaîté-Montparnasse. À son répertoire, des chansons de Léo Ferré, Bertolt Brecht et Kurt Weil, Louis Aragon•, Georges Brassens•, Mac Orlan•, Gilles Vigneault•. Ce dernier avait profité d'un passage de Catherine au Québec• pour lui proposer ses premiers textes : "Mon pays", "le Corbeau", "la Manikoutai". Elle est ainsi la première chanteuse française à le chanter. En 1961, Catherine Sauvage, qui sera un temps l'épouse de Pierre Brasseur, obtient un deuxième prix du disque. En 1962, et ceci bien avant Brigitte Bardot• ou France Gall•, Catherine Sauvage consacre tout un 45 tours à un jeune auteur nommé Serge Gainsbourg• ("Black Trombone", "l'Assassinat de Franz Lehar" et "Baudelaire"). Mais la vague yé-yé qui commence à déferler sur la France va la reléguer, comme tant d'autres, au second plan. Elle se produit tout de même régulièrement à l'étranger. En 1992, elle enregistre un disque entier de poèmes de Jacques Prévert• pour la firme Canetti, l'ancien propriétaire des Trois Baudets. La boucle est bouclée... Catherine Sauvage, reste comme l'archétype de la chanteuse rive gauche, de l'artiste engagée, compagnon de route du Parti communiste, passionnée de poésie, bref, un genre comme on n'en fait plus...

◎ ***Catherine Sauvage chante Léo Ferré,***
Jacques Canetti/Musidisc, 1979
◎ ***Démons et merveilles,***
Jacques Canetti/Musidisc, 1991
◎ ***Catherine Sauvage,***
vol.1 & vol.2, Polygram Master Serie, 1995

SCOTTO Vincent

Marseille, 1876 - Paris, 1952
COMPOSITEUR

Un des plus grands mélodistes de la chanson française, qui laissera une œuvre colossale de plus de 4 000 titres, dont plusieurs dizaines de succès durables. Très jeune, Vincent Scotto apprend à jouer de la guitare et, à seize ans, joue dans les noces et banquets de la région et compose. Sa première œuvre plaît à Polin•, de passage à Marseille. C'est "le Navigatore", paroles de Villard. De retour à Paris, Polin fait changer les paroles, et "le Navigatore" devient, sous la plume de Christiné•, "la Petite Tonkinoise". Cette chanson est bientôt si célèbre que les journaux rapportent, en 1906, lors de la colonisation du Maroc, que Casablanca est prise d'assaut aux accents de "la Petite Tonkinoise", jouée par le trompette. En 1913, Jean Rodor• présente un texte à Scotto : cela donne "Sous les ponts de Paris". Bientôt, toutes les vedettes du music-hall chantent les airs de Vincent Scotto : Mayol• ("Elle vendait des petits gâteaux", en 1919, sur des paroles de J. Bertet), Mistinguett•, Fréhel•, Lucienne Boyer•, Damia•, etc. Scotto, qui compose avec une facilité étonnante, travaille en effet sur commande : vedettes, directeurs de music-hall, de casino et de théâtre lui demandent sans cesse des mélodies, qui seront autant de succès. Joséphine Baker• lui doit la musique de "J'ai deux amours" (1930, sur des paroles de G. Koger• et H. Varna),

Compositeur de milliers de chansons, Vincent Scotto a su varier les genres tout en gardant jusqu'à sa mort l'alchimie du succès.

comme Alibert• lui doit "J'ai rêvé d'une fleur" et "le Plus Beau Tango du monde" (1935), Maurice Chevalier•, "Prosper" (1935), et Tino Rossi, "Ô Corse, île d'amour" (1934, paroles de G. Koger•), "Laissez-moi vous aimer", "Marinella" (1936), "Tchi tchi" (1937) ou "Tant qu'il y aura des étoiles". Scotto mettra également en musique de nombreuses opérettes (dont *Un de la Canebière,* en 1938) et plusieurs films.

26 chansons de Vincent Scotto (compilation 1923-1938, par divers artistes), Music Memoria

SEGARA Hélène

Var, 1970
INTERPRÈTE

À quinze ans, elle quitte le Var pour monter à Paris, où elle gagne sa vie en chantant dans des bars et en animant des bals. Elle est remarquée par Orlando, le frère de Dalida•, qui la prend sous son aile. En 1996, elle est révélée par "Je vous aime, adieu" et enchaîne l'année suivante un duo avec André Bocelli, "Vivo per lei". Elle éclate en 1998 dans *Notre-Dame de Paris,* le spectacle musical de Luc Plamondon•, coécrit avec Richard Cocciante•, où elle interprète Esmeralda.

Cœur de verre, East West, 1998

SÉGUIN Richard

Montréal, Québec
COMPOSITEUR, INTERPRÈTE

Il forme, en 1972, avec sa sœur jumelle Marie-Claire, un duo nourri de folk, qui, pendant quatre ans, va être le symbole d'une génération québécoise bercée par le peace and love californien. Les Séguin jouent en première partie de Diane Dufresne• et de Félix Leclerc•, puis enregistrent quatre disques (*Séguin,* 1972, *En attendant,* 1974, *Récolte de rêves,* 1975, *Festin d'amour,* 1976).

En 1976, ils décident de se séparer pour entamer chacun une carrière solo. Pendant que sa sœur poursuit sa ballade folk, Richard se tourne vers le rock et s'associe avec Serge Fiori, le leader d'Harmonium•, pour un album, *Deux cents nuits à l'heure* (1976), au son très américain, qui le transforme en une véritable rock star de la Belle Province. En 1980, il enregistre le premier album sous son nom, *la Percée,* qui sera suivi, en 1981, de *Trace et contraste,* avec la romancière Louky Bersianik et, en 1985, de *Double Vie.* En 1988, *Journée d'Amérique,* avec un morceau phare comme "Ici comme ailleurs", est une magnifique réponse à l'omniprésence de la culture américaine. *Aux portes du matin,* en 1991, avec son folk-rock poétique, confirme l'importance de Richard Séguin au sein des faiseurs de "tounes" qui vivent le long du Saint-Laurent. **Y. P.**

Journée d'Amérique (1988), EMI
Aux portes du matin (1991), EMI

SEILLER Philippe

Paris, 1936
ÉDITEUR

Fils de Roger Seiller•, il prend la direction des éditions et instruments Paul Beuscher dans les années cinquante et devient le plus importants distributeur de guitares de marques prestigieuses. Son catalogue de chansons s'enrichit de grands succès, parmi lesquels : "Dis, quand reviendras-tu ?", "la Goualante du pauvre Jean", "Mirza", etc.

SEILLER Roger

Paris, 1903-1956
ÉDITEUR

Roger Seiller prend en main en 1940 la SARL Paul Beuscher, qu'il va activement développer. Durant plus de quinze ans, il sera un des plus importants éditeurs de la place, fournissant les plus grands succès à Édith Piaf•, Yves Montand•, Tino Rossi• et Maurice Chevalier•.

SENLIS Michelle

Paris, 1933
AUTEUR

Sa carrière est étroitement liée à celle de Claude Delécluse•. Ensemble, elles signent "C'est à Hambourg", que crée Germaine Montéro• sur une musique de Marguerite Monnot•. Édith Piaf• aime la chanson et commande aux deux associées "les Amants d'un jour" et "Comme moi". Michelle Senlis signe alors plusieurs chansons pour Jean Ferrat• ("les Nomades", "Quatre cents enfants noirs", etc.). Elle travaille ensuite pour Jacqueline Dulac et Daniel Guichard• ("Mon vieux", en 1974). Elle reçoit conjointement avec Claude Delécluse le grand prix de la chanson française en 1963.

SERVAT Gilles

Tarbes,Hautes-Pyrénées, 1945
AUTEUR, COMPOSITEUR, INTERPRÈTE

Il se lance dans la chanson alors que, dans la vague post-soixante-huitarde, s'affirment les mouvements régionalistes et nationalitaires. La musique bretonne est dominée par l'énorme succès d'Alan Stivell, mais Servat va réussir à trouver son public sur un registre plus engagé. Ses chansons expriment les espoirs de la Bretagne ("Kor'ch ki gwen ha kor'ch ki du", en 1972, et "Je dors en Bretagne ce soir", deux ans plus tard) et la protestation contre ce qu'il considère comme une colonisation ("l'Institutrice de Quimperlé", 1972, et, surtout, "Blanche Hermine", où il se dit prêt à faire la guerre aux Français). Un peu oublié au cours des années quatre-vingt, il revient en 1992 avec une compilation de ses meilleures chansons. Il participe à l'aventure de l'Héritage des Celtes, fédérée par Dan Ar Braz et enregistre deux nouveaux albums, en 1996 et 1998 (*Touche pas à la Blanche Hermine,* pour protester contre l'utilisation de sa chanson par le Front national).

Les Albums de la jeunesse, Keltia Musique, 1992
A-raok mont kuit, Keltia Musique, 1994
Sur les quais de Dublin, Columbia, 1996

SEVRAN Pascal

Paris, 1947
PRODUCTEUR, INTERPRÈTE

Ancien journaliste à *France-Dimanche* et aux *Nouvelles littéraires,* puis parolier de Dalida•, ce passionné à l'humour caustique a su rendre à la chanson ancienne une popularité perdue, grâce à son émission de télévision, "La chance aux chansons", qui, depuis quinze ans, d'abord sur TF1, ensuite sur France 2, enchante les après-midi des nostalgiques. Colette Renard•, Georgette Lemaire•, Gloria Lasso• et Patachou• lui doivent de ne pas être oubliées. À force de côtoyer ses idoles, il s'est lui-même lancé dans la chansonnette.

À lire : ***Dictionnaire de la chanson française*** (1986), Carrère/Michel Lafon

"À FORCE D'ACHARNEMENT ET D'ADAPTATION AUX COURANTS NOUVEAUX, ELLE FINIT PAR REGROUPER TROIS GÉNÉRATIONS DE PUBLIC."

SÈVRES Christine

1931-1981
INTERPRÈTE

Après avoir épousé Jean Ferrat• en 1961, elle interprète en duo avec lui "Tu es venu", puis met sa très belle voix, claire et précise, au service de Verlaine (mis en musique par Léo Ferré•), Louis Aragon•, Jacques Higelin• ou Brigitte Fontaine•. Hasard malheureux, son premier album sort le 10 mai 1968 et personne n'y prête attention... Trois ans plus tard, elle décide d'abandonner la chanson et se retire dans sa maison d'Ardèche. Quelque temps avant de disparaître prématurément, elle enregistre un nouveau duo avec Jean Ferrat, "la Matinée", écrite par Henri Gougaud, aux paroles pleines d'espoir : *"Le monde sera beau/Je l'affirme et je signe"*.

Christine Sèvres, Disques Temey

SHEILA
(Annie Chancel, dite)

Créteil, 1946
INTERPRÈTE

Vendeuse de bonbons, élève en comptabilité, enfant chérie de ses parents, elle rencontre Claude Carrère• (alors

Avec ses couettes et ses chansons faciles, Sheila sut incarner l'esprit des adolescentes des années soixante.

apprenti producteur) au Golf Drouot. Lancée avec la reprise de Lucky Blondo "Jolie Petite Sheila", elle triomphe en 1963 avec "l'École est finie" (signée Claude Carrère et André Salvet pour le texte et Jacques Hourdeaux pour la musique), record absolu des ventes de l'époque. Le concept de l'idole sage, de la petite sœur yé-yé est né : couettes, jupe écossaise et socquettes blanches. Le journal *Le Monde* écrit alors : *"Sheila n'est ni belle ni même jolie, simplement agréable à regarder comme mille et mille jeunes filles. Sheila est (..) la brave gosse qui rassure la famille, le miroir qui reflète les petites tristesses d'un immense public de jeunes et de moins jeunes au cœur de midinette."* Elle va construire sa carrière patiemment, durablement, enchaînant tube sur tube, avec "le Cinéma", "la Famille", "Ma première surprise-partie", "Vous les copains", "le Folklore américain", "Une petite fille de Français moyens", à mi-chemin de la formule "teen-agers" américains (Crystals, Ronettes) et de la tradition locale de la rengaine.

En 1972, elle fête ses dix ans de carrière, toujours en tête des hit-parades malgré un changement progressif de son image et du paysage musical français. Pourtant, fait à peu près unique dans le show-business, elle n'a pratiquement jamais fait de scène ! Vient alors la mode des chansons en duo (Stone/Charden). Carrère lui présente un de ses poulains, Ringo Willy Cat. Ils se marient et enregistrent un immense succès : "les Gondoles à Venise".

Le second souffle. Après un enfant, un divorce et une cabale médiatique, on la retrouve en 1976 métamorphosée en reine du disco. Lancé dans l'anonymat afin de ne pas heurter son public, son groupe S B Devotion caracole en tête des charts dans toute l'Europe et même aux États-Unis. Produite par le groupe de soul/disco américain Chic et Keith Olsen, elle connaît un second souffle. Elle rompt avec Carrère, le pygmalion de sa vie publique et privée (elle lui reprochera plus tard de l'avoir spoliée). En 1983, c'est le virage rock avec l'album *Tangue au*, qu'elle supervise de A à Z, sur des textes de Gérard Presgurvic et produit par Yves Martin, son nouveau mentor et compagnon. Puis Sheila prend le pari, risqué, de faire sa première scène au Zénith, en 1985. Demi-échec public ou demi-succès critique : elle peut désormais revendiquer son statut d'artiste. En 1989, elle fait ses "premiers" adieux à la chanson, à l'Olympia, puis se consacre à la sculpture et à l'écriture d'ouvrages parapsychologiques. En septembre 1998, elle sort un nouvel album et revient à l'Olympia, où elle rencontre un vrai succès. Sheila est désormais une des rares chanteuses populaires à avoir touché trois générations de public. **C. P.**

Coffret 1962-1992 (78 chansons +1 inédit : "On s'dit plus rien"), Carrère/WEA

SHELLER William

Paris, 1946

AUTEUR, COMPOSITEUR, INTERPRÈTE

Fils d'une mère française et d'un père américain, tous deux passionnés de jazz, il va passer une partie de sa prime enfance aux États-Unis. En 1953, la famille est de retour en France. La découverte des Beatles va le marquer à jamais. Il compose pour les Irrésistibles, groupe éphémère constitué de fils de diplomates américains en poste à Paris, "My Year Is A Day", tube du printemps 1968.

Mélodies électriques. Auteur d'une première musique de film, *Érotissimo,* il se fait d'abord connaître pour ses qualités d'arrangeur. Il collabore, notamment, avec Barbara•. En 1976, il franchit le pas et réalise un album dont deux titres, "Rock'n'Dollars" (500 000 exemplaires vendus) et "Photos souvenirs", ont, immédiatement, les faveurs des radios et du grand public. Sheller, dont les mélodies électriques séduisent, ne fera ses débuts sur scène, à Bobino, qu'après avoir enregistré son cinquième LP, *J'suis pas bien*.

En 1976, il est à l'Olympia, où est réalisé un double live. Sur la même scène, courant 1983, il étonne et impose sa véritable dimension en se produisant avec le quatuor à cordes Halvenalf. Il donne ensuite (1984) une série de récitals, seul au piano, en France, en Suisse et en Belgique. Après avoir créé au Festival de Montpellier une suite pour piano et orchestre, il laisse sa verve classique s'exprimer dans son répertoire grand public avec l'album *Univers,* qui devient disque d'or en 1987. Entouré de dix-sept musiciens, il installe son univers baroque du 18 au 24 novembre sur la scène du Rex, décorée par le

> "MARQUÉ À JAMAIS PAR LES BEATLES, IL CONSTRUIT UN UNIVERS MUSICAL ENTRE ROCK ET MUSIQUE CLASSIQUE."

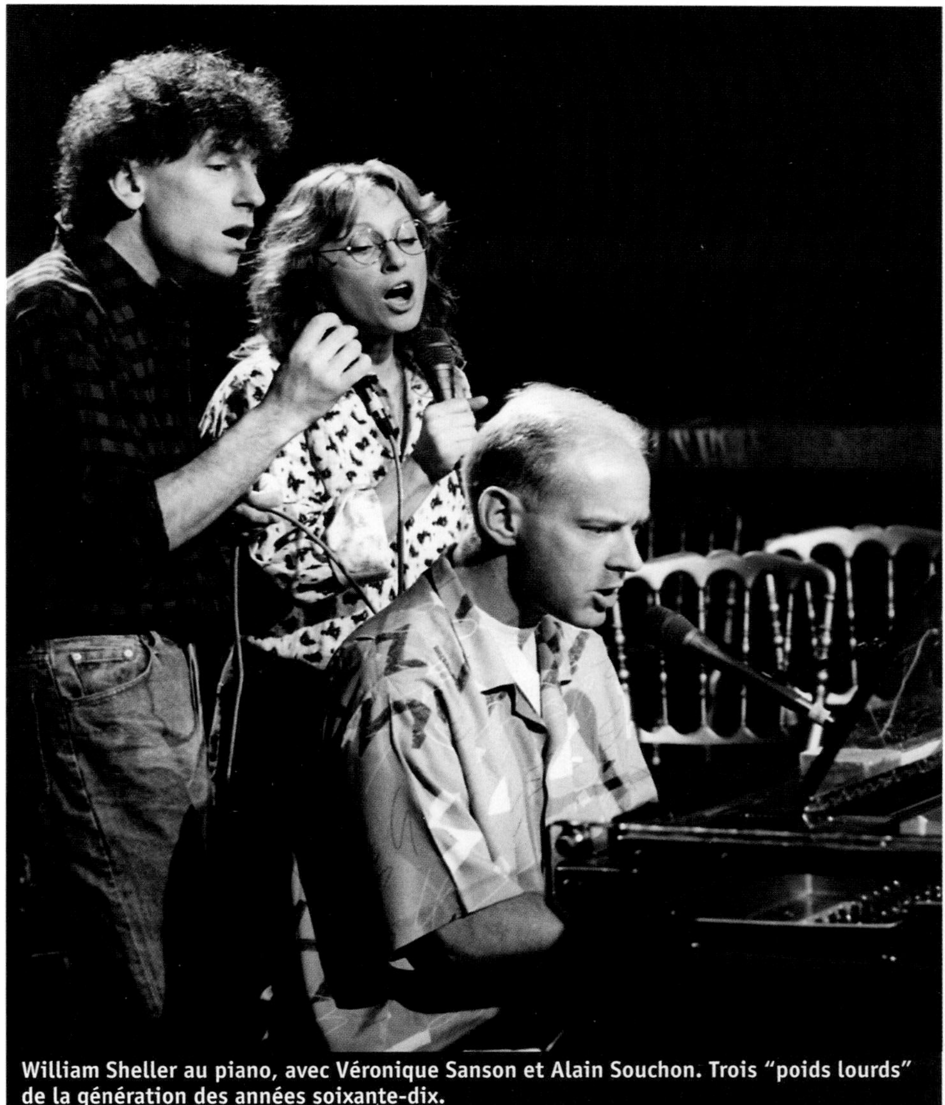
William Sheller au piano, avec Véronique Sanson et Alain Souchon. Trois "poids lourds" de la génération des années soixante-dix.

dessinateur de BD Philippe Druillet. Fin 1989, Sheller s'empare de la musique symphonique avec *Ailleurs*. Druillet est de nouveau sollicité pour réaliser un clip sur l'un des titres importants de l'album, "Excalibur", qui sera repris dans une version électrique sur le CD *Albion* (1994), dont le ton général à dominante rock est très marqué par l'expression anglaise de la fin des années soixante. Le live *Sheller en solitaire* est consacré par deux victoires de la musique en 1992 : celle du meilleur album et celle de la meilleure chanson de l'année pour "Un homme heureux".

Tant au Festival méditerranéen que salle Pleyel à Paris, certaines de ses œuvres sont interprétées à différentes reprises aux côtés de celles de Ravel, Bizet, Falla, Haydn, Mozart ou Stravinski. **J.-P. G.**

◎ ***Carnets de notes*** (compil. de 4 CD, 1975-1993), Phonogram 1993

◎ ***Albion,*** Phonogram, 1994

◎ ***Olympiade,*** Philips/Polygram, 1995

SHUMAN Mort

Brighton Beach, New York, 1936
Londres, 1991
Compositeur, interprète

Ce jeune mélomane connaît une enfance difficile, entre Brooklyn et Harlem. Mortimer Shuman apprend la musique classique au Conservatoire de New York, tout en s'imprégnant de rhythm'n'blues et de jazz. Au cours des années cinquante et soixante, il écrit avec le bluesman Doc Pomus un grand nombre de chansons, notamment pour Elvis Presley. Très attiré par l'Europe, il se passionne pour Jacques Brel•. En 1968, il lui rend un vibrant hommage en montant la comédie musicale (basée sur des chansons de Brel traduites en anglais) *Jacques Brel Is Alive, And Well, And Living In Paris,* qui fait un triomphe à Broadway. Mort Shuman arrive alors en France en 1972. Très vite, il décide de chanter lui-même en français et collabore avec Étienne Roda-Gil•.

Son premier 33 tours, paru cette année-là, connaît d'emblée un énorme succès, grâce aux chansons "le Lac Majeur", "Shami-sha" et "Brooklyn By The Sea", évocation de la vie d'un vieux quartier new-yorkais où se retrouvaient les Juifs d'Europe de l'Est et les ex-révolutionnaires des années vingt. Son répertoire s'enrichit encore de quelques tubes avec "Écoute ce que je vais te dire", "Blake" (1973), "Papa Tango Charly" (1976), "My Name Is Mortimer" (1977). Il dirige sa carrière d'interprète avec un certain dilettantisme, préférant se consacrer à la composition de chansons et de musiques de films (comme *À nous les petites Anglaises* ou *l'Hôtel de la plage*). On le retrouve ensuite à Londres, où il monte des spectacles musicaux jusqu'à sa mort, en 1991. **A. G.**

◎ ***Mortimer*** (1972-1983), Phonogram, 1992

SIFFER Roger

Villé, Bas-Rhin, 1948
Auteur, compositeur, interprète

Dans les années soixante-dix, la Bretagne et l'Occitanie ne sont pas les seules à revendiquer à travers la chanson une culture régionale. Roger Siffer se pose en barde de l'Alsace. Cet étudiant en philosophie se taille une réputation en se produisant dans des cabarets et les fêtes de village. Après avoir osé remettre au goût du jour de vieilles comptines et des chants populaires, il impose ses propres compositions dans la langue du cru. Son premier album, *Folling Song,* paraît en 1972. Un an plus tard, *Kandiratong* emporte la création locale à la rencontre des musiques contemporaines. Depuis, Roger Siffer fait toujours partie de la scène alsacienne.

SIMILLE Mya

Tunis, 1934
Auteur

Après avoir écrit pour des artistes aussi différents que France Gall•, Rita Pavone, Dick Rivers• ou Michèle Torr•, elle contribue au lancement de lacarrière de Philippe Lavil• en lui donnant, en 1971, son premier grand succès, "Avec les filles je ne sais pas". Les gentils membres du Club Med'connaissent également "Agadou", l'indicatif qu'elle a écrit pour le célèbre club de vacances.

SIMON Yves

Contrexéville, Vosges, 1945
Auteur, compositeur, interprète

Le seul chanteur français à être devenu un véritable écrivain, à moins que ce ne soit le contraire. Prix Médicis 1991 pour *la Dérive des sentiments,* qui sera un best-seller, il se fait connaître barbu en 1973 avec un tube (et un album du même nom) surréaliste et obsédant au riff de guitare imparable, "Au pays des merveilles de Juliet". Après des débuts rive gauche• maladroits chez Philips dès 1967, cet ancien élève de l'IDHEC épousait le monde post-moderne avec un style cinématographique où les lieux, les choses et les personnes sont nommés avec une recherche poétique représentant un quotidien déjà doté d'une certaine nostalgie. Sur ce premier album RCA, "les Gauloises bleues" et "les Bateaux du métro", interprétés d'une voix fragile au timbre clair, idéale pour la récitation, encadrent parfaitement "Au pays des merveilles de Juliet".

Mais c'est l'année suivante, avec *Respirer, chanter,* qu'il signe son album de référence, des ballades délicates et mélodiques ("Clo Story", "Je t'emmène") du rock à la Neil Young ("le Joueur d'accordéon") avec en point d'orgue le puissant "J'ai rêvé New York", déclamé sur une rythmique funky. À ce moment-là, Simon, qui chante à l'Olympia fin septembre 1974, incarne, comme par ailleurs

Véronique Sanson•, ce que la chanson française a de plus rock.

Chroniqueur et romancier. Au rythme d'un album par an, il continuera de chroniquer les avatars de sa génération aux rêves grands comme la vie : *Raconte-toi* (avec "les Héros de Barbès"), *Macadam* ("les Fontaines du casino"), *Un autre désir* ("Zelda"). En 1978, il écrit "Diabolo menthe", la première de trois musiques de film pour Diane Kurys. Il arrêtera les tournées peu après, non sans avoir publié un album enregistré en public au Japon, et malgré un succès jamais démenti ("Qu'est-ce que sera demain ?", "Amazoniaque"), consacrera l'essentiel de son inspiration à ses romans. En 1987, toutefois, il signe chez Barclay, puis publie *Liaisons,* à la fraîcheur retrouvée ("Deux ou trois choses pour elle"), sur lequel figure "Nés en France", manifeste pro-SOS Racisme. **Y. B.**

- ***Au pays de Juliet*** (1973), RCA/BMG
- ***Respirer, chanter*** (1974), RCA/BMG
- ***Un autre désir*** (1977), RCA/BMG
- ***Liaisons*** (1988), Barclay/Polygram
- ***Best Of*** (1973-1977), RCA/BMG
- ***Best Of*** (1978-1985), RCA/BMG

SINCLAIR (Mathieu Blanc-Francard, dit)

Tours, 1970

Fils d'un ingénieur du son, neveu du producteur de radio Patrice Blanc-Francard et frère d'un des samplers de MC Solaar•, Sinclair est un des meilleurs représentants du "groove" à la française, d'un son allant de Marvin Gaye à Prince. En trois albums, *Que justice soit faite* (1993), *Au mépris du danger* (1995) et *la Bonne Attitude* (1997), il a donné au rock d'ici, soutenu par une rythmique très physique, une chaleur noire qui concilie la tonicité des artistes de la Tamla Motown (la mythique maison de soul music de Detroit) et les atmosphères plus éthérées à la Michel Polnareff•. En septembre 1998, Johnny Hallyday• lui demande s'assurer sa première partie au Stade de France, puis il remplit tout seul le Zénith deux mois plus tard.

- ***La Bonne Attitude,*** Source/Virgin, 1997

SINIAVINE Alec

Odessa, 1906 - Paris, 1996

Compositeur, chef d'orchestre

Arrivé en France au milieu des années vingt, il gagne sa vie comme pianiste de bar. Il connaît un premier succès comme compositeur en 1940 avec "Attends-moi mon amour", interprétée par Léo Marjane• puis par André Claveau•, à qui il livrera ensuite "Sur ton épaule" (1947) et "Tendrement, tristement". Il se met à nouveau en avant avec "la Bague à Jules" pour Patachou• en 1957 et "Rêve, mon rêve" pour Isabelle Aubret•, quatre ans plus tard.

SKORNIK Guy

Paris, 1947

Auteur, compositeur, interprète

Musicien de formation classique, il travaille aussi bien pour la télévision que pour la publicité et la chanson. Il contribue au démarrage de la carrière de Gérard Lenorman• en donnant à celui-ci "Il", rose d'or d'Antibes en 1971. Il travaille aussi pour Michel Delpech• et Michel Jonasz• ("Lac Balaton") et signe lui-même comme auteur complet et interprète cinq albums, dont *Histoires d'amour* et *Ils viennent du futur.*

SOLIDOR Suzy (Suzanne Rocher, dite)

Saint-Servan-sur-Mer, 1906
Cagnes-sur-Mer, 1983

Interprète

Après des débuts à l'Européen en 1934, cette belle jeune femme aux cheveux blonds s'oriente vers le cabaret, où elle va chanter, d'une voix forte et mystérieuse, grave, presque de baryton, la mer, les marins, l'aventure et les ports qui s'ouvrent sur le large ("Escale", 1935 ; "Johnny Palmer", 1935). Elle joue dans *l'Opéra de quat' sous* et dans des films (*la Garçonne,* 1935 ; *J'étais une aventurière,* 1938), écrit un roman *(Térésine),* des chansons ("J'écrirai", - C. Pingault, 1939 ; "Dans un port", - Delaunay), interprète et chante des poètes (M. Magre, H. Heine, J. Cocteau), passe dans tous les grands music-halls et anime pendant trente ans des cabarets (le Club de l'Opéra, Chez Suzy Solidor). Malgré le reproche d'avoir reçu beaucoup d'officiers allemands dans son établissement pendant l'Occupation, elle poursuit sa carrière jusqu'en 1965. Adulée par les plus grands peintres (Van Dongen, Picabia, Marie Laurencin, Foujita), elle laissera plus de 200 portraits d'elle.

- ***Compilation 1934-1935,*** Chansophone
- ***Compilation 1936-1941,*** Music Memoria
- ***Anthologie*** (compilation 1933-1941), Encyclopedia

Troublante et mystérieuse, Suzy Solidor chantait d'une voix grave la douleur des amants séparés.

SOLLEVILLE Francesca

Périgueux, Dordogne, 1932
INTERPRÈTE

Une chanteuse dans la tradition rive gauche• engagée. Elle débute en 1958, interprétant de sa voix rauque et passionnée des chansons d'Aragon, de Maurice Fanon•, de Jean Ferrat• et de Jacques Brel. Elle reçoit le prix de l'académie Charles-Cros, en 1964. On la voit beaucoup dans les fêtes militantes de la CGT et du Parti communiste, et, dans les années soixante-dix, elle reprend la chanson antiraciste de Pierre Perret• "Lily". Elle revient en 1995 avec un disque, *Al dente,* composé pour elle par Allain Leprest•.

◎ ***Je suis ainsi,*** Scalen'Disc, 1989
◎ ***Al dente,*** EPM/Musidisc, 1995

SOUCHON Alain (Alain Kienast, dit)

Casablanca, Maroc, 1945
AUTEUR, COMPOSITEUR, INTERPRÈTE

En pleine adolescence, le créateur d'"Allô maman bobo" est frappé par le malheur : son père meurt dans un accident de voiture. On l'envoie alors dans un collège lugubre à Cluses (Haute-Savoie). Naissance du spleen.

Alter ego. Élève distrait et rêveur, il rate trois fois son bac. Il part alors en Angleterre, et subsiste en travaillant la nuit dans un pub londonien. Il y découvre la musique anglo-saxonne, via les Stones et les Beatles. Il commence à cette époque à taquiner la guitare et à exercer ses talents de compositeur en toute confidentialité. De retour à Paris, il s'éprend de Brassens• et de Brel•, et décide de faire de la chanson son métier. En 1971, Pathé Marconi lui offre le contrat tant attendu. Trois 45 tours sont enregistrés mais ne trouvent aucun écho auprès du public. Le jeune homme ne désespère pas. Il est serveur, peintre en bâtiment, chante pour la fête de la Saucisse, tout en pensant qu'il pourrait placer quelques chansons aux stars de l'époque. Sa rencontre avec Bob Socquet en 1973 est déterminante, puisque un an plus tard, ce directeur artistique chez RCA lui présente Laurent Voulzy•, autre artiste sous contrat. C'est la naissance d'une association musicale et amicale qui conduira bientôt les deux jeunes gens sur les chemins de la gloire. Laurent Voulzy se voit confier les arrangements du premier 33 tours de Souchon, qui inclut le tube "J'ai dix ans" *("T'are ta gueule à la récré")* [1974]. À partir du second album, les deux compères se partagent équitablement la tâche : Voulzy signe désormais la plupart des musiques, invitant Souchon à privilégier une écriture moderne, à la limite du "cut up", mais qui n'exclut pas une certaine distanciation de jeune homme élégant ("Bidon" ou "S'asseoir par terre", qui exprime le refus du conditionnement). En 1977, *Jamais content* renferme – en plus de la chanson titre – plusieurs succès importants : "Y a d'la rumba dans l'air", mais surtout "Allô maman bobo", une ritournelle qui exprime un certain mal de vivre, thème récurrent dans les compositions de Souchon *("Elle me dit que j'pleure tout l'temps/Que j'suis comme un tout p'tit enfant/Qu'aime plus ses jeux, sa vie sa maman/Elle me dit que j'pleure tout l'temps/Que j'suis carrément méchant, jamais content").* L'album contient aussi "Poulailler's song", dénonciation sur le mode comique des injustices sociales, de la vie difficile des immigrés et du racisme : *"Dans les poulaillers d'acajou/Les belles basses-cours à bijoux/On entend la conversation/D'la volaille qui fait l'opinion/Ils disent/Que font ces jeunes assis par terre/Habillés comme des traîne-misère/On dirait qu'ils n'aiment pas le travail/Ça nous prépare une belle pagaille."*

" UNE ÉCRITURE MODERNE, À LA LIMITE DU « CUT UP », TOUJOURS EMPREINTE D'UNE DISTINCTION DE JEUNE HOMME ÉLÉGANT. "

Mélancolie chic. Dorénavant, la collaboration Souchon/Voulzy marche à plein. En 1978, l'opus suivant, *Toto 30ans,* le plus noir, inclut notamment "l'Amour en fuite", chanson générique du film de François Truffaut. À travers ces nouveaux morceaux, l'univers de Souchon se durcit ("le Dégoût"), même si "Papa Mambo" sera repris par Carlos• sous le titre "On est foutu on mange trop" (alimentant un vieux quiproquo né avec "J'ai dix ans" et "Allô maman bobo", qui fit assimiler Souchon à un "chanteur rigolo".) Avec *Rame* (1980), le cinquième album, qui assoit son image de jeune homme mélancolique, désabusé et résigné, il revient sous les feux des projecteurs. Le ton se fait plus nerveux ("On s'aime pas") et avec "Manivelle" et "Rame", qui traite de la fuite du temps, l'équipe Souchon-Voulzy se voit récompensée par un énorme succès public. Le chanteur consacre alors les deux années suivantes au cinéma. Jean Becker lui offre son premier grand rôle avec *l'Été meurtrier* (sélectionné au Festival de Cannes). Le tandem Souchon-Voulzy s'offre une pause : sur *On avance* (1983), seul le très réussi "Saute en l'air" doit sa musique à Voulzy. Les autres morceaux sont les fruits de collaborations avec Michel Jonasz•, Louis Chedid• et David McNeil•, et laissent une plus grande place aux synthétiseurs. Souchon rend hommage à sa ville natale ("Casablanca"), à John Lennon (à travers "Lennon Kaput Valse") et, seul au piano, interprète les musiques qu'il a lui-même écrites ("Lettre aux dames", "Lily Peter"). La même année, le chanteur à la bouille ébouriffée et timide, qui n'est pas sans rappeler Jean Cocteau, monte sur la scène de l'Olympia, entame une tournée française, et fait salle comble chaque soir. En 1985, *C'est comme vous voulez* voit la reformation du duo Souchon-Voulzy. Le plus gros tube, "la Ballade de Jim" et l'ambitieux "Faust" sont signés à quatre mains et dynamisent son image (l'autre titre à succès de l'al-

Avec un faux air de Cocteau, Alain Souchon est un maître de langue, d'une langue moderne, syncopée et toujours juste.

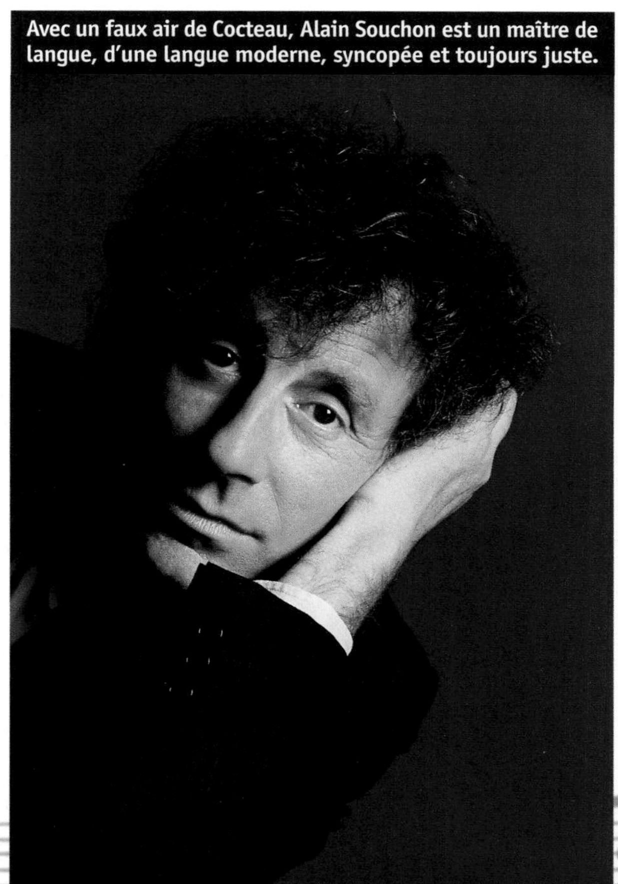

bum, "J'veux du cuir", est signé David McNeil•). Grand succès commercial, *C'est comme vous voulez* est suivi d'une longue tournée – baptisée *Chacun mon tour,* Souchon et Véronique Sanson• se partageant l'affiche. En 1989 paraissent l'intimiste *Ultra-moderne solitude* et les simples "la Beauté d'Ava Gardner", "Quand j'serai K.O." (plaisant pastiche du "When I'm Sixty-Four" des Beatles), "les Cadors", tous trois signés uniquement Souchon. Il réitère en 1993 avec *C'est déjà ça,* d'où sont extraits le célèbre "Foule sentimentale" et "l'Amour à la machine". Onze titres très banale song, sombres, dépouillés, marqués par l'austérité de l'époque. Les synthés s'effacent, les guitares reprennent le dessus (Souchon s'en sert à présent pour composer) et Voulzy est toujours présent ("Arlette Laguillier", "les Regrets").

Le fils d'Alain, Pierre – qui entame une carrière en duo avec le fils de... Laurent Voulzy – signe la musique d'une des chansons, "le Fil". L'histoire continue. **A. G.**

◎ ***Les Années Souchon***
(intégrale 1974-1984), RCA/BMG
◎ ***C'est comme vous voulez*** (1985), Virgin
◎ ***Ultra-moderne solitude,*** Virgin, 1989
◎ ***C'est déjà ça, Virgin,*** 1993
◎ ***Défoule sentimentale,*** Virgin, 1995
À lire : ***Alain Souchon, le rebelle en douce,***
Richard Cannavo, J-C Lattès, 1998

STARSHOOTER

Groupe de rock formé vers 1977 à Lyon autour de Kent Hutchenson (chant, guitare)

Avec des refrains gouailleurs et même provocateurs, des tempos rapides pour une musique simple mais efficace ("Betsie Party"), Starshooter est le groupe qui donne un coup de fouet au rock français paresseux des années soixante-dix. Place à l'énergie pure, au "rentre dedans" et à l'humour. Les Sex Pistols sont alors au sommet de leur brève carrière et les acteurs de la scène lyonnaise ne s'y trompent pas. Starshooter sort un premier album avec l'appui de Serge Gainsbourg•, auquel ils empruntent "le Poinçonneur des Lilas". Le succès est immédiat. Pourtant, malgré un deuxième album plus mûr mais boudé par le public, le groupe se dissout bientôt, tandis que Kent• commence à poser les bases d'une future carrière solo.

◎ ***Pas fatigué*** (1981),
Columbia/Sony

STONE ET CHARDEN

Duo formé au début des années soixante-dix par Éric Charden et Stone (née Annie Gautrat)

Quand il s'essaie au duo avec son épouse Stone, Éric Charden a déjà écrit pour elle de solides succès : "Vive la France" et "Une fille ou un garçon". En 1971, le couple enregistre "le Seul Bébé qui ne pleure pas" *("C'est celui qu'on est en train de faire")*. La notoriété ne viendra réellement que l'année suivante avec "l'Avventura". "Made In Normandie", "Il y a du soleil sur la France", les succès vont ainsi s'enchaîner, énormes, jusqu'en 1974. Frank Thomas• et Jean-Michel Rivat• écrivent des paroles sur mesure pour meubler les mélodies brutes de décoffrage de Charden.

SOUPLET Jacques

Rennes, 1921
Producteur

Au début des années cinquante, Eddie Barclay• l'engage comme directeur général de sa toute nouvelle maison de disques, au développement de laquelle il contribue activement. En 1965, il est directeur général de la société CBS. Il sera le premier à croire en l'avenir du 45 tours simple, c'est-à-dire avec seulement 2 plages. Contre l'avis unanime du métier, il a raison. Ses autres réussites auront pour noms Joe Dassin•, Julio Iglesias•, Catherine Lara•, et il relancera la carrière des Compagnons de la chanson•. Il est également l'organisateur de nombreux concerts de jazz et, surtout, le cofondateur, avec Jacques Hebey, du Festival de jazz d'Antibes-Juan-les-Pins.

STERN Emil

Paris, 1914 - Cannes, 1997
Compositeur

D'origine roumaine, il fait de solides études musicales avant de se lancer en 1938 dans les variétés, en accompagnant Maurice Chevalier• et en composant une chanson pour Marlene Dietrich ("Assez"). Il offre ensuite ses services à Renée Lebas• ("Où es-tu mon amour ?", 1943), Jacqueline François• ("la Saint-Bonheur", 1952), Lucienne Delyle•, Eddie Constantine•, Patachou•. Il connaît de grands succès avec Bourvil ("la Ballade irlandaise", 1958) et Yves Montand ("Planter café", 1959). Après avoir écrit "Ivan, Boris et moi" pour Marie Laforêt• en 1968, il remporte l'année suivante le grand prix de l'Eurovision avec "Un jour, un enfant", chantée par Frida Boccara. La plupart de ces succès sont écrits en collaboration avec le parolier Eddy Marnay.

STOMY BUGSY

Paris, 1973
AUTEUR, COMPOSITEUR, INTERPRÈTE

Ce gavroche black, d'origine cap-verdienne, a grandi à Sarcelles. Après des études chaotiques et quelques années de "galère" (cambriolages, etc.), il se lance dans la boxe puis le rap. En 1990, il se retrouve dans l'aventure Ministère A.M.E.R.• Lorsque le groupe, devenu la bête noire de la police (procès pour "Brigitte, femme de flic" et "Sacrifice de poulet"), décide de se mettre en veilleuse, il sort en 1996 son premier album solo, *le Calibre qu'il te faut,* avant ses copains Doc Gyneco• et Passi•. Tournant le dos à la virulence de ses débuts, il s'autoproclame "gangster d'amour" et cherche à façonner un gangsta-rap à la française mêlant avec humour expériences vécues, fantasmes cinématographiques et second degré. Cela marche, puisque le titre "Mon papa est un gangster" devient un tube... Vouant une admiration sans borne à Julio Iglesias•, il n'hésite pas à reprendre "Vous les femmes" dans une émission de télévision grand public, "Les années tubes".

Le Calibre qu'il te faut, Columbia, 1996
Quelques balles de plus... pour le calibre qu'il te faut (remixes), 1997, Columbia, 1997

SUISSE

D'abord, il y a le "père" de la chanson suisse romande, Jean Villard (1895-1982), plus connu sous le nom de Gilles•, dont le premier morceau, "Dollar", en 1932, demeure visionnaire... Sa carrière d'auteur-compositeur-interprète est marquée par un engagement politique et social rare dans la chanson de sa génération. Il attaque sans relâche le nazisme et part en guerre contre le conservatisme parfois complaisant de ses compatriotes ("On est inquiets"). Avec "les Trois Cloches" et "À l'enseigne de la fille sans cœur", il signe de grands classiques populaires. De 1932 à 1939, en duo avec Julien, il tient un cabaret à Paris près de l'Opéra. De 1940 à 1948, de retour à Lausanne, il forme le duo Gilles et Édith (Burger) puis, en 1949, un autre avec Urfer. Michel Bühler• et Sarcloret•, les chanteurs phares de la nouvelle génération suisse, s'inspirent largement de lui... Le Bernois Michel Bühler• se fit connaître au début des années soixante-dix en proclamant : *"Rasez les Alpes... qu'on voie la mer !"* Il tente vite sa chance en France et enregistre ses premiers disques chez l'Escargot, où il rencontre François Béranger• et Gilles Vigneault•, avec lesquels il part en tournée. Ses chansons décrivent avec ironie une Suisse conformiste et étriquée ("le Pays qui dort", 1971). Le 10 mai 1981, le soir de l'élection de François Mitterrand à la présidence de la République, il chante "le Temps des cerises" place de la Bastille... Puis il se retire sur la pointe des pieds pour écrire des romans et travailler pour le théâtre. Quant à Sarcloret, provocateur et iconoclaste, qui chante depuis 1981, il se définit comme "engagé à pas faire chier" et n'est pas par hasard un ami de Renaud•... La Lausannoise Yvette Théraulaz, également comédienne, chante avec fougue la place des femmes dans la société suisse. Même s'il ne chante pas uniquement en français, Stephan Eicher•, en nettement plus rock, est sans doute ce qu'il y a de plus moderne dans la chanson suisse actuelle.

SUSTRAC Didier

Paris, 1959
AUTEUR, COMPOSITEUR, INTERPRÈTE

Après plusieurs années d'errance entre Uruguay, Venezuela et Brésil, où il apprend la guitare classique, Didier Sustrac revient à Paris dans l'espoir d'être chanteur. Il va attendre huit ans avant d'enregistrer son premier album, *Zanzibar* (1993), qui rencontre un joli succès grâce au titre "Tout seul". Smaïn lui demande d'assurer sa première partie à l'Olympia, ce qui le lance définitivement. En 1995, il sort un deuxième album, *Blues Indigo,* toujours aussi imprégné de nonchalance sud-américaine. En 1997, il enregistre un duo avec Chico Buarque, la star de la musique brésilienne, "Ça sert à quoi ?", soutien implicite à la lutte des sans-papiers.

Zanzibar, Remark, 1993
Blues Indigo, Remark, 1995

SYLVA Berthe (Francine Faquet, dite)

Lambézellec, Finistère, 1885 - Marseille, 1941
INTERPRÈTE

L'accordéoniste Léon Raiter la découvre en 1928 au Caveau de la République, où elle poursuit une carrière de chanteuse larmoyante. Il la fait participer quelques jours après à une émission de radio diffusée depuis la tour Eiffel et il lui demande de chanter "les Roses blanches", une chanson dont il est le compositeur, sur des paroles de Charles-Louis Pothier. Le succès est immédiat. Berthe Sylva• reçoit des milliers de lettres d'auditeurs enthousiastes. Elle a débuté en 1910. C'est un cas à part. Elle reprend des œuvres créées bien avant elle comme "Arrêtez les aiguilles" de Dalbret et les impose définitivement. On dit qu'elle a chanté plus de 1 000 chansons. Elle a de toute façon sorti 255 faces de 78 tours et a vendu à sa meilleure époque plus de 1 000 disques par jour, tour à tour romances, rengaines et mélos : "On n'a pas tous les jours vingt ans", "Mon vieux Pataud", "le P'tit Boscot", "Fleur de misère", "Rôdeuse de barrière", "le Maître à bord", "Cœur de voyou", etc. En 1935, à Marseille, son succès est tel que le public arrache les banquettes de l'Alcazar et enfonce la porte de sa loge. C'est dans cette ville qu'elle repose, au cimetière de Saint-Pierre.

Les Roses blanches (compilation 1929-1937), Music Memoria

SYLVESTRE Anne (Anne Beugras, dite)

Lyon, 1934

AUTEUR, COMPOSITEUR, INTERPRÈTE

Une première partie de Jean-Claude Pascal• à Bobino en 1962 lui confère l'appellation de "Brassens en jupon". Mais, dans la décennie suivante, Anne Sylvestre est en butte aux procès en sorcellerie (le féminisme, le style rive gauche) et à l'étiquette de "chanteuse pour enfants". Aux petits, elle a en effet offert, à partir des années soixante-dix, *les Fabulettes,* douze volumes pleins d'humour et de tendresse, ainsi qu'une pièce de théâtre musical, *Lala et le cirque du vent,* créée en 1993. Pour les grands, elle a aussi composé 350 chansons, regroupées en quinze albums.

Sauvageonne. En 1959, elle enregistre son premier 45 tours ("la Porteuse d'eau" et "Philomène"). Remarquée par Jacques Canetti•, Anne Sylvestre va petit à petit imposer ses mots drus et ses idées bien plantées. "Madame ma voisine", "Éléonore" règlent leur compte aux règles de la bienséance ; "Non, tu n'as pas de nom", "Douce Maison", "Frangines" prennent de front les problèmes de l'avortement, du viol, des amitiés féminines. On la voit à Bobino, à l'Olympia, à la télévision, chanter en duo avec Bobby Lapointe•, "Depuis l'temps que j'l'attends, mon prince charmant". Puis vient le retour de bâton. La mode change de bord, les radios l'oublient. Il faut attendre la seconde moitié des années quatre-vingt pour que la drôlerie, l'humour, le sarcasme d'Anne Sylvestre soient de nouveau entendus. À l'Olympia en solo en 1986, puis, avec Pauline Julien•, en 1988, elle flirte ensuite avec la comédie musicale pour *la Ballade de Calamity Jane.* Elle a aujourd'hui abandonné la guitare et chante, avec une sincérité intacte, accompagnée d'un pianiste. Elle revient en force en 1998 avec un spectacle à l'Olympia et la publication imposante de l'intégrale de ses chansons pour adultes. **V. M.**

Intégrale (15 CD), EPM/Musidisc, 1998

Ironique, féministe, Anne Sylvestre est une magicienne des mots qui s'adresse aussi bien aux enfants qu'aux femmes... et aux hommes.

TABART Arlette

Les Lilas, Seine-Saint-Denis, 1938
AUTEUR, PRODUCTRICE

Une carrière féminine assez rare dans le domaine des variétés. Programmatrice à Europe 1 de 1958 à 1974, puis réalisatrice à RMC et directrice des programmes à Radio Nostalgie en 1987, elle participe également à plusieurs émissions de variétés à la télévision ("Boum nostalgie" pour France 2, "Fa Si La chanter" pour France 3). Elle est également l'auteur de plusieurs chansons (sous le pseudonyme de Claude Carmone), notamment de "Ti amo" pour Dalida• et de "Pour le plaisir" pour Herbert Léonard•. Elle a été administrateur à la SACEM et à la SDRM.

TACHAN Henri (Henri Tachdjian, dit)

Moulins, Allier, 1939
AUTEUR, COMPOSITEUR, INTERPRÈTE

Il a suivi un trajet exemplaire d'autodidacte. Et toute son œuvre est empreinte des difficultés qu'il a rencontrées, accordant peu aux petites satisfactions de l'existence… À sa sortie de l'école, il est engagé au Ritz où il prend la mesure d'une condition où la fierté, l'orgueil et la liberté n'ont pas leur place (il le racontera dans sa chanson "la Table habituelle"). Pris d'une envie de nouveaux horizons, il traverse alors l'Atlantique pour le Québec, où il se trouve une place de… plongeur ! Se produisant quand il le peut dans les quelques cabarets ou salles qui l'acceptent, il fait ainsi la rencontre de Jacques Brel•.

De retour en France, il enregistre un disque *(les Mauvais Coups)*, qui, bien que primé en 1965, sera aussitôt interdit d'antenne pour "écarts de langage" ! Qu'importe, le producteur Jacques Bedos l'apprécie, l'épaule et accepte son manque de succès commercial. Le ton est donné, et désormais Tachan n'aura de cesse d'exprimer au gré de ses albums non pas seulement ses révoltes mais aussi leur évolution, reflet de la sienne propre, vers la maturité.

- ***On ne retombe jamais en enfance,*** Auvidis, 1986
- ***Le Pont Mirabeau,*** Auvidis, 1991
- ***Côté cœur, côté cul,*** Auvidis, 1996
- ***Moi, j'aime les histoires d'amour,*** Auvidis, 1998

TAHA Rachid

Oran, 1958
AUTEUR, COMPOSITEUR, INTERPRÈTE

Les problèmes au quotidien teintés de racisme des banlieues, sa culture d'origine et celle du pays d'accueil qu'il revendique font de Rachid Taha un battant. Après l'épisode Carte de séjour•, il commence une carrière solo en 1991 avec *Barbès*. En argot beur, Rachid raconte le monde urbain, l'exclusion et l'amour sur des compositions mélangeant instruments traditionnels et électriques, mélopées méditerranéennes et rock'n'roll. En 1993, un second album éponyme souligne un peu plus sa différence. "Voilà Voilà", un titre extrait de cet enregistrement qui ne sera pas reconnu à sa juste valeur, fait toutefois une percée sur le marché anglais dans un remix dance. À l'automne 1998, il participe, en compagnie de Faudel• et Khaled•, au fameux concert de Bercy " 1, 2, 3... Soleils", où se fondent musiques maghrébines et techno, annonçant l'arrivée d'une nouvelle génération de chanteurs hexagonaux avec un pied sur chaque rive de la Méditerannée.

- ***Barbès,*** Nord-Sud/Polygram, 1991
- ***Olé, Olé,*** Barclay/Polygram, 1996
- ***Diwân,*** Barclay/Polygram, 1998
- ***1, 2, 3... Soleils,*** Barlay/Polygram, 1999

TÉLÉPHONE

Groupe de rock formé en 1976 à Paris par Jean-Louis Aubert (chant, guitare), Louis Bertignac• (guitare, chant), Corinne Marienneau (basse) et Richard Kolinka (batterie)

An 1977, alors que la vague punk britannique balaie tout sur son passage, le monde musical est en plein bouleversement. C'est dans ce contexte que Philippe Constantin (directeur artistique chez Pathé) mise sur le quatuor. Leur premier album, *Téléphone* (1977), délivre avec urgence et passion un rock tranchant, fortement influencé par les Rolling Stones, et des paroles en français, écrites par Jean-Louis Aubert•, qui vont devenir les hymnes de milliers d'adolescents : "Hygiaphone", "Métro (c'est trop)", "le Vaudou" ou "Flipper" jouent sur les mots du quotidien et permettent au groupe de s'affirmer comme un phénomène unique et sans précédent.

Seul au sommet. *Crache ton venin* (1979), avec des titres comme "la Bombe humaine" (n°1 en France) ou "Faits divers", fait place aux chansons directes et sans longueurs. Le 8 septembre

Très influencé par les Rolling Stones, Téléphone est un des rares groupes de rock français à tenir près d'une décennie.

1979, à la Fête de *l'Humanité* à la Courneuve, le groupe se produit devant plus de 100 000 personnes, avant de rallier l'Italie, l'Allemagne, New York (parfois en compagnie de Johnny Thunders), l'Angleterre (avec Iggy Pop)... *Au cœur de la nuit* (1980), avec le tube "Argent trop cher", démontre que le groupe est aussi à l'aise en studio que sur scène. *Dure Limite* (1982) met au jour regrets et mélancolie. "Ça (c'est vraiment toi)" et "Cendrillon" sont de vrais succès.

"LE GROUPE QUI A SU ÉCRIRE LES LETTRES DE NOBLESSE D'UN ROCK FRANÇAIS MORIBOND."

Dures limites. *Un autre monde* (1984) ravive la flamme et semble apaiser les tensions. Téléphone saupoudre d'accordéon "New York avec toi", mijote un "Électric-cité" plus franchement funk et offre "Un autre monde", l'hymne utopiste clippé par Jean-Baptiste Mondino. En 1985, avec "le Jour s'est levé", ballade pour laquelle Aubert troque sa guitare contre un piano, il semble évident que le cœur n'y est plus... L'année suivante, toujours aussi seul au sommet qu'à ses débuts, alors que le succès ne s'est jamais démenti, le groupe se casse en deux, chacun repartant comme il était venu : Aubert avec Kolinka (Aubert'n'Ko), Bertignac avec Corinne (les Visiteurs)... **D. P.**

- ***Téléphone*** (1977), EMI
- ***Crache ton venin*** (1979), EMI
- ***Au cœur de la nuit*** (1980), EMI
- ***Dure Limite*** (1982), Virgin
- ***Un autre monde*** (1984), Virgin
- ***Le Live*** (1984), Virgin

TELLY Vincent

Paris, 1881 – 1957
AUTEUR, INTERPRÈTE

En 1913, à ses débuts, il chante une de ses nouvelles chansons. Quelques jours plus tard, il apprend que Fragson•, qui était coutumier du fait, l'a reprise, sans le lui dire, sur la scène de l'Alhambra. Le refrain, bien connu, en est : "Si tu veux faire mon bonheur/Marguerite donne-moi ton cœur." Il ne se décourage pas et écrit d'autres succès comme "Elle s'était fait couper les ch'veux" (interprété par Dréan en 1924), "Faisons notre bonheur nous-mêmes" (Lys Gauty•, 1935) ou "Un amour comme le nôtre" (Jean Lumière•, 1936). En 1935, enfin, c'est le triomphe avec "Prosper", chanté par Maurice Chevalier•.

TÊTES RAIDES (Les)

Groupe formé dans les années quatre-vingt autour de Christian Olivier (chant)

Aujourd'hui fer de lance de la nouvelle chanson réaliste (avec leurs copains de la Tordue•), les Têtes raides ont débuté sur la scène alternative sous le nom de Red Ted. En 1987, ils débranchent leurs instruments, et les mots de Christian Olivier se mettent à flirter avec la java, la musette et le tango, qu'ils font sortir de leurs accordéons, cornets, flûtes et autres tambours... En quatre albums (dont *les Oiseaux* en 1992 et *Fleurs des yeux* en 1993), les Têtes raides ont créé un univers poétique où Brel•, Brassens•, Desnos•, Prévert• et la pataphysique de Vian• se croisent joyeusement ou parfois tristement. En 1998, ils confirment leur succès avec un Olympia, une tournée française et un nouvel album, *Chamboultout.*

- ***Le Bout du toit,*** WEA, 1996
- ***Chamboultout,*** WEA, 1998

TÉZÉ Maurice

Dol-de-Bretagne, 1918
ÉDITEUR, PRODUCTEUR

Il débute dans les années quarante, à l'époque des petits formats (textes des chansons vendus dans le public) et des 78 tours. Il contribue au démarrage des Aznavour•, Michèle Arnaud•, Georges Ulmer• et autres Frères Demarny•. Il entre en 1954 chez Pathé-Marconi et s'occupe d'immenses vedettes, comme Piaf•, Bécaud• ou Trenet•, assisté de Jacques Plait•, Jacques Slingand et Roger Vanest. Il découvre pour sa part Gloria Lasso• puis, après sa rencontre avec Sacha Distel•, décide de gérer exclusivement la carrière de celui-ci et lui écrit le texte de plusieurs de ses succès, comme "Scoubidou", "Monsieur Carnaval" ou "l'Incendie à Rio".

THIBAUD Anna (Marie-Louise Thibaudot, dite)

Saint-Aubin, Jura, 1891 - Paris, 1936
INTERPRÈTE

Émule d'Yvette Guilbert•, elle se fait applaudir dans les principaux cafés-concerts parisiens. Son répertoire est grivois : "le Petit Rigolo", "Cinq Ministères", "le Voyage circulaire", "Si les hommes savaient..." Elle ne néglige pas pour autant les romances sentimentales : "le Cœur de ma mie" (Dalcroze), "Quand les lilas refleuriront" (Dihau), "Une étoile d'amour" (Fallot - Delmet), Vous êtes si jolie (Suès - Delmet). Elle fut aussi une excellente commère de revue.

THIBAULT Fabienne

Montréal, 1952
INTERPRÈTE

Après un premier album (1976) au folk-country déjà relevé de beaucoup de fun, cette fille de maçon scelle sa renommée en interprétant Marie-Jeanne, la serveuse automate de *Starmania,* l'opéra-rock de Michel Berger• et Luc Plamondon•. "Les Uns contre les autres" ou "le Monde est stone" seront parmi les incontournables succès de l'artiste qui, dès lors, conquiert le cœur de l'Europe francophone. La jeune femme a de l'oreille et un sens de l'écriture poétique qui privilégie les rapports humains.

Chantant seule ou en duo (avec Henri Salvador•, Yves Duteil•, Richard Cocciante• – avec qui elle interprète, en 1987, le hit "Question de feeling"), Fabienne Thibault ne grave pas moins de dix albums entre 1976 et 1985.

- ***Chaleur humaine*** (compil.), WEA, 1988

THIBAULT Gilles

Paris, 1927
AUTEUR, COMPOSITEUR

Il commence au début des années cinquante en jouant de la trompette dans les caves de Saint-Germain-des-Prés, en compagnie de Boris Vian•, Claude Luter, Sidney Bechet, et même, pour un chorus, de Louis Armstrong.

Il se lance ensuite dans la chanson en écrivant pour Marcel Amont• ("Monsieur", sur une musique de Renard), avant de croiser la route de Johnny Hallyday•, à qui il offre les paroles de plusieurs de ses succès : "Cheveux longs idées courtes", "Hey Joe", "Que je t'aime", "Ma gueule". Il travaille aussi pour Sylvie Vartan•, Michel Sardou•, Michel Polnareff• ("le Roi des fourmis"), Nicoletta• et Claude François•. Il mettra ainsi sa signature au côté de celles de Cloclo lui-même et de Jacques Revaux• pour la musique au bas d'un des plus grands tubes français des années soixante et des décennies suivantes : "Comme d'habitude".

THIÉFAINE Hubert-Félix

Dole, Jura, 1948
AUTEUR, COMPOSITEUR, INTERPRÈTE

Étudiant, très influencé par les Rolling Stones, Dylan et les Doors, il écrit et compose, encouragé par deux autres étudiants qui vont beaucoup compter dans sa carrière, Tony Carbonare et Claude Mairet. Ses trois premiers albums : *Tout corps branché sur le secteur étant appelé à s'émouvoir* (1978), *Autorisation de délirer* (1979), *De l'amour, de l'art du cochon* (1980), d'inspiration plutôt folk, comme ses deux passages à la Gaîté-Montparnasse et un Olympia attestent le succès grandissant d'un personnage dont la poésie noire et les attitudes scéniques déconcertent.

Le succès sans les médias. En 1981 sort *Dernières Balises (avant mutation),* qui devient disque d'or comme le suivant, *Soleil cherche futur,* malgré un persistant silence des médias. Ces deux disques installent la poésie aussi imagée qu'introspective d'Hubert-Félix Thiéfaine, ses capacités uniques à tutoyer la folie et le désespoir au quotidien. Le chanteur est revenu, avec la complicité de Claude Mairet, à un rock authentique qu'il ne quittera que le temps d'*Alambic sortie sud* (1984), baigné de synthétiseurs. Si Mairet est plus que jamais là sur *Météo für nada* (1986) et *Eros über alles* (1988), Thiéfaine est seul maître à bord lorsqu'il enregistre à New York ses *Chroniques bluesymentales* (1990) et, trois ans plus tard, *Fragments d'hébétude* dans un studio de Los Angeles. En 1996, l'album *la Tentation du bonheur* témoigne d'une nouvelle orientation, plus sereine et plus populaire ; que confirme, deux ans plus tard, *le Bonheur de la tentation.* Solitaire et discret, le bonhomme continue de hérisser une presse généraliste qui l'ignore avec constance. Ce qui ne l'empêche pas de faire le plein à chaque tournée. **J.-P. G.**

- ***Autorisation de délirer*** (1978), Sterne, 1986
- ***1978-1983*** (Best of), Sony Music, 1988
- ***Eros über alles,*** Sterne, 1988
- ***Chroniques bluesymentales,*** Wotre Music, 1990
- ***Paris Zénith 94,*** Tristar/Sony, 1995
- ***Thiéfaine 78/98,*** Tristar/Sony, 1998

THIFFAULT Oscar

Québec, 1912 - 1997
AUTEUR, COMPOSITEUR, INTERPRÈTE

Tous les Québécois connaissent "le Rapide blanc" qu'Aglae et Marcel Amont• popularisè-

Tranquille et efficace, Tonton David est un des meilleurs représentants du raggamuffin à la française.

rent en France. Sur des airs de gigue, Oscar Thiffault cultive le non-sens. Avec "Il mouillera plus pantoute", il fait la chronique de la vie locale, glisse vers la polissonnerie avec "C'est Maurice Richard qui score tout l'temps", dédié au grand joueur de hockey, et se moque des Québécois qui veulent parler pointu avec "Je parle à la française". Un vrai grand chanteur populaire, à réhabiliter.

TONTON DAVID (David Grammont, dit)

Paris, 1967
AUTEUR, INTERPRÈTE

Ce jeune "toaster" (qui parle en chantant) reggae s'est imposé en 1990 avec "Peuples du monde", un texte inspiré par Bob Marley et Marcus Garvey, inclus dans la compilation historique *Rapattitude*. Depuis ce succès inespéré, David a gravi tous les échelons du star system, culminant en 1994 avec "Sûr et certain", énorme succès qui portera à 400 000 exemplaires les ventes de l'album *Allez leur dire*. La même année "Chacun sa route", signé KOD (un trio formé pour la B.O. du film *Un Indien dans la ville* comprenant le batteur Manu Katché, le musicien ougandais Geoffrey Oryema et David), fut un gros succès mais n'eut pas de suite. Le troisième album, *Récidiviste,* sorti en 1996 et principalement produit par Tonton lui-même, est marqué par un flegme grandissant de l'artiste, dont témoigne le très béat single de 1996, "le Soleil brille (pour tout le monde pareil)". **O. C.**

- ***Le Blues des racailles,*** Labelle Noir/Delabel, 1991
- ***Allez leur dire,*** Delabel/Virgin, 1994
- ***Récidiviste,*** Delabel/Virgin, 1996
- ***Faut que ça s'arrête,*** Delabel/Virgin, 1999

TORDUE (La)

Groupe formé en 1990 dans la région parisienne par Benoît Morel (chant, textes, multi-instrumentiste), Pierre Payan (chant, multi-instrumentiste) et Éric Phil (chant, multi-instrumentiste)

Depuis le début des années quatre-vingt-dix, la chanson française s'enrichit d'un nouveau courant puisant dans la chanson réaliste•, tout en gardant l'esprit rock de la scène alternative. Avec ses complices des Têtes raides•, la Tordue lui a donné ses lettres de noblesse. Ce trio aux voix graves, ambiance café de la marine, mêlant java, polka et rock, manie les mots avec ce qu'il faut de gouaillerie et d'intelligence. Sur des airs minimalistes, entre guitare sèche, piano, accordéon, contrebasse, trompette, tuba et cymbales, Benoît, Éric et Pierre chantent des textes subtils, un brin anar'(ils mettent en musique "Sur le pressoir", un texte du poète libertaire

Élégant et léger, Jean Tranchant incarne un certain bon ton dans la chanson des années trente et quarante.

Gaston Couté•), dénonçant à l'occasion les dérives contemporaines, sans jamais céder pour autant à l'indignation convenue. En 1997, leur album *T'es fou,* dans lequel il chante le poème de Baudelaire "À une mendiante rousse", remporte le grand prix de l'académie Charles-Cros.

Les Choses de rien, Moby Dick/Média 7, 1995
T'es fou, Moby Dick/Média 7, 1997

TORR Michèle

Pertuis, Vaucluse, 1947
Interprète

Michèle Torr a commencé sa carrière dans un radio-crochet. En 1964, elle enregistre "C'est dur d'avoir seize ans" et rentre dans la mouvance de Christophe• et d'Hervé Vilard•. En 1978, "Emmène-moi danser ce soir" se vend à 3 millions d'exemplaires. C'est son plus gros succès. Son travail acharné et son personnage de "vamp de province" l'imposent comme une vraie artiste populaire. En 1995, elle sort un album de musique country *À nos beaux jours,* l'occasion de découvrir une nouvelle facette de son talent.

À nos beaux jours, Musidisc, 1995

2 BE 3

Groupe fondé en 1990 à Longjumeau par Adel Kachermi, Filip Nikolic et Frank Delhaye

Les 2 Be 3 (prononcer "two be three" ou "to be free") ont été de 1996 à 1998 les symboles du phénomène "boys band" en France. Leur premier album, *Partir un jour* (1996), s'est vendu à 1,2 million d'exemplaires et leurs torses nus ont mis en pâmoison la France adolescente. Leur deuxième album, *la Salsa,* en 1997, en dépit de nombreux clins d'œil à Claude François•, est loin d'avoir rencontré le même succès.

Partir un jour, EMI, 1996

TOURNIER Jean-Loup

Paris, 1929
Président du directoire de la SACEM

Docteur en droit et licencié ès lettres, musicien amateur distingué (flûte), frère de l'écrivain Michel Tournier, il connaît la musique au sens propre et au figuré. À la tête de la SACEM (Société des auteurs, compositeurs et éditeurs de musique), il devient un des plus grands experts en matière de droits d'auteur. Il a su gérer durant plus de trente ans les intérêts des plus grands comme des plus petits, la société ayant la responsabilité de plus de 70 000 comptes pour 5 millions de chansons déclarées. En 1992, il est élu "homme de l'année" par les professionnels de l'industrie musicale.

TRANCHANT Jean

Paris, 1904 - *id.,* 1972
Auteur, compositeur, interprète

Artiste aux dons multiples, il étudie le droit puis les beaux-arts, avant d'être modéliste chez Paul Poiret, d'ouvrir une boutique de décoration aux Champs-Élysées, de diriger des galeries d'art, de concevoir des affiches en dessinant le portrait de toutes les vedettes. Il rencontre alors Lucienne Boyer•, qui va créer sa première chanson, "la Barque d'Yves" (1930), puis "les Prénoms effacés". Souvent avec son père, avocat de profession, il signe des chansons pour Germaine et Jean Sablon• ("Ici l'on pêche", 1933) et pour Lys Gauty• ("J'aime tes grands yeux", 1934). Il enregistre bientôt son premier disque, accompagné par Stéphane Grappelli et Django Reinhardt, et, en 1935, alors qu'il ne s'est jamais présenté au public, il donne un récital à la salle Pleyel. C'est le début d'une série de succès : "la Ballade du cordonnier" (1936), "Mademoiselle Adeline" (*id.*), "le Petit Hôtel" (1938), "Les jardins nous attendent" (1941). Le public plébiscite cet artiste bon chic bon genre, résolument optimiste, qui exalte la grâce et la joie de vivre, et passe avec aisance de la romance ("Il existe encore des bergères" aux rythmes jazz ("Ah pourquoi Mademoiselle") et aux adaptations de succès étrangers ("J'aime tes grands yeux")... Pendant la guerre, il joue son opérette *Feu du ciel,* ce qui lui vaut d'être attaqué à la Libération, comme bon nombre d'autres artistes. Mais lui ne le supporte pas et s'expatrie en Amérique du Sud. Il y reste dix-huit ans, dans un ranch près de São Paulo. Il rentre en France en 1964 et reparaît exceptionnellement sur scène.

Compilation 1934-1942, EPM

TRENET Charles

Narbonne, Hérault, 1913

Auteur, compositeur, interprète

Aux yeux de tous, Charles Trenet incarne l'esprit français : un humour un peu distant, moqueur, pour résister à la mélancolie et aux angoisses existentielles, une joie de bon vivant, sachant jouer avec les mots. Ce "fou chantant", qui saute sur le piano et porte un feutre mou, a commencé par mélanger avec une incorrigible énergie la province française d'avant-guerre, en pleine mutation, avec les apports, le rythme et les allures décontractées de l'Amérique. Fils d'un notaire violoniste amateur, Charles Trenet passe une partie de son enfance et de son adolescence à Perpignan. Vers l'âge de treize ans, il y rencontre le poète Albert Bausil, fondateur de l'hebdomadaire *le Coq catalan,* auquel ont collaboré Max Jacob, Giono, Delteil. Trenet y fait ses premières armes d'écrivain, et se découvre des affinités profondes avec le théâtre, le rire, porté par le goût de la provocation et du canular de la tribu "Bausil". Renvoyé en 1928 du lycée de Perpignan pour injures au surveillant général, le futur "fou chantant" part pour Berlin, où vit sa mère, Marie-Louise, qui a épousé en secondes noces le scénariste et réalisateur de cinéma Benno Vigny. Dix mois durant, il y fréquente une école d'art, y rencontre les célébrités de la capitale allemande, de Fritz Lang à Kurt Weill, écoute Gershwin et Fats Waller.

À son retour en France – il a seize ans –, il se rapproche davantage d'Albert Bausil, peint, prépare un roman, s'identifie au monde des arts, dont sa mère a toujours été friande. À l'automne 1930, il fait part à son père de sa décision de monter à Paris : il veut étudier le dessin et l'architecture à l'École des arts décoratifs. Il s'en écartera vite, mais continuera sa vie durant à dessiner et à peindre. C'est lui, notamment, qui concevait ses affiches. Trenet est pris à Paris dans un tourbillon dont il ne sortira plus avant longtemps. Engagé comme assistant du metteur en scène Jacques de Baroncelli aux studios de Joinville, il y rencontre Antonin Artaud, alors acteur d'Abel Gance, qui lui livre les clefs de son étrange univers. Trenet, dont le *Mercure de France,* dirigé par Paul Léautaud, publie les premiers poèmes, a, à cette époque, des soucis littéraires. Il voudrait faire éditer ses premières œuvres, deux romans, *Dodo Manières* (éd. Albin Michel, 1940) et *la Bonne Planète* (éd. Brunier, 1949), plus une fantaisie historique, *les Rois fainéants*.

> "SURRÉALISME ET LÉGÈRETÉ, SWING, FOX-TROT ET VALSE MUSETTE, PLUS UNE PINCÉE DE PIMENT MÉDITERRANÉEN."

Charles et Johnny. Ce jeune homme alerte et imaginatif vit pleinement l'époque bohème de Montparnasse. Il passe ses soirées à la Coupole ou au Bœuf sur le toit, en compagnie de personnages comme Jean Cocteau, qui lui présente Max Jacob, vite devenu l'ami et l'inspirateur. En 1932, Benno Vigny revient à Paris avec Marie-Louise, pour y tour-

À plus de quatre-vingts ans, Charles Trenet continue d'enchanter le public en direct avec sa voix toujours ferme et sa technique intacte.

ner *Bariole,* en coréalisation avec Max Reichman. Le film, à vocation musicale, nécessite quatre chansons. Charles, auteur en herbe, s'y essaie. En janvier 1933, il passe l'examen d'auteur à la SACEM. Mais sa carrière dans la chanson débute véritablement peu après, par la rencontre, dans un club de jazz à la mode, le College Inn, du jeune pianiste Johnny Hess•. La mode est alors aux duos, au swing naissant.

Charles écrit, Johnny compose. En attendant la gloire, Charles et Johnny élaborent des messages publicitaires pour Radio-Cité : *"Pas de santé sans le thé des Familles, Non pas de santé sans ce thé"*, etc. Ils sont enfin engagés au Palace par Henri Varna, sur les conseils de Mistinguett• : *"Engagez-les, Henri, ils sont si mignons…"* Les débuts du duo au Palace sont un fiasco. Trenet claque la porte. Le duo, encore en rodage, se refait une santé au Fiacre. Un cadre à leur goût, où ils se produisent juste avant la grande Fréhel•, pour qui Charles écrit *le Fils de la femme poisson*. Engagés pour une semaine, ils y resteront plusieurs mois. Car il y a quelque chose de pétillant, de drôle, une énergie neuve dans ces deux individus joueurs et romantiques à la fois. Charles et Johnny signent un contrat avec la firme Pathé comme artistes de slow fox…

Trenet commence à asseoir sa réputation d'auteur. Il fait alors la connaissance de Mireille•, de l'éditeur musical Raoul Breton• et de sa femme, "la Marquise". À la fin de 1936, Charles Trenet est soldat à la base aérienne d'Istres. La guerre menace, et Paris vit au rythme de l'Exposition universelle. Aux arrêts pour cause de cheveux longs ou de virées nocturnes prolongées, il écrit "Fleur bleue", ou encore "Je chante", hymne à la vie et à la joie qui finit sur un imperceptible suicide. De corvée de balayage, il compose "Y a d'la joie".

Avec ces ritournelles empreintes de poésie surréaliste, Trenet ajuste son style : swing américain, fox-trot et valses musettes pimentées d'une pincée de Provence. Trenet prend un grand chapeau et y mélange follement les mots, les images, même les plus noires, les rêveries vagabondes, les met en musique en s'appuyant sur les onomatopées et les contrepèteries. Dans un univers musical gominé, Trenet affiche une modernité cinglante, en symbiose avec l'esprit de 1936, des congés payés, des joies des dimanches ensoleillés à la campagne, des premières vacances au bord de la mer.

Surréalisme. Raoul Breton• et Mistinguett• parviennent à convaincre Maurice Chevalier• de chanter "Y a d'la joie", une drôle de chanson *"sans queue ni tête"* qui *"parle d'une tour Eiffel qui part en balade"*. Le succès est foudroyant. Maurice Chevalier en prendra ombrage, et évitera désormais de croiser sa carrière à celle de

Charles Trenet. Dans la foulée, Yves Montand•, qui débute à Marseille, intègre "La vie qui va" dans son répertoire. En octobre 1937, libéré de ses obligations militaires, Trenet se décide, toujours sur les conseils de Raoul Breton•, à entamer une carrière de chanteur solo, d'abord à Radio-Cité, puis au Tyrol, le cabaret du Grand Hôtel à Marseille, enfin sur la scène de l'ABC, où il triomphe en début de première partie de Lys Gauty•. Trenet sort son premier 78 tours chez Columbia, avec deux titres, "Je chante" et "Fleur bleue". Le chanteur s'est inventé une image en forme de bulles de champagne : chapeau rond rabattu en arrière comme une auréole *"pour casser un visage trop rond"*, œillet rouge à la boutonnière, complet veston et sourire éclatant. Des surréalistes, Trenet retiendra qu'il faut toujours se méfier des vérités apparentes (*cf.* "Une noix"). Mais il resta toujours circonspect quant à leur influence sur son œuvre. *"J'aimais l'humour surréaliste"*, précisait-il, en insistant sur l'influence de Bausil et de Max Jacob.

Sollicité par le cinéma, il écrit le scénario de *la Route enchantée* pour le réalisateur Pierre Caron. Le film tombe à plat, mais il contient "Je chante", titre déjà fétiche, et d'autres chansons, dont "Boum", pour laquelle Charles Trenet obtient le grand prix du disque en 1939. De lourds nuages s'accumulent sur l'Europe. Fin 1939, après un passage comme vedette à l'ABC, Charles Trenet est mobilisé. Il rejoint la base de Salon-de-Provence, où il restera pendant la "drôle de guerre". Tout comme Damia•, Maurice Chevalier ou Ray Ventura•, il tâte du Théâtre aux armées, triomphe avec "Mam'zelle Clio", "le Soleil et la Lune". En juin 1940, il obtient d'être démobilisé, sous un prétexte qui confine à la moquerie : *"Agriculteur, doit aller planter ses pommes de terre dans sa propriété de Juan-les-Pins."* Il y habitera sa nouvelle villa pendant quelques mois avant de repartir vers Paris, occupé par les Allemands.

"Judéo-nègre". En 1940, alors que la France fait ses premières tentatives de swing sur "In The Mood" de Glenn Miller, Trenet compose "Papa coud et Maman pique" pour Édith Piaf•, une chanson *"trop compliquée"* qu'elle ne parviendra jamais vraiment à chanter. Pour les Allemands et leurs collaborateurs français, la musique de Charles Trenet s'apparente dangereusement à de honteux *"rythmes judéo-nègres"*. D'ailleurs, Trenet – dont le nom serait l'anagramme de Netter, selon la presse collaborationniste – est sommé de faire la preuve, sur quatre générations, de sa non-judéité. Il s'exécute. Démarche fastidieuse, qui lui sera plus tard lourdement reprochée, ainsi que sa décision de continuer les spectacles (notamment sa participation à la revue *Quartier Latin* aux Folies-Bergère) pendant les années d'Occupation, ou encore celle d'accepter, comme Piaf et Chevalier, de partir en Allemagne en 1943 à la demande des autorités du Reich pour soutenir le moral des prisonniers français et des travailleur du STO. Au Winter Garten de Berlin, Piaf entonne "D'l'autre côté de la rue", Trenet "Douce France".

Pendant la guerre, Trenet compose des chansons un peu hors du temps, légèrement plus nostalgiques : "Que reste-t-il de nos amours ?", "la Romance de Paris". La censure allemande le poursuit cependant de ses foudres, soupçonne "Douce France" de patriotisme feutré, interdit "Si tu vas à Paris" et "Espoir", une chanson composée par la pianiste de jazz Jacqueline Batell. Le chanteur met alors en musique le poème de Verlaine "Chanson d'automne", qu'il enregistre avec l'orchestre d'Alix Combelle, le Jazz de Paris. Parallèlement, Charles Trenet flirte toujours avec le cinéma. Après *la Romance de Paris,* avec Sylvie, en 1938, ce sont *Frédérica,* de Jean Boyer, avec Elvire Popesco, en 1942, *Adieu Léonard,* des frères Prévert• et, l'année suivante, où il chante "Quand un facteur s'envole". Il entonne aussi "Sur le fil", de Francis Blanche• et Jean Solar•), "Débit de l'eau, débit de lait" (cosignée pour le texte avec Francis Blanche) et "Que reste-t-il de nos amours". *"Pendant l'Occupation,* expliquera-t-il ensuite, *les trains et les théâtres de province n'étant pas bien chauffés, je me suis dit qu'il valait mieux faire du cinéma."* Sa carrière d'acteur prendra fin en 1945.

> "LA CENSURE ALLEMANDE SOUPÇONNE « DOUCE FRANCE » DE PATRIOTISME FEUTRÉ."

Trenet compose "la Mer" en 1943 dans le train qui l'emmène à Perpignan, en compagnie de Roland Gerbaud et du pianiste Léo Chauliac, son accompagnateur. Une chanson qu'il trouve alors trop *"solennelle et rococo"* et qu'il range au placard, pour ne la sortir qu'en 1946, sur l'insistance de Raoul Breton. À la Libération, Trenet est mis en cause, l'idéologie qu'il véhicule étant porteuse de valeurs "pétainistes" : la terre, les jeunes gens, forces vives de la nation. Il fait néanmoins sa rentrée à l'ABC.

L'Amérique. En 1945, Charles Trenet part à New York, après un triomphe au Bagdad à Paris (Yves Montand est en première partie). Des cabarets "dîners spectacles" à Broadway, l'ascension américaine est rapide. Il compose une "symphonie", "Un Parisien à New York", dans un style peu habituel. Le voici, saoulé des lumières des enseignes, propulsé sur Sunset Boulevard ou sur la scène du Capitol Theater dans un univers qui lui est relativement familier, celui de George Gershwin, de Duke Ellington, de Louis Armstrong, le premier musicien qu'il y rencontrera, ou de Chaplin, avec qui il se lie d'amitié. Charles Trenet aime l'Amérique. *"On y a toujours l'impression de ne pas perdre son temps, même quand on flâne",* disait l'admirateur des Mills Brothers, de Bing Crosby et de Nat King Cole. Il achète un appartement à New York, filme inlassablement en amateur passionné les enseignes de Broadway. Il chante "la Mer" en anglais ("Beyond The Sea"), et le public américain en fait un standard. Charles Trenet sillonne l'Amérique jusqu'en Californie, passe par les fourches Caudines du FBI, défenseur du puritanisme ambiant, se prend d'amour pour Hollywood, mais renonce à y travailler après quelques tentatives de collaboration avortées. Après deux ans d'illuminations, ce sera l'Amérique du Sud, Rio de Janeiro. Sur un coup de nostalgie, Charles Trenet rentre alors à Paris plutôt qu'à New York. L'existentialisme bat son plein dans les caves de Saint-Germain-des-Prés. Trenet fait à Paris des passages de météore, toujours glorieux, toujours adulé. Il sillonne le continent américain, du nord au sud, de New York à la Terre de Feu. Puis s'arrête au Canada. C'est au Québec qu'il trouve une seconde patrie : *"Les gens sont chaleureux, enthousiastes."* Pendant trois ans, Trenet chantera avec un entrain renouvelé, de Montréal aux Laurentides, composera avec une nouvelle inspiration ("Dans les pharmacies").

De retour en France en 1954, il poursuit une carrière brillante, du théâtre de l'Étoile, de l'Olympia (en 1955, où son tour de chant s'enrichit de nouveaux titres : "Route nationale 7", "À la porte du garage", "Moi, j'aime le music-hall") au Casino de Paris.

Au début des années soixante, le rock et bientôt la vague yé-yé submergent la France. Trenet continue de tourner dans l'Hexagone et à travers le monde. Puis, il prend une semi-retraite consacrée à la peinture dans sa propriété de La Varenne, et à la littérature, avec un roman, *Un noir éblouissant,* publié chez Grasset. Il entame alors une période noire, émaillée d'anecdotes désagréables, de procès pour plagiat (réglés à l'amiable, un contre Claude François•, un autre contre Charlie Chaplin).

En 1968, Trenet enregistre avec Claude Bolling• une nouvelle chanson, écrite en 1942 : "Quartier Latin". Un hasard. Passé chez Barclay, puis chez CBS, Charles Trenet reprend discrètement la scène, au Don Camillo. Puis retrouve l'Olympia en 1971 avec de nouvelles chansons : "Fidèle", "Joue-moi de l'électrophone". Il collectionne les maisons et les résidences secondaires à Paris, Aix ou Narbonne. En 1975, il fait ses adieux à la scène, à l'Olympia : *"Je suis sur les planches depuis fort longtemps. Je leur ai tout sacrifié. Jusqu'ici, j'ai rêvé ma vie, maintenant je voudrais vivre mon rêve..."*

Mais la scène est une drogue, et, après un album discret, hommage à sa mère décédée l'année précédente, il replonge pourtant à Antibes au Festival de la chanson française, puis à Montréal en 1982 pour une soirée de gala, et reprend du service sur l'insistance du producteur canadien Gilles Rozon. En 1985, l'album *Florilèges* passe quelque peu inaperçu. En 1987, on le voit pour un concert au Printemps de Bourges et l'on redécouvre Trenet, toujours pétillant, vif et iconoclaste. Il revient en décembre 1989 sur la scène du Palais des Congrès, après un engagement politique relatif au côté de François Mitterrand lors de la présidentielle de 1988. En octobre 1992 paraît un album, *Mon cœur s'envole,* qui contient treize nouvelles chansons où l'artiste renoue avec un style tout en tendresse. Charles Trenet fête ses quatre-vingts ans sur la scène de l'Opéra-Bastille. Puis revient pour une longue série de concerts au Palais des Congrès à Paris. En juin 1999, il présente un nouvel album, *Les poètes descendent dans la rue,* avec quatorze chansons inédites. Le talent et la poésie sont toujours au rendez-vous, sans exclure la chronique sociale («Banlieue de banlieue» ou «le Jeune Mendiant»). Inlassable, la voix ferme, une technique impeccable, poète portant la chanson vers la littérature sans lui ôter pour cela sa grâce. **V. M.**

- ***Intégrale Charles Trenet,*** 1937-1963 (7CD), EMI, 1989
- ***Charles Trenet et Johnny Hess,*** Music Memoria, 1991
- ***Mon cœur s'envole,*** WEA, 1992
- ***Intégrale Charles Trenet,*** Frémeaux & Associés/Night & Day
- ***Les poètes descendent dans la rue,*** WEA, 1999

Pendant quatre ans, Trust imposera en France son hard rock incisif et politiquement engagé.

TRI YANN

Groupe de folk formé en 1970 à Nantes

Plus de vingt-cinq ans d'existence et un retour en force depuis 1994. Ce groupe breton de musique celtique n'a quasiment pas arrêté de se montrer dans tous les festivals du genre, et a même réussi à se faire un (petit) nom en Irlande. D'abord purement acoustique, il sut s'adapter en incluant batterie et instruments électriques (synthés, guitare, basse) dans sa production. Avec un répertoire composé aussi bien de chansons traditionnelles ("J'entends le loup, le renard et la belette") que de créations personnelles, il fait partie de ces groupes ou personnalités comme Malicorne, Alan Stivell ou Dan Ar Braz, qui ont milité et militent toujours pour une reconnaissance de la culture celtique.

- ***Portraits,*** Déclic/Virgin, 1995
- ***Eguinane*** (compil.), Polygram Master Serie

TROIS MÉNESTRELS (Les)

Groupe vocal formé à la fin des années cinquante à Paris par Ginette Sandrini, Jean-Louis Fenoglio et Raymond de Rycker

Ayant débuté comme choristes parlants au théâtre, les Trois Ménestrels viennent peu à peu à la chanson tout en gardant ce sens de la mise en scène qui faisait déjà à l'époque le succès des Frères Jacques•. Succès qu'ils n'arrivèrent pas à égaler malgré les textes de Jean Nohain ("la Guerre de Troie") ou de Léo Ferré• ("Des filles, il en pleut"). La mort de Jean-Louis Fenoglio en 1975 mettra un terme à leur carrière.

TRUST

Groupe de hard rock formé au milieu des années soixante-dix à Nanterre par Bernard "Bernie" Bonvoisin (chant), Norbert "Nono" Krief (guitare), Raymond Manna (basse) et Jean-Émile Hanela (batterie)

Grâce à ses textes sans complaisance et une musique dense enrichie par le talent de Norbert Krief, Trust devint, dès 1978, la tête de pont du rock français contestataire. Plutôt assimilé au hard rock à la AC/DC, le groupe fit tout de même de nombreux clins d'œil au mouvement punk par ses prises de position anarchisantes. De fait, le sommet de sa popularité se situe entre 1979 et 1981, avec son deuxième album, *Répression*. Des chansons comme "Bosser huit heures" ou "Antisocial" parlent à une génération que la crise commence à toucher gravement. Un troisième album à la fin de 1981, *Marche ou crève,* ne transformera pas l'essai : un son trop "léché" et des textes moins pertinents finiront par lasser un public qui se tourne désormais vers des groupes plus radicaux. Trust subit une séparation brutale en 1983. Bernie tente une carrière solo puis réussira comme réalisateur de cinéma. En 1996, Bernie et Norbert reforment le groupe le temps d'un album épique et imprécateur, *Europe et haines*.

- ***Répression*** (1980), Mr. Collector/Polygram
- ***Trust Live/Paris By Night*** (1988), Celluloïd/Mélodie
- ***Europe et haines,*** WEA, 1996

TURCY Andrée (Andrée Turc, dite)

Toulon, 1891 - Marseille, 1974
Interprète

Aux côtés de Tramel, de Valentin Sardou et de Raimu, encore inconnu, elle fait partie des "comiques à l'huile" que Félix Mayol• fait monter de Marseille en 1910 pour l'ouverture du Concert parisien. Elle remporte un franc succès mais préfère retourner dans sa chère cité phocéenne, où elle monte sa propre revue. Elle s'inscrit dans le courant de la chanson réaliste, avec des titres comme "Cœur d'apache", "la Grande Valse", "En fumant la cigarette" ou "Quand j'ai bu mon anisette". Elle crée également, en 1919 à l'Alcazar, la célèbre "Chanson du cabanon", écrite par Fortuné Cadet sur une musique de Charles Helmer.

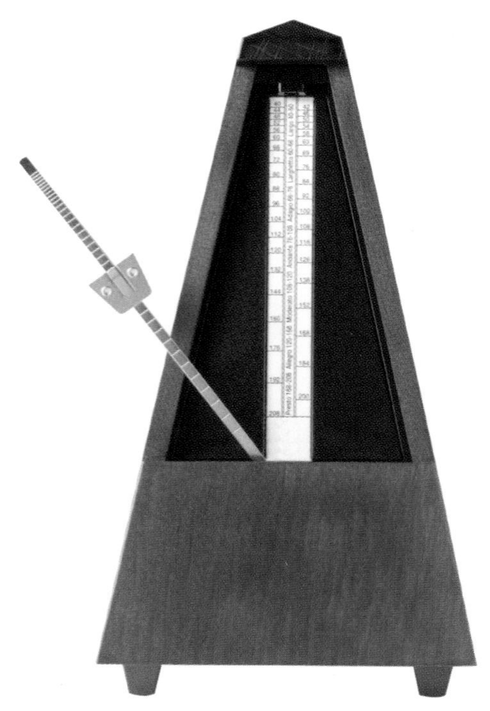

ULMER Georges (Jorgen Ulmer, dit)

Copenhague, Danemark, 1919
Marseille, 1989
AUTEUR, COMPOSITEUR, INTERPRÈTE

Fils de sculpteur, il passe son enfance en Espagne. En 1942, après avoir chanté au sein de différents orchestres en France, il est remarqué par l'éditeur Robert Salvet•. Il commence alors une carrière solo, interprétant des chansons comme "Marie, petit béguin du mois de mai" ou "Bing, cheval de gaucho". À la Libération, il se retrouve à l'A.B.C., à Paris, où il impose un tour de chant mimant cow-boys ("Quand allons-nous nous marier ?") et gangsters. Bientôt, après avoir lancé le "J'ai bu" de Pierre Roche• et Charles Aznavour•, il compose son grand succès, "Pigalle" (sur des paroles de Géo Koger•, 1946), suivi de "Casablanca" et du très charmant "Un monsieur attendait" ou de "Il jouait de la contrebasse". Malheureusement pour lui, un autre chanteur à la voix chaude et à la gestuelle efficace apparaît sur toutes les scènes : Yves Montand•.

Quand allons-nous nous marier ?, Pathé/EMI, 1990
Pigalle, Pathé/EMI, 1994

VALÉRY Claude

Nice, 1909 - Paris, 1992
COMPOSITEUR, INTERPRÈTE

En 1946, elle rencontre Raymond Asso•. Ils s'associent : lui pour les textes, elle pour la musique. Ils remportent un premier succès avec "Y'a tant d'amour" pour Maurice Chevalier•, suivi de "Mon ami m'a donné" puis de "Ninon, ma Ninette" (pour Yves Montand•) et, en 1952, de "Comme un p'tit coquelicot," chanté par Mouloudji•. Elle enregistre elle-même plusieurs de ses compositions, sur des textes de Raymond Asso, se produit à l'Écluse, à Paris, et aux Anciennes Belgiques, à Bruxelles.

VANDAIR Maurice (Maurice Vanderhaeghen, dit)

Tournan-en-Brie, 1905 - 1982
AUTEUR

Il connaît son premier succès en 1936 avec "le Refrain des chevaux de bois", parfait exemple de la "scie" populaire. Associé à l'accordéoniste Maurice Alexander et à l'éclectique Charlys•, il donne ensuite à Fréhel• "Tel qu'il est", puis apporte à Fred Adison• "On va se faire sonner les cloches", en 1937, suivi d'"Il pleurait comme une madeleine" pour Maurice Chevalier•.

Pendant l'Occupation, Vandair participe à la résistance FTP, tout en poursuivant ses activités : "Barnum Circus" (pour Félix Paquet•, en 1940) et "Ma ritournelle" (pour Tino Rossi•, en 1941). À la Libération, il signe, avec Henri Bourtayre• pour la musique, l'hymne de l'époque, "Fleur de Paris" (1944), puis il travaille pour un débutant nommé Yves Montand• ("Dans les plaines du Far West", 1945). Entre deux succès populaires (comme "le Chapeau à plumes", "la Bouteille", "la Guitare à Chiquita" ou "Ma belle au bois dormant"), il aide de ses conseils le jeune Jean Ferrat•. Il finit sa carrière à la tête des éditions Pathé-Marconi et comme secrétaire général de la SACEM.

VANDERLOVE Anne (Anna Van Der Leeuwe, dite)

La Haye, Pays-Bas, 1943
AUTEUR, COMPOSITEUR, INTERPRÈTE

En 1967, cette jeune Hollandaise se fait connaître d'un coup avec "la Ballade en novembre". Le public s'enflamme pour cette voix mélancolique et pure. Mais, malgré un passage à Bobino en 1969 dans le programme d'Antoine•, l'engouement retombe vite. La gentille Anne aux longs cheveux est trop empruntée sur scène, et son répertoire, décidément trop nostalgique. Elle s'oriente alors vers les circuits parallèles, notamment dans les hôpitaux psychiatriques et les risons, avec des chansons plus proches de la ballade américaine et du folk irlandais et breton. À l'automne 1997, elle sort un nouvel album, *Bleus,* où sa voix claire, avec son vibrato si caractéristique, continue à chanter les blessures de la vie. La même année, elle réapparaît sous les feux de l'actualité pour complicité dans une série de braquages dans l'Aisne.

Bleus, Musique en douceur/Carnet de notes, distr. MSI, 1997

VANNIER Jean-Claude

Bécon-les-Bruyères, Hauts-de-Seine, 1943
AUTEUR, COMPOSITEUR, INTERPRÈTE

Il devient vite un des arrangeurs les plus en vue du métier (Hallyday•, Nougaro•, Barbara•, Françoise Hardy•, etc.). Il travaille avec Michel Polnareff• puis avec Serge Gainsbourg•, sur les deux albums *Histoire de Melody Nelson* et *Vu de l'extérieur* (1971 et 1973). Les univers de ces deux œuvres ont sans doute beaucoup à voir avec l'érudition de cet arrangeur, lui-même collectionneur d'instruments de musique exotiques. Il enregistre lui-même pas moins de six disques en solo... Une vocation née en 1976, après qu'il eut écrit les paroles et la musique de "Super Nana" pour Michel Jonasz•. Ses albums n'ont jamais connu les faveurs du grand public, ce dernier lui préférant les tubes qu'il a offerts à Enzo Enzo•, Maurane• ou Catherine Lara•. Également auteur de nouvelles *(le Club des inconsolables)* et de musiques de films, Vannier demeure un personnage clé de la chanson française.

Pleurez pas les filles, Philips/Polygram, 1993

VANOT Sylvain

Rouen, Seine-Maritime, 1963
AUTEUR, COMPOSITEUR, INTERPRÈTE

Rock ou chanson française ? Un peu des deux, répondrait-il en bon Normand qu'il est. À l'été 1993, à la sortie de son premier opus homonyme, Sylvain Vanot abandonne l'Éducation nationale et part en tournée avec Jean-Louis Murat•. En 1995, il réussit son second album, *Sur des arbres,* plus abouti, la voix assouplie et le texte encore plus dépouillé, loin des afféteries poétiques.

L'artiste, qui revendique un héritage hexagonal (Gamine, Trenet•, Ferré•, et les Wampas), distille un son croustillant à base de violons sophistiqués et de guitares grasses, à mi-chemin de la chanson à texte (tendance Barbara•) et du rock (option Neil Young ou Sonic Youth).

Sur des arbres, Week End/Virgin, 1995
éGérie, Labels/Virgin, 1997

VAN PARYS Georges

Paris, 1902 - *id.,* 1971
COMPOSITEUR

Après de brillantes études de droit, tout en consacrant ses loisirs à jouer et à composer, il débute Chez Fysher, le célèbre cabaret de l'après-guerre, où il accompagne, de 1924 à 1927, Lucienne Boyer•, Yvonne George•, Arletty, Gaby Montbreuse et Lys Gauty•. Il décide alors de se consacrer à la composition. Il écrira ainsi la musique de plus de 140 films, dont *le Million* de René Clair, en 1937, ou *French-Cancan* de Renoir, en 1955. Ce sont des musiques légères, souvent valsées, qui enveloppent plutôt qu'elles ne soulignent. Plusieurs de ses succès sont d'ailleurs tirés de ses musiques de films, comme "Si l'on ne s'était pas connu", interprété par Albert Préjean, "C'est un mauvais garçon", par Henri Garat•, "la Complainte des infidèles", par Mouloudji•, "la Complainte de la Butte", par Cora Vaucaire•, ou "Si tous les gars du monde", par les Compagnons de la chanson. Il écrit aussi directement pour les artistes : Jacques Pills• ("À mon âge", 1937), Maurice Chevalier• ("Mimile", "Appelez ça comme vous voulez", "Ça fait d'excellents Français", 1939), Fréhel• ("Sans lendemain", 1938) ou Mouloudji ("Un jour tu verras", 1954). Peu avant sa mort, il publie un excellent livre de souvenirs, *les Jours comme ils viennent* (1969).

VAREL et BAILLY

André Varel : Alger, 1908 - Paris, 1983
Charly Bailly : Mâcon, 1921
AUTEURS, COMPOSITEURS, INTERPRÈTES

Un jour, après la guerre, le pianiste Charly Bailly fait soigner sa rage de dents par le dentiste André Varel. Une heure plus tard, l'un des duos les plus réussis de la chanson française est né : leur rage d'écrire et de chanter les conduit

Après tente-cinq ans de carrière, Sylvie Vartan tient toujours son public, conquis par son professionnalisme et sa volonté.

à une carrière internationale que peu de Français connaissent. En effet, engagés pour une semaine aux États-Unis, ils y restent dix-huit ans, portés par le succès, à la tête d'un ensemble vocal. Ils ont écrit de nombreuses chansons, comme "Amour", "Tu t'fous de moi" et le superbe "Orgue des amoureux", sur un texte de Francis Carco et qui sera repris par Édith Piaf•.

VARTAN Sylvie

Iskretz, Bulgarie, 1944
Interprète

Quand Sylvie Vartan arrive en France, à l'âge de dix ans, elle ne connaît presque rien de la langue de Molière. Après ses études au lycée parisien Hélène-Boucher, son frère Eddie (compositeur-arrangeur alors très populaire) la présente à Daniel Filipacchi, qui règne alors sur le journal et l'émission *Salut les copains*. Elle se fait entendre pour la première fois en 1961 sur "la Panne d'essence", où elle donne la réplique à Frankie Jordan. Puis viennent très vite le premier disque, "Quand le film est triste" (novembre 1961), et la première apparition à l'Olympia (1962). Son joli visage et sa bonne volonté parviennent à masquer un temps son manque d'assurance et le tremblement de sa voix frêle. En pleine effervescence yé-yé, elle sort son second 45 tours, "le Locomotion" qui la conduit une deuxième fois à la salle du boulevard des Capucines en 1964, en tête d'affiche, reléguant les Beatles et Trini Lopez en première partie... Sa rencontre avec Johnny Hallyday• finit devant le maire de Loconville (Yvelines) le 12 avril 1965. Le mariage du couple des années yé-yé (qui ne durera pas moins de quinze ans) déclenche une émeute de 3 000 personnes. Le 15 août 1966, comme pour une famille royale, on salue l'arrivée de l'héritier légitime, David, futur époux d'Estelle, la célèbre mannequin.

Du yé-yé aux shows à l'américaine. Peu à peu, son répertoire s'éloigne des adaptations pour des compositions originales : "la Plus Belle pour aller danser" (signé Charles Aznavour• et Georges Garvarentz•), "2 min 35 de bonheur" (Frank Thomas•), "Si je chante", "Comme un garçon" (Roger Dumas et Jean-Jacques Debout•)... Ne se laissant pas ébranler par les critiques sur ses moyens artistiques limités, la chanteuse poursuit sa carrière avec détermination, prenant des cours de chant et de danse. En avril 1968, Sylvie Vartan conquiert à nouveau le public de l'Olympia, avec ses ballades romantiques et son sens de la scène, terminant son récital par la descente de l'escalier, comme dans les revues de l'entre-deux-guerres. À trois reprises, en 1975, 1977 et 1978, elle prend d'assaut le Palais des Congrès durant un mois. Elle semble définitivement opter pour les shows à l'américaine (elle vit d'ailleurs aux États-Unis), donnant autant à voir qu'à entendre : chorégraphies travaillées, ballets colorés, éclairages savants et chansons aux mélodies évidentes. Et le public en redemande. "Je chante pour Swany", "la Maritza" ou "Qu'est-ce qui fait pleurer les blondes ?" sont des exemples de ces morceaux de variétés facilement mémorisables. Au milieu des années quatre-vingt, elle surprend encore en collaborant avec Étienne Daho• et Arnold Turboust, qui lui écrivent le simple "Quelqu'un qui me ressemble". En 1994, elle surprend encore en interprétant – fort bien – le premier rôle dans le film de Jean-Claude Brisseau *l'Ange noir*. Deux ans plus tard, elle retrouve la scène de l'Olympia, avec ses vieux succès et de nouvelles chansons signées Yves Simon•, Étienne Daho• et Jean-Louis Murat•. La Sylvie aux couettes est définitivement devenue la grande Vartan. **A. G.**

"ELLE SEMBLE DÉFINITIVEMENT OPTER POUR LES SHOWS À L'AMÉRICAINE, DONNANT AUTANT À VOIR QU'À ENTENDRE."

- ***Les années RCA*** (1961-1986, coffret 21 CD), BMG, 1995
- ***L'essentiel*** (double album), BMG, 1995
- ***Enregistrement public à Sofia,*** Philips/Phonogram, 1990
- ***Est-ce que tu le sais ?,*** BMG, 1990
- ***Vartan 95,*** Philips/Phonogram, 1995
- ***Toutes les femmes ont un secret,*** Philips/Phonogram, 1996

VASSILIU Pierre

Villecresnes, Val-de-Marne, 1937
AUTEUR, COMPOSITEUR, INTERPRÈTE

Cet ancien jockey débuta dans la chanson au début des années soixante en cherchant à faire rire ("Armand", "Charlotte") et en se lançant dans le comique troupier antimilitariste ("la Femme du sergent"). Les foudres de la censure le contraignirent à changer son fusil d'épaule et il se reconvertit dans la romance ("Une fille et trois garçons") et l'adaptation d'airs brésiliens ("Qui c'est celui-là ?"), qui, succès aidant, lui permirent de mener sa carrière comme il l'entendait. Il quitte Paris pour s'installer dans une "maison d'amour" sur la montagne du Lubéron, en Provence, puis ouvre un restaurant en Afrique, à Zinguinchor, capitale de la Casamance (Sénégal).

Tour à tour comique, cynique, acide, mélancolique, gai et poète, Pierre Vassiliu est un passionné de rythmes sud-américains et africains. Petit bonhomme étrange, perdu dans sa moustache tombante et son sourire naïf, c'est un étonnant touche-à-tout, un collectionneur d'univers et un chercheur d'impressions. Décontracté, Vassiliu avance au pays des mots, passant d'une évocation ubuesque de l'univers de Tarzan ou de Spiderman à la rencontre émerveillée d'une femme un soir. Il conte l'amour, l'amitié sur des rythmes légers et ensoleillés. En 1999, on le revoit sur la scène de Bobino.

- ***Qui c'est celui-là ?*** (1970), Polygram
- ***La vie ça va,*** Polygram, 1993
- ***Nouvelle Version 95,*** Polygram, 1995

VAUCAIRE Cora (Geneviève Colin, dite)

Marseille, 1921
INTERPRÈTE

Une grande chanteuse française, à la croisée de la tradition montmartroise et de la mouvance rive gauche. Elle démarre sa carrière de chanteuse à la Libération au théâtre Agnès Capri•. Elle devient alors la "Dame blanche de Saint-Germain-des-prés", interprétant des textes de Prévert• et Kosma•, de Barbara• ou de Michel Vaucaire, qui devient son mari. Elle repasse ensuite la Seine pour diriger le cabaret de La Tomate, où elle pratique la formule "à la carte", interprétant ou faisant interpréter les chansons demandées par le public. Elle reçoit des artistes comme Pierre Louki•, chante elle-même des standards du répertoire français comme "le Temps des cerises". Malgré ses trois grands prix de l'académie Charles-Cros, sa notoriété ne dépasse guère le cercle des initiés. Il est vrai que Cora se soucie peu des obligations du show-biz. Peut-être savait-elle que le temps jouerait en sa faveur. Son triomphe en 1992 au théâtre Dejazet en est la meilleure illustration.

◎ ***Comme au théâtre*** (compil.), Polygram
◎ ***Récital au Théâtre de la Ville,*** Jacques Canetti

VENTURA Ray

Paris, 1908 -
Palma de Majorque, Espagne, 1979
Chef d'orchestre

Chef d'orchestre, influencé par les grands orchestres de jazz américains, Ray Ventura est le symbole de la bonne humeur de l'avant-guerre, remède à l'inquiétude montante. Ventura commence à monter sa formation au lycée Janson-de-Sailly, à Paris. Férus de jazz, Raymond et ses complices interprètent des chansons à sketchs en s'inspirant musicalement de l'orchestre américain de Paul Whiteman ou anglais de Jack Hylton. Épaulé par Paul Misraki•, André Hornez•, Coco Aslan, Loulou Gasté• et Jerry Mengo, Ray Ventura produit les grands tubes des années trente : "Venez donc chez moi", "les Trois mandarins", "Ça vaut mieux que d'attraper la scarlatine", "Fantastique", "Tout va très bien madame la Marquise" ou "les Chemises de l'archiduchesse". En 1938, il tourne son premier film, *Feux de joie,* avec deux succès : "Qu'est-ce qu'on attend ?" et "Comme tout le monde".

Exilés en Amérique latine pendant l'Occupation (tournées avec Henri Salvador•), Ray Ventura et ses Collégiens reviennent à la Libération, tournent encore deux films (*Nous irons à Paris, Nous irons à Monte-Carlo*), avec des succès, comme "Maria de Bahia" ou "À la mi-août", toujours interprétés avec humour et légèreté. Ray Ventura sera également un éditeur avisé et s'occupera ainsi des premières chansons de Georges Brassens•. Au cours des années soixante-dix et 80, le Grand Orchestre du Splendid• remettra à la mode des succès tels que "Qu'est-ce qu'on attend ?".

◎ ***Maria de Bahia,*** PolyGram, 1988

VÉRAN Florence (Éliane Meyer, dite)

Paris, 1922
Compositeur, interprète

Elle débute en offrant à André Claveau•, sur des paroles de Rachel Threau, "Gigi", inspirée par le roman de Colette. Elle compose ensuite, sur des paroles de Charles Aznavour•, "Je hais les dimanches" pour Juliette Gréco•. Tout au long des années cinquante, elle travaille pour Philippe Clay, Roger Pierre et Jean-Marc Thibault ("Rendez-vous au Pam Pam"), Lucienne Delyle• et Édith Piaf• ("les Amants merveilleux"). Elle enregistre elle-même plusieurs disques ("Mon ami le Brésilien", "Mon ami Pierrot"). Sa fille, Marianne Mille, connaîtra en duo, avec Maurice Dulac, un grand succès dans les années soixante-dix grâce à "Dis à ton fils".

VERDIER Joan-Pau

Périgueux, Dordogne, 1947
Auteur, compositeur, interprète

Verdier débute avec sa guitare dans les cabarets à la fin des années soixante. Admirateur de Léo Ferré•, il redécouvre ses racines occitanes et compose et chante alors sur des poèmes de Michel Chadeuil. Sa signature chez Philips et son début de renommée nationale lui valent des démêlés avec les militants occitans purs et durs, apôtres du "chanter au pays" et des labels indépendants. Par la suite, il écrit et compose tour à tour en français et en occitan, chantant dans de petites salles, de sa belle voix chaude et grave.

◎ ***Pirouettes,*** KK Wet's/Musidisc, 1991

VERLOR Gaby (Gabrielle Vervaecke, dite)

Roubaix, 1921
Compositeur, interprète

Après avoir monté très jeune un numéro de duettistes avec Jean Davril, elle compose ensuite pour Bourvil•, qui lui prendra deux titres, "Ma p'tite chanson" et "le Bal perdu" (1959). Elle remonte sur scène à l'Olympia et à Bobino tout en continuant à composer, pour Juliette Gréco• ("Déshabillez-moi", "Marions-les"), Maria Candido et Gloria Lasso• ("Magali").

VIAN Boris

Ville-d'Avray, 1920 - Paris, 1959
Auteur, compositeur, interprète

Quand son cœur flanche lors d'une projection privée de *J'irai cracher sur vos tombes* au cinéma du Petit-Marbeuf, près des Champs-Élysées, Boris Vian n'a que trente-neuf ans, mais il laisse derrière lui une œuvre incroyablement dense, foisonnante et inclassable. D'autant qu'il a donné dans tous les genres : roman, poésie, scénario, nouvelle, théâtre, compte rendu, analyse, critique musicale, argument de ballet, opéra et, surtout, chanson. Rien que pour cette

Génial et multiforme, Boris Vian aura tout inventé au cours d'une carrière météorique.

dernière, on a recensé pas moins de 478 titres ! Car plus qu'un violon d'Ingres, la musique, et le jazz par-dessus tout, était pour lui une telle passion qu'elle est présente dans tout ce qu'il a entrepris, et au moins sous-jacente dans la plupart de ses écrits.

Insouciance. Issu d'une famille aisée, Boris Vian connaît une enfance et une adolescence plutôt heureuses, baignant dans un milieu porté à la culture, au non-conformisme et à la création. Sa mère, née Yvonne Ravenez, avait d'ailleurs prénommé une partie de ses enfants d'après le réper-toire dramatique : Lélio, Boris, Ninon… Son père, Paul Vian, n'est absolument pas d'origine russe ni arménienne comme l'avait laissé entendre une certaine rumeur. Il est en fait descendant d'une famille provençale ayant réussi dans la fonderie, les Viani, et a ainsi hérité d'une situation confortable mettant les siens à l'abri du besoin… Il put donc presque entièrement se consacrer à l'éducation de ses enfants. En 1924, après la naissance de la petite Ninon, leur quatrième enfant, les Vian déménagent pour une grande demeure au fond d'un parc de Ville-d'Avray, les Fauvettes, dans la rue Pradier. À cinq ans, Boris sait lire et écrire ; à huit, il entre dans le système éducatif plus conventionnel du lycée de Sèvres. Seule

« UNE ENFANCE HEUREUSE DANS UN MILIEU CULTIVÉ ET NON CONFORMISTE. »

ombre au tableau, on lui découvre une insuffisance cardiaque due à une malformation au niveau de l'artère aorte... Dès ce diagnostic, tout l'entourage de Boris n'aura de cesse de lui faire oublier ce handicap qui réduit sérieusement son espérance de vie. Il s'y emploiera lui-même avec assiduité, malgré certains jours de déprime où son cœur s'emballe et où le spectre d'une fin trop proche hante son esprit...

Survient la crise économique de 1929. Par de mauvais placements, Paul Vian perd plus de la moitié de son héritage. Il est alors obligé de prendre un travail, et sa famille doit se replier dans la maison du gardien pour mettre en location la grande maison bourgeoise qu'elle habitait auparavant. Le train de vie des Vian est désormais réduit, mais pas leur convivialité... Dès leur entrée au lycée de Sèvres, les enfants Vian ne tardent pas à se faire une bande de copains. Leur mère les invite souvent aux Fauvettes, préférant savoir ses rejetons à la maison, quitte à leur accorder tout ce qu'ils veulent...

Déjà le jazz... Pour le malheur de leurs voisins immédiats, plutôt orientés vers le classique, les trois frères se mettent au jazz. Lélio apprend la guitare, mais pratique aussi l'accordéon et la contrebasse ; Alain connaît l'accordéon mais joue surtout de la batterie. Quant à Boris, c'est sur la trompette qu'il jette son dévolu. Assistés de François Missoffe à la guitare (futur ministre de De Gaulle) et de Peters (un des meilleurs compagnons de facéties de Boris), qui joue de presque tous les instruments, ils fondent leur propre groupe, Accord Jazz. Parallèlement à ces activités musicales, ils fondent le cercle Legâteux, sorte de société secrète avec ses codes, ses rites loufoques, sa propre monnaie : le doublezon, et son langage sorti tout droit du théâtre d'Alfred Jarry. Cette joyeuse bande stimule la créativité de Boris qui commence dès lors à jouer avec les images et les mots, quitte à en inventer si le "catalogue" proposé par le monde des adultes se révèle inadapté. On retrouve beaucoup de références à cette période dans son œuvre et c'est de là que date son anagramme et pseudonyme, Bison Ravi, dont il se servira souvent pour signer des textes "enragés", comme il les qualifie lui-même...

Élève doué, Boris passe son premier bac à quinze ans, puis son second à dix-sept. Quand la guerre éclate, en 1939, il vient juste d'être reçu au concours d'entrée de l'École centrale. La rentrée a lieu à Angoulême, où l'école, sous la tutelle des militaires, est momentanément transférée. Boris se voit brusquement plongé dans un univers qui ne lui appartient pas, et dont l'absurdité n'échappe pas à son sens de la critique amusée. De plus, il n'est pas concerné par la mobilisation générale à cause de son cœur défaillant et, bien sûr, il sera de tous les chahuts de la petite ville.

Vient l'été 1940. Les Vian traitent la guerre par l'absurde, prennent la route de l'exode, mais surtout parce que c'est le temps des vacances et qu'une famille amie leur loue une villa à Capbreton, en dessous de Bordeaux, dans les Landes. Là, Boris fait la connaissance de deux personnages qui marqueront sa vie et son œuvre : Michelle Léglise et Jacques Loustalot, alias "le Major".

De retour à Paris, Boris et Michelle ne se quittent plus et se marient en juillet de l'année d'après. (En 1950, Boris se remariera avec la danseuse suisse du ballet de Roland Petit, Ursula Kübler.) Quant au Major, c'est un cousin de Michelle. Il a quinze ans, mais il est doté d'une intelligence foudroyante, d'une culture encyclopédique, d'un sens du gag et de l'absurde peu communs. Véritable casse-cou, il finira d'ailleurs par se tuer le 6 janvier 1948, lors d'une surprise-partie, en tombant d'un toit alors qu'il avait voulu faire semblant de sauter par la fenêtre pour les yeux d'une belle... En lui, Boris trouve plus qu'un ami : un alter ego, un modèle, un personnage à la mesure de sa créativité et de sa fébrilité, et que l'on retrouvera tout au long de ses romans et nouvelles.

Qu'importe la guerre... *"Avoir vingt ans en juin 1940"*, comme il l'écrivit plus tard, est pour sa génération plus qu'un état de fait ; c'est le glas de belles illusions, un plongeon brutal dans le monde des adultes et ses compromissions. Une partie des jeunes Français affichent une apparente indifférence envers l'occupant nazi. En fait, c'est plutôt contre Vichy qu'ils réagissent. On les appelle "zazous", mais ils s'affirment "swing", pensent "swing", s'habillent "swing"... Le jazz, depuis longtemps mis à l'index en Allemagne comme tout ce qui est anglo-saxon, est devenu une forme de résistance et les surprises-parties se multiplient malgré les couvre-feux et une censure draconienne. Bien que parents d'un petit Patrick depuis avril 1942, Boris et Michelle sont de toutes les fêtes et en organisent eux-mêmes dans la maison familiale des Fauvettes, sous le haut patronage du cercle Legâteux, qui a repris ses loufoques activités. En mars de la même année, les Vian font la rencontre de Claude Abadie, qui, comme Boris et ses frères, ne jure que par le jazz. Après un "bœuf" concluant et de nombreuses répétitions, ils en viennent à former un orchestre qui finira par "pologner" ("partager la recette", mot de Boris faisant allusion au partage de la Pologne en 1939) assez régulièrement. Depuis sa sortie de Centrale en juillet 1942, diplôme d'ingénieur en main, Boris profite d'un emploi peu prenant pour ébaucher des recueils de textes comme *les Cent Sonnets, Troubles dans les Andins, Conte de fées à l'usage des moyennes personnes* ou *Vercoquin et le plancton*. La nuit du 22 novembre 1944, son père est mystérieusement assassiné dans sa cuisine par des rôdeurs, mais, au lieu de sombrer dans la tristesse, Boris fait feu de tout bois. Il aborde le journalisme en plaçant çà et là quelques articles pour diverses publications littéraires, puis entre dans l'équipe rédactionnelle du magazine *Jazz Hot,* organe officiel du Hot Club de France, dont il est membre depuis 1937. Il joue toujours dans l'orchestre de Claude Abadie, lequel connaît désormais un véritable succès et, surtout, fait la connaissance de Raymond Queneau, qui l'encourage à écrire et l'introduit auprès de Gallimard. Enfin, désirant aborder Jean-Paul Sartre, il provoque une rencontre en écrivant *l'Écume des jours*, où l'un des personnages est dépeint, sous le nom de Jean-Sol Partre, comme un écrivain blasé, cynique, provocateur et mythomane... Amusé par sa caricature et vivement intéressé par le style de Vian, ce dernier l'invite à participer à la revue qu'il dirige, *les Temps modernes*. Boris y signe dès juillet 1946 les *Chroniques du menteur,* mais, pris de frénésie créatrice après l'échec – qu'il ne digéra jamais – de *l'Écume des jours* pour le Prix de la Pléiade, il se met à peindre tableau sur tableau avant d'entamer l'écriture de *J'irai cracher sur vos tombes*.

> "LÀ, J'EN AI PRIS PLEIN LA GUEULE. IL AVAIT UNE PRÉSENCE HALLUCINANTE, VACHEMENT STRESSÉ, PERNICIEUX, CAUSTIQUE."
> **Serge Gainsbourg**

Vernon Sullivan. Vian veut à la fois s'essayer au genre "série noire" et monter un énorme canular en l'écrivant sous le pseudonyme de Vernon Sullivan, un prétendu Noir américain dont il serait le traducteur exclusif. En fait ce roman – où un métis viole une Blanche avant de l'étrangler – va susciter de vives polémiques avant de finalement lui exploser au visage. Un comité de protection de la morale lui intente un procès retentissant de 1947 à fin 1953, qui forcera Boris à se découvrir. Ce livre – comme les deux autres signés Vernon Sullivan, *Elles se rendent pas compte* et *Et on tuera tous les affreux,* sortis en 1948 – devient un best-seller, mais la carrière littéraire du "vrai" Vian, est quasiment sabordée et ses écrits (dont *l'Automne à Pékin, l'Herbe rouge* et *l'Arrache-cœur*) ne seront reconnus à leur juste valeur qu'après sa mort. Qu'importe, Vian a d'autres cordes à son arc. Sans renoncer pour autant à l'écriture (journalisme, traductions, pièces de théâtre, scénarios de films, nouvelles, poèmes, spectacles de cabaret, et même science-fiction), il initie Sartre au jazz et anime les soirées du Tabou, une cave de Saint-Germain-des-Prés, à la renommée dépassant largement le cadre parisien. C'est là, et plus tard au Club Saint-Germain, dont il est un des fondateurs, qu'il croise tous ceux pour qui il va écrire des chansons, à commencer par Juliette Gréco• et Henri Salvador•, ce dernier rencontrant un franc succès avec "C'est le be-bop" en 1949. Puis, en 1954, il rencontre Renée Lebas•, qui le décide à se lancer pour de bon dans ce genre qu'il ne pratiquait jusque-là qu'en dilettante. Cette chanteuse populaire lui apprend vite les bases du métier de parolier. Elle lui fait connaître Jimmy Walter, jeune compositeur et pianiste accompagnateur, qui lui montre comment travailler une mélodie et revoir des paroles en fonction des arrangements. À la sortie, ils ont en catalogue une trentaine de chansons achevées, dont Renée Lebas• elle-même retient "Moi, mon Paris", "Sans blague", "Au-revoir mon enfance" et "Ne te retourne pas", les plus proches de son propre répertoire.

Trop provocateur pour l'époque. Parmi les autres, certaines sont franchement provocatrices ("le Tango interminable des perceurs de coffres-forts", "J'suis snob"). Et lorsque le duo Vian/Walter entame le tour des maisons d'édition, on le leur fait bien sentir : trop nouveau, humour trop grinçant. Heureusement, certains interprètes comme Mouloudji• (qui aura la primeur de l'interprétation du "Déserteur") et Suzy Delair• n'hésitent pas à se les partager pour leurs tours de chant. Boris et Jimmy continuent à travailler ensemble, notamment pour un spectacle d'Henry-François Rey, *la Bande à Bonnot.* L'univers des bandits au destin tragique fascine Vian, et les deux compères achèvent entre autres "les Joyeux Bouchers", "la Java des chaussettes à clous" et "la Complainte de Bonnot". Mais, là encore, le spectacle est vite retiré de l'affiche... Boris en a assez de son état de "parolier errant" et s'en plaint à Jacques Canetti•, alors directeur artistique chez Philips, qui, après une audition, lui suggère d'interpréter lui-même ses chansons et lui propose même une salle qui lui appartient – les Trois Baudets – pour un contrat de quatre semaines. Vian est soufflé, mais n'avait-il pas lui-même écrit moins de deux ans plus tôt dans le magazine *Arts,* où il lançait des propos acides sur le monde de la musique : "On peut vous refuser une chanson, d'accord, mais peut-on vous empêcher de la chanter ?"

"SON MEILLEUR MÉDICAMENT S'APPELLE HENRI SALVADOR, CHEZ QUI IL VA SE RÉFUGIER DÈS QU'IL A UN COUP DE BLUES."

Une fois de plus, il accepte de prendre le risque. Après quelques cours de chant et beaucoup de motivation, il se retrouve pour la première fois seul sur une scène, le 4 janvier 1955, mis à part Jimmy Walter au piano, légèrement en retrait. Serge Gainsbourg• y était : *"Là, j'en ai pris plein la gueule. Il avait une présence hallucinante, vachement stressé, pernicieux, caustique. Les gens étaient sidérés. Il chantait des trucs terribles, des choses qui m'ont marqué à vie."* Boris, malgré un trac épouvantable, accepte d'autres engagements et travaille avec l'arrangeur Alain Goraguer sur de nouvelles chansons, toutes plus "enragées" les unes que les autres ("la Java des bombes atomiques", "les Arts ménagers", "le Petit Commerce", "On n'est pas là pour se faire engueuler"), qui font le bonheur d'admirateurs comme Léo Ferré• et Georges Brassens•... Peu après, Boris enregistre coup sur coup chez Philips deux 45 tours finalement réunis en un 33 tours : *Chansons possibles et impossibles,* qui sort en février 1956. Puis il démarre une tournée nationale marquée par divers incidents : ses textes, sa réputation, ses déboires avec *J'irai cracher sur vos tombes* l'ont précédé et, à chaque tour de chant, il doit faire face à une frange indignée du public. Quant au "Déserteur" (1954), cette chanson (qui sera reprise par nombre d'artistes, dont Peter, Paul And Mary et Serge Reggiani•) lui vaut le chahutage de tous les comités d'anciens combattants : la guerre d'Algérie a commencé à montrer son visage dès la fin de celle d'Indochine. Qui plus est, son nom est Boris Vian...

Je vais crever... Comme si ses problèmes cardiaques ne lui suffisaient pas, Boris est victime d'un œdème pulmonaire aigu. Il doit arrêter la scène : plus de chant, plus de trompette ! Heureusement, il garde ses autres activités : dans le journalisme, ses loufoqueries au sein du "Club des Savanturiers" et du "Collège de Pataphysique". Mais, surtout, Jacques Canetti• lui offre de travailler chez Philips comme directeur artistique adjoint. Il est vrai que depuis deux ans Vian a déjà pris ses marques dans l'austère maison où il impose peu à peu son grain de folie : début 1956, il coproduit avec son complice Henri Salvador• un disque parodiant des titres devenus des classiques du rock'n'roll à la française, ramenés en France par Michel Legrand•. Le résultat : "Rock and Roll Mops", "Rock-hoquet", "Dis-moi que tu m'aimes, rock" et "Va t'faire cuire un œuf, man", où Boris s'ingénie à rendre comique une certaine niaiserie dans les textes... Il continue avec "Fais-moi mal, Johnny", et trois autres rock de son cru qu'il fait enregistrer par Magali Noël•, histoire de prendre à contre-pied un certain machisme américain. Parallèlement, il s'occupe de Mouloudji, des Trois Ménestrels, de Francis Lemarque•, de Jean-Claude Darnal... Il écrit chanson sur chanson, s'adaptant à tous les registres, sans sectarisme. Il devient directeur artistique de Fontana (sous-marque de Philips) dès 1958, par suite de querelles avec Canetti. Sous ce nouveau label, Boris peut ajouter à son palmarès quelques incongruités comme "Fredo minablo et sa pizza musicale", "l'Adjudant Caudry et ses troupiers comiques", tout en publiant un ouvrage féroce sur le show-business, *En avant la zizique...* Après un deuxième œdème pulmonaire, Boris Vian est à plat : *"Je vais crever, mais si seulement ça pouvait attendre..."* ou *"Pas d'affolement, les gars !"* sont quelques-unes des phrases qu'on l'entend souvent prononcer dès le début de 1959, quand son cœur s'emballe. En fait, cela fait plus de un an que son meilleur médicament est Henri Salvador, chez qui il se réfugie dès qu'il a un coup de blues pour jeter les bases d'une nouvelle chanson. Mais un 23 juin, invité à une projection matinale en avant-première de l'adaptation cinématographique du seul roman qui l'ait fait vivre, et sur le scénario duquel il a peut-être usé ses dernières forces, il s'effondre peu après les premières images...

Il lègue à la postérité plus qu'une série de livres et de chansons immortels : un personnage et un style qui en ont influencé plus d'un, à commencer par Serge Gainsbourg, Alain Bashung• ou Pierre Desproges. Ainsi que l'a dit Mouloudji : *"Comme celle de Bruant, l'œuvre qu'il a laissée part de A et finit à Z et se suffit à elle-même. Il a secoué la société française, mais il l'aurait secouée bien davantage encore, s'il avait vécu vingt ans de plus".* **H. E.**

- ***Boris Vian chante Boris Vian ;*** Boris Vian et les interprètes (1947-1963), 2 CD, Polygram
- ***Chansons et textes,*** Adès/Musidisc
- ***Volume I,*** Jacques Canetti
- ***En avant la zizique,*** Saravah/Média 7

VIDALIN Maurice

Paris, 1924 - Rueil-Malmaison, 1986
AUTEUR

Après un long séjour à la Légion étrangère, il fait la connaissance d'un pianiste de bar, nommé Jacques Datin•. Plusieurs jolies chansons vont naître de cette rencontre : "Julie" pour Marcel Amont, "Zon zon zon" et "Tais-toi Marseille" pour Colette Renard•, "Nous les amoureux" pour Jean-Claude Pascal• (prix Eurovision 1961) et "les Boutons dorés" pour Jean-Jacques Debout•.

Après lui avoir écrit au début de sa carrière "le Mur" puis "C'était moi", il collabore de longues années avec Gilbert Bécaud•, ce qui donne plusieurs grands succès : "la Grosse Noce" (1962), "Quand Jules est au violon" (1964), "Rosy and John" (1965), "le Petit Oiseau de toutes les couleurs" (1966) et "Bain de minuit" (1970). Capable d'écrire dans le registre de l'humour comme dans celui de l'émotion, il travaille aussi pour France Gall•, Mireille Mathieu• ("Paris en colère"), Michel Fugain• ("la Fête", "les Acadiens") et Gérard Lenorman• ("Soldats ne tirez pas").

VIGNEAULT Gilles

Natashquan, Québec, 1928
AUTEUR, COMPOSITEUR, INTERPRÈTE

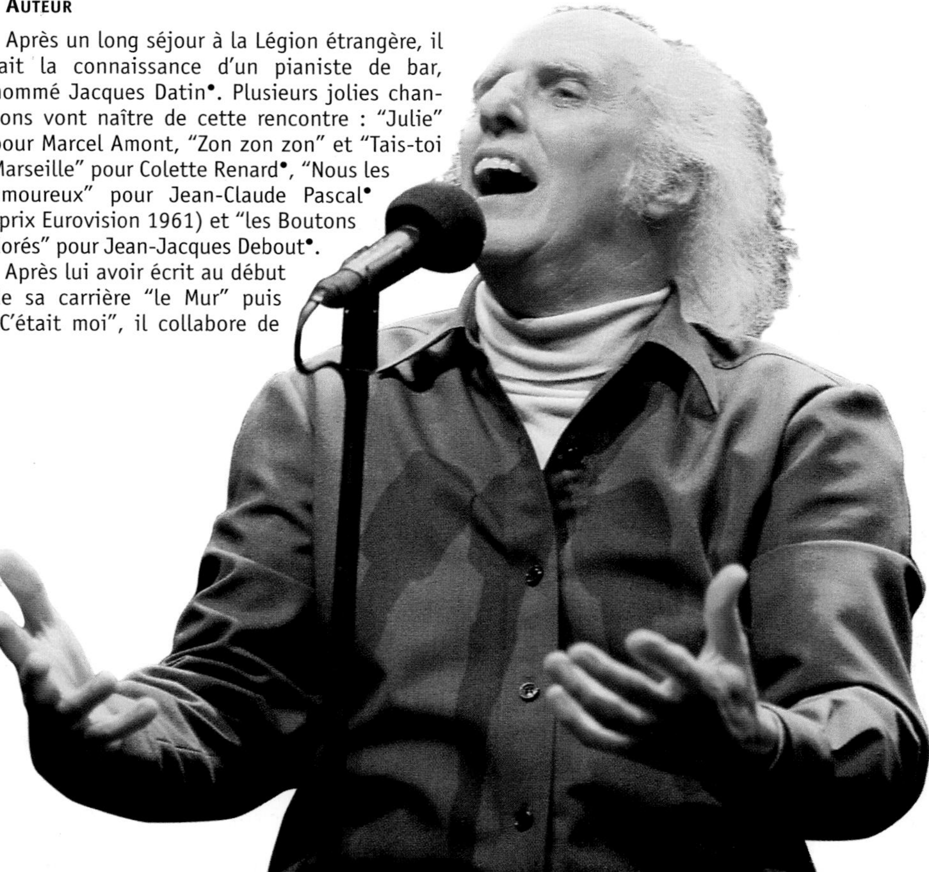

Gilles Vigneault promène dans son répertoire les ambiances et les personnages qui ont marqué son enfance à Natashquan.

Gilles Vigneault commence sa carrière à l'âge de trente-trois ans. Cet ancien séminariste, après un passage par la faculté de Laval, va exercer plusieurs métiers avant de trouver sa véritable voie. Professeur de lettres, d'anglais, d'algèbre, animateur à la radio, rédacteur de messages publicitaires, employé aux archives du folklore pour l'Université, il se passionne surtout pour la poésie. Il dira d'abord ses textes dans de petites salles, les publiera, avant que Jacques Labecque, chanteur renommé, en enregistre un. Vigneault, poussé par des amis, se retrouve à son tour, en 1960, sur la scène de la boîte à chansons qu'il a contribué à créer à Québec.

"SUR FOND DE VIOLONS « PAYSANS », DE GIGUE ET DE QUADRILLE, UNE GESTUELLE SPONTANÉE FAITE D'INCESSANTS MOUVEMENTS DE BRAS."

Chanteur et comédien. Un an plus tard, ses vrais débuts ont lieu sur la scène du Gésu de Montréal. Ses compositions sont autant de portraits de gens ordinaires mais bien vivants. Ils ont nom Jean du Sud, Jos Hébert, Ti Paul La Pitoune. Ces tableaux pittoresques réalisés avec efficacité plaisent. Gilles Vigneault, qui assure avoir commencé la musique à quatre ans sur un harmonium, privilégie un accompagnement lui aussi hors du temps, des modes. Dans l'orchestre que dirige son complice Gaston Rochon, les cordes dominent. Il reprend, sur fond de violons dits "paysans", les rythmes de la gigue, du quadrille. L'enfiévrée "Danse à Dilon" devient l'un de ses premiers succès. Le chanteur, qui a tâté également de la comédie, cultive en public l'art de la digression et se révèle un excellent conteur. Sa gestuelle spontanée inclut d'incessants mouvements des bras, étonne, qu'il bondisse ou danse. En 1966, un an après la création de "Mon pays" (*"Ce n'est pas un pays/C'est l'hiver"*) un premier passage à Bobino, aux côtés de Pauline Julien•, n'attire pas les foules. Onze ans plus tard, il s'y produira, deux mois et demi, à guichets fermés. Les Français l'ont découvert, entre-temps, lors du spectacle *Vive le Québec* organisé à l'Olympia (1967). Il est comparé à Brassens• et devient, à sa manière, le porte-parole de ceux qui, au Canada, se battent pour la reconnaissance de la culture francophone. Plus encore après le 24 juin 1976 et la fête de Saint-Jean-Baptiste où il chante avec Robert Charlebois•, Claude Léveillée•, Jean-Pierre Ferland• et Yvon Deschamps devant 300 000 personnes sur le Mont-Royal à Montréal. En 1987, il redevient comédien pour créer au TLP Dejazet, *le Temps de dire,* un spectacle bâti, une fois encore, autour de l'univers qui l'a fait connaître. Il s'y glisse dans la peau d'une trentaine de personnages. Au début des années quatre-vingt-dix, pour fêter ses trente ans de métier, est commercialisé un coffret de six chansons. Il est, pour l'occasion, fait chevalier des Arts et Lettres. **J.-P. G.**

- ***Chemin faisant*** (1960-1990), Auvidis, 1990
- ***Le chant du partageur,*** Auvidis, 1993
- ***C'est ainsi que j'arrive à toi,*** Auvidis, 1996
- ***À l'Olympia*** (2 CD), Auvidis, 1997

VILARD Hervé

Paris, 1946
AUTEUR, COMPOSITEUR, INTERPRÈTE

Enfant de l'Assistance publique, il écrit en 1965 le texte de la chanson qui va rester comme un des tubes les plus représentatifs de la période : "Capri, c'est fini". Il connaît encore d'autres succès, de moindre importance, comme "Fais la rire" (1966) et "Amoureux d'un soir" (1974), puis on oublie un peu ce chanteur romantique qui "hurle" parfois ses textes, à l'italienne. Il démarre alors une carrière en Amérique du Sud et se rappelle avec succès au public français à la fin des années soixante-dix avec l'album *Nous.* Celui qu'on présente parfois comme "le chanteur favori de Marguerite Duras" fait un retour remarqué en 1996 sur la scène de l'Olympia.

- ***Capri, c'est fini,*** Polygram
- ***P'tit brun,*** Sony, 1987
- ***L'amour défendu,*** Sony, 1990
- ***Les Chansons que j'aime,*** Trema/Sony, 1992

VILLEMER Gaston (Germain Girard, dit)

Annonay, 1842 - Paris, 1892
AUTEUR

Le nom de Gaston Villemer est indissociable de celui de Lucien Delormel (1847-1899) - on les appelait "les frères siamois des caf' conc'" -, avec qui il a signé après 1871 plusieurs chansons "revanchardes", comme "les Cuirassiers de Reichshoffen" ou "le Maître d'école alsacien". Leur réussite en ce domaine fut indiscutable, car ils apportaient aux Français les mots qu'ils attendaient après l'humiliante défaite devant la Prusse. On ne peut oublier, dans un tel florilège, le célèbre "Rossignol de la revanche", créé par Marius Richard (*"Je suis le rossignol français, le rossignol de la revanche"*), ou "le Fils de l'Allemand", dans lequel, à l'officier prussien qui lui présente un enfant à nourrir, une femme oppose son refus car *"sa mamelle est française"*.

VINCY Raymond

Marseille, 1908
Neuilly-sur-Seine, 1968
AUTEUR

Un grand de la chanson populaire et de la rengaine exotique. Il commence en 1934 en écrivant "l'Amour est une étoile" pour Tino Rossi•, puis enchaîne avec l'opérette marseillaise *Un de la Canebière,* dont tous les titres, chantés par Alibert•, seront des grands succès ("le Plus Beau tango du monde", "les Pescadous", etc.). Après "Bébert" pour Andrex• et "Cheveux au vent" pour Georges Guétary•, c'est le triomphe absolu avec "Petit Papa Noël" pour Tino Rossi, sur une musique d'Henri Martinet•. Après la Libération, il enchaîne de nouveaux succès pour Luis Mariano• dans les opérettes de Francis Lopez• ("la Belle de Cadix", "Andalousie", "Mexico", "Rossignol de mes amours"). En 1956, au Châtelet, il retrouve Tino Rossi avec *Méditerranée,* dont il écrit les textes, toujours sur la musique de Francis Lopez.

VLINE BUGGY (Liliane Vuillieme, dite)

Paris, 1929
AUTEUR, PRODUCTRICE, ÉDITRICE

Fille de Géo Koger•, elle écrit ses premières chansons en duo avec sa sœur (Vline et Buggy) pour Georges Ulmer• ("Nicole") et Yves Montand• ("le Puits"). En 1961, elles réalisent une adaptation pour le groupe de rock les Chats sauvages•, quand la maladie fauche l'une des deux sœurs. Liliane continue en gardant le pseudonyme du duo. L'éditeur Rudi Revil• lui présente un débutant nommé Claude François•, pour qui elle va écrire, tout au long des années soixante, plusieurs adaptations et titres originaux à grand succès ("Belles, belles, belles", "Si j'avais un marteau", "J'y pense et puis j'oublie", "Même si tu revenais", "le Jouet extraordinaire"). Lancée chez les yéyé, elle travaille aussi pour Johnny Hallyday•, Hugues Aufray• ("Adieu, monsieur le professeur", "Céline"), Michel Sardou• ("les Bals populaires", "Et mourir de plaisir"). En 1973, elle remporte le prix de l'Eurovision avec "Tu te reconnaîtras", chanté par Anne-Marie David. Devenue productrice et éditrice (Éditions musicales Céline), elle connaît encore un très grand succès avec "Pour le plaisir", chanté en 1981 par Herbert Léonard•.

VOISINE Roch

Saint-Basile, Québec, 1963
AUTEUR, COMPOSITEUR, INTERPRÈTE

Joueur de hockey, il déchausse ses patins à la suite d'une grave déchirure musculaire pour enfiler un costume de scène. Il s'impose vite avec "Hélène", succès planétaire en 1989. Beau garçon, sain et musclé - il se présente en plaisantant comme un boys band à lui tout seul -, il propose à son public, majoritairement féminin, une chansonnette folk, lisse et sans aspérités. Après quelques années de silence et après avoir créé sa propre maison de production, il revient en 1999 avec un nouvel album, *Chaque feu...*

- ***Hélène,*** BMG, 1989
- ***Chaque feu...,*** RV International/BMG, 1999

VOULZY Laurent

Paris, 1948
AUTEUR, COMPOSITEUR, INTERPRÈTE

Ce fan des Beatles abandonne vite ses études, devient guitariste à temps complet et propose ses cassettes chez RCA. Cinq 45 tours sont enregistrés, mais le public ne suit pas. En 1974, le jeune Guadeloupéen rencontre le pied-noir Alain Souchon•, qui fait face, à cette époque, à la même situation. Voulzy lui compose deux tubes en puissance, "J'ai dix ans", clin d'œil au "Bib-Bop" de Paul McCartney, et "Bidon", texte bien en phase avec une certaine adolescence en mal d'identité, qui augurent d'une grande amitié et d'une exceptionnelle collaboration professionnelle. Le duo fonctionne désormais à plein temps et dans les deux sens : ainsi, alors que Laurent orchestre sur sa guitare les prochaines chansons de Souchon, Alain est le parolier attitré de Voulzy, celui qui façonne son univers. Voulzy qui déchaîne les hit-parades avec "Rock Collection" (été 1977, texte d'Alain Souchon), medley où l'on peut reconnaître tous les grands rocks des années soixante. Le 45 tours se vendra à plus de un million d'exemplaires.

Le chantre d'une pop sucrée à la française. Alors que "Bubble Star" (1978) envahit les ondes, Voulzy partage en 1979 l'affiche de l'Olympia avec son fidèle complice et décroche ses galons de star. La même année sort son premier album – un mini qui, en plus du tube le "Cœur grenadine", contient des titres comme "Karin Redinger", "Lucienne est américaine", une version du "Qui est in, qui est out ?" de Gainsbourg• –, fait de lui le chantre d'une pop sucrée à la française. Avec "Grimaud", il s'essaie avec réussite à l'écriture des textes. Mais son perfectionnisme l'oblige à travailler très lentement. Le second album paraît en 1983, avec en locomotives "Bopper en larmes" et "Liebe". L'année suivante, ce sera "Désir désir" (en duo avec Véronique Jeannot) et "Idéal simplifié", puis "Belle-Île-en-Mer" (1985 ; considérée comme une des 20 meilleures chansons françaises de tous les temps), "le Soleil donne" (1988), ou "le Rêve du pêcheur" (1992). Autant de morceaux qui confirment son statut de vedette, d'autant que bien des mélodies signées Laurent Voulzy ont contribué à populariser le timide Alain Souchon : "Allô maman bobo", "Jamais content", "Poulailler's Song", "On s'aime pas", "la Ballade de Jim", "C'est comme vous voulez", "Y'a d'la rumba dans l'air". À l'instar de son fidèle complice, Laurent Voulzy semble porter sur le monde des adultes un regard d'éternel adolescent (à noter que, en 1995, le propre fils de Laurent se lance dans la chanson, en duo avec... le fils d'Alain). Mais, grâce à un sens inné des orchestrations subtiles, il réussit la synthèse entre la rengaine pop et la chanson à texte sophistiquée. **A. G.**

Laurent Voulzy, alter ego d'Alain Souchon, est un compositeur très efficace, tenant d'une pop à la française influencée par les Beatles.

- ***Le Cœur grenadine*** (1979), RCA/BMG
- ***Bopper en larmes,*** RCA/BMG, 1987
- ***Belle-Île-en-Mer*** (compil. 1977-1988), BMG, 1989
- ***Caché derrière,*** BMG, 1992

WAGENHEIM Gaby

Limoges, 1918
COMPOSITEUR

Dans les années cinquante, il est chef d'orchestre accompagnateur de Jacqueline François•, Charles Aznavour•, Philippe Clay• et Mouloudji•. Puis il écrit des chansons avec Charles Aznavour : "Dis moi, si j'avais un piano", "Perdu", "Parce que", "Moi, j'fais mon rond". Il compose alors pour Jacques Brel•, Annie Cordy• et Line Renaud•. Il collabore avec Mouloudji• sur plusieurs chansons et une comédie musicale inédite *(la Vie d'artiste)*, puis compose la musique de *Ouah ! Ouah !*, une opérette créée par Bourvil• et Annie Cordy à l'Alhambra.

WHITE Daniel

Malakoff, 1912-1997
COMPOSITEUR

Après de solides études musicales, il forme un orchestre de variétés à succès puis compose pour le cinéma et la chanson. Il travaille ainsi pour Marcel Amont•, les Frères Jacques• ou Mouloudji•. On retiendra surtout le "Mémère" qu'il donna à Michel Simon (sur des paroles de Bernard Dimey•) et le "Frédé" que chanta Cora Vaucaire• (sur des paroles de Michel Vaucaire). Il composera également de nombreuses musiques de film.

WIENER Jean

Paris 1896 - *id.*, 1982
COMPOSITEUR

Après des études musicales au Conservatoire, il participe à l'équipe, animée par Jean Cocteau, qui crée, en 1921, le cabaret du Bœuf sur le toit. Avec Clément Doucet, il présente un numéro à deux pianos, qui rencontre beaucoup de succès, alternant musique classique et jazz. C'est avec eux que Mireille• s'impose lors d'une revue à l'Odéon, en 1927. Jean Wiener mène ensuite une brillante carrière de compositeur. Il a écrit la musique de 250 films, en particulier *Touchez pas au grisbi* (Jacques Becker, 1953), dont la célèbre mélodie, interprétée à l'harmonica par Jean Wetzel, connaîtra une immense popularité. Il compose aussi des chansons, notamment pour Édith Piaf• ("Tant mieux, tant pis", 1934, sur des paroles de Poterat•, "Au coin des rues", 1947 - Michel Vaucaire).

WILLEMETZ Albert

Paris, 1887 - Marnes-la-Coquette, 1964
AUTEUR

Fonctionnaire au ministère de l'Intérieur, secrétaire un temps de Clemenceau, il publie son premier recueil de poèmes, *Au pays d'amour,* sous le pseudonyme de Metzvil. Attiré par la chanson, il intéresse vite Mistinguett•, qui lui prendra plusieurs titres ("la Belote", "Mon homme", "J'en ai marre", "En douce") et Maurice Chevalier• ("Valentine", 1925, "Ah ! si vous connaissiez ma poule", "Dans la vie faut pas s'en faire"), qui dira, un jour, de lui : *"Parmi les auteurs que j'ai chantés, le plus complet, celui dont le style, la grâce, la légèreté savaient le plus affiner ma gouaille faubourienne, a été Albert Willemetz."* Souvent associé au compositeur Maurice Yvain•, il démontre une verve jamais démentie, une véritable science de la formule-choc. Il connaît une fin de carrière remarquable avec des titres comme "J'y vas t'y, j'y vas t'y pas" (Marie Bizet, 1945) ou "Andalousie" (Luis Mariano•, 1948) Il est également l'auteur de 150 revues, 102 opérettes, dont *Dédé* et la célèbre *Phi-Phi.* Il sera président de la SACEM à plusieurs reprises.

WILLIAM John (Armand Huss, dit)

Grand-Bassam, Côte-d'Ivoire, 1922
INTERPRÈTE

Le Paul Robeson français est né d'un père français et d'une mère ivoirienne. En France depuis l'âge de huit ans, il démarre dans la vie comme mécanicien à Montluçon. Pendant la guerre, il monte un réseau de résistance, ce qui lui vaut d'être déporté en 1944. Poussé par ses compagnons de camp, qui ont pu apprécier sa belle voix, il débute dans la chanson en 1949. Mais il n'obtiendra le succès que trois ans plus tard, en chantant en français, "Si toi aussi tu m'abandonnes", la chanson-générique du film *Le train sifflera trois fois.* Il récidivera ensuite avec "la Chanson de Lara", tirée de l'adaptation cinématographique du *Docteur Jivago.* "Je suis nègre" et "Black Boy" seront ses titres les plus connus. Quittant quelque peu la variété, il se dirige vers le gospel et les negro spirituals, chantant la plupart du temps dans des églises.

◎ ***La chanson de Lara,*** Phonogram
◎ ***Mississippi*** (Old Man River), Pathé Marconi

WINTER Ophélie (Ophélie Kleerkoper, dite)

Paris, 1974
AUTEUR, INTERPRÈTE

Fille de David Alexander Winter, un crooner qui obtint, dans les années soixante, un unique succès avec "Oh Lady Mary", elle chante depuis l'âge de quatre ans. À dix-sept ans, elle abandonne le lycée et entame une carrière de mannequin. En 1993, à Paris, elle rencontre Prince, avec qui elle enregistre en duo "The Most Beautiful Girl In The World". En 1994, elle présente sur M6 l'émission "Hit Machine", qui va la faire connaître de la population adolescente. L'année suivante, elle décroche son premier tube avec "Dieu m'a donné la foi". En 1996, elle sort un premier album, *No Soucy,* qui se vend à 450 000 exemplaires, suivi d'un deuxième, *Privacy,* en 1998. Fascinée par la musique noire américaine, Ophélie Winter cherche à être la Janet Jackson française et a le même public, pré-ado, que les Spice Girls.

◎ ***No Soucy,*** Eastwest, 1996
◎ ***Privacy,*** Eastwest, 1998

XANROF Léon (Léon Fourneau, dit)

Paris, 1867-1953
AUTEUR, COMPOSITEUR

Xanrof prend ce pseudonyme, anagramme latine de son nom véritable (fornax : fourneau), à la demande de ses parents. Avocat à la cour d'appel, il appartient pendant deux ans au cabinet du ministre de l'Agriculture. Pourtant, le démon de la chanson et du journalisme ne le lâchera jamais. Il signera au *National,* au *Gil-Blas,* au *Quotidien illustré,* etc. Sa fantaisie incisive, son parisianisme aigu serviront de base à ses chansons. Il écrit ainsi "Mon enterrement", "l'Hôtel du n° 3" et "le Fiacre", créé par Félicia Mallet et repris par Yvette Guilbert•, qui interprétera presque exclusivement les chansons de Xanrof et en assurera le succès. Xanrof compose aussi la musique de ses chansons sans savoir l'écrire. À la fin de sa vie, Xanrof, retiré de la chanson, se consacre au théâtre. Il assure alors l'adaptation des livrets des opérettes *Rêve de valse* (avec Jules Chancel) et *Madame Putiphar.*

YACOUB Gabriel

Paris, 1952
AUTEUR, COMPOSITEUR, INTERPRÈTE

Guitariste, banjoïste et chanteur, Gabriel Yacoub commence par jouer de l'"old-time" américain, puis devient membre du groupe d'Alan Stivell. Parallèlement, il signe avec sa femme Marie l'album *Pierre de Grenoble* (chansons françaises traditionnelles) avant de fonder son groupe, Malicorne•. Premier album solo en 1978, *Trad./Arrt.* Depuis la dissolution de Malicorne, il poursuit une brillante carrière solo, écrivant de belles ballades inspirées par le style des chansons populaires françaises. Avec son album *Quatre,* en 1995, Gabriel Yacoub effectue un retour marquant.

Quatre, Boucherie Productions, 1995

YVAIN Maurice

Paris, 1891 - Suresnes, 1965
COMPOSITEUR

Après de sérieuses études musicales, il débute comme pianiste aux Quat'-z-Arts. Après 1918, il se consacre à l'opérette et en rénove le genre par l'introduction des rythmes du jazz. Nombre de ses opérettes contiennent des chansons à succès : "Ta bouche" (paroles de Mirande et

Willemetz), "Au soleil du Mexique" (Mouezy, Eon, Willemetz•), "Pas sur la bouche" (André Barde), "Là-haut" (Mirande, Quinson). Il compose aussi de nombreuses chansons, en particulier pour Mistinguett : "Mon homme" (Willemetz, Jacques-Charles), "J'en ai marre", "En douce", "la Java" (Willemetz) il travaille également, pour Maurice Chevalier•, "Dites moi ma mère" (Willemetz), "J't'emmène à la campagne" (de l'opérette *Un bon garçon*. Yvain compose aussi la musique de plusieurs films, dont celle de *l'Assassin habite au 21,* et deux ballets, *Vent* (1937) et *Blanche Neige* (1951).

YVART Jacques

Dunkerque, 1940
AUTEUR, COMPOSITEUR, INTERPRÈTE

Le nom de Jacques Yvart, issu d'une famille de marins et de pêcheurs, reste attaché aux chansons de mer. À dix-huit ans, en 1958, il se lance dans le métier à la Colombe avec un répertoire personnel de plus de 150 titres. Mick Micheyl• le présente alors à Léo Missir•, qui lui fait commencer une longue carrière de chanteur chez Barclay. Parmi ses principaux titres, on note "le Fils du capitaine Achab", "Vogue la galère" ou "la Vallée des roses".

ZANINI Marcel

Istanbul, Turquie, 1923

Clarinettiste et saxophoniste de jazz dans les clubs de Saint-Germain-des-Prés, il enregistre, en 1970, "Tu veux ou tu veux pas". Bardot• reprend la chanson, et la "bouille" de Zanini – bob vissé sur la tête, lunettes rondes, moustache – devient familière. Il continue aujourd'hui sa carrière dans le jazz. Il est, par ailleurs, le père de l'écrivain Marc-Édouard Nab.

Compilation Master Serie, Polygram, 1994

ZARAÏ Rika (Rika Gussmann, dite)

Jérusalem, 1940
COMPOSITEUR, INTERPRÈTE

Après avoir suivi de brillantes études et fréquenté le Conservatoire de musique de sa ville natale, elle vient en 1960 à Paris, où elle lance en français un célèbre refrain du folklore israélien "Hava Naguila". Bruno Coquatrix l'engage à l'Olympia dans le spectacle de Jacques Brel•. Elle devient rapidement une vedette, avec des chansons entraînantes, soit tirées des folklores du monde ("Alors je chante", "le Casatchok"), soit d'esprit France profonde comme "le Bal à papa", "Tante Agathe" ou "Sans chemise et sans pantalon". Elle vend près de 15 millions de disques. À la suite d'un grave accident de voiture, en 1985, elle écrit un livre sur la médecine naturelle qui devient un best-seller. Elle se lance alors dans la production de plantes douces et de produits parapharmacologiques, ce qui lui vaut l'hostilité du syndicat des pharmaciens.

30 ans d'amour, Polygram

ZAZIE (Isabelle de Truchis de Varenne, dite)

Boulogne-Billancourt, 1964
AUTEUR, COMPOSITEUR, INTERPRÈTE

Son nom mutin et sa taille mannequin ne doivent pas induire en erreur. Zazie n'est pas une potiche, mais bien une bête de compétition dans le rude monde de la variété française. Ses succès d'auteur-compositeur signant entre autres pour Jane Birkin•, Patricia Kaas•, Johnny Hallyday• ou Florent Pagny• autant que ceux d'interprète (*Zen,* son deuxième album, en 1995, fut disque de platine ; *Made in Love,* le petit dernier, sorti en 1998, en a pris le même chemin) lui ont valu d'être double lauréate des Victoires de la musique (révélation féminine de l'année en 1993, interprète féminine de l'année en 1998). Après avoir été mannequin et étudié pendant dix ans le violon au conservatoire, elle enregistre en 1992, son premier album, *Je, tu, ils,* dont elle écrit elle-même les textes (sauf un titre de Kent•), les musiques étant signées Pascal Obispo•. Elle décroche d'emblée un tube avec "Sucré, salé"... Entre grande sœur idéale et fiancée fantasmée, Zazie, très politiquement correcte (participation à Sol en Si, aux Enfoirés, etc.), a su imposer son allure à la fois sportive et sophistiquée, piquante et langoureuse.

Zen, Mercury, 1995
Made In Love, Mercury, 1998

ZEBDA

Groupe fondé à Toulouse en 1988 : Magyd Cherfi, Hakim Amokrane, Mustapha Amokrane (chant), Joël Saurin (basse), Pascal Cabero (guitare, bouzouki), Vincent Sauvage (batterie), Rémi Sanchez (claviers)

Cocktail détonnant de Beurs et de Gascons, Zebda (le beurre en arabe) évolue du raï au rock en passant par le ragga et le funk avec une facilité déconcertante. Leurs paroles sarcastiques abordent les sujets du moment : chômage, double peine, logement, racisme ordinaire et exclusions en tous genres... Leur premier album, *l'Arène des rumeurs* (1993), fait scandale parce que la pochette représente un enfant de l'Infitada fronde à la main. En 1995, *le Bruit et l'odeur* suscite bien des remous à cause d'une reprise d'un discours de Jacques Chirac. En 1997, soutenus par la Ligue communiste révolutionnaire, ils enregistrent *Motivés,* où ils reprennent des chants engagés ("le Temps des cerises", "le Chant des partisans", "la Cucaracha"). En 1998, l'album *Essence ordinaire,* grâce au titre "Je crois que ça va pas être possible" (écrit avec l'humoriste Dieudonné), remporte un tel succès que les magasins Tati sponsorisent leur tournée pour que les billets de concert soient vendus 9,90 francs...

L'Arène des rumeurs, Barclay, 1993
Essence ordinaire, Barclay, 1998

Zazie se confirme, aussi bien en tant qu'interprète qu'en tant qu'auteur, comme une des valeurs sûres de la chanson des années quatre-vingt-dix.

GLOSSAIRE DE LA CHANSON

ANATOLE

Suite harmonique très simple de quatre accords - do, la, fa, sol - qui se suivent et qui sont sans cesse répétés, permettant à un instrumentiste d'improviser selon son inspiration du moment. Bon nombre de chansons ont été composées sur cette base, dont "la Mer" de Charles Trenet. Michel Sardou, pour sa part, a enregistré en 1979 "l'Anatole", qui est précisément une chanson hommage au "fou chantant".

ARRANGEUR

L'arrangeur est le musicien qui réalise musicalement les compositions que lui donne l'interprète. Il va, en liaison avec le directeur artistique, concevoir des orchestrations, des ambiances musicales, des choix d'instruments propres à mettre en valeur le répertoire de l'artiste. Michel Legrand demeure, sans conteste, comme l'un des plus grands arrangeurs de la chanson française d'après-guerre. Il a marqué de son talent toutes les chansons de Léo Ferré interprétées par Catherine Sauvage ("Paris canaille", "l'Homme"). Alain Goraguer contribuera au lancement de la carrière de Serge Gainsbourg en travaillant sur des chansons comme "le Poinçonneur des Lilas" ou "la Javanaise". Le tube de Zizi Jeanmaire, "Mon truc en plume", doit beaucoup à la "patte" de Michel Defaye, comme le "Toulouse" de Nougaro à celle de Christian Chevalier. Et l'on peut citer aussi le rôle essentiel de Jacques Danjean, Michel Colombier, Jacques Loussier ou Jean Bouchéty dans la carrière de Johnny Hallyday, Sheila, Richard Anthony, Eddy Mitchell ou Sylvie Vartan.

CHANSONNIER

Dans le sens moderne du terme, les chansonniers sont des chroniqueurs de l'actualité politique et sociale à laquelle ils consacrent des chansons satiriques. Ils sont apparus en tant que tels à la fin du XIXe siècle autour du cabaret le Chat-Noir de Salis et Bruant. C'est là qu'est né l'"esprit montmartrois", c'est-à-dire un esprit caustique qui fustige en chansons les travers des puissants. Des hommes comme Maurice Mac-Nab, Vincent Hyspa ou Jules Jouy ont incarné alors cette forme d'esprit. Dans les années trente, les chansonniers furent à l'apogée de leur succès. Au théâtre de Dix-Heures, à la Lune Rousse ou au théâtre des Deux-Ânes se succédèrent des chansonniers comme Martini, Maurice Gabriello, Max Reignier, Jean Marsac, Noël Noël, Robert Rocca, Jacques Grello, Raymond Souplex, Jamblan, Pierre-Jean Vaillard, Pierre Destailles, Christian Vebel, Edmond Meunier, Pierre Gilbert, Maurice Horgues, Jean Rigaux et bien d'autres.
Après la guerre, les chansonniers continuent en s'adaptant aux nouvelles formes de communication. À la radio, l'émission "L'oreille en coin", de Jean Garetto et Pierre Codou, fera les beaux jours de France Inter et durera bien plus longtemps que l'émission de télévision "La boîte à sel", vite censurée pour cause de "voix de la France"... Depuis 1989, sur Canal +, les Guignols renouvellent le genre, tandis qu'au théâtre des Deux-Ânes, dirigé par Jacques Mailhot, Jean Amadou et Jean Roucas perpétuent la tradition.
Plusieurs chansonniers ont été par ailleurs des auteurs de chansons à succès : ainsi Jamblan, auteur de "la Bague à Jules" (musique d'Alexandre Siniavine), créée par

Patachou ; Pierre Destailles, auteur et créateur de "Tout ça parce qu'au Bois d'Chaville" (musique de Claude Rolland, interprétée par Odette Laure) ; ou Christian Vebel, auteur de "la Révolte des joujoux" (musique de Claude Pingault, chantée par Guy Berry) et de "Johnny Palmer" (musique de Claude Pingault, chantée par Suzy Solidor).

COMIQUE TROUPIER

Chanteur (et genre qui s'y rattache) de café-concert et de music-hall interprétant en tenue de soldat un répertoire souvent semé de sous-entendus grivois (syn. tourlourou). Le genre fut créé vers 1880 par Éloi Ouvrard, qui n'obtint le droit de se produire habillé en soldat qu'en 1891. Il fut vite imité par quantité d'autres artistes populaires, comme Polin ("le P'tit Objet [Ah ! Mademoiselle Rose]", "l'Anatomie du conscrit", "l'Ami Bidasse"), Bach ("J'arrose les galons", "Quand Madelon"), Dufleuve, Ouvrard fils (à ses débuts) ou Fernandel (à ses débuts aussi).

CROONER

(de l'anglais *to croon,* fredonner). Chanteur de charme. Frank Sinatra fut le modèle absolu de ce type d'artiste, idole du public féminin. Guy Marchand consacrera une amusante chanson à ce genre, "He crooner".

DIRECTEUR ARTISTIQUE

Le directeur artistique s'occupe de la partie proprement artistique et discographique de la carrière d'un interprète : choix de l'orchestrateur, des orchestrations, du studio, des chansons pour les tours de chant ou pour les disques, etc. L'impresario, lui, ne s'occupe que de la partie commerciale, contractuelle et pratique de la carrière de l'artiste.
Dans la plupart des cas, le directeur artistique a été lui-même un artiste - compositeur, auteur ou interprète. Ainsi, Léo Missir, pianiste et compositeur de talent, fut un des grands directeurs artistiques des années soixante et soixante-dix, tout en continuant à composer des tubes (pour les Chaussettes noires ou Leny Escudero). Claude Righi, interprète et compositeur du thème du film *la Boum,* mettra son talent au service de Ronnie Bird, Guy Marchand ou Jean-Jacques Goldman, tout comme Jean-Michel Bériat, parolier de Rose Laurens ("Africa"), Michel Sardou ou Frédéric François, qui devient directeur artistique chez EMI, à la fin des années quatre-vingt. À l'inverse, François Bernheim s'imposera d'abord comme un grand DA (lancement des juvéniles Poppys, au début des années soixante-dix), avant de s'imposer comme un compositeur à succès, pour Patricia Kaas notamment ("Mon mec à moi", "D'Allemagne").

DISEUSE (EUR)

Mode d'interprétation (majoritairement féminin) consistant, sur une base mélodique, à parler plutôt qu'à chanter. Depuis fort longtemps, la chanson française a donné la priorité au texte sur la musique. Preuve en est que les mélodies servaient souvent de base à de nombreux textes différents (les "Mazarinades du Pont-Neuf", au XVIIe siècle). La tradition est conservée chez les chansonniers du XIXe siècle, quand une même musique servait également de base à plusieurs textes traitant de l'actualité. Au tournant du XXe siècle, des interprètes, telle Yvette Guilbert, décident de garder la même interprétation parlée-chantée sur une même base musicale et textuelle. On parle alors des diseuses, par opposition aux chanteurs à voix. Claire Franconnay ou Esther Lekain comptent aussi parmi les maîtresses de ce style, avant que la chanson réaliste ne s'empare du genre en le tirant vers le genre expressionniste venu d'Allemagne et des faubourgs. Dans les années quatre-vingt-dix, le rap, à sa manière, perpétue ce mode parlé-chanté.

EUROVISION

Créé en janvier 1955, le concours de l'Eurovision regroupe tous les pays de l'Europe géographique, ainsi que la Turquie, Malte, le Liban et Israël. Si ce spectacle a gardé les faveurs des nostalgiques des grandes émissions de variétés telles qu'elles étaient conçues dans les années soixante, ce rendez-vous annuel reste l'occasion d'éprouver une palette d'émotions où la nostalgie le dispute souvent à l'hilarité...
Les artistes francophones distingués ont été :
En 1956, Lys Assia, pour la Suisse, avec la chanson "Refrain"
En 1958, André Claveau, pour la France, avec "Dors mon amour"
En 1960, Jacqueline Boyer, pour la France, avec "Tom Pillibi"
En 1961, Jean-Claude Pascal, pour le Luxembourg, avec "Nous les amoureux"
En 1962, Isabelle Aubret, pour la France, avec "Un premier amour"
En 1965, France Gall, pour le Luxembourg, avec "Poupée de cire, poupée de son"
En 1969, Frida Boccara, pour la France, avec "Un jour un enfant"
En 1971, Séverine, pour Monaco, avec "Un banc, un arbre, une rue"
En 1972, Vicky Leandros, pour le Luxembourg, avec "Après toi"
En 1973, Anne-Marie David, pour le Luxembourg, avec "Tu te reconnaîtras"
En 1977, Marie Myriam, pour la France, avec "l'Oiseau et l'Enfant"
En 1983, Corinne Hermès, pour le Luxembourg, avec "Si la vie est cadeau"
En 1986, Sandra Kim, pour la Belgique, avec "J'aime la vie"
En 1988, Céline Dion, pour la Suisse, avec "Ne partez pas sans moi"

FOLK (ou FOLKSONG)

Genre de musique américaine issu de la tradition folklorique et populaire (marins, paysans, ouvriers). Trois composantes viennent nourrir le folk américain : la composante indienne, la composante blanche et la composante noire. À partir des années quarante, John Lomax et son fils Alan vont se faire les archivistes de cette musique et contribuer à lancer les premiers grands chanteurs de folk que sont Woody Guthrie et Pete Seeger. Dans les années soixante, des artistes comme Peter, Paul and Mary, Joan Baez et Bob Dylan popularisent le genre folk dans le monde entier. En France, Hugues Aufray, puis Joe Dassin, Maxime Le Forestier ou Francis Cabrel seront, chacun à sa manière, les représentants de cette musique dans l'Hexagone.

OPÉRETTE

Genre musical à la fois parlé et chanté qui mélange vaudeville (comédie légère) et musique. Une des premières opérettes cataloguées comme telles est *Don Quichotte et Sancho Pança* (1847, écrite par Hervé). Jacques Offenbach va définitivement imposer le genre. Assisté par les librettistes Ludovic Halévy et Henri Meilhac, il compose les grands succès que sont *Orphée aux enfers, la Belle Hélène* ou *la Vie parisienne.* Les grands maîtres du genre seront ensuite le Hongrois Franz Lehár *(la Veuve joyeuse, le Pays du sourire),* les Autrichiens Ocar Straus *(Rêve de valse)* et Johann Strauss *(la Chauve-Souris)*. En France, l'opérette va dans deux directions : une opérette inspirée des comédies musicales anglo-saxonnes, avec moins de personnages, plus de danse et l'introduction de nouvelles musiques comme le jazz ou le

tango. Des œuvres comme *Phi-Phi, Dédé* (musique d'Henri Christiné sur des livrets d'Albert Willemetz, et dont sont tirées les chansons à succès "C'est une gamine charmante" ou "Dans la vie faut pas s'en faire") ou *Ta bouche* (de Maurice Yvain, livret de Willemetz) seront, durant l'entre-deux-guerres, les exemples les plus fameux de ce sous-genre. La deuxième orientation, plus traditionnelle, est représentée par le compositeur André Messager, notamment avec *l'Amour masqué* (sur un livret de Sacha Guitry). Il ne faut pas oublier pour autant l'opérette marseillaise, portée au premier chef par Vincent Scotto (compositeur d'*Au pays du soleil* ou d'*Un de la Canebière,* dont sont tirées "le Plus Beau Tango du monde" ou "les Pescadous"). Après la Libération, l'opérette continue de séduire le public, servie par un compositeur hors pair, Francis Lopez *(la Belle de Cadix, le Chanteur de Mexico, Andalousie),* et un interprète de légende, Luis Mariano, qui immortalisera des chansons comme "Mexico" ou "Rossignol de mes amours". Bourvil ou Georges Guétary triompheront eux aussi dans cette catégorie.
Depuis les années quatre-vingt, alors que des comédies musicales "à la française" comme *Starmania* (Plamondon-Berger) ou *Notre-Dame de Paris* (Plamondon-Cocciente) triomphent dans le monde, le genre semble décliner de façon définitive, à moins qu'il ne s'agisse seulement d'un problème d'auteur, Christiné, Willemetz, Scotto ou Lopez n'ayant pas encore trouvé de successeurs.

PAILLARDES (CHANSONS)

Elles font partie du patrimoine chanté, au même titre que les autres genres, même si aujourd'hui, avec la libéralisation des mœurs et la diffusion massive de la pornographie, elles sont un peu passées de mode. "Dans un amphithéâtre" et "les Trois Orfèvres" demeurent les références en la matière. Au tournant du siècle, Yvette Guilbert• chante "les Vierges", en "toussant" les mots osés, ce qui accentue le caractère grivois de l'ensemble. Peu après, les comiques troupiers et autres tourlourous multiplient les chansons à double sens. En 1947, sous le comptoir d'une librairie de la rue de l'École-de-Médecine, on vend un 78 tours intitulé *Chansons d'étudiants,* interprétées par les Frères Jules, avec comme titres phares "Tape ta pine", "le Bateau des vits", "les Filles de Camaret" et "la Digue du cul". Peu après, les Frères Jacques mettent "les Trois Orfèvres" à leur répertoire, auquel ils ajoutent "le Cordonnier l'amphile", dont le titre annonce bien la couleur... Depuis, d'autres disques sont sortis, parmi lesquels les *Chansons gaillardes de la vieille France,* par Colette Renard (disques Vogue), ainsi que des ouvrages comportant paroles et partitions, disponibles dans les magasins de musique comme Paul Beuscher. À la portée de toutes les bourses...

POP

De l'anglais *popular music,* la pop est un genre musical à la croisée de la variété anglo-saxonne et du rock. C'est une musique à dominante blanche (même si des groupes noirs, produits par Phil Spector, comme les Ronettes ou les Crystals, peuvent être considérés comme pop), nourrie des traditions folk et country, qui privilégie la mélodie et des arrangements de guitare électrique entraînants. Les Beatles et les Beach Boys vont porter le genre à son apogée. En France, Serge Gainsbourg (avec des chansons comme "Qui est in, qui est out ?" ou l'album *Melody Nelson*), Françoise Hardy, Laurent Voulzy, Étienne Daho ou le groupe Niagara en sont les meilleurs représentants.

RAÏ

Qualifié de "rock algérien" ou de "nouvelle musique algérienne", le raï, apparu dans les années soixante-dix, est une musique de jeunes qui fait la synthèse entre la musique populaire traditionnelle de l'Algérie (musique de mariage) et la variété moderne (mélange des instruments classiques comme le luth et de la guitare électrique). Le genre se développe surtout autour de la ville d'Oran, où des jeunes ("cheb", féminin "chaba") chanteurs et chanteuses vont se faire connaître au moyen de cassettes enregistrées, n'hésitant pas à bousculer les tabous et à parler d'amour et d'alcool. Le raï s'impose définitivement au milieu des années quatre-vingt quand Cheb Khaled devient une vedette en France comme en Algérie puis dans le monde entier. Épaulés par Enrico Macias, qui se produira à l'occasion avec eux, Cheb Sahraoui, Chaba Fadela, Cheb Mami et Faudel appartiennent désormais au milieu musical français comme maghrébin.

RAP

Genre musical apparu au milieu des années soixante-dix dans les quartiers noirs de New York. Le rap se fonde sur la tradition de la culture parlée afro-américaine (joutes verbales pratiquées dans la rue, monologues rythmés des comiques noirs, poésie militante accompagnée de percussions). En France, le rap s'impose très vite, annoncé de façon paradoxale au début des années quatre-vingt par la chanson parlée-chantée (écrite par Gérard Presgurvic) "Chacun fait c'qui lui plaît", interprétée par le groupe Chagrin d'amour. Suivront MC Solaar, NTM, IAM, Ministère A.M.E.R. et bien d'autres. On peut considérer que le rap a largement remplacé le rock comme musique de référence (avec la techno) auprès des jeunes nés dans les années quatre-vingt. Les Anglo-Saxons expliquent que le rap s'est particulièrement bien implanté en France parce que *"la langue française s'adapte très bien au rap, mieux qu'au rock"*. Ce style musical, issu d'une longue tradition (voir les diseuses), contribue à l'affirmation culturelle des banlieues et de beaucoup de jeunes issus de l'immigration.

RENOUVEAU CELTE

À la fin des années quatre-vingt-dix, on assiste à un engouement croissant du public, et notamment du jeune public, pour la musique bretonne et celte. Sans parler du succès planétaire de groupes irlandais comme les Cranberries ou les Corrs, on constate à la fois le maintien des artistes révélés dans les années soixante-dix et quatre-vingt (Alan Stivell, Tri Yann, Gilles Servat, Dan Ar Braz ou Gwendal) et l'adaptation de la musique bretonne aux nouveaux courants de la chanson (rap, world music). Alan Stivell (né Alan Cochevelou, en 1944) demeure la référence : fils de luthier, il est révélé auprès du grand public au début des années soixante-dix. Ses chansons chantées en breton et sa harpe celtique correspondent à la sensibilité de l'époque, favorable au renouveau des cultures régionales. Les années quatre-vingt marquent un certain reflux de la musique bretonne, ce qui ne décourage nullement les artistes concernés. Parmi ceux-ci, Dan Ar Braz (né Daniel Legrand, en 1949), ancien guitariste d'Alan Stivell et de Fairport Convention, demeure persuadé que la musique celte garde un potentiel très fort. En 1993, il réunit soixante-dix musiciens, venus d'Irlande, d'Écosse, du pays de Galles et de Bretagne, pour jouer sa composition, *l'Héritage des celtes*. Le succès est immédiat et, en 1996, Columbia sort le disque enregistré en public. Depuis, le groupe Manau a conquis, en 1998, les hit-parades avec "la Tribu de Dana", curieux mélange de rap et d'harmonies traditionnelles empruntées à Alan Stivell, tandis qu'Afro Celt Sound System mélange musique celtique et musique africaine en un roboratif cocktail de world music et que Matmatah enflamme les jeunes avec son rock biniou.

Bretagnes à Bercy (avec Armens, Dan Ar Braz, Gilles Servat, Alan Stivell, Tri Yann), Sony, 1999

SACEM

La Société des auteurs, compositeurs et éditeurs de musique a été créée au milieu du XIXe siècle par Ernest Bourget. Quelque temps auparavant, trois compositeurs, attablés au café-concert des Ambassadeurs, avaient refusé de régler leurs consommations, arguant du fait que leurs musiques étaient jouées sur scène et que c'était la moindre des choses qu'ils puissent boire gratuitement. Un procès s'était ensuivi, qui avait donné raison aux créateurs face au limonadier. Un siècle et demi plus tard, la SACEM représente les droits de quelque 60 000 créateurs et éditeurs pour près de 600 000 œuvres enregistrées. Des inspecteurs sillonnent le pays pour vérifier que les droits des artistes et des éditeurs sont bien respectés dans tous les bals, boîtes de nuits et autres fêtes foraines, tandis qu'au siège de la SACEM, à Neuilly, d'autres épluchent les comptes des radios, télés et autres supports de musique, soit près de 800 personnes au total. En 1997, la SACEM a perçu pour 3,3 milliards de francs de droits, répartis de la façon suivante : 33 % venant des médias audiovisuels, 22 % des CD, cassettes et vidéogrammes, 20 % de la diffusion publique de musique enregistrée, 15 % des droits en provenance de l'étranger (par ordre : Allemagne, Italie, Suisse, Belgique, Japon, Grande-Bretagne, États-Unis, Pays-Bas, Espagne, Suède), 8 % des spectacles vivants et 2 % du cinéma.

En 1988, les œuvres des membres de la SACEM (donc, grosso modo, les œuvres françaises) représentaient 50 % des CD, disques et cassettes commercialisés en France (contre 50 % pour les œuvres étrangères) ; en 1997, la proportion était passée à 41,7 % contre 58,3 %.

En 1996, sur les 10 chansons ayant généré le plus de droits d'auteur en France, 5 étaient interprétées par des artistes français (Ophélie Winter, pour "Dieu m'a donné la foi", Céline Dion pour "Pour que tu m'aimes encore", le groupe Reciprok pour "Balance-toi", Céline Dion pour "Ballet" et les Innnocents pour "Colore"). Cinq ans auparavant, la proportion était de 7 sur 10 (Mylène Farmer pour "Désenchantée", Thierry Hazard pour "Jerk", Jean-Jacques Goldman pour "À nos actes manqués", François Feldman pour "J'ai peur", Patrick Bruel pour "Place des grands hommes", Zouk Machine pour "Maldon" et Thierry Hazard pour "Poupée psychédélique").

En 1995, les chansons françaises les plus exportées étaient, dans l'ordre, "Comme d'habitude" (C. François, J. Revaux, G. Thibault), "Fascination" (F. Marchetti/ M. de Feraudy), "les Feuilles mortes (Prévert/Kosma) et "la Vie en rose" (Louiguy/É. Piaf).

SACEM : 225, avenue Charles-de-Gaulle, 92521 Neuilly-sur-Seine (01 47 15 47 15)

SWING

De l'anglais *to swing,* "balancer", le mot apparaît en 1907 dans le titre d'une composition de Jelly Roll Morton, "Georgia Swing". Tout comme le ragtime, le blues ou le hot, le swing devient un rythme, une mode, un mythe, que le clarinettiste Benny Goodman va populariser dans le monde entier entre 1935 et 1945. En France, l'accueil est enthousiaste. Johnny Hess, en collaboration avec le parolier André Hornez, compose et chante "Je suis

Joséphine Baker et le
couturier Paul Poiret.

swing", avec l'onomatopée "zazou... zazoué" qui va faire fortune. Charles Trenet suit aussitôt avec "Swing troubadour" et "la Poule zazoue". Sous l'Occupation, le swing devient une forme de résistance au régime, hostile à la musique américaine. Toute une jeunesse pense, se coiffe, s'habille et danse zazou. Alors que Django Reinhardt joue sur sa guitare "Swing 41", "Swing 42" et "Minor Swing", Jacques Pills chante "Elle était swing", Georgius•, "Mon heure de swing", Irène de Trébert, "Mademoiselle Swing", Andrex•, "Y'a des zazous dans mon quartier", ou Guy Berry•, "Êtes-vous swing ?". De cette période échevelée, certains artistes plus contemporains voudront retrouver la trace : Sylvie Vartan en 1976, avec "le Temps du swing" et Louis Chedid• en 1985, avec "God Save the Swing".

TALENT SCOUT

Le terme vient des États-Unis et désigne la fonction de découvreur de talents. Naturellement, cette fonction existait déjà en France depuis les origines de la chanson, mais elle était généralement assurée par l'imprésario. Au cours des années soixante, on vit donc une nouvelle génération de professionnels hanter systématiquement les bals et les petites salles de concerts à la recherche de nouvelles voix. À côté d'imprésarios établis comme les Marouani ou comme Johnny Stark (qui lança les carrières de Johnny Hallyday et de Mireille Mathieu), des talent scouts pleins d'ambition sont à l'origine du succès de Sheila (Claude Carrère), Claude François (Paul Lederman) ou Nino Ferrer (Richard Bennett). Souvent, ces talent scouts deviennent eux-mêmes producteurs et éditeurs. On peut citer ainsi Max Amphoux qui, après plusieurs révélations dans les années soixante, crée les éditions Allô Music et préside à la carrière d'artistes comme Alain Bashung ou Jean-Patrick Capdevielle. Dans les années quatre-vingt, il montera une autre structure, EMMA, spécialisée dans le lancement de talents inconnus, parmi lesquels on compte Vivien Savage ou Enzo Enzo.

TOURLOUROU

(voir comique troupier)

YÉ-YÉ (ou yéyé)

Courant musical des années soixante. Le terme vient de la répétition du mot "yeah" dans les chansons de l'époque. Au départ, le yé-yé exprime la volonté des maisons de disques françaises de récupérer la déferlante de la variété rock américaine sur la France. Il s'agissait de repérér au plus vite (notamment dans des radio-crochets) des jeunes artistes débutants à qui l'on fait enregistrer des adaptations plus ou moins réussies de succès anglo-saxons avec, le plus souvent, des textes réduits à leur plus simple expression. Sans être vraiment du rock, le yé-yé est en réalité de la variété pour les jeunes, sur des rythmes binaires, avec de la guitare électrique. Seront catalogués yé-yé des artistes aussi différents que Johnny Hallyday et Eddy Mitchell (rock), Sheila, Claude François et Sylvie Vartan (variété populaire) ou Françoise Hardy (chanson de qualité). Ce qui unifie les yé-yé, c'est une époque, un style de vie (les copains, la consommation, la libéralisation naissante des mœurs), une stratégie commerciale et une émission de radio emblématique ("Salut les copains"), qui, pendant plusieurs années, va littéralement fédérer chaque jour la plupart des adolescents de treize à vingt ans.

INDEX DES NOMS

Les noms en **gras** renvoient à une entrée du dictionnaire.
Les numéros de page en **gras** renvoient à la page de l'entrée.

INDEX DES TITRES

Les titres en **gras** figurent dans le hit-parade du siècle.
Les pages en **gras** sont celles où sont présentées les chansons.

Q

CRÉDITS PHOTOGRAPHIQUES

(© Ekta Gérard Neuvecelle) pp.10/11/(© DR) p. 12/ (© DR) p. 14/(© DR) p. 15/(© DR) p. 16/(© Archives Larbar/ADAGP) pp. 17/18/(© DR) p. 20/(© Coll. Gérard Neuvecelle/DR) p. 22/(© Coll. Gérard Neuvecelle/DR) p. 25/(© J-L Charmet) pp. 26/27/(© Ekta Gérard Neuvecelle) p. 28/(© Ekta Gérard Neuvecelle/DR) p. 30/(© Coll. Gérard Neuvecelle/DR) p. 31/(© DR) p. 35/(© EMI) pp. 36/37/(© Ekta Gérard Neuvecelle) p. 38/(© DR) p. 40/(Lipnitzki/Viollet) p. 42/(© Ekta Gérard Neuvecelle) p. 45/(© Robert Doisneau/Rapho) pp. 46/47/(© Ekta Gérard Neuvecelle) p. 50/(© Ekta Gérard Neuvecelle/Philips) p. 52/(© R. Doisneau/ Rapho) p. 54/(© Ekta Gérard Neuvecelle) p. 57/ (© Gérard Neuvecelle) p. 59.(© Jean-Marie Périer/ Filipacchi) pp. 60/61/(© Philips) p. 62/(© Gérard Neuvecelle) p. 63/(© Gérard Neuvecelle) p. 65/ (© Gérard Neuvecelle) p. 67/(© Philips) p. 69/(© Gérard Neuvecelle) p. 71/(© Ekta Gérard Neuvecelle) p. 72/(© Gérard Neuvecelle) p. 73/(© Gérard Neuvecelle) p. 75/(© David Hurn/Magnum) pp. 76/77/(© Gérard Neuvecelle) p. 79/(© Gérard Neuvecelle) p. 81/ (© Gérard Neuvecelle) p. 82/(© Gérard Neuvecelle) p. 83/(© Gérard Neuvecelle) p. 85/(© EMI) p. 86/ (© Rapho) pp. 88/89/(© Philips) p. 90/(© Coco Music) p. 92/(© Saïd Belloumi/Sygma) pp. 96/97/(© Stills) p. 98/(© Virgin) p. 101/(© Barclay) p. 102(© Col. Viollet) p. 107/(© J-L Charmet) p. 111/(© Gérard Neuvecelle) p. 113/(© Ekta Gérard Neuvecelle) p. 115/(© Keystone) p. 117/(© Keystone) p. 120/ (© Claude Gassian) p. 121/(© Gérard Neuvecelle) p. 123/(© J-C Francolon/Gamma) p. 124/(© Claude Gassian) p. 126/(© Claude Gassian) p. 129/(© Claude Gassian) p. 131/(© Polygram) p. 134/(© Claude Gassian) p. 136/(© Gérard Neuvecelle) p. 138/ (© Gérard Neuvecelle) p. 140/(© Rue des Archives) p. 142/(© Claude Gassian) p. 144/(© Bondage) p. 145/(© Claude Gassian) p. 147/(© Vogue) p. 148/(©ND-Viollet) p. 151/(© Gérard Neuvecelle) p. 153/(© Gérard Neuvecelle) p. 155/(© Gérard Neuvecelle) p. 156/(© Kipa) p. 159/(© J-P Leloir) p. 161/(© Ekta Gérard Neuvecelle/DR) p. 164/(© Gérard Neuvecelle) p. 166/(© Claude Gassian) p. 168/ (© Mosquito) p. 172/(© Gérard Neuvecelle) p. 173/ (© Rue des Archives) p. 174/(© Rue des Archives) p. 176/(© Claude Gassian) p. 178/(© Gérard Neuvecelle) p. 180/(© Ekta Gérard Neuvecelle/DR) p. 182/(© Gérard Neuvecelle) p. 184/(© Ekta Gérard Neuvecelle/DR) p. 185/(© Gérard Neuvecelle) p. 186/(© Claude Gassian) p. 187/(© Rue des Archives) p. 189/(© Claude Gassian) p. 191/(© Virgin) p. 194/ (© Claude Gassian) p. 196/(© Biblio. Nat.) p. 197/ (© CBS) p. 199/(© Gérard Neuvecelle) p. 200/(© Rue des Archives) p. 203/(© Ekta Gérard Neuvecelle/DR) p 204 (F. Rault/Kipa) p. 206/(© DR) p. 207/(© Stills) p. 209/(© Gérard Neuvecelle) p. 210/(© Stills) p. 211/(© Ekta Gérard Neuvecelle/DR) p. 213/(© Claude Gassian) p. 214/(© Columbia) p. 217/(© Barclay) p. 219/(© Score) p. 221/(© Gamma) p. 225/(© Gérard Neuvecelle) p. 226/(© Gérard Neuvecelle) p. 228/ (© Gérard Neuvecelle) p. 231/(© Gérard Neuvecelle) p. 233/(© WEA) p. 234/(© DR) p. 237/(© Claude Gassian) p 238/(© Blue Silver) p. 241/(© Arion) p. 243/(© Rue des Archives) p. 247/(© Claude Gassian) p. 249/(© Boucherie Productions) p. 251/(© Ekta Gérard Neuvecelle/DR) p. 252/(© DR) p. 253/(© Ekta Gérard/Neuvecelle/DR) p. 254/(© Claude Gassian) p. 257/(© Robert Doisneau/Rapho) p. 261/(© Gérard Neuvecelle) p. 263/(© DR) p. 265/(© D. Frasnay/ Rapho) p. 267/(© Stills) p. 268/(© Claude Gassian) p. 270/(© Claude Gassian) p. 272/(© Claude Gassian) p. 275/(© Franck Courtes/Vu) p. 279/(© Philips) p. 281/(© Claude Gassian) p. 283/(© Claude Gassian) p. 286/(© Ekta Gérard Neuvecelle /DR) p. 287/ (© Claude Gassian) p. 288/(© Gérard Neuvecelle) p. 292/(© Gérard Neuvecelle) p. 294/(© Ghiglion-Green/Polygram) p. 296/(© Pathé Marconi) p. 298/ (© Claude Gassian) p. 300/(© Gérard Neuvecelle) p. 301/(© Claude Gassian) p. 303/(© Lebedinsky/Stills) p. 307/(© Stills) p. 310/(© Gérard Neuvecelle) p. 313/ (© Gérard Neuvecelle) p 316(© Barbereau/ Sygma) p. 317/(© Kipa) p. 318/(© Ekta Gérard Neuvecelle/DR) p. 320/(© Gérard Neuvecelle) p. 322/(© DR) p 323 (© DR) p. 324/(© Claude Gassian) p. 326/(© Rue des Archives) p. 328/(© Martinie - Viollet) p. 329/(© Coll. Gérard Neuvecelle/DR) p. 331/(© Claude Gassian) p. 333/ (© Gérard Neuvecelle) p. 335/(© Claude Gassian) p. 336/ (© Gérard Neuvecelle) p. 342/(© Gérard Neuvecelle) p. 343/(© Gérard Neuvecelle) p. 344/(© Delabel) p. 345/(© Polydor) p. 346/(© Gérard Neuvecelle) p. 347/ (© Claude Gassian) p. 349/(© Claude Gassian) p. 351/ (© S. Arnal/Stills) p. 354/(© C. Simonpietri/Sygma) p. 356/(© Claude Gassian) p. 357/(© Jacques Moell/ interpress) p. 360/(© Keystone) p. 362/(© Gérard Neuvecelle) p. 365/(© Gérard Neuvecelle) p. 366/ (© Collection Viollet) p. 369/(© DR) p. 370/(© OROP) p. 371/(© Capitol) p. 375/(© Gérard Neuvecelle) p. 378/(© Claude Gassian) p. 381/(© Roger-Viollet) p. 382/(© Claude Gassian) p. 384/(© Claude Gassian) p. 386/(© Gérard Neuvecelle) p. 388/(© Gérard Neuvecelle) p. 390/(© Gérard Neuvecelle) p. 392/ (© Claude Gassian) p. 394/(© Claude Gassian) p. 396/ (© Gérard Neuvecelle) p. 397/(© Gérard Neuvecelle) p. 399/(© Gérard Neuvecelle) p. 401/(© Roger-Viollet) p. 404/(© Claude Gassian) p. 405/(© Sygma) p. 408/ (© Claude Gassian) p. 410/(© Claude Gassian) p. 413/ (© DR) p. 414/(© Denize/Kipa) p. 416/(© CBS) p. 419/(© Claude Gassian) p. 424/(© Lipnitzki/Viollet) p. 427/(© C. Russel/Kipa) p. 431/(© Claude Gassian) p. 434/(© A. Le Grand/Sygma) p. 439/(© Lipnitzki/ Viollet/arch photeb.) p. 447

imprimé en France par I.M.E. 25110 Baume-les-Dames
Dépôt légal: Septembre 1999
N° d'imprimeur: 13123
10065857 (1) - 15 - CDM135°